C0-ARS-430

COMMENTAIRE SUR ISAÏE

SOURCES CHRÉTIENNES

Fondateurs: H. de Lubac, s. j., et † J. Daniélou, s. j.
Directeur: C. Mondésert, s. j.
N° 295

THÉODORET DE CYR

COMMENTAIRE SUR ISAÏE

TOME II
(Sections 4-13)

TEXTE CRITIQUE, TRADUCTION ET NOTES

PAR

Jean-Noël GUINOT

Agrégé de l'Université, Docteur ès Lettres

Ouvrage publié avec le concours du Centre National des Lettres

LES ÉDITIONS DU CERF, 29, Bd de Latour-Maubourg, Paris
1982

Ce volume a été préparé et mis au point pour l'impression avec le concours de l'Institut des « Sources Chrétiennes » (E.R.A. 645 du Centre National de la Recherche Scientifique)

ISBN 2-204-01977-1
ISSN 0750-1978

Note bibliographique et sigles

BARDY = G. BARDY, *Recherches sur saint Lucien d'Antioche et son école*, Paris 1936.

BASILE 30 = Saint BASILE, *Commentaire sur Isaïe* (1-16), *PG* 30, 117-668.

CANIVET, *Entr. apol.* = P. CANIVET, *Histoire d'une entreprise apologétique au Ve siècle* (thèse), Paris, Bloud et Gay, 1958.

— *Thérap.* = THÉODORET DE CYR, *Thérapeutique des maladies helléniques*, éd. P. Canivet, *SC* 57 (2 vol.), Paris 1958.

CHRYSOSTOME 56 = Saint JEAN CHRYSOSTOME, *Commentaire sur Isaïe* (1 - 8, 10), *PG* 56, 11-94.

— M. = *In Isaiam prophetam interpretatio sancti Joannis Chrysostomi ex armenio in latinum sermonem a patribus Mekitharistis translata*, Venise 1887.

CYRILLE 70 = Saint CYRILLE D'ALEXANDRIE, *Commentaire sur Isaïe*, *PG* 70.

DEVREESSE, *Com. de Théodore sur les Ps.* = R. DEVREESSE, *Le commentaire de Théodore de Mopsueste sur les Psaumes (I-LXXX)*, *Studi e Testi* 93, Città del Vaticano 1939.

— *Essai sur Théodore* = R. DEVREESSE, *Essai sur Théodore de Mopsueste*, *Studi e Testi* 141, Città del Vaticano 1948.

DIDYME, *In Zachar.* = DIDYME L'AVEUGLE, *Sur Zacharie*, éd. L. Doutreleau, *SC* 83, 84, 85, Paris 1962.

DTC = A. VACANT, E. MANGENOT, E. AMANN, *Dictionnaire de Théologie Catholique contenant l'exposé des doctrines catholiques, leurs preuves et leur histoire*, Paris, Letouzey, 1903-1950.

EUSÈBE, *H.E.* = EUSÈBE DE CÉSARÉE, *Histoire Ecclésiastique*, éd. G. Bardy, t. 1, *SC* 31, Paris (réimpression 1964) ; t. 2, *SC* 41 (réimpression 1965) ; t. 3, *SC* 55 (réimpression 1967) ; t. 4, *SC* 73 (réimpression 1971).

— *GCS* = Joseph ZIEGLER, *Eusebius, Der Jesajakommentar*, *GCS* IX, Akademie-Verlag, Berlin 1975.

FIELD = F. FIELD, *Origenis Hexaplorum quae supersunt* (2 vol.) Oxford 1875 (réimpression Hildesheim 1964).

FLAVIUS JOSÈPHE, *Ant. Jud.* = FLAVIUS JOSÈPHE, *Antiquités juives*, éd. B. Niese (4 vol.), Berlin 1975.

FLAVIUS JOSÈPHE, *Bell. Jud.* = FLAVIUS JOSÈPHE, *La guerre des Juifs*, éd. B. Niese, Berlin 1955.

GCS = *Die griechischen christlichen Schriftsteller der ersten Jahrhunderte*, Leipzig-Berlin.

JÉRÔME *(In Isaiam)* = Saint JÉRÔME, *Commentaire sur Isaïe*, *PL* 24.

JÜSSEN = Klaudius JÜSSEN, « Die Christologie des Theodoret von Cyrus nach seinem neuveröffentlichten Isaiaskommentar », *Theologie und Glaube* 27 (1935), p. 438-452.

JUSTER = J. JUSTER, *Les Juifs dans l'Empire Romain* (2 vol.), Paris 1914.

MÖHLE = August MÖHLE, *Theodoret von Kyros Kommentar zu Jesaia*, Mitteilungen des Septuaginta-Unternehmens 5, Berlin 1932.

PG = *Patrologia Graeca* (J.-P. Migne), Paris.

PHOTIUS, *Bibl.* = PHOTIUS, *Bibliothèque*, éd. R. Henry (8 vol.), Paris, Belles Lettres, 1959-1977.

PIROT = L. PIROT, *L'œuvre exégétique de Théodore de Mopsueste*, Rome 1913.

PL = *Patrologia Latina* (J.-P. Migne), Paris.

PW = PAULY-WISSOWA, *Realencyclopädie der class. Altert.*, Stuttgart.

QUASTEN = Johannes QUASTEN, *Patrology*, t. I, II, III, Utrecht-Anvers 1950, 1953, 1960 (trad. fr., éd. du Cerf, Paris 1955, 1957, 1963).

RAHLFS = Alfred RAHLFS, *Septuaginta, id est Vetus Testamentum graece juxta LXX interpretes*, 2 vol., Stuttgart 1935.

Rev. Sc. Rel. = Revue des Sciences Religieuses, Strasbourg.

RICHARD, « Activité littéraire de Théodoret » = M. RICHARD, « L'activité littéraire de Théodoret avant le concile d'Éphèse », *RSPT* 24 (1935), p. 82-106.

— « Évolution doctrinale de Théodoret » = M. RICHARD, « Notes sur l'évolution doctrinale de Théodoret de Cyr », *RSPT* 25 (1936), p. 459-484.

RSPT = Revue des Sciences Philosophiques et Théologiques, Paris.

SC = Sources Chrétiennes, Paris.

SWETE, *An Introduction* = H. B. SWETE, *An Introduction to the old Testament in greek*, Cambridge 1902.

THÉODORE DE MOPSUESTE, *In XII proph.* = THÉODORE DE MOPSUESTE, *Commentaire sur les douze prophètes mineurs*, *PG* 66.

THÉODORET, *Correspondance* = THÉODORET DE CYR, *Correspondance*, éd. Y. Azéma, *SC* 40, 98, 111, Paris 1955, 1964, 1965.

VACCARI, La « théôria » = A. VACCARI, « La Θεωρία nella scuola esegetica di Antiochia », *Biblica* I (1920), p. 3-36.

ZIEGLER, *Isaias* = *Septuaginta, Vetus Testamentum graecum XIV Isaias*, éd. Joseph Ziegler, Göttingen 1939 (2e édition, 1967).

Sigles des manuscrits

K = Constantinopolitanus, Métochion n° 17 . . . . xɪvᵉ s.
K* = Première main.
Kcorr = Le correcteur de K.

Chaîne C

564 Parisinus graecus 155 (contient *Is.* 26, 13 à 66 avec des lacunes) . . . . xᵉ s.
565 Parisinus graecus 156 (avec des lacunes) . . . . xᵉ s.
87 Vaticanus, Chig. R. VIII 54 . . . . xᵉ s.
309 Vaticanus graecus 755 . . . . xᵉ-xɪᵉ s.
377 Scorialensis, Υ-II-12 (contient *Is.* 1, 8 à 42, 9) . . . . . . xɪᵉ s.
90 Laurentianus V, 9 . . . . xɪᵉ s.
91 Vaticanus, Ottob. gr. 452 . . . . xɪᵉ s.
566 Parisinus graecus 157 (contient *Is.* 28, 9 à 32, 19 ; 33, 19 à 41, 24) . . . . xɪɪᵉ s.
736 Venetus, Marcianus graecus 25 (contient *Is.* 1, 1 - 17 ; 3, 13 - 10, 24 ; 11, 10 - 51, 21 ; 59, 5 - 63, 9). xɪɪᵉ-xɪɪɪᵉ s.
109 Vindobonensis, B.N., Theol. gr. 24 1235
(les 5 derniers folios ont été complétés au xvɪᵉ s.)
737 Venetus Marcianus graecus 87 (contient *Is.* 8, 5 à 19) . . . . xɪɪɪᵉ s.

Cr = Archétype reconstruit des mss romains C87·91·309.
Cv = Consensus des mss C109 et C736.

Chaîne N

614 Patmiacus, Ἰωάννου τοῦ Θεολόγου 214 (les quaternions 3, 4, 5 sont perdus, sauf le premier bifolium du 4ᵉ quaternion) . . . . xɪᵉ s.
384 Laurentianus, V, 8 . . . . xɪɪᵉ s.
451 Ambrosianus, G. 79 sup. (le début et le commentaire de Théodoret jusqu'à κώμας manquent) . . . . xɪɪᵉ s.
450 Ambrosianus, D. 473 inf. . . . . xvɪᵉ s.
479 Monacensis graecus 14 . . . . xvɪᵉ s.

Ni = Consensus des mss italiens N384 et N451.
Np = Patmiacus N614.
R = Réviseur de N451 (circa xɪɪɪᵉ s.).

E E[r] Vaticanus, Ottob. gr. 437.................. XIIIe-XIVe s.
E[k] Constantinopolitanus, Métochion, n° 17......... XIVe s.
F = Laurentianus XI, 4............................... XIe s.

Autres abréviations de l'apparat critique

Tht = Théodoret.
Br. = Brauckmann.
Ka. = Kappler.
Mö. = Möhle.
Po. = Pohlenz.
Ra. = Rahlfs.
Sch. = Schwartz.

Pour le sens à donner aux sigles divers qu'on trouvera dans le texte grec et l'apparat critique, voir tome I, p. 123 s.

TEXTE ET TRADUCTION

ΤΟΜΟΣ Δ'

[7] **Θάνατον ἀπέστειλε κύριος ἐπὶ Ἰακώβ, καὶ ἦλθεν ἐπὶ Ἰσραήλ.** Διηγούμενος ἤδη τὴν κατὰ τῆς Ἱερουσαλὴμ τῶν δέκα φυλῶν ἐπανάστασιν καὶ τὴν κατὰ τοῦτο συμφωνίαν
5 τούτων τε καὶ τοῦ τῆς Δαμασκοῦ βασιλέως καὶ δείξας τοῦ Δαυιτικοῦ γένους τὸ ἄμαχον διὰ τὸ ἐν αὐτῷ κρυπτόμενον σπέρμα καὶ προαγορεύσας τούτου τὸν τόκον καὶ μέντοι καὶ τὸν τοῦ τόκου τρόπον, ἀναλαμβάνει πάλιν τὸν κατὰ τοῦ Ἰσραὴλ λόγον. Τὸν δὲ αὐτὸν καὶ Ἰακὼβ καὶ Ἰσραὴλ
10 ὀνομάζει · καὶ γὰρ ὁ πατριάρχης Ἰακὼβ τὰς δύο ταύτας εἶχε προσηγορίας, τὴν μὲν ὑπὸ τῶν πατέρων τὴν δὲ ὑπ' αὐτοῦ τεθεῖσαν τοῦ τῶν ὅλων θεοῦ · ἀλλὰ τὸ μὲν Ἰακὼβ φυσικώτερον ἦν ὄνομα, τὸ δὲ Ἰσραὴλ ἐπίθετον ἦν τῆς κατὰ ψυχὴν ἀρετῆς. Δηλοῖ τοίνυν ἐνταῦθα ὡς τοῖς δυσσεβεστέροις
15 καὶ οἱ ἐπιεικέστεροι τῆς τιμωρίας κεκοινωνήκ(ασιν). Εἰδέναι μέντοι χρὴ ὡς οἱ Ἄλλοι Ἑρμηνευταὶ « λόγον » εἶπον, οὐ « θάνατον », ἀπεστάλθαι. Ἀλλ' ὅμως οὐκ ἔχει διαφωνίαν ἡ ἑρμηνεία · τὴν γὰρ τῆς τιμωρίας ψῆφον ὠνό(μασαν λόγ)ον.

N : 3-29 διηγούμενος — οἰκίας

3 διηγούμενος K : διηγησάμενος ὁ προφήτης N ‖ 4 φυλῶν N : +τὴν K ‖ 5 τοῦ ... βασιλέως N : ... βασιλείας K ‖ 6 τὸ² N : τοῦτο K ‖ 8 καὶ N : > K ‖ 18 ὠνόμασαν N¹ : ὠνόμασεν Nᵖ

1. L'interprétation de Théodoret découle du sens figuré qu'il attribue à la double dénomination du patriarche : le nom de « Jacob » qui est un nom « charnel », dans la mesure où il vient des hommes, peut donc s'appliquer de façon figurée à ceux des Juifs qui ont des pensées charnelles ou impies ; tandis que le nom d'« Israël », imposé au patriarche après son combat avec l'ange (*Gen.* 32, 25-29), est un nom « spirituel », propre à désigner ceux qui ont des pensées

QUATRIÈME SECTION

Contre le royaume d'Israël

9, 7. *Le Seigneur a envoyé la mort sur Jacob et elle est venue sur Israël.* Le prophète vient d'exposer le soulèvement des dix tribus contre Jérusalem et leur entente dans ce but avec le roi de Damas ; il a montré ce qu'a d'invincible la race de David grâce au rejeton qui se cache en elle ; il a annoncé la naissance de ce rejeton et naturellement la manière dont elle aurait lieu. Puis il reprend de nouveau son discours contre Israël. Or, c'est le même qu'il nomme Jacob et Israël, puisque le patriarche Jacob portait ces deux noms : l'un lui avait été imposé par ses parents, l'autre par le Dieu de l'univers en personne. Mais celui de « Jacob » était un nom qui s'adressait davantage à la nature physique, tandis que celui d'« Israël » qualifiait la vertu de l'âme. Il fait donc voir ici que même les hommes de bien ont eu part au châtiment avec les impies[1]. Il faut savoir, toutefois, que les autres interprètes ont dit que c'est une « parole » et non la « mort » qui a été envoyée. Néanmoins, leur interprétation n'offre pas de désaccord : ils ont donné le nom de « parole » à la décision de châtier[2].

élevées ou les hommes pieux. La même distinction entre Jacob et Israël est déjà opérée par Théodoret, mais plus brièvement, dans son commentaire de *Nah.* 2, 2 (*In Nah.*, 81, 1797 B) ; on la trouve aussi chez BASILE (30, 513 D), mais c'est l'interprétation d'EUSÈBE qui est la plus proche de celle de Théodoret (*GCS* 69, 2-12).

2. Le respect de Théodoret pour la version des LXX est tel qu'il s'efforce presque toujours de justifier la leçon qu'elle présente en montrant l'existence d'un accord fondamental (συμφωνία) entre elle et les autres versions, en dépit d'apparentes contradictions ou divergences dues le plus souvent à des différences d'expression ;

20 **[8] Καὶ γνώσεται πᾶς ὁ λαὸς τοῦ Ἐφραὶμ καὶ οἱ καθήμενοι ἐν Σαμαρείᾳ ἐφ' ὕβρει καὶ ὑψηλῇ καρδίᾳ λέγοντες· [9] Πλίνθοι πεπτώκασιν, ἀλλὰ δεῦτε καὶ λαξεύσωμεν λίθους καὶ κόψωμεν συκαμίνους καὶ κέδρους καὶ οἰκοδομήσωμεν ἑαυτοῖς πύργους.** Ἐπιτείχισμα κατασκευάσαι κατὰ τῆς Ἱερουσαλὴμ ἐπειρά-
25 θησαν, σαθρὰν καὶ πλίνθοις πεπτωκυίαις ἴσην τὴν ἐκείνων ὀνομάζοντες βασιλείαν. Τὰς δέ γε συκαμίνους « συκομόρους » ἔφασαν οἱ Λοιποί. Καὶ λίαν εἰκότως· τούτων γὰρ ἡ Παλαιστίνη πεπλήρωται, καὶ ἐκ τῶν ξύλων τῶν τοιούτων ὀροφοῦσι τὰς οἰκίας.

30 **[10] Καὶ ῥάξει ὁ θεὸς τοὺς ἐπανισταμένους ἐπὶ ὄρος Σιὼν καὶ ἐπὶ Ἱερουσαλὴμ ἐπ' αὐτόν.** Οἰκειοῦται ὁ θεὸς τὰ κατὰ τῆς Ἱερουσαλὴμ γινόμενα καὶ ὄλεθρον ἀπειλεῖ τοῖς δι' ἐκείνης αὐτῷ πολεμεῖν πειρωμένοις. **Καὶ τοὺς ἐχθροὺς Ἰούδα διασκεδάσει, [11] Συρίαν ἀφ' ἡλίου ἀνατολῶν καὶ τοὺς Ἕλληνας**
35 **ἀφ' ἡλίου δυσμῶν, τοὺς κατεσθίοντας τὸν λαόν μου ὅλῳ τῷ στόματι.** Οἱ Ἄλλοι Ἑρμηνευταὶ οὐ τοὺς Ἕλληνας ἀλλὰ « τοὺς Φυλιστιὶμ » ἡρμήνευσαν· οὗτοι δὲ ἦσαν οἱ γειτονεύοντες Ἀλλόφυλοι. Εἰκὸς δὲ ἦν καί τινας τῶν Ἑλλήνων ἀποίκους μετὰ τῶν Ἀλλοφύλων οἰκεῖν ὡς καὶ Κυπρίους
40 καὶ Καππαδόκας· τοῦτο γὰρ παρὰ τῶν ἄλλων ἐδιδάχθημεν

C : 24-26 ἐπιτείχισμα — βασιλείαν ‖ 31-33 οἰκειοῦται — πειρωμένοις

N : 30-43 ῥάξει — οἰκοῦντας (35-36 τοὺς — στόματι>)

20 καὶ γνώσεται e tx. rec. : διὰ μέντοι τοῦ καὶ γνώσεται N καὶ γίνεται K ‖ 22 καὶ[1] K : > N ‖ 23 ἑαυτοῖς N : ἑαυτοὺς K ‖ πύργους K : πύργον ἐμφαίνεται ὅτι N ‖ 24 κατὰ KN : ἐπὶ C ‖ 25 πεπτωκυίαις ἴσην N : πεπτωκυίαις C πεπτωκυίας K ‖ 26 γε K : > N ‖ 30 ῥάξει K : εἰπὼν δὲ ῥάξει N ‖ 31 καὶ ἐπὶ Ἱερουσαλὴμ K : > N ‖ αὐτὸν K : +καὶ τοὺς ἐχθροὺς αὐτοῦ διασκεδάσει παρίστησιν ὅτι N ‖ 33-34 καὶ — διασκεδάσει K : ἐν μέντοι τῷ N ‖ 39 Ἀλλοφύλων N : Ἑλλήνων K

---

par conséquent, on ne saurait mettre en doute l'autorité des LXX. Chrysostome se contente de signaler la variante « verbum » (*M.*, p. 135), tandis que Basile, en adoptant λόγον, propose une interprétation différente de celle de Théodoret (30, 513 D - 516 A) : il s'agit

Contre les prétentions de Samarie et de ses alliés

8. *Et (la) connaîtront tout le peuple d'Éphraïm et les habitants de Samarie, eux qui disent dans l'orgueil et l'arrogance de leur cœur : 9. Les briques sont tombées, eh bien allons ! taillons des pierres, abattons mûriers et cèdres, et bâtissons pour nous-mêmes des tours !* Ils entreprirent de construire un retranchement contre Jérusalem et qualifiaient de décrépit son royaume, qu'ils disaient pareil à des briques tombées. Au lieu de « mûriers », le reste des interprètes a dit « sycomores » ; c'est à très juste titre, puisque la Palestine en est remplie et que du bois de ces arbres on couvre les maisons[1].

10. *Et Dieu frappera ceux qui se dressent contre la montagne de Sion et contre Jérusalem, contre lui.* Dieu prend à son compte ce qu'on fait contre Jérusalem et menace de mort ceux qui tentent, à travers elle, de lui faire la guerre. *Et il abattra les ennemis de Juda,* 11. *la Syrie où le soleil se lève et les Grecs où le soleil se couche, eux qui dévorent mon peuple à belles dents.* Les autres interprètes ont traduit non par « les Grecs », mais par « les Philistins » : c'étaient leurs voisins Allophyles. Mais, selon toute vraisemblance, des colons grecs — des Chypriotes et des Cappadociens par exemple — habitaient également avec les Allophyles ; c'est ce que nous avons

du Verbe envoyé aux plus démunis (Jacob). Quant à Cyrille, il donne lui aussi la variante λόγον, mais aboutit à la même conclusion que Théodoret.

1. Sur la présence de sycomores en Palestine, cf. *In Amos*, 81, 1700 BC ; le texte d'*Amos* 7, 14 porte συκάμινα (συκαμίνους chez Théodotion), auquel Théodoret préfère comme ici le συκομόρους donné par Aquila et Symmaque. Eusèbe donne également cette variante (*GCS* 69, 20-21). Basile fait de « sycomores » (συκαμίνους) un symbole de la « synagogue des Gentils » (30, 516 D - 517 A) et donne sur le fruit du sycomore une précision qu'on trouve aussi dans l'*In Amos (ibid.)* de Théodoret : sa maturation suppose au préalable une petite incision.

προφητῶν. Λέγει τοίνυν ὡς οὐ μόνον τοῦ Ἰσραὴλ ταῦτα καταψηφίζομαι ἀλλὰ καὶ τοὺς τούτων καταλύ(ω) συμμάχους τούς τε πρὸς ἕω τούς τε πρὸς ἑσπέραν οἰκοῦντας.

Ἐπὶ τούτοις πᾶσιν (οὐκ ἀ)πεστράφη ὁ θυμὸς αὐτοῦ,
45 **ἀλλ' ἔτι ἡ χεὶρ αὐτοῦ ὑψηλή.** Μὴ ληγούσης γὰρ τῆς τῶν ἀν(θρώπων) δυσσεβείας οὐδὲ ἡ τιμωρία δέχεται παῦλάν τινα. Τοῦτο δὲ καὶ διὰ τῶν (ἐπιφε)ρομένων δεδήλωκεν. [12] **Καὶ ὁ λαὸς οὐκ ἀπεστράφη ἕως ἐπλήγη, καὶ τὸν κύριον οὐ(κ ἐξε)ζήτησαν.** Διὰ τοῦτο οὐκ ἀπεστράφη ὁ θυμός,
50 ἐπειδὴ ὁ λαὸς οὐκ ἀπεστράφη · καὶ (διὰ) τοῦτο ἡ χεὶρ ὑψηλή, ἐπειδὴ τὸν κύριον οὐκ ἐξεζήτησαν.

[13] **Καὶ ἀφεῖλε κύριος ἀπὸ Ἰ(σραὴλ κεφαλὴν) καὶ οὐράν.** Τίνες δὲ αὗται, σαφέστερον λέγει · **μέγαν καὶ μικρὸν ἐν (μιᾷ ἡμέρᾳ).** Τίς δὲ ὁ μέγας ; [14] **Πρεσβύτην καὶ τοὺς τὰ πρόσωπα**
55 **θαυμάζοντας – (αὕτη ἡ ἀρχή.** Πρό)σωπα δὲ θαυμάζοντας τοὺς ἀδίκως κρίνοντας λέγει παρὰ τὸν νό(μον τὸν λέγοντα) · « Οὐ λήψῃ πρόσωπον δυνάστου. » Εἶτα καὶ τὸ ἄλλο δείκνυσι τάγμα · **(Καὶ προφήτην)** |113 b| **διδάσκοντα ἄνομα – οὗτος ἡ οὐρά.** Ἦσάν τινες ψευδοπροφῆται τἀναντία τοῖς προφήταις
60 προαγορεύοντες καὶ ταῖς θείαις προρρήσεσι πιστεύειν μὴ συγχωροῦντες. [15] **Καὶ ἔσονται οἱ μακαρίζοντες τὸν λαὸν τοῦτον πλανῶντες, καὶ πλανῶσιν ὅπως καταπίωσιν αὐτούς.** Τούτους αὐτοὺς λέγει τοὺς τὰ ἡδέα ψευδῶς λέγοντας καὶ

C : 45-47 μὴ — δεδήλωκεν

N : 45-51 μὴ — ἐξεζήτησαν (47-49 τοῦτο — ἐξεζήτησαν>) ‖ 53-61 τίνες — συγχωροῦντες ‖ 63-64 τούτους — ἀκουόντων

43 τε[1] N : > K ‖ 49 τοῦτο K : +οὖν N ‖ 59 ἦσαν K : +γὰρ N ‖ 63 τούτους K : +οὖν N

57 Lév. 19, 15

---

1. Autre preuve de la volonté qu'a Théodoret de montrer l'accord existant entre les différentes versions de la Bible et celle des LXX (cf. *supra*, p. 13, n. 2) ; même remarque dans l'*In Jer.*, 81, 717 A, où Théodoret renvoie aussi à ses autres commentaires. Sur ces « Allophyles », cf. *id.*, 716 C et *In Ez.*, 81, 1064 D - 1065 A : on ne doit pas, selon Théodoret, les confondre avec les Iduméens, les Ammanites

appris, en effet, des autres prophètes[1]. Il dit donc : ce n'est pas seulement contre Israël que je décrète ce châtiment, mais j'abats aussi leurs alliés, ceux qui habitent au levant et ceux qui habitent au couchant.

Châtiment de l'impiété

A la suite de tout cela, sa colère ne s'est pas détournée, mais sa main reste levée. Vu que l'impiété des hommes ne cesse pas, le châtiment ne se voit pas davantage imposer un terme. Il l'a fait voir également par ce qui suit : 12. *Le peuple ne s'est pas détourné aussi longtemps qu'on l'a frappé et ils n'ont pas recherché le Seigneur.* Sa colère ne s'est pas détournée pour la bonne raison que le peuple ne s'est pas détourné (du mal) ; et sa main (reste) levée pour la bonne raison qu'ils n'ont pas recherché le Seigneur.

13. *Et le Seigneur a retranché d'Israël la tête et la queue.* De quoi s'agit-il ? Il le dit de façon plus claire : *le grand et le petit, en un seul jour.* Qui est donc ce grand ? 14. *L'ancien et ceux que les visages impressionnent : voilà le chef.* Par « ceux que les visages impressionnent », il veut dire ceux qui jugent de façon injuste, en violation de la prescription de la Loi : « Tu ne feras pas cas du visage du puissant. » Puis il fait connaître à son tour l'autre catégorie : *Et le prophète qui enseigne l'iniquité : voilà la queue.* Il existait un certain nombre de faux prophètes dont les annonces prenaient le contre-pied de celles des prophètes et qui ne laissaient pas les gens croire aux prédictions divines. 15. *Ceux qui estiment ce peuple heureux seront là pour l'égarer et ils les égarent afin de les dévorer.* Il parle de ces mêmes individus qui disent de manière mensongère des paroles agréables et qui tirent des gains

ou les Moabites dont l'origine, comme celle des Juifs, remonte à Isaac ou à Lot ; le terme désigne les habitants de Tyr et de Sidon et leurs voisins, en particulier les gens d'Ascalon de Gaza, de Geth, d'Accaron et d'Azot.

μισθοὺς ἁδροὺς καρπουμένους παρὰ τῶν ἀκουόντων. [16] **Διὰ**
65 **τοῦτο ἐπὶ τοὺς νεανίσκους αὐτῶν οὐκ εὐφρανθήσεται καὶ τοὺς**
ὀρφανοὺς αὐτῶν καὶ τὰς χήρας οὐκ ἐλεήσει· ὅτι πάντες
ἄνομοι καὶ πονηροί, καὶ πᾶν στόμα λαλεῖ ἄδικα. Δίκαιον
γὰρ τοὺς κοινωνοῦντας ἀλλήλοις τῆς πονηρίας κοινωνῆσαι
καὶ τῆς τιμωρίας. **Ἐπὶ πᾶσι τούτοις οὐκ ἀπεστράφη ὁ**
70 **θυμὸς αὐτοῦ, ἀλλ' ἔτι ἡ χεὶρ αὐτοῦ ὑψηλή.** Ὥσπερ γὰρ τῇ
μετανοίᾳ τῶν ἀνθρώπων ἕπεται ἡ τοῦ δεσπότου φιλανθρωπία,
οὕτως ἐπιμενούσης τῆς παρανομίας ἐπιτείνεται ἡ ὀργή.

[17] **Καὶ καυθήσεται ὡς πῦρ ἡ ἀνομία καὶ ὡς ἄγρωστις**
ξηρὰ καυθήσεται ὑπὸ πυρός. Ἐδίδαξεν ἀκριβῶς ὡς οἱ
75 παρανομοῦντες ἐπισπῶνται τὴν τιμωρίαν. Τὴν γὰρ ἀνομίαν
πῦρ ἐκάλεσε καὶ ξηρὰν ἄγρωστιν· καὶ καθάπερ ὁ σίδηρος
τὸν ἰὸν τίκτει καὶ ὑπὸ τοῦ ἰοῦ καταναλίσκεται, οὕτως ὁ
παρανομίᾳ συζῶν καὶ ἐργάζεται τὴν ἁμαρτίαν καὶ διαφ-
θείρεται ὑπ' αὐτῆς. **Καὶ καυθήσεται ἐν τοῖς δάσεσι τοῦ**
80 **δρυμοῦ καὶ συγκαταφάγεται τὰ κύκλῳ τῶν βουνῶν πάντα.**
[18] **Διὰ θυμὸν ὀργῆς κυρίου Σαβαὼθ συγκέκαυται ἡ γῆ ὅλη.**
Δρυμὸν δασὺν τὸ πλῆθος καλεῖ τὸ ἄκαρπον· καὶ γὰρ ὁ
δρυμὸς δασὺς μὲν καὶ πυκνός, ἔρημος δὲ καρπῶν. Βουνοὺς
δὲ ὀνομάζει τοὺς ἄρχοντας διὰ τὸ ὑψηλὸν καὶ περίβλεπτον.
85 **Καὶ ἔσται ὁ λαὸς ὡς ὑπὸ πυρὸς κατακεκαυμένος.** Τὸ σφο-
δρὸν τῶν πολεμίων διὰ τούτων δεδήλωκεν.

Ἄνθρωπος τὸν ἀδελφὸν αὐτοῦ οὐκ ἐλεήσει. Τροπῆς γὰρ
ἐν τοῖς πολέμοις γενομένης τῆς οἰκείας σωτηρίας ἕκαστος
προμηθεῖται καὶ οὔτε πατὴρ υἱοῦ οὔτε υἱὸς πατρὸς οὔτε

C : 70-72 ὥσπερ — ὀργή

N : 67-69 δίκαιον — τιμωρίας ‖ 70-72 ὥσπερ — ὀργή ‖ 74-79 ἐδίδαξεν — αὐτῆς ‖ 82-84 δρυμὸν — περίβλεπτον ‖ 85-103 ἔσται — φωνῆς (87 ἄνθρωπος — ἐλεήσει>)

69 καὶ N : > K ‖ 70 ὥσπερ CN : ὡς K ‖ 74 ἐδίδαξεν K : +οὖν N ‖ 77 τοῦ ἰοῦ K : τούτου N ‖ 82 δρυμὸν : +τοίνυν N δρυμῶνα K ‖ καλεῖ K : ἐκάλεσε N ‖ 85 ἔσται K : εἰπὼν τοίνυν ὅτι ἔσται N ‖ κατακεκαυμένος K : +καὶ τὰ ἑξῆς N ‖ 86 δεδήλωκεν K : ἐδήλωσε N ‖ 88 πολέμοις N : πολεμίοις K ‖ γενομένης N : γινομένης K

importants de leurs auditeurs. 16. *C'est pourquoi (le Seigneur) ne se réjouira pas de leurs jeunes gens ; il n'aura pas pitié de leurs orphelins et de leurs veuves ; parce que tous sont iniques et pervers, et que toute bouche dit des paroles injustes.* C'est, en effet, justice que ceux qui partagent entre eux la perversité partagent aussi le châtiment. *A la suite de tout cela, sa colère ne s'est pas détournée, mais sa main reste levée.* Tout comme la bonté du Maître fait suite au repentir de l'homme, sa colère se prolonge en fonction de la durée de l'iniquité.

Le feu de la colère divine

17. *L'iniquité brûlera comme le feu et, comme du chiendent sec, le feu la brûlera.* Il a enseigné de manière précise que ceux qui agissent avec iniquité attirent sur eux le châtiment. Il a, en effet, appelé l'iniquité « feu » et « chiendent sec » : tout comme le fer engendre la rouille et que la rouille le détruit, l'homme qui vit avec iniquité et qui commet le péché est à son tour détruit par lui. *Elle sera brûlée dans les épais taillis de la forêt et brûlera avec elle toute la végétation des collines alentour.* 18. *A cause de la fureur de colère du Seigneur Sabaoth la terre tout entière a été embrasée.* Il appelle « forêt épaisse » la foule qui ne porte pas de fruit ; car la forêt, malgré son épaisseur et sa densité, est exempte de fruits[1]. Il nomme « collines » les chefs à cause de leur élévation et de leur position en vue. *Et le peuple sera consumé par le feu.* Il a fait voir par là la violence des ennemis.

L'homme n'aura pas pitié de son frère. Quand, dans les combats, une fuite a lieu, chacun veille à son salut personnel : le père ne se soucie pas de son fils, ni le fils de son père,

1. Interprétation constante chez Théodoret ; la stérilité (ἀκαρπία) fait de la « forêt » un synonyme de « désert » (cf. le thème du transfert des Promesses).

90 ἀδελφὸς ἀδελφοῦ κατὰ τὸν τῆς φυγῆς φροντίζει καιρόν. Εἶτα προλέγει τῶν δυσμενῶν καὶ τὴν ῥώμην καὶ τὴν νίκην· [19]**Ἀλλ' ἐκκλινεῖ εἰς τὰ δεξιὰ ὅτι πεινάσει, καὶ φάγεται ἐκ τῶν ἀριστερῶν, καὶ οὐ μὴ ἐμπλησθῇ ἄνθρωπος ἐσθίων τὰς σάρκας τοῦ βραχίονος αὐτοῦ.** Ἐν τοῖς πολέμοις οἱ νικῶντες
95 ποτὲ μὲν τοὺς κατὰ τὸ δεξιὸν κέρας διώκουσι ποτὲ δὲ κατὰ τοῦ εὐ(ων)ύμου χωροῦσιν, (καὶ τὴν φ)ύσιν ἀγνοεῖν ὁ θυμὸς ἀναγκάζει, καὶ ἐοίκασι μεμηνόσιν ἀνθρώποις οἳ τοὺς οἰκείους (βραχίο)νας ὡς ἀλλοτρίους ἐσθίουσιν. Σημαίνει μέντοι διὰ τούτων καὶ αὐτοῦ τοῦ Ἰσραὴλ (τὴν διάστ)ασιν καὶ τῶν
100 φυλῶν τὴν διχόνοιαν. [20]**Φάγεται γάρ** φησιν **Ἐφραὶμ τοῦ Μανασσῆ καὶ (Μανασσῆ)ς τοῦ Ἐφραίμ, ὅτι ἅμα πολιορκήσουσι τὸν Ἰούδαν.** Ὡς ἐσόμενα τὰ γεγενημένα (λέγει κατὰ) τὸ ἰδίωμα τῆς Ἑβραίων φωνῆς. **Ἐπὶ τούτοις πᾶσιν οὐκ ἀπεστράφη (ὁ θυμὸ)ς αὐτοῦ, ἀλλ' ἔτι ἡ χεὶρ αὐτοῦ**
105 **ὑψηλή.** Οὐδὲ γὰρ ἐχρῆν τὸν ἰατρὸν ἀποστῆναι (τῆς) θεραπ(είας), μὴ λωφησάσης τῆς νόσου.

10[1] Οὐαὶ τοῖς γράφουσι πονηρίαν, γράφοντες γὰρ πονηρίαν |114 a| **γράφουσιν.** [2]**Ἐκκλίνοντες κρίσεις πτω(χῶν), ἁρπάζοντες κρίματα πενήτων τοῦ λαοῦ μου ὥστε εἶναι**
110 **αὐτοῖς χήραν εἰς ἁρπαγὴν καὶ ὀρφανὸν εἰς προνομήν.** Καὶ τῶν ψευδοπροφητῶν καὶ τῶν ἀδίκων ἀρχόντων κατηγορεῖ, τῶν μὲν ὡς ἐπὶ λύμῃ πολλῶν τὰς ψευδεῖς συγγραφόντων προρρήσεις, τῶν δὲ ὡς παρανόμως δικαζόντων καὶ προιεμένων τὸ δίκαιον.

N : 105-106 οὐδὲ — νόσου ‖ 111-114 καὶ[1] — δίκαιον

94 πολέμοις : + γὰρ N πολεμίοις K ‖ 95 κέρας K : μέρος N ‖ 102 τὰ γεγενημένα ..... (?) K : δὲ λέγει τὰ γεγενημένα N ‖ 111 καὶ[1] K : ναὶ μὴν καὶ N ‖ ἀρχόντων K : + ἐν τούτοις N

1. Chrysostome utilise le verset pour déplorer les divisions de l'Église (*M.*, p. 140).

2. Théodoret fait très souvent appel à ce procédé de l'énallage dans son interprétation (cf. *In Psal.*, 80, 1176 C ; 1605 B ; 1620 C ; 1676 C ; 1756 C ; 1932 B ; *In Os.*, 81, 1589 A ; *In Joel.*, 81, 1637 C,

ni le frère de son frère au moment où la fuite se produit. Il prédit ensuite la force et la victoire des ennemis : 19. *Mais il se détournera vers la droite parce qu'il aura faim; il mangera à gauche et ne sera pas rassasié, l'homme qui dévore la chair de son bras.* Dans les combats, les vainqueurs tantôt poursuivent les hommes de l'aile droite, tantôt marchent contre l'aile gauche ; la fureur les pousse à méconnaître les lois de la nature et les rend semblables à des hommes en folie qui mangent leurs propres bras tout en croyant manger ceux d'autrui. Toutefois, il signifie par ces mots la séparation d'Israël et le dissentiment des tribus[1]. 20. *Car*, dit-il, *Éphraïm dévorera Manassé et Manassé Éphraïm, parce qu'ensemble ils feront le siège de Juda.* Il parle des événements passés comme s'ils étaient à venir, selon le tour propre à la langue hébraïque[2]. *A la suite de tout cela, sa colère ne s'est pas détournée, mais sa main reste levée.* Car il ne fallait pas non plus que le médecin cessât le traitement, alors qu'il n'y avait pas de rémission de la maladie.

Châtiment inéluctable de l'iniquité

10, 1. *Malheur aux rédacteurs de perversité, car ils rédigent des rédactions perverses.* 2. *Ils évitent de rendre la justice aux malheureux, ils frustrent de leurs droits les pauvres de mon peuple, de sorte que la veuve devient pour eux une proie et l'orphelin une dépouille.* Il accuse à la fois les faux prophètes et les chefs injustes[3] ; les uns, parce qu'ils rédigent pour la perdition de bien des hommes leurs prédictions mensongères ; les autres, parce qu'ils rendent la justice de façon contraire à la Loi et qu'ils négligent le droit.

où il le justifie ; *In Zach.*, 81, 1909 D ; *In Ez.*, 81, 952 CD) ; c'est, dit-il, un tour habituel à l'Écriture.

3. Ce que dit Eusèbe, à cet endroit, des faux prophètes (*GCS* 71, 25-28) est assez proche, sur le fond, du commentaire de Théodoret sur *Is.* 9, 14.

115 Εἶτα αὐτοὺς φοβεῖ τῇ μνήμῃ τῆς τιμωρίας · [3] **Καὶ τί ποιήσουσι τῇ ἡμέρᾳ τῆς ἐπισκοπῆς** ; Ἡμέραν γὰρ ἐπισκοπῆς ἐκάλεσε τὸν τῆς τιμωρίας καιρόν. Ὥσπερ γὰρ τὴν τοῦ θεοῦ μακροθυμίαν ὕπνον καλεῖ, οὕτω τὴν τιμωρίαν ἐπισκοπὴν ὀνομάζει. **Ἡ γὰρ θλῖψις ὑμῶν πόρρωθεν ἥξει.** Τὰ δύο
120 σημαίνει κατὰ ταὐτόν, καὶ ὅτι πόρρωθεν ἥξει καὶ ὅτι τὰ ἄνωθεν καὶ ἐξ ἀρχῆς ἐπταισμένα ἐν τῷ καιρῷ τῆς δίκης εἰς μέσον ἀχθήσεται καὶ ὑπὲρ πάντων εἰσπραχθήσονται δίκας. **Καὶ πρὸς τίνα καταφεύξεσθε τοῦ βοηθηθῆναι** ; Ἐμοῦ γὰρ πολεμοῦντος τίς ἐπικουρῶν ὠφελήσει ; Τοῦτο ἔοικε
125 τῷ παρὰ τῷ μεγάλῳ Μωυσῇ εἰρημένῳ · « Ἐγὼ ἀποκτενῶ καὶ ζῆν ποιήσω, πατάξω κἀγὼ ἰάσομαι · καὶ οὐκ ἔστιν ὃς ἐξελεῖται ἐκ τῶν χειρῶν μου. » **Καὶ ποῦ καταλείψετε τὴν δόξαν ὑμῶν** [4] **τοῦ μὴ ἐμπεσεῖν εἰς ἀπαγωγήν** ; Ἡ παροῦσά φησιν εὐημερία αἰχμαλώτοις ὑμῖν γιγνομένοις οὐκ ἐπαρ-
130 κέσει · ἀπαγωγὴν γὰρ τὴν αἰχμαλωσίαν ἐκάλεσεν. Οὕτω γὰρ καὶ ὁ Σύμμαχος ἡρμήνευσε καὶ οἱ Λοιποὶ δὲ ὁμοίως · « Καὶ ποῦ καταλείψετε τὴν δόξαν ὑμῶν ὥστε μὴ καμφθῆναι ὑπὸ δεσμόν ; » **Καὶ ὑποκάτω ἀνῃρημένων πεσοῦνται.** Πολλάκις τινὲς ἐν τοῖς πολέμοις διαφυγεῖν τοὺς ἐναντίους
135 πειρώμενοι μεταξὺ τῶν ἀνῃρημένων νεκρῶν σφᾶς αὐτοὺς κατακρύπτουσιν. Τὴν ὑπερβολὴν τοίνυν τῆς δειλίας αὐτῶν προσημαίνων τοῦτο κἀνταῦθα δεδήλωκεν.

Ἐπὶ πᾶσι τούτοις οὐκ ἀπεστράφη ὁ θυμὸς αὐτοῦ, ἀλλ' ἔτι ἡ χεὶρ αὐτοῦ ὑψηλή. Συνεχῶς ἐπιλέγει τοῦτο καὶ τῆς

N : 116-119 ἡμέραν — ὀνομάζει ‖ 119-123 τὰ — δίκας ‖ 123-127 καὶ — μου ‖ 128-137 ἡ — δεδήλωκεν ‖ 139-141 συνεχῶς — δεδιττόμενος

116 γὰρ K : οὖν N ‖ 118 οὕτω K : οὕτως N ‖ 119-120 τὰ δύο σημαίνει K : ἢ δύο σημαίνει τοῦτο N ‖ 123 καὶ — καταφεύξεσθε K : πρὸς τίνα οὖν φησι (> N^{p}) καταφεύξεσθε ὦ Ἰουδαῖοι N ‖ 125 τῷ μεγάλῳ Μωυσῇ N : τοῦ μεγάλου Μωυσέως K ‖ 128 παροῦσα K : +τοίνυν N ‖ 130 τὴν αἰχμαλωσίαν/ἐκάλεσεν K : ∾ N ‖ 133 καὶ ὑποκάτω K : ἀλλὰ καὶ ὑποκάτω φησίν N ‖ πεσοῦνται N : πεσειτε K^{corr} -ται K*

Il les effraie ensuite par le rappel du châtiment : 3. *Et que feront-ils au jour de la visite?* Il a appelé « jour de la visite » l'époque du châtiment. Tout comme il appelle « sommeil » la longanimité de Dieu[1], il nomme « visite » le châtiment (divin). *Car votre tribulation viendra de loin.* Il laisse entendre deux choses à la fois : d'une part que la tribulation viendra de loin, d'autre part que les fautes commises depuis le commencement et depuis l'origine seront mises en évidence au moment du jugement et qu'ils auront pour toutes à subir des peines. *Alors, vers qui fuirez-vous pour être secourus?* Lorsque c'est moi qui fais la guerre, qui peut utilement vous prêter assistance ? Cela est semblable à ce qu'a dit le grand Moïse : « C'est moi qui ferai périr et qui ferai vivre, qui frapperai et qui guérirai, et il n'y a personne pour délivrer de mes mains. » *Et où laisserez-vous votre gloire* 4. *pour ne pas tomber en déportation?* La prospérité présente[2] ne vous sera d'aucun secours, lorsque vous serez devenus des prisonniers de guerre : il a, en effet, appelé « déportation » la captivité. Telle est aussi l'interprétation de Symmaque ; celle du reste des interprètes est identique : « Et où laisserez-vous votre gloire de façon à n'être pas courbés sous le lien ? » *Et ils tomberont sous les morts.* Souvent, au cours des combats, pour tenter d'échapper aux ennemis, des gens se cachent au milieu des cadavres. C'est donc pour signifier par avance l'ampleur démesurée de leur lâcheté qu'il a fait voir dans ce passage cette scène.

A la suite de tout cela, sa colère ne s'est pas détournée, mais sa main reste levée. Il ajoute continuellement cette

125 Deut. 32, 39

---

1. On retrouve plus loin cette interprétation figurée (*In Is.* 11, 238-239), constante du reste chez Théodoret (cf. *In Psal.*, 80, 1185 B ; 1500 D ; *In Jer. (Bar.)*, 81, 764 B).

2. Théodoret entend δόξα au sens de « prospérité », « richesse ».

140 ἐκείνων ἀπειθείας κατηγορῶν καὶ τῇ τῆς τιμωρίας ἀπειλῇ δεδιττόμενος.

Ταῦτα τῇ Σαμαρείᾳ καὶ ταῖς ὑπ' αὐτὴν φυλαῖς προαγορεύσας προλέγει καὶ τῶν Ἀσσυρίων τὴν ἔφοδον καὶ τὴν καταληψομένην αὐτοὺς ἐν τῇ τῆς Ἱερουσαλὴμ πολιορκίᾳ

145 πανωλεθρίαν· [5] **Οὐαὶ Ἀσσυρίοις, ἡ ῥάβδος τοῦ θυμοῦ μου καὶ ἡ ὀργή μού (ἐστιν) ἐν ταῖς χερσὶν αὐτῶν.** Ζητητέον τί δήποτε θρηνοῦνται ὑπουργοὶ τῆς θείας (τιμω)ρίας γιγνόμενοι. Χρὴ τοίνυν εἰδέναι τὸν τοῦτο μαθεῖν ἐφιέμενον, ὡς διακόνοις (μὲν τῆς) τιμωρίας Ἀσσυρίοις ἐχρήσατο οἷόν

150 τινας δημίους κατὰ τῶν παρανομούντων καὶ (δυσσεβούντων) ὁπλίσας, οὗτοι δὲ οὐχ ὡς τῷ θεῷ τῶν ὅλων ὑπουργοῦντες ἔδρων ἃ ἔ(δρων ἀλλὰ) τῇ οἰκείᾳ ῥώμῃ καὶ δυναστείᾳ θαρροῦντες κατὰ πάντων ἔχειν ἐφιλονείκ(ουν τὸ κράτος). Διὰ τοῦτο καὶ αὐτοῖς ἔσχατον ὄλεθρον ἀπειλεῖ καὶ τοῦτον διὰ

155 τοῦ οὐα(ὶ προσημαίνει). **Τὴν ὀργήν μου** [6] **εἰς ἔθνος ἄνομον ἀποστελῶ.** Τούτους αὐτούς φησιν οἷς τὴν τιμ(ωρητικὴν ἐνε)χείρισα ῥάβδον. **Καὶ ἐν τῷ ἐμῷ λαῷ συντάξω αὐτῷ τοῦ ποιῆσαι σκῦλ(α καὶ προνομὴν)** |114 b| **καὶ καταπατεῖν τὰς πόλεις αὐτοῦ καὶ θεῖναι αὐτὰς εἰς κονιορτὸν ὁδῶν.** Τὴν

160 πολλὴν ἐρημίαν διὰ τούτων δεδήλωκεν.

C : 146-155 ζητητέον — προσημαίνει

N : 142-145 ταῦτα — πανωλεθρίαν ‖ 146-155 ζητητέον — προσημαίνει ‖ 155-157 τὴν — ῥάβδον ‖ 159-160 τὴν — δεδήλωκεν

142 ταῦτα K : τὰ προειρημένα N ‖ 146 ζητητέον K : +δὲ N +ὅτι C ‖ 147 θρηνοῦνται K : +οἱ Ἀσσύριοι N τιμῶνται C^r·565^ τιμωροῦνται C^90·309 corr·377^ ‖ γιγνόμενοι C : γινόμενοι KN ‖ 155 τὴν K : καὶ τὴν N ‖ 156 τούτους αὐτούς φησιν K : λέγει τούτους αὐτοὺς δηλονότι N ‖ 160 πολλὴν K : +δὲ N

---

1. Il s'agit de l'attaque infructueuse de l'armée de Sennachérib contre Jérusalem.

2. L'*In Dan.* (81, 1348 AC), à partir du reste de la citation d'*Is.* 10, 5-11, offre déjà le même développement ; pourtant, si les Assyriens sont bien, comme ici, les « instruments » du châtiment (τούτοις διακόνοις εἰς τὰς κατὰ τῶν ἁμαρτωλῶν χρήσομαι τιμωρίας)

réflexion, à la fois pour les accuser de désobéissance et pour les effrayer par la menace du châtiment.

La défaite des Assyriens devant Jérusalem

Voilà ce qu'il a annoncé pour Samarie et pour les tribus qui lui sont sujettes. Il prédit ensuite l'attaque menée par les Assyriens et la ruine totale qui les surprendra pendant le siège de Jérusalem[1] : 5. *Malheur aux Assyriens! la verge de ma fureur et ma colère sont dans leurs mains.* Il faut rechercher la raison pour laquelle peuvent bien se lamenter ceux qui sont les instruments du châtiment divin. Celui qui désire l'apprendre doit donc savoir ceci : (Dieu) a fait des Assyriens les agents de son châtiment, et les a armés, comme des bourreaux publics pour ainsi dire, contre ceux qui agissaient avec iniquité et commettaient l'impiété ; mais eux, loin d'accomplir leur entreprise en tant qu'instruments du Dieu de l'univers, mettaient leur confiance dans leur propre force et leur propre puissance et s'efforçaient de s'emparer du pouvoir universel. Voilà pourquoi il les menace à leur tour d'une mort définitive et signifie cette mort par le mot « malheur »[2]. *Ma colère*, 6. *je vais l'envoyer contre une nation criminelle.* Contre ces mêmes hommes, veut-il dire, à qui j'ai remis la verge du châtiment. *Et je (les) rangerai au beau milieu de mon peuple pour y faire butin et pillage, pour piétiner ses villes et les rendre semblables à la poussière des routes.* Il a fait voir par là l'étendue de la désolation.

et si l'on trouve déjà l'image du « bourreau public » (οἷόν τινι δημίῳ τῷ 'Ασσυρίῳ χρώμενος), la menace qui pèse sur eux ne découle pas, comme ici, du fait qu'ils sortent de leur rôle d'instruments ; le mot « malheur » ne paraît pas tant, du reste, une menace qu'une manière de déplorer leur comportement général et leur arrogance, en dépit desquels ils restent les instruments de Dieu. L'interprétation donnée ici par Théodoret est aussi celle de Basile (30, 529 AB) et de Cyrille (70, 281 CD).

Εἶτα γυμνοῖ τοῦ βασιλέως τῶν Ἀσσυρίων τοὺς λογισμούς· [7]**Αὐτὸς δὲ οὐχ οὕτως ἐνεθυμήθη καὶ τῇ ψυχῇ οὐχ οὕτως λελόγισται.** Οὐκ οἶδέ φησιν ὡς ἐμός ἐστιν ὑπουργὸς καὶ παρ' ἐμοῦ ἔλαβε τῆς τιμωρίας τὴν ἐξουσίαν. **Ἀλλ' ἀπαλλάξει**
165 **ὁ νοῦς αὐτοῦ τοῦ ἀφανίσαι καὶ τοῦ ἐξολοθρεῦσαι ἔθνη οὐκ ὀλίγα.** Βεβούλευταί φησι τῇ οἰκείᾳ δυνάμει θαρρῶν πολλῶν ἐθνῶν καταλῦσαι τὴν μνήμην. [8]**Καὶ ἐὰν εἴπωσιν αὐτῷ· Οὐ σὺ μόνος εἶ ἄρχων,** [9]**καὶ ἐρεῖ· Οὐκ ἔλαβον τὴν χώραν τὴν ἐπάνω Βαβυλῶνος καὶ Χαλάνης, οὗ ὁ πύργος ᾠκοδομήθη ;**
170 **Καὶ ἔλαβον Ἀραβίαν καὶ Δαμασκὸν καὶ Σαμάρειαν ;** [10]**Ὃν τρόπον ταύτας ἔλαβον, οὕτω καὶ πάσας τὰς χώρας λήψομαι.** Τούτοις πρὸς τὸν Ἐζεκίαν ὁ Σεναχηρὶμ τοῖς λόγοις ἐχρήσατο· « Μή σε ἀπατάτω ὁ θεός σου ἐφ' ᾧ σὺ πέποιθας ἐπ' αὐτῷ λέγων· Οὐ μὴ παραδοθῇ Ἱερουσαλὴμ εἰς χεῖρας
175 βασιλέως Ἀσσυρίων. Ἰδοὺ σὺ οὐκ ἤκουσας ἃ πεποιήκασι βασιλεῖς Ἀσσυρίων πάσῃ τῇ γῇ, ὡς ἀπώλεσαν αὐτήν, καὶ σὺ ῥυσθήσῃ ; Μὴ ἐρρύσαντο αὐτοὺς οἱ θεοὶ τῶν ἐθνῶν οὓς ἀπώλεσαν οἱ πατέρες μου, τήν τε Γοζὰν καὶ Ἄρραν καὶ Ῥαφὲς καὶ υἱοὺς Ἀδὰν οἵ εἰσιν ἐν χώρᾳ Θεσμάθ ; Ποῦ
180 εἰσιν οἱ βασιλεῖς Αἱμὰθ καὶ Ἀρφάδ ; Καὶ ποῦ ὁ βασιλεὺς τῆς πόλεως Σεφαρίμ, Αἰνὰ καὶ Γαυά ; » Ταῦτα μὲν οὖν ἐκεῖνος τῷ βασιλεῖ γεγράφηκεν Ἐζεκίᾳ· ἐνταῦθα δὲ τοῖς λέγουσιν· Οὐ σὺ μόνος εἶ ἄρχων, τὰ ὅμοια εἴρηκεν.

Ὀλολύξατε τὰ γλυπτὰ ἐν Ἱερουσαλὴμ καὶ ἐν Σαμαρείᾳ·
185 [11]**ὃν τρόπον γὰρ ἐποίησα Σαμαρείᾳ καὶ τοῖς χειροποιήτοις αὐτῆς, οὕτω ποιήσω καὶ Ἱερουσαλὴμ καὶ τοῖς εἰδώλοις αὐτῆς.**

C : 163-164 οὐκ — ἐξουσίαν

N : 161-167 εἶτα — μνήμην (162-163 αὐτὸς — λελόγισται et 165-166 τοῦ[1] — ὀλίγα>) || 172-183 τούτοις — εἴρηκεν

161 εἶτα K : διὰ τούτων δὲ N || 163 φησιν KC : λέγων N || 164 ἔλαβε CN : > K || 166 βεβούλευταί φησι K : ἤγουν βεβούλευται N || 172-183 τούτοις — εἴρηκεν (179 Ἀδὰμ | 180 Ἐμὰθ | Ἀρφὰθ | 181 Σεραφιμενὰ K) KMö. : ἕτερος δὲ μετὰ προσθήκης τοῦ οὐ τὸ σὺ μόνος εἶ ὁ ἄρχων ἀπέδωκεν οὕτω φήσας τοῖς λέγουσιν οὐ σὺ μόνος εἶ ὁ ἄρχων τὰ ὅμοια ἐρεῖ τοῖς λόγοις οἷς πρὸς τὸν Ἐζεκίαν ὁ Σενα-

La jactance du roi d'Assyrie

Puis il met à nu les raisonnements du roi d'Assyrie : 7. *Mais lui n'a pas eu semblable sentiment ; il n'a pas raisonné ainsi dans son cœur.* Il ne sait pas, dit-il, qu'il est mon instrument, qu'il a reçu de moi la faculté de châtier. *Mais son esprit s'égarera au point de (vouloir) anéantir et exterminer des nations en grand nombre.* Confiant, dit-il, dans sa propre puissance, il a résolu d'anéantir le souvenir d'une foule de nations. 8. *Et si on lui dit : Tu n'es pas seul à être chef,* 9. *il dira à son tour : N'ai-je pas pris la contrée sise au-dessus de Babylone et de Chalané où l'on a construit la tour? N'ai-je pas pris l'Arabie, Damas et Samarie?* 10. *De la même manière que je les ai prises, je prendrai aussi toutes les contrées.* Voici les termes dont Sennachérim s'est servi à l'adresse d'Ézéchias : « Que ton Dieu en qui tu te confies, ne te trompe pas en disant à propos de toi-même : Jérusalem ne sera pas livrée aux mains du roi d'Assyrie. Allons, n'as-tu pas entendu, toi, ce que les rois d'Assyrie ont fait à la terre entière, comment ils l'ont anéantie ? Seras-tu épargnée, toi ? Les ont-ils protégés, les dieux des nations, ceux que mes pères ont anéantis : Gozan, Harran, Raphès et les fils d'Adam qui habitent la région de Thesmath ? Où sont les rois d'Aimath et d'Aphrad ? Où le roi de la cité de Sépharim, où ceux d'Aïna et de Gava ? » Voilà donc la lettre qu'il adressa au roi Ézéchias ; or, dans ce passage, à ceux qui lui disaient : « Tu n'es pas seul à être chef », il a tenu de semblables propos.

Poussez des cris de douleur sur vos images à Jérusalem et à Samarie : 11. *car de la façon dont j'ai traité Samarie et les créatures de ses mains, ainsi traiterai-je Jérusalem*

χηρὶμ ἐχρήσατο — πόλεως Σεφφαρί · Μαινᾶ (Σεφφαριμαννά N[p]) καὶ Γαυά N

173 Is. 37, 10-13

Καὶ ταῦτα τῷ αὐτῷ προσώπῳ συνήρμοσαν οἱ Λοιποὶ Ἑρμηνευταί. Νομίσας γὰρ ὁ ἀλαζὼν ἐκεῖνος καὶ δυσσεβὴς τοῖς ἄλλοις θεοῖς ἐοικέναι τῆς Ἱερουσαλὴμ τὸν θεόν, τοῖς
190 μανικοῖς τούτοις κέχρηται λόγοις, καὶ τῷ Ἐζεκίᾳ δὲ γέγραφεν · Μή σε ἀπατάτω ὁ θεός σου ὅτι ῥύσεται τὴν Ἱερουσαλὴμ ἐκ χειρός μου.

[12] **Καὶ ἔσται ὅταν συντελέσῃ κύριος πάντα ποιῶν ἐν τῷ ὄρει Σιὼν καὶ ἐν Ἱερουσαλήμ, ἐπισκέψεται ἐπὶ τὸν νοῦν τὸν**
195 **μέγαν τὸν (ἄ)ρχοντα τῶν Ἀσσυρίων καὶ ἐπὶ τὸ ὕψος τῆς δόξης τῶν ὀφθαλμῶν αὐτοῦ.** (Νο)ῦν μέγαν τὸν ἀλαζονικὸν λέγει τὸν τὰ ὑπὲρ φύσιν τολμῶντα λογίζεσθαι. (Ὕ)ψος δόξης ὀφθαλμῶν τὴν ὑπερβάλλουσαν ὑπερηφανίαν καλεῖ, [ἢ τὸν] περὶ τὰ τείχη Ἱερουσαλὴμ ὄλεθρον ἀπειλεῖ.
200 Εἶτα τὸν τῦφον αὐτοῦ (διέξ)εισι καὶ τῶν λόγων καὶ τῶν λογισμῶν. [13] **Εἶπε γάρ · Τῇ ἰσχύι τῆς χειρός μου ποιήσω (καὶ τῇ σο)φίᾳ τῆς συνέσεώς μου, ἀφελῶ ὅρια ἐθνῶν καὶ τὴν ἰσχὺν αὐτῶν προνο(μεύ)σω καὶ σείσω πόλεις κατοικουμένας** [14] **καὶ τὴν οἰκουμένην τῇ χειρί μου κατα(λήψομαι ὡς)**
205 **νοσσιὰν καὶ ὡσεὶ καταλελειμμένα ᾠὰ ἀρῶ, καὶ οὐκ ἔστιν** |115 a| **ὃς διαφεύξεταί με ἢ ἀντείπῃ μοι ἀνοίγων στόμα καὶ στρουθίζων.** Ταῦτα καὶ διὰ τῶν πρέσβεων καὶ διὰ τῶν γραμμάτων δεδηλώκει τῷ Ἐζεκίᾳ. Ἀλλ' ὁ πᾶσαν τὴν οἰκουμένην ὡς καλιὰν νεοττῶν ἁρπάσειν ἐλπίσας καὶ ὡς
210 ᾠὰ ὑπὸ πτηνῶν πεφευγότων καταλελειμμένα ἀπονητὶ λήψεσθαι, οὗτος δίχα χειρὸς ἀνθρωπείας ἐγυμνώθη τῆς

N : 187-192 καὶ — μου || 196-197 νοῦν — λογίζεσθαι || 197-198 ὕψος — καλεῖ || 200-201 εἶτα — λογισμῶν || 207-218 ταῦτα — ἐπιχειρήσει

187-188 καὶ — ἑρμηνευταί K : οἱ δὲ λοιποὶ ἑρμηνευταὶ καὶ ταῦτα τῷ τοῦ Ἀσσυρίου προσώπῳ συνήρμοσαν N || 190 τούτοις κέχρηται K : ∾ N || 196 νοῦν K : +τοίνυν N || 198 δόξης K : δὴ οὖν N || 199 περὶ Mö. : παρὰ K || 200 εἶτα K : ἐν τούτοις τοίνυν N || καὶ² N : > K || 207 πρέσβεων N : πρεσβείων K

1. Eusèbe (*GCS* 73, 17-28), au contraire, met ces paroles dans la bouche de Dieu à l'adresse de Jérusalem (αὐτὸς ὁ Θεὸς κατὰ τῆς Ἱερουσαλὴμ ἀπειλεῖ λέγων · ὀλολύξατε κτλ.) : la manière dont Dieu a traité Samarie par l'intermédiaire des Assyriens doit servir

et ses idoles. Le reste des interprètes a également rapporté ces mots à ce même personnage[1]. De fait, pour avoir dans sa jactance et dans son impiété pensé que le Dieu de Jérusalem était semblable aux autres dieux, il a usé de ces propos insensés et il a écrit à Ézéchias : « Que ton Dieu ne te trompe pas en te disant qu'il protégera Jérusalem de ma main. »

12. *Et il arrivera, lorsque le Seigneur aura achevé toute son œuvre sur la montagne de Sion et à Jérusalem, qu'il tournera ses regards sur l'esprit d'orgueil qui règne sur les Assyriens et sur la hauteur de la gloire de ses yeux.* Par « esprit d'orgueil » il désigne l'homme fanfaron qui ose raisonner de choses qui dépassent sa nature. Il appelle « hauteur de la gloire des yeux » l'orgueil excessif qui lui fait menacer de ruine les remparts de Jérusalem.

Il expose ensuite son aveuglement orgueilleux dont témoignent autant ses propos que ses raisonnements. 13. *Car il a dit : Par la force de ma main j'agirai et par la sagesse de mon intelligence ; j'enlèverai les frontières des nations, je pillerai leur force et j'ébranlerai les villes habitées ;* 14. *de ma main je m'emparerai du monde comme d'un nid ; je le prendrai comme (on prend) des œufs abandonnés ; et il n'y a personne qui m'échappera ou qui me contredira, en ouvrant la bouche et en piaulant comme un moineau.* Voilà ce qu'il a fait savoir à Ézéchias, tant par ses ambassadeurs que par sa lettre. Mais, alors qu'il avait espéré s'emparer du monde entier, comme d'un nid de petits oiseaux, et le prendre sans peine, comme des œufs abandonnés par l'oiseau qui s'est enfui, voici que, sans l'intervention d'une main humaine, il s'est vu dépouiller de

d'exemple à Jérusalem et inviter ses habitants à se détourner de l'idolâtrie. Cyrille de son côté (70, 284 CD - 285 AB), tout en plaçant le verset dans la bouche de l'Assyrien, met en parallèle Samarie et Jérusalem sous le rapport de l'idolâtrie : « Ils dressèrent, en effet, à Jérusalem des autels et des (idoles) faites de main d'homme, et ils ont sacrifié à Baal et à l'armée des cieux. Or voilà ce qu'ont fait aussi les gens de Samarie. »

στρατιᾶς. Τὸ μέντοι · ἀνοίγων στόμα καὶ στρουθίζων, ἀπὸ τῆς κρατούσης συνηθείας παρὰ ἀνθρώποις εἴρηται τῇ γραφῇ. Εἰώθαμεν γὰρ λέγειν περὶ τῶν λίαν ἀγωνιώντων · 215 οὐκ ἐτόλμησε γρύξαι. Οἱ δὲ Λοιποί φασιν · « οὐκ ἐτόλμησε τρύσαι. » Τὸ γοῦν · ἀνοίγων στόμα καὶ στρουθίζων, ἀντὶ τοῦ · οὐ μόνον οὐδεὶς ἀντιπαρατάξασθαί μοι τολμήσει ἀλλ' οὐδὲ γρύξαι στρουθοῖς παραπλησίως ἐπιχειρήσει.

Πρὸς ταύτην αὐτοῦ τὴν ἀλαζονείαν ὁ τῶν ὅλων θεὸς 220 ἀποκρίνεται · [15] **Μὴ δοξασθήσεται ἀξίνη ἄνευ τοῦ κόπτοντος ὥστε κόπτειν ἑαυτήν ; Ἢ ὑψωθήσεται πρίων ἄνευ τοῦ ἕλκοντος αὐτόν ; Ὡσαύτως ἐάν τις λάβῃ ῥάβδον ἢ ξύλον.** Μὴ δίχα χειρῶν ἀνθρωπίνων ἡ ἀξίνη κόπτει ξύλα ἢ ὁ πρίων ταῦτα διχῇ καὶ τριχῇ καὶ τετραχῇ διαιρεῖ ἢ ῥάβδος ἢ ξύλον 225 πλῆξαι δύναται μηδενὸς ἐνεργοῦντος ; Πῶς οὖν σὺ μέγα φρονεῖς ὡς δίχα τῆς ἐμῆς βουλῆς περιγενόμενος τῶν ἡττηθέντων ἐθνῶν ; Εἰκότως δὲ αὐτὸν καὶ τοῖς ἀψύχοις ἀπείκασεν ὡς ἀναισθησίαν νοσοῦντα καὶ ἀλογίαν ἐσχάτην.

Καὶ οὐχ οὕτως. Οὐκ ἐάσω σέ φησιν ἐπὶ ταυτησὶ τῆς 230 ἀνοίας, ἀλλὰ διὰ τῆς τιμωρίας μαθήσῃ τὸν πρύτανιν τοῦ παντός. [16] **Ἀλλ' ἀποστελεῖ κύριος Σαβαὼθ εἰς τὴν σὴν τιμὴν ἀτιμίαν, καὶ εἰς τὴν σὴν δόξαν πῦρ καιόμενον καυθήσεται.** Μετὰ πολλῆς γὰρ δόξης ἐπιστρατεύσας μετὰ πλείονος ἔφυγεν ἀδοξίας. [17] **Καὶ ἔσται τὸ φῶς τοῦ Ἰσραὴλ εἰς πῦρ, 235 καὶ ἁγιάσει αὐτὸν ἐν φλογὶ καιομένῃ, καὶ φλέξει καὶ φάγεται ὡσεὶ χόρτον τὴν ὕλην.** Φῶς τοῦ Ἰ(σραὴλ) τὴν

N : 222-228 μὴ — ἐσχάτην ‖ 229-234 οὐχ — ἀδοξίας (231-232 ἀλλ' — καυθήσεται>) ‖ 236-241 φῶς — δαπανήσει

216 γοῦν K : οὖν N ‖ 218 γρύξαι K : γρύξ(ζ N¹)ειν N ‖ 221 ἕλκοντος e tx. rec. : κόπτοντος K ‖ 222 μὴ K : +τοιγαροῦν φησι N ‖ 223 ἀνινων K : ἀνειων N¹ ‖ 228 ὡς N : > K ‖ 234 ἔφυγεν K : φύγης N ‖ 236 φῶς K : +τοίνυν N

1. Le verset est déjà utilisé dans l'*In Dan.* (81,1269 B) pour souligner que Nabuchodonosor n'est que l'instrument de Dieu (ὄργανον) et qu'il ne doit pas à ses propres forces sa victoire sur le roi de Jérusalem (*Dan.* 1, 2). Développement voisin de BASILE sur l'arrogance du roi d'Assyrie (30, 541 BD).

son armée. Quant à l'expression « en ouvrant la bouche et en piaulant comme un moineau », elle a été employée par l'Écriture en fonction de la manière habituelle de s'exprimer qui règne chez les hommes ; nous avons, en effet, coutume de dire de ceux qui éprouvent une forte crainte : « Il n'a pas osé pousser un cri. » Le reste des interprètes dit : « Il n'a pas osé murmurer. » En tout cas, l'expression « en ouvrant la bouche et en piaulant comme un moineau » revient à dire : non seulement personne n'osera me résister, mais personne n'entreprendra même de pousser un cri à la façon des moineaux.

A la jactance dont il fait preuve, le Dieu de l'univers répond : 15. *La cognée fera-t-elle la fière sans celui qui la tient de sorte qu'elle frappe? Ou bien la scie s'élèvera-t-elle sans celui qui la tire? Il en va de même que l'on prenne une verge ou un bâton.* Est-ce sans l'intervention de la main de l'homme que la cognée frappe le bois ? que la scie le divise en deux, en trois ou en quatre? une verge ou un bâton peuvent-ils frapper sans quelqu'un pour faire l'action ? Comment donc (peux-tu) penser avec orgueil que tu es devenu, sans qu'il y ait eu décision de ma part, maître des nations que tu as vaincues ? Il l'a même, à juste titre, du reste, comparé à des objets inanimés, étant donné qu'il souffrait d'une stupidité et d'une déraison extrêmes[1].

Châtiment du roi d'Assyrie

Il n'en sera pas ainsi. Je ne te laisserai pas, dit-il, dans ton ignorance actuelle, mais le châtiment te fera connaître le Maître de l'univers. 16. *Mais le Seigneur Sabaoth enverra sur les honneurs qu'on te rend le mépris, et sur ta gloire un feu ardent sera allumé.* De fait, après une campagne menée avec grande gloire, il a fui avec une infamie plus grande encore. 17. *Et la lumière d'Israël deviendra un feu; elle le sanctifiera dans une flamme ardente; elle brûlera et dévorera comme paille la forêt.*

εὐσέβειαν ἐκάλεσεν · « Ἐν τῷ φωτὶ » γὰρ ὁ Ψαλμός φησι « τοῦ προσώπου σου π(ορεύ)σονται. » Τοῦτο τὸ φῶς τῷ μὲν Ἰσραὴλ τὴν φωτιστικὴν ἐνέργειαν (χο)ρη(γήσει), τῇ δὲ
240 καυστικῇ κατὰ σοῦ χρήσεται καὶ οἷόν τινα χόρτον πᾶσ(άν σου τὴν) στρατιὰν δαπανήσει.

Τῇ ἡμέρᾳ ἐκείνῃ [18] **ἀποσβεσθήσεται τὰ (ὄρη καὶ) οἱ βουνοὶ καὶ οἱ δρυμοί, καὶ καταφάγεται ἀπὸ ψυχῆς ἕως σαρκῶν.** (Ὄρη τὸν) βασιλέα καὶ τοὺς μετ' ἐκεῖνον ὑπάρχους καλεῖ,
245 βουνοὺς δὲ τοὺς (ὑπὸ τούτους) τελοῦντας ἄρχοντας, δρυμοὺς δὲ τὸ λοιπὸν πλῆθος τὸ ἄκαρπον. **(Καὶ ἔσται ὁ φεύγων) ὡς ὁ φεύγων ἀπὸ πυρὸς καιομένου ·** [19] **καὶ οἱ καταλειφθέντες ἀπ' αὐτῶν (ἔσονται ἀριθμός),** |115 b| **καὶ παιδίον μικρὸν γράψει αὐτούς.** Οὐ φαινομένων τῶν διωκόντων μετὰ πολλῆς
250 σπουδῆς ἀποδρᾶσαι πειράσονται ὡς ὑπὸ φλογὸς κυκλουμένους καὶ ταύτην διαφυγεῖν πειρωμένους μιμούμενοι. Οὕτω δὲ ἔσονται οἱ τὴν τιμωρίαν διαφυγόντες εὐαρίθμητοι ὡς ῥᾷστον εἶναι καὶ τῷ τυχόντι παιδίῳ τὸν τούτων ἀριθμὸν ἀναγράψαι. Ταῦτα δὲ γεγένηται, ἡνίκα δι' ἑνὸς ἀγγέλου
255 αἱ πέντε καὶ ὀγδοήκοντα πρὸς ταῖς ἑκατὸν διεφθάρησαν χιλιάδες.

[20] **Καὶ ἔσται ἐν τῇ ἡμέρᾳ ἐκείνῃ οὐκέτι προστεθήσεται τὸ καταλειφθὲν τοῦ Ἰσραὴλ καὶ οἱ διασωθέντες τοῦ Ἰακὼβ οὐκέτι ⟨μὴ⟩ πεποιθότες ὦσιν ἐπὶ τοὺς ἀδικήσαντας αὐτούς.**
260 Ἄχαζ ὁ βασιλεὺς ὑπὸ τοῦ Φακεὲ καὶ τοῦ Ῥασὶν πολεμούμενος τὸν Ἀσσύριον εἰς συμμαχίαν ἐκάλεσε βασιλέα. Προλέγει τοίνυν ὁ προφητικὸς λόγος ὡς τῆς θείας ἀπολαύσαντες προμηθείας καταφρονήσουσι μὲν τῆς ἀνθρωπίνης ἐπικουρίας, τῆς δὲ εἰς τὸν θεὸν ἐλπίδος ἀ(νθέξ)ονται. Τοῦτο

N : 244-246 ὄρη — ἄκαρπον ‖ 249-256 οὐ — χιλιάδες ‖ 260-266 Ἄχαζ — ἀληθείᾳ

237 εὐσέβειαν K : θεοσέβειαν N ‖ ὁ ψαλμός/φησι K : ∾ N ‖ 244 καλεῖ K : καλῶν N ‖ 249 οὐ K : καὶ μὴ N ‖ φαινομένων K : +οὖν φησι N ‖ 260 Ἄχαζ K : +γὰρ N ‖ 261 τὸν Ἀσσύριον K : τὸν τῶν Ἀσσυρίων N

237 Ps. 88, 16 254-256 cf. Is. 37, 36 ; IV Rois 19, 35

Il a appelé « lumière d'Israël » la piété ; le Psaume dit en effet : « C'est dans la lumière de ta Face qu'ils avanceront. » Cette lumière fournira à Israël la force qui illumine, mais contre toi elle usera de son pouvoir incendiaire et consumera, comme de la paille, toute ton armée.

En ce jour-là, 18. *disparaîtront les montagnes, les collines et les forêts et il les dévorera depuis l'âme jusqu'aux chairs.* Il appelle « montagnes » le roi et les lieutenants qui sont sous ses ordres, « collines » les chefs qui sont leurs subalternes et « forêts » le reste de la foule stérile[1]. *Le fuyard ressemblera à celui qui fuit loin d'un feu ardent ;* 19. *et ceux d'entre eux qui resteront seront un (petit) nombre ; un petit enfant les décomptera.* Vu l'absence de poursuivants, ils tenteront de s'enfuir en toute hâte, à la façon de gens qu'encercle la flamme et qui tentent d'y échapper. Mais, ceux qui auront échappé au châtiment seront si peu nombreux qu'il sera très facile, même pour n'importe quel enfant, de relever leur nombre. Or, voilà ce qui s'est produit quand, par l'intermédiaire d'un seul ange, cent quatre-vingt-cinq mille hommes trouvèrent la mort.

Retour à Dieu du reste d'Israël et annonce du Nouveau Testament

20. *Et il arrivera en ce jour-là que le reste d'Israël ne s'appuiera plus sur ceux qui ont été injustes à son égard, et que les survivants de Jacob ne mettront plus en eux leur confiance.* Lorsque Phakée et Rasin attaquèrent le roi Achaz, ce dernier demanda son alliance au roi d'Assyrie. Le texte prophétique prédit donc qu'après avoir joui de la sollicitude de Dieu, ils dédaigneront le secours de l'homme et persisteront à mettre leur espoir en Dieu. Voilà ce que

1. Sur cette interprétation, cf. *supra Is.* 9, 18 (4, 82-84) ; voir aussi les interprétations identiques ou voisines d'EUSÈBE (*GCS* 75, 24-26), de BASILE (30, 545 AB) et de CYRILLE (70, 292 B).

265 γὰρ δηλοῖ διὰ τῶν ἑξῆς· **Ἀλλ' ἔσονται πεποιθότες ἐπὶ τὸν θεὸν τὸν ἅγιον τοῦ Ἰσραὴλ τῇ ἀληθείᾳ.** [21] **Καὶ ἀναστρέψει τὸ καταλειφθὲν τοῦ Ἰακὼβ ἐπὶ θεὸν ἰσχύοντα.** Ταύτην τοῦ λαοῦ τὴν εὐσέβειαν, ἣν Ἐζεκίας ὁ βασιλεὺς αὐτοὺς ἐξεπαίδευσε, καὶ ἡ τετάρτη τῶν Βασιλειῶν μαρτυρεῖ. Συνήφθησαν
270 δὲ τῇ Ἱερουσαλὴμ καὶ ἐκ τῶν δέκα φυλῶν ὅσοι τὸν Σαλμανάσαρ καὶ τὸν Σεναχηρὶμ διαφυγεῖν ἠδυνήθησαν, καὶ τῆς πλάνης ἀπαλλαγέντες τῇ τοῦ Ἐζεκίου ἠκολούθησαν εὐσεβείᾳ. [22] **Καὶ ἐὰν γένηται ὁ λαὸς τοῦ Ἰσραὴλ ὡς ἡ ἄμμος τῆς θαλάσσης, τὸ κατάλειμμα αὐτῶν σωθήσεται.** Ἐπειδὴ τὰς
275 δέκα φυλὰς τοῖς Ἀσσυρίων παρέδωκε βασιλεῦσι καὶ τὰς ἄλλας τοῦ Ἰούδα πόλεις πολιορκουμένας παρεῖδε, τὴν αἰτίαν τούτου διδάσκει ὅτι οὐκ εἰς πλῆθος ἀφορῶν ἀλλ' εὐσέβειαν ζητῶν. Τοῦτο γὰρ καὶ μετὰ ταῦτα γενήσεται τῶν μὲν πλείστων Ἰουδαίων μετὰ τὴν ἐνανθρώπησιν τοῦ σωτῆρος
280 ἀντιλεγόντων, τῶν δὲ τῆς σωτηρίας ἐφιεμένων προθύμως δεχομένων τῶν ἀποστόλων τὸ κήρυγμα.

Εἶτα διδάσκει καὶ τοῦ κηρύγματος τὸ σύντομον καὶ τῆς καινῆς διαθήκης τὸν τρόπον· **Λόγον γὰρ συντελῶν καὶ συντέμνων ἐν δικαιοσύνῃ,** [23] **ὅτι λόγον συντετμημένον**
285 **ποιήσει ὁ θεὸς ἐν τῇ οἰκουμένῃ ὅλῃ.** Ταύτης [καὶ] ὁ θεῖος ἀπόστολος ἐμνήσθη τῆς μαρτυρίας. Διδάσκει δὲ ἡμᾶς ὁ λόγος· ἅπερ ὁ νόμος (πολλ)αῖς ἐντολαῖς καὶ θυσίαις καὶ τιμωρίαις χρώμενος οὐκ ἴσχυσε κατορθῶσαι, ταῦτα ὁ

C : 286-290 διδάσκει — βάπτισμα

N : 267-272 ταύτην — εὐσεβείᾳ ‖ 274-281 ἐπειδὴ — κήρυγμα ‖ 282-293 εἶτα — θεός (283-287 λόγον — λόγος>)

265 τῶν ἑξῆς K : τοῦ N ‖ 265-266 ἐπὶ τὸν θεὸν N : > K ‖ 270 ἐκ N : οἱ K ‖ 274 ἐπειδὴ K : +τοίνυν τότε N (Np posuit τότε post φυλὰς) ‖ 277-278 ἀφορῶν ... ζητῶν K : ἀφορᾷ ... ζητεῖ N ‖ 282 εἶτα διδάσκει K : διδάσκει τοίνυν ἐνταῦθα N ‖ 286 δὲ K : > C ‖ 287 ἅπερ C : μονονουχὶ λέγων ὡς ἅπερ N ὥσπερ K

267-272 cf. IV Rois 18, 1-6; II Chr. 29-31 285-286 cf. Rom. 9, 28

---

1. EUSÈBE (*GCS* 77, 3-8) note qu'on retrouve ici dans le texte hébreu le terme ἦλ γιββώρ et renvoie à *Is.* 9, 6 (cf. t. I, p. 326, n. 3).

fait voir la suite du passage : *Mais ils mettront leur confiance en Dieu, le Saint d'Israël en vérité.* 21. *Et le reste de Jacob reviendra vers le Dieu fort*[1]. Cette piété du peuple — c'est le roi Ézéchias qui la leur a enseignée — est également attestée par le quatrième livre des Règnes. Or, se rattachèrent également à Jérusalem tous les membres des dix tribus qui avaient pu échapper à Salmanasar et à Sennachérim ; ils se détournèrent de l'erreur et suivirent la piété d'Ézéchias.

22. *Le peuple d'Israël fût-il comme le sable de la mer, (seul) parmi ses membres un reste sera sauvé.* Puisqu'il a livré les dix tribus aux rois d'Assyrie et qu'il s'est désintéressé des autres cités de Juda alors qu'elles étaient assiégées, il en indique la cause : il ne considère pas le grand nombre, mais recherche la piété[2]. Voilà ce qui se produira encore après ces événements : la plupart des Juifs, après l'incarnation du Sauveur, marqueront leur refus, tandis que d'autres, par désir du salut, accepteront avec empressement le message transmis par les apôtres.

Puis il enseigne la concision de ce message et le caractère du Nouveau Testament : *Car il exécutera (sa) parole et la fera brève dans (sa) justice*, 23. *parce que Dieu usera d'une parole abrégée dans le monde entier.* Le divin Apôtre à son tour a fait mention de ce témoignage. Voici donc ce que nous enseigne le texte : ce que la Loi, malgré l'utilisation de préceptes, de sacrifices et de châtiments nombreux, n'a pas eu le pouvoir de redresser, voilà que la

2. Même idée chez Chrysostome (*M.*, p. 147-148 : « Quid prodest multitudo si opera inutilia fiunt ? »), mais beaucoup plus longuement développée avec exemples à l'appui (Noé et le déluge, les trois survivants de Sodome, les deux rescapés de la traversée du désert) : « Ne vois-tu pas que le grand nombre n'apaise pas Dieu, mais l'irrite plutôt : car plus les hommes sont nombreux, plus grands sont les maux... Mieux vaut un seul homme, dit-il, qui fait la volonté du Seigneur que dix mille impies... ».

εὐ(αγγελ)ικὸς κατώρθωσε λόγος σύντομον προσφέρων φάρ-
290 μακον σωτηρίας τὸ πανάγιον βάπτισμα. (Διὰ γὰρ) πίστεως τοῖς ἀνθρώποις σωτηρία δεδώρηται. Οὗτος ὁ συντετμημένος λόγος τῆς δικαιοσύνης (συνεργός), ὃν οὐ μόνον Ἰουδαίοις ἀλλὰ καὶ πᾶσιν ἀνθρώποις δέδωκεν ὁ θεός.

Οὕτω περὶ τῆς (καινῆς) διαθήκης προαγορεύσας ἐπανάγει
295 πάλιν εἰς τὴν προτέραν ἀκολουθίαν τὸν λόγον · [24] **(Διὰ τοῦ)το τάδε λέγει κύριος Σαβαώθ · Μὴ φοβοῦ ὁ λαός μου οἱ κατοικοῦντες ἐν Σιὼν (ἀπὸ Ἀσσ)υρίων, ὅτι ἐν ῥάβδῳ πατάξει σε.** Ῥάβδον ἐκάλεσεν ἐνταῦθα τὴν μετρίαν (παιδείαν) · καὶ γὰρ πολλὰς τῶν ὑποκειμένων ἐπολιόρκησε πόλεις. **Πληγὴν**
300 **γὰρ ἐγὼ ἐπάγω (ἐπὶ σὲ τοῦ ἰδ)εῖν ὁδὸν Αἰγύπτου.** Καὶ ταύτην δέ σοι τὴν παιδείαν ἐπήγαγον οὐ(κ ἀδίκως ἀλλὰ) τῶν Αἰγυπτιακῶν ἐπιτηδευμάτων σε εἰσπραττόμενος εὐθύνας · |116 a| ἣν γὰρ παρ' Αἰγυπτίων ἐμεμαθήκεις εἰδωλολατρείαν, ταύτην δι(α)τελεῖς φυλάττων. Ταύτην καὶ ὁ
305 Σύμμαχος ἡρμήνευσε τὴν διάνοιαν · « Ἐν ῥάβδῳ πατάξει σε καὶ τὴν βακτηρίαν αὐτοῦ ἐπαρεῖ ἐπὶ σὲ διὰ τὴν ὁδὸν Αἰγύπτου », τουτέστι διὰ τὴν Αἰγυπτίων μίμησιν · ὁδὸν γὰρ πολλάκις τὸν βίον καλεῖ.

[25] **Ἔτι γὰρ μικρὸν καὶ παύσεταί μου ἡ ὀργὴ ἡ κατὰ σοῦ.**
310 Ἐπαγαγών σοι τὴν παιδείαν μεταδώσω καὶ βοηθείας. **Ὁ δὲ θυμός μου ἐπὶ τὴν βουλὴν αὐτῶν.** Τρέψω δὲ τὴν ὀργήν μου κατὰ τῶν πολεμούντων σοι. [26] **Καὶ ἐγερεῖ ὁ θεὸς ἐπ'**

C : 298-299 ῥάβδον — πόλεις

N : 294-295 οὕτω — λόγον ‖ 298-299 ῥάβδον — πόλεις ‖ 300-308 καὶ — καλεῖ ‖ 310-312 ἐπαγαγὼν — σοι (311 ὁ — αὐτῶν>)

289 προσφέρων CN : προσφέρει K ‖ 294 οὕτω K : τὰ N ‖ 295 εἰς K : ἐπὶ N ‖ 298 ῥάβδον KC : +γὰρ N ‖ 299 τῶν CN : > K ‖ 301 δέ K : οὖν N ‖ 306 ἐπαρεῖ e tx. rec. : ἐπάρῃ KN ‖ 310 ἐπαγαγών σοι K : σοι μὲν οὖν ἐπαγαγών φησι N

1. Eusèbe (*GCS* 77, 26-28), Basile (30, 552 B - 553 A) et Cyrille (70, 295 D) proposent des interprétations voisines : les deux

parole évangélique l'a redressé, en présentant un remède expéditif pour parvenir au salut : le très saint baptême. Car c'est la foi qui a fait présent aux hommes du salut. Voilà « la parole abrégée », auxiliaire de la justice, que Dieu a donnée non seulement aux Juifs, mais à toute l'humanité[1].

Salut du peuple et châtiment de l'Assyrien

Après cette annonce qui concerne le Nouveau Testament, il revient dans ses déclarations au développement précédent : 24. *C'est pourquoi le Seigneur Sabaoth parle en ces termes : Ne crains pas, mon peuple, toi qui habites Sion, (le danger) qui vient de l'Assyrien, parce qu'il va te frapper avec une verge.* Il a appelé « verge », dans ce passage, la leçon pleine de modération (qui lui fut infligée) : de fait, (le roi d'Assur) a fait le siège de bien des cités sujettes (de Jérusalem). *Car, moi, je porte un coup contre toi pour que tu voies la route de l'Égypte.* Je ne t'ai pas infligé cette leçon sans raison, mais pour te demander compte de tes mœurs égyptiennes, puisque tu continues à pratiquer l'idolâtrie que tu as apprise des Égyptiens. Symmaque également a traduit en donnant ce sens : « Il te frappera avec une verge et lèvera son bâton sur toi à cause de la route de l'Égypte », c'est-à-dire parce que tu imites les Égyptiens ; en effet, il appelle souvent « route » le mode de vie[2].

25. *Encore un peu de temps, en effet, et cessera ma colère contre toi.* Après t'avoir donné cette leçon, je t'accorderai aussi (mon) secours. *Et ma fureur (s'en prendra) à leur dessein.* Je tournerai ma colère contre ceux qui te font la guerre. 26. *Et Dieu brandira contre eux les*

premiers renvoient même, comme Théodoret, à *Rom.* 9, 27-29 et tous mettent en parallèle la loi mosaïque et le N.T. — *verbum abreviatum* —, mais Théodoret est seul à voir là une annonce du baptême.

2. Même explication chez Eusèbe (*GCS* 78, 20 s.) qui cite également la version de Symmaque.

αὐτοὺς μάστιγας κατὰ τὴν πληγὴν Μαδιὰμ ἐν τόπῳ θλίψεως. Δύο πληγὰς ἴσμεν τοῦ Μαδιάμ · τὴν μὲν διὰ τοῦ μεγάλου
315 Μωυσέως, τὴν δὲ διὰ τοῦ Γεδεὼν ἐπενεχθεῖσαν αὐτοῖς. Ἀμφότεραι δὲ παράδοξοι, παραδοξοτέρα δὲ ἡ δευτέρα · δίχα γὰρ ὅπλων κατηκοντίσθησαν. Ταύτην δὲ ἔδοσαν καὶ Ἀσσύριοι (τὴν) δίκην · οὐδενὸς γὰρ οὐ βέλος ἀφέντος, οὐκ ἀκοντίσαντος δόρυ, οὐ χρησαμένου σφενδόνῃ (πολ)λαὶ
320 τῷ θανάτῳ παρεπέμφθησαν μυριάδες. Τοῦτο καὶ ὁ μακάριος ἔφη Δαυίδ · « Ἀπὸ ἐπιτιμήσεώς σου, ὁ θεὸς Ἰακώβ, ἐνύσταξαν οἱ ἐπιβεβηκότες τοῖς ἵπποις. » Νυσταγμὸν δὲ ἐκάλεσε τοῦ θανάτου τὸ σύντομον.

Εἶτα διηγεῖται ὡς βούλεται μὲν μετὰ τὴν πολιορκίαν
325 τῆς Ἱερουσαλὴμ κατὰ τῆς Αἰγύπτου διὰ τῆς Παραλίας ὁρμῆσαι, οὐ μόνον δὲ ἐκείνης διαμαρτήσεται ἀλλὰ καὶ τῶν ἐν χερσὶ στερηθήσεται, τοῦ ἐπικειμένου τῇ Ἱερουσαλὴμ συντριβομένου ζυγοῦ. [27] **Καταφθαρήσεται** γάρ φησιν **ὁ ζυγὸς αὐτοῦ ἀπὸ τῶν ὤμων ὑμῶν.** Ἔπειτα διδάσκει τὸν πλάνον
330 ὃν ὑπομενεῖ φεύγων καὶ εἰς διαφόρους ὁδοὺς σκεδαννύμενος καὶ διερχόμενος τὴν Ἀγγαὶ καὶ τὴν Μαγεδδὼ καὶ τὴν Μαχμὰς καὶ τὴν Γαβαών. Ὅτι ἀγωνιάσει μὲν ἡ Ῥαμὰ τοῦ Σαοὺλ ἡ πόλις καὶ φεύξεται, βλάβην δὲ οὐ δέξεται, καὶ ἡ Γαλὶμ ἵππον γαυριῶντα μιμουμένη κατ' αὐτοῦ χρεμετίσει,
335 ἥ τε Λαϊσὰ καὶ ἡ Ἀναθὼθ καὶ ἡ Μαδεβηνὰ καὶ ἡ Γαβὶρ ἐκπλαγήσονται τὴν ἀθρόαν τῶν πραγμάτων μεταβολήν.

Ταῦτα περὶ τῶν ἄλλων εἰρηκὼς ὁ προφητικὸς λόγος τοὺς τὴν Ἱερουσαλὴμ οἰκοῦντας ψυχαγωγεῖ καὶ μένειν καὶ μὴ φεύγειν παρεγγυᾷ · [31] **Παρακαλεῖτε** [32] **σήμερον ἐν**

N : 314-320 δύο — μυριάδες ‖ 324-329 διηγεῖται — ὑμῶν ‖ 329-336 ἔπειτα — μεταβολήν ‖ 337-339 ταῦτα — παρεγγυᾷ

314 δύο K : ἰστέον δὲ ὅτι δύο N ‖ 315 Μωυσέως K : Μωσέως N ‖ 318 βέλος ἀφέντος K : βέλη ἀφιέντος N ‖ 324 βούλεται μὲν N : βουλεύεται K ‖ 329 ἔπειτα διδάσκει K : διδάσκει τοίνυν N ‖ 332 Μαχμὰς N : Μαχμαέ K ‖ 335 ἥ τε N : εἶτα K ‖ Μαδεβηνὰ N : Μαδεβεννὰ K ‖ 337 ταῦτα K : τὰ προειρημένα N

314-317 cf. Nombr. 31 ; Jug. 7 321 Ps. 75, 7

fouets, comme quand il frappa Madian au lieu de la tribulation. Nous savons que deux coups furent portés à Madian : l'un par l'intermédiaire du grand Moïse, l'autre par l'intermédiaire de Gédéon. L'un et l'autre sont prodigieux, mais le second plus encore que le premier, puisque les Madianites furent massacrés sans qu'on fît usage d'armes. Or, voilà le châtiment que subirent à leur tour les Assyriens : sans qu'on ait lancé un trait, brandi une lance, usé d'une fronde, bien des milliers d'hommes furent envoyés à la mort. Telles furent aussi les paroles du bienheureux David : « Sous ta menace, Dieu de Jacob, ceux qui montaient les chevaux se sont assoupis. » Or, il a appelé « assoupissement » le caractère subit de la mort[1].

Il expose ensuite comment (le roi), après le siège de Jérusalem, veut s'élancer contre l'Égypte en passant par le Littoral ; comment, outre son échec dans cette tentative, il sera encore privé de ce qu'il avait en mains, puisque sera brisé le joug qui menaçait Jérusalem : 27. *Son joug*, dit-il, *se disloquera loin de vos épaules.* Il enseigne ensuite la course errante que l'Assyrien se verra imposer dans sa fuite, dans sa dispersion sur des routes diverses et dans sa traversée d'Aggai, de Mageddo, de Mackmas et de Gabaon. Rama, la cité de Saoul, sera dans la crainte et prendra la fuite : pourtant elle n'éprouvera pas de dommage ; Galim, imitant le fier coursier, hennira contre lui ; Laïsa, Anathoth, Madébéna et Gabir seront frappés de stupeur devant le complet changement de la situation[2].

Consolation adressée à Jérusalem

Après de telles déclarations qui concernent les habitants des autres cités, le texte prophétique réconforte les habitants de Jérusalem et les invite à tenir bon et à ne pas fuir : 31. *Consolez* 32. *aujour-*

1. Cf. *In Psal.*, 80, 1473 C (Διὰ δὲ τοῦ « ἐνύσταξαν » τὴν τοῦ θανάτου ἐδήλωσεν εὐκολίαν) ; 1165 C (sommeil = mort).
2. Paraphrase d'*Is.* 10, 27-30.

340 **ὁδῷ τοῦ μεῖναι, παρακαλεῖτε τῇ χειρὶ τὸ ὄρος τῆς θυγατρὸς Σιὼν καὶ τοὺς βουνοὺς τοὺς ἐν Ἱερουσαλὴμ καὶ Ἰούδᾳ.** Οὕτω ταῦτα περὶ τῶν Ἀσσυρίων προθεσπίσας καὶ τὴν παράδοξον τῆς Ἱερουσαλὴμ σωτηρίαν προαγορεύσας τῆς σωτηρίας τὴν αἰτίαν διδάσκει· [33] **Ἰ(δοὺ) δὴ ὁ δεσπότης κύριος Σαβαὼθ**

345 **συνταράσσει τοὺς ἐνδόξους μετὰ ἰσχύος, καὶ οἱ (ὑψηλοὶ) τῇ ὕβρει συντριβήσονται καὶ οἱ μετέωροι ταπεινωθήσονται** [34] **καὶ πεσοῦνται (οἱ) ὑψηλοὶ μαχαίρᾳ, ὁ δὲ Λίβανος σὺν τοῖς ὑψηλοῖς πεσεῖται.** Οὐ μόνον φησὶ τού(ς δυναστεύ)οντας καὶ μέγα φρονοῦντας παραδώσει θανάτῳ, ἀλλὰ καὶ τὴν κρατοῦσαν

350 τῶν εἰ(δώλων) καταλύσει πλάνην. Λίβανον γάρ φησι τὴν πλάνην, ὑψηλὰ δὲ τὰ ἐν τοῖς (ὑψηλοῖς τιμώμενα) προσηγόρευσεν εἴδωλα. Ἐπειδὴ γὰρ ἐν τῷ Λιβάνῳ πλείστη κατεῖχεν ἐξαπ(άτη δαι)μόνων, ἀπὸ τοῦ μέρους τὸ πᾶν προσηγόρευσεν.

355 **11 [1] Καὶ ἐξελεύ(σεται ῥάβδος) ἐκ τῆς ῥίζης Ἰεσσαί, καὶ ἄνθος ἐκ τῆς ῥίζης ἀναβή(σεται).** .... |116 b| φησι τῆς ῥάβδου τῆς θείας ἀπολαύσεται προμηθείας. Ἄνω μὲν οὖν τὴν ἐκ παρθένου γέννησιν τοῦ Ἐμμανουὴλ προεδήλωσεν, εἶτα τὴν ἐκ πνεύματος ἁγίου ὑπέδειξε σύλληψιν· « Προ-

360 σῆλθον » γάρ φησι « πρὸς τὴν προφῆτιν, καὶ ἐν γαστρὶ ἔλαβεν. » Ἐν γὰρ τῇ παρθενικῇ νηδύι τὸ πανάγιον πνεῦμα διέπλασε τὸν τοῦ θεοῦ λόγου ναόν, τὴν τοῦ δούλου μορφήν, ἣν ἐξ αὐτῆς τῆς κυήσεως ὁ θεὸς λόγος ἀναλαβὼν ἥνωσεν ἑαυτῷ. Μετὰ ταῦτα ἔδειξεν ἡμῖν τοῦ τεχθέντος παιδίου

365 τὴν ἀξίαν καὶ τὰς θεοπρεπεῖς αὐτοῦ προσηγορίας ἐδίδαξεν, ὅτι θεὸς ἰσχυρός, ὅτι ἐξουσιαστής, ὅτι ἄρχων εἰρήνης,

N : 341-345 οὕτω — ἰσχύος (+ καὶ τὰ ἑξῆς) ‖ 348-354 οὐ — προσηγόρευσεν ‖ 357-369 ἄνω — Δαυίδ

342 ταῦτα K : τὰ προειρημένα N ‖ 344 διδάσκει K : +λέγων N ‖ δὴ N : κς̄ K ‖ 345 συνταράσσει e tx.rec. : ἐνταράσσει K συνταράξει N ‖ 356 lacuna : τὸ βλάστημα Br. Ka.

359 Is. 8, 3 366-367 cf. Is. 9, 5

d'hui sur la route afin qu'on tienne bon ! Consolez de la main la montagne de la fille de Sion et les collines de Jérusalem et de Juda. Puisque le prophète vient de faire en ces termes de telles prophéties sur les Assyriens et d'annoncer le salut prodigieux de Jérusalem, il enseigne la raison de ce salut : 33. *Voici donc que le Maître, le Seigneur Sabaoth, bouleverse les gens glorieux que la force accompagne ; ceux qu'élève l'insolence seront broyés et les orgueilleux, humiliés.* 34. *Les cimes tomberont sous l'épée, le Liban tombera avec ses cimes.* Il ne se contentera pas, dit-il, de livrer à la mort les puissants et les orgueilleux, il détruira aussi l'erreur des idoles qui règne en souveraine. De fait, par « Liban » il désigne l'erreur et il a donné le nom de « cimes » aux idoles qu'on vénérait sur les cimes. Puisque c'était sur le Liban que la tromperie des démons exerçait surtout sa domination, il a désigné le tout d'après la partie[1].

L'Emmanuel : sa parenté selon la chair

11, 1. *Un rameau sortira de la racine de Jessé, une fleur montera de sa racine.* (Le rejeton) de ce rameau, dit-il, bénéficiera de la sollicitude de Dieu. Précédemment le prophète a donc fait voir par avance l'enfantement de l'Emmanuel par une vierge, puis laissé entrevoir la conception, œuvre de l'Esprit-Saint : « Je me suis approché de la prophétesse, dit-il, et elle a conçu dans son sein. » De fait, le très saint Esprit a façonné dans le sein de la Vierge le temple du Dieu-Verbe, la forme de l'esclave que, dès l'époque même de la grossesse, le Dieu-Verbe a assumée en l'unissant à sa propre personne. Après quoi, (le prophète) nous a montré la dignité de l'enfant qui a été engendré et nous a appris les titres dignes de Dieu qui sont les siens : Dieu-Fort,

1. Interprétation constante chez Théodoret, cf. Introd., t. I, p. 83 ; mais il arrive aussi que le terme « Liban » soit une manière de désigner Jérusalem (*In Is.*, 10, 398-408 ; 19, 203-210). Chez EUSÈBE (*GCS* 81, 1-7), c'est cette dernière équivalence qui est retenue ici.

ὅτι πατὴρ τοῦ μέλλοντος αἰῶνος. Ἐνταῦθα δὲ καὶ τὴν σαρκικὴν αὐτοῦ διδάσκει συγγένειαν ὅτι ἐξ Ἰεσσαὶ κατὰ σάρκα βεβλάστηκεν · πατὴρ δὲ Ἰεσσαὶ τοῦ Δαυίδ.

370 [2] **Καὶ ἀναπαύσεται ἐπ' αὐτὸν πνεῦμα τοῦ θεοῦ, πνεῦμα σοφίας καὶ συνέσεως, πνεῦμα βουλῆς καὶ ἰσχύος, πνεῦμα γνώσεως καὶ εὐσεβείας · [3] πνεῦμα φόβου θεοῦ ἐμπλήσει αὐτόν.** Τῶν μὲν (γὰρ) προφητῶν ἕκαστος μερικήν τινα ἐδέξατο χάριν, ἐν αὐτῷ δὲ κατῴκησε « πᾶν τὸ πλήρωμα 375 τῆς θεότητος σωματικῶς », καὶ κατὰ τὸ ἀνθρώπινον δὲ πάντα εἶχε τοῦ πνεύματος τὰ χαρίσματα · « Ἐκ γὰρ τοῦ πληρώματος αὐτοῦ » κατὰ τὸν θεσπέσιον Ἰωάννην « ἡμεῖς πάντες ἐλάβομεν. »

Οὐ κατὰ τὴν δόξαν κρινεῖ οὐδὲ κατὰ τὴν λαλιὰν ἐλέγξει. 380 Οὐ γὰρ προσεῖχε τῇ δυναστείᾳ τῶν γραμματέων καὶ Φαρισαίων, ἀλλὰ μετὰ παρρησίας αὐτῶν τὴν παρανομίαν διήλεγχεν · « Οὐαὶ ὑμῖν » λέγων « γραμματεῖς καὶ Φαρισαῖοι ὑποκριταί » καὶ τὰ ἄλλα ὅσα τοιαῦτα ἃ ῥᾴδιον τοῖς βουλο-

N : 373-378 τῶν — ἐλάβομεν ‖ 380-384 οὐ — κατανοεῖν

369 δὲ N : +τοῦ K ‖ 379 κρινεῖ K : οὖν κρινεῖ φησιν N ‖ 383 τὰ ἄλλα ὅσα K : ὅσα ἄλλα N ‖

374 Col. 2, 9 376 Jn 1, 16 382 Matth. 23, 13 et passim

---

1. La plupart des commentateurs voient dans ce verset une prophétie messianique et placent là un développement christologique. Chrysostome (*M.*, p. 150), pour des raisons historiques, rejette l'interprétation de ceux qui rapportent la prophétie à Ézéchias. Pour Cyrille (70, 309 C - 312 D), les deux termes « rameau » et « fleur » désignent le Christ « selon la chair » ; le rameau est le signe de la royauté — Cyrille en donne divers exemples — et le bâton fleuri d'Aaron, une figure du Christ (*id.*, 312 B) ; la fleur désigne la nature humaine qui a refleuri dans le Christ pour devenir incorruptible et accéder à la vie nouvelle de l'Évangile. Quant à Eusèbe (*GCS* 81, 16-22), il trouve que la mention de Jessé fait entendre de manière beaucoup plus claire que ne l'eût fait celle de David le type de royauté qu'allait exercer le Christ : la pauvreté de Jessé annonce

Maître-Souverain, Prince de la Paix, Père du siècle à venir. Dans ce passage, il enseigne également sa parenté charnelle : il a tiré de Jessé son germe selon la chair ; or, Jessé fut le père de David[1].

Portrait moral de l'Emmanuel. Un règne de justice

2. *Et l'Esprit de Dieu reposera sur lui, esprit de sagesse et d'intelligence, esprit de conseil et de force, esprit de science et de piété ; 3. l'esprit de crainte de Dieu le remplira.* Chacun des prophètes a reçu une grâce particulière, mais en lui a habité « corporellement toute la plénitude de la Divinité », et, sous le rapport de l'humanité, il possédait tous les charismes de l'Esprit : « Car de sa plénitude », selon Jean l'inspiré, « nous avons tous reçu[2]. »

Il ne jugera pas d'après la gloire et ne confondra pas sur un racontar. De fait, il ne s'est pas préoccupé de l'autorité des scribes et des pharisiens, mais il a parlé avec une entière liberté pour les convaincre d'iniquité : « Malheur à vous, scribes et pharisiens hypocrites », disait-il, sans compter toutes les autres déclarations de ce genre que peuvent facilement relever dans les saints

l'abaissement de la venue du Christ dans la chair (τὸ κατὰ σάρκα μέτριον καὶ ταπεινὸν τοῦ σωτῆρος ἡμῶν). Voir enfin Basile (30, 553 AC) qui insiste sur le fait que le Verbe a revêtu une chair véritable et non pas seulement une apparence.

2. Chrysostome (*M.*, p. 151-152) place ici un long développement contre les hérétiques (ariens) qui nient la consubstantialité du Père et du Fils, et montre de nouveau l'impossibilité de rapporter la prophétie à Ézéchias ou à Zorobabel, puisqu'ils n'ont ni l'un ni l'autre reçu « la plénitude de l'Esprit » ; comment les hérétiques pourraient-ils, en effet, admettre pour ceux-là ce qu'ils refusent pour le Christ *(Uter plenitudinem Spiritus accipere potuit? Si instabis affirmando, vere, illos aptos fuisse, cur non eadem de Christo confiteberis?)?* Cyrille fait aussi un long développement christologique (70, 313 B - 316 B) pour expliquer en quel sens on doit comprendre que le Christ « reçoit l'Esprit ». Quant à Eusèbe, comme Théodoret, il commente essentiellement ce verset en citant *Col.* 2, 9 et *Jn* 1, 16.

μένοις ἐν τοῖς ἱεροῖς εὐαγγελίοις κατανοεῖν. [4] **Ἀλλὰ κρινεῖ ἐν**
385 **δικαιοσύνῃ ταπεινῷ κρίσιν.** Τοὺς μὲν γὰρ τῆς τῶν δαιμόνων ἠλευθέρου μανίας, τοὺς δὲ τῆς τῶν παθημάτων ἐπικρατείας ἀπήλλαττε, τοῖς δέ γε πιστεύουσι τὴν ὀνησιφόρον καὶ ζωῆς πρόξενον διδασκαλίαν προσέφερεν. **Καὶ ἐλέγξει ἐν εὐθύτητι τοὺς ἐνδόξους τῆς γῆς.** Τοῦτο πράως μὲν ἐν τῇ προτέρᾳ
390 ἐπιφανείᾳ πεποίηκε, βασιλικῶς δὲ καὶ ἐξουσιαστικῶς ἐν τῇ δευτέρᾳ ποιήσει τοῖς θείοις ἐγκαθήμενος θώκοις καὶ τὰς δικαίας ψήφους ἐκφέρων.

Καὶ πατάξει τὴν γῆν τῷ λόγῳ (τοῦ στό)ματος αὐτοῦ. Τῇ γὰρ θεοπρεπεῖ τῶν ἀποστόλων διδασκαλίᾳ οὐρανὸν τὴν
395 γῆν ἀπειρ(γάσα)το, πολλοὺς ἐν ἑκάστῳ ἔθνει τῶν γηίνων ἀποστήσας πραγμάτων καὶ τὴν οὐράνιον (ἀσπάσ)ασθαι πολιτείαν παρασκευάσας. **Καὶ τῷ πνεύματι διὰ χειλέων ἀνελεῖ τὸν ἀ(σεβῆ).** Τοῦτο καὶ ὁ θεῖος ἀπόστολος περὶ τοῦ ἀντιχρίστου προείρηκεν· « Τότε » γάρ φησιν « ἀποκα-
400 λυφ(θήσεται ὁ) ἄνομος, ὃν ὁ κύριος Ἰησοῦς ἀνελεῖ τῷ πνεύματι τοῦ στόματος αὐτοῦ καὶ καταργήσει (τῇ ἐπιφανείᾳ) τῆς παρουσίας αὐτοῦ. » Τοῦτο καὶ αὐτὸς οὗτος ὁ προφήτης μετ' ὀλίγα (βοᾷ· « Ἀρθή)τω ὁ ἀσεβής, ἵνα μὴ ἴδῃ τὴν δόξαν κυρίου. »
405 [5] **Καὶ ἔσται δικαιοσύνῃ (ἐζωσμένος τὴν ὀσ)φῦν αὐτοῦ καὶ ἀληθείᾳ εἰλημμένος τὰς πλευρὰς αὐτοῦ.** Τοῦτο καὶ ὁ (μακάριος Δαυὶδ) ἔφη· « Περίζωσαι τὴν ῥομφαίαν σου ἐπὶ τὸν μηρόν σου, δυνατέ, τῇ ὡ(ραιότητί σου καὶ) τῷ κάλλει σου καὶ ἔντεινε καὶ κατευοδοῦ καὶ βασίλευε ἕνεκεν
410 (ἀληθείας καὶ πρα)ότητος καὶ δικαιοσύνης. » Διὰ τῆς ἀληθείας καὶ τῆς δικαιοσύνης πᾶν εἶδος συμπεριέλαβεν

N : 384-392 ἀλλὰ — ἐκφέρων || 394-397 τῇ — παρασκευάσας || 398-404 τοῦτο — κυρίου || 406-413 τοῦτο — φησιν

384-385 ἀλλὰ — δικαιοσύνῃ K : ἔκρινε δὲ καὶ ἄλλως N || 388-389 καὶ — τοῦτο K : τὸ δὲ ἐλέγξαι τοὺς ταπειποὺς τῆς γῆς N || 394 τῇ γὰρ K : ἀλλὰ καὶ τῇ N || 398-399 τοῦτο ... τοῦ ἀντιχρίστου K : ἢ περὶ τοῦ ἀντιχρίστου φησὶ τοῦτο γὰρ ... αὐτοῦ N || 399 γάρ φησιν K : λέγων N || 410-411 δικαιοσύνης — καὶ om. K || 410-413 διὰ (ἢ διὰ N) — φησιν ante 406 τοῦτο posuit N

Évangiles ceux qui le désirent[1]. 4. *Mais il rendra en toute justice le jugement à l'(homme) humble.* Il délivrait les uns de la folie démoniaque, il affranchissait les autres de l'empire des maladies ; aux croyants il présentait un enseignement plein d'utilité et source de vie. *Et il confondra en toute équité les glorieux de la terre.* Il l'a fait avec douceur lors de sa première Manifestation ; il le fera royalement et souverainement lors de la seconde : assis sur le trône divin, il rendra de justes sentences.

Et il frappera la terre de la parole de sa bouche. Grâce au divin enseignement des apôtres, il a transformé la terre en ciel : dans chaque nation, il a éloigné bon nombre d'hommes des occupations terrestres et les a disposés à embrasser le mode de vie céleste. *Et par son souffle, à travers ses lèvres, il tuera l'impie.* Voilà ce qu'à son tour le divin Apôtre a prédit au sujet de l'Anti-Christ : « Alors, dit-il, le criminel se révélera, lui que le Seigneur Jésus fera disparaître par le souffle de sa bouche et qu'il anéantira par la Manifestation de sa Venue[2]. » Voilà ce que clame encore ce même prophète peu après : « Que l'impie disparaisse, pour qu'il ne voie pas la gloire du Seigneur. »

5. *Et il aura les reins ceints de la justice et ses flancs seront couverts de la vérité.* Voilà ce qu'a dit aussi le bienheureux David : « Ceins ton épée sur ta cuisse, Prince ! Avec la grâce et la beauté qui t'appartiennent, élance-toi, fais bonne route et règne à cause de la vérité, de la douceur et de la justice. » Par « vérité » et par « justice » il a embrassé

399 II Thess. 2, 8 403 Is. 26, 10 407 Ps. 44, 4-5

1. Sur cette invitation à une recherche personnelle, cf. t. I, p. 216, n. 1 ; voir aussi l'interprétation très voisine d'Eusèbe (*GCS* 82, 26 s.).

2. Chrysostome entend également le verset de l'Anti-Christ et cite aussi *II Thess.* 2, 8 (*M.*, p. 153, § 5) ; Cyrille voit dans le terme « impie » une manière de désigner les démons et les esprits impurs.

ἀρετῆς · (ταύτας αὐτῷ) καὶ ἀντὶ περιβολαίου καὶ ἀντὶ ζώνης γεγενῆσθαί φησιν.

Εἶτα τῆς |117 a| οἰκονομίας τὰ κατορθώματα λέγει ·
415 [6] **Τότε συμβοσκηθήσεται λύκος μετὰ ἀρνός, καὶ πάρδαλις συναναπαύσεται ἐρίφῳ, καὶ μοσχάριον καὶ λέων καὶ ταῦρος ἅμα βοσκηθήσονται.** Διὰ τῶν ἡμέρων καὶ ἀγρίων ζῴων τροπικῶς τῶν ἀνθρωπείων ἠθῶν ἐδίδαξε τὴν διαφοράν. Λύκῳ μὲν γὰρ ἀπεικάζει τὸ ἁρπακτικὸν ἦθος, προβάτῳ
420 δὲ τὸ ἥμερόν τε καὶ πρᾶον καὶ αὖ πάλιν παρδάλει μὲν τὸ ποικίλον — κατάστικτον γὰρ τὸ ζῷον —, ἐρίφῳ δὲ τὸ ἁπλοῦν τε καὶ ἄκακον · οὕτω λέοντι μὲν τὸ ὑπερήφανον καὶ ἀρχικόν, ταύρῳ δὲ τὸ θρασύ, μοσχαρίῳ δὲ τὸ τούτων ἀπηλλαγμένον. Ἀλλ' ὅμως κατὰ ταὐτὸν αὐτὰ νεμηθήσεσθαι λέγει. Καὶ
425 ὁρῶμεν τῆς προφητείας ἐν ταῖς ἐκκλησίαις τὸ τέλος καὶ βασιλέας καὶ ὑπάρχους καὶ στρατηγοὺς καὶ στρατιώτας καὶ ἀποχειροβιώτους οἰκέτας τε καὶ προσαίτας τῆς ἱερᾶς κατὰ ταὐτὸν κοινωνοῦντας τραπέζης, τῶν αὐτῶν ἐπαΐοντας λόγων, τῆς αὐτῆς κολυμβήθρας ἀξιουμένους.
430 **Καὶ παιδίον μικρὸν ἄξει αὐτούς.** Τοὺς γὰρ ἐπὶ δυνάμει γαυριῶντας καὶ ἐπὶ σοφίᾳ βρενθυομένους ἄνθρωπος τῇ κακίᾳ κατὰ τὴν ἀποστολ(ικὴν) παραίνεσιν νηπιάζων καὶ τῇ ἁλιευτικῇ ἁπλότητι διακοσμούμενος ἄγει καὶ νέμει.
[7] **Καὶ βοῦς καὶ ἄρκος ἅμα συνβοσκηθήσονται, καὶ ἅμα τὰ**
435 **παιδία αὐτῶν ἔσονται, καὶ λέων ὡς βοῦς φάγεται ἄχυρα.**

C : 417-429 διὰ — ἀξιουμένους ‖ 430-433 τοὺς — νέμει

N : 417-429 διὰ — ἀξιουμένους ‖ 430-433 τοὺς — νέμει

417 ἡμέρων KC : +τοίνυν N ‖ 418 ἠθῶν CN : ἐθῶν K ‖ 420 δὲ KN : τε C ‖ 426 βασιλέας C : βασιλεῖς KN ‖ 426-427 καὶ[2] — ἀποχειροβιώτους CN : > K ‖ 430 γὰρ KC : οὖν N

431-432 cf. I Cor. 14, 20

1. Cf. t. I, p. 331, n. 1.

2. De ce verset, Eusèbe (*GCS* 83, 34 - 84, 1 s.) et Chrysostome (*M.*, p. 154-158) fournissent une interprétation figurée comparable : ces noms d'animaux sont pour le prophète une manière d'exprimer

toute forme de vertu ; elles en sont venues, dit-il, à tenir lieu pour lui de vêtement et de ceinture.

Un règne de paix

Il énonce ensuite les heureux résultats de (cette) économie[1] : 6. *Alors le loup paîtra avec l'agneau; la panthère dormira avec le chevreau; le veau, le lion et le taureau paîtront ensemble.* Les animaux domestiques et les animaux sauvages lui ont permis d'enseigner de manière figurée la différence qui existe entre les caractères humains. Il compare au loup, le caractère rapace ; à la brebis, le caractère doux et tendre. Puis, de nouveau, à la panthère le caractère multiforme — c'est en effet un animal tacheté — ; au chevreau, le caractère simple et sans malice. De même, (il compare) au lion, le caractère orgueilleux et dominateur ; au taureau, le caractère audacieux ; au veau, le caractère qui s'écarte de ces derniers. Néanmoins, dit-il, on les mènera paître ensemble. Nous voyons, quant à nous, l'accomplissement de la prophétie dans les églises : empereurs et préfets, stratèges et soldats, artisans, serviteurs et mendiants participent ensemble à la sainte Table, entendent les mêmes paroles, sont jugés dignes du même bain[2].

Et un petit enfant les conduira. Ceux qui se font gloire de leur puissance et qui se rengorgent à cause de leur sagesse, un homme dont la conduite pour la malice est celle d'un tout jeune enfant, — selon l'exhortation de l'Apôtre —, et dont la simplicité des pêcheurs est la parure, les conduit et les fait paître. 7. *La vache et l'ourse paîtront ensemble, ensemble habiteront leurs petits; le lion comme le bœuf mangera du chaume.* Nous voyons aussi

les différences de tempérament et de position sociale entre les hommes ; comme Théodoret, ils voient la réalisation de cette prophétie dans l'universalité de l'Église (Eusèbe, *GCS* 84, 8-11 ; Chrysostome, *M.*, p. 158). Cyrille retient de ces termes la valeur morale — les mauvaises mœurs sont transformées par le Christ — tout en y voyant lui aussi une annonce de l'universalité de l'Église (70, 321 B - 324).

Ὁρῶμεν δὲ καὶ τούτων τὸ τέλος · πολλοὶ γὰρ πλούτῳ περιρρεόμενοι καὶ ἀφθόνους ἔχοντες τρυφῆς ἀφορμὰς τὴν νηστείαν τῆς χλιδῆς προτιμῶσι καὶ μιμοῦνται λέοντα σαρκοβόρον ἀχύρων μεταλαγχάνειν αἱρούμενον.

440 [8] **Καὶ παιδίον νήπιον ἐπὶ τρώγλην ἀσπίδων καὶ ἀπογεγαλακτισμένον ἐπὶ κοίτην ἐκγόνων ἀσπίδων τὴν χεῖρα ἐπιβαλεῖ.** Τοιοῦτος ἦν ὁ μακάριος Παῦλος τοῖς Ἐπικουρείοις καὶ Στωικοῖς διαλεγόμενος φιλοσόφοις καὶ ἐπὶ τοῦ Ἀρείου πάγου δημηγορῶν καὶ κατατολμῶν τῶν ἀσπίδων καὶ οἷόν

445 τινα χεῖρα τὸν ἁπλοῦν αὐτοῦ λόγον ὡς εἰς κατάδυσιν θηρίων τὴν τούτων ἀκοὴν ἐμβάλλειν ἐπιχειρῶν · καὶ γὰρ δαιμόν(ων) ἦν κατάδυσις ἡ ἐκείνων καρδία. [9] **Καὶ οὐ μὴ κακοποιήσωσιν οὐδ' οὐ μὴ δύνωνται ἀπολέσαι οὐδένα ἐπὶ τὸ ὄρος τὸ ἅγιόν μου.** Τούτῳ ἔοικεν ἡ εὐαγγελικὴ τοῦ (κυρίου) φωνή · « Ἐπὶ

450 ταύτῃ τῇ πέτρᾳ οἰκοδομήσω μου τὴν ἐκκλησίαν, καὶ πύλαι ᾅδου οὐ κατισχύ(σουσιν) αὐτῆς. » Ὄρος τοίνυν ἅγιον τὸ ὑψηλὸν καὶ ἰσχυρὸν καὶ ἀκίνητον τῆς θείας αὐτοῦ διδασκαλίας καλεῖ καὶ τοῖς ἐπὶ τούτῳ ἑστῶσι τὸ ἀκαταγώνιστον ἐπαγγέλλεται.

455 [Εἶτα] δείκνυσι τὴν τοῦ κηρύγματος δύναμιν · **Ὅτι ἐνεπλήσθη ἡ σύμπασα γῆ τοῦ (γνῶναι) τὸν κύριον ὡς ὕδωρ πολὺ κατακαλύψει θαλάσσας.** Μέγιστον δὲ ἀληθῶς καὶ παρα(δοξότατον τὸ) θαῦμα καὶ ἔοικε ψεκάσιν ὀλίγαις ἐπιφερομέναις θαλάττῃ καὶ τὴν (ἐν ταύτῃ μετα)βαλλούσαις

460 πικρίαν καὶ γλυκεῖαν ἐργαζομέναις τὴν ταύτης ποιότητα · (οὕτως γὰρ) ὁ εὐαγγελικὸς λόγος κατέπαυσε μὲν τὴν τῆς

C : 442-447 τοιοῦτος — καρδία

N : 436-439 πολλοὶ — αἱρούμενον || 442-447 τοιοῦτος — καρδία || 448-454 οὐ — ἐπαγγέλλεται || 455-463 εἶτα — ἐπλήρωσεν

436 πολλοὶ γὰρ K : ἀλλὰ καὶ πολλοὶ N || 437 ἀφθόνους N : ἀφθόνως K || 439 μεταλαγχάνειν K : μεταλαμβάνειν N || 443 διαλεγόμενος KN : > C || 448-449 οὐ ... τούτῳ K : τῷ οὖν οὐ ... N || 449 τοῦ κυρίου/φωνή K : ∾ N || 455 .... δείκνυσι K : δείκνυσιν οὖν N || 456 ἐνεπλήσθη K : +λέγων N || 457 κατακαλύψει e tx.rec. : κατακαλύψῃ K καλύψαι N

l'accomplissement de ces paroles : bien des gens qui regorgent de richesses, qui ont des moyens abondants pour mener une vie de facilité, préfèrent le jeûne à la vie de mollesse, à l'imitation du lion carnivore qui choisit de goûter au chaume[1].

8. *L'enfant en bas âge avancera la main sur un trou de vipères; l'enfant à peine sevré l'avancera sur le repaire des petits de vipères.* Tel était le bienheureux Paul quand il s'adressait aux philosophes épicuriens et stoïciens, quand il parlait devant le peuple sur l'Aréopage, quand il affrontait hardiment les vipères et tentait d'introduire ce qui lui tenait lieu de main — sa parole toute simple — dans ce qui était comme un repaire de serpents — leurs oreilles : car leur cœur était le repaire des démons. 9. *Ils ne feront plus de mal et ils ne pourront plus tuer quiconque sur ma montagne sainte.* Voilà ce à quoi ressemble la parole du Seigneur dans l'Évangile : « Sur cette pierre je bâtirai mon Église, et les portes de l'Hadès ne prévaudront pas contre elle. » Il appelle donc « montagne sainte » le caractère d'élévation, de force et d'immutabilité que possède son enseignement divin ; et il promet à ceux qui se tiendront sur elle l'invincibilité.

Il montre, ensuite, la puissance de ce message : *Car toute la terre a été remplie de la connaissance du Seigneur; comme une eau abondante, elle recouvrira les mers.* Le miracle est en vérité très grand et très prodigieux. On dirait un petit nombre de gouttes de pluie qui se répandent sur la mer, qui transforment son amertume et rendent douce la qualité de ses eaux : c'est ainsi que la parole

442-444 cf. Act. 17, 18-19.22 s. 449 Matth. 16, 18

1. Chrysostome (*M.*, p. 155, § 8) note aussi cette transformation dans le comportement chez ceux qui choisissent de mener une vie d'ascèse dont la caractéristique est le jeûne. Cyrille voit dans ce changement de nourriture le symbole des nations qui passent des nourritures de l'erreur à la nourriture de l'Évangile (70, 324 CD).

οἰκουμένης ἀσέβ(ειαν, πᾶσαν) δὲ γῆν καὶ θάλατταν θεογνωσίας ἐπλήρωσεν.

10 Καὶ ἔσται ἐν τῇ (ἡμέρᾳ) ἐκείνῃ ἡ ῥίζα τοῦ Ἰεσσαὶ
465 **καὶ ὁ ἀνιστάμενος ἄρχειν ἐθνῶν ἐπ' αὐτ(ῷ ἔθνη ἐλπιοῦσιν).**
Καὶ τῶν θείων ἀνέμνησεν ὑποσχέσεων καὶ τῶν Ἰακὼβ
τοῦ πατρι(άρχου προρρ)ήσεων. Ὁ μὲν γὰρ θεὸς πρὸς τὸν
Ἀβραὰμ ἔφη · « Ἐν τῷ σπέρματί σου εὐλογη(θήσονται
πάντα) τὰ ἔθνη τῆς γῆς. » Ταύτην δὲ καὶ τῷ Ἰσαὰκ καὶ τῷ
470 Ἰ(ακὼβ δέδωκε) |117 b| τὴν ὑπόσχεσιν. Ὁ δὲ πατριάρχης
Ἰακὼβ τῷ Ἰούδᾳ ἣν ἔλαβεν ἔδωκεν εὐλογίαν καί φησιν ·
« Οὐκ ἐκλείψει ἄρχων ἐξ Ἰούδα καὶ ἡγούμενος ἐκ τῶν
μηρῶν αὐτοῦ, ἕως ἂν ἔλθῃ ᾧ ἀπόκειται, καὶ αὐτὸς προσδοκία ἐθνῶν. » Ταύτην βεβαιοῖ τὴν προφητείαν καὶ ὁ
475 θαυμάσιος οὗτος προφήτης καὶ δείκνυσιν αὐτὸν ἐξ Ἰεσσαὶ
μὲν καὶ Δαυὶδ τὸ κατὰ σάρκα γένος κατάγοντα, ἄρχοντα
δὲ οὐκέτι Ἰουδαίων ἀλλὰ τῶν ἐθνῶν καὶ εἰς αὐτὸν πιστεύοντας
οὐκ Ἰουδαίους ἀλλὰ τὰ ἔθνη. Ἄξιον δὲ θρηνῆσαι τὴν
Ἰουδαίων ἐμβροντησίαν, οἳ τῷ Ζοροβάβελ ταύτην προσαρ-
480 μόττουσι τὴν προφητείαν, ὃς οὐδὲ Ἰουδαίων ἦρξεν ἁπάντων
ἀλλ' ὀλίγων τινῶν, ἐθνῶν δὲ οὐδὲ ὅλως. Ἀλλ' ἡμεῖς ἐκείνους
καταλιπόντες τῆς ἑρμηνείας ἐχώμεθα.

N : 466-481 καὶ[1] — ὅλως

466 θείων K : +τοίνυν N ‖ ὑποσχέσεων K : +ὁ προφήτης N ‖
469 τῆς γῆς K : > N ‖ 472 καὶ K : οὐδὲ N ‖ 479 προσαρμόττουσι
K : προσαρμόζουσι N ‖ 481 οὐδὲ K : γε (> N^{p}) οὐδ' N

468 Gen. 26, 4 472 Gen. 49, 10

1. On retrouve le même symbolisme plus bas (*Is.* 11, 15) : l'eau de mer, comme la forêt ou le désert, est impropre à la vie et, sous ce rapport, stérile ; la « parole évangélique », comme ailleurs les « nuages » ou la « pluie » prophétiques, apparaît à l'inverse comme l'élément fécondant, capable d'opérer une transformation totale de l'élément stérile ; cf. *In Ez.*, 81, 1244 A.

2. Littéralement : « Le chef ne sortira pas de Juda et le commandant d'entre ses cuisses... » ; l'image est celle du chef assis sur son trône, tenant en mains et entre les jambes les insignes de son pouvoir ; mais les termes concrets (ἄρχων, ἡγούμενος) utilisés par les Septante

évangélique a fait cesser l'impiété du monde et rempli entièrement terre et mer de la connaissance de Dieu[1].

La conversion des nations et du reste d'Israël

10. *En ce jour-là paraîtront la racine de Jessé et celui qui se lève pour commander aux nations : en lui les nations mettront leur espérance.* Il a rappelé le souvenir des promesses divines et des prédictions faites au patriarche Jacob. En effet, Dieu a dit à Abraham : « Dans ta descendance seront bénies toutes les nations de la terre. » Il a encore donné cette promesse à Isaac et à Jacob. Puis le patriarche Jacob a donné à Juda la Bénédiction qu'il avait reçue, en disant : « Le pouvoir ne sortira pas de Juda ni le bâton de commandement d'entre ses pieds[2], jusqu'à ce que vienne celui à qui il est réservé, lui qui est aussi l'attente des nations. » A son tour, notre admirable prophète confirme cette prophétie ; il montre que celui dont il s'agit descend, selon la chair, de Jessé et de David ; qu'il ne règne plus sur les Juifs, mais sur les nations ; que ceux qui croient en lui, ce ne sont pas les Juifs, mais les nations. Il vaut donc la peine de déplorer la stupidité des Juifs qui appliquent cette prophétie à Zorobabel[3] : il n'a même pas commandé à tous les Juifs, mais à un petit nombre d'entre eux, et n'a aucunement commandé aux nations. Mais laissons-les de côté et tenons-nous-en à notre commentaire.

traduisent maladroitement cette idée que Juda — i.e. la tribu de Juda —, détiendra le sceptre et le bâton de commandement jusqu'à la venue du Messie.

3. Théodoret s'oppose peut-être autant à l'interprétation de Théodore de Mopsueste qu'à celle des Juifs (cf. Introd., t. I, p. 85). De même CHRYSOSTOME refuse ici encore de rapporter à Zorobabel ou à Ézéchias une prophétie qui ne trouve que dans le Christ son accomplissement (*M.*, p. 158, § 11). EUSÈBE affirme de son côté que la prophétie ne peut s'appliquer qu'au Christ et conteste l'interprétation que les Juifs donnent du passage (*GCS* 85, 32 - 86, 8).

Καὶ ἔσται ἡ ἀνάπαυσις αὐτοῦ τιμή. Ἐπειδὴ γὰρ εἶπεν αὐτοῦ τὴν βλάστην καὶ τῆς οἰκονομίας τὰ κατορθώματα
485 καὶ τὴν ἀρχὴν (ὑπ)έδειξεν, ὑποδείκνυσι καὶ τὸ ἐν μέσῳ γενόμενον πάθος μεθ' ὃ τῆς οἰκουμένης ἐκράτησεν. Διά τοι τοῦτο ἀνάπαυσιν προσαγορεύει τὸν θάνατον καὶ τιμήν. Ἀγνοούμενος (γὰρ) πρὸ τῆς ἐνανθρωπήσεως ὑπὸ τῶν ἐθνῶν, μετὰ τὴν ἐνανθρώπησιν καὶ τὸ πάθος δέχ(εται) παρὰ
490 πάντων ὡς ποιητὴς καὶ θεὸς τὴν θείαν προσκύνησιν.

[11] **Καὶ ἔσται ἐν τῇ ἡμέρᾳ ἐκείνῃ προσθήσει κύριος τοῦ δεῖξαι τὴν χεῖρα αὐτοῦ τοῦ ζηλῶσαι καὶ ζητῆσαι τὸ καταλειφθὲν ὑπόλοιπον τοῦ λαοῦ ὃ ἐγκατελείφθη ὑπὸ τῶν Ἀσσυρίων καὶ ἀπὸ Αἰγύπτου καὶ ἀπὸ Βαβυλῶνος καὶ ἀπὸ**
495 **Αἰθιοπίας καὶ ἀπὸ Ἐλαμιτῶν καὶ ἀπὸ ἡλίου ἀνατολῶν καὶ ἐξ Ἀραβίας καὶ ἀπὸ τῶν νήσων τῆς θαλάσσης.** Ἐδίδαξεν ἡμᾶς ἡ ἱστορία τῶν Πράξεων, ὡς τὴν οἰκουμένην περινοστοῦντες οἱ θεῖοι ἀπόστολοι πρώτοις Ἰουδαίοις ἐκήρυττον. Ἀμέλει τοῖς ἀντιλέγουσιν ὁ μακάριος ἔφη
500 Παῦλος· « Ὑμῖν ἦν ἀναγκαῖον πρῶτον λαληθῆναι τὸν λόγον τοῦ θεοῦ· ἐπειδὴ δὲ ἀναξίους ἑαυτοὺς κρίνετε τῆς αἰωνίου ζωῆς, καθαροὶ ἡμεῖς ἀπὸ τοῦ νῦν εἰς τὰ ἔθνη πορευσόμεθα. » Πεπιστεύκασι δὲ ὅμως μυριάδες πολλαί, καὶ τρισχίλιοι καὶ πεντακισχίλιοι κατὰ ταὐτὸν ὑπ' αὐτῶν

C : 487-490 ἀνάπαυσιν — προσκύνησιν

N : 483-490 ἐπειδὴ — προσκύνησιν ‖ 496-509 ἐδίδαξεν — ἀξιώσει

483 γὰρ K : > N ‖ 496 ἐδίδαξεν K : +γὰρ N ‖ 504 καὶ πεντακισχίλιοι N : > K

500 Act. 13, 46 ; 18, 6 504-506 cf. Act. 2, 41 ; 4, 4 ; 21, 20

1. Cf. t. I, p. 331, n. 1.

2. Pour Chrysostome (*M.*, p. 158, § 11), les termes de la prophétie « son repos sera son honneur » s'appliquent au tombeau du Christ, objet de vénération *(sepulcrum scilicet in quo sepultus est, quod semper honoratur atque laudatur)*. Selon Eusèbe, par le terme de « repos » le prophète ne fait pas entendre la « mort », mais la « glorification » du Christ qui est le terme de l'économie (*GCS* 85, 27-31) dont le début du verset trace les étapes (*id.*, 14-22) : l'Incarnation

Et son repos sera honneur. Puisqu'il a parlé de sa naissance et fait entrevoir à la fois les heureux résultats de son économie[1] et son empire, il fait également entrevoir le point central que fut sa Passion : c'est après elle qu'il a exercé sur le monde sa souveraineté. Voilà donc pourquoi il donne à sa mort les noms de « repos » et d'« honneur »[2]. De fait, alors qu'il était méconnu des nations avant l'Incarnation, c'est après son Incarnation et sa Passion qu'il a reçu de tous, en tant que Créateur et Dieu, l'adoration qu'on rend à Dieu.

11. *Et il arrivera, en ce jour-là, que le Seigneur montrera de nouveau sa main pour poursuivre de son zèle et pour rechercher le petit reste de son peuple, ce qu'ont laissé les Assyriens, le reste qui vient de l'Égypte, de Babylone, de l'Éthiopie, d'Élam, du Levant, d'Arabie et des îles de la mer.* Le récit des Actes nous a enseigné que les divins apôtres parcouraient le monde et adressaient leur message en priorité aux Juifs. C'est bien sûr devant leur refus que le bienheureux Paul a déclaré : « C'était à vous d'abord qu'il fallait annoncer la Parole de Dieu, mais puisque vous vous jugez indignes de la vie éternelle, nous sommes purs, désormais nous irons vers les nations. » Toutefois, bien des milliers d'entre eux ont cru : ils en prirent au

(racine de Jessé), la résurrection des morts (celui qui se lève) et le règne sur toutes les nations (pour commander aux Nations). Même si Théodoret, contrairement à Eusèbe, voit dans « repos » la désignation figurée de la mort du Christ, les deux interprétations se rejoignent sur le fond : c'est après la mort et la résurrection que le Christ se manifeste dans la gloire. De son côté, Basile (30, 553 C - 556 A) s'attache surtout à montrer que le repos et l'honneur du Christ, c'est d'être reconnu pour consubstantiel au Père ; mais il propose aussi d'entendre le verset du repos que le Christ accordera à ceux qui l'aiment. Quant à Cyrille, il propose deux interprétations : les termes désignent la mort du Christ selon la chair, suivie de sa glorification au moment de la résurrection, mais peuvent aussi s'appliquer aux hommes — les saints — dans l'esprit desquels le Christ trouve sa demeure et son « repos » (70, 328 AC).

505 ἐζωγρήθησαν, καὶ ὁ θειότατος δὲ Ἰάκωβος τῷ θεσπεσίῳ Παύλῳ πολλὰς Ἰουδαίων πεπιστευκότων ὑπέδειξε μυριάδας. Περὶ τούτων ἡ τοῦ παναγίου πνεύματος χάρις καὶ διὰ Ἡσαΐου προηγόρευσε τοῦ προφήτου ὅτι αὐτοὺς καὶ ζητήσει καὶ τῆς σωτηρίας ἀξιώσει.

510 Τοῦτο δὲ καὶ διὰ τῶν ἐπαγομένων δε(δήλω)κεν· [12] **Τοιγαροῦν ἀρεῖ σημεῖον εἰς τὰ ἔθνη καὶ συνάξει τοὺς ἀπολομένους Ἰσραὴλ (καὶ) τοὺς διεσπαρμένους Ἰούδα συνάξει ἐκ τῶν τεσσάρων πτερύγων τῆς γῆς.** (Ποῖον δὲ) σημεῖον ἀλλ' ἢ τὸ τοῦ σταυροῦ σύμβολον, δι' οὗ καὶ τοὺς ἐκ τοῦ
515 Ἰσραὴλ καὶ τοὺς ἐκ (τοῦ Ἰούδα) πλανωμένους πρὸς τὴν ἀλήθειαν ἐποδήγησεν; [13] **Καὶ ἀφαιρεθήσεται ὁ (ζῆλος Ἐφραί)μ, καὶ οἱ ἐχθροὶ Ἰούδα ἀπολοῦνται· Ἐφραὶμ οὐ ζηλώσει Ἰούδαν, καὶ Ἰούδας οὐ (θλίψει τὸν Ἐ)φραίμ.** Ταῦτα πάλαι ἐγένετο τῆς βασιλείας διῃρημένης· μετὰ δὲ τὴν
520 (ἀπὸ Βαβυ)λῶνος ἐπάνοδον τὴν παλαιὰν ἔσχον ὁμόνοιαν.

[14] **Καὶ πετασθήσονται (ἐν πλοίοις) Ἀλλοφύλων, θάλασσαν ἅμα προνομεύοντες καὶ τοὺς ἀφ' ἡλίου ἀνατολῶν (καὶ Ἰδουμαίαν).** Οὐ γὰρ μόνην τὴν ἤπειρον οἱ θεῖοι ἀπόστολοι ἀλλὰ καὶ τὴν θάλατταν (περαιούμενοι κ)αὶ ταῖς νήσοις
525 προσέφερον τοῦ νοεροῦ φωτὸς τὴν ἀκτῖνα· καὶ γὰρ ἐν Κύπρῳ (Βαρνάβας καὶ) Παῦλος, τὸ ζεῦγος τὸ ἱερὸν τὸ τῶν ἐθνῶν τὴν γεωργίαν ἐγχειρισθέν, καὶ τοῦ Ἐλύμα τὸ ψεῦδος διήλεγξε καὶ τὴν ἀλήθειαν ἔδειξεν· καὶ τῆς |118 a| Κρήτης τὸν Τίτον ἀπόστολον κεχειροτόνηκεν ὁ μακάριος Παῦλος
530 καὶ τὸν Τιμόθεον τῆς Ἐφέσου. Ταῦτα τοίνυν τὸ πανάγιον πνεῦμα διὰ τοῦ προφήτου προείρηκεν ὅτι οὐ μόνον τὴν

C : 513-516 ποῖον — ἐποδήγησεν ‖ 518-520 ταῦτα — ὁμόνοιαν ‖ 523-525 οὐ — ἀκτῖνα

N : 513-516 ποῖον — ἐποδήγησεν ‖ 523-537 οὐ — ἀλλοφύλους

508 καὶ ζητήσει N : > K ‖ 509 ἀξιώσει K : +δυνατὸν γὰρ καὶ οὕτω νοεῖν τὸ ζηλῶσαι N ‖ 513 δὲ σημεῖον KC : οὖν ἀρεῖ σημεῖον εἰς τὰ ἔθνη N ‖ 514 τοῦ¹ KC : > N ‖ 519 ἐγένετο KN : ἐγίνετο C ‖ 523 μόνην KN : μόνον C ‖ 524 περαιούμενοι C : πορευόμενοι N ‖ ταῖς νήσοις KC : τὰς νήσους N ‖ 526-527 τὸ² — ψεῦδος N : > K

filet trois mille et cinq mille à la fois ; et le très divin Jacques a présenté à Paul l'inspiré bien des milliers de Juifs qui avaient cru. C'est à leur sujet que la grâce du très saint Esprit a annoncé, par l'intermédiaire également du prophète Isaïe, que (le Seigneur) les rechercherait et les jugerait dignes du salut.

Voilà ce qu'il a également fait voir par ce qui suit : 12. *C'est pourquoi il dressera un signal pour les nations, rassemblera ceux d'Israël qui ont été arrachés (à leur patrie) et rassemblera ceux de Juda qui ont été dispersés, des quatre coins de la terre.* De quel autre signal s'agit-il, sinon du symbole de la croix, grâce auquel il a guidé vers la vérité ceux d'Israël et ceux de Juda qui étaient dans l'erreur[1] ? 13. *La jalousie d'Éphraïm sera enlevée et les ennemis de Juda supprimés ; Éphraïm ne jalousera plus Juda et Juda n'accablera plus Éphraïm.* Cette situation se produisit jadis à la suite de la division du royaume ; mais, après le retour de Babylone, ils observèrent la concorde qui régnait autrefois.

L'évangélisation des nations

14. *Ils se déploieront sur les navires des Allophyles ; ils pilleront ensemble la mer, les gens de l'Orient et de l'Idumée.* De fait, les divins apôtres, non contents de traverser le continent, traversaient encore la mer, pour apporter aux îles aussi le rayon de la lumière spirituelle. C'est ainsi qu'à Chypre, Barnabé et Paul — le couple sacré qui a reçu mission de cultiver les nations — ont convaincu Élymas de mensonge et montré la vérité ; que le bienheureux Paul a nommé Tite apôtre de la Crète et Timothée, apôtre d'Éphèse[2]. Voilà donc ce que le très saint Esprit a prédit par l'intermédiaire du prophète :

525-528 cf. Act. 13, 6-12 528-530 cf. Tite 1, 5 ; I Tim. 1, 3

1. Même interprétation chez Cyrille (70, 332 BD).
2. Cf. Eusèbe, H.E., III, 4, 5.

γῆν ἀλλὰ καὶ τὴν θάλατταν προνομεύσουσι καὶ καθάπερ τινὲς στρατηγοὶ ἔθνη τινὰ ἀποστάντα καὶ πρὸς τύραννον αὐτομολήσαντα, περιγεν(όμενοι) καὶ κρατήσαντες τῷ τῶν
535 ὅλων προσάξουσι βασιλεῖ καὶ διαπεράσουσι τὰ πελάγη οὐκ Ἰουδαίους ἔχοντες κυβερνήτας καὶ ναύτας ἀλλ' ἀλλογενεῖς καὶ ἀλλοφύλους.

Καὶ ἐπὶ Μωὰβ πρῶτον τὰς χεῖρας ἐπιβαλοῦσιν, οἱ δὲ υἱοὶ Ἀμμὼν πρῶτοι ὑπακούσονται. Καὶ τοῦτο ἡμᾶς ὁ μακά-
540 ριος Παῦλος διδάσκει. Γαλάταις γὰρ ἐπιστέλλων ταῦτα μετὰ τὸ προοίμιον τέθεικεν · « Ὅτε εὐδόκησεν ὁ ἀφορίσας με ἐκ κοιλίας μητρός μου καὶ καλέσας διὰ τῆς χάριτος ἀποκαλύψαι τὸν υἱὸν αὐτοῦ ἐν ἐμοί, ἵνα εὐαγγελίζωμαι αὐτὸν ἐν τοῖς ἔθνεσιν, εὐθέως οὐ προσανεθέμην σαρκὶ καὶ
545 αἵματι οὐδὲ ἀνῆλθον εἰς Ἱερουσαλὴμ πρὸς τοὺς πρὸ ἐμοῦ ἀποστόλους, ἀλλὰ ἀπῆλθον εἰς Ἀραβίαν καὶ πάλιν ὑπέστρεψα εἰς Δαμασκόν. » Τῆς δὲ Ἀραβίας καὶ Μωαβῖται (καὶ Ἀμμανῖται) · ἡ μὲν γὰρ νῦν Φιλαδέλφεια προσαγορευομένη — ἐστὶ δὲ πόλις τῆς Ἀραβίας λαμπρά — Ἀμμὰν μέχρι
550 καὶ τήμερον τῇ ἐπιχωρίῳ καλεῖται φωνῇ, Μωὰβ δὲ ἡ Χαραχμωβά, τῇ δὲ Ἀρειοπόλει πελάζει. Ἐδείχθη τοίνυν διὰ τῆς ἀποστολικῆς μαρτυρίας ἡ τῆς προφητείας ἀλήθεια.

[15] **Καὶ ἐρημώσει κύριος τὴν θάλασσαν Αἰγύπτου.** Οὐ γὰρ μόνον τὰ εἰρημένα ἔθνη εἰς εὐσέβειαν ποδηγήσει ἀλλὰ καὶ
555 τῆς Αἰγύπτου καταπαύσει τὴν πλάνην. Θάλατταν γὰρ

C : 553-556 οὐ — προσηγόρευσεν

N : 538-552 καὶ — ἀλήθεια ‖ 553-566 οὐ — σέβας (557-558 καὶ — βιαίῳ >)

538 καὶ K : ἀλλὰ καὶ N ‖ 541 ὅτε K : +δὲ N ‖ 542 χάριτος K : +αὐτοῦ N ‖ 545 Ἱερουσαλὴμ K : Ἱεροσόλυμα N ‖ 548 Φιλαδέλφεια N : Φαυλαδέλφεια K ‖ 551 Χαραχμωβά K : Χαρω(ο N^p)χμωβά N ‖ τῇ — πελάζει K : > N ‖ 553-554 γὰρ — εἰρημένα KC : μόνον οὖν φησι τὰ προειρημένα N

541 Gal. 1, 15-17

1. Sur ce pillage et sa signification, cf. *supra Is.* 8, 3 (3, 524-526) ;

non contents de piller la terre, ils pilleront encore la mer ; et, comme des généraux qui ont soumis et vaincu des nations rebelles et passées volontairement au parti d'un tyran, ils les amèneront au Roi de l'univers et franchiront les mers, sans avoir des Juifs pour pilotes et pour matelots, mais des hommes d'une autre race et des étrangers[1].

Ils porteront d'abord leurs mains sur Moab, et les fils d'Ammon les premiers (leur) obéiront. C'est encore ce que le bienheureux Paul nous enseigne. Dans sa lettre aux Galates, voici les mots qui suivent l'exorde : « Quand Celui qui m'a mis à part dès le sein maternel et qui m'a appelé par l'effet de sa grâce daigna révéler son Fils en moi, pour que je l'annonce parmi les nations, aussitôt, sans consulter la chair et le sang et sans monter à Jérusalem trouver les apôtres, mes prédécesseurs, je m'en allai en Arabie, puis je revins à Damas. » Or, ce sont les Moabites et les Ammonites qui occupent l'Arabie ; de fait, la cité qu'on nomme aujourd'hui Philadelphie — c'est, du reste, une cité splendide de l'Arabie — est appelée aujourd'hui encore en langue indigène Amman ; quant à Moab, c'est Charachmobé qui est proche d'Aréiopolis. Le témoignage de l'Apôtre a donc montré la vérité de la prophétie.

La fin de l'idolâtrie et la conversion de l'Égypte

15. *Et le Seigneur désolera la mer d'Égypte.* Il ne se contentera pas en effet de guider vers la piété les nations dont on vient de parler, il fera cesser aussi l'erreur de l'Égypte. Car il a donné le

voir aussi l'interprétation voisine de Basile (30, 560 BC). Comme Théodoret, Eusèbe (*GCS* 88, 21 - 89, 4) évoque les voyages de Paul à travers mers et continents ; on peut même sur des points de détails relever quelques similitudes de formules entre les deux commentaires (comparer *In Is.*, 4, 531-537 et Eusèbe, *GCS* 88, 25-26 : τοτὲ μὲν διέτρεχον πεζῇ, τοτὲ δὲ διὰ θαλάττης, οὐχὶ Ἰουδαίοις χρώμενοι κυβερνήταις, ἀλλ' αὐτοῖς τοῖς τὸν Χριστοῦ λόγον παραδεδεγμένοις) ; on ne saurait toutefois conclure avec certitude à un emprunt de Théodoret.

Αἰγύπτου τὴν πικρὰν καὶ ἄποτον ἀσέβειαν προσηγόρευσεν. **Καὶ ἐπιβαλεῖ τὴν χεῖρα αὐτοῦ ἐπὶ ⟨τὸν⟩ ποταμὸν πνεύματι βιαίῳ.** Καὶ τὸν ποταμὸν δὲ ὡσαύτως ἀντὶ τῆς πλάνης τέθεικ(εν). Ὥσπερ γὰρ τῆς σωματικῆς ζωῆς τὰς ἐλπίδας
560 εἰς τὸν ποταμὸν ἔχουσιν ὡς δι' ἐκείνου δρεπόμενοι το(ὺς καρπούς), οὕτω τῇ τῶν εἰδώλων ἐδεδούλωντο πλάνῃ. Ἀλλ' ὅμως καὶ ἐπὶ τοῦτον τὸν ποταμὸν τὴν χεῖ(ρα αὐτοῦ φησιν) ἐπιβαλεῖ πνεύματι βιαίῳ. Πνεῦμα δὲ καλεῖ βίαιον τῶν εὐσεβῶν τὴν δυναστείαν, δι' ὧν ἀν(ετράπη) τὰ τῶν
565 εἰδώλων τεμένη καὶ νόμοις ἐκωλύθη τῶν δαιμόνων τὸ σέβας.

Καὶ πατάξει αὐτ(ὸν εἰς) ἑπτὰ φάραγγας ὥστε διαπορεύεσθαι αὐτὸν ἐν ὑποδήμασιν. Τῆς γὰρ βασιλείας αὐτῶν ὑ(πὸ Ῥω)μαίων καταλυθείσης εἰς ἑπτὰ διηρέθησαν ἐπαρχίας
570 καὶ τὸ πρότερον κατέλυσαν θρά(σος) καὶ βατοὶ τοῖς τῆς ἀληθείας ἐγένοντο κήρυξιν. [16] **Καὶ ἔσται δίοδος τῷ καταλει(φθέντι μου) λαῷ ἐν Αἰγύπτῳ καὶ ἔσται τῷ Ἰσραὴλ ὡς τῇ ἡμέρᾳ ὅτε ἐξῆλθεν ἐκ γῆς Αἰγύπτ(ου.** Ὅτι ὥσπερ) ἐξήγαγον αὐτοὺς ἐκ τῆς Αἰγύπτου ἐν χειρὶ κραταιᾷ καὶ ἐν βραχίονι
575 ὑψηλ(ῷ, οὕτως εἰ)σάξω πάλιν αὐτοὺς μετὰ θαυμάτων εἰς τὴν Αἴγυπτον καὶ διὰ τούτων κἀκείνους (πρὸς τὴν) ἀλήθειαν ποδηγήσω.

C : 568-571 τῆς — κήρυξιν

N : 568-571 τῆς — κήρυξιν ‖ 573-577 ὅτι — ποδηγήσω

568 γὰρ KC : δὲ N ‖ 573 ὅτι : ἢ ὅτι N ‖ 574 τῆς K : γῆς N ‖ 576 καὶ N : > K ‖ πρὸς N^1 : εἰς N^p

---

1. Sur cette interprétation métaphorique, cf. *supra* p. 51, n. 1 ; pour EUSÈBE aussi — c'est une constante de l'Écriture, selon lui — le terme de « mer » désigne « la foule des hommes impies » (*GCS* 89, 26-28).

2. Allusion à la législation contre les cultes païens (cf. P. CANIVET, *Entrep. apolog.*, p. 7-12 et 16-17).

3. Après la conquête de l'Égypte par Octavien, celle-ci ne forme qu'une seule province jusqu'aux réformes de Dioclétien. Théodoret projette donc dans le passé la situation de son temps. De fait,

nom de « mer d'Égypte » à l'impiété, en raison de son caractère saumâtre et imbuvable[1]. *Et il tendra sa main sur le fleuve avec un souffle violent.* De la même manière, il a écrit : « fleuve » à la place d'erreur. En effet, tout comme les Égyptiens font reposer leurs espoirs de vie physique dans le fleuve, parce qu'il leur permet de recueillir les fruits de la terre, ils s'étaient faits les esclaves de l'erreur des idoles. Néanmoins, même sur ce fleuve, dit-il, il tendra sa main avec un souffle violent. Or, il appelle « souffle violent » l'autorité des hommes pieux qui ont permis de renverser les sanctuaires des idoles et d'interdire par des lois le culte des démons[2].

Et il le frappera pour le diviser en sept ravins, de sorte qu'on le traversera sandales aux pieds. De fait, lorsque les Romains eurent mis fin au royaume d'Égypte, ses habitants furent répartis en sept provinces[3], ils mirent fin à leur audace antérieure et devinrent accessibles aux hérauts de la vérité. 16. *Et il y aura un passage en Égypte pour le reste de mon peuple ; il y en aura un pour Israël, comme le jour où il est revenu de la terre d'Égypte.* De même que je les ai ramenés d'Égypte sous la protection d'une main robuste et d'un bras élevé, ainsi je les conduirai à nouveau en Égypte avec une escorte de prodiges et, grâce à eux, je guiderai les Égyptiens à leur tour vers la vérité[4].

AMMIEN (XXII, 16, 1) nous apprend que, quand il écrit, vers 390, l'Égypte comprend cinq provinces : l'Augustamnique, l'Égypte, la Thébaïde et les deux Libyes (ancienne Cyrénaïque). Un peu plus tard, sous le règne d'Arcadius, apparaît une sixième province, l'Arcadie. C'est là la situation décrite par la *Notitia dignitatum*. Finalement Théodose II, devant la menace des Blemmyes, dédouble la Thébaïde, recréant une situation qui semble avoir existé sous Constantin (*pap. Abinnei*, 1) ; nous avons bien alors les sept provinces annoncées par Théodoret.

4. Même interprétation chez EUSÈBE (*GCS* 92, 6-18).

12[1] Καὶ ἐρεῖς ἐν τῇ ἡμέρᾳ ἐκείνῃ· Εὐλογήσω σε κύριε, διότι (ὠργίσθης μοι) καὶ ἀπέστρεψας τὸν θυμόν σου ἀπ' ἐμοῦ
580 **καὶ ἠλέησάς με. [2] Ἰδοὺ ὁ θεός μου (σωτήρ μου κύριος, καὶ) πεποιθὼς ἔσομαι ἐπ' αὐτῷ καὶ σωθήσομαι ὑπ' αὐτοῦ καὶ οὐ φοβηθήσομαι, διότι ἡ (δόξα μου καὶ) ἡ αἴνεσίς μου κύριος καὶ ἐγένετό μοι σωτήρ.** Ὁ ὕμνος τὴν ἐπίγνωσιν τῆς εὐερ(γεσίας δηλοῖ)· οἱ γὰρ ταύτης τετυχηκότες τὸν ταύτης αἴτιον
585 μεμαθηκότες οἷς δύνανται τὸν (εὐεργέτην ἀμεί)βονται. Αὐτοῦ δὲ ἔστι νόμος σαφῶς διαγορεύων· « Θῦσον τῷ θεῷ θυ(σίαν αἰνέσεως) », καὶ πάλιν· « Θυσία αἰνέσεως δοξάσει με. » **[3] Καὶ ἀντλήσετε ὕδωρ (μετ' εὐφροσύνης ἐκ) τῶν πηγῶν τοῦ σωτηρίου.** Πηγὰς σωτηρίου τὰς θείας καλεῖ γραφάς, (ἐξ
590 ὧν οἱ γνη)σίως πεπιστευκότες μετ' εὐφροσύνης ἀρύονται.
[4] Καὶ ἐρεῖς (ἐν τῇ ἡμέρᾳ ἐκείνῃ)· Ὑμνεῖτε κύριον, βοᾶτε τὸ ὄνομα αὐτοῦ, ἀναγγείλατε ἐν τοῖς ἔ(θνεσι τὰ ἔνδοξα) |118 b| **αὐτοῦ, μιμνῄσκεσθε τὸ ὄνομα αὐτοῦ, ὅτι ὑψώθη τὸ ὄνομα αὐτοῦ.** Ταῦτα τῷ χορῷ τῶν ἀποστόλων ἁρμόττει
595 καὶ τοῖς μετ' ἐκείνων ἐξ Ἰουδαίων πεπιστευκόσιν, οἳ καὶ εἰς τὰ ἔθνη διεπόρθμευσαν τὴν θείαν διδασκαλίαν καὶ παρηγγύων ἀλλήλοις τὴν δεσποτικὴν πληροῦν ἐντολὴν τὴν λέγουσαν· « Πορευθέντες μαθητεύσατε πάντα τὰ ἔθνη. »
[5] Ὑμνήσατε τὸ ὄνομα κυρίου ὅτι ὑψηλὰ ἐποίησεν, ἀναγ-

C : 583-585 ὁ — ἀμείβονται ‖ 589-590 πηγὰς — ἀρύονται ‖ 594-598 ταῦτα — ἔθνη

N : 583-588 ὁ — με ‖ 589-590 πηγὰς — ἀρύονται ‖ 594-598 ταῦτα — ἔθνη

583 ὕμνος KC : +τοίνυν αὐτῶν N ‖ τῆς CN : +σῆς K ‖ 585 τὸν εὐεργέτην KC : τὴν εὐεργεσίαν N ‖ 586 σαφῶς N : σαφὴς K ‖ 589 πηγὰς C : +τοῦ K +τοιγαροῦν N ‖ 589-590 ἐξ ὧν N : ἐκ τούτων C ‖ 594 ταῦτα KC : τὰ οὖν εἰρημένα N ‖ 596 διεπόρθμευσαν KN : διεπόρθμευον C[90] ἐπόρθμευον C[r·377]

586 Ps. 49, 14.23   598 Matth. 28, 19

1. Cf. Eusèbe (*GCS* 93, 6-8) : Πηγαὶ τοίνυν σωτηρίου λόγοι ἦσαν εὐαγγελικοὶ ἐξ ἁγίου πνεύματος ἀνομβρώμενοι, ὥσπερ οἱ προφητικοὶ λόγοι πηγαὶ ὠνομάζοντο Ἰσραὴλ ὑπὸ τῆς λεγούσης γραφῆς...

Hymne d'action de grâces

12, 1. *Et tu diras en ce jour-là: Je vais te rendre grâce Seigneur, parce que tu t'es irrité contre moi et que tu as détourné de moi ta colère et eu pitié de moi.* 2. *Voici mon Dieu, mon Sauveur, le Seigneur: Je mettrai ma confiance en lui, il me sauvera; je n'aurai plus de crainte, car ma gloire et ma louange c'est le Seigneur: il a été pour moi un Sauveur!* L'hymne traduit la reconnaissance pour le bienfait : ceux qui l'ont éprouvé ont reconnu son auteur et donnent en échange à leur bienfaiteur ce dont ils sont capables. Du reste, la loi qu'il a établie (le) prescrit clairement : « Offre à Dieu un sacrifice de louange » et encore : « C'est un sacrifice de louange qui me rendra gloire. » 3. *Et vous puiserez l'eau avec joie aux sources du salut.* Il appelle « sources du salut » les divines Écritures[1], auxquelles puisent avec joie ceux qui ont une foi sincère.

4. *Et tu diras en ce jour-là: Chantez un hymne au Seigneur, criez son nom, annoncez ses hauts faits parmi les nations, rappelez son nom, parce que son nom est sublime.* Cela s'applique au chœur des apôtres[2] et aux Juifs qui avec eux ont cru : ils ont transmis le divin enseignement aux nations et s'exhortaient mutuellement à accomplir l'instruction suivante du Maître : « Allez, enseignez toutes les nations. »

5. *Chantez dans un hymne le nom du Seigneur, parce qu'il a accompli des choses élevées; annoncez-les par toute*

Cyrille (70, 344 A) donne l'interprétation suivante : « l'eau », c'est la parole vivifiante de Dieu (τὸν ζωοποιὸν τοῦ Θεοῦ λόγον) ; « les fontaines », les saints apôtres et évangélistes et les prophètes ; les « sources de salut », le Christ.

2. Eusèbe (*GCS* 93, 12-20) voit également dans ce verset « le chœur des apôtres », mais son exhortation est adressée aux Égyptiens qui ont accepté le message du salut pour qu'ils le répandent à leur tour.

600 **γείλατε ταῦτα ἐν πάσῃ τῇ γῇ. [6] Ἀγαλλιᾶσθε καὶ εὐφραίνεσθε οἱ κατοικοῦντες ἐν Σιών, ὅτι ὑψώθη ὁ ἅγιος τοῦ Ἰσραὴλ ἐν μέσῳ αὐτῆς.** Καὶ τὴν οἰκουμένην εἰς κοινωνίαν καλοῦσι τῆς εὐφροσύνης καὶ τῇ Σιὼν διαφερόντως ὑμνεῖν τὸν εὐεργέτην παρακελεύονται ὡς ἐν αὐτῇ τοῦ ἁγίου Ἰσραὴλ
605 ὑψωθέντος. Αἰνίττεσθαι δέ μοι ὁ λόγος δοκεῖ οὐ μόνον τῶν θαυμάτων τὸ ὕψος ἀλλὰ καὶ τὸν σταυρὸν τὸν σωτήριον ᾧ τὸν δεσπότην προσή(λωσαν). Καὶ γὰρ αὐτὸς ὁ δεσπότης οὕτω πρὸς Ἰουδαίους ἔφη · « Ὅταν ὑψώσητε τὸν υἱὸν τοῦ (ἀνθρώπου), τότε γνώσεσθε ὅτι ἐγώ εἰμι », καὶ πάλιν ·
610 « καθὼς Μωυσῆς ὕψωσε τὸν ὄφιν ἐν τῇ ἐρήμῳ, οὕτως ὑψωθῆναι δεῖ τὸν υἱὸν τοῦ ἀνθρώπου. »

Ἡμεῖς δὲ οἱ εἰς αὐτὸν πεπιστευκότες εἰς αὐτὸν ἀποβλέψωμεν, ἵνα, καθάπερ οἱ Ἰουδαῖοι τῇ τοῦ χαλκοῦ ὄφεως θεωρίᾳ τῶν ἰοβόλων ὄφεων ἤμβλυναν τὴν ἐνέργειαν, οὕτως
615 ἡμεῖς τῇ εἰς αὐτὸν θεωρίᾳ τὰ τῆς ἁμαρτίας δήγματα θεραπεύσωμεν καὶ τῆς σωτηρίας τέλεον ἀπολαύσαντες καὶ τῶν ἐπηγγελμένων τύχωμεν ἀγαθῶν χάριτι τοῦ τὴν ψυχὴν αὐτοῦ τεθεικότος ὑπὲρ ἡμῶν, μεθ' οὗ τῷ πατρὶ δόξα πρέπει σὺν τῷ παναγίῳ πνεύματι νῦν καὶ ἀεὶ καὶ εἰς τοὺς αἰῶνας
620 τῶν αἰώνων. Ἀμήν.

C : 602-607 καὶ — προσήλωσαν
N : 602-611 καὶ — ἀνθρώπου

602 καὶ K : ἢ καὶ N ‖ 603 τῇ C : τὴν KN ‖ 605 δέ C : γάρ N > K ‖ 606 ᾧ CN : οὗ K ‖ 612 πεπιστευκότες K^corr : πιστεύοντες K*

la terre. 6. Réjouissez-vous et soyez dans la joie, vous qui habitez Sion, parce qu'a été élevé au milieu d'elle le Saint d'Israël. Ils appellent le monde (entier) à participer à la joie et recommandent à Sion tout particulièrement de louer son bienfaiteur, parce que c'est en elle que le Saint d'Israël a été élevé. Pourtant, ces paroles me semblent faire allusion non seulement au caractère élevé des miracles, mais aussi à la croix salvatrice, à laquelle ils ont cloué le Maître. Et de fait, voici en quels termes le Maître s'est lui-même adressé aux Juifs : « Lorsque vous aurez élevé le Fils de l'Homme, alors vous saurez que je suis » ; et encore : « De même que Moïse éleva le Serpent dans le désert, ainsi faut-il que soit élevé le Fils de l'Homme. »

Parénèse

Quant à nous, qui avons cru en lui, tournons vers lui nos regards : ainsi, à la façon des Juifs qui diminuaient grâce à la contemplation du serpent d'airain l'action des serpents venimeux, la contemplation de sa personne nous permettra de guérir les morsures du péché et, après avoir bénéficié complètement du salut, nous obtiendrons aussi les biens que nous a promis la grâce de Celui qui a donné sa vie pour nous. Au Père, en union avec lui, convient la gloire dans l'unité du très saint Esprit, maintenant et toujours et pour les siècles des siècles. Amen.

608 Jn 8, 28 610 Jn 3, 14

ΤΟΜΟΣ Ε'

13[1] **Ὅρασις κατὰ Βαβυλῶνος ἣν εἶδεν Ἡσαΐας υἱὸς Ἀμώς.** Οἱ Ἀσσύριοι πάλαι μὲν εἶχον ἐν τῇ Νινευὴ τὰ βασίλεια, ὕστερον δὲ ἐν Βαβυλῶνι. Ὁ δὲ θεῖος προφήτης τὰ ⟨συμ⟩βησόμενα τῷ Σενναχηρὶμ προθεσπίσας, ὃς τὴν Νινευὴ πόλιν εἶχε βασιλικήν, μεταφέρει τὴν προφητείαν ἐπὶ τὸν Ναβουχοδονόσορ καὶ τὴν ἐκείνου πόλιν, τὴν Βαβυλῶνα, καὶ προλέγει τὸν ἐσόμενον ὄλεθρον.

[2] **Ἐπ' ὄρους πεδινοῦ ἄρατε σημεῖον.** Τινὲς ἔφασαν ἐπ' ὄρους ⟨ὁμαλ⟩οῦ κεῖσθαι τὴν πόλιν · οὐ συμφωνοῦσι δὲ τῷ λόγῳ οἱ τῶν τόπων αὐτόπται. Οἶμαι ⟨τοί⟩νυν διὰ μὲν τοῦ ὄρους τὸ παλαιὸν ὕψος τῆς Βαβυλῶνος δηλοῦσθαι, διὰ δὲ τοῦ πεδινοῦ τὴν μετὰ ταῦτα γενομένην ταπείνωσιν. **Ὑψώσατε τὴν φωνὴν αὐτοῖς, μὴ φοβεῖσθε, ⟨παρα⟩καλεῖτε τῇ χειρί.** Τοῖς πολεμίοις ταῦτα ὁ προφητικὸς λόγος παρεγγυᾷ καὶ

N : 3-8 οἱ — ὄλεθρον ‖ 9-18 τινὲς — ἆραι (13-14 ὑψώσατε — χειρί>)

3 οἱ K : +τοίνυν N ‖ 9 τινὲς K : +δὲ N ‖ 11 τοίνυν K : +καὶ ἄλλως N ‖ 15 πολεμίοις K : +μέντοι N

---

1. On a là une nouvelle preuve (cf. t. I, p. 295, n. 3) que Théodoret n'opère pas une distinction très nette entre le royaume d'Assur et celui de Babylone. Le changement de capitale ne s'est pas opéré sans heurts comme tendrait à le faire croire cette manière de le noter (cf. aussi *In Dan.*, 81, 1297 A ; *In Jonas*, 81, 1721 C) : Ninive fut prise d'assaut en 612 par le roi des Mèdes Cyaxare (Hérod. I, 103, 106 ; Xén. *Anab.* III, 4) et par le prince chaldéen Nabopolassar. Mais le récit d'Hérodote (I, 178) donne déjà l'impression que ce sont les mêmes princes qui, Ninive une fois détruite, transportèrent leur résidence à Babylone ; Théodoret s'en souviendrait-il ? En réalité, après la défaite infligée par Nabuchodonosor au pharaon

CINQUIÈME SECTION

La ruine de Babylone. Les conquérants perses

13, 1. *Vision contre Babylone qu'eut Isaïe, fils d'Amos.* Le siège du pouvoir royal d'Assyrie se trouvait jadis à Ninive ; plus tard il se trouva à Babylone[1]. Or, le divin prophète qui vient de prophétiser ce qui allait arriver à Sennachérim dont la capitale était Ninive, en vient dans sa prophétie à Nabuchodonosor et à sa cité, Babylone, pour en prédire la ruine future.

2. *Sur une montagne unie, élevez un signal.* D'aucuns ont prétendu que la cité se trouvait sur une montagne qui offrait une surface plane ; mais les témoins oculaires des lieux ne sont pas d'accord avec cette affirmation. Je pense donc que « montagne » fait voir l'antique splendeur de Babylone et « unie » l'abaissement qu'elle subit par la suite[2]. *Élevez la voix pour les appeler, ne craignez pas, appelez-les avec la main.* Voilà ce que le texte prophétique

Néchao (Karkémish, 605) venu soutenir les Assyriens, la puissance babylonienne remplace définitivement celle d'Assur. Les importants travaux d'embellissement accomplis à Babylone par Nabuchodonosor (cf. HÉROD. I, 185 s.) contribuèrent à faire de cette cité une « capitale » et c'est sans doute ce qui fait dire ailleurs (*In Dan.*, 81, 1348 CD) à Théodoret que le transfert du siège du pouvoir royal de Ninive à Babylone a pour auteur Nabuchodonosor.

2. Le recours à l'interprétation figurée est commandé par l'impossibilité de retenir le sens littéral auquel s'oppose la géographie ; la remarque de Théodoret témoigne de son souci d'information précise — qu'elle soit directe (v.g. *In Is.*, 16, 177-183) ou indirecte comme ici — sur les lieux évoqués par la prophétie (cf. encore *In Is.*, 5, 347-351 ; 7, 18-19 ; 16, 411-412). Sur la topographie de Babylone, cf. HÉROD. I, 178.

παρακαλεῖν (ἀλλήλους) καὶ τὸ δέος ἐξελάσαι καὶ τῇ πολεμικῇ δεδίττεσθαι φωνῇ καὶ τὰ πολεμικὰ (σημεῖα εἰς τὸ ὕψος) ἆραι. **Ἀνοίξατε οἱ ἄρχοντες, [3]ἐγὼ συντάσσω.** Τοῖς ἔνδον τῇ πόλει παρακελεύεται [ἀνοῖξαι] δεσποτικῶς ὁ δεσπότης.
20 Τινὲς δέ φασι πονηρὰς δυνάμεις εἶναι τοὺς ἄρχοντας, (ἐγὼ δὲ οὐκ οἶμ)αι, ἀλλὰ δυοῖν θάτερον · ἢ τοὺς ὑπὸ τοῦ βασιλέως κεχειροτονημένους ἄρχοντας (ἢ τοὺς ἐξ ἀρχῆς) τὸ ἔθνος ἐγχειρισθέντας ἀγγέλους · « Ἔστησε » γὰρ « ὅρια ἐθνῶν κατὰ ἀριθμὸν ἀγγέ(λων θεοῦ). »

25 **Ἡγιασμένοι εἰσί, καὶ ἐγὼ ἄγω αὐτούς.** Οὐχ ἁγίους καλεῖ τῶν Βαβυλωνίων τοὺς πο(λεμίους, δυσ)σεβεῖς γὰρ ἦσαν · ἀλλὰ κατὰ τὸ ἰδίωμα τῆς θείας γραφῆς, ὥσπερ τὸ ἀνάθημα (καὶ ἐπὶ τοῦ ἄγαν ἁγίου) καὶ ἀφιερωμένου τῷ θεῷ τίθησι τὰ θεῖα λόγια καὶ μέντοι καὶ ἐπὶ τοῦ ἄγαν (ἐναγοῦς καὶ
30 βε)βήλου — ἀνάθημα γὰρ καλοῦμεν καὶ τὰ τῷ θεῷ προσφερόμενα καὶ τοὺς διά τινα (παρανομίαν τῆς ἐκκλησίας) ἐκβαλλομένους —, οὕτως ἁγίους οὐ μόνον τοὺς ἀφιερωμένους τῷ θεῷ (ἀλλὰ καὶ τοὺς εἴς τινα) χρείαν ἀφωρισμένους καλεῖ.

35 **Γίγαντες ἔρχονται τὸν θυμόν μου παῦσαι** |119 a| **χαίροντες**

N : 20-24 τινὲς — θεοῦ || 25-39 οὐχ — ἐχρῶντο (35-36 γίγαντες — ὑβρίζοντες>)

25 οὐχ K : οὔκουν N

23 Deut. 32, 8

---

1. L'interprétation refusée par Théodoret n'est pas sans parenté avec celle d'Eusèbe (*GCS* 95, 12 - 96, 5) : si pour Eusèbe les « chefs » sont bien les anges à qui le Seigneur ordonne d'« ouvrir les portes », ces portes seraient celles d'un lieu réservé aux « puissances adverses » — géants, fils des anges et des filles des hommes ou anges déchus —, l'« abîme », dans lequel elles sont enfermées comme dans une prison et d'où elles sortiraient pour aller châtier les impies ; Eusèbe rapproche cette mission des anges de celle qu'ils rempliront au moment du jugement dernier quand ils rassembleront toutes les nations au son de la trompette. L'interprétation de Cyrille est plus proche de celle de Théodoret ; pour lui aussi deux possibilités : ces « chefs » sont ceux

prescrit aux ennemis : de s'encourager mutuellement, de bannir la crainte, de jeter l'effroi par des cris de guerre, de hisser les signaux de guerre sur la hauteur. *Ouvrez les portes, vous les chefs*, 3. *moi je rangerai (ma troupe).* Le Maître ordonne impérativement à ceux qui sont à l'intérieur de la cité d'ouvrir les portes. D'aucuns prétendent que les « chefs » sont les puissances du mal ; ce n'est pas mon avis, mais de deux choses l'une : ou (il s'agit) des chefs que le roi a désignés ou bien des anges qui, à l'origine, se sont vu confier la nation[1], puisqu'« Il a fixé les limites des nations suivant le nombre des anges de Dieu. »

Ils sont sanctifiés et moi je les conduis. Il n'appelle pas « saints » les ennemis de Babylone : ils étaient impies ; mais c'est la manière de s'exprimer propre à la divine Écriture : le langage divin applique le nom d'« anathème » à ce qui est entièrement saint et consacré à Dieu et, inversement, à ce qui est entièrement impur et profane ; nous appelons, en effet, « anathème » indifféremment les offrandes que l'on présente à Dieu et les hommes que l'on rejette de l'Église en raison d'une quelconque infraction ; de même, il appelle « saints » non seulement ceux qui sont consacrés à Dieu, mais encore ceux qui ont été mis à part en vue d'une utilisation quelconque[2].

Des géants viennent pour faire cesser ma fureur, ils se

de Babylone ou bien les « puissances saintes » (τάχα που καὶ δυνάμεσιν ἁγίαις) qui combattent aux côtés de l'armée des Mèdes (70, 352 BC).

2. Cette remarque apparaît déjà dans l'*In Soph.*, 81, 1841 AB à propos du verset « il a sanctifié ses invités » (*Soph.* 1, 7) ; après avoir noté que « sanctifier » a ici le sens de « mettre à part », Théodoret cite *Is.* 13, 3, rappelle la différence entre « saint » et « profane » (cf. *In Ez.*, 81, 1029 B) et donne, enfin, les deux sens du mot « anathème » (cf. *In Zach.*, 81, 1956 C ; *In Ep. ad Rom.*, 82, 149 AB). Telle est aussi l'interprétation de Cyrille pour qui « sanctifier » veut dire ici « mettre à part, choisir » (70, 352 C : Τὸ δὲ « ἡγίακα », φησίν, ἐν τούτοις, ἀντὶ τοῦ ἀφώρισα καὶ οἱονεὶ ἐξελέξαμην...).

ἅμα καὶ ὑβρίζοντες. Τοὺς γίγαντας καὶ ὁ Σύμμαχος καὶ ὁ Ἀκύλας « δυνατοὺς » ὠνόμασαν. Οὗτοι ἔχαιρον μὲν ἐπὶ τῇ σφετέρᾳ νίκῃ, ὕβρει δὲ καὶ παροινίᾳ κατὰ τῶν Βαβυλωνίων ἐχρῶντο. [4] **Φωνὴ ἐθνῶν πολλῶν ἐπὶ τῶν ὀρέων ὁμοία ἐθνῶν**
40 **πολλῶν, φωνὴ βασιλέων καὶ ἐθνῶν συνηγμένων.** Τὸ πλῆθος τῶν πολεμίων δηλοῖ καὶ τῶν εἰς ἐπικουρίαν συγκληθέντων βασιλέων. **Κύριος Σαβαὼθ ἐντέταλται ἔθνει ὁπλομάχῳ** [5] **ἔρχεσθαι ἐκ γῆς πόρρωθεν ἀπ' ἄκρου θεμελίου τοῦ οὐρανοῦ.** Τοὺς Μήδους λέγει καὶ τοὺς Πέρσας · οὗτοι γὰρ ἐπεστράτευσαν
45 τῇ Βαβυλῶνι Κυαξάρου μὲν τοῦ Ἀστυάγους Μήδων βασιλεύοντος, τοῦ δὲ Κύρου Περσῶν ὃς τούτου ἀδελφιδοῦς ἐτύγχανεν ὤν. Τὸ δέ · ἀπ' ἄκρου θεμελίου τοῦ οὐρανοῦ, δηλοῖ τοὺς πόρρωθεν εἰς ἐπικουρίαν τούτων ἐληλυθότας. **(Κύριο)ς καὶ οἱ ὁπλομάχοι αὐτοῦ.** Αὐτὸν τὸν τῶν ὅλων
50 θεὸν δείκνυσιν ὁ λόγος τῆς τῶν Μήδων παρατάξεως στρατηγοῦντα, ἐπειδήπερ αὐτοῦ βουλομένου καὶ νενικήκασιν. **Καταφθεῖραι πᾶσαν τὴν οἰκουμένην καὶ τοὺς ἁμαρτωλοὺς**

C : 40-42 τὸ — βασιλέων || 43-48 τοὺς — ἐληλυθότας

N : 40-48 φωνὴ — ἐληλυθότας || 49-51 αὐτὸν — νενικήκασιν

36 τοὺς K : +δὲ N || 36-37 Σύμμαχος ... Ακύλας K : ∾ N || 40 φωνὴ K : διὰ γοῦν τοῦ φωνὴ N || 42-43 κύριος — οὐρανοῦ K : ἔθνος τε ὁπλομάχον N || 45 μὲν KN : > C || 46 Κύρου KN : +βασιλεύοντος C || 49 αὐτὸν K : +γὰρ N || τὸν N : > K || 50 ὁ λόγος K : διὰ τούτου N

---

1. Le texte de Théodoret manque de clarté : τούτου (τούτου ἀδελφιδοῦς) représente Cyaxare — et non Astyage —, dont Cyrus est le neveu (litt. : « le fils de sa sœur ») par Mandane, la fille d'Astyage et l'épouse de Cambyse. Ce Cyaxare fils d'Astyage — à ne pas confondre avec le Cyaxare qui prit Ninive en 612 — est, en réalité, une invention de Xénophon (*Cyropédie* I, 5, 2 ; VIII, 5, 28) dont se souvient ici Théodoret. A deux reprises dans l'*In Dan.*, Théodoret revient sur cette généalogie ; dans le premier cas (81, 1393 B - 1397 B), c'est pour contester une assertion de Flavius Josèphe pour qui Darius le Mède ne serait autre que le fils d'Astyage et l'oncle maternel de Cyrus (θεῖον πρὸς μητρός) — le Cyaxare des écrivains grecs — qui aurait participé avec son neveu (ἀδελφιδοῦς) à l'expédition de Babylone : Théodoret rejette une telle identification qu'il ne rencontre chez aucun des historiens grecs — entendons chez Xénophon, puisque

réjouissent et traitent avec violence. Aux « géants », Symmaque et Aquila ont donné le nom de « puissants ». Ces derniers se réjouissaient de leur propre victoire, ils se comportaient avec violence et fureur excessive à l'égard des Babyloniens. 4. *Voix de nombreuses nations sur les montagnes, voix identique de nombreuses nations, voix de rois et de nations rassemblées.* Il fait voir le grand nombre des ennemis et des rois appelés en renfort. *Le Seigneur Sabaoth a commandé à une nation qui combat avec des armes pesantes* 5. *de venir d'une terre lointaine, de l'assise extrême du ciel.* Il veut parler des Mèdes et des Perses : ce sont eux qui ont fait une expédition contre Babylone au temps où Cyaxare, le fils d'Astyage, régnait sur les Mèdes et où Cyrus, le fils de sa sœur, régnait sur les Perses[1]. Quant à l'expression « de l'assise extrême du ciel », elle fait voir qu'ils sont venus de loin pour leur prêter assistance.

Le Seigneur et ses soldats en armes. Le texte montre que le Dieu de l'univers en personne dirigeait l'expédition des Mèdes, puisque aussi bien leur victoire a dépendu de sa volonté[2]. *Pour détruire le monde entier et en arracher*

Hérodote ne parle même pas de ce Cyaxare. Une seconde fois, dans le même commentaire (*id.*, 1541 D - 1544 A), mais plus brièvement, Théodoret rappelle qu'Astyage est le grand-père maternel de Cyrus (μητροπάτωρ) et que son fils, Cyaxare, par incapacité d'exercer le pouvoir (οἰκονομῆσαι τὴν βασιλείαν οὐ δυνηθέντος) a laissé le champ libre à Cyrus ; sans faire mention de l'expédition conjointe de Cyaxare et de Cyrus contre Babylone, le texte laisse entendre que Cyrus ne serait devenu le roi des Mèdes et des Perses qu'après la prise de Babylone : or, toujours selon Xénophon, la réunion des deux royaumes s'effectue par la renonciation au trône de Cyaxare, dépourvu d'héritier mâle, en faveur de son neveu Cyrus (*Cyrop.* VIII, 5, 19). Tout cela est sans grand fondement historique : si Théodoret avait seulement lu Hérod. I, 123, 130, il saurait que la souveraineté de Cyrus sur les Mèdes fut le fruit de sa révolte contre son suzerain Astyage, déposé au terme de la lutte qui les opposa (en 550) pendant environ trois ans.

2. Comme plus haut les Assyriens (cf. *supra*, p. 25, n. 2), les Mèdes ne sont que les instruments du châtiment divin (*In Is.*, 5, 32-34.59-60).

ἀπολέσαι ἐξ αὐτῆς. Δίκας ἔτιναν τῶν πεπλημμελημένων οἱ τούτοις παραδοθέντες. Πολλὰ δὲ ἔθνη ὑπὸ τὴν Περσῶν
55 ἡγεμονίαν ἐγένετο· Κῦρος μὲν γὰρ τῆς Ἀσίας ἁπάσης ἐκράτησε, Καμβύσης δὲ ὁ τούτου υἱὸς καὶ τὴν Αἴγυπτον ὑπακούειν ἠνάγκασε, Δαρεῖος δὲ ὁ Ὑστάσπου καὶ Σκύθας τοὺς νομάδας κατέλυσε, Ξέρξης δὲ ὁ Δαρείου καὶ κατὰ τῆς Ἑλλάδος ἐστράτευσεν. Διὰ τούτων δὲ ἅπαντες δυσσε-
60 βείας καὶ παρανομίας ποινὴν εἰσεπράττοντο.

[6] **Ὀλολύζετε· ἐγγὺς γὰρ ἡ ἡμέρα κυρίου Σαβαώθ, καὶ συντριβὴ παρὰ τοῦ θεοῦ ἥξει.** (Πάλιν) ἡμέραν κυρίου καλεῖ τὸν τῆς τιμωρίας καιρόν. [7] **Διὰ τοῦτο πᾶσα χεὶρ ἐκλυθήσεται, καὶ πᾶσα ψυχὴ ἀνθρώπου δειλιάσει.** Ἀπόχρη γὰρ καὶ ἡ φήμη
65 τῶν πολεμίων τὴν δειλίαν ἐργάσασθαι. [8] **Καὶ ταραχθήσονται οἱ πρέσβεις, καὶ ὠδῖνες ἕξουσιν αὐτοὺς ὡς γυναικὸς τικτούσης.** Νόμο(ς ἐστὶ) τοὺς εἰς πρεσβείαν πεμπομένους ἀδεῶς καὶ λίαν θαρσαλέως τοῦτο ποιεῖν. Ἀλλὰ (τη)νικαῦτα οὐδὲ τοῦτο δίχα δέους ἐγίγνετο· οὕτως ἅπαντας ἐξεδειμάτωσε
70 τῶν π(ολεμίων) τὸ κράτος. **Καὶ συμφοράσουσιν ἕτερος πρὸς τὸν ἕτερον καὶ ἐκστήσονται (καὶ) τὸ πρόσωπον αὐτῶν ὡς φλὸξ μεταβαλοῦσιν.** Τό· ταραχθήσονται οἱ πρέσβεις, ὁ Θεοδοτίων οὕτως ἡρμήνευσεν· « ταραχθήσονται περιοχαί » — σημαίνει δὲ τὰς πόλεις —, τὸ δέ· συμφοράσου(σιν
75 ἕτερος) πρὸς τὸν ἕτερον, « ὠδινήσουσιν ἀνὴρ πρὸς τὸν

N : 54-60 πολλὰ — εἰσεπράττοντο ‖ 62-65 πάλιν — ἐργάσασθαι (64 καὶ[1] — δειλιάσει>) ‖ 67-80 νόμος — χρῶμα (70-72 καὶ — μεταβαλοῦσιν>)

54 πολλὰ δὲ K : ἢ καὶ ἐπειδὴ πολλὰ N ‖ τὴν N : τῶν K ‖ 63 ἐκλυθήσεται K : +φησιν N ‖ 67 νόμος K : ἢ ταραχθήσεσθαί φησι τοὺς πρέσβεις ἐπειδὴ εἰ καὶ νόμος N ‖ 68 ἀλλὰ K : > N ‖ 69 δίχα δέους ἐγίγνετο K : ἀδεῶς ἐγίνετο N ‖ 72 τό K : +δέ N ‖ 75 ἀνὴρ K : ἄνθρωπος N

1. Ce survol de l'histoire perse est un « topos » de l'exégèse de Théodoret (cf. *In Dan.*, 81, 1416 CD ; 1440 AC ; 1449 B ; 1501 C). La volonté de mettre en évidence la puissance perse dans son rôle d'instrument du châtiment divin conduit Théodoret à déformer volontairement — par omission — la réalité historique : évoquer,

pour leur perte les pécheurs. Ceux qui leur furent livrés payèrent le châtiment des fautes qu'ils avaient commises. Beaucoup de nations, du reste, subirent l'hégémonie des Perses : ainsi Cyrus domina l'Asie tout entière, Cambyse son fils contraignit l'Égypte à la soumission, Darius, le fils d'Hystaspès, anéantit à leur tour les nomades Scythes, et Xerxès fit même campagne contre la Grèce[1]. Ils ont donc permis de faire expier à tous impiété et iniquité.

Lamentations à l'approche de la colère de Dieu

6. *Lamentez-vous ! car le jour du Seigneur Sabaoth est proche, et la dévastation viendra de Dieu.* De nouveau, il appelle « jour du Seigneur » l'époque du châtiment[2]. 7. *C'est pourquoi toute main sera sans force et tout cœur d'homme sera pris de frayeur.* Car la renommée des ennemis suffit à elle seule à provoquer la lâcheté. 8. *Les ambassadeurs seront dans l'effroi ; les douleurs les posséderont comme femme en travail.* Il est de règle que les hommes envoyés en ambassade accomplissent leur mission sans crainte et avec une confiance absolue[3]. Mais, à cette époque, même cela ne se faisait pas sans crainte, tant la puissance des ennemis effraya tout le monde. *Ils déploreront leur sort l'un l'autre, ils seront frappés de stupeur et changeront de visage comme (change) la flamme.* L'expression « les ambassadeurs seront dans l'effroi », Théodotion l'a traduite de la manière suivante : « les environs seront dans l'effroi » — il désigne les cités —, et l'expression « ils déploreront leur sort l'un l'autre », par « ils éprouveront des douleurs violentes, chacun

comme il le fait ailleurs, la défaite de Salamine (480) et l'issue lamentable de l'expédition de Xerxès contre la Grèce n'aurait pas ici contribué à imposer l'idée de l'hégémonie perse.

2. Cf. *Is.* 10, 3 : « le jour de la visite » (*In Is.*, 4, 116-117).

3. Théodoret entend le texte au sens littéral alors qu'Eusèbe voit dans les « ambassadeurs » les maîtres de l'erreur (*GCS* 97, 21-24), et Cyrille, les hommes qui sacrifient aux idoles (70, 353 D).

πλησίον αὐτοῦ. » Δηλοῖ δὲ ὁ λόγος (ὅτι ἀλλή)λοις ἐκκαλύψουσι τὸ δέος καὶ τὸ τῶν προσώπων κατασβέσουσιν (ἄνθος· ὥσπερ γὰρ) τὸ πῦρ σβεννύμενον γίνεται κόνις, οὕτω καὶ τὸ εὐανθὲς τῶν προσώπων (ἐκ τοῦ δέους) μεταβάλλεται
80 χρῶμα.

[9] **Ἰδοὺ γὰρ ἡμέρα κυρίου ἔρχεται ἀνίατος θυμοῦ καὶ (ὀργῆς θεῖναι τὴν) οἰκουμένην ὅλην ἔρημον καὶ τοὺς ἁμαρτωλοὺς ἀπολέσαι ἐξ αὐτῆς.** Ο(ἰκουμένην νῦν) τὴν Βαβυλῶνα λέγει καὶ τὰς ὑπ' ἐκείνην τελούσας πόλεις καὶ κώμας.
85 [10] **(Οἱ γὰρ ἀστέρες τοῦ) οὐρανοῦ καὶ ὁ Ὠρίων καὶ πᾶς ὁ κόσμος τοῦ οὐρανοῦ τὸ φῶς αὐτῶν οὐ δώσουσι, (καὶ σκοτισθήσεται τοῦ) ἡλίου ἀνατέλλοντος, καὶ ἡ σελήνη οὐ δώσει τὸ φῶς αὐτῆς.** Ὥσ(περ γὰρ ἡλίου ἀνίσχοντος) ἀμβλύνεται μὲν τῆς σελήνης τὸ φῶς, οἱ δὲ ἀστέρες παντε(λῶς ἀπο-
90 κρύπτονται). Οὕτως τῆς ἐμῆς ἐπιφαινομένης δυνάμεως καὶ τοὺς (δυσσεβεῖς τιμωρουμενης) |119 b| φροῦδος γίνεται τῶν παρὰ ἀνθρώποις βασιλευόντων ἡ περιφάνεια.

[11] **Καὶ ἐντελοῦμαι ὅλῃ τῇ οἰκουμένῃ κακὰ καὶ τοῖς ἀσεβέσι τὰς ἁμαρτίας αὐτῶν.** Οὐ γὰρ μόνον τούτους ἀλλὰ καὶ τοὺς
95 ἄλλους ἀνθρώπους δίκας εἰσπράξομαι τῆς δυσσεβείας. **Καὶ ἀπολῶ ὕβριν ἀνόμων καὶ ὕβριν ὑπερηφάνων ταπεινώσω.** Οἱ τὸ τῆς ἀλαζονείας εἰσδεχόμενοι πάθος ἀδεῶς παροινοῦσι καὶ προπηλακίζουσιν ἅπαντας. Ἀλλὰ καὶ τὴν εὐπραξίαν αὐτῶν ἀφελῶ καὶ τῆς εὐημερίας γυμνώσας διδάξω τὸ
100 φρόνημα τῇ φύσει μετρεῖν.

[12] **Καὶ ἔσονται οἱ ἐγκαταλελειμμένοι ἔντιμοι μᾶλλον ἢ τὸ χρυσίον τὸ ἄπυρον, καὶ ἄνθρωπος ἔντιμος μᾶλλον ἢ ὁ λίθος ὁ ἐκ Σουφίρ.** Ἄπυρον χρυσίον τὸ καὶ δίχα πυρὸς φαινό-

C : 83-84 οἰκουμένην — κώμας || 94-95 οὐ — δυσσεβείας

N : 83-84 οἰκουμένην — κώμας || 88-95 ὥσπερ — δυσσεβείας || 97-100 οἱ — μετρεῖν || 103-106 ἄπυρον — τέθεικεν

76 ἐκκαλύψουσι K : ἐγκαλύψουσιN || 78 οὕτω N : οὕτως K || 79-80 τῶν — χρῶμα K : τοῦ προσώπου χρῶμα ἐκ τοῦ δέους μεταβάλλεται N || 83 οἰκουμένην C : +γὰρ N || 88 ὥσπερ γὰρ K : ἢ τοῦτο διὰ

pour son voisin ». Le texte fait donc voir qu'ils se dévoileront mutuellement leur crainte et que disparaîtra l'éclat de leur visage : tout comme le feu qui s'est éteint devient cendre, la peur fera changer le teint éclatant de leur visage.

9. *Car voici que le jour du Seigneur arrive implacable de fureur et de colère pour réduire le monde entier en désert et en arracher pour leur perte les pécheurs.* Il appelle maintenant « monde » Babylone ainsi que les cités et les bourgs qui lui étaient soumis. 10. *Car les astres du ciel, Orion et l'ensemble des constellations célestes ne donneront plus leur lumière ; ils s'obscurciront au lever du soleil et la lune ne donnera plus sa lumière.* Au lever du soleil la lumière de la lune s'affaiblit et les astres disparaissent complètement ; de même, lorsque se manifeste ma puissance et qu'elle châtie les impies, s'évanouit l'éclat de ceux qui règnent chez les hommes.

11. *Je vais faire payer au monde entier ses mauvaises actions et aux impies leurs péchés.* Ce n'est pas seulement de ces hommes-ci, mais encore du reste de l'humanité que je tirerai le châtiment que mérite leur impiété. *J'anéantirai l'orgueil des hommes iniques et j'abaisserai l'orgueil des hommes hautains.* Ceux qui donnent accueil au vice de l'arrogance sont sans retenue pour s'emporter contre tous les hommes et les outrager. Eh bien ! je leur enlèverai leur bonheur, je les dépouillerai de leur prospérité et je leur enseignerai à mesurer leur fierté sur leur nature.

Le petit nombre des survivants

12. *Ceux qui auront été laissés seront plus estimés que l'or natif ; un homme sera plus estimé que la pierre de Souphir.* L'or natif est celui qui n'a même pas

τούτων ἐνδείκνυται ὅτι ὥσπερ N ‖ 93 ἐντελοῦμαι — οἰκουμένῃ K : ὅλῃ δέ φησι τῇ οἰκουμένῃ ἐντελοῦμαι N ‖ 95 δυσσεβείας KC : ἀσεβείας N ‖ 97 οἱ K : +μὲν οὖν N ‖ εἰσδεχόμενοι K : +φησι N ‖ 103-105 ἄπυρον — λέγει N : > K ‖ 103 ἄπυρον : +οὖν N

μενον δόκιμον, τουτέστιν ἄπεφθον, ὃ νῦν οἱ πολλοὶ ὄβρυζον
105 ὀνομάζουσιν · λίθον δὲ ἐκ Σουφὶρ λέγει τὸν τίμιον, ἀπὸ
δὲ τοῦ τόπου τὴν προσηγορίαν τέθεικεν. Τούτων τιμιω-
τέρους φανήσεσθαι λέγει τοὺς μετὰ τὴν τιμωρίαν ὑπολει-
πομένους ἀνθρώπους. Τοιοῦτος ἦν καὶ Ζοροβάβελ καὶ
Ἰησοῦς ὁ τοῦ Ἰ(ω)σεδὲκ καὶ οἱ σὺν αὐτοῖς τῆς ἐπανόδου
110 τετυχηκότες. Ἁρμόττει δὲ ἡ προφητεία διαφερ(όν)τως τοῖς
μετὰ τὸ σωτήριον κήρυγμα πανταχοῦ πεπιστευκόσιν ἀνθρώποις.

[13] **Ὁ γὰρ οὐρανὸς σαλευθήσεται καὶ ἡ γῆ σεισθήσεται
ἐκ τῶν θεμελίων αὐτῆς διὰ θυμὸν ὀργῆς κυρίου Σαβαὼθ
115 ἐν τῇ ἡμέρᾳ ᾗ ἐὰν ἐπέλθῃ ὁ θυμὸς αὐτοῦ.** Συναγανακτεῖν
δοκεῖ καὶ ἡ κτίσις ἡ ἄψυχος τῷ ποιητῇ · οὐ γὰρ μόνον ἡ
γῆ κλονεῖται, ἀλλὰ καὶ οὐρανόθεν πρηστῆρες φέρονται, καὶ
σκηπτοὶ καὶ λίθοι χαλάζης σφενδονῶνται, καὶ ἕτερα μυρία
παράδοξα γίγνεται δεδιττόμενα τοὺς ἀνθρώπους καὶ τοῦ
120 θεοῦ σημαίνοντα τὴν ὀργήν.

[14] **Καὶ ἔσονται οἱ ἐγκαταλελειμμένοι ὡς δορκάδιον φεῦγον
καὶ ὡς πρόβατον πλανώμενον, καὶ οὐκ ἔσται ὁ συνάγων,
ὥστε ἄνθρωπον εἰς τὸν λαὸν αὐτοῦ ἀποστραφῆναι καὶ
ἄνθρωπον εἰς τὴν χώραν αὐτοῦ διῶξαι.** Τῶν Ἀσσυρίων
125 ἡττηθέντων οἱ εἰς ἐπικουρίαν ἐληλυθότες ἐτρέποντο εἰς
φυγήν, καὶ οἱ μὲν ὡς πρόβατα κατὰ τὰς ὁδοὺς ἐπλανῶντο,
οἱ δὲ τῶν δορκάδων τὴν ὀξύτητα φεύγοντες ἐμιμοῦντο διὰ
τὸ δέος τῶν πολεμίων, οὔτε βασιλέως οὔτε στρατηγοῦ
στῆναι παρακελευομένου καὶ μάχεσθαι ἢ κοινῇ τὴν ἐνεγκοῦσαν
130 καταλαμβάνειν. [15] **Ὃς γὰρ ἂν ἁλῷ ἐκκεντηθήσεται, καὶ**

C : 115-120 συναγανακτεῖν — ὀργήν || 124-128 τῶν — πολεμίων

N : 108-112 τοιοῦτος — ἀνθρώποις || 115-120 συναγανακτεῖν — ὀργήν || 124-137 τῶν — χρησάμενοι

104 ὄβρυζον N^{451} : εὔρυζον N$^{384\cdot p}$ || 108 καὶ^{1} K : +ὁ N || καὶ^{2} N : +η K || 110 ἡ προφητεία/διαφερόντως K : ∾ N || 115 συναγανακτεῖν KC : +οὖν N || 119 γίγνεται K : γίνεται CN || 124 τῶν KC : +γὰρ N || 125 οἱ KC : καὶ οἱ N || 128 βασιλέως οὔτε K : > N || 130-131 ὃς — πεσοῦνται K : ἀλλὰ N

besoin de passer au feu pour paraître de bon aloi, c'est-à-dire épuré ; on le nomme aujourd'hui communément obryzum. Par « pierre de Souphir », il veut parler de la pierre précieuse qu'il a désignée ainsi en fonction de son origine[1]. Plus précieux que ces minerais paraîtront, dit-il, les hommes qui survivront au châtiment. Tels étaient Zorobabel, Josué fils de Josédek et ceux qui en leur compagnie ont obtenu de revenir d'exil. La prophétie s'applique, d'autre part, particulièrement bien aux hommes qui en tout lieu ont eu la foi après (avoir entendu) le message du salut.

13. *Car le ciel sera agité et la terre ébranlée depuis ses fondements, à cause de la fureur de la colère du Seigneur Sabaoth, au jour où viendra sa fureur.* Même la création inanimée semble s'indigner avec son auteur : non seulement la terre est troublée, mais du ciel partent aussi orages et éclairs, s'élancent vivement coups de foudre et grêlons et surviennent en foule d'autres prodiges pour effrayer les hommes et manifester la colère de Dieu.

La déroute des alliés de Babylone devant les Mèdes

14. *Et ceux qui auront été laissés seront semblables à un jeune daim qui s'enfuit et à un troupeau de brebis qui erre ; et il n'y aura personne pour le rassembler, de sorte que chacun s'en retournera vers son peuple, chacun s'enfuira vers son pays.* Après la défaite des Assyriens, ceux qui étaient venus pour leur prêter assistance prirent la fuite : les uns, comme des brebis, erraient le long des routes ; la crainte des ennemis faisait imiter aux autres, dans leur fuite, la rapidité des jeunes daims, vu l'absence d'un roi ou d'un général pour (leur) ordonner de rester à leur poste et de combattre ou de regagner ensemble leur pays natal. 15. *Tout homme qu'on*

1. Cf. « pierre d'Héraclée ou pierre de Magnésie » pour désigner l'aimant dans l'antiquité (Platon, *Ion* 533 d).

οἵτινες συνηγμένοι εἰσὶ μαχαίρᾳ πεσοῦνται. Καὶ οἱ στῆναι (καὶ) πολεμῆσαι πειρώμενοι ὑπὸ τῶν πολεμικῶν ὅπλων δέχονται τῆς ζωῆς τὸ πέ(ρας). [16] **Καὶ τὰ τέκνα αὐτῶν ἐνώπιον αὐτῶν ῥάξουσι καὶ τὰς γυναῖκας αὐτῶν (ἕξ)ουσι καὶ**
135 **τὰς οἰκίας αὐτῶν προνομεύσουσιν.** Ἅπερ δεδράκασι πεί(σονται) καὶ ὠμαῖς τιμω ρίαις παραδοθήσονται, ὠμότητι κατ' ἄλλων χρησάμενοι.

[Εἶτα ἐπ]άγει τὴν τῶν πολεμίων προσηγορίαν · [17] **Ἰδοὺ ἐπεγείρω ὑμῖν τοὺς (Μήδους) οἳ οὐ λογίζονται ἀργύριον**
140 **οὐδὲ χρυσίου χρείαν ἔχουσιν.** Οὐκ ἀνέξονται (χρή)ματα λαβόντες τὸν πόλεμον καταλῦσαι οὐδὲ φόρον ὑμῖν ἐπιθή(σουσιν) ἀλλ' ὄλεθρον ἐπάξουσι πανντελῆ. [18] **Τοξεύματα νεανίσκων συντρίψουσι (καὶ τὰ) τέκνα ὑμῶν οὐ μὴ ἐλεήσουσιν, οὐδὲ ἐπὶ τοῖς υἱοῖς σου φείσονται οἱ ὀφθαλ(μοὶ**
145 **αὐτῶν).** Τούς τε γὰρ παρ' ὑμῖν ἀριστεύοντας κατακοντίσουσι καὶ τὴν ἄωρον (ἡλικίαν ἀφειδῶς) κατασφάξουσιν.

[19] **Καὶ ἔσται Βαβυλών, ἣ καλεῖται ἔνδοξος (ὑπὸ βασι)λέων Χαλδαίων, ὃν τρόπον κατέστρεψεν ὁ θεὸς Σόδομα καὶ Γόμορρα ·** [20] **(οὐ κατοικη)θήσεται εἰς τὸν αἰῶνα χρόνον.**
150 Τῆς προτέρας φησὶ περιφανείας |120 a| γυμνωθήσεται καὶ ἐρημίᾳ παραδοθήσεται παντελεῖ, ὡς Σοδό(μοις καὶ Γομόρροις τὸ ταύτης) ἀπεικάζεσθαι πάθος. **Οὐδὲ μὴ εἰσέλθωσιν εἰς αὐτὴν διὰ πολλῶν γενεῶν.** (Ἐναντία δο)κεῖ πως εἶναι τὰ εἰρημένα · τὸ μὲν γὰρ ἀορίστως εἴρηται τὸ δὲ περιωρισ-
155 μένως. Ἀλλὰ τὸ μὲν εἰς τὸν αἰῶνα χρόνον μὴ κατοικηθή-

C : 131-133 καὶ — πέρας ‖ 135-137 ἅπερ — χρησάμενοι ‖ 140-142 οὐκ — παντελῆ ‖ 145-146 τούς — κατασφάξουσιν ‖ 150-152 τῆς — πάθος

N : 140-146 οὐκ — κατασφάξουσιν (142-145 τοξεύματα — αὐτῶν>) ‖ 150-152 τῆς — πάθος ‖ 152-159 οὐδὲ — Ἰουδαῖοι

131 στῆναι KN : +δὲ C ‖ 133 δέχονται KC : ἐδέχοντο N ‖ πέρας K : +τοῦτο γὰρ δηλοῖ τὸ ἐκκεντηθήσονται καὶ μαχαίρᾳ πεσοῦνται N ‖ τέκνα K : +δὲ N ‖ 134 ἕξουσι e tx.rec. : ἐξοίσουσι N ‖ 135 ἅπερ K : ἄντικρυς γὰρ ἅπερ N ‖ 137 ἄλλων C : ἀλλήλων KN ‖ 140 χρυσίου e tx.rec. : χρυσίον K ‖ οὐκ KC : οὐ γὰρ N ‖ ἀνέξονται KN : +φησι C ‖

prendra sera percé de coups et tous ceux qui se seront rassemblés tomberont sous l'épée. Même ceux qui tentent de résister et de combattre voient les armes ennemies mettre un terme à leur vie. 16. *Sous leurs yeux ils écraseront leurs enfants, ils violeront leurs femmes et pilleront leurs maisons.* Ils subiront les traitements mêmes qu'ils ont infligés ; ils seront livrés à de cruels châtiments pour avoir usé de cruauté contre autrui.

Puis il ajoute le nom des ennemis : 17. *Voici que je suscite contre vous les Mèdes qui ne font pas cas de l'argent et qui n'ont que faire de l'or.* Ils n'accepteront pas de mettre fin à la guerre pour avoir reçu des richesses ; ils ne vous imposeront pas un tribut, mais (vous) infligeront une ruine totale. 18. *Ils briseront les flèches des jeunes gens ; ils n'auront point pitié de vos enfants ; leurs yeux ne montreront point de bienveillance pour tes fils.* Ceux qui chez vous se distinguent par leur valeur, ils les perceront de traits ; le tout jeune âge, ils l'égorgeront sans pitié.

La désolation de Babylone

19. *Alors Babylone que les rois chaldéens appellent « la Renommée » sera comme Sodome et Gomorrhe que Dieu a bouleversées ;* 20. *elle ne sera plus habitée pour l'éternité.* Elle sera dépouillée, dit-il, de son éclat d'autrefois et totalement livrée à la désolation, au point que l'on compare son sort à celui de Sodome et de Gomorrhe. *Et on n'entrera plus en elle durant de nombreuses générations.* Ces déclarations semblent quelque peu contradictoires : l'une est faite de manière imprécise, l'autre de manière précise[1]. Mais, l'expression « n'être plus habitée pour

151 παραδοθήσεται παντελεῖ KN : ∾ C ‖ 152 οὐδὲ K : τὸ μέντοι οὐ κατοικηθήσεται εἰς τὸν αἰῶνα χρόνον καὶ τὸ οὐ N ‖ 153-154 τὰ εἰρημένα K : ἀλλήλοις N

1. Théodoret est toujours attentif à résoudre de telles contradictions (cf. *In Is.*, 18, 103-107) pour montrer la συμφωνία de l'Écriture

σεσθαι ἀντὶ τοῦ · οὐκέτι βασιλέων κατοικητήριον ἔσται. Τὸ δέ · οὐ μὴ εἰσέλθωσιν εἰς αὐτὴν διὰ πολλῶν γενεῶν, τουτέστιν οἰκήτορες, ἐπεὶ καὶ νῦν οἰκοῦσιν αὐτὴν ὀλίγοι τινές, οὔτε Ἀσσύριοι οὔτε Χαλδαῖοι ἀλλ' Ἰουδαῖοι.

160 **Οὐδὲ μὴ διέλθωσι δι' αὐτῆς Ἄραβες.** Ἄραβας λέγει τοὺς παρ' ἡμῖν καλουμένους Σαρακηνούς, οἵτινες ἐμπορίας χάριν φοιτῶντες αὐτόσε τὰς ἀναγκαίας χρείας ἐκόμιζόν τε καὶ ἀντελάμβανον · Ἄραβας δὲ τοὺς Σαρακηνοὺς καὶ οἱ Παλαιστῖνοι καλοῦσιν. Τῆς δὲ τούτων ἐμπορίας καὶ ὁ μακά(ριος) 165 μέμνηται Μωυσῆς · « Ἰδοὺ » γάρ φησιν « Ἰσμαηλῖται ἔμποροι. » **Οὐδὲ ποιμένες (οὐ μὴ ἀναπαύσωνται) ἐν αὐτῇ.** Τὴν ὑπερβολὴν τῆς ἐρημίας διὰ τούτων ᾐνίξατο. Εἰ δέ τι(ς καὶ τροπικῶς νοῆσαι) βούλεται τὸ ῥητόν, ποιμένας λέγει τοὺς βασιλέας δίκην ποιμνίων τοὺς ὑπηκό(ους διαναπαύοντας). 170 Ἀλλὰ τούτων πάντων φησὶν ἡ Βαβυλὼν ἐξαπίνης ἔρημος ἔσται.

[21] **Καὶ ἀναπαύσ(εται) ἐκεῖ θηρία.** Καὶ τοῦτο δηλοῖ τὸ ἀοίκητον. **Καὶ ἐμπλησθήσονται αἱ οἰκίαι αὐτῶν ἤχων.** Ὅταν μηδεὶς ἀνθρώπων ὁ φ(θεγγόμενος) ᾖ μηδὲ ἵπποι χρεμετίζωσι 175 μήτε βόες μυκῶνται μήτε ὄνοι βρομῶνται μήτε ἄλλος τις γίνηται κτύπ(ος), ἠχὴν εἰσδέχονταί τινα μόνην αἱ ἀκοαί · τοῦτο δὲ καὶ ἡμεῖς ὑπομένομεν νύκτωρ ἡσυχίας παντελο(ῦς γινομένης). Ἢ τοῦτο τοίνυν ὁ λόγος αἰνίττεται ἢ ὅτι διὰ τὴν ἐρημίαν ἀντηχεῖ τοῖς φθεγγομένοις τῶν οἰκιῶν τὰ 180 (λείψανα).

N : 160-166 Ἄραβας — ἔμποροι ‖ 167-171 εἰ — ἔσται ‖ 172-173 ἀναπαύσεται — ἀοίκητον ‖ 173-180 ὅταν — λείψανα

156 κατοικητήριον K : οἰκητήριον N ‖ 158 οἰκοῦσιν αὐτὴν K : ∾ N ‖ 160 Ἄραβας K : +οὖν N ‖ 163 καὶ οἱ Παλαιστῖνοι K : οἱ ἐκ Παλαιστίνης N ‖ 169 βασιλέας K : βασιλεῖς N ‖ ὑπηκόους K : βασιλευομένους N ‖ 172 ἀναπαύσεται ... καὶ τοῦτο K : διὰ τοῦ εἰπεῖν ὅτι ἀναπαύσονται ... N ‖ 173 ὅταν K : +γὰρ N ‖ 176 γίνηται Np : γίνεται KN1

165 Gen. 37, 25

à ceux-là mêmes qui la nient (*In Gen.*, 80, 76 : ὡς ἐναντία διδάσ-

l'éternité » revient à dire : « elle ne sera plus la résidence des rois ». Tandis que l'expression « on n'entrera plus en elle durant de nombreuses générations » s'applique aux habitants, puisque maintenant encore peu de gens l'habitent et ce ne sont ni des Assyriens ni des Chaldéens, mais des Juifs.

Et les Arabes ne la traverseront pas. Il appelle « Arabes » ceux que nous appelons les Sarrasins[1] : ils venaient fréquemment en ce lieu pour les besoins du commerce, pour y apporter et pour en emporter les marchandises de première utilité ; du reste, même les Palestiniens appellent « Arabes » les Sarrasins. Quant au commerce qu'ils pratiquaient, le bienheureux Moïse en fait également mention : « Voici, dit-il, les marchands ismaélites. » *Et les bergers ne se reposeront plus en elle.* Il a fait entrevoir par ces mots l'étendue démesurée de la désolation. Pourtant, si l'on veut aussi comprendre cette phrase de manière figurée, il désigne par « bergers » les rois qui laissent leurs sujets prendre du repos à la manière des troupeaux. Mais Babylone, dit-il, sera subitement privée de tout cela.

21. *Et se reposeront en ce lieu les bêtes sauvages.* Voilà encore ce qui prouve sa nature de lieu inhabité. *Et leurs maisons seront remplies de grondements.* Quand aucun être humain ne parle, qu'il n'y a ni hennissement de chevaux ni mugissement de bœufs ni braiement d'ânes et qu'il ne se produit aucun autre bruit, les oreilles perçoivent seulement un grondement ; cette sensation nous l'éprouvons aussi durant la nuit, lorsque le calme est complet. Le texte peut donc faire allusion à ce phénomène ; ou bien ce sont les ruines des maisons qui, en raison de la solitude, renvoient à ceux qui parlent l'écho de leurs paroles.

κουσαν) ; cf. aussi *infra* 5, 321-324 où il montre que la prophétie ne dit rien de déraisonnable.

1. Même identification chez Cyrille (70, 364 B).

Καὶ ἀναπαύσονται ἐκεῖ σειρῆνες, καὶ δαιμόνια ἐκεῖ ὀρχήσονται, [22]καὶ ὀνοκένταυροι ἐκεῖ κατοι(κήσουσιν). Ἀσώματος μὲν ἡ τῶν δαιμόνων φύσις, ἐξαπατᾶν δὲ τοὺς ἀνθρώπους εἰωθότες ἀλλόκοτά τινα (τούτοις) ἐπιδεικνύουσι 185 σχήματα. Ἀπὸ τοίνυν τῆς κατεχούσης παρὰ τοῖς ἀνθρώποις δόξης τέθεικε τὰ (ὀνόματα) καὶ καλεῖ ὀνοκενταύρους μὲν ἃς οἱ παλαιοὶ μὲν ἐμπούσας οἱ δὲ νῦν ὀνοσκ(ελίδας) προσαγορεύουσι, σειρῆνας δὲ τοὺς ταῖς παντοδαπαῖς καταθέλγοντας ἐξαπάταις. (Οἱ μέντοι Λοιποὶ) Ἑρμηνευταὶ ἀντὶ 190 τῶν σειρήνων « στρουθοκαμήλους » τεθείκασιν. **Καὶ νοσσοποι(ήσουσιν) ἐχῖνοι ἐν τοῖς οἴκοις αὐτῆς καὶ ἐν τοῖς ναοῖς τῆς σπατάλης αὐτῆς.** (Καὶ τοῦτο) τὸ ζῷον φιλέρημον. Συνῆψε δὲ τῇ ἐρημίᾳ τῆς προτέρας ἀκρασίας τὴν μνήμην, (τὸ δίκαιον τῆς τιμωρίας) δεικνύς.

195 **Ταχὺ ἔρχεται καὶ οὐ χρονιεῖ.** Ὀγδοήκοντα γὰρ καὶ ἑκατὸν χρό(νοι μέσον ἐγένοντο τῆς) προ(φητείας καὶ) τῆς ἐρημίας.

C : 182-190 ἀσώματος — τεθείκασιν ‖ 195-196 ὀγδοήκοντα — ἐρημίας

N : 182-190 ἀσώματος — τεθείκασιν ‖ 191-194 ἐν¹ — δεικνύς (192 καὶ — φιλέρημον>) ‖ 192 καὶ — φιλέρημον ‖ 195-198 ὀγδοήκοντα — ὅρον

183 μὲν KC : +οὖν N ‖ ἡ/τῶν δαιμόνων KN : ∾ C ‖ φύσις KC : +ἐστίν N ‖ 191 ἐν¹ K : τούτοις ἐπαγαγὼν τὸ ἐν N ‖ οἴκοις N : οἰκείοις K ‖ 192 τοῦτο N¹ : +δὲ Nᵖ ‖ 193 δὲ K : > N ‖ 195 γὰρ KC : δὲ N ‖ 196 χρόνοι μέσον ἐγένοντο KN : ἐτῶν χρόνος μέσος ἐγένετο C

---

1. La remarque est à rapprocher de celle de CHRYSOSTOME (*M.*, p. 165, § 19-20) : « Certes les onocentaures n'existent pas dans la réalité et ils n'habitent pas Babylone, mais les hommes les appellent de la sorte en utilisant ce terme pour désigner un lieu désert ou une ville privée de ses habitants ; c'est en ce sens aussi que l'adopte l'Écriture et qu'elle exprime toute chose selon l'usage en vigueur chez les hommes, sans dessein d'assurer qu'il en est ainsi dans la réalité ; mais les Écritures adoptent le langage habituel aux hommes et c'est ainsi qu'elles s'adressent à eux. »

2. Le terme « onocentaures » (litt. : « ânes-centaures ») n'est pour Théodoret qu'une manière humaine de désigner les démons, tandis

Là se reposeront les sirènes, là danseront les démons, 22. *là habiteront les onocentaures.* La nature des démons est incorporelle, mais comme ils ont l'habitude de tromper les hommes, ils leur font voir des formes étranges. C'est donc d'après l'opinion en vigueur chez les hommes qu'il leur a donné des noms[1] ; il appelle « onocentaures » ceux que les anciens appelaient « empouses » et que les gens d'aujourd'hui désignent du nom d'« onoskelis », et « sirènes » ceux qui charment par toutes sortes de tromperies[2]. Toutefois, le reste des interprètes a écrit, à la place de « sirènes », « autruches »[3]. Et *les hérissons feront leurs nids dans ses maisons et dans les sanctuaires de son luxe.* Voilà encore un animal qui aime la solitude. Il a mis en liaison avec la désolation le souvenir de son intempérance d'autrefois pour montrer l'équité du châtiment.

(Cela) vient rapidement et ne tardera pas. De fait, cent quatre-vingts ans séparent la prophétie de la désolation[4].

que Cyrille, en faisant du mot un synonyme d'« onagres », le prend en un sens plus concret (70, 364 D). « Empouse » est chez les anciens grecs une espèce de vampire, un monstre multiforme envoyé par Hécate pour effrayer les mortels (Aristophane, *Ran.* 293 ; *Eccl.* 1056). « Onoskélis » (litt. : « aux jambes d'âne ») entretient un rapport évident avec « onocentaure ».

3. La variante est confirmée par Eusèbe (*GCS* 100, 23) et par Basile (30, 601 AB : Aquila est seul cité) ; Chrysostome (*M.*, p. 165) la donne pour le mot « onocentaures » rendu chez Aquila par « pilosi » (confirmé par Basile) et figurant, selon Eusèbe *(ibid.)*, chez les autres interprètes sous la forme hébraïque « iim » ou, selon Basile, « siin » ; cf. *In Is.*, 7, 111-120 la discussion à propos de « siim ».

4. La prophétie daterait donc de 719 av. J.-C. (prise de Babylone en 539) ; cela fait d'Isaïe, conformément à l'opinion qui est la nôtre, un prophète du VIIIe s. Des deux autres datations proposées dans le commentaire, la première (*In Is.*, 6, 431-434) est difficile à admettre puisqu'elle obligerait à situer Isaïe au début du VIIe s. (cf. aussi *Thérap.* X, 60) ; la seconde (*id.*, 9, 37-41) nous ramène en revanche au VIIIe s. Les chronologies de Théodoret semblent donc un peu hésitantes.

Καὶ αἱ ἡμέραι αὐτῆς οὐ μὴ ἐφελκυσθῶσιν. (Οὐχ ὑπερβήσονται) τῆς (τιμωρίας) τὸν ὅρον.

Οὕτω ταῦτα περὶ ἐκείνων προαγορεύσας προλέγ(ει καὶ
200 τὴν Ἰουδαίων ἀνάκλησιν). Συνῆπται γὰρ τῇ πανωλεθρίᾳ τῶν Βαβυλωνίων ἡ Ἰουδαίων ἐλευθερία· (ἐν τῷ πρώτῳ γὰρ ἔτει) τῆς βασιλείας ὁ Κῦρος ἐπανελθεῖν τῶν Ἰουδαίων τοὺς δορυαλώτους ἐκέλευσεν· δῆλον (τοίνυν ὡς) εὐθὺς καταλύσας τὴν Βαβυλῶνα τούτοις τὴν ἐλευθερίαν ἀπέ(δωκεν.
205 **14[1] Καὶ ἐλεήσει κύριος) τὸν Ἰακὼβ (καὶ) ἐκλέξεται ἔτι τὸν Ἰσραήλ, καὶ ἀναπαύσονται (ἐπὶ τῆς γῆς αὐτῶν, καὶ ὁ γιώρας) προστεθήσεται πρὸς αὐτοὺς καὶ προστεθήσεται πρὸς τὸν Ἰακώβ.** (Γιώρας τῇ Ἑλλάδι φωνῇ) ὁ προσήλυτος ἑρμηνεύεται· προσηλύτους (δὲ ἐκάλουν Ἰουδαῖοι τοὺς ἐκ τῶν
210 ἐθνῶν προσιόντας |120 b| καὶ τὴν νομικὴν πολιτείαν) ἀσπαζομένους.

2 Καὶ λήψονται αὐτοὺς ἔθνη καὶ εἰσάξουσιν εἰς τὸν τόπον αὐτῶν, (καὶ κατακληρονο)μήσουσι καὶ πληθυνθήσονται. Συναπέστειλε γὰρ αὐτοῖς ὁ Κῦρος τοὺς μετὰ τιμῆς αὐτοὺς
215 καὶ θεραπείας εἰς τὴν ἐνεγκοῦσαν ἀπάξοντας. **Καὶ καταδιελοῦνται αὐτοὺς οἱ υἱοὶ Ἰσραὴλ ἐπὶ τῆς γῆς τοῦ θεοῦ εἰς δούλους καὶ δούλας.** Περιγενόμενοι γὰρ τῶν πλησιοχώρων κατεδουλώσαντο αὐτοὺς καὶ ἐξανδραποδίσαντες δουλεύειν

C : 208-211 γιώρας — ἀσπαζομένους ‖ 214-215 συναπέστειλε — ἀπάξοντας ‖ 217-219 περιγενόμενοι — ἠνάγκασαν

N : 199-204 οὕτω — ἀπέδωκεν ‖ 208-211 γιώρας — ἀσπαζομένους ‖ 214-215 συναπέστειλε — ἀπάξοντας ‖ 215-219 καὶ² — ἠνάγκασαν

197 καὶ K : τὸ δὲ N ‖ αἱ N : > K ‖ ἐφελκυσθῶσιν K : +ἐμφαίνει ὅτι N ‖ 199 οὕτω ταῦτα K : τὰ προειρημένα N ‖ ἐκείνων K : τῶν Βαβυλωνίων N ‖ 208 γιώρας C : +γὰρ N ‖ ὁ KN : > C ‖ 209 Ἰουδαῖοι C : οἱ Ἰουδαῖοι Np > N1 ‖ 215 καὶ² K : ἔν τισι δὲ πρόσκειται καὶ N

---

1. Cf. *Quaest. in Exod.*, 80, 253 D ; EUSÈBE (*GCS* 101, 2-4) note que tous les autres interprètes ont traduit γιώρας par « prosélyte ». L'interprétation de CYRILLE est différente (70, 365 C) : « Il appelle ' étranger ' (γηώραν) l'indigène et l'autochtone, i.e. le Babylonien ». Selon Cyrille, des Babyloniens unis aux Juifs par les liens du sang

Et ses jours ne se prolongeront pas. Ils ne dépasseront pas la limite fixée pour le châtiment.

Le retour d'exil des Juifs

Voilà ce qu'il a annoncé au sujet de Babylone, avant de prédire aussi le rappel des Juifs. Car la libération des Juifs a été liée à la ruine totale de Babylone : c'est, en effet, en la première année de son règne, que Cyrus a ordonné le retour de captivité des prisonniers de guerre juifs ; il est donc clair qu'il leur a rendu la liberté aussitôt après avoir détruit Babylone. **14,** 1. *Le Seigneur aura pitié de Jacob et il choisira encore Israël; ils se reposeront sur leur terre; le gioras se joindra à eux, il se joindra à (la maison de) Jacob.* « Gioras » se traduit en grec par prosélyte[1] ; or, les Juifs appelaient « prosélytes » les membres des nations qui arrivaient chez eux et qui embrassaient le mode de vie conforme à la Loi.

2. *Les nations les prendront et les conduiront dans leur pays; ils distribueront les parts et ils s'accroîtront.* De fait, Cyrus envoya avec eux des hommes pour les ramener avec honneur et égards dans leur pays natal[2]. *Et les fils d'Israël les réduiront en esclavage sur la terre de Dieu comme serviteurs et comme servantes.* Ils se rendirent maîtres de leurs voisins et les réduisirent en esclavage ; ils les firent prisonniers et les contraignirent à être esclaves[3].

ou par leur adhésion à la Loi auraient suivi les Juifs lors du retour d'exil.

2. Même remarque dans l'*In Joel.*, 81, 1656 BC ; voir aussi les remarques similaires de CHRYSOSTOME (*M.*, p. 167, § 2) et de CYRILLE (70, 365 CD).

3. A quels événements Théodoret fait-il allusion ? Sans doute à cette fameuse expédition de Gog et de Magog contre Jérusalem qu'il évoque à deux reprises dans l'*In Is.* (7, 165-169 ; 18, 89-92) et plus précisément dans d'autres commentaires (*In Ez.*, 81, 1201 B - 1204 B ; 1217 AC ; *In Joel.*, 81, 1656 BC ; *In Amos*, 81, 1697 B ; *In Mich.*, 81, 1761 AB ; *In Agg.*, 81, 1868 C) ; selon lui, après l'éclatant retour des Juifs, leurs proches voisins — Iduméens, Ammonites, Moabites, Allophyles et Samaritains — jaloux de la félicité des

ἠνάγκασαν. Καὶ ἔσονται αἰχμάλωτοι οἱ αἰχμαλωτεύσαντες
220 **αὐτοὺς καὶ κυριευθήσονται ὡς κυριεύσαντες αὐτῶν,** Βαβυλώνιοι καὶ πάντες Ἀσσύριοι.

[3] **Καὶ ἔσται ἐν τῇ ἡμέρᾳ ἐκείνῃ, ᾗ ἂν ἀναπαύσῃ σε κύριος ἀπὸ τῆς ὀδύνης σου καὶ τοῦ θυμοῦ καὶ τῆς δουλείας σου τῆς σκληρᾶς ἧς ἐδούλευσας αὐτοῖς,** [4] **καὶ λήψῃ τὸν θρῆνον**
225 **(τοῦτον ἐπὶ) τὸν βασιλέα Βαβυλῶνος.** Ἡ τῶν πραγμάτων μεταβολὴ καὶ λόγων ἐργάζεται μεταβολήν. (Προλέγει τοί)νυν κἀνταῦθα ὁ θεῖος προφήτης ποίοις μετὰ τὴν ἐλευθερίαν καὶ τὴν ἐπάνοδον πρὸς ἀλλήλους (χρήσονται λόγοις τῶν) Βαβυλωνίων τραγῳδοῦντες τὸν ὄλεθρον. **Καὶ ἐρεῖς ἐν**
230 **τῇ ἡμέρᾳ ἐκείνῃ · Πῶς ἀναπέπαυται ὁ ἀπαιτῶν καὶ ἀναπέπαυται ὁ ἐπισπουδαστής ;** Φόρον ἀπήτει βαρύτατον πάντας τοὺς ὑπηκόους ὁ Βαβυλώνιος · τῆς δὲ βασιλείας καταλυθείσης ἀπηλλάγησαν οἱ ἀρχόμενοι τοῦ δασμοῦ.

[5] **Συνέτριψε κύριος τὸν ζυγὸν τῶν ἁμαρτωλῶν καὶ τὸν ζυγὸν**
235 **τῶν ἀρχόντων,** [6] **πατάξας ἔθνος θυμοῦ πληγῇ ἀνιάτῳ, παίων ἔθνος θυμοῦ πληγῇ ᾗ οὐκ ἐφείσατο.** Ἐπὶ πλεῖον Ἀσσύριοι τῆς οἰκουμένης κρατήσαντες, ἡνίκα κατὰ τοῦ θεοῦ τῶν ὅλων ἐλύττησαν καὶ τὸν θεῖον νεὼν ἐνέπρησαν, τῆς βασιλείας ἐξέπεσον · ἀνίατον γὰρ πληγὴν τὴν κατάλυσιν τῆς βασιλείας
240 ἐκάλεσε καὶ τὴν τῆς βασιλικῆς πόλεως ἐρημίαν.

[7] **Ἀνεπαύσατο πεποιθότως πᾶσα ἡ γῆ καὶ βοᾷ μετ' εὐφροσύνης.** (Εὐφράνθ)ησαν ἅπαντες τῷ τῶν Βαβυλωνίων ὀλέθρῳ ·

C : 231-233 φόρον — δασμοῦ

N : 225-229 ἡ — ὄλεθρον ‖ 231-233 φόρον — δασμοῦ ‖ 236-240 ἐπὶ — ἐρημίαν ‖ 242-243 εὐφράνθησαν — ἐχρήσαντο

222 ἀναπαύσῃ σε e tx.rec. : ἀναπαύσηται K ‖ 231 φόρον KC : +γὰρ N ‖ ἀπήτει KN : ἀπαιτεῖ C ‖ 236 πλεῖον K : +γὰρ N ‖ 239-240 ἐξέπεσον — ἐκάλεσε N : > K ‖ 242 τῶν K : > N

---

anciens déportés se seraient coalisés contre eux et auraient fait appel aux Scythes — dont Gog serait l'un des rois — pour marcher contre Jérusalem ; le butin fait par les Juifs sur leurs ennemis vaincus

Ils deviendront captifs, ceux qui les ont faits captifs, et ils seront dominés, comme ils les ont dominés, (il s'agit) des Babyloniens et de tous les Assyriens.

Satire contre le roi de Babylone
1) Cri de soulagement

3. *Et il arrivera, en ce jour-là où le Seigneur t'aura donné le repos de tes douleurs, de ton tourment et de la dure servitude à laquelle tu fus asservi chez eux*, 4. *que tu entonneras cette lamentation sur le roi de Babylone.* Le changement de situation occasionne aussi un changement de langage. Le divin prophète prédit donc ici les propos dont ils useront entre eux, après leur libération et leur retour d'exil, pour railler la ruine de Babylone. *Et tu diras en ce jour-là : Comment a fini celui qui réclamait, comment a fini l'oppresseur?* Le Babylonien réclamait un impôt très lourd à tous ses sujets ; aussi la destruction de son royaume délivra-t-elle ceux qu'il soumettait à un tribut.

5. *Le Seigneur a brisé le joug des pécheurs et le joug des chefs ;* 6. *c'est lui qui, dans sa fureur, a frappé une nation d'une plaie incurable, lui qui, dans sa fureur, frappait une nation d'une plaie impitoyable.* Les Assyriens qui s'étaient rendus maîtres d'une assez grande partie du monde se prirent de rage contre le Dieu de l'univers et brûlèrent le Temple divin : ils perdirent alors la royauté. Il a, en effet, appelé « plaie incurable » la destruction de (leur) royaume et la désolation de la cité royale.

7. *Toute la terre, pleine de confiance, se repose et crie avec joie.* Tous se réjouirent de la ruine des Babyloniens,

grâce à l'intervention divine aurait servi à la reconstruction du Temple. Faut-il rappeler que cette expédition n'a aucun fondement historique et que Théodoret prend pour une réalité post-exilique la prophétie d'*Éz.* 38-39 ? Pour Chrysostome (*M.*, p. 167, § 2) les peuples qui, sur ordre de Cyrus, ont accompagné les Juifs dans leur retour d'exil, se seraient en grande partie *(non pauci)* faits librement les esclaves de ceux dont ils étaient jadis les ennemis et les vainqueurs.

θηριωδίᾳ γὰρ ὅτι πλείστῃ κατὰ πάντων ἐχρήσαντο. [8] **Καὶ τὰ ξύλα τοῦ Λιβάνου εὐφράνθησαν ἐπὶ σοί, καὶ αἱ κέδροι τοῦ**
245 **Λιβάνου ἐροῦσιν· Ἀφ' οὗ σὺ κεκοίμησαι, οὐκ ἀνέβη ὁ κόπτων ἡμᾶς.** Λίβανόν τινες ἐνταῦθα τὴν Ἱερουσαλὴμ ᾠήθησαν ὀνομά(ζεσθαι· ἐγὼ) δὲ οἶμαι τοὺς κατὰ ἔθνος βασιλέας κέδρους κληθῆναι Λιβάνου, τοῦ τῆς βασιλείας (ὕψ)ους οὕτω τροπικῶς νοουμένου.

250 [9] **Ὁ ᾅδης κάτωθεν ἐπικράνθη συναντήσας σοι ἐρχομένου σου.** Εἴωθεν ἡ θεία (γραφὴ καὶ) προσωποποιΐᾳ κεχρῆσθαι ὥστε σαφέστερον δεῖξαι τὰ πράγματα. Κἀντ(αῦ)θα τοίνυν τὸν θάνατον (οὐκ οὐσίαν ὄν)τα τινὰ ἀλλὰ πρᾶγμα συμβαῖνον ὡς ἐνυπόστατον εἰσάγει, ἔμψυχόν τε (καὶ) λογικ(όν, κατὰ
255 τοῦ Βαβυ)λωνίων βασιλέως ἀγανακτοῦντα.

Διήγειρε κατὰ σοῦ γίγαντας πάντας τοὺς ἄρ(ξαντας τῆς γῆς οἳ ἀνέστησαν) ἀπὸ τῶν θρόνων αὐτῶν. Πάντες οἱ βασιλεῖς τῶν ἐθνῶν [10] πάντες ἀ(ποκριθή)σονται (καὶ ἐροῦσίν σοι). [Ἅ]παντας συνήγαγέ φησι τοὺς περιφανεῖς καὶ περιβλέπτους
260 .... τάς σου καὶ ἐπιτωθάζοντάς σου καὶ λέγοντας· **Καὶ (σὺ) ἑάλως (ὥσπερ καὶ ἡμεῖς), ἐν ἡμῖν δὲ κατελογίσθης.** [11] **Κατέβη εἰς ᾅδου ἡ δόξα σου (καὶ) ἡ πολλὴ εὐφροσύνη (σου.** Ἐλέγχει δὲ διὰ τούτων ὁ) προφητικὸς λόγος τὸ ὑπερφυὲς αὐτοῦ καὶ ὑπέρογκον φρό-
265 νημα· (οὔ)τε γὰρ ἤλπισε τῷ θανάτῳ (παραδοθήσεσθαι, ἀλλ') ἐνόμισεν εἶναι διὰ τὴν πολλὴν δυναστείαν θεός. Διὸ καὶ τὰ λοιπὰ προστέθεικεν· **(Ὑποκάτω σου στρώσουσι σῆψιν) καὶ τὸ κατακάλυμμά σου σκώληξ.** Εἰς τὸν οὐρανόν φησιν

C : 251-255 εἴωθεν — ἀγανακτοῦντα ‖ 263-266 ἐλέγχει — θεός ‖ 268-272 εἰς — ἰχῶρα

N : 246-249 Λίβανον — νοουμένου ‖ 251-255 εἴωθεν — ἀγανακτοῦντα ‖ 263-272 ἐλέγχει — ἰχῶρα

246 Λίβανον K : οὕτω μὲν οὖν Λίβανον N ‖ 258 καὶ ἐροῦσίν σοι e tx.rec. : lac. K vacat Mö. ‖ 268 κατακάλυμμα N : κατάλυμμα K

---

1. Théodoret rejette ici une interprétation qu'il fait sienne à plusieurs reprises dans ses commentaires (cf. *infra* 10, 400-408 ; 19, 203-210). CYRILLE (70, 369 D) donne la même interprétation

parce qu'ils avaient usé contre tous de la plus grande cruauté qui soit. 8. *Les bois du Liban se réjouirent à ton propos, et les cèdres du Liban diront: Depuis que tu es étendu, on n'est plus monté pour nous abattre.* D'aucuns ont pensé que c'était Jérusalem qu'il nommait ici « Liban »[1] ; mais, pour ma part, je pense qu'il a appelé « cèdres du Liban » les rois de chaque nation : on conçoit ainsi de manière figurée l'élévation propre à la royauté.

2) Les moqueries de l'Hadès

9. *L'Hadès, dans ses profondeurs, s'est irrité en venant à ta rencontre.* La divine Écriture a coutume d'utiliser aussi la personnification de manière à montrer plus clairement les choses[2]. Ici, donc, elle met en scène la mort qui n'a aucune essence, mais qui est un accident, comme un être doué fondamentalement d'existence, un être animé et raisonnable qui s'emporte contre le roi de Babylone.

Il a éveillé contre toi tous les géants qui commandèrent à la terre: ils se sont levés de leurs trônes. Tous les rois des nations, 10. *tous (te) répondront et te diront.* Il a rassemblé, dit-il, tous les gens illustres et célèbres[3] .... pour se moquer de toi en ces termes : *Toi aussi tu as été pris comme nous ! tu as été mis au même rang que nous !* 11. *Dans l'Hadès sont descendues ta renommée et l'abondance de ta joie.* Le texte prophétique dénonce par là la morgue et l'enflure orgueilleuse des pensées du (roi) : il ne s'est pas attendu à être livré à la mort, mais il a cru, en raison de l'étendue de son pouvoir, qu'il était un dieu. C'est pourquoi il a ajouté encore ces mots : *Sous toi ils étendront un tapis de putréfaction et le ver sera ta couverture.* Alors que tu

que Théodoret, mais ne rejette pas celle qui fait de « Liban » une manière de désigner la terre de Juda (*id.*, 372 AB).

2. Même remarque chez CYRILLE (70, 372 CD) : Ἔθος τῇ θεοπνεύστῳ Γραφῇ προσωποποιεῖν.

3. CYRILLE entend par « géants » ceux qui se signalent par leur puissance et commandent à de nombreuses nations (70, 373 B) : telle était peut-être la précision donnée par Théodoret.

ἀνελθεῖν προσδοκ(ήσας τῆς γῆς τὸν πυθμένα) κατέλαβες
270 καὶ ἀντὶ τῆς πολυτελοῦς ἁλου(ργί)δος ἔχεις τῶν (σκωλήκων) τὸ κάλυμμα, |121 a| ἀντὶ (δὲ) τῆς μαλακῆς στρώμνης τὴν σηπεδ(όν)α καὶ τὸν δυσώ(δη) ἰχῶρα.

[12] **Πῶς ἐξέπεσεν ἐκ τοῦ οὐραν(οῦ) ὁ ἑωσφόρ(ος ὁ πρω)ὶ ἀνατέλλων ; Συνετρίβη εἰς τὴν γῆν ὁ ἀποστέλλων πρὸς**
275 **πάντα τὰ ἔθνη.** Ἐπειδὴ τοῖς ἀλαζονικοῖς ἑπόμενος λογισμοῖς (εἰς τὸν) οὐρανὸν ἤλπισεν ἀναβήσεσθαι, ἑωσφόρον αὐτὸν καλεῖ οὐχ ὡς τοῦτο ἀληθῶς ὄντα ἀλλ' ὡς τοῦτο εἶναι φαντασθέντα. Καὶ δεῖξαι βουληθεὶς τὴν ἀθρόαν τῆς περιφανείας μεταβολήν, ἀπείκασεν ἑωσφόρῳ ἐκ τοῦ ο(ὐρανοῦ) εἰς
280 τὴν γῆν πεσόντι.

Εἶτα γυμνοῖ τὸν τῦφον τῶν λογισμῶν · [13] **Σὺ δὲ εἶπας ἐν τῇ διανοίᾳ σου · Εἰς τὸν οὐρανὸν ἀναβήσ(ομαι, ἐπ)άνω τῶν ἄστρων τοῦ οὐρανοῦ θήσω τὸν θρόνον μου, καθιῶ ἐν ὄρει ὑψηλῷ ἐπὶ τὰ ὄρη τὰ ὑψηλὰ τὰ πρὸς βορρᾶν,** [14] **ἀνα-**
285 **β(ήσομαι) ἐπάνω τῶν νεφελῶν, ἔσομαι ὅμοιος τῷ ὑψίστῳ.** Ταῦτα ἡμᾶς καὶ ἡ προφητεία διδάσκει τοῦ Δανιήλ. Πρῶτον μὲν γὰρ καὶ τὴν (εἰκόνα ἐκείνην) τὴν παμμεγέθη τὴν χρυσῆν τεκτηνάμενος προσκυνεῖν αὐτὴν ἐκέλευσεν ἅπαντας, τὸ θεῖον σέβας ἁρπάζων · εἶτα τοῖς γε(νναίοις) ἐκείνοις ἔλεγεν
290 ἀθληταῖς · « Τίς ἐστι θεὸς ὃς ῥύσεται ὑμᾶς ἐκ τῶν χειρῶν μου ; » Ὄρος δὲ ὑψηλὸν εἶναι λέγεται βορρᾶθεν Ἀσσυρίων (καὶ Μήδων) ἀπὸ τούτων τὰ Σκυθικὰ διορίζον ἔθνη, πάντων τῶν κατὰ τὴν οἰκουμένην ὀρῶν ὑψηλότατον. Δι' ἐκείνου πάντως ὑπέλαβεν ὡς εἰκὸς (τῆς εἰς τὸν οὐρανὸν ἀνόδου)

C : 275-280 ἐπειδὴ — πεσόντι ‖ 286-300 ταῦτα — ἐξαπατήσαντι
N : 275-280 ἐπειδὴ — πεσόντι ‖ 281-300 εἶτα — ἐξαπατήσαντι (281-285 σὺ — ὑψίστῳ >)

271 κάλυμμα CN : κατάλυμμα K ‖ 272 τὴν KN : > C ‖ 279 τοῦ CN : τῶν K ‖ 281 εἶτα — λογισμῶν K : γυμνοῖ τοίνυν διὰ τούτων τῶν τοῦ Βαβυλωνίου τύφων τοὺς λογισμοὺς N ‖ 286 ταῦτα — διδάσκει KC : τὰ δὲ ἐνταῦθα λεγόμενα διδάσκει ἡμᾶς καὶ ἡ προφητεία N ‖ 287 καὶ KC : > N

290 Dan. 3, 15

avais espéré monter au ciel, dit-il, tu as occupé les profondeurs de la terre ; au lieu de la somptueuse robe de pourpre, tu as les vers pour vêtement ; au lieu de la couche moelleuse, tu as la décomposition et le pus fétide.

3) De la jactance à l'abaissement

12. *Comment est-il tombé du ciel l'astre du matin qui se lève à l'aurore? Il s'est brisé sur la terre celui qui envoyait des ambassades à toutes les nations.* Puisque, entraîné par ses raisonnements fanfarons, il a espéré monter au ciel, il l'appelle « astre du matin », non point parce qu'il l'était en vérité, mais parce qu'il a eu l'illusion de l'être[1]. Et, dans sa volonté de montrer la rapidité du changement qu'a subi sa position éclatante, il l'a comparé à l'astre du matin tombé du ciel sur la terre.

Il dévoile ensuite l'aveuglement orgueilleux de ses pensées : 13. *Mais toi, tu as dit en ton cœur : Je monterai au ciel; au-dessus des astres du ciel j'établirai mon trône; je siégerai sur une montagne élevée vers les montagnes élevées du Nord;* 14. *je monterai par-dessus les nuages, je serai semblable au Très-Haut!* Voilà ce que nous enseigne aussi la prophétie de Daniel. De fait, il a d'abord fait fabriquer cette fameuse et gigantesque statue d'or qu'il a ordonné à tous d'adorer : il usurpait ainsi le culte divin. Puis, il disait à ces valeureux lutteurs : « Quel est le dieu qui vous délivrera de mes mains ? » D'autre part, il y a, dit-on, une montagne au nord du pays des Assyriens et des Mèdes, qui les sépare des nations Scythes et qui est la plus élevée de toutes les montagnes qui sont dans le monde[2]. C'est par elle, sans aucun doute, que selon toute vraisemblance il a pensé tenter l'ascension du ciel. Mais,

1. Cyrille (70, 376 A) se contente de noter que le prophète compare le roi de Babylone à l'étoile du matin — l'étoile la plus brillante de toutes —, parce qu'il était le roi qui l'emportait sur tous les autres.

2. Il s'agit vraisemblablement du Caucase.

295 κατατολμήσειν. Ταῦτα δὲ οὐχ οὗτος μόνος ἐφαντάσθη ἀλλὰ καὶ ὁ τοῦτον ταῦτα διδάξας. Καὶ (τούτῳ μὲν κατὰ τύπον ἁρμόττει τῆς ἀλαζονείας) τὰ ῥήματα, κατ' ἀλήθειαν δὲ τῷ ἐκ τῶν οὐρανῶν ἀληθῶς ἐκπεπτωκότι καὶ τὴν τοῦ θεοῦ προσηγορίαν ἁρπάσαν(τι καὶ τῶν ἀνθρώπων τοὺς 300 πλείστους ἐξαπατήσαντι). [15] **Νῦν δὲ εἰς ᾅδου καταβήσῃ καὶ εἰς τὰ θεμέλια τῆς γῆς.** Ἀντὶ τοῦ · εἰς αὐτὸν τῆς γῆς τὸν πυθμένα.

[16] **Οἱ ἰδόντες σε θαυμάσονται ἐπὶ σοὶ καὶ ἐροῦσι (περὶ σ)οῦ · Οὗτος ὁ (ἄνθρωπος) ὁ παροξύνων τὴν γῆν.** Τό · παρ-305 οξύνων τὴν γῆν, ὁ μὲν Σύμμαχος « ὁ ταράξας τὴν γῆν » ἡρμήνευσεν, ὁ δὲ Ἀκύλας « ὁ κλονήσας τὴν γ(ῆν) ». **Ὁ σείων βασιλεῖς, [17] ὁ θεὶς τὴν οἰκουμένην ὅλην ἔρημον καὶ τὰς πόλεις αὐτῆς καθελὼν τοὺς ἐν ἐπαγωγῇ οὐκ ἠλέησεν.** Τὰς μὲν γὰρ πόλεις ἐξεπόρθησε, τὴν δὲ τούτων (ἐδῄωσε 310 γῆν), τοὺς δὲ ἀνδραποδισθέντας φειδοῦς οὐκ ἠξίωσεν. Εἶτα προστίθησιν ὅτι οἱ μὲν ἄλλοι βασιλεῖς οἴκοι καθήμενοι τοῦ βίου τὸ (τέλος ἐδέξ)[αντο], [19] **σὺ δὲ ῥιφήσῃ ἐν τοῖς ὄρεσιν ὡς νεκρὸς ἐβ(δελυ)γμένος μετὰ πολλῶν τεθνηκότων ἐκ⟨κε⟩κεντημένων μαχαίρᾳ, καταβαινόν(των εἰς ᾅδου.** 315 Οὐδε)μία γὰρ ἔσται σοῦ καὶ τῶν ἄλλων διαφορά · παραπλησίως γὰρ τοῖς ἄλλοις ὁπλίταις ἐπὶ τῆς γῆς ἐρριμμένος οἰωνοῖς καὶ θηρίοις βορ(ὰ ἔσῃ).

Ὃν τρόπον ἱμάτιον ἐν αἵματι πεφυρμένον [20] οὐκ ἔσται καθαρόν, οὕτως οὐδὲ σὺ ἔσῃ καθαρός. Καὶ τὴν αἰτίαν διδά-320 σκει · **Διότι (τὴν γῆν) μου ἀπώλεσας καὶ τὸν λαόν μου ἀπέκ-**

C : 301-302 ἀντὶ — πυθμένα ‖ 309-310 τὰς — ἠξίωσεν ‖ 311-312 ὅτι — ἐδέξαντο

N : 301-302 εἰς¹ — πυθμένα ‖ 304-306 τὸ — γῆν ‖ 309-310 τὰς — ἠξίωσεν ‖ 315-317 οὐδεμία — ἔσῃ ‖ 319-327 καὶ — λαός

295 μόνος KN : μόνον C ‖ 298 ἐκπεπτωκότι CN : πεπτωκότι K ‖ 301 θεμέλια K : +γάρ φησι N ‖ ἀντὶ τοῦ KN : τουτέστιν C ‖ τῆς γῆς/τὸν N : ∾ C τῆς γῆς > K ‖ 309 γὰρ KC : > N ‖ 310 δὲ CN : > K ‖ ἠξίωσεν K : +εὕρηται γὰρ ἔν τισιν ἀντὶ τοῦ οὐκ ἔλυσεν οὐκ ἠλέησεν N ‖ 311-312 ὅτι οἱ μὲν ... καθήμενοι ... (ἐδέξαντο) K : οὐδὲ γὰρ ὡς οἱ ... καθήμενος ἐδέξω C ‖ 316 γὰρ K : δὲ N ‖ 317 βορὰ ἔσῃ K : ∾ N ‖ 320 μου K : > N

il n'a pas été le seul à avoir cette illusion : il y eut aussi son maître en la matière. Et si, en figure, la jactance de ce propos s'applique au roi, elle s'applique en vérité à celui qui est véritablement tombé des cieux, qui a usurpé le nom de Dieu et qui a trompé la plupart des hommes[1]. 15. *Et maintenant tu vas descendre dans l'Hadès et dans les fondements de la terre.* Ce qui revient à dire : dans le fond même de la terre.

4) Les outrages au cadavre

16. *Ceux qui te verront s'étonneront à ton sujet et diront de toi: Voici l'homme qui irritait la terre.* L'expression « qui irritait la terre », Symnaque l'a traduite par « qui troublait la terre » et Aquila par « qui agitait la terre ». *L'homme qui ébranlait les rois*, 17. *qui a réduit le monde entier en désert*, *qui en a détruit les cités*, *qui n'a pas eu pitié de ses captifs.* De fait, il a saccagé les cités, il a ravagé leur territoire et n'a pas jugé dignes de pitié ceux qu'il avait faits prisonniers. Il ajoute, ensuite, que les autres rois ont touché au terme de leur vie, tranquillement installés chez eux, 19. *mais toi*, *tu seras jeté sur les montagnes comme un cadavre dégoûtant parmi beaucoup de morts transpercés par l'épée*, *qui descendent dans l'Hadès.* On ne fera, en effet, aucune différence entre toi et les autres hommes : tu seras, comme les autres combattants, jeté sur la terre pour être la pâture des oiseaux et des fauves.

5) La fin d'un royaume et d'une race

Tout comme un manteau trempé dans le sang 20. *ne sera pas pur*, *toi non plus*, *tu ne seras pas pur.* Et il en indique la raison : *Parce que tu as ruiné ma terre et tué mon peuple*, *tu ne subsisteras pas*

1. C'est évidemment de Satan, le maître de l'erreur, qu'il s'agit, comme le laissait entendre l'appellation « astre du matin », Lucifer ; cf. même identification chez Cyrille 70, 377 C. Sur l'usurpation du nom de Dieu par les démons, cf. *Thérap.* X, 2, 4.

τεινας, οὐ μὴ μείνῃς εἰς τὸν αἰῶνα χρόνον. Πρὸς αὐτὴν λέγει τὴν βασι(λείαν, οὐ πρὸς τὸν) βασιλέα μόνον. Πῶς γὰρ οἷόν τε ἦν ἄνθρωπον ὄντα εἰς αἰῶνα βιῶναι; Ἀλλὰ τὴν τῆς βασιλείας προλέγει κατά(λυσιν. Λαὸν) δὲ αὐτοῦ τὸν
325 Ἰσραὴλ ὀνομάζει καὶ τὴν γῆν αὐτοῦ ὡσαύτως τὴν ἐκείνου γῆν. Ἐκείνη γὰρ εἶχε τὸν θεῖον νεών. Τὰ γὰρ μ(ηδέπω αὐτὸν) ἔθνη ἐπεγνωκότα οὐκ ἂν αὐτοῦ κυρίως κληθείη λαός.

Σπέρμα πονηρόν, [21] **ἑτοίμασον τὰ τέκνα σου σφ(αγῆναι ταῖς ἁμαρτίαις) τοῦ πατρός σου, ἵνα μὴ ἀναστῶσι καὶ**
330 **κληρονομήσωσι τὴν γῆν καὶ ἐμπλήσωσι τὴν γῆν πολέμων.** Ταῦτα πρὸς (αὐτὸν τὸν Ναβου)χοδονόσορ λέγει · οἱ γὰρ τὴν ἐκείνου διαδεξάμενοι βασιλείαν ὑπὸ Μήδων καὶ Περσῶν κατελύθησαν. Διδάσκει [ταῦτα] ἡμᾶς καὶ ἡ τοῦ θειοτάτου Δανιὴλ προφητεία · τοῦ γὰρ Βαλτάσαρ κατὰ τῶν ἱερῶν
335 μανέντος σκευῶν [ἡ γραφὴ αὕτη ἐφάνη] ἐν τῷ τοίχῳ · « θεκὲλ φαρὲς μανή », εἶτα ἑρμηνεύων ὁ θεσπέσιος Δανιὴλ ἔφη · « Δοθ(ήσεται ἡ βασιλεία σου) Μ(ήδοις) καὶ Πέρσαις. » [22] **Καὶ ἐπαναστήσομαι αὐτοῖς, λέγει κύριος Σαβαώθ, καὶ ἀπολῶ α(ὐτῶν ὄνομα καὶ κατάλειμμα) καὶ σπέρμα, λέγει**
340 **κύριος.** Τουτέστιν · ὄλεθρον αὐτῶν καταψηφιοῦμαι πανελῆ.

Εἶτα πάλιν [προλέγει τῆς Βαβυλῶνος τὴν] ἐρημίαν · [23] **Ἔσται** γάρ φησιν **εἰς οὐθέν, καὶ θήσω αὐτὴν πηλοῦ βάραθρον εἰς ἀπώλειαν.** Ἀντ(ὶ τοῦ · τῶν ἐπιφερομένων οὐκ ἀπαλλα)γήσεται συμφορῶν. Ἀπεικασθήσεται γὰρ τοῖς εἰς
345 πηλοῦ βάραθρον ἐμπεπτωκόσι καὶ ἀνασπ(ασθῆναι μὴ δυνηθεῖσιν). Ἔστι μέντοι ἰδεῖν καὶ κατὰ τὸ ῥητὸν τὴν τῆς

C : 321-325 πρὸς — ὀνομάζει ‖ 331-333 ταῦτα — κατελύθησαν

N : 331-333 ταῦτα — κατελύθησαν ‖ 340 ὄλεθρον — πανελῆ ‖ 342-351 θήσω — ἐγένετο

321 πρὸς K : ταῦτα δὲ πρὸς N ‖ 323 ὄντα KN : τὸ C ‖ εἰς KC : +τὸν N ‖ 325 τὴν¹ K : > N ‖ 326 νεών K : ναόν N ‖ 327 ἔθνη ἐπεγνωκότα K : ∾ N ‖ 340 αὐτῶν K : οὖν αὐτῶν φησι N ‖ 342 θήσω K : τὸ δὲ θήσω N ‖ βάραθρον N : βάθρον K ‖ 343 ἀπώλειαν K : +εἴρηται N ‖ 346 καὶ N : > K

336 Dan. 5, 25.28

éternellement. Il s'adresse au royaume lui-même et non pas seulement au roi. De fait, comment serait-il possible qu'étant homme il vécût éternellement ? Mais, il prédit la ruine du royaume. C'est d'autre part Israël qu'il nomme « son peuple » et semblablement la terre d'Israël « sa terre », puisqu'elle détenait le temple de Dieu. Étant donné que les nations ne l'avaient pas encore reconnu, elles ne sauraient à bon droit être appelées « son peuple ».

Race perverse, 21. *prépare tes enfants pour qu'on les massacre à cause des péchés de ton père, de peur qu'ils ne se lèvent, qu'ils ne partagent la terre, qu'ils ne remplissent la terre de guerres*. Il adresse ces paroles à Nabuchodonosor lui-même : ses successeurs sur le trône furent abattus par les Mèdes et par les Perses[1]. Tels sont les événements que nous apprend aussi la prophétie du très divin Daniel. Comme Balthasar s'était furieusement déchaîné contre les vases sacrés, voici l'inscription qui apparut sur le mur : « Thécel, Pharès, Mané » et la traduction qu'en donna Daniel l'inspiré : « Ton royaume sera livré aux Mèdes et aux Perses. » 22. *Je me dresserai contre eux*, *dit le Seigneur Sabaoth*, *je supprimerai leur nom*, *leur reste et leur descendance*, *dit le Seigneur*. C'est-à-dire : je les condamnerai à une mort totale.

Ruine de Babylone et désastre des Assyriens

Puis, de nouveau, il prédit la désolation de Babylone : 23. *Elle sera*, dit-il, *réduite à néant et j'en ferai un gouffre de boue pour sa destruction*. Ce qui revient à dire : elle ne sera pas délivrée des calamités qui l'assailliront. Elle sera comparable aux hommes qui tombent dans un gouffre de boue et qui ne peuvent s'en tirer. Toutefois, il est possible, même si l'on

1. Chrysostome (*M*., p. 169-170) pense, au contraire, que ces paroles ne s'adressent pas à Nabuchodonosor, mais concernent son fils Balthasar qui trouva la mort, avec ses enfants, lors de la prise de Babylone.

προφητείας ἀλήθειαν · τοῦ γὰρ Εὐφράτου (διῶρυξ μέσην αὐτὴν) διατέμνει, ἐκ δὲ ταύτης ἡ ἀρδεία πάσῃ τῇ περὶ αὐτὴν προσφέρεται χώρᾳ · τῶν γεωργούντων τοί(νυν
350 ἀναιρεθέντων καὶ τῶν) ὑδάτων ὡς ἔτυχε φερομένων, πηλοῦ βάραθρον ἀναγκαίως ἐγένετο.

Τά(δε λέγει κύριος Σαβαὼθ [24] λέγων) · Ὃν τρόπον εἴρηκα οὕτως ἔσται, καὶ ὃν τρόπον βεβούλευμαι οὕτως ἔσται. Καὶ .... |121 b| οὐδέν με πείσει μὴ
355 ἐπιθεῖναι τοῖς εἰρημένοις τὸ πέρας. [25] **Τοῦ ἀπολέσαι τοὺς Ἀσσυρίους ἐπὶ τῆς γῆς τῆς ἐμῆς καὶ ἐπὶ τῶν ὀρ(έ)ων μου, καὶ ἔσονται εἰς καταπάτημα.** Καὶ ἐντεῦθεν δῆλον ὡς τοὺς αὐτοὺς καὶ Ἀσσυρίους καὶ Βαβυλωνίους καλεῖ. Πάλιν γὰρ τὸν Ναβουχοδονόσορ καταλιπὼν καὶ τοὺς ἐξ ἐκείνου φύντας
360 καὶ τῆς βασιλείας ἐκπεπτωκότας ἐπὶ τὸν Σεναχηρὶμ ἐπανήγαγε τὸν λόγον · ἡ γὰρ ἐκείνου στρατιὰ πολιορκοῦσα τὴν Ἱερουσαλὴμ τὸν πολυθρύλητον ἐκεῖνον ὑπέμεινεν ὄλεθρον. **Καὶ ἀφαιρεθήσεται ἀπ' αὐτῶν ὁ ζυγὸς αὐτῶν, καὶ τὸ κῦδος αὐτῶν ἀπὸ τῶν ὤμων αὐτῶν ἀφαιρεθήσεται.** Ζυγὸν τὴν δου-
365 λείαν καλεῖ · αὕτη γὰρ τοῖς ὑπηκόοις ζυγοῦ δίκην ἐπίκειται.

[26] **Αὕτη ἡ βουλὴ ἣν βεβούλευται κύριος ἐπὶ ὅλην τὴν οἰκουμένην, καὶ αὕτη ἡ χεὶρ ⟨ἡ⟩ ὑψηλὴ ἐπὶ πάντα τὰ ἔθνη.** Ἡ γὰρ Ἀσσυρίων καὶ Βαβυλωνίων κατάλυσις τῶν ἐθνῶν ἦν ἁπάντων παραψυχή, ἐπειδὴ κατὰ πάντων τῶν τὴν Ἀσίαν
370 καὶ τὴν Αἴγυπτον οἰκούντων (εἶχον τὸ κράτος. Καὶ) οἱ τὴν Εὐρώπην δὲ οἰκοῦντες τὴν ἀθρόαν τούτων μανθάνοντες μεταβολὴν ὄνησιν ἐντεῦθεν ἐδέχοντο. [27] **(Ἃ γὰρ ὁ θεὸς**

C : 354-355 οὐδὲν — πέρας ‖ 357-358 τοὺς — καλεῖ ‖ 364-365 ζυγὸν — ἐπίκειται ‖ 368-372 ἡ — ἐδέχοντο

N : 357-362 ἐντεῦθεν — ὄλεθρον ‖ 364-365 ζυγὸν — ἐπίκειται ‖ 366-372 ἐπὶ — ἐδέχοντο

357 ἐντεῦθεν K : +δὲ N ‖ 358 καὶ[1] KN : > C ‖ 359 φύντας N : φύεντας K ‖ 364 ζυγὸν KC : +τοίνυν N ‖ 366-367 ἐπὶ — ὑψηλὴ K : ἡ ἐπὶ τὴν οἰκουμένην ὅλην φησὶ καὶ N ‖ 368 ἡ γὰρ KC : διότι ἡ τῶν N ‖ 369 ἦν — παραψυχή KN : ἁπάντων ἦν (ἐστὶ C[90]) παραψυχή C[87 corr·90] ἁπάντων τὴν παραψυχήν C[r·377·563]

prend le texte à la lettre, de voir la vérité de la prophétie : le lit de l'Euphrate partage la cité en son milieu et, de ce lit, l'irrigation se transmet à toute la région environnante ; lors donc que les paysans eurent été tués et que les eaux coulaient où bon leur semblait, la cité devint nécessairement un gouffre de boue[1].

Voici ce que dit le Seigneur Sabaoth 24. *en ces termes : Comme je l'ai dit, ce sera, et comme je l'ai résolu, ce sera.* Et .... rien ne me persuadera de ne pas conduire à son terme ce que j'ai dit : 25. *De sorte que je ferai périr les Assyriens sur ma terre et sur mes montagnes ; et ils seront transformés en ce qu'on foule aux pieds.* Ce passage prouve que ce sont les mêmes hommes qu'il appelle Assyriens et Babyloniens. De nouveau, il a laissé de côté Nabuchodonosor et ses descendants qui perdirent la royauté, pour reprendre son propos sur Sennachérim. Car son armée qui assiégeait Jérusalem eut à subir la fameuse ruine que l'on sait. *Leur joug leur sera enlevé et leur gloire sera enlevée de leurs épaules.* Il appelle « joug » la servitude, puisqu'elle pèse sur les sujets à la façon d'un joug.

26. *Telle est la décision que le Seigneur a prise pour le monde entier ; telle est la main qui est élevée sur toutes les nations.* La ruine des Assyriens et des Babyloniens était, en effet, un réconfort pour toutes les nations, puisqu'ils détenaient le pouvoir sur tous les habitants de l'Asie et de l'Égypte. Même les habitants de l'Europe, à la nouvelle de leur rapide revers de fortune, en retiraient un avantage[2]. 27. *Car ce que le Dieu Saint a décidé, qui*

1. Sur cette division de Babylone par l'Euphrate, voir aussi *In Jer.* (81, 585 A ; 745 A) et HÉRODOTE (I, 185, 186) ; ce que dit Théodoret de l'irrigation est confirmé longuement par HÉRODOTE (*id.*, 193). Bien que Théodoret paraisse préférer ici le sens figuré, l'interprétation littérale fondée sur la géographie reste possible ; c'est à cette dernière que s'en tient CYRILLE (70, 384 D).

2. Cf. *In Dan.* (81, 1348 A) où Théodoret insiste sur la cruauté de la domination babylonienne. On voit mal à quoi il fait allusion en parlant de l'Europe.

ὁ ἅγιος βε)βούλευται, τίς διασκεδάσει ; Καὶ τὴν χεῖρα αὐτοῦ τὴν ὑψηλὴν τίς ἀποστρέψει ; Τοῦτο καὶ διὰ τοῦ μακαρίου
375 Μωυσέως ἔφη · « Ἐγὼ ἀποκτενῶ καὶ ζῆν) ποιήσω, πατάξω κἀγὼ ἰάσομαι, καὶ οὐκ ἔστιν ὃς ἐξελεῖται ἐκ τῶν χειρῶν μου. »

Ἐνταῦθα συμπεράνας τὴν κατὰ Βαβυλῶνος πρόρρησιν πρὸς τοὺς Ἀλλοφύλους τρέπει τὸν λόγον. Τοὺς δὲ Ἀλλοφύ-
380 λους Φυλιστιὶμ ἡ Ἑβραία φωνὴ καλεῖ, ἐξελληνιζόμενον δὲ τὸ ὄνομα τὴν Παλαιστίνην δηλοῖ. Τούτους οἱ Ἑβδομήκοντα Ἀλλοφύλους καλοῦσιν ὡς γειτονεύοντας μὲν τοῖς Ἰουδαίοις, ἀλλογενεῖς δὲ ὄντας καὶ κατὰ τὴν συγγένειαν Ἰουδαίοις οὐ κοινωνοῦντας. Φησὶ τοίνυν ὁ προφητικὸς λόγος · [28] **Τοῦ
385 ἔτους οὗ ἀπέθανεν ὁ Ἄχαζ ὁ βασιλεὺς ἐγενήθη τὸ ῥῆμα τοῦτο.** Διὰ τούτων ἐσήμανε τὸν τῆς προφητείας (καιρόν).

[29] **Μὴ εὐφρανθείητε πάντες Ἀλλόφυλοι, ὅτι συνετρίβη ὁ ζυγὸς τοῦ παίοντος ὑμᾶς.** Δυσσεβὴς ὁ Ἄχαζ γενόμενος τῆς (θείας ἐπ)ικουρίας οὐκ ἔτυχεν. Τούτου χάριν εὐχείρωτος
390 πᾶσι τοῖς πλησιοχώροις ἐγένετο, καὶ οὐ μόνον αὐτὸν αἱ δέκα φυλαὶ μετὰ τῶν Σύρων (κατεπολέμ)ησαν, ἀλλὰ καὶ Ἀλλόφυλοι πρὸς τοῖς ἄλλοις πολλὰς αὐτοῦ πόλεις καὶ κώμας διήρπασαν. Ἥσθησαν δὲ ὅμως τούτου μεμαθηκότες τὴν τελευτήν, (πάσας ἐλπίσα)ντες λήψεσθαι τῶν Ἰουδαίων
395 τὰς πόλεις. Τούτοις ὁ προφητικὸς παρακελεύεται λόγος μὴ ἡσθῆναι, ὡς τῆς καταγω(νιζομένης) αὐτοὺς βασιλείας παντελῶς καταλυθείσης διὰ τὴν τοῦ Ἄχαζ ἀσέβειαν.

Ἐκ γὰρ σπέρματος ὄφεων ἐξελεύσεται ἔκγονα (ἀσπίδων),

N : 386 διὰ — καιρόν ‖ 388-397 δυσσεβὴς — ἀσέβειαν

386 διὰ **incipit** F ‖ διὰ — ἐσήμανε/τὸν — καιρόν K : ∾ N ‖ 388 δυσσεβὴς K : εἰ γὰρ καὶ δυσσεβὴς N ‖ 389 ἔτυχεν K : +καὶ N ‖ 390 ἐγένετο N : ἐγίνετο K ‖ 391 Σύρων N : Ἀσσυρίων K ‖ 392-393 πόλεις . . . κώμας K : ∾ N ‖ 393 ἥσθησαν δὲ ὅμως K : ἀλλ' ὅμως ἥσθησαν N ‖ 394 ἐλπίσαντες $N^{p}F$: ἐλπίζοντες N^{1} ‖ 395 τούτοις — παρακελεύεται K : καὶ παρακελεύεται τούτοις ὁ προφητικὸς N

375 Deut. 32, 39 388-393 cf. II Chr. 28, 1-18

l'empêchera? Et sa main élevée, qui la détournera? Voilà ce qu'il a dit également par l'intermédiaire du bienheureux Moïse : « C'est moi qui ferai mourir et qui ferai vivre, qui frapperai et qui guérirai, et il n'y a personne pour délivrer de mes mains. »

Contre les Philistins Il a mis fin ici à la prédiction contre Babylone. Ses propos concernent ensuite les Allophyles. La langue hébraïque appelle « Philistins » les Allophyles et ce nom traduit en grec désigne la Palestine. Les Septante les appellent « Allophyles » parce qu'ils étaient voisins des Juifs, mais d'une race différente et sans lien de parenté avec les Juifs[1]. Le texte prophétique déclare donc : 28. *L'année où mourut le roi Achaz fut prononcée cette parole.* Il a indiqué par là l'époque de la prophétie.

29. *Ne vous réjouissez pas, vous tous les Allophyles, parce qu'a été brisé le joug de celui qui vous frappait.* Achaz, en raison de son impiété, n'a pas obtenu l'assistance de Dieu. C'est pourquoi tous ses voisins eurent en lui une proie facile. Aussi les dix tribus, en compagnie des Syriens, ne furent-elles pas les seules à le vaincre à la guerre ; les Allophyles vinrent encore s'ajouter aux autres (ennemis) pour piller ses cités et ses bourgs en grand nombre. Néanmoins, à l'annonce de sa mort, ils se réjouirent dans l'espoir de prendre toutes les cités des Juifs. Le texte prophétique leur ordonne de ne pas se réjouir à la pensée que l'impiété d'Achaz a ruiné complètement le royaume qui luttait contre eux.

Car de la semence des serpents sortiront des petits de

1. Sur les Allophyles, cf. *supra*, p. 16, n. 1. Voir aussi les remarques d'Eusèbe (*GCS* 105, 33-35) très voisines de celles de Théodoret et celles de Cyrille (70, 388 D).

καὶ τὰ ἔκγονα αὐτῶν ἐξελεύσονται ὄφεις πετόμενοι. Ὁ θαυ-
400 μάσιος Ἐζεκίας εὐσεβὴς γενόμενος καὶ τῆς θείας διὰ (τοῦτο
ῥοπῆς) ἀπολαύσας ἔπαυσε τὴν τῶν Ἀλλοφύλων θρασύτητα.
Τοῦτον ἔκγονα ἀσπίδων καλεῖ οὐχ ὡς τὴν ἐκείνων πονηρίαν
(μιμούμενον ἀλλ') ὡς τοῖς Ἀλλοφύλοις τοιαύτην ἐπενεγκόντα
πληγήν. [30] **Καὶ βοσκηθήσονται πτωχοὶ διὰ κυρίου, πένητες**
405 **(δὲ ἄνθρωποι) ἐπ' εἰρήνης ἀναπαύσονται.** Οἱ νῦν φησι παρ'
ὑμῶν ὡς εὐτελεῖς καταφρονούμενοι Ἰουδαῖοι ὑπὸ τοῦ θεοῦ
ποιμανθή(σονται καὶ) τῶν (ἐπ)ιόντων ἀπαλλαγήσονται
λύκων καὶ ἐν εἰρήνῃ διατελέσουσιν. Σημαίνει δὲ διὰ τούτων
τὴν τῶν Ἀσσυρίων ἀπαλλαγήν.
410 **(Ἀνελεῖ δὲ λιμῷ) τὸ σπέρμα σου καὶ τὸ κατάλειμμά**
σου ἀνελεῖ. Ἐνδείᾳ σε καὶ λιμῷ κατατήξει καὶ (τῷ οἰκτίστ)ῳ
(παραδώσει θανάτῳ. Διὰ δὲ) τούτων τὴν πολιορκίαν σημαίνει
τὴν ὑπὸ Βαβυλωνίων γεγενημένην. Δηλοῖ δὲ καὶ τὰ ἑξῆς·
[31] **(Ὀλολύζ)ετε πύλαι πόλεων, κεκραγέτωσαν πόλεις τετα-**
415 **ραγμέναι, οἱ Ἀλλόφυλοι πάντες, ὅτι καπνὸς (ἀπὸ βορρᾶ**
ἔρχεται καὶ) οὐκ ἔ⟨σ⟩τι τοῦ μεῖναι ἐν τοῖς συντεταγμένοις
αὐτοῦ. Αἱ πύλαι οὔτε λογικαί εἰσιν οὔτε (ἔμψυχοι· διὰ) τῶν
πυλῶν τοίνυν τοὺς ἐπὶ τῶν πυλῶν ἑστῶτας καὶ τὰ ἐπιόντα
κακὰ θρηνοῦντας αἰνίττεται. Καπνὸν (δὲ ἀπὸ βορρᾶ ἐρχό-
420 μενον) τὸν Ἀσσύριον λέγει, οὗ ἐπιόντος οὐδεὶς ἀντιπαρα-
τάξεται· τοὺς γὰρ συντεταγμένους διαλύσει (τὸ δέος.

C : 399-404 ὁ — πληγήν ‖ 405-409 οἱ — ἀπαλλαγήν ‖ 412-413 διὰ — γεγενημένην ‖ 417-421 αἱ — δέος

N : 399-404 ὁ — πληγήν ‖ 405-413 οἱ — γεγενημένην (410-411 ἀνελεῖ — ἀνελεῖ>) ‖ 417-419 αἱ — αἰνίττεται ‖ 419-421 καπνὸν — δέος

399 ἐξελεύσονται K : > F ‖ ὁ KC : +γοῦν N ‖ 400 εὐσεβὴς — θείας KCN : > F ‖ εὐσεβὴς KN : +ἄγαν C ‖ 401 θρασύτητα KC : +διὸ N ‖ 402 ἔκγονα KC : ἔκγονον N ‖ 403 ἐπενεγκόντα KCN : ἐπενεγκότα F ‖ 405-406 νῦν φησι παρ' ὑμῶν KC : νῦν παρ' ὑμῶν φησι F παρ' ὑμῶν οὖν φησι νῦν N ‖ 408 διὰ τούτων C : διὰ τούτου N > K ‖ 409 τῶν KC : > NF ‖ 411 σε K : δὲ ὑμᾶς N ‖ 412 τούτων KC : τούτου N ‖ 413 ὑπὸ KN^p : +τῶν CN^{i}F ‖ δηλοῖ δὲ καὶ τὰ ἑξῆς F : ..... τὰ .... K ‖ 414 πόλεων K : +καὶ F ‖ 417 αἱ K : ἐκεῖνο δὲ σκοπεῖ ὡς αἱ N ‖ ἔμψυχοι C : +ὥστε ὀλολύζειν N ‖ 419-420 καπνὸν — οὗ KC : τοῦ γὰρ Ἀσσυρίου ὡς καπνοῦ N

vipères, et leurs petits feront naître des serpents ailés. L'admirable Ézéchias était pieux et bénéficiait pour cette raison de l'appui divin : il a fait cesser l'audace des Allophyles. C'est lui qu'il appelle « petits de vipères », non point parce qu'il imitait leur méchanceté, mais parce qu'il a infligé aux Allophyles une blessure comparable aux leurs[1]. 30. *Les pauvres devront leur pâture au Seigneur et les miséreux se reposeront en paix.* Les Juifs, dit-il, que vous méprisez maintenant comme gens de peu de prix, Dieu les fera paître, il les délivrera des attaques des loups et ils vivront en paix. Il signifie par là qu'ils seront délivrés de l'Assyrie.

Il fera mourir de faim ta semence et fera mourir ce qui reste de toi. Le dénuement et la faim t'épuiseront et tu seras livré à une mort lamentable. Il signifie par là le siège que firent les Babyloniens. La suite aussi le fait bien voir : 31. *Hurlez, portes des cités ! qu'ils poussent des cris, les cités en désordre, tous les Allophyles, parce qu'une fumée vient du Nord et qu'il n'est pas possible de tenir ferme au milieu de ses rangs.* Les portes ne sont pas douées de raison et ne sont pas des êtres animés : par « portes », il fait donc allusion à ceux qui se tiennent aux portes et qui déplorent l'arrivée des malheurs. Par « fumée qui vient du Nord », il veut parler de l'Assyrien[2] ; lors de son arrivée, personne ne résistera, car la crainte disloquera les lignes de bataille.

399-401 IV Rois 18, 8

---

1. Même interprétation chez Chrysostome (*M.*, p. 179, § 29) ; l'interprétation de Cyrille va dans le même sens, mais s'efforce de rendre compte de tous les termes : « la semence des serpents », c'est Ozias ; « les petits de vipères », Achaz et « le serpent ailé », Ézéchias ; mais Cyrille pense qu'on pourrait voir aussi sous ces termes Théglat-Phalasar et Salmanasar (70, 392 BC).

2. Cf. *In Joel.*, 81, 1649 B ; pour Eusèbe aussi (*GCS* 107, 15 s.) l'expression désigne « le roi d'Assyrie » ; pour Cyrille, il s'agit de Salmanasar ou de son armée (70, 393 D).

[32] **Καὶ τί) ἀποκριθήσονται βασιλεῖς ἐθνῶν ; Ὅτι κύριος ἐθεμελίωσε τὴν Σιών, καὶ δι' αὐτοῦ σωθήσονται οἱ ταπεινοὶ τοῦ λαοῦ αὐτοῦ.** |122 a| Ἀλλὰ πάντων ὑμῶν ἁλισκομένων
425 ἡ Σιὼν ἀπονητὶ περιέσται τῶν πολεμούντων, καὶ δι' αὐτῶν μαθήσεσθε (τῶν πραγμάτων ὡς ὁ τῶν) ὅλων αὐτῆς κύριος προμηθεῖται καὶ τῶν ἐπιόντων αὐτὴν ἀπαλλάττει κακῶν διὰ τὴν τῶν οἰκητόρων εὐσέβειαν.

Οὕτω συμπ[εράνας] καὶ τῶν Ἀλλοφύλων τὴν πρόρρησιν
430 Μωαβίταις προλέγει τὰ ἐσόμενα · **15[1] Νυκτὸς ἀπολεῖται ἡ Μωαβῖτις, νυκτὸς γὰρ ἀπολεῖται τὸ τεῖχος τῆς Μωαβίτιδος.** Νύκτα καλεῖ ὡς οἶμαι τῶν συμβησομένων τὴν ἄγνοιαν ἢ τῆς ἀσεβείας τὸν ζόφον. Εἰκὸς (δὲ καὶ ἐν νυκτὶ) γενέσθαι τὴν τῆς πόλεως ἅλωσιν. Μωαβῖται δὲ ἀπὸ τοῦ Λὼτ τὸ γένος
435 κατάγουσιν · μητρόπολιν δὲ εἶχον τὴν νῦν καλουμένην Χα(ραχμωβάν).

[2] **Λυπεῖσθε ἐφ' ἑαυτοῖς. Ἀπολεῖται δὲ καὶ Δεβών, οὗ ὁ βωμὸς ὑμῶν ᾠκοδομήθη.** Δεβὼν πόλις ἦν καὶ αὐτὴ ὑπ' ἐκείνην τελοῦσα · Χαμὼς δὲ τῶν Μωαβιτῶν τὸ εἴδωλον ᾧ τὸν
440 βωμὸν ᾠκοδόμησαν. **Ἐκεῖ ἀναβήσεσθε κλαίειν, ἐπὶ Ναβαῦ καὶ Μηδαβὰ τῆς Μωαβίτιδος.** Πόλεις ἦσαν καὶ αὗται · ἡ δὲ Μηδαβὰ κώμη νῦν ἐστι τῆς Ἀραβίας μεγίστη. Λέγει δὲ αὐτοὺς παρὰ τὸν βωμὸν κλαίειν κωμῳδῶν αὐτῶν τὰς ἀνοήτους θυσίας.

C : 432-436 νύκτα — Χαραχμωβάν

N : 424-428 ἀλλὰ — εὐσέβειαν || 432-434 νύκτα — ἅλωσιν || 434-436 Μωαβῖται — Χαραχμωβάν || 438-444 πόλις — θυσίας (440-442 ἐπὶ — μεγίστη >)

422 βασιλεῖς K : βασιλεῖ F || 424-426 ἀλλὰ πάντων ὑμῶν ... μαθήσεσθε K : πάντων τοίνυν φησὶ τῶν Ἀλλοφύλων ... μαθήσονται N || 426 αὐτῆς κύριος K : ∾ N || 427 αὐτὴν K : αὐτῇ N[p]F αὐτοῖςN[1] || 429 οὕτω K : οὕτως F || 431 ἡ K : > F || γὰρ F : δὲ K || 432 νύκτα K : ἢ οὖν νύκτα N || 432-433 ὡς — ζόφον KC : τὸν τῆς ἀσεβείας ζόφον ἢ τῶν συμβησομένων τὴν ἄγνοιαν N || 434 Μωαβῖται — γένος KC : οὗτοι τὸ γένος ἀπὸ τοῦ Λὼτ N || 435 εἶχον KN : +πάλαι C || 436 Χαραχμωβάν N : Χαραχβ(vel μ)ωάβ C || 438 πόλις K : +δὲ N || ὑπ' ἐκείνην K : ὑπὸ τὴν μητρόπολιν τῶν Μωαβίτων N || 440 ἐκεῖ K : +οὖν φησιν N || 442 Μηδαβὰ F : Μηδαβὰν K

32. *Et que répondront les rois des nations? Que le Seigneur a fondé Sion, que c'est lui qui sauvera les humbles de son peuple.* Eh bien ! lorsque vous aurez tous été pris, Sion l'emportera sans peine sur ceux qui lui faisaient la guerre ; les événements mêmes vous apprendront que le Seigneur de l'univers prend soin d'elle, qu'il la délivre de la venue des malheurs à cause de la piété de ses habitants[1].

Lamentation sur la ruine de Moab

Ainsi s'achève sa prédiction qui concerne les Allophyles. Il prédit ensuite les événements qui attendent les Moabites : **15,** 1. *Dans la nuit le pays de Moab périra; car dans la nuit périra le rempart du pays de Moab.* Il appelle « nuit », à mon avis, l'ignorance des événements futurs ou bien les ténèbres de l'impiété. Il est, toutefois, également vraisemblable que la prise de la ville ait eu lieu de nuit[2]. Quant aux Moabites, ils font descendre leur race de Lot ; ils avaient pour capitale la ville qui s'appelle aujourd'hui Charachmoba.

2. *Lamentez-vous sur vous-mêmes! A son tour périra Débon où vous avez construit votre autel.* Débon était elle aussi une ville soumise à l'autorité de la précédente. Quant à Chamos, c'était l'idole des Moabites et c'est en son honneur qu'ils avaient construit l'autel. *C'est là que vous monterez pour pleurer sur Nabaû et sur Médaba du pays de Moab.* C'étaient également des villes : le bourg de Médaba est aujourd'hui le plus grand d'Arabie. S'il dit qu'ils pleurent près de l'autel, c'est pour se moquer de leurs sacrifices insensés.

1. Cf. l'interprétation, très voisine pour le sens, de CYRILLE (70, 396 BC).

2. CHRYSOSTOME comme Théodoret entend « nuit » de manière figurée (*M.*, p. 178), tandis que CYRILLE prend le verset au sens littéral : un tremblement de terre aurait, selon lui, abattu pendant la nuit le mur d'enceinte de la capitale de Moab et, avant même l'arrivée des ennemis, aurait enlevé tout espoir de salut aux habitants (70, 400 AB et 416 D).

445 Εἶτα ὀλολύζειν παρακελεύεται καὶ τῷ κομμῷ τοὺς βραχίονας αἱμάττειν καὶ τῇ τοῦ σάκκου περιβολῇ δεικνύ(ναι) τὸ πένθος καὶ ἐν οἰκίαις καὶ ἐν ἀγυιαῖς ὀλοφύρεσθαι ὡς τῆς Ἐσεβὼν καὶ τῆς Ἐλεηλὰ ἀναστάτων γεγενημένων καὶ μέχρι τῆς Ἰασὰ διαδραμόντος τοῦ θρήνου. [4] **Διὰ τοῦτο ἡ 450 ὀσφῦς τῆς Μωαβίτιδος βοᾷ, ἡ ψυχὴ αὐτῆς γνώσεται,** [5]**ἡ καρδία τῆς Μωαβίτιδος βοᾷ ἐν ἑαυτῇ ἕως Σηγώρ.** Διὰ τῆς ὀσφύος τὴν δειλίαν ἐδήλωσε, διὰ δὲ τῆς ψυχῆς καὶ τῆς καρδίας τὸ πένθος. Ἐπειδὴ γὰρ ἡ ὀσφῦς δέχεται τὴν ζώνην, ἡ ἐκείνης λύσις τὴν δειλίαν δηλοῖ, ἐπεὶ καὶ τὴν ἀνδρείαν 455 πάλιν δι' ἐκείνης σημαίνει. « Ζῶσαι » γάρ φησιν « ὡς ἀνὴρ τὴν ὀσφῦν σου », καὶ πάλιν · « Ἔστωσαν ὑμῶν αἱ ὀσφύες περιεζωσμέναι », καὶ ἑτέρωθι · « Ζωσάμενοι τὰς ὀσφύας ὑμῶν ἐν ἀληθείᾳ ». Ἕως δὲ τῆς Σηγὼρ ἔφη διελθεῖν τὴν τοῦ θρήνου βοήν. **Δάμαλις γάρ ἐστι τριετής.** Τὸ ἄτακτον 460 αὐτῆς διὰ τούτων ᾐνίξατο · θρασεῖα γὰρ καὶ ἄτακτος ἡ τοιαύτη δάμαλις. **Ἐπὶ δὲ τῆς ἀναβάσεως τῆς Λουὶθ κλαίοντες ἀναβήσονται πρὸς σὲ ἐν τῇ ὁδῷ Ἀρωνιείμ.** Τόπων καὶ ταῦτα ὀνόματα δι' ὧν λέγει παραγίνεσθαι τοὺς τὰ λυπηρὰ προσημαίνοντας.

465 Εἶτα παρακε(λεύεται) αὐτῇ βοᾶν καὶ ὀδύρεσθαι τὸν τῶν πόλεων ὄλεθρον καὶ τὴν τῶν πραγμάτων μεταβολήν, καὶ ὅτι [6] **Τῆς Νεμερὴξ τὸ (ὕδωρ ξηραν)θήσεται καὶ ὁ χόρτος πᾶς ἐκλείψει.** Δυνατὸν δὲ καὶ τροπικῶς ταῦτα νοῆσαι καὶ χόρτον

C : 451-455 διὰ — σημαίνει ‖ 459-461 τὸ — δάμαλις

N : 445-449 εἶτα — θρήνου ‖ 451-458 διὰ — ἀληθείᾳ ‖ 459-461 τὸ — δάμαλις ‖ 462-466 τόπων — μεταβολήν ‖ 468-470 δυνατὸν — συμβῆναι

445 εἶτα ὀλολύζειν παρακελεύεται K : εἶτα παρ. ὀλ. F παρ. τοιγαροῦν ὀλ. N ‖ κομμῷ KN : βωμῷ F ‖ 448 Ἐλεηλὰ F : Ἐλεηλὰν K Ἐλεαλὴ N ‖ ἀναστάτων KN : ἀναστάντων F ‖ 449 Ἰασὰ διαδραμόντος F : Ἰασσὰ διαδραμόντος N Ἰσᾶδον δραμόντος K ‖ τοῦ N : > K ‖ 450-451 ἡ¹ — βοᾷ K : > F ‖ 451 διὰ KC : τάχα δὲ διὰ μὲν N ‖ 455 πάλιν KN : > C ‖ 457 ζωσάμενοι K : περιζωσάμενοι N ‖ 459 ἄτακτον C : +γὰρ KF +τοίνυν N ‖ 462 Ἀρωνιείμ F : Ἀρωνοΐμ K ‖ τόπων K :

Il les invite, ensuite[1], à hurler de douleur, à meurtrir jusqu'au sang leurs bras de coups, à manifester leur deuil en se revêtant du sac, à se lamenter dans les maisons et dans les rues, parce qu'Hésébon et Éléalé ont été saccagées et que la lamentation s'est répercutée jusqu'à Iasa. 4. *C'est pourquoi les reins du pays de Moab poussent des cris ; son âme apprendra*, 5. *le cœur du pays de Moab pousse des cris en lui jusqu'à Ségôr*. Par « reins », il a fait voir la lâcheté ; par « âme » et par « cœur », le deuil. Puisque ce sont les reins que l'on ceint, détacher sa ceinture est la preuve de la lâcheté ; car, inversement, ce sont eux qui servent à signifier le courage : « Ceins tes reins comme un brave », dit (l'Écriture) ; et encore : « Tenez vos reins ceints » ; et en un autre endroit : « Vos reins ceints dans la vérité. » Les cris de la lamentation sont, a-t-il dit, parvenus jusqu'à Ségôr. *Car c'est une génisse de trois ans*. Il a fait allusion par là au désordre de son comportement, vu la fougue et le comportement désordonné d'une génisse de cet âge. *Sur la montée de Louith, ils monteront vers toi en pleurant, sur la route d'Aronieïm*. Voilà encore des noms de lieux par où, dit-il, arrivent ceux qui annoncent les tristes nouvelles.

Il l'invite, ensuite, à pousser des cris, à déplorer la ruine des cités et son changement de fortune[2], parce que : 6. *L'eau de Némerex sera asséchée et l'herbe disparaîtra entièrement*. On peut comprendre également ces mots

Λουὶθ τοίνυν καὶ Ἀρωνιὶμ τόπων N || 463 λυπηρὰ **incipit** E^k || 465 εἶτα παρακελεύεται K : παρακελεύεται δὲ N || 467 Νεμερὴξ KF : -ρὴμ, -ρεὶμ, etc. alii

455 Job 38, 3 ; 40, 2 456 Lc 12, 35 457 Éphés. 6, 14

1. Résumé d'*Is*. 15, 2 b-4 a.
2. Paraphrase de la fin du verset 5.

χλωρὸν καὶ ὕδωρ ἀναβλύ⟨ζον⟩ τὴν εὐημερίαν καλέσαι·
470 εἰκὸς δὲ καὶ ταῦτα οὕτω συμβῆναι.

Εἶτα ἀπειλεῖ καὶ τῶν Ἀράβων τὴν παρεμβολήν· Ἄραβας δὲ κἀνταῦθα ⟨τοὺς Ἰσμα⟩ηλίτας καλεῖ. [8] **Συνῆψε γὰρ ἡ βοὴ τοῦ ὁρίου τῆς Μωαβίτιδος τῇ Ἀγαλιίμ, καὶ ὀλολυγμὸς (αὐτῆς) ἕως τοῦ φρέατος τοῦ Ἐλίμ.** Πᾶσά φησι πόλις τὰ
475 οἰκεῖα θρηνήσει κακὰ καὶ οἵά τις συναυλία θρήνων γενήσεται.

Ἔπειτα προλέγει τῶν ἀναιρουμένων τὸ πλῆθος· τοσοῦτον γάρ φησιν ἔσται ὡς καὶ τὸ ὕδωρ τὸ Ῥεμμὼν κραθήσεσθαι τῷ αἵματι ⟨τῶν⟩ Ἀράβων ἐπιόντων καὶ τὸν φόνον ἐργαζομένων. [9] **Καὶ ἀρῶ τὸ σπέρμα Μωάβ, καὶ Ἀριὴλ καὶ τὸ κατά-
480 λοιπον Ἀδαμά. 16[1] Ἀποστελῶ ὡς ἑρπετὰ ἐπὶ τὴν γῆν.** Ἀριὴλ ἡ νῦν καλουμένη Ἀρεόπολις, Ἀδαμὰ δὲ ἄλλη τις ἦν ὁμώνυμος τῇ πάλαι μετὰ τῶν Σοδομιτῶν δεξαμένη τὸν ὄλεθρον. Τοὺς ἐκ τούτων αἰχμαλώτους εἰς γῆν κύπτειν ⟨ἠναγκασμένους⟩ τοῖς ἐπὶ γῆς ἕρπουσιν εἰκότως ἀπείκασεν.

485 **Μὴ πέτρα ἔρημός ἐστι ⟨τὸ ὄρος⟩ τῆς θυγατρὸς Σιών ;** Οὐκ ἐπετώθαζές ⟨φη⟩σι τῇ Ἱερουσαλήμ, ὅ⟨ρος⟩ αὐτὴν ἀποκαλοῦσα ξηρόν ; Μάθε τοίνυν διὰ τῶν πραγμάτων ὡς ἐκείνη μὲν τοῦ Ἀσσυρίου τὰς χεῖρας διέφυγε, μᾶλλ(ον δὲ τὴν ἐκείνου) κατηνάλωσε στρατιάν, σὺ δὲ [2] **ἔσῃ ὡς πετεινοῦ
490 ἀνιπταμένου νεοσσὸς ἀφῃρημένος.** Ὥσπερ γὰρ οἱ τῶν γεγεννηκότων ἔρ⟨η⟩μοι νεοττοὶ⟩ εὐχείρωτοι λίαν εἰσίν, οὕτω

N : 471-472 εἶτα — καλεῖ ‖ 474-475 πᾶσα — γενήσεται ‖ 476-479 προλέγει — ἐργαζομένων ‖ 481-484 Ἀριὴλ — ἀπείκασεν ‖ 486-492 οὐκ — ἀπολαύουσα

470 οὕτω KN : οὕτως F ‖ συμβῆναι **desinit** F ‖ 471 εἶτα ἀπειλεῖ K : ἀπειλεῖ οὖν N ‖ παρεμβολήν N : παραβολήν KE ‖ 474 πᾶσα KE : +γάρ N ‖ 481 Ἀριὴλ KE : +τοίνυν ἐστὶν N ‖ 484 ἐπὶ K : +τῆς N ‖ 485 τὸ ὄρος E : > K ‖ 486 οὐκ ἐπετώθαζες K : εἰ καὶ ἐπετώθαζες οὖν N ‖ 486-487 αὐτὴν ἀποκαλοῦσα K : ∾ N ‖ 487 τοίνυν K : > NE ‖ 489 κατηνάλωσε N : κατανάλωσε K ‖ σὺ δὲ ἔσῃ N : σοῦ δὲ K ‖ 491 νεοττοὶ E : νεοσσοὶ N

481-483 cf. Deut. 29, 22

1. Cyrille en tout cas prend le verset dans son sens littéral

de manière figurée et appeler « herbe verte » et « eau jaillissante », la prospérité ; mais, il est vraisemblable que cela aussi s'est produit de cette façon[1].

Puis il les menace encore de l'invasion des Arabes[2] : or, il appelle ici « Arabes » les Ismaélites. 8. *Car les cris de la frontière du pays de Moab se sont unis à Agaliïm et ses hurlements de douleur (sont allés) jusqu'au puits d'Élim.* Toute cité, dit-il, se lamentera sur ses propres malheurs et il y aura comme un concert de lamentations.

Il prédit ensuite le grand nombre des morts : il sera si grand, dit-il, que même l'eau de Remnôn se couvrira de sang, lorsque les Arabes lanceront leur attaque et accompliront le massacre. 9. *Et je supprimerai la semence de Moab, Ariel et le reste d'Adama.* **16,** 1. *Je (les) enverrai comme des serpents sur la terre.* Ariel est la ville qui s'appelle aujourd'hui Aréopolis ; Adama en était une autre ; elle portait le même nom que celle qui subit jadis la ruine de concert avec les habitants de Sodome. Il a comparé à juste titre les captifs qu'on y a faits à des animaux qui rampent sur la terre, parce qu'on les a contraints à se courber vers la terre.

N'est-elle pas une roche déserte la montagne de la fille de Sion? Ne te moquais-tu pas, dit-il, de Jérusalem, en l'appelant montagne desséchée ? Apprends donc des événements qu'elle a échappé aux mains de l'Assyrien ou plutôt, entièrement ruiné son armée, tandis que toi 2. *tu seras comme un petit d'oiseau privé de l'oiseau capable de voler.* Tout comme les petits oiseaux sont une proie très facile, lorsqu'ils sont privés de leurs parents, tu seras

(70, 404 A) : selon lui, la ville de Nébrim (Némerex), sise à proximité de la mer Rouge, occupe une région bien arrosée et riche en pâturages ; en raison de l'abondance des chevaux qu'on y élève, sa puissance repose sur sa cavalerie ; or, la sécheresse que subira Nébrim la privera de ce moyen de défense.

2. Résumé d'*Is.* 15, 6 b-7.

καὶ σὺ εὐάλωτος ἔσῃ, τῆς ἐμῆς προνοίας οὐκ ἀπολαύουσα.
Ἔπειτα δὲ Ἀρνὼν π(**λείονα** [3] **βουλεύου** · μείζοσι γὰρ) καὶ σὺ περιβληθήσῃ κακοῖς. Καὶ **ποιεῖτε σκέπην αὐτοῖς πέν-**
495 **θους διὰ παντός · ἐν μεσημβρινῇ σκοτίᾳ** (**φεύγουσιν,** **ἐξέστησαν**) · **Μὴ ἀχθῇς.** Ἐν μεσημβρινῇ σκοτίᾳ φεύγουσι κυρίως μὲν οἱ τὸ ἀληθινὸν φῶς ἰδεῖν οὐκ ἐθέ{λοντες} (ἀλλὰ τὸ σκότος) τῆς ἀγνοίας τοῦ φωτὸς προτιμῶντες · εἴποι δ' ἄν τις καὶ τοὺς ἐν συμφοραῖς ὄντας σκότος ὁρᾶν ἐν μεση-
500 μ{βρίᾳ}. (Ὁ δὲ Θεοδοτίων) τό · ἐξέστησαν μὴ ἀχθῇς, σαφέστερον ἡρμήνευσεν · « Μεταναστεύοντά » φησι « μὴ ἀποκαλύψῃς », ὁ δὲ (Σύμμαχος · « Ἀνάστατον) μὴ ἀποδιώξῃς. » Ἐπειδὴ γὰρ οἱ Μωαβῖται φεύγοντες πρὸς τὴν Ἀρνὼν κατέφευγον, παρα{κελεύεται αὐτῇ} ὑποδέξασθαι
505 καὶ μὴ ἀποδιῶξαι τούτους, ὠφεληθήσῃ γὰρ ἐκ τούτων. Τοῦτο γὰρ τὰ ἑξῆς (διδάσκει) · |122 b| [4] **Παροικήσουσί σοι οἱ φυγάδες Μωάβ, ἔσονται σκέπη ὑμῖν ἀπὸ προσώπου διώκοντος, ὅτι ἤρθη ἡ συμμαχία σου.** Ἔρημος εἶ φησι τῶν βοηθούντων · ἐὰν δὲ τούτους ὑποδέξῃ, ἔσονταί σοι
510 ἐπίκουροι.

Εἶτα προλέγει καὶ τοῦ Ἀσσυρίου τὸν ὄλεθρον · **Καὶ ὁ ἄρχων ἀπολεῖται ὁ καταπατῶν τὴν γῆν.** Καὶ διδάσκων καὶ ποῦ ἀπώλετο καὶ τίνος χάριν ἀπώλετο, ἐπιφέρει · [5] **Καὶ διορθωθήσεται μετ' ἐλέους θρόνος, καὶ καθιεῖται ἐπ' αὐτοῦ**
515 **μετὰ ἀληθείας ἐν σκηνῇ Δαυὶδ κρίνων καὶ ἐκζητῶν κρίσιν καὶ σπεύδων ἐπὶ δικαιοσύνην.** Περὶ τοῦ Ἐζεκίου ταῦτά φησιν · περὶ τούτου γὰρ καὶ ἡ τετάρτη τῶν Βασιλειῶν καὶ ἡ δευτέρα

C : 517-520 περὶ — ἀριστερά

N : 493-500 ἔπειτα — μεσημβρίᾳ ‖ 500-520 ὁ — ἀριστερά

493 ἔπειτα — βουλεύου K : ἡ περὶ σεαυτῆς φησι πλείονα βουλεύου ὦ Ἀρνὼν N ‖ 496 μεσημβρινῇ KE : +δὲ N ‖ 511 τοῦ NE : > K ‖ 512 καὶ[2] K : > N ‖ 517 καὶ[1] CN : > K

1. Voir explications psychologiques comparables dans l'*In Jer.*, 81, 532 CD ; *In Ez.*, 81, 1116 B ; 1132 CD.

2. Théodoret s'en tient à une interprétation vétéro-testamentaire,

toi aussi une prise facile, puisque tu ne bénéficieras pas de ma providence.

Refuge en Juda des fugitifs de Moab

Eh bien, Arnon, 3. *donne-nous donc des conseils en plus grand nombre !* puisque tu seras, toi aussi, au centre de malheurs plus grands. Et *faites-leur un abri contre le deuil par tous les moyens ; dans les ténèbres de midi ils fuient, ils se sont égarés : Ne t'emporte pas.* « Dans les ténèbres de midi, ils fuient » (désigne) proprement ceux qui ne veulent pas voir la lumière de la vérité, mais qui préfèrent les ténèbres de l'ignorance à la lumière ; on pourrait, toutefois, dire aussi que ceux qui sont en proie aux malheurs voient les ténèbres en plein midi[1]. Théodotion a plus clairement traduit l'expression « ils se sont égarés : Ne t'emporte pas » en disant : « Ne dénonce pas l'émigrant » et Symmaque : « Ne chasse pas le fugitif. » Puisque les Moabites en fuite se sont réfugiés auprès d'Arnon, (le prophète) l'invite à les accueillir et à ne pas les chasser ; la raison : tu tireras d'eux un profit. C'est ce qu'enseigne la suite du passage : 4. *Les fugitifs de Moab habiteront à tes côtés, ils seront pour vous une protection devant la face de celui qui (vous) poursuit, parce que l'alliance dont tu jouissais a été supprimée.* Tu es, dit-il, privée de gens susceptibles de te secourir ; mais, si tu accueilles ces fugitifs, ils te serviront de défenseurs.

Puis il prédit aussi la ruine de l'Assyrien : *Et le chef qui foule aux pieds la terre périra.* Et pour indiquer le lieu où il périt et la raison de sa perte, il ajoute : 5. *Le trône sera remis dans la bonne voie avec miséricorde ; et il s'assiéra sur lui avec la vérité dans la tente de David : il rendra justice, recherchera le jugement et sera plein d'ardeur pour la justice.* C'est d'Ézéchias qu'il dit cela[2] ; à son sujet le quatrième livre des Règnes et le second des

mais Eusèbe (*GCS* 109, 14-21) rapporte la prophétie au Christ et à son Église (tente).

τῶν Παραλειπομένων φησὶν ὅτι « ἐπορεύθη ἐν τῇ ὁδῷ κυρίου ὡς Δαυὶδ ὁ πατὴρ αὐτοῦ · οὐκ ἐξέκλινε δεξιὰ ἢ
520 ἀριστερά. »

Εἶτα τοῦ Μωὰβ τὴν ἀλαζονείαν ἐκτραγῳδεῖ · [6] **Ἠκούσαμεν τὴν ὕβριν Μωάβ, ὑβριστής ἐστι σφόδρα · τὴν ὑπερηφανείαν αὐτοῦ ἐξῆραν καὶ ἡ ὕβρις αὐτοῦ καὶ ἡ μῆνις αὐτοῦ.** Ὑπερηφανείαν μὲν τὴν κατὰ τοῦ θεοῦ λέγει, ὕβριν δὲ καὶ
525 μῆνιν τὴν κατὰ τοῦ λαοῦ · τούτους γὰρ ἐξύβριζον καὶ τούτοις ἐμνησικάκουν. Εἶτα ἐπιφέρει · **Οὐχ οὕτως ἡ μαντεία σου,** [7]**οὐχ οὕτως.** Ἕτερά φησι προὔλεγόν σοι οἱ τῶν δαιμόνων χρησμοί, τἀναντία δὲ ἐκείνων ἑώρακας. Ἡγοῦμαι δὲ τὸν προφήτην καὶ τῆς τοῦ Βαλαὰμ αὐτοὺς ὑπομιμνῄσκειν
530 προρρήσεως, ὡς ὁ ἐξ Ἰσραὴλ ἀνίσχων « θραύσει ἀρχηγοὺς Μωάβ ».

Εἶτα πάλιν τούς τε θρήνους αὐτοῦ διέξεισι, καὶ τὸ ἀσθενὲς αὐτοῦ καὶ τὸ σφαλερὸν κωμῳδεῖ · τοῖχον γὰρ ὀστράκινον τὸ εὐάλωτον αὐτοῦ καλεῖ. Προλέγει δὲ καὶ τῆς γῆς τὴν
535 δῄωσιν καὶ τῆς σπειρομένης τὴν ἀκαρπίαν καὶ τῆς πεφυτευμένης τὴν ἐρημίαν, καὶ παρακελεύεται τοῖς τὰ ἔθνη καταπίνουσιν Ἀσσυρίοις καταπατῆσαι τὰς ἀμπέλους, καὶ οἱόν τινας ὅρους αὐτοῖς τιθεὶς παρεγγυᾷ ἕως Ἰαζὴρ συνάψαι τὸν πόλεμον. Εἶτα τῶν φυγάδων διηγεῖται τὸν πλάνον · οἱ
540 μὲν γάρ φησιν ἐν τῇ ἐρήμῳ ἀλῶνται, οἱ δὲ καὶ τὴν Ἐρυθρὰν διέβησαν Θάλασσαν. Ἀναμιμνῄσκει δὲ καὶ δὶς καὶ τρὶς τῶν αὐτῶν, τῆς ἀμπέλου Σαβαμὰ καὶ τῶν δένδρων Ἐσεβὼν καὶ Ἐλεηλά, δεικνὺς τὴν τῆς προφητείας ἀλήθειαν. [9] **Ὅτι**

C : 527-528 ἕτερα — ἑώρακας

N : 524-526 ὑπερηφανείαν — ἐμνησικάκουν ‖ 527-531 ἕτερα — Μωάβ ‖ 532-534 εἶτα — καλεῖ ‖ 534-539 προλέγει — πόλεμον ‖ 539-541 τῶν — θάλασσαν ‖ 541-543 ἀναμιμνῄσκει — ἀλήθειαν

518 φησὶν KN : > C ‖ 524 ὑπερηφανείαν μὲν E : πλὴν ὑπερηφανείαν μὲν N τὴν μὲν ὑπερηφανείαν K ‖ ὕβριν δὲ καὶ NE : τὴν δὲ ὕβριν καὶ τὴν K ‖ 527 ἕτερά φησι KCE : καὶ ἕτερα μὲν N ‖ δαιμόνων KNE : δαιμονίων C ‖ 532 εἶτα πάλιν K : τοῦτο δὲ N ‖ τε N : > K ‖ διέξεισι K : ἐμφαίνει N ‖ 533 αὐτοῦ KE : αὐτῶν N ‖ 534 δὲ καὶ K : τοίνυν ἐν τούτοις N ‖ 543 Ἐλεηλά Mö. : Λεηλά K Ἐλεαλή N

Paralipomènes déclarent : « Il a marché sur la route du Seigneur, comme David son père ; il n'a dévié ni à droite ni à gauche. »

L'orgueil de Moab ; lamentation sur sa dévastation

Le prophète expose ensuite avec emphase la jactance de Moab : 6. *Nous avons appris l'orgueil de Moab : il est très orgueilleux. Son orgueil et son ressentiment ont exalté son arrogance.* Il parle de son arrogance à l'égard de Dieu, de son orgueil et de son ressentiment à l'égard du peuple : ils traitaient les uns avec arrogance, ils avaient les autres en haine. Puis il ajoute : *Tel n'était pas l'oracle que tu avais reçu,* 7. *non il n'était pas tel.* Autres étaient, dit-il, les prédictions que te faisaient les oracles des démons[1], mais tu as vu le contraire se réaliser. Je pense, d'autre part, que le prophète leur rappelle aussi la prédiction de Balaam : celui qui se lève du sein d'Israël « frappera les princes de Moab ».

Puis, de nouveau[2], il énumère ses lamentations, raille sa faiblesse et son écroulement : il appelle, en effet, « mur de briques » la facilité qu'il y a à le prendre. Il prédit aussi le pillage du pays, la stérilité des champs, la désolation des plantations ; il invite les Assyriens qui dévorent les nations à fouler aux pieds les vignes et, comme s'il leur fixait des limites, il leur ordonne de porter la guerre jusqu'à Jazer. Puis, il relate la course errante des fugitifs : les uns, dit-il, errent dans le désert, les autres ont même franchi la mer Érythrée. Il rappelle deux ou trois fois les mêmes choses : la vigne de Sabama, les arbres d'Ésébon et d'Éléalé, pour montrer la vérité de la prophétie. 9. *Car*

518 IV Rois 22, 2 ; II Chr. 34, 2 530 Nombr. 24, 17

1. Les démons sont, en effet, les auteurs des oracles et leurs oracles sont mensongers, cf. *Thérap.* X, 4, 24 s.
2. Résumé d'*Is.* 16, 7-9 a.

ἐπὶ τῷ θερισμῷ καὶ τῷ τρυγητῷ σου κατάλεγμα καταπατούν-
545 **των ἔπεσεν.** Οὐκέτι γὰρ σὺ τὰ ἐπιλήνια ᾄσματα ἐρεῖς, ἀλλ' ἄλλοι σε καταπατοῦντες τὸ πολεμικὸν ᾄσονται μέλος · τῆς δὲ τῶν ἀμπελώνων εὐφροσύνης οὐκ ἀπολαύσεις.

[11] **Διὰ τοῦτο ἡ κοιλία μου ἐπὶ Μωὰβ ὡς κιθάρα ἠχήσει καὶ τὰ ἐντός μου ὡς τεῖχος ὃ ἐνεκαίνισας.** Ὁ δὲ Σύμμαχος
550 οὕτως · « Ἡ κοιλία μου τῷ Μωὰβ ὡς ψαλτήριον ἠχήσει καὶ τὰ ἐντός μου τῷ τείχει τῷ ὀστρακίνῳ. » Ταύτην φησὶ τὴν προφητείαν ὄργανον τοῦ παναγίου γενόμενος πνεύματος τῷ Μωὰβ οἷόν τινα ἠχὴν κιθάρας προσήνεγκα καὶ τῷ τείχει ὃ ἀσφαλείας εἵνεκα κατεσκεύασας. [12] **Καὶ ἔσται ἐν τῷ**
555 **τραπῆναί σε ὅτι κοπιάσει Μωὰβ ἐν τοῖς βουνοῖς καὶ εἰσελεύσεται εἰς τὰ χειροποίητα αὐτῆς ὥστε προσεύξασθαι, καὶ οὐ μὴ δύνωνται ἐξελέσθαι αὐτήν.** Δι' αὐτῶν μαθήσῃ τῶν πραγμάτων τὴν τῶν εἰδώλων ἀσθένειαν · μετὰ γὰρ τὰς πολλὰς ἑκατόμβας καὶ χιλιόμβας τῆς παρ' αὐτῶν συμμαχίας
560 οὐ τεύξῃ. [13] **Τοῦτο τὸ ῥῆμα ὃ ἐλάλησεν ὁ κύριος ἐπὶ Μωὰβ ὁπότε καὶ ἐλάλησεν.** Ταῦτά φησιν ὁ προφήτης οὐκ ἐγὼ προ(εῖπο)ν ἀλλ' αὐτὸς ὁ τῶν ὅλων θεός.

[14] **Καὶ νῦν ἐλάλησε κύριος λέγων · Ἐν τρισὶν ἔτεσι μισθωτοῦ ἀτιμα(σθήσετ)αι (ἡ) δόξ(α Μωὰ)β ἐν παντὶ τῷ πλούτῳ**
565 **τῷ πολλῷ καὶ καταλειφθήσεται ὀλιγοστὴ καὶ οὐκ ἔντιμος.** Φιλάνθρωπος {ἡ ψῆφος} · τρισὶ γὰρ ἔτεσι περιώρισε τὴν τιμωρίαν καὶ μισθωτῷ ἀπείκασε τὸν ὡρισμένον ἀναμένοντι χρόνον καὶ {ψυχαγωγου}μένῳ {τῇ ἐλ}πίδι τοῦ τέλους. Μετὰ μέντοι τὸν ὡρισμένον χρόνον οὐ τὴν παλαιὰν αὐτῇ ἐπαγ-

C : 545-547 οὐκέτι — ἀπολαύσεις ‖ 557-560 δι' — τεύξῃ ‖ 561-562 ταῦτα — θεός

N : 545-547 οὐκέτι — ἀπολαύσεις ‖ 549-554 ὁ — κατεσκεύασας ‖ 557-560 δι' — τεύξῃ ‖ 561-562 ταῦτα — θεός ‖ 566-568 φιλάνθρωπος — τέλους ‖ 568-580 μετὰ — ἀμήν. **Desinit** N.

545 γὰρ KC : > NE ‖ 546 ἀλλ' KCE : ἀλλὰ N ‖ 547 δὲ KNE : +ἀπὸ C ‖ ἀμπελώνων NE : ἀμπέλων KC ‖ 551 τῷ¹ N : ὡς K ‖ ταύτην KE : +δέ N ‖ 557 αὐτῶν KCE : +οὖν N ‖ 559 καὶ χιλιόμβας KNE : > C ‖ 562 αὐτὸς KC : > N ‖ 569 μέντοι K : γάρ τοι N

sur ta moisson et sur ta vendange le chant funèbre des fouleurs est tombé. Ce n'est plus toi qui chanteras les chants du pressoir, mais d'autres te fouleront aux pieds en chantant le chant de guerre : tu ne jouiras pas de la liesse que font naître les vignobles.

11. *C'est pourquoi mes entrailles retentiront sur Moab comme une cithare et mon cœur comme un mur que tu as restauré.* Voici la version de Symmaque : « Mes entrailles retentiront pour Moab comme un instrument à cordes et mon intérieur pour le mur de briques. » Voici, dit-il, la prophétie qu'une fois devenu l'instrument du très saint Esprit, j'ai présentée, comme le son d'une cithare, à Moab et au mur que tu as édifié pour ta sécurité[1]. 12. *Et il arrivera que, pendant ta fuite, Moab se fatiguera sur les collines et qu'il s'avancera vers les créatures de ses mains pour leur adresser une supplication, et elles ne pourront pas le soustraire au danger.* Les événements eux-mêmes t'apprendront la faiblesse des idoles : malgré de nombreuses hécatombes et des sacrifices de mille victimes, tu n'obtiendras pas d'elles l'assistance. 13. *Telle est la parole qu'a prononcée le Seigneur sur Moab au temps où il a parlé.* Ces événements, dit le prophète, ce n'est pas moi qui les ai prédits, mais le Dieu de l'univers en personne.

14. *Et maintenant le Seigneur a parlé en ces termes : Pendant trois années de mercenaire, la gloire de Moab sera abaissée avec toute sa richesse immense ; et il en restera peu de chose et sans considération.* Bienveillante condamnation ! Il a limité à une durée de trois années le châtiment ; il a comparé (Moab) à un mercenaire qui attend patiemment le temps fixé et qui trouve son réconfort à espérer la fin de ce temps. Toutefois, lorsque sera passé le temps fixé,

1. Théodoret reprend à son compte cette image de l'instrument de musique pour définir l'activité prophétique (cf. *infra* 6, 464-465 ; *In Abd.*, 81, 1712 A) : elle permet de rappeler que le prophète n'est que l'instrument de Dieu, la voix dont il se sert (cf., t. I, p. 148, n. 1).

570 γέλλεται εὐπραξίαν (ἀλλ') ⸢ὀλίγους οἰκήτορας⸣ καὶ τούτους οὐκ ἄρχοντας· καταλειφθήσεται γὰρ ὀλιγοστὴ καὶ οὐκ ἔντιμος.

Ταῦτα (τοίνυν εἰδότες ἐξι)λεωσώμεθα τὸν κριτὴν τῇ τῶν ἐντολῶν αὐτοῦ φυλακῇ καὶ προφθάσωμεν (τὸ πρόσ)ωπον 575 αὐτοῦ ἐν ἐξομολογήσει, ἵνα διαφύγωμεν αὐτῶν τῶν λυπηρῶν τὴν πεῖραν καὶ (ὑπ' αὐτοῦ κυ)βερνώμενοι τόν τε παρόντα ἐξ οὐρίων διαπλεύσωμεν βίον καὶ εἰς τοὺς ἀπηνέμους (αὐτοῦ κα)θορμίσωμεν λιμένας ἀνυμνοῦντες αὐτὸν καὶ τὸν μονογενῆ υἱὸν αὐτοῦ καὶ (τὸ πανά)γιον πνεῦμα νῦν καὶ ἀεὶ καὶ εἰς 580 τοὺς αἰῶνας τῶν αἰώνων. Ἀμήν.

571-572 καταλειφθήσεται — ἔντιμος KE (γὰρ > E) : > N ‖ 575 αὐτῶν K : > N ‖ 578 καὶ N : > K ‖ 579 υἱὸν αὐτοῦ K : ∾ N

il ne lui promet pas le bonheur d'autrefois, mais un petit nombre d'habitants et encore sans souveraineté, car « il en restera peu de chose et sans considération ».

Parénèse

Forts de cette connaissance, rendons-nous donc favorable le juge par l'observance de ses préceptes et présentons-nous devant sa face dans le repentir, afin d'éviter de faire l'expérience effective de la douleur, afin d'accomplir sous sa conduite, avec bonheur, la traversée de la vie présente et d'aborder aux ports bien abrités qui sont les siens, en le célébrant dans un hymne, Lui et son Fils unique et le très saint Esprit, maintenant et toujours et pour les siècles des siècles. Amen.

ΤΟΜΟΣ F′

17 1 Τὸ ῥῆμα τὸ κατὰ Δαμασκοῦ. Ἴσως ἄν τις ζητήσειε, τί δήποτε τὰ συμβησόμενα Βαβυλωνίοις καὶ Μωαβίταις, Δαμασκηνοῖς τε καὶ Αἰγυπτίοις καὶ Ἰδουμαίοις καὶ Τυρίοις προειρηκὼς ὁ προφήτης τἆλλα καταλέλοιπεν ἔθνη. Χρὴ τοίνυν εἰδέναι ὡς ταῦτα τὰ ἔθνη συνεχῶς κατεπολέμει τὴν Ἰουδαίαν · καὶ τούτου χάριν ὁ προφήτης, ἅτε δὴ Ἰουδαίων προφήτης, τὰς τούτων συμφορὰς προθεσπίζει, ἐνίων δὲ προλέγει καὶ τὴν ἐπὶ τὸ κρεῖττον μεταβολὴν καὶ τὴν ἐσομένην εὐσέβειαν, ὥστε καὶ ταύτῃ παραθῆξαι τοὺς ὁμοφύλους εἰς τὴν περὶ τὰ θεῖα σπουδήν.

Ἰδοὺ Δαμασκὸς ἀρθήσεται ἀπὸ πόλεως καὶ ἔσται εἰς πτῶσιν. Θεγλαθφαλσὰρ αὐτὴν πολιορκήσας καὶ τοὺς μὲν ἀνελὼν τοὺς δὲ ἐξανδραποδίσας ἑτέρους εἰς αὐτὴν ἀποίκους ἐξέπεμψεν. Ἐπεστράτευσε δὲ τοῦ Ἄχαζ ἔτι περιόντος. Ἐπισημήνασθαι γὰρ καὶ τοῦτο δεῖ, ἐπειδὴ τῆς τοῦ Ἄχαζ ἐμνημόνευσε τελευτῆς. Ἐβουλήθη γὰρ τὴν κατ᾽ ἐκεῖνον ἱστορίαν τε καὶ προφητείαν πληρῶσαι, εἶθ᾽ οὕτω τὰ κατὰ τῶν ἄλλων ἐθνῶν παραθεῖναι θεσπίσματα.

2 Καταλελειμμένη εἰς τὸν αἰῶνα εἰς κοίτην ποιμνίων καὶ ἀνάπαυσιν βουκόλων, καὶ οὐκ ἔσται ὁ διώκων · 3 καὶ οὐκ ἔσται ὀχυρὰ τοῦ καταφυγεῖν ἐκεῖ τὸν Ἐφραίμ · οὐκέτι ἔσται βασιλεία ἐν Δαμασκῷ. Τό · εἰς τὸν αἰῶνα, οὐ τῇ ἐρημίᾳ

C : 2-11 ἴσως — σπουδήν

2 ζητήσειε C^{v} : ζητήσαιεν C$^{r\cdot 90\cdot 377\cdot 565}$ ζητήσει K ‖ 7-8 ἅτε — προφήτης K : > CE ‖ 9 καὶ^{1} KE : > C ‖ 11 σπουδήν **desinit** E^{k}

---

1. Sur ce souci de justifier la prophétie en dégageant ici la logique de son contenu et, plus bas (6, 16-19), celle de sa composition, cf. t. I, p. 188, n. 1.

SIXIÈME SECTION

Contre Damas et le royaume d'Israël

17, 1. *Oracle contre Damas.* On pourrait peut-être se demander la raison qui a conduit le prophète à prédire les événements futurs pour les gens de Babylone et de Moab, de Damas et d'Égypte, d'Idumée et de Tyr, et à laisser de côté les autres nations[1]. Il faut donc savoir que ces nations guerroyaient sans relâche contre la Judée ; et c'est pour cette raison que le prophète — précisément parce qu'il est prophète des Juifs — prophétise les malheurs qui les concernent ; mais il prédit aussi le changement que subiront quelques nations pour un état meilleur et leur piété future, de manière à inciter par cet autre moyen les gens d'une même race à montrer du zèle pour les choses divines.

Le sort de Damas

Voici que Damas cessera d'être une ville et qu'elle ira à sa perte. Théglatphalasar en fit le siège, tua les uns, réduisit les autres en esclavage et y envoya des étrangers comme colons. Il fit son expédition lorsque Achaz vivait encore[2]. Il faut bien le souligner puisque le prophète a fait mention de la mort d'Achaz. C'est qu'il a voulu achever l'histoire et la prophétie qui le concernent, avant d'ajouter ainsi les oracles (prononcés) contre les autres nations.

2. *Abandonnée pour toujours, pour servir de gîte aux troupeaux de moutons et de lieu de repos aux troupeaux de bœufs : il n'y aura personne pour les chasser.* 3. *Il n'y aura pas de lieux fortifiés pour qu'Éphraïm s'y réfugie ; il n'y aura plus de royauté à Damas.* L'expression « pour

2. La prise de Damas intervint en 732.

τῆς πόλεως ἀλλὰ τῇ βασιλείᾳ συνήρμοσται. Οἰκεῖται μὲν
25 γὰρ ἡ Δαμασκός, οὐ μὴν βασιλεύει ἀλλὰ βασιλεύεται,
ἔρημος δὲ ἐπὶ πλεῖστον ἐγένετο · ἀλλὰ πάλιν ἀνῳκοδομήθη
καὶ πλείστους ἔσχεν οἰκήτορας, οὐ μὴν τὴν προτέραν εὐπραξίαν ἀπέλαβεν. Πάλαι γὰρ τῆς Συρίας πάσης προὐκάθητο ·
αὐτὴ γὰρ εἶχε τὰ τοῦ βασιλέως τῶν Σύρων βασίλεια. Ὅθεν
30 ἐπάγει · **Καὶ τὸ κατάλοιπον τῶν Σύρων ἀπολεῖται.** Ἀντὶ τοῦ
αἰχμάλωτον ἔσται · ἐκοινώνησαν γὰρ τῇ μητροπόλει τῆς
συμφορᾶς αἱ ὑπήκοοι πόλεις. **Οὐ γὰρ σὺ βελτίων εἶ τῶν υἱῶν
Ἰσραὴλ καὶ τῆς δόξης αὐτῶν.** Εἰ γὰρ τὸν ἀφιερωμένον μοι
λαόν, τὸν πολυθρύλητον Ἰσραήλ, διὰ τὴν ἀσέβειαν παρέδωκα,
35 πῶς ἂν δικαίως ἐφεισάμην τῆς παντελῶς ἀρνουμένης με ;

Τί δὲ πείσεται ὁ Ἰσραήλ, διὰ τῶν ἐπαγομένων δηλοῖ ·
4 **Ἔσται ἐν τῇ ἡμέρᾳ ἐκείνῃ ἔκλειψις τῆς δόξης Ἰακώβ, καὶ
τὰ πίονα τῆς δόξης αὐτοῦ σεισθήσεται.** Μετὰ γὰρ τὴν ἅλωσιν
τῆς Δαμασκοῦ τὰς δέκα φυλὰς ἀπῴκισαν οἱ Ἀσσύριοι.
40 Εἶτα τῆς κατ' αὐτῶν νίκης τὴν εὐκολίαν διδάσκει · 5 **Καὶ
ἔσται ὃν τρόπον ἐάν τις συναγάγῃ ἀμητὸν ἑστηκότα ἐν τῷ
βραχίονι αὐτοῦ καὶ σπέρμα σταχύων ἀμῆται.** Καθάπερ
φησὶν ὁ γεωργὸς μάλα ῥᾳδίως θερίζει καὶ ταῖς ἀγκάλαις τὸ
[δρ]άγμα συνάγει, οὕτω λίαν εὐπετῶς οἱ Ἀσσύριοι τῶν
45 δέκα φυλῶν περιέσονται.

**Καὶ ἔσται ὃν (τρό)πον (ἐάν) τις συναγάγῃ ἀστάχυας
ἐν φάραγγι στερεᾷ** 6 **καὶ καταλειφθῇ ἐν αὐτῇ καλάμη, ἢ
ὡς (ῥᾶγες) τρυγηθείσης ἐλαίας δύο ἢ τρεῖς ἐπ' ἄκρου
μετεώρου ἢ τέσσαρες ἢ πέντε ἐπὶ τῶν κλάδων (αὐ)τῶν τῶν
50 μ(ετε)ώρων καταλειφθῶσιν.** Ὀλίγοι φησὶν τὰς τῶν δυσμενῶν

C : 38-40 μετὰ — διδάσκει

42 σταχύων e tx.rec. : στάχυν K

---

1. Précision nécessaire pour sauvegarder la vérité de la prophétie ; cf. *supra* 5, 321-324 à propos d'*Is.* 14, 20. La Syrie est province romaine depuis 64 (déchéance de Philippe II proclamée à Antioche par Pompée).

2. Même interprétation chez Eusèbe (*GCS* 115, 10-16).

toujours » ne s'applique pas à la désolation de la cité, mais à la royauté. Car Damas est habitée — elle n'exerce pas, il est vrai, le pouvoir souverain[1] : elle y est soumise —, mais elle fut déserte au plus haut point ; de nouveau, pourtant, on la reconstruisit et elle eut un très grand nombre d'habitants, sans retrouver cependant sa prospérité d'autrefois. Elle était jadis à la tête de toute la Syrie : elle possédait, en effet, le palais du roi de Syrie. C'est ce qui lui fait ajouter : *Et le reste des Syriens périra*, ce qui revient à dire : « sera fait prisonnier », car les cités sujettes ont partagé l'infortune de la métropole. *Car tu n'es pas meilleure que les fils d'Israël et que leur gloire.* De fait, si j'ai livré le peuple qui m'est consacré, le fameux Israël, à cause de son impiété, comment serait-il juste que je prenne en pitié une cité qui me refuse totalement[2] ?

La fin du royaume d'Israël

La suite fait voir les souffrances qui attendent Israël : 4. *En ce jour-là se produira une éclipse de la gloire de Jacob ; l'épaisseur de sa gloire sera ébranlée.* Après la prise de Damas, les Assyriens déportèrent les dix tribus[3]. Il enseigne ensuite la facilité qu'il y aura à les vaincre : 5. *Ce sera comme quand un homme a rassemblé dans ses bras la moisson qui est sur pied et moissonne la semence des épis.* Il est très facile, dit-il, pour le paysan de faire la moisson et de rassembler la gerbe entre ses bras ; de même, il sera très aisé pour les Assyriens de se rendre maîtres des dix tribus.

Et ce sera comme quand un homme a rassemblé les épis dans un ravin rude 6. *et qu'on y a laissé une tige de blé, ou bien quand, après la récolte de l'olivier, on a laissé tout en haut à la cime deux ou trois olives ou sur les branches les plus hautes, quatre ou cinq.* Un petit nombre échappera,

3. Samarie, capitale du royaume du Nord, est assiégée par Salmanasar V et prise par Sargon II en 722.

διαφεύξονται χεῖρας, [καθάπερ τινὲς εὐτελεῖς] καὶ εὐαρίθμητοι ἐλαῖαι διαφεύγουσι τοὺς τρυγῶντας διὰ τὸ ἐν τοῖς ἄκροις [μετεωρισθῆναι] τῶν κλάδων ὑπ' ἐκείνων καταφρονούμεναι ἢ καλάμη τις ἐν φάραγγι ὀλίγη [στερεᾷ] τε καὶ
55 δια[β]όρῳ καταλιμπανομένη. Σημαίνει δὲ διὰ τούτων τοὺς ἐν τοῖς παρακειμένοις (διαφεύγ)οντας ὄρεσι καὶ τούτῳ τῷ τρόπῳ τὴν σωτηρίαν ποριζομένους.

Τάδε λέγει κύριος ὁ θεὸς Ἰσραήλ· [7] Τῇ (ἡμέρᾳ ἐ)κ(είνῃ) πεποιθὼς ἔσται ἄνθρωπος ἐπὶ τῷ ποιήσαντι αὐτόν, οἱ δὲ
60 **ὀφθαλμοὶ αὐτοῦ εἰς τὸν (ἅγι)ον (τοῦ) Ἰσραὴλ ἐμβλέψονται.** Τῇ πείρᾳ γὰρ μεμαθηκότες τὴν τῶν εἰδώλων ἀσθένειαν τὸν (τῶν ὅλων) θεὸν εἰς συμμαχίαν καλοῦσιν. [8] **Καὶ οὐ μὴ πεποιθότες ὦσιν ἐπὶ τοῖς βωμοῖς οὐδὲ** |124 a| **ἐπὶ τοῖς ἔργοις τῶν χειρῶν αὐτῶν, ἃ ἐποίησαν οἱ δάκτυλοι αὐτῶν, καὶ οὐκέτι**
65 **ὄψονται τὰ δένδρα οὐδὲ τὰ βδελύγματα αὐτῶν.** Ἀκριβῶς μαθήσονται ὡς τὰ μέν ἐστιν ἄψυχα φυτά, τὰ δὲ χειροποίητα εἴδωλα ἐκ μὲν τῆς ὕλης τὴν οὐσίαν ἐκ δὲ τῆς τέχνης τὸ εἶδος ἠρανισμένα.

Εἶτα προλέγει τὴν τῶν πόλεων ἐρημίαν καὶ παραβάλλει
70 ταύτην τῇ παλαιᾷ ἣν ἐπήγαγον αὐτοὶ τοῖς Ἀμορραίοις καὶ Εὐαίοις τῆς Αἰγυπτίων ἀπαλλαγέντες δουλείας. Καθάπερ γάρ φησιν ὑμεῖς ἐκεῖνα τὰ ἔθνη καταλύσαντες τὰς ἐκείνων διενείμασθε πόλεις, οὕτω νῦν δορυαλώτων ὑμῶν γενομένων ἄλλοι ταύτας οἰκήσουσιν· ᾤκησαν δὲ αὐτὰς οἱ καλούμενοι
75 Σαμαρῖται. Καὶ τὴν αἰτίαν τούτου διδάσκει· [10] **Διότι κατέλιπας τὸν θεὸν τὸν σωτῆρά σου καὶ κυρίου τοῦ θεοῦ σου οὐκ ἐμνήσθης.** Ἡ ἀχάριστος γνώμη τὰς συμφοράς σοι γεννήσει.

Διὰ τοῦτο φυτεύσεις φύτευμα ἄπιστον καὶ σπέρμα ἄπιστον.
80 Τὸν χρόνον ἐνήλλαξε καὶ ἀντὶ τοῦ παρεληλυθότος τὸν

C : 55-57 σημαίνει — ποριζομένους ‖ 61-62 τῇ — καλοῦσιν ‖ 65-68 ἀκριβῶς — ἠρανισμένα ‖ 77-78 ἡ — γεννήσει

55 διαβόρῳ Sch. ‖ 62 καλοῦσιν C^r·377·565 : καλέσουσι KC^90

---

1. Résumé d'*Is.* 17, 9.

dit-il, aux mains des ennemis, tout comme quelques olives, qui n'ont guère de prix et qu'on peut facilement compter, échappent à ceux qui font la récolte — leur position au sommet des branches les leur fait dédaigner —, ou comme une tige de blé est laissée dans un ravin de peu d'étendue, rude et rongé (par l'érosion). Il désigne par là ceux qui se réfugiaient dans les montagnes voisines et qui de cette façon se procuraient le salut.

Abandon de l'idolâtrie par les survivants

Voici ce que dit le Seigneur, le Dieu d'Israël: 7. *En ce jour-là, l'homme sera plein de confiance en son créateur; ses yeux se tourneront vers le Saint d'Israël.* Puisque l'expérience leur aura appris la faiblesse des idoles, ils appelleront le Dieu de l'univers à leur secours. 8. *Et ils ne mettront pas leur confiance dans les autels ni dans les ouvrages de leurs mains — créations de leurs doigts —, et ils ne regarderont plus les arbres ni leurs idoles.* Ils apprendront avec exactitude que les uns sont des végétaux inanimés, que les autres sont des idoles fabriquées de mains d'homme qui mendient leur existence à la matière et leur apparence à l'art.

La raison du châtiment d'Israël

Il prédit ensuite la désolation des cités et compare cette désolation à celle qu'autrefois ils infligèrent eux-mêmes aux Amorrhéens et aux Hévéens, lorsqu'ils furent délivrés de l'esclavage en Égypte[1]. De même, dit-il, que vous avez ruiné ces nations et gouverné leurs cités, ainsi maintenant que vous êtes devenus prisonniers, d'autres hommes habiteront les vôtres : or, les ont habitées ceux que l'on appelle « Samaritains ». Et il en indique la raison : 10. *Car tu as abandonné Dieu, ton Sauveur, et tu ne t'es pas souvenu du Seigneur ton Dieu.* C'est l'ingratitude de ton cœur qui engendrera tes malheurs.

C'est pourquoi tu planteras un plant infidèle et une semence infidèle. Il a inversé le temps et employé le futur au lieu

μέλλοντα τέθεικεν. Ἐπειδὴ ἀγνώμων φησὶ περὶ τὸν εὐεργέτην ἐγένου, τὴν ἀπιστίαν ἐφύτευσας καὶ τὴν ἀσέβειαν ἔσπειρας. Ἀλλὰ συμβαίνοντας τοῖς φυτοῖς καὶ τοῖς σπέρμασι δρέψῃ καρπούς. Τοῦτο γὰρ ἐπήγαγεν · [11] **Τῇ δὲ ἡμέρᾳ ᾗ ἐὰν**
85 **φυτεύσῃς πλανη(θήσῃ) · τὸ δὲ πρωὶ ἐὰν σπείρῃς, ἀνθήσει εἰς ἄμητόν · καὶ ᾗ ἂν ἡμέρᾳ θερίσῃς, κληρώσῃ, καὶ ὡς πατὴρ ἀνθρώπου κληρώσει τοῖς υἱοῖς αὐτοῦ.** Ἡ μὲν γὰρ πλάνη τῆς τοιαύτης αἰτία σπορᾶς, ἡ δὲ σπορὰ τὸν ἀμητὸν προξενεῖ · ὁ δὲ τοιοῦτος ἀμητὸς καρπός ἐστι τῶν πονηρῶν
90 γεωργῶν, οὐ μόνον αὐτοῖς ἀλλὰ καὶ τοῖς υἱοῖς φυλαττόμενος.

[12] **Οὐαὶ πλῆθος ἐθνῶν πολλῶν.** Ἀναγκαίως δείκνυσι τοὺς τῆς κακῆς γεωργίας καρποὺς καὶ προτίθησι τῆς προρρήσεως θρῆνον καὶ — ἵνα μὴ καὶ τὰ σαφῶς εἰρημένα πλατύνων μηκύνω — ἀπεικάζει θαλάττῃ κυμαινούσῃ τῶν πολεμίων
95 τὸ πλῆθος καὶ τοὺς ἐκείνων λόχους τοῖς κύμασιν, αὐτοὺς δὲ τοὺς πολεμουμένους κόνει λεπτοτάτῃ, ἣν τροχὸς ἁμάξης ἐλέπτυνε καὶ σφοδρὸς ἐσκέδασεν ἄνεμος · ταὐτὸ δὲ τοῦτο καὶ τοῦ ἀχύρου τὸν χοῦν πάσχειν ὑπὸ τοῦ πνεύματος λέγει. Τούτοις ἔοικε τὰ ὑπὸ τοῦ μακαρίου Δαυὶδ εἰρημένα · « Οὐχ
100 οὕτως οἱ ἀσεβεῖς, οὐχ οὕτως, ἀλλ' ἢ ὡσεὶ χνοῦς, ὃν ἐκρίπτει ὁ ἄνεμος ἀπὸ προσώπου τῆς γῆς. » Ταῦτα ταῖς δέκα φυλαῖς καὶ τοῖς τούτων ἐπικούροις προαγορεύσας Δαμασκηνοῖς, πρὸς τὴν Ἰουδαίαν μεταφέρει τὸν λόγον καί φησιν · [14] **Αὕτη ἡ μερὶς τῶν ὑμᾶς προνομευσάντων καὶ κληρονομία τῶν ὑμᾶς**
105 **κληρονομησάντων.** Προειρήκαμεν δὲ ἤδη ὡς πολλὰς αὐτῶν μυριάδας οὗτοι κατὰ ταὐτὸν γενόμενοι καὶ κατηκόντισαν καὶ αἰχμαλώτους ἀπήγαγον.

C : 87-90 ἡ — φυλαττόμενος

87-88 ἡ — πλάνη K : ἡμέρα γὰρ πλάνης C ‖ 88 αἰτία σπορᾶς Mö. : αἰτίας σπορά C σπορά K

99 Ps. 1, 4

---

1. Fidèle aux principes de concision énoncés dans l'« hypothésis », Théodoret choisit de résumer le texte d'*Is.* 17, 12-14 a.

2. Cf. *In Is.*, 3, 225-233.256-260 ; selon les exégètes modernes, cet oracle serait sans relation avec ce qui précède et ne se rappor-

du passé. Puisque tu es devenu, dit-il, oublieux à l'égard de ton bienfaiteur, tu as planté l'infidélité et semé l'impiété. Eh bien, tu vas recueillir les fruits de tes plantations et de tes semences ! Voici en effet ce qu'il a ajouté : 11. *Le jour où tu les planteras, tu commettras une erreur : ce que tu sèmeras le matin fleurira pour produire moisson ; le jour où tu moissonneras, tu obtiendras ton lot et, comme un père de famille, tu l'obtiendras pour tes fils.* L'erreur est la cause de telles semailles ; les semailles vont procurer la moisson ; or, une telle moisson est la récolte que font les paysans pervers : elle n'est pas réservée à eux seuls, mais encore à leurs fils.

Chant de lamentation

12. *Malheur ! Foule de nations en grand nombre !* Il montre nécessairement les fruits de ce mauvais travail de la terre et place en tête de sa prédiction un chant de lamentation ; et, pour ne pas m'étendre longuement sur ce qu'il a dit de façon claire[1], il compare à la mer déchaînée la foule des ennemis et leurs bataillons aux vagues ; quant à ceux qui subissent la guerre, (il les compare) à une poussière très ténue qu'a finement broyée la roue d'un char et qu'un vent violent a dispersée ; tel est aussi le traitement que le vent, dit-il, fait subir à la bale du grain. C'est à quoi ressemblent les paroles du bienheureux David : « Rien de tel pour les impies, rien de tel ! mais (ils sont) comme la bale qu'emporte le vent loin de la face de la terre. » Voilà ce qu'il a annoncé aux dix tribus et aux gens de Damas leurs auxiliaires. Puis il revient dans ses propos à la Judée et dit : 14. *Telle (est) la part de ceux qui vous ont pillés et le lot de ceux qui ont hérité de vous.* Nous avons déjà dit plus haut comment ces gens se coalisèrent pour massacrer plusieurs milliers d'entre eux et les emmener comme prisonniers de guerre en captivité[2].

terait ni à Damas ni à Éphraïm, mais à l'Assyrie et à ses auxiliaires à l'époque de Sennachérib.

18[1] Οὐαὶ γῆς πλοίων πτέρυγες ἐπέκεινα ποταμῶν Αἰθιοπίας. Ὁ τῆς Δαμασκοῦ βασιλ[εὺς] δείσας τῶν πολεμίων τὴν
110 προσβολὴν Αἰγυπτίους καὶ Αἰθίοπας εἰς συμμαχίαν ἐκάλεσεν· ὀξέως δὲ ταύτης τυχεῖν ἐφιέμενος διὰ θαλάττης τοὺς πρέσβεις ἀπέστειλεν. Πτέρυγας [μέντοι] τὰ πλοῖα ἐκάλεσεν, ἐπειδήπερ οἱ ἐν τῇ γῇ κατοικοῦντες ἄνθρωποι, ταχέως κατορθῶσαι τὰς προ[κει]μένας βουλόμενοι χρείας,
115 καθάπερ τισὶ πτεροῖς κεχρημένοι τοῖς πλοίοις τάχιστα [καὶ] μακρὰν ὁδὸν ἐξανύουσιν. **2 Ὁ ἀποστέλλων πρὸς πάντα τὰ ἔθνη ἐν θαλάσσῃ ὅμη(ρα καὶ ἐπιστολὰς) βυβλίνας ἐπάνω τοῦ ὕδατος.** Τὰς βυβλίνας « παπυρίνας » ὁ Σύμμα(χος κ)αὶ (ὁ Θεοδο)τίων ἡρμήνευσαν. Δηλοῖ δὲ τοὔνομα τὸν
120 χάρτην· ἀπὸ παπύρου γὰρ οὗτος κατα[σ]κευά[ζεται. Ὅ]μηρα δὲ τοὺς πρέσβεις ἐκάλεσε τοὺς ἀποσταλέντας πρὸς Αἰγυπτ[ίους καὶ Αἰθίο]πας· οὕτω γὰρ ὁ Ἀκύλας· « ὁ ἀποστέλλων ἐν θαλάσσῃ πρεσβευτάς ».

Πορεύσον(ται γὰρ ἄγγελοι) κοῦφοι πρὸς ἔθνος μετέωρον
125 **καὶ ξένον, λαὸν χαλεπόν, οὗ ἐπέκεινα ἔθνος ἀνέλπι(στον καὶ κατα)πεπατημένον.** Τὸ ἀσθενὲς τῶν Αἰγυπτίων διὰ τούτων ᾐνίξατο. Χαλεπὸν μὲν [καὶ μετέωρον τοῦτο] τὸ ἔθνος ἐκάλεσε τὴν κατὰ τῶν ὑπηκόων σημαίνων βαρύτητα, ἀνέλπιστον δὲ ὡ[ς μηδεμίαν] ἐλπίδα σωτηρίας τοῖς κατα-
130 φεύγουσι παρέχειν δυνάμενον· τὸ δὲ καταπεπατημένον [σημαίνει τὸ εὐχεί]ρωτον καὶ εὐάλωτον. Τοῦτο γὰρ διὰ τῶν ἐπαγομένων δεδήλωκεν· **Οὗ δι(ήρπασαν οἱ ποταμοὶ)** |124 b| **τῆς γῆς 3 πάντες.** Ποταμοὺς τῆς γῆς τοὺς βασιλέας καλεῖ τοὺς διαφόρως ἐκείνων περιγενομένους. Καὶ γὰρ Ναβουχο-
135 δονόσορ αὐτοὺς κατέλυσε, καὶ μετὰ ταῦτα Καμβύσης καὶ ἕτεροι Περσῶν βασιλεῖς καὶ μέντοι καὶ Μακεδόνες αὐτοὺς

1. C'est la version d'Aquila qui permet ici à Théodoret — de manière un peu surprenante, car le rapport entre les deux versions n'est pas évident — d'interpréter son texte. La variante est confirmée par Eusèbe qui donne également celle de Symmaque (ἀποστόλους : *GCS* 119, 25).

Contre les auxiliaires de Damas : l'Égypte et l'Éthiopie

18, 1. *Malheur aux ailes des navires de la terre qui est au-delà des fleuves d'Éthiopie.* Comme le roi de Damas craignait l'attaque des ennemis, il appela à son secours l'Égypte et l'Éthiopie ; et, comme il voulait l'obtenir rapidement, il envoya par mer ses ambassadeurs. Or il a appelé « ailes » les navires, puisque précisément les habitants de la terre ferme, qui veulent faire aboutir rapidement ce dont ils ont un besoin immédiat, utilisent les navires en guise d'ailes, pourrait-on dire, pour couvrir avec une extrême rapidité même une grande distance. 2. *Toi qui envoies à toutes les nations, sur mer, des otages et des lettres de Byblos au-dessus de l'eau.* Symmaque et Théodotion ont traduit « (lettres) de Byblos » par « (lettres) en fibres de papyrus ». Or, ce terme désigne clairement la feuille de papier, puisqu'on la fabrique à partir du papyrus. D'autre part, il a appelé « otages » les ambassadeurs envoyés aux Égyptiens et aux Éthiopiens; telle est, en effet, la version d'Aquila : « Toi qui envoies des ambassadeurs sur la mer[1]. »

Car des messagers légers s'avanceront vers une nation pleine de hauteur et étrangère, un peuple dur, et, par-delà, vers une nation sans espoir et foulée aux pieds. Il a fait allusion par là à la faiblesse de l'Égypte. Il a appelé cette nation « dure et pleine de hauteur » pour signifier l'oppression où elle tenait ses sujets et « sans espoir », parce qu'elle ne pouvait fournir aucun espoir de salut à ceux qui s'(y) réfugiaient ; quant à l'expression « foulée aux pieds », elle signifie qu'il était facile de la soumettre et de s'en emparer. C'est ce qu'il a fait voir par ce qui suit : *Là où tous les fleuves de la terre* 3. *ont exercé le pillage.* Il appelle « fleuve de la terre » les rois qui à diverses reprises se sont rendus maîtres d'eux. De fait, Nabuchodonosor les a ruinés ; ensuite, ce furent Cambyse ainsi que d'autres rois de Perse, et naturellement aussi les Macédoniens qui

δουλεύειν ἠνάγκασαν. **Ὡς χώρα κατοικουμένη κατοικηθήσεται ἡ χώρα αὐτῶν, ὡσεὶ σημεῖον ἀπὸ ὄρους ἀρθῇ, ὡς σάλπιγγος φωνὴ ἀκουστὸν ἔσται.** Οὐκέτι φησὶ βασιλευθή-
140 σονται ἀλλὰ τοῖς ἄλλοις ἔθνεσι παραπλησίως δουλεύσουσιν. Καὶ ἔσται αὐτῶν ἐπίσημος ἡ δουλεία ὡς σημεῖον ἐφ' ὑψηλοῦ ὄρους αἰρόμενον καὶ ὡς διὰ σάλπιγγος πάντοσε ἐκκηρυττομένη.

Ταῦτα μὲν οὖν τῇ Δαμασκῷ καὶ τοῖς ἐκείνης ἐπικούροις
145 γενήσεται, ἡ δὲ Ἱερουσαλὴμ τῆς παρ' ἐμοῦ τεύξεται προμηθείας. [4] **Ἀσφάλεια** γάρ φησιν **ἔσται ἐν τῇ ἐμῇ πόλει ὡς φῶς καύματος μεσημβρίας καὶ ὡς νεφέλη δρόσου ἐν ἡμέρᾳ ἀμήτου.** Ἀπεικάζει καύματι μὲν καὶ ἀμήτῳ τῶν ἄλλων τὰς συμφοράς, φωτὶ δὲ καὶ δρόσῳ τὴν πρόνοιαν, ἧς ἡ Ἱερουσαλὴμ
150 τετύχηκεν. Πρὸ γὰρ τῶν ταύτης περιβόλων αἱ πολλαὶ τῶν Ἀσσυρίων ἔπεσον μυριάδες.

Εἶτα προλέγει τῆς Δαμασκοῦ καὶ τῶν δέκα φυλῶν τὰς παντοδαπὰς συμφοράς · [5] **Ὅταν συντελεσθῇ ἄνθος καὶ ὄμφαξ ἀνθήσῃ τὸ ἄνθος ὀμφακίζον, καὶ ἀφελεῖ τὰ βοτρύδια**
155 **τὰ μικρὰ τοῖς δρεπάνοις καὶ τὰς κληματίδας ἀφελεῖ καὶ ἀποκόψει** [6] **καὶ καταλείψει ἅμα τοῖς πετεινοῖς τοῦ οὐρανοῦ καὶ τοῖς θηρίοις τῆς γῆς.** Δυσμενῶν ὑπέδειξε τρύγητον · οὐδεὶς <γὰρ> οἰκείαν τρυγῶν ἄμπελον ἀνθοῦντας ἔτι τοὺς βότρυας ἢ ὀμφακίζοντας ἀλλὰ πεπείρους τρυγᾷ οὔτε μὴν
160 σὺν τοῖς βότρυσι καὶ τὰ κλήματα ἐκτέμνει. Τροπικῶς τοίνυν τὰ ὑπὸ τῶν πολεμίων ἐσόμενα προλέγει καὶ καλεῖ κλήματα μὲν τοὺς γεγεννηκότας, βοτρύδια δὲ μικρὰ τὰ

C : 160-165 τροπικῶς — δεδήλωκεν

142 πάντοσε Mö. : παντὸς K διὰ παντὸς Sch. || 144 ἐπικούροις Mö. : ἐπικουρίοις K

1. Nabuchodonosor, alors prince héritier, triomphe du pharaon Néchao en 605 à Karkémish. Cambyse (529-522), fils de Cyrus, fait la conquête de l'Égypte qui restera sous la domination perse jusqu'aux environ de 400 ; elle se libère alors de l'autorité d'Artaxerxès II Mnémon (404-358), mais son successeur Artaxerxès III Ochos

les ont contraints à l'esclavage[1]. *Comme une région habitée, leur région sera habitée, comme lorsqu'un signal est levé sur une montagne; comme le son d'une trompette, on l'entendra.* Ils ne se gouverneront plus souverainement, dit-il, mais presque comme les autres nations ils subiront l'esclavage. Et leur esclavage se remarquera comme un signal dressé sur une montagne élevée ; on le proclamera en tous lieux, comme si l'on usait d'une trompette.

Le sort des ennemis de Jérusalem

Voilà donc ce qui arrivera à Damas et à ses auxiliaires, tandis que Jérusalem obtiendra ma sollicitude. 4. *La sécurité*, dit-il, *sera dans ma cité comme la lumière de la chaleur ardente de midi et comme un nuage de rosée au jour de la moisson.* Il compare à la chaleur ardente et à la moisson les infortunes qu'ont subies les autres nations, mais à la lumière et à la rosée la providence qu'a obtenue Jérusalem. De fait, c'est devant ses murailles que sont tombées bien des myriades d'Assyriens.

Il prédit ensuite les divers malheurs éprouvés par Damas et par les dix tribus : 5. *Lorsque la fleur s'est ouverte et que le raisin vert a fait fleurir sa grappe verte, il enlèvera les petites grappes avec les serpes, il enlèvera les sarments, il les coupera* 6. *et les laissera à la fois aux oiseaux du ciel et aux bêtes de la terre.* Il a fait entrevoir une vendange opérée par les ennemis : personne, en effet, ne vendange une vigne qui lui appartient en propre en vendangeant les grappes qui sont encore en fleur ou celles qui sont encore vertes : il le fait pour les grappes mûres et se garde de couper les sarments avec les grappes. Il prédit donc de manière figurée les actes qu'accompliront les ennemis ; il appelle « sarments » les parents qui ont

entreprend la reconquête en 342. Alexandre entre en Égypte en 332 et fonde Alexandrie (331).

ἐκείνων βρέφη, δρέπανα δὲ τὰ πολεμικὰ ὄργανα, τὰ δὲ καταλιμπανόμενα οἰωνοῖς καὶ θηρίοις τοὺς πίπτοντας
165 νεκρούς. Τοῦτο γὰρ διὰ τῶν ἐπαγομένων δεδήλωκεν · **Καὶ συναχθήσεται ἐπ' αὐτοὺς πάντα τὰ πετεινὰ τοῦ οὐρανοῦ καὶ τὰ θηρία τῆς γῆς ἐπ' αὐτοὺς ἥξει.**

Οὕτω τῆς Δαμασκοῦ καὶ τῶν δέκα φυλῶν τὸν ὄλεθρον ἐπιδείξας εἰς τὴν Ἱερουσαλὴμ τὴν προφητείαν μετέθηκεν ·
170 [7] **Ἐν τῷ καιρῷ ἐκείνῳ ἀνενεχθήσεται δῶρα κυρίῳ Σαβαὼθ ἐκ λαοῦ τεθλιμμένου καὶ τετιλμένου καὶ ἀπὸ λαοῦ μεγάλου ἀπὸ τοῦ νῦν καὶ εἰς τὸν αἰῶνα χρόνον.** Λαὸν τεθλιμμένον καὶ τετιλμένον τὸν τῆς Ἱερουσαλὴμ λέγει · αὕτη μὲν γὰρ ἐν ἀγῶνι διῆγε καὶ δέει, αἱ [δὲ] ὑπ' αὐτὴν ἑάλωσαν πόλεις,
175 ὅθεν αὐτῇ καὶ τὸ τετιλμένον ἁρμόζει. Λαὸν δὲ μέγαν τὸν Χριστιανικὸν καλεῖ, οὗ πᾶσα πλήρης ἡ οἰκουμένη · οὗτος γὰρ εἰς τὸν αἰῶνα χρόνον δῶρα κυρίῳ προσφέρει καὶ τὴν τοῦ Σεναχηρὶμ παράδοξον κατάλυσιν ἐν ταῖς ἐκκλησίαις ἀκούων ὕμνοις τὸν δυνατὸν καὶ φιλάνθρωπον δεσπότην
180 ἀμείβεται.

Ἔθνος ἐλπίζον καὶ καταπεπατημένον, ὅ ἐστιν ἐν μέρει ποταμοῦ τῆς χώρας αὐτοῦ, εἰς ⟨τὸν⟩ τόπον, οὗ τὸ ὄνομα κυρίου Σαβαὼθ ἐπικέκληται, ὄρους Σιών. Τοῦτο σαφέστερον ὁ Σύμμαχος ἡρμήνευσεν « Ἔθνος [ἐλ]πίζον καὶ διηρπασ-
185 μένον, οὗ διήρπασαν οἱ ποταμοὶ τὴν γῆν. » Καλεῖ δὲ ποταμοὺς τῶν Ἀσσυρίων τοὺς βασιλέας [τοὺς π]ολεμίους, διηρπασμένον δὲ ἔθνος καὶ ἐλπίζον τὸν ἐν Ἱεροσολύμοις λαόν. Εὐσεβείᾳ γὰρ κοσμούμενος τούτων (ὁ) βασιλεύς, ὁ θαυμάσιος Ἐζεκίας, εἰς τὴν εὐθεῖαν αὐτοὺς ὁδὸν ἐποδήγησεν. Οὗτοί
190 φησι τὰ κατὰ τῶν (Ἀσσυ)ρίων γεγενημένα θεασάμενοι

C : 185-192 καλεῖ — προσφέροντες

175 τετιλμένον Mö. : τετολμημένον K ‖ 186 τοὺς πολεμίους K : > C

1. Ce n'est pas l'interprétation de Cyrille qui entend la prophétie de la conversion de l'Égypte : le terme « épilé » (τετιλμένου) traduit, selon lui, l'arrachement de l'Égypte à l'erreur, comme le fait bien

donné la vie, « petites grappes » leurs nouveau-nés, « serpes » les machines de guerre ennemies et « ce qui est laissé aux oiseaux et aux bêtes » les cadavres qui gisent sur le sol. C'est ce qu'il a fait voir par ce qui suit : *Et se rassembleront sur eux tous les oiseaux du ciel et toutes les bêtes de la terre viendront sur eux.*

Le salut de Jérusalem

C'est en ces termes qu'il a montré la ruine de Damas et des dix tribus, avant de déplacer sa prophétie sur Jérusalem : 7. *En ce temps-là, on apportera des présents au Seigneur Sabaoth de la part du peuple accablé et épilé, de celle du grand peuple dès maintenant et pour l'éternité.* Par « peuple accablé et épilé », il veut parler du peuple de Jérusalem[1] : cette cité a passé son temps à lutter et à craindre, et les villes qui lui étaient sujettes ont été prises, ce qui fait que le terme « épilé » lui convient également. D'autre part, il appelle « grand peuple » le peuple chrétien dont le monde entier est rempli : c'est lui qui, pour l'éternité, offre au Seigneur des présents ; qui, lorsqu'il entend parler dans les églises de la ruine extraordinaire de Sennachérim, répond par des hymnes au Maître de puissance et de bonté[2].

Nation qui espère et qui est foulée aux pieds, qui est dans la partie du fleuve de sa région, vers le lieu où le nom du Seigneur Sabaoth est invoqué, sur le mont Sion. Symmaque a traduit plus clairement ce passage : « Nation qui espère et qui a été dévastée, dont les fleuves ont dévasté la terre. » Or, il appelle « fleuves » les rois ennemis d'Assyrie, et « nation dévastée et qui espère », le peuple de Jérusalem. Car leur roi dont la piété était la parure, l'admirable Ézéchias, les a guidés sur le droit chemin. Parce qu'ils ont vu, dit-il, les événements qui se sont produits contre

comprendre sa comparaison avec une plante déracinée pour être transplantée.

2. Il se peut que ce récit biblique ait fait partie des lectures liturgiques familières aux fidèles.

ἑορτὴν μεγίστην ἐπιτελέσουσι, θυσίας καὶ δῶρα τῷ σωτῆρι (προσ)φέροντες.

[Οὕτω] συμπεράνας τὰ κατὰ τῆς Δαμασκοῦ καὶ τῶν δέκα φυλῶν προηγορευμένα καὶ δείξας τῆς Ἱερουσαλὴμ
195 [τὴν] πα[ρά]δοξον σωτηρίαν, ἐπὶ τὴν Αἴγυπτον μεταφέρει τὴν προφητείαν. Ἐπειδὴ πρὸς τούτους κατέ[πεμψεν] ὁ τῆς Δαμασκοῦ βασιλεύς, μάλα εἰκότως καὶ τὰ περὶ τούτων προλέγει καὶ τὴν τῆς βα[σιλεί]ας αὐτῶν προαγορεύων κατάλυσιν καὶ τὴν τῆς ἀσεβείας ἀπαλλαγήν · **19[1] Ἰδοὺ κύριος**
200 **(κάθηται ἐπὶ) νεφέλης κούφης καὶ ἥξει εἰς Αἴγυπτον.** Μαρτυρεῖ τῇ προφητείᾳ τῶν ἱερῶν εὐαγγελίων (ἡ ἱστορία) · τῷ γὰρ Ἰωσὴφ ἄγγελος παρηγγύησε τὴν Αἴγυπτον καταλαβεῖν σὺν τῷ παιδίῳ καὶ τῇ τούτου (μητρί). Νεφέλην τοίνυν κούφην τὴν ἀνθρωπείαν καλεῖ φύσιν, ἣν ὁ θεὸς
205 λόγος ἀνέλαβεν · γα[μικ]ὸν γὰρ ὑετὸν ἡ σύλληψις οὐκ ἐδέξατο.

Εἶτα διδάσκει τὴν τῆς δεσποτικῆς παρουσίας |125 a| ἐνέργειαν · **Καὶ σεισθήσεται τὰ χειροποίητα Αἰγύπτου ἀπὸ προσώπου αὐτοῦ.** Μαρτυρεῖ τῇ προρρήσει τὰ πράγματα ·
210 ἔσβεσται γὰρ αὐτῶν ἡ πολύθεος πλάνη, καὶ ὁ ἐπὶ τῆς νεφέλης τῆς κούφης καθήμενος ὑπ' αὐτῶν προσκυνεῖται. **Καὶ ἡ καρδία αὐτῶν ἡττηθήσεται ἐν αὐτοῖς.** Ἔστιν ἧττα καὶ νίκης ἀμείνων. Ταύτην καὶ ἐν τοῖς πρόσθεν εἰρημένοις καταδέξασθαι τοῖς ἔθνεσιν ὁ προφητικὸς παρηγγύησε
215 λόγος · « Γνῶτε » γὰρ ἔφη « ἔθνη καὶ ἡττᾶσθε. » Καὶ ἐνταῦθα τοίνυν διδάσκει ὅτι οἱ πάλαι ἀντιλέγοντες καὶ ἀντικρὺ λέγοντες · Οὐκ οἶδα τὸν κύριον, ἡττήθησαν καὶ βοῶσιν · Οἶδα τὸν κύριον.

[2] Ἐπεγερθήσονται Αἰγύπτιοι ἐπ' Αἰγυπτίους, καὶ πολε-
220 **μήσει ἄνθρωπος τὸν ἀδελφὸν αὐτοῦ καὶ ἄνθρωπος τὸν**

C : 201-203 μαρτυρεῖ — μητρί ‖ 209-211 μαρτυρεῖ — προσκυνεῖται ‖ 212-215 ἔστιν — ἡττᾶσθε

196 τούτους Mö. : τούτοις K ‖ 201 τῶν ἱερῶν εὐαγγελίων/ἡ ἱστορία K : ∾ C ‖ 212 καὶ² K : > C ‖ 215 ἔφη K : > C

215 Is. 8, 9

les Assyriens, ils célébreront une grande fête en présentant au Sauveur des sacrifices et des présents.

Contre l'Égypte : sa ruine et celle de l'impiété

Il a ainsi achevé les oracles (dirigés) contre Damas et contre les dix tribus et montré le salut extraordinaire de Jérusalem. Il en vient ensuite, dans sa prophétie, à l'Égypte. Puisque le roi de Damas a envoyé des messagers aux gens d'Égypte, il est très naturel qu'il prédise aussi les événements qui les concernent : il annonce la ruine de leur royaume et leur délivrance de l'impiété : **19,** 1. *Voici que le Seigneur est assis sur un léger nuage et qu'il arrivera en Égypte.* Le récit des saints Évangiles confirme la prophétie : un ange invita Joseph à gagner l'Égypte avec l'enfant et sa mère. Il appelle donc « léger nuage » la nature humaine que le Dieu-Verbe a assumée, puisque sa conception n'a pas reçu la pluie du mariage[1].

Puis il enseigne l'efficacité de la venue du Maître : *Et les idoles d'Égypte seront ébranlées devant sa face.* Les faits confirment la prophétie : l'erreur du polythéisme qui était la leur s'est éteinte et ils adorent celui qui est assis sur un léger nuage. *Et leur cœur sera vaincu en leur poitrine.* Mieux vaut défaite que victoire ! Dans un passage précédent, le texte prophétique a déjà invité les nations à accueillir cette défaite : « Apprenez, nations, a-t-il dit, et soyez vaincues. » Dans ce passage également, il enseigne donc que ceux qui marquaient autrefois leur refus et disaient ouvertement : « Je ne connais pas le Seigneur » ont été vaincus et s'écrient : « Je connais le Seigneur. »

2. *Les Égyptiens seront excités contre les Égyptiens ; on combattra, l'un contre son frère, l'autre contre un voisin ;*

1. Cette interprétation est celle de la plupart des exégètes, cf. Introd., t. I, p. 30, n. 1.

πλησίον αὐτοῦ· πόλις ἐπὶ πόλιν καὶ νομὸς ἐπὶ νομόν. [3] Καὶ ταραχθήσεται τὸ πνεῦμα τῶν Αἰγυπτίων ἐν αὐτοῖς, καὶ τὴν βουλὴν αὐτῶν διασκεδάσω. Τοῦτο καὶ ὁ κύριος ἐν τοῖς ἱεροῖς προηγόρευσεν εὐαγγελίοις· « Ὅτι οὐκ ἦλθον βαλεῖν
225 εἰρήνην εἰς τὸν κόσμον ἀλλὰ μάχαιραν, διχάσαι ἄνθρωπον ἀπὸ τοῦ πλησίον αὐτοῦ, υἱὸν ἀπὸ τοῦ πατρὸς αὐτοῦ, θυγατέρα ἀπὸ τῆς μητρὸς αὐτῆς, νύμφην ἀπὸ τῆς πενθερᾶς αὐτῆς. » Τὴν γὰρ τῆς ἀσεβείας ὁμόνοιαν διελὼν δι' αὐτῶν τῶν τῆς ἀσεβείας τροφίμων ἐκήρυξε τὴν ἀλήθειαν· καὶ τὴν βλαβερὰν
230 διασκεδάσας ὁμόνοιαν τὴν ὀνησιφόρον ὁμοφροσύνην εἰσήγαγε καὶ ἀντέταξε τοῖς δυσσεβέσι τοὺς εὐσεβεῖς, τῷ νόμῳ τῆς ἀπιστίας τὸν νόμον τῆς πίστεως. **Καὶ ἐπερωτήσουσι τοὺς θεοὺς αὐτῶν καὶ τὰ ἀγάλματα αὐτῶν καὶ τοὺς ἐκ τῆς γῆς φωνοῦντας καὶ τοὺς ἐγγαστριμύθους.** Οἱ δὲ ἀπιστοῦντές
235 φησι τὰ μαντεῖα περινοστήσουσι καὶ νεκυίαις χρήσονται καὶ στερνομάντεις καλοῦσι, μηχανάς τινας κατὰ τῆς εὐσεβείας ἐπιζητοῦντες.

Ἐγὼ δὲ καὶ ἄλλως αὐτῶν καταμαλάξω τὸ ἀπειθές· [4] **Παραδώσω** γάρ φησιν **Αἴγυπτον εἰς χεῖρας ἀνθρώπων κυρίων**
240 **σκληρῶν, καὶ βασιλεῖς σκληροὶ κυριεύσουσιν αὐτῶν.** Τὴν Ῥωμαϊκὴν βασιλείαν διὰ τούτων ᾐνίξατο. Ταύτην γὰρ καὶ ἡ τοῦ Δανιὴλ προφητεία σίδηρον ἀπεκάλεσεν· ἐκείνῳ γάρ φησι παραπλησίως « λεπτυνεῖ πάντα καὶ δαμάσει ». Ἁρμοδίως δὲ καὶ ταύτην τὴν προφητείαν τῇ περὶ τοῦ κυρίου
245 συνῆψε προρρήσει. Αὐγούστου γὰρ βασιλεύοντος ὁ παρ-

C : 223-232 τοῦτο — πίστεως ‖ 234-237 οἱ — ἐπιζητοῦντες ‖ 240-243 τὴν — δαμάσει

224 προηγόρευσεν εὐαγγελίοις K : εὐαγγελίοις ἔλεγεν C ‖ 225 εἰς τὸν κόσμον K : ἐπὶ τὴν γῆν C ‖ 230 διασκεδάσας K : διεσκέδασεν C ‖ 236 καλοῦσι K : καλέσουσι C ‖ 243 φησι παραπλησίως K : ∾ C

224 Matth. 10, 34.35 243 Dan. 2, 40

---

1. Ne faut-il pas lire νόμος (la loi) au lieu de νομός (le nome, i. e. le district) ? Le commentaire de Théodoret qui oppose « la loi de l'incrédulité » à « la loi de la foi » semblerait justifier cette correction. Pourtant, Eusèbe dans son commentaire (*GCS* 126, 4-11)

ville contre ville, et nome contre nome[1]. 3. *Et l'esprit des Égyptiens se troublera en eux et je briserai leur dessein.* Voilà ce que le Seigneur à son tour a annoncé dans les saints Évangiles : « Je ne suis pas venu apporter la paix dans l'univers, mais le glaive, pour séparer l'homme de son voisin, le fils de son père, la fille de sa mère, la bru de sa belle-mère. » Il a rompu l'unanimité que faisait l'impiété, il a proclamé la vérité ; il a brisé la funeste unanimité pour la remplacer par la bienfaisante union des cœurs ; il a opposé les gens pieux aux impies, à la loi de l'incrédulité la loi de la foi. *Et ils interrogeront leurs dieux et leurs statues, ceux dont la voix vient de terre et les ventriloques.* Les incrédules feront, dit-il, le tour de leurs oracles ; ils auront recours aux évocations de morts et feront appel à des devins ventriloques dans leur recherche d'artifices contre la piété.

Mais moi, je ferai encore d'une autre manière mollir leur refus d'obéir : 4. *Je livrerai*, dit-il, *l'Égypte aux mains de souverains durs ; des rois durs régneront sur eux.* Il a fait allusion par là à l'Empire romain. C'est lui que la prophétie de Daniel également a appelé « fer »[2] : comme le fer, dit-il, « il écrasera et domptera tout ». Il a rattaché aussi avec justesse cette prophétie à la prédiction qui concerne le Seigneur. De fait, c'est sous le règne d'Auguste qu'eut

joue, comme peut le faire ici Théodoret, sur l'homonymie des termes, à cette réserve près qu'Eusèbe ne le fait qu'après avoir défini la réalité égyptienne de « nome » (cf. HÉRODOTE II, 166), i. e. cette espèce d'unité administrative formée par une cité, son territoire et ses bourgs (cf. CYRILLE 70, 456 B). S'il faut conserver le texte de notre manuscrit, il reste tout de même surprenant que Théodoret, d'ordinaire si soucieux du commentaire littéral, joue sur le mot νομός sans l'avoir au préalable défini et sans faire la moindre allusion à la réalité qu'il recouvre.

2. Cf. *In Dan.*, 81, 1297 AB : dans cette même symbolique, l'or désigne l'empire assyro-babylonien ; l'argent, l'empire médo-perse et l'airain, le règne des Macédoniens.

θενικὸς ἐγένετο τόκος. Αὔγουστος δὲ τὴν Αἰγυπτίων βασιλείαν παντελῶς καταλύσας ὑπάρχοις βασιλείας παρέδωκεν.

Τάδε λέγει κύριος Σαβαώθ· [5]καὶ πίονται Αἰγύπτιοι ὕδωρ τὸ παραθαλάσσιον, ὁ δὲ ποταμὸς ἐκλείψει καὶ ξηραν-
250 **θήσεται.** Προεῖπεν ὁ προφήτης ἐν τοῖς ἔμπροσθεν εἰρημένοις· « Ὅτι πληρωθήσεται ἡ σύμπασα γῆ τοῦ γνῶναι τὸν κύριον, ὡς ὕδωρ πολὺ κατακαλύψει θαλάσσας. » Τοῦτό φησι τὸ ὕδωρ μεταβαλεῖ καὶ τὴν Αἴγυπτον καὶ τοῦτο αὐτοῖς ἔσται πότιμον μόνον· ὃ δὲ πρότερον ἔπινον, τουτέστι τῆς πολυθέου
255 πλάνης τὰ νάματα, ἄποτον ἔσται. Ποταμὸν γὰρ καλεῖ τὴν πλάνην, διώρυγας δὲ τὰς πολυσχεδεῖς αὐτῆς ἀτραπούς. Τοῦτο γὰρ ἐπήγαγεν· **[6]Καὶ ἐκλείψουσιν οἱ ποταμοὶ καὶ αἱ διώρυγες τοῦ ποταμοῦ, καὶ ξηρανθήσεται πᾶσα συναγωγὴ ὕδατος καὶ πᾶν ἕλος καλάμου καὶ παπύρου. [7]Καὶ τὸ ἄχι**
260 **τὸ χλωρὸν πᾶν τὸ κύκλῳ τοῦ ποταμοῦ καὶ πᾶν τὸ σπειρόμενον διὰ τοῦ ποταμοῦ ξηρανθήσεται ἐν ἀνεμοφθορίᾳ.** Μάλα εἰκότως τὴν ἀσέβειαν καλάμῳ καὶ παπύρῳ καὶ χιλῷ ἀπεικάζει χλωρῷ. Ἄκαρπος γὰρ ἡ πλάνη, ἀνε(μό)φθορα δὲ καὶ τὰ διὰ ταύτης σπειρόμενα κέκληκεν. Ἡ γὰρ τῶν εἰδώλων
265 προσκύνησις οὐδεμίαν (μὲν ἀ)γαθῶν μετουσίαν, κακῶν δὲ φορὰν τοῖς ἀνθρώποις προσφέρει.

[8]Καὶ στενάξουσιν οἱ ἁλιεῖς (καὶ στενάξουσι) πάντες οἱ βάλλοντες ἄγκιστρον εἰς τὸν ποταμόν, καὶ οἱ βάλλοντες σαγήνας καὶ ἀ(μφιβολεῖς) πενθήσουσιν. Ἀμφιβολεῖς καὶ
270 ἁλιέας καὶ ἀγκιστροθηρευτὰς τοὺς τῶν εἰδώλων ἱ(ερέας καλεῖ). Οὗτοι γὰρ παυσαμένης τῆς πλάνης ἔστενον καὶ

C : 250-256 προεῖπεν — ἀτραπούς ‖ 261-266 μάλα — προσφέρει ‖ 269-272 ἀμφιβολεῖς² — ἀφορμάς

252 κατακαλύψει K : κατακαλύψαι C ‖ 254 μόνον K : > C ‖ 264 τὰ διὰ ταύτης K : ταῦτα C ‖ 266 φορὰν K : φθορὰν C

251 Is. 11, 9

1. Cf. *supra*, p. 58, n. 3.
2. Cf. *supra*, p. 58, n. 1.
3. Pour Eusèbe (*GCS* 129, 6-20), ces termes désignent les philo-

lieu l'enfantement de la Vierge. Or, Auguste mit définitivement fin au royaume d'Égypte et le remit à des préfets[1].

Voilà ce que dit le Seigneur Sabaoth: 5. *les Égyptiens boiront l'eau du bord de mer, le fleuve tarira et s'asséchera.* Le prophète a fait plus haut cette prédiction : « Parce que toute la terre sera remplie de la connaissance du Seigneur ; comme une eau abondante, elle recouvrira les mers. » Cette eau, dit-il, transformera aussi l'Égypte et sera seule potable pour ses habitants ; en revanche, l'eau qu'ils buvaient auparavant — c'est-à-dire les flots de l'erreur polythéiste — ne sera pas potable. Il appelle en effet « fleuve » l'erreur (de l'idolâtrie) et « canaux » ses multiples sentiers[2]. Voici en effet ce qu'il a ajouté : 6. *Les fleuves tariront ainsi que les canaux du fleuve; tout amas d'eau s'asséchera ainsi que tout marais de roseau et de papyrus.* 7. *Et tout lieu planté de carex verdoyant aux alentours du fleuve et toute semaille que permet le fleuve s'assécheront sous l'effet des ravages du vent.* Il est très naturel qu'il compare l'impiété au roseau, au papyrus et à l'herbe verte : car l'erreur est stérile ; il a également appelé « ravagées par le vent » les semailles qu'elle fait, parce que l'adoration des idoles ne procure aucunement à l'homme la possession des biens, mais l'abondance des maux.

8. *Les pêcheurs de la mer gémiront et gémiront tous ceux qui jettent l'hameçon dans le fleuve; ceux qui jettent des seines et ceux qui pêchent au filet pleureront.* Il appelle « pêcheurs au filet, pêcheurs de la mer et pêcheurs à l'hameçon » les prêtres des idoles[3]. Lorsque l'erreur eut cessé, ils se lamentaient et se plaignaient, parce qu'ils étaient

sophes égyptiens, les maîtres de l'erreur, à qui il oppose les pêcheurs d'hommes de l'Évangile. CYRILLE, après une interprétation littérale (τὸ ἐκ τῆς ἱστορίας) propose une interprétation figurée (ἰσχνοτέρων ἐννοιῶν εἰς βάθυς) voisine : « l'eau », c'est l'enseignement plein de sornettes et dénué de sens dispensé par les philosophes grecs ; « les poissons », la foule des hommes ; « les pêcheurs », ceux qui savent séduire le vulgaire et l'entraîner à l'erreur (70, 460 BC).

ὠλοφύροντο τὰς τῆς εὐπορίας οὐκ ἔχοντ(ες ἀφορμάς). Ἐξαπατῶντες γὰρ τὰ πλήθη καὶ οἱονεὶ σαγηνεύοντες, εἰς ἑαυτοὺς τὸν ἐκείνων μετέφερον πλο[ῦτον].

275 **[9] (Καὶ) αἰσχύνη λήψεται τοὺς ἐργαζομένους τὸ λίνον τὸ σχιστὸν καὶ τοὺς ἐργαζομένους τὴν βύσσον, [10] (καὶ ἔσονται) οἱ ἐργαζόμενοι αὐτὰ ἐν ὀδύνῃ.** Τῶν καλουμένων φιλοσόφων τὴν ἐν λόγοις λεπτουργίαν (διὰ τούτων) αἰνίττεται · καὶ γὰρ οὗτοι διὰ τῆς εὐγλωττίας τῇ πλάνῃ συνήργουν. Διάφορα 280 δὲ καὶ το(ύτων τὰ δόγματα) · διὸ σχιστὸν τὸ λίνον ἐκάλεσεν. Αἰσχύνονται δὲ καὶ οὗτοι τῆς τῶν δογμάτων δυσσεβ(είας) |125 b| ἐλεγχομένης καὶ ἀνιῶνται καταγωνίζεσθαι τὴν ἀλήθειαν οὐκ ἰσχύοντες. **Καὶ πάντες οἱ ποιοῦντες τὸν ζῦθον λυπηθήσονται καὶ τὰς ψυχὰς πονήσουσιν.** Πόμα ἐστὶν ὁ 285 ζῦθος ἐπινενοημένον, οὐ φυσικόν · καὶ αὐτὸ δὲ ὀξῶδές τε καὶ δυσῶδες καὶ βλάβην, οὐκ ὄνησιν ἐργαζόμενον. Τοιαῦτα δὲ καὶ τῆς ἀσεβείας τὰ δόγματα, οὐκ οἴνῳ προσεοικότα τῷ « εὐφραίνοντι καρδίαν ἀνθρώπου ».

Εἶτα διδάσκει ὡς καὶ τῆς Τάνεως οἱ ἄρχοντες — πόλις 290 δὲ αὕτη πάλαι βασιλεύσασα τῆς Αἰγύπτου — ἀνοηταίνοντες αἰσχυνθήσονται καὶ μηχανὴν οὐδεμίαν εἰσενεγκεῖν κατὰ τῶν τῆς εὐσεβείας κηρύκων δυνήσονται. Ἔπειτα τὸ ἀλαζονικὸν αὐτῶν διελέγχει φρόνημα · **[11] Πῶς ἐρεῖτε τῷ βασιλεῖ · Υἱοὶ συνετῶν ἡμεῖς, υἱοὶ βασιλέων τῶν ἐξ ἀρχῆς ; [12] Ποῦ 295 εἰσιν οἱ σοφοί σου ; Καὶ ἀναγγειλάτωσάν σοι καὶ εἰπάτωσάν σοι, τί βούλεται κύριος Σαβαὼθ ἐπ' Αἴγυπτον.** Οὔτε

C : 277-283 τῶν — ἰσχύοντες || 296-298 οὔτε — δυνήσονται

282 καταγωνίζεσθαι K : καταγωνίσασθαι C

288 Ps. 103, 15

---

1. Dans la *Thérap.*, Théodoret ne se prive pas de montrer les contradictions des philosophes ; même un Socrate ou un Platon ne trouvent pas entièrement grâce à ses yeux (*op. cit.*, I, 49 ; 96-99 ; II, 8-11 ; III, 54-58 ; IV ; V, 9 s. ; VII, 6 ; etc.). Eusèbe entend par « lin et coton » les beaux discours tenus par les philosophes pour

privés des sources de leur abondance. De fait, c'est en trompant les foules et en les prenant pour ainsi dire avec des seines, qu'ils faisaient passer dans leur bourse la richesse qu'elles possédaient.

9. *La honte saisira ceux qui travaillent le lin peigné et ceux qui travaillent le coton;* 10. *ceux qui les travaillent seront dans la douleur.* Il fait allusion par là aux subtiles discussions de ceux qu'on appelle « philosophes » : leur facilité à parler faisaient d'eux les auxiliaires de l'erreur. Mais, étant donné la différence de leurs enseignements, il a appelé le lin « peigné »[1]. Voici qu'à leur tour ils rougissent de honte, tandis que l'on dénonce l'impiété de leurs enseignements et qu'ils s'affligent, parce qu'ils n'ont pas la force de lutter contre la vérité. *Tous ceux qui fabriquent la décoction d'orge seront dans le chagrin et seront accablés dans leur âme.* La décoction d'orge est une boisson qu'a imaginée l'homme : ce n'est pas une boisson naturelle ; elle ressemble au vinaigre, son odeur est fétide, elle est cause de dommage et non de profit. Tels sont aussi les enseignements de l'impiété, sans ressemblance avec le vin qui « réjouit le cœur de l'homme »[2].

Puis il enseigne qu'à leur tour les chefs de Tanis — c'est une cité qui régna jadis souverainement sur l'Égypte[3] — rougiront de honte à la vue de leur stupidité et ne pourront avancer aucune ruse contre les hérauts de la piété. Puis il dénonce la vanité de leur esprit : 11. *Comment irez-vous dire au roi: Nous sommes les fils de gens sensés, les fils des rois des origines?* 12. *Où sont-ils, tes sages? Qu'ils t'annoncent et qu'ils te disent la volonté du Seigneur Sabaoth*

cacher le mensonge qui les habite (*GCS* 129, 26-28) et CYRILLE voit dans « lin peigné » une manière de désigner leurs arguties (70, 460 C).

2. Cf. l'interprétation très proche de CYRILLE (70, 460 C).

3. Tanis (Soan), ville du Delta du Nil, fut capitale de l'Égypte sous la dynastie des Hyksos (1720-1560 environ), puis de nouveau à l'époque de la XXIe dynastie (1085-945) et de la XXIIIe, contemporaine du prophète Isaïe.

γὰρ ἀστρολόγοι οὔτε χρησμολόγοι διδάξαι σε τοῦ θεοῦ τὴν οἰκονομίαν δυνήσονται.

Πρὸς τούτοις προλέγει καὶ τὴν ἐσομένην τῶν Αἰγυπτίων
300 διαίρεσιν καὶ τὴν βασιλικὴν μετάστασιν · [13]**Ἐξέλιπον οἱ ἄρχοντες Τάνεως, καὶ ὑψώθησαν οἱ ἄρχοντες Μέμφεως, καὶ πλανῶσιν Αἴγυπτον κατὰ φυλάς.** [14]**Κύριος γὰρ ἐκέρασεν αὐτοῖς πνεῦμα πλανήσεως.** Ἡ ἀλήθεια οὐ πλανᾷ ἀλλὰ τοὺς ἀντικειμένους καὶ ἀντιλέγοντας ἀκυβερνήτους ἐᾷ. Ἐστερη-
305 μένοι δὲ οὗτοι τοῦ κυβερνῶντος εἰκότως πλανῶνται. Τοῦτο δὲ καὶ διὰ τῶν ἑξῆς δεδήλωκεν · **Καὶ ἐπλάνησεν Αἴγυπτον ἐν πᾶσι τοῖς ἔργοις αὐτῶν, ὡς πλανᾶται ὁ μεθύων καὶ ὁ ἐμῶν ἅμα.** Ἀντὶ τοῦ · εἴασεν αὐτοὺς ἀκυβερνήτους διὰ τὰ ἔργα αὐτῶν. Καὶ ὁ μεθύων δὲ γνώμῃ τὸ πάθος εἰσδέχεται.
310 Τὴν ὑπερβολὴν δὲ τῆς πλάνης δηλῶν ἀπείκασεν αὐτοὺς ἀκρατεῖ ἀνθρώπῳ πίνοντι κατὰ ταὐτὸν καὶ ἐμοῦντι, ὃν οὐδὲ ὁ ἐμετὸς τοῦ πίνειν ἀφίστησιν. Καὶ γὰρ οὗτοι πολλὰς συμφορὰς διὰ τὴν ἀσέβειαν ὑπομείναντες ἀσεβοῦντες ἐπὶ πλεῖστον διέμειναν, οἱ δὲ προειρημένοι ἄρχοντες τῆς ἐξα-
315 πάτης αἴτιοι διάφορα αὐτοὺς δυσσεβείας διδάσκοντες δόγματα. Οἱ μὲν γὰρ κύνα οἱ δὲ λέοντα οἱ δὲ πίθηκον ἐθεοποίουν καὶ οἱ μὲν λύκον οἱ δὲ πρόβατον, τὰ ἐναντία ἀλλήλοις. Διὰ τοῦτο ὁ προφητικὸς ἔφη λόγος · Καὶ πλανῶσιν Αἴγυπτον κατὰ φυλάς. Οὐ τοίνυν ὁ κύριος αὐτοὺς ἐπλάνησεν,
320 ἀλλ' οἱ τούτων διδάσκαλοι · ὁ δὲ κύριος τῆς ἀχαριστίας

C : 303-305 ἡ — πλανῶνται

297 γὰρ C : +οἱ K ‖ 304 ἀντικειμένους καὶ K : > C ‖ 315 αὐτοὺς Br. : αὐτοῖς K

---

1. Puisque Dieu est vérité, il ne saurait égarer ; sur cette remarque et sur les suivantes (6, 308-309.319-321), voir, t. I, p. 213, n. 1.

2. Énumération de plusieurs dieux égyptiens, qui se retrouve en partie plus loin (*In Is.*, 14, 393-394) ; cf. aussi *In Os.*, 81, 1596 A et *Thérap.* III, 85 ; VII, 16 ; X, 58. Comme le signale Théodoret in *Thérap.* III, 85, après Strabon (voir note de P. Canivet), le chien était notamment vénéré à Cynopolis, le lion à Léontopolis, le loup à Lycopolis. C'est sous la forme d'un dieu chien que les Égyptiens

sur l'Égypte. Ni les astrologues ni les diseurs d'oracles ne pourront t'enseigner l'économie de Dieu.

Il prédit en outre la division de l'Égypte et le changement de souverain : 13. *Les chefs de Tanis ont disparu, les chefs de Memphis se sont enflés d'orgueil, ils égarent l'Égypte tribu par tribu.* 14. *Car le Seigneur a mêlé à eux un esprit d'errance.* La vérité n'égare pas, mais elle laisse aller sans pilote les hommes qui (lui) sont hostiles et qui (la) refusent : privés de pilote, il est naturel qu'ils s'égarent[1]. Voilà ce qu'il a fait voir aussi par le passage suivant : *Et il a égaré l'Égypte dans toutes ses actions, comme s'égare un homme ivre tout en vomissant.* Ce qui revient à dire : il les a laissés sans pilote à cause de leurs actions. Déjà l'homme ivre introduit l'agitation dans son esprit ; mais, pour faire voir ce que l'erreur a d'excessif, il les a comparés à un homme intempérant qui boit et vomit en même temps, que même le vomissement ne détourne pas de l'acte de boire. De fait, bien qu'ils aient eux aussi supporté de nombreux malheurs à cause de (leur) impiété, ils ont continué à être impies au plus haut point. Pourtant, ce sont les chefs dont il a parlé plus haut qui furent les causes de l'erreur ; ils leur enseignaient divers principes d'impiété : les uns déifiaient un chien, les autres un lion, d'autres un singe, les uns un loup, d'autres un mouton, des êtres respectivement opposés[2]. C'est pourquoi le texte prophétique a déclaré : « Ils égarent l'Égypte tribu par tribu. » Ce n'est donc pas le Seigneur qui les a égarés, mais ce furent leurs maîtres : le Seigneur s'est résigné

représentaient Anubis associé au culte osirien, tout comme Oupouaout, maître d'Assiout, autre dieu chien. La déesse lionne Sekmet, associée au culte solaire de Rê est une déesse sanguinaire ; Khnoum, le dieu potier qui a modelé la création, est représenté comme un homme à tête de bélier (c'est parfois aussi le cas d'Amon) ; Sobek, le dieu crocodile qui règne sur le Fayoum est assimilé à Rê. Du reste, la plupart des animaux d'Égypte furent ici ou là tenus pour divins ou sacrés.

ἠνέσχετο. [15] **Καὶ οὐκ ἔσται τοῖς Αἰγυπτίοις ἔργον, ὃ ποιήσει κεφαλὴν καὶ οὐράν, ἀρχὴν καὶ τέλος.** Ἀτέλεστά φησιν αὐτῶν τὰ βουλεύματα ἔσται, καὶ σύγχυσις ἀρχόντων καὶ ἀρχομένων γενήσεται.

325 [16] **Ἐν τῇ ἡμέρᾳ ἐκείνῃ ἔσονται οἱ Αἰγύπτιοι ὡς γυναῖκες ἐν φόβῳ καὶ ἐν τρό(μῳ) ἀπὸ προσώπου τῆς χειρὸς κυρίου Σαβαὼθ ἣν αὐτὸς ἐπιβαλεῖ αὐτοῖς.** Χεῖρα κυρίου τὴν Ῥωμαϊκὴν ἐκάλεσε βασιλείαν, ἧς τὸ δέος τὸ τῶν Αἰγυπτίων κατέλυσε φρόνημα καὶ γυναιξὶν ἐοικότας ἀπέφηνεν. [17] **Καὶ**
330 **ἔσται ἡ χώρα τῶν Ἰουδαίων τοῖς Αἰγυπτίοις εἰς φόβητρον· πᾶς (ὃς ἐὰν) ὀνομάσῃ αὐτὴν αὐτοῖς, φοβηθήσονται διὰ τὴν βουλὴν ἣν βουλεύεται κύριος Σαβαὼθ ἐ(π' αὐτήν).** Τινές φασι τὰ κατὰ τὸν Σεναχηρὶμ διὰ τούτων σημαίνεσθαι καὶ ὡς τούτων πανταχοῦ μηνυθέντων [ἐφοβήθησαν τοὺ]ς Ἰουδαίους
335 οἱ Αἰγύπτιοι. Ἀλλ' οὐχ εὑρίσκω τοῦτο οὕτως ἔχον· ἐπεστράτευσαν μὲν γὰρ μετὰ τ[αῦτα κατὰ τ]ῶν Ἰουδαίων οἱ Αἰγύπτιοι καὶ τὸν Ἰώχας, τὸν τούτων βασιλέα, δορυάλωτον ἤγαγον καὶ .... τὸν Ἰωσίαν ἀνεῖλον καὶ φόβον τοῖς Ἰουδαίοις ἐπέβαλον. Οἶμαι [τοίνυν τὸν] προ-
340 [φήτην προλέγειν] ὡς τῆς πλάνης ἀπαλλαγέντες οἱ Αἰγύπτιοι καὶ τὸ ἀποστολικὸν δεξάμενοι κήρυγμα [φοβηθήσονται] τὴν

C : 322-324 ἀτέλεστα — γενήσεται || 327-329 χεῖρα — ἀπέφηνεν
323-324 καὶ ἀρχομένων K : > C
336-339 cf. IV Rois 23, 34.29 ; II Chr. 36, 4 ; 35, 20-24

---

1. Symbole de l'idolâtrie (*Thérap.* II, 51, 54), l'Égypte, par sa conversion, devient du même coup le symbole du salut des nations.
2. Même interprétation chez Eusèbe (*GCS* 132, 7-10) et chez Cyrille (70, 465 C).
3. L'histoire contredit l'interprétation vétéro-testamentaire que retiennent d'autres exégètes (cf. *In Is.*, 6, 355-357), sans doute Théodore de Mopsueste ; sur cet emploi de τινές, cf. Introd., t. I, p. 85.
4. Théodoret fait allusion à la campagne du pharaon Néchao (609-593), le fils de Psamétique Ier, qui entraîna la mort du roi Josias à Meguiddo (609) et la soumission de Juda à la suzeraineté égyptienne. Néchao se portait, en réalité, au secours du roi d'Assur

à leur ingratitude. 15. *Et il n'y aura pas pour les Égyptiens d'œuvre qui fasse une tête et une queue, un début et une fin.* Leurs desseins, dit-il, resteront inaccomplis ; il y aura confusion de ceux qui commandent et de ceux qui sont commandés.

La conversion de l'Égypte[1]

16. *En ce jour-là, les Égyptiens seront comme des femmes dans la crainte et dans le tremblement devant la main du Seigneur Sabaoth qu'il lèvera en personne sur eux.* Il a appelé « main du Seigneur » l'Empire romain[2] dont la crainte a mis fin à l'orgueil des Égyptiens et les a révélés semblables à des femmes. 17. *Et le territoire des Juifs deviendra pour les Égyptiens comme un épouvantail ; chaque fois qu'un homme le leur nommera, ils s'effraieront à cause du dessein qu'a formé le Seigneur Sabaoth contre l'Égypte.* D'aucuns disent[3] que ces mots désignent les événements de l'époque de Sennachérim et, qu'étant donné leur révélation en tous lieux, les Égyptiens eurent peur des Juifs. Mais, je ne trouve pas qu'il en soit ainsi : en effet, les Égyptiens après ces événements firent campagne contre les Juifs, emmenèrent comme prisonnier leur roi Joachaz, ... tuèrent Josias et inspirèrent de la crainte aux Juifs[4]. Je pense donc que le prophète prédit que les Égyptiens, après s'être éloignés de l'erreur et après avoir reçu le message des apôtres, seront dans

(cf. *infra*, p. 148, n. 1) et Josias semble avoir voulu s'opposer au passage des Égyptiens sur le territoire de l'ancien royaume d'Israël ; à moins que, comme on l'a proposé en se fondant sur *IV Rois* 23, 29, Néchao ait cité Josias à comparaître devant lui à Meguiddo et l'ait fait exécuter, jugeant peu sûre sa fidélité. Si tel était le cas, il serait tentant de combler la lacune par le participe μεταπέμψαντες ; mais la présentation des événements par Théodoret serait alors curieuse : la mort de Josias est antérieure à la déportation de Joachaz, son second fils et son successeur. Déposé après trois mois de règne, Joachaz mourra en Égypte et sera remplacé sur le trône de Juda par son frère aîné, Élyaqim, dont Néchao changea le nom en Joyaqim, pour bien souligner ainsi la vassalité du roi de Juda.

Ἰουδαίαν γῆν ὡς ἐν αὐτῇ καὶ γεννηθέντος τοῦ τῆς οἰκουμένης σωτῆρος καὶ τὸ σωτήριον [ὑπομείναντο]ς πάθος καὶ μέντοι καὶ ὡς ἁγιασθεῖσαν καὶ τῷ σταυρῷ καὶ τῷ τάφῳ καὶ τῷ
345 τῆς ἀντι......... [Τούτ]ου χάριν μέχρι καὶ τήμερον Αἰγύπτιοι μετὰ τῶν ἄλλων ἀνθρώπων εἰς ἐκείνην τὴν χώ[ραν συντρέχουσιν].

[18] **(Τ)ῇ ἡμέρᾳ ἐκείνῃ ἔσονται πέντε πόλεις ἐν Αἰγύπτῳ λαλοῦσαι τῇ γλώσσῃ τῇ Χανα(νίτιδι καὶ ὀμνύ)ουσαι τῷ**
350 **ὀνόματι κυρίου Σαβαώθ · Πόλις Ἀσεδὲκ κληθήσεται ἡ μία πόλις.** [Ἀσεδὲκ πόλις δικαιοσύνης] ἑρμηνεύεται · καὶ γὰρ ὁ Μελχισεδὲκ κατὰ τὸν θεῖον ἀπόστολον « βασιλεὺς δικαιοσύνης » |126 a| ὀνομάζεται. Χανανίτιδα δὲ γλῶσσαν τὴν Ἑβραΐδα λέγει, ἐπειδὴ τὴν Χαναναίαν εἰσῴκησαν οἱ Ἑβραῖοι.
355 Τινὲς δὲ ταῦτα ἔφασαν γεγενῆσθαι κατὰ τὸν τῶν Μακεδόνων καιρόν, ἀλλ' οὐ συμβαίνει τῇ προφητείᾳ ἡ ἑρμηνεία. Αἰγυπτίων γὰρ λέγει μεταβολήν, οὐχ Ἑβραίων ἀποικίαν προλέγει. Καὶ ταῦτα τοίνυν τετύχηκε πέρατος μετὰ τὴν τοῦ θεοῦ καὶ σωτῆρος ἡμῶν ἐπιφάνειαν. Τὰς δὲ πέντε πόλεις οὐχ
360 ὡρισμένον λέγει τινὰ ἀριθμόν, ἀλλὰ τὸν τέλειον οὕτω ἐκάλεσεν. Πέντε γὰρ καὶ τοῦ ἀνθρώπου αἰσθήσεις · ὄψις ὄσφρησις γεῦσις ἁφή τε καὶ ἀκοή. Εἰ δὲ καὶ ἀριθμόν τις βούλεται ὡρισμένον εἶναι τὸν τῶν πέντε πόλεων ἀριθμόν, οὐδὲ οὕτως ψεῦδος περιθήσει τῷ λόγῳ · ὀλίγοι γὰρ <οἱ>

345 ἀντι .... K : ἀναλήψεως (vel ἀναστάσεως) τόπῳ coni. Mö.
352 Hébr. 7, 2

1. Même interprétation chez Cyrille (70, 469 A).

2. Pour Cyrille (70, 468 CD), « la langue de Canaan » est celle des Syriens ou des Palestiniens ; or Palestiniens et Égyptiens sont proches voisins, et Canaan est limitrophe de l'Égypte. Ce sont donc les villes d'Égypte proches de la frontière (Rhinocoruros) où l'on parle plus le syriaque que la langue égyptienne qui parleront « la langue de Canaan », parce qu'elles auront reçu les premières la prédication évangélique.

3. Selon Eusèbe (*GCS* 133, 11-16), ce chiffre « cinq » désigne les cinq corps qui composent l'Église (évêques, prêtres, diacres, baptisés et catéchumènes). Cyrille s'en tient, lui, au sens littéral de cinq

l'effroi devant la terre de Juda, parce que c'est en elle qu'a été engendré le Sauveur du monde et qu'il a souffert sa passion salvatrice ; et surtout, parce que l'ont sanctifiée la croix, le tombeau et le (lieu de l'ascension ?). C'est pourquoi, aujourd'hui encore, les Égyptiens et, avec eux, le reste de l'humanité, accourent vers cette région.

18. *En ce jour-là, il y aura en Égypte cinq villes qui parleront la langue de Canaan et qui prêteront serment au nom du Seigneur Sabaoth: Une seule ville s'appellera « ville-Asédek ».* « Ville-Asédek » se traduit par « ville de Justice » ; de fait, Melchisédek aussi, au dire du divin Apôtre, porte le nom de « roi de Justice »[1]. Il appelle « langue de Canaan » la langue hébraïque, puisque les Hébreux sont venus habiter dans la terre de Canaan[2]. D'aucuns ont prétendu que ces événements avaient eu lieu à l'époque des Macédoniens, mais leur interprétation ne s'accorde pas avec la prophétie. Elle parle, en effet, d'un changement subi par les Égyptiens, elle ne prédit pas une colonisation de la part des Hébreux. Voilà donc encore des prédictions qui ont trouvé leur accomplissement après la Manifestation de notre Dieu et Sauveur. D'autre part, il ne donne pas (le chiffre de) « cinq villes » comme un chiffre précis, mais c'est le chiffre parfait qu'il a énoncé de cette façon[3] ; car l'homme a également cinq sens : la vue, l'odorat, le goût, le toucher et l'ouïe. Pourtant, si l'on veut que le chiffre de cinq villes soit un chiffre précis, même dans ce cas on ne taxera pas de mensonge le texte : peu nombreux étaient ceux qui accueillirent au

villes (70, 468 D). Quant à Jérôme (*PL* 24, 255 C - 256 D), il note que la plupart des commentateurs voient dans le chiffre « cinq » une manière de désigner les cinq sens de l'homme ; puis il développe cette idée en montrant tour à tour comment chacun de nos sens, lorsque nous cédons à ses appétits, nous conduit au péché en nous faisant parler du même coup « la langue de l'Égypte », tandis que si nos sens sont orientés vers les choses d'en haut, ils nous font parler « la langue de Canaan ».

365 ἐξ ἀρχῆς τὸ σωτήριον δεξάμενοι κήρυγμα, ηὐξήθη δὲ κατὰ μέρος τῆς εὐσεβείας τὰ σπέρματα. Μίαν δὲ πόλιν Ἀσεδὲκ καλουμένην, τουτέστι πόλιν δικαιοσύνης, οὐ μίαν τινὰ ἐξαίρετον λέγει ἀλλ' ἀντὶ τοῦ μίαν ἑκάστην.

[19] **Τῇ ἡμέρᾳ ἐκείνῃ ἔσται θυσιαστήριον τῷ κυρίῳ ἐν χώρᾳ**
370 **τῶν Αἰγυπτίων καὶ στήλη πρὸς τὸ ὅριον αὐτῆς τῷ κυρίῳ.** Εἰ δὲ τὰ ἐπὶ Ὀνίου γεγενημένα φαῖεν Ἰουδαῖοι προηγορεῦσθαι, τῆς ἀληθείας διαμαρτάνουσιν. Τοῦ γὰρ Νόμου σαφῶς διαγορεύσαντος μὴ χρῆναι πανταχοῦ τῷ [θεῷ] θύειν, ἕνα δὲ ταῖς θυσίαις ἀφορίσαντος τόπον, παράνομον ἦν
375 ἄντικρυς τὸ ἐν Αἰγύπτῳ γενόμενον. Οὐκ ἂν δὲ τὰ παράνομα ὡς ἔννομα ὁ προφητικὸς προηγόρευσε λόγος. Δῆλον τοίνυν ὡς θυσιαστήριον τὸ ἡμέτερον λέγει καὶ στήλην τὸν θεῖον νεών. Ἑνικῶς δὲ καὶ οὐ πληθυντικῶς λέγει, ἐπειδὴ καὶ τὴν ἐκκλησίαν πολλάκις τὴν καθ' ὅλης τῆς οἰκουμένης
380 ἑνικῶς ὀνομάζει « ἥτις ἐστί » φησιν « ἐκκλησία θεοῦ ζῶντος » ὁ θεῖος ἀπόστολος, καί · « Ἐπὶ ταύτῃ τῇ πέτρᾳ οἰκοδομήσω μου τὴν ἐκκλησίαν. » Καὶ ἡμεῖς προσευχόμενοι ὑπὲρ τῆς ἁγίας καὶ μόνης καὶ καθολικῆς καὶ ἀποστολικῆς ἐκκλησίας φαμέν. Οὕτω τοίνυν κἀνταῦθα διὰ τοῦ ἑνὸς
385 θυσιαστηρίου τὰ πολλὰ σημαίνει καὶ διὰ τῆς μιᾶς στήλης τοὺς πολλοὺς εὐκτηρίους οἴκους.

380 I Tim. 3, 15 381 Matth. 16, 18

1. Cf. FLAVIUS JOSÈPHE, *Ant. Jud.* XIII, 62-73 ; *Bell. Jud.* I, 1, 31-33 ; VII, 10, 420-432. Onias, un des grands prêtres, à l'époque où Antiochus Épiphane fait campagne contre Ptolémée Philométor (170), s'empare du pouvoir à Jérusalem et en chasse les fils de Tobie qui se réfugient auprès d'Antiochus. Ce dernier prend prétexte des agissements d'Onias pour s'emparer de Jérusalem. Quant à Onias, il trouve refuge en Égypte auprès de Ptolémée qui lui accorde, dans le nome d'Héliopolis, un emplacement pour y fonder une petite ville et un temple destiné à compenser pour les Juifs la perte de celui de Jérusalem saccagé par Antiochus (169). JOSÈPHE en VII, 10, 432, rappelle la prophétie d'*Isaïe* 19, 19 qu'il applique à cet événement : « Il y avait d'ailleurs une ancienne prophétie faite environ six cents ans plus tôt par un nommé Isaïe qui avait prédit

début le message du salut, mais les semences de la piété s'accrurent tour à tour. Par « une seule ville appelée Asédek » — c'est-à-dire « ville de Justice » —, il ne veut pas dire qu'une seule (a été) choisie, mais « une seule » revient à dire « chacune ».

19. *En ce jour-là, il y aura un autel de sacrifice pour le Seigneur dans le pays d'Égypte et une stèle pour le Seigneur près de la frontière.* Les Juifs qui prétendraient que c'est l'annonce des événements survenus sous le règne d'Onias, s'écartent de la vérité[1]. La Loi, en effet, a clairement prescrit de ne pas pratiquer en tous lieux les sacrifices à Dieu, mais a réservé un seul lieu pour les sacrifices ; ce qui s'est produit en Égypte était donc ouvertement opposé à la Loi. Or, le texte prophétique n'aurait pas annoncé, comme conformes à la Loi, des faits qui lui auraient été opposés. Il est donc clair que par « autel du sacrifice », il veut parler du nôtre et par « stèle », du temple de Dieu[2]. D'autre part, il parle au singulier et non au pluriel, puisque c'est au singulier que le divin Apôtre nomme souvent l'Église répandue dans le monde entier, « elle qui est, dit-il, l'Église du Dieu vivant » et « Sur cette pierre, je bâtirai mon Église. » De notre côté aussi, nous adressons notre prière pour l'Église sainte, une, catholique et apostolique[3]. Ainsi donc, dans ce passage également, il signifie par l'unique « autel du sacrifice » et par l'unique « stèle » le grand nombre de maisons de prières.

la construction de ce temple en Égypte par un homme de race juive. C'est donc ainsi que ce temple avait été construit » (trad. P. Savinel, *La guerre des Juifs*, Paris 1977).

2. Selon Cyrille (70, 469 CD), « stèle » désigne le saint Temple, i. e. l'Église ou bien encore le signe de la sainte croix dont les croyants ont l'habitude de se faire comme un rempart contre le diable.

3. Ce sont les termes mêmes du symbole dit de Nicée (cf. P. Batiffol, « Le symbole des apôtres », *DTC* t. 1, 2e partie, c. 1668, Paris 1923).

[20] **Ὅτι κεκράξονται πρὸς κύριον διὰ τοὺς θλίβοντας αὐτούς, καὶ ἀποστελεῖ αὐτοῖς κύριος ἄνθρωπον ὃς σώσει αὐτούς, ⟨ κρίνων σώσει αὐτούς⟩.** Οὐδὲ τοῦτο ἁρμόζει τῷ
390 Ὀνίᾳ · οὐδὲ τῶν Αἰγυπτίων τὸν θεὸν ἱκετευσάντων οὗτος εἰς τὴν ἐκείνων ἐπικουρίαν ἐπέμφθη ἀλλὰ φεύγων εἰς τὴν Αἴγυπτον ἀπελήλυθεν. Τινὲς μὲν οὖν τῶν ἑρμηνευτῶν τὸν κύριον ἔφασαν διὰ τούτων σημαίνεσθαι, ἐγὼ δὲ ταύτην οὐ προσίεμαι τὴν διάνοιαν · οὐ γὰρ αὐτὸς ἀπεστάλη εἰς Αἴγυπτον
395 ἀλλ' αὐτὸς ἀπέστειλεν ἄνθρωπον · πρὸ δὲ τῶν ἄλλων ὁ μακάριος Μᾶρκος ὁ εὐαγγελιστὴς ἐκείνων ἡγήσατο καὶ τὸν ἱερὸν αὐτῶν διεκόσμησε θρόνον.

[21] **Καὶ γνωστὸς ἔσται κύριος τοῖς Αἰγυπτίοις · καὶ γνώσονται οἱ Αἰγύπτιοι τὸν κύριον ἐν τῇ ἡμέρᾳ ἐκείνῃ καὶ**
400 **ποιήσουσι θυσίαν καὶ δῶρον.** Ἡμέραν δὲ τὸν καιρὸν καλεῖ, θυσίαν καὶ δῶρον τὴν μυστικὴν λειτουργίαν. **Καὶ εὔξονται εὐχὰς τῷ κυρίῳ καὶ ἀποδώσουσιν.** Εὐχὰς καλεῖ τὰς ὑποσχέ[σεις], ἃς οἱ πολλοὶ καλοῦσι τάγματα. Τοῦτο καὶ ὁ ψ[αλ]μῳδὸς δηλοῖ · « Ἀποδώσω σοι τὰς εὐχάς μου, ἃς
405 διέστειλε τὰ χείλη μου καὶ ἐλάλησε τὸ στόμα (μου ἐν τῇ θλί)ψει μου. » Καὶ δηλοῖ τί ἐπηγγείλατο · « Ὁλοκαυτώματα μεμυαλωμένα ἀνοίσω σοι μετὰ θυμιά(ματος καὶ κρι)ῶν, ἀνοίσω σοι βόας μετὰ χιμάρων. » [22] **Καὶ πατάξει κύριος τοὺς Αἰγυπτίους πληγῇ καὶ (ἰάσεται αὐτοὺς) ἰά(σει,**
410 **κ)αὶ ἐπιστραφήσονται πρὸς κύριον, καὶ εἰσακούσεται αὐτῶν καὶ ἰάσεται αὐτούς.** (Πληγὴν λέγει) τή(ν τῆς βα)σιλείας ἀφαίρεσιν, ἴασιν δὲ τὴν θείαν ἐπίγνωσιν. Καταλύσας γὰρ αὐ(τῶν τὴν βα)σιλείαν ἐδίδαξε τὴν εὐσέβειαν.

[23] **Τῇ ἡμέρᾳ ἐκείνῃ ἔσται ὁδὸς ἀπὸ Αἰγύπτου πρ(ὸς**
415 **Ἀσσυρίους), καὶ εἰσελεύσονται Ἀσσύριοι πρὸς Αἴγυπτον,**

C : 400-401 ἡμέραν — λειτουργίαν || 411-413 πληγὴν — εὐσέβειαν

400 δὲ K : > C

404-408 Ps. 65, 13-15

1. C'est le cas de Chrysostome (*M.*, p. 192, § 20) qui refuse lui aussi d'appliquer la prophétie à Onias, mais pour la rapporter au

20. *Parce qu'ils crieront vers le Seigneur à cause de ceux qui les oppriment, et le Seigneur leur enverra un homme qui les sauvera, un justicier qui les sauvera.* Cela non plus ne s'applique pas à Onias : loin d'avoir été envoyé au secours des Égyptiens, parce qu'ils avaient adressé à Dieu leurs supplications, il est parti en Égypte en fuyard. D'aucuns parmi les interprètes ont donc prétendu que ces mots désignaient le Seigneur[1] ; je n'admets pas, quant à moi, cette opinion : loin d'avoir été envoyé en Égypte, c'est lui qui y a envoyé un homme : c'est, en premier lieu, le bienheureux Marc l'évangéliste qui a dirigé les Égyptiens et organisé leur saint siège (épiscopal).

21. *Et le Seigneur sera connu des Égyptiens ; et les Égyptiens connaîtront le Seigneur en ce jour-là ; ils lui feront sacrifice et présent.* Il appelle « jour », l'époque ; « sacrifice et présent », la liturgie mystique[2]. *Et ils adresseront des prières au Seigneur et ils s'(en) acquitteront.* Il appelle « prières » les promesses que la plupart des gens appellent des « vœux ». Voilà ce que fait voir aussi le Psalmiste : « J'acquitterai envers toi mes prières, celles que mes lèvres ont proférées et ma bouche prononcées dans mon angoisse. » Et il fait voir la nature de sa promesse : « Je t'offrirai de gras holocaustes avec du parfum et des béliers, je t'offrirai des bœufs avec des boucs. » 22. *Et le Seigneur frappera les Égyptiens d'une plaie et les guérira de sa guérison ; ils se convertiront au Seigneur, il les écoutera et il les guérira.* Par « plaie », il veut dire la suppression de leur royaume, et par « guérison », la connaissance de Dieu. De fait, il a ruiné leur royaume, puis leur a enseigné la piété.

23. *En ce jour-là, il y aura une route allant d'Égypte vers l'Assyrie ; les Assyriens viendront en Égypte et les*

Christ, et de CYRILLE (70, 472 D) qui l'applique directement au Christ.

2. C'est-à-dire le sacrifice de la messe.

καὶ Αἰγύπτιοι πορεύσονται πρὸς Ἀ(σσυρίους)· καὶ δουλεύσουσιν Αἰγύπτιοι τοῖς Ἀσσυρίοις. Ἀσσύριοι πάλαι καὶ οἱ Σύροι προση(γορεύοντο). Σημαίνει τοίνυν τὴν ἐπιμιξίαν τὴν μετὰ ταῦτα Σύροις καὶ Αἰγυπτίοις (γεγενημένην κατὰ)
420 τὴν Αἰγυπτίων ὑποταγήν. Καὶ γὰρ ἐπὶ τῶν ἡμετέρων πατέρων εἰς τὴν Σύρω[ν ἐπαρχίαν ἡ] ἀρχὴ ἐπιστεύετο· ἐν Ἀντιοχείᾳ δὲ οὗτος, τῇ Σύρων μητροπόλει, καθήμενος Αἰγυπτίοις .... |126 b| Τὴν πολλὴν τοίνυν τῶν Αἰγυπτίων μεταβολὴν διὰ τούτων ἡ προφητεία δεδήλωκεν.
425 Εἰ δέ τις ταύτην οὐ προσίεται τὴν διάνοιαν, εἰδέναι χρὴ ὡς διάφορα ἐν διαφόροις ἐσόμενα καιροῖς οἱ προφῆται θεσπίζουσιν. Καὶ γὰρ τοῖς Ἰουδαίοις ἄνω προαγορεύσας οὗτος αὐτὸς ὁ προφήτης τοῦ Ἐμμανουὴλ τὴν σωτήριον γέννησιν, συνῆψεν εὐθὺς τὰ κατὰ τὸν Φακεὲ καὶ τὸν Ῥαασίν,
430 ἔφη γάρ· « Καὶ καταλειφθήσεται ἡ γῆ ἣν σὺ φοβῇ ἀπὸ προσώπου τῶν δύο βασιλέων. » Τοῦτο δὲ συνέβη κατ' αὐτὸν τὸν καιρὸν καθ' ὃν τοῦτο ὁ προφήτης ἐθέσπισεν, τὰ δὲ κατὰ τὸν Ἐμμανουὴλ μετὰ πλείονα ἢ ἑξακόσια ἔτη τὸ πέρας ἐδέξατο· συνημμέναι δὲ ὅμως εἰσὶν αἱ προφητεῖαι, καὶ οὐκ
435 ἔστι διορίζον οὐδέν. Οὕτω τοίνυν νοήσομεν καὶ τῆς Αἰγύπτου τὴν πρόρρησιν, ὡς ἐκεῖνα μὲν τὰ τὴν εὐσέβειαν προσημαίνοντα μακροῖς ὕστερον ἐγένετο χρόνοις, τὰ δέ γε κατὰ τοὺς

C : 417-420 Ἀσσύριοι — ὑποταγήν

421 εἰς τὴν Σύρω[ν ἐπαρχίαν ἡ] ἀρχὴ conieci : circa 12 litt. lac. K vacat Mö. εἶς τῶν Σύρων τὴν ἀνατολικὴν ἀρχὴν audacter coniecit U. Kahrstedt

430 Is. 7, 16

1. Sur l'appellation d'« Assyriens » donnée aux Syriens, cf. aussi Eusèbe, *GCS* 135, 19-35.

2. Une fois de plus (cf. *supra*, p. 58, n. 3), Théodoret projette dans le passé lointain une situation postérieure. En effet, les provinces d'Égypte n'ont dépendu d'Antioche qu'au ɪᴠe siècle, entre la création par Dioclétien du diocèse d'Orient, s'étendant sur les régions de Syrie et d'Égypte, et celle du diocèse d'Égypte vers 370-380 (sur la création de ce diocèse dirigé par le préfet augustal, cf. en dernier

Égyptiens viendront en Assyrie; et les Égyptiens seront esclaves des Assyriens. Autrefois, même les Syriens étaient appelés « Assyriens »[1]. Il révèle donc la fusion survenue après ces événements entre Syriens et Égyptiens, au temps où l'Égypte fut soumise. Et de fait, du temps de nos pères, c'était à la province de Syrie qu'était confiée l'autorité : celui qui l'exerçait résidait à Antioche, la métropole de Syrie, et (commandait de là) aux Égyptiens[2]. La prophétie a donc fait voir par là le grand changement de fortune qu'ont subi les Égyptiens.

Pourtant, si l'on n'admet pas ce sens, il faut savoir que les prophètes font des prophéties diverses qui doivent se réaliser à des époques diverses[3]. Ainsi, ce même prophète a annoncé plus haut la naissance salvatrice de l'Emmanuel et y a rattaché aussitôt les événements de l'époque de Phakée et de Rasin en ces termes : « Et elle sera abandonnée la terre que tu redoutes à la vue des deux rois. » Or, ceci s'est produit à l'époque même où le prophète l'a prophétisé, tandis que les événements relatifs à l'Emmanuel ont reçu leur accomplissement plus de six cents ans après[4] ; néanmoins, les prophéties ont été présentées conjointement et sans qu'il y ait entre elles de séparation. C'est donc de cette façon que nous comprendrons également la prédiction qui concerne l'Égypte : les premières déclarations, qui annoncent la piété, se sont réalisées beaucoup plus tard, tandis que les dernières, relatives aux Assyriens,

lieu L. De Salvo, « Ancora sull'istituzione della *dioecesis Aegypti* », *Riv. stor. dell'Antichità*, 9, 1979, p. 64-74).

3. Tel est le fondement de la typologie qui permet de sauvegarder la véracité de la prophétie et d'en atteindre pleinement le sens : le prophète a une vision synchronique des réalités qu'il annonce et présente les faits sur un même plan (cf *In. Is.*, 6, 434-435 et surtout 19, 14-32 avec l'image empruntée à l'art pictural ; voir aussi *In Jer.*, 81, 668 BC).

4. Nouvel élément de datation de la prophétie d'Isaïe selon Théodoret ; cf. *supra*, p. 81, n. 4.

'Ασσυρίους κατ' ἐκεῖνον τὸν καιρὸν τετύχηκε πέρατος εἰς βεβαίωσιν τῆς μακροτέρας προρρήσεως. Καὶ ὅτι οἱ Αἰγύπτιοι
440 'Ασσυρίοις ἐπῆλθον — Φαραὼ γὰρ Νεχαὼ τοῦτο δέδρακε —, καὶ ἡ δευτέρα διδάσκει τῶν Παραλειπομένων καὶ τῶν Βασιλειῶν ἡ τετάρτη. Καὶ 'Ασσύριοι αὐτοῖς ἐπῆλθον, καὶ ἐδούλευσαν τοῖς 'Ασσυρίοις Αἰγύπτιοι, ἐπὶ δὲ τοῦ Ναβουχοδονόσορ τοῦτο συνέβη.

445 **[24] Τῇ ἡμέρᾳ ἐκείνῃ ἔσται τρίτος Ἰσραὴλ ἐν τοῖς 'Ασσυρίοις καὶ ἐν τοῖς Αἰγυπτίοις, εὐλογημένος ἐν τῇ γῇ, [25] ἣν εὐλόγησε κύριος Σαβαὼθ λέγων· Εὐλογημένος ὁ λαός μου ἐν Αἰγύπτῳ καὶ ἔργον χειρός μου ἐν 'Ασσυρίοις καὶ ἡ κληρονομία μου Ἰσραήλ.** Τὴν ἀνάκλησιν τῶν Ἰουδαίων διὰ τούτων δεδήλωκεν.
450 Ὥσπερ γάρ φησι τῆς Αἰγυπτίων αὐτοὺς ἠλευθέρωσα δουλείας, οὕτως αὐτοὺς ἐκ Βαβυλῶνος ἐπανάξω καὶ περιβλέπτους ἐργάσομαι καὶ τὴν εὐλογημένην γῆν οἰκῆσαι παρασκευάσω. Οὗτος γὰρ ὁ λαός μου ὁ ἐν Αἰγύπτῳ τῆς ἐμῆς ἐπικουρίας τυχὼν δείξει μου τὴν ἰσχὺν ἐν 'Ασσυρίοις, τῆς ἐκείνων
455 δι' ἐμοῦ δουλείας ἀπαλλαγείς, καὶ ἔσται μου πάλιν κληρονομία.

Τούτοις ἔτι συνάπτει ὁ προφήτης, ὡς στρατηγοῦ τινος 'Ασσυρίου, Τανάθαν ὀνομαζομένου, τὴν Ἄζωτον κατειληφότος καὶ ἀνάστατον αὐτήν τε καὶ τὴν χώραν πεποιηκότος
460 ἐκελεύσθη παρὰ τοῦ θεοῦ τῶν ὅλων καὶ τὸν ἐκ τριχῶν

454 τῆς ἐκείνων Mö. : τὴν ἐκείνην K

439-442 cf. II Chr. 35, 20 ; IV Rois 23, 29

1. C'est, en réalité, contre les Babyloniens de Nabopolassar que marchait Néchao (609) pour venir au secours des Assyriens. La confusion entre Assyriens et Babyloniens, habituelle chez Théodoret, provient sans doute ici directement du texte qu'il lit en *IV Rois* 23, 29 : « Le pharaon Néchao, roi d'Égypte, monta contre le roi d'Assyrie (ἐπὶ βασιλέα 'Ασσυρίων), sur le fleuve de l'Euphrate. » FLAVIUS JOSÈPHE (*Ant. Jud.* X, 5, 1) dit bien en revanche que Néchao marchait contre les Mèdes et les Babyloniens qui détruisirent l'empire d'Assur.

2. En battant Néchao à Karkémish (605), Nabuchodonosor, alors

ont trouvé leur accomplissement à cette époque-là, pour donner plus de force à la prédiction plus lointaine. L'attaque des Égyptiens contre les Assyriens[1] — c'est le pharaon Néckao qui a conduit cette entreprise — est enseignée à la fois par le deuxième livre des Paralipomènes et le quatrième livre des Règnes. A leur tour les Assyriens les ont attaqués et les Égyptiens sont devenus esclaves des Assyriens : cela s'est produit sous le règne de Nabuchodonosor[2].

Annonce du retour d'exil pour les Juifs

24. *En ce jour-là, Israël sera le troisième parmi les Assyriens et les Égyptiens, béni sur la terre* 25. *qu'a bénie le Seigneur Sabaoth en ces termes : Béni soit mon peuple (qui est) en Égypte, le travail de ma main en Assyrie et mon héritage, Israël.* Il a fait voir par là le rappel des Juifs. Tout comme je les ai libérés, dit-il, de l'esclavage des Égyptiens, je les ramènerai de Babylone, je les rendrai célèbres et je préparerai la terre bénie qu'ils habiteront. Ce peuple qui m'appartient et qui a obtenu en Égypte mon assistance fera connaître ma force en Assyrie, puisqu'il sera grâce à moi délivré de l'esclavage qu'elle lui impose ; et il sera de nouveau mon héritage.

Annonce symbolique de la ruine de l'Égypte et de l'Éthiopie

A ces prédictions le prophète rattache encore ce qui suit : au temps où un général Assyrien[3], du nom de Tanathan, s'était emparé d'Azôtos et l'avait ruinée de fond en comble ainsi que son territoire, il reçut l'ordre du Dieu de l'univers

seulement prince héritier, s'empare pour le compte de Babylone de la Syrie et de la Palestine, jusque-là sous la coupe de l'Égypte, et impose de la sorte sa loi à l'Égypte.

3. Paraphrase d'*Is.* 20, 1-2. Tanathan (tartan) n'est pas le nom du général, comme le croit Théodoret, mais le titre que porte le généralissime de l'armée assyrienne.

κατασκευασμένον ἀποδύσασθαι χιτῶνα καὶ γυμνοῖς βαδίσαι ποσὶ καὶ συνάψαι τοῖς λόγοις τὸ σχῆμα καὶ δεῖξαι τῆς προφητείας τῶν λόγων διὰ τῶν ἔργων τὸ ἀληθές. Ἐμοῦ δέ φησι [ταῦ]τα πεποιηκότος αὐτὸς ὁ κύριος ταῦτα ἔφη
465 ὀργάνῳ τῇ ἐμῇ χρησάμενος γλώττῃ· **20 3 Ὃν τρόπον πε(πόρ)ευται ὁ παῖς μου Ἡσαΐας γυμνὸς καὶ ἀνυπόδετος τρία ἔτη, ἔσται σημεῖα καὶ τέρατα τοῖς Αἰγυπτίοις καὶ Αἰθίοψιν· 4 ὅτι οὕτως ἄξει βασιλεὺς Ἀσσυρίων τὴν αἰχμαλωσίαν Αἰγύπτου καὶ Αἰθιόπων, νεανίσκους καὶ πρεσβύτας,**
470 **γυμνοὺς καὶ ἀνυποδέτους, ἀνακεκαλυμμένους τὴν (αἰσ)χύνην Αἰγύπτου.** Περιώρισε τρισὶν ἔτεσι τὸν τῶν σημείων καιρὸν τῶν τὸν ἐσόμενον [ὄλεθρο]ν προδηλούντων καὶ διδάσκει, ὡς κατ' ἐκεῖνο τοῦ προφήτου τὸ σχῆμα πᾶσαν ἡλικίαν [τῶν Αἰθιό]πων καὶ Αἰγυπτίων γυμνώσαντες οἱ Ἀσσύριοι
475 δορυαλώτους ἀπάξουσιν.

5 Καὶ (αἰσχυνθήσονται ἡ)ττηθέντες ἐπὶ τοῖς Αἰθίοψιν, ἐφ' οἷς ἦσαν πεποιθότες οἱ Αἰγύπτιοι, οἳ (ἦσαν αὐ)τοῖς (εἰς δόξαν). Τῶν Ἀσσυρίων ἐπιόντων τοὺς Αἰθίοπας εἰς συμμαχίαν ἐκάλεσα[ν. Καὶ οὗτοι μὲν ἀντελάβον]το τῆς
480 βοηθείας, κοινῇ δὲ τὴν ἧτταν ἐδέξαντο. **6 Καὶ ἐροῦσιν οἱ κατο(ικοῦν)τες ἐν (τῇ νήσῳ) ταύτῃ ἐν τῇ ἡμέρᾳ ἐκείνῃ· Ἰδοὺ ἡμεῖς ἦμεν πεποιθότες τοῦ φυγεῖν εἰς αὐτοὺς εἰς βοήθειαν· (καὶ αὐτοὶ οὐκ ἐ)δύναντο σωθῆναι ἀπὸ βασιλέως Ἀσσυρίων, καὶ πῶς ἡμεῖς σωθησόμεθα ;** Νῆσον κα(λεῖ τὴν)
485 Αἴγυπτον ὡς θαλαττουμένην τῷ ποταμῷ καὶ ὡς ταῖς διώρυξι κυκλουμένην. Οὗτοί φησι με(τὰ τὴν ἧττ)αν ἐροῦσιν ὅτι μάτην ἐθαρρήσαμεν Αἰθίοψιν, οὐδὲ γὰρ σφίσιν αὐτοῖς ἴσχυσαν (ἐπαρκέσ)αι. Τοῦτο τέλος τῆς Αἰγυπτίων προρρήσεως.

490 Ἐπειδὴ δὲ τῶν Ἀσσυρίων ἐμνήσθη, [τῆς Βαβυλῶνος προα]γορ[εύ]ει τὸν ὄλεθρον · **21 1 Τὸ ῥῆμα τῆς ἐρήμου θαλάσσης.** Ἔρημον θάλασσαν τὴν Βα|127 a|βυλῶνα καλεῖ, θάλασσαν

C : 484-489 νῆσον — προρρήσεως ‖ 492-495 ἔρημον — συμφοράν

466 πεπόρευται e tex.rec. : παρα ... εύεται K ‖ 485 θαλαττουμένην C : θαλασσουμένην K

de se dévêtir de sa tunique de poils, de marcher pieds nus, de mettre en accord ses propos et son maintien et de montrer par son comportement la vérité des déclarations prophétiques. Lorsque j'eus fait cela, dit-il, le Seigneur en personne se servit de ma langue comme d'un instrument pour faire cette déclaration : **20,** 3. *De même que mon serviteur Isaïe est allé nu et déchaussé pendant trois ans, il y aura des signes et des présages pour l'Égypte et pour l'Éthiopie :* 4. *parce que c'est ainsi que le roi d'Assyrie emmènera les captifs d'Égypte et d'Éthiopie, jeunes et vieux, nus et déchaussés : ils montreront à découvert la honte de l'Égypte.* Il a limité à trois ans le temps des signes qui font prévoir la ruine future et il enseigne que les Assyriens, conformément à ce que laissait prévoir le curieux maintien du prophète, dévêtiront les hommes de tout âge d'Éthiopie et d'Égypte et les emmèneront comme prisonniers.

5. *Et après leur défaite ils rougiront des Éthiopiens, en qui ils avaient mis leur confiance, les Égyptiens, (ces Éthiopiens) qui étaient pour eux un sujet de gloire.* Lors de l'attaque des Assyriens, ils appelèrent à l'aide les Éthiopiens : ils vinrent à leur secours, mais ils subirent en commun la défaite. 6. *Et ils diront, les habitants de cette île, en ce jour-là : Voici que nous avions compté fuir auprès d'eux pour y chercher secours. Mais, s'ils n'ont pas pu échapper au roi d'Assyrie, comment pourrons-nous lui échapper?* Il appelle « île » l'Égypte parce que le fleuve joue le rôle de mer et l'entoure de ses canaux. Voici, dit-il, ce qu'ils diront après la défaite : Nous nous sommes confiés en vain aux Éthiopiens, puisqu'ils n'ont même pas eu la force de se secourir eux-mêmes. Ainsi prend fin la prédiction qui concerne l'Égypte.

Annonce de la ruine de Babylone

Mais, puisque (le prophète) a fait mention de l'Assyrie, il annonce la ruine de Babylone : **21,** 1. *Oracle de la mer déserte.* C'est Babylone qu'il appelle « mer déserte » : « mer », en raison de son ancienne prospé-

μὲν διὰ τὴν προτέραν εὐημερίαν καὶ τῶν οἰκητόρων τὸ πλῆθος κύματα μιμουμένων, ἔρημον δὲ διὰ τὴν ἐπενεχθεῖσαν
495 ὕστερον συμφοράν. **Ὡς καταιγὶς δι' ἐρήμου διέλθοι, ἐξ ἐρήμου ἐρχομένη, ἐκ γῆς φοβερᾶς.** Ἠθοποιία ἐστὶν ἐκ προσώπου τῆς Βαβυλῶνος λεγομένη. Καλεῖται δὲ καταιγίδα τῶν Περσῶν καὶ Μήδων τὴν στρατιάν, ἣν εὔχεται διελθεῖν καὶ μὴ κατ' αὐτῆς χωρῆσαι.
500 Εἶτα τὸ δέος αὐτῆς γυμνοῖ · **Φοβερὸν** [2] **τὸ ὅραμα καὶ σκληρὸν ἀνηγγέλη μοι.** Ἀνιαρά φησι καὶ χαλεπὰ προορῶ. **Ὁ ἀθετῶν ἀθετεῖ, καὶ ὁ ἀνομῶν ἀνομεῖ. Ἐπ' ἐμοὶ οἱ Ἐλαμῖται, καὶ οἱ πρέσβεις τῶν Περσῶν ἐπ' ἐμὲ ἔρχονται.** Ταῦτα ὁ Σύμμαχος οὕτως εἴρηκεν · « Ὁ ἀθετῶν ἀθετεῖται, καὶ ὁ
505 ταλαιπωρίζων ταλαιπωρεῖ. Ἀνάβηθι Ἐλάμ, πολιορκεῖτε Μῆδοι. » Πάλαι φησὶν ἐγὼ ἠθέτουν, νῦν δὲ ἐγὼ ἀθετοῦμαι · πάλαι ἄλλους ἐγὼ ταλαιπώρους ἐποίουν, νῦν δὲ πάσχω ἃ ἔδρων. Δικαία ἡ ψῆφος. Ἀνάβηθι τοίνυν Ἐλάμ — ἔθνος δὲ τοῦτο Περσικόν —, πολιορκεῖτε ὦ Μῆδοι.
510 **Νῦν οὖν στενάξω καὶ παρακαλέσω ἐμαυτ(όν).** Παραμυθεῖται τὸν ὀδυνώμενον ὁ στεναγμός. Οἷον γάρ τις καπνὸς ἐκ τοῦ τῆς ἀθυμίας πυρὸς ἔνδοθεν ἐκ τῆς καρδίας ἐκπέμπεται, εἰκότως τοίνυν ἔφη · Στενάζω καὶ παρακαλέσω ἐμαυτόν. Διὰ τί [δ]έον στενάζειν ; ὅτι [3] **ἐνεπλήσθη ἡ ὀσφῦς μου**
515 **ἐκλύσεως, καὶ ὠδῖνες ἔλαβόν με ὡς τὴν τίκτουσαν** · ἡ γὰρ εὔζωνος πάλαι καὶ γενναία, ἡ κατὰ πάντων τῶν ἐθνῶν στρατεύουσα νῦν τῆς ἰσχύος ἐστέρημαι καὶ ὀδύνην ἔχω μιμουμένην ὠδῖνας. Τίς δὲ τῆς μεταβολῆς ἡ αἰτία ; **Ἠδίκησα τοῦ μὴ ἀκοῦσαι, ἐσπούδασα τοῦ μὴ βλέπειν.** [4] **Ἡ καρδία**
520 **μου πλανᾶται, καὶ ἡ ἀνομία με βαπτίζει, ἡ ψυχή μου ἐφέσ-**

C : 503-508 ταῦτα — ψῆφος (505-506 ἀνάβηθι — Μῆδοι>)

506 ἐγὼ ἠθέτουν K : ἐνουθέτουν C || 507 ἄλλους ἐγὼ K : ∾ C

1. L'éthopée est une « figure qui a pour objet la peinture des mœurs et du caractère d'un personnage » (Dict. Robert, 7 vol. 1970) ; on parlerait ici tout aussi bien d'une prosopopée. Cf. *In Psal.*, 80, 1172 C.

2. Même remarque chez Cyrille (70, 485 C).

rité et du grand nombre de ses habitants qui en imitaient les vagues ; « déserte », en raison du désastre qui lui fut infligé par la suite. *Comme un ouragan, puisse-t-elle traverser le désert, en venant du désert, d'une contrée redoutable.* C'est une éthopée[1], mise dans la bouche de Babylone. Celle-ci appelle « ouragan » l'armée des Perses et des Mèdes : elle souhaite la voir traverser sans marcher contre elle.

(Le prophète) dévoile ensuite la crainte qu'elle ressent : *Redoutable* 2. *et dure, la vision qui m'a été communiquée.* Je vois par avance, dit-elle, afflictions et douleurs. *Le perfide agit avec perfidie, le criminel de façon criminelle. Sur moi viennent les Élamites et les ambassadeurs de Perse viennent vers moi.* C'est ce que Symmaque a dit en ces termes : « Le perfide est victime de la perfidie ; celui qui provoquait le malheur, le subit. Monte, Élam ! faites le siège, Mèdes ! » Jadis, dit-elle, c'est moi qui agissais avec perfidie, maintenant c'est moi qui en suis victime ; jadis, c'est moi qui rendais autrui malheureux, maintenant je subis ce que j'infligeais : la condamnation est juste. Monte donc Élam — c'est une nation de Perse — faites le siège, Mèdes !

Maintenant donc je gémirai et je me consolerai. Le gémissement apaise celui qui est dans la douleur[2]. Comme une fumée, pour ainsi dire, que produit le feu du découragement, on l'exhale du fond de son cœur ; la cité a donc dit avec raison : « Je gémirai et je me consolerai. » Pourquoi lui faut-il gémir ? parce que 3. *mes reins se sont remplis de faiblesse, que des douleurs m'ont saisi comme la femme en travail.* Moi qui avais jadis vigueur et noblesse, qui faisais campagne contre toutes les nations, je me vois maintenant privée de ma force et j'éprouve une douleur qui ressemble à celles de l'enfantement. Quelle est donc la cause de ce changement ? *J'ai eu le tort de ne pas entendre, je me suis efforcée de ne pas voir.* 4. *Mon cœur s'égare, l'iniquité me submerge, mon âme s'est installée dans la crainte.* Je n'ai

τηκεν εἰς φόβον. Οὐκ ἠνεσχόμην φησὶ τῶν τοῦ Δανιὴλ συμβουλῶν — ἐκεῖνος γὰρ ἔλεγε τῷ Ναβουχοδονόσορ · « Βασιλεῦ, ἡ βουλή μου ἀρεσάτω σοι, καὶ ἐν ἐλεημοσύναις ἀπόλουσαι τὰς ἁμαρτίας σου καὶ τὰς ἀνομίας σου ἐν οἰκτιρ-
525 μοῖς πενήτων » —, εἶδον θαύμα[τα] μέγιστα καὶ τὸ δέον συνιδεῖν οὐκ ἠθέλησα, τὴν κάμινον ἐκείνην τοὺς γενναίους οὐ κατακαίουσαν ἀθλητάς. Τοῦτο γὰρ λέγει · Ἠδίκησα τοῦ μὴ εἰσακοῦσαι, ἐσπούδασα τοῦ μὴ βλέπειν.

Ταῦτα ἐκ προσώπου τῆς Βαβυλῶνος τεθεικὼς ὁ προφήτης
530 δείκνυσι τὸν θεὸν κελεύοντα τοῖς πολεμίοις καταθαρρῆσαι τῆς Βαβυλῶνος · [5] **Ἑτοιμάσατε** γάρ φησι **τὴν τράπεζ(αν), σκοπεύσατε τὴν σκοπιάν, φάγετε, πίετε · ἀναστά(ντες) οἱ ἄρχοντες ἑτοιμάσατε θυρεούς.** Εἶτα διδάσκει ὡς προσετάχθη στῆσαι κατασκόπους ἔν τινι περιω[πῇ] καὶ τὸ ὁρώμενον
535 ἀπαγγεῖλαι. Καὶ τοῦτο δράσας εἶδε δύο ἱππεῖς, τὸν μὲν ἐπὶ ὄνου τὸν δὲ ἐπὶ καμήλου ὀ[χοῦ]μενον. Σημαίνει δὲ διὰ μὲν τῶν ἵππων τὴν ἱππικὴν στρατιάν, διὰ δὲ τῆς ὄνου καὶ τῆς καμήλου τὰ σκευοφόρα ζῷα. [7] **Καὶ εἰπέ** μοί φησιν · **Ἀκρόασαι ἀκρόασιν πολλὴν** [8] **καὶ κάλεσον Οὐρίαν εἰς (τὴν σκοπιάν) ·**
540 **κύριος εἶπεν.** Ἡσυχίαν ἄγε φησί, καὶ ἡ μὲν γλῶττα πεπαύσθω, ἡ δὲ ἀκοὴ ἀκροάσθω. Ἔχε δὲ κ(οινωνὸν) τὸν Οὐρίαν · « Ἐπὶ γὰρ στόματος δύο καὶ τριῶν μαρτύρων σταθήσεται πᾶν ῥῆμα. »

Εἶτα [ἔστη εἰς σκοπιὰν] ὡς πανημέριον καὶ παννύχιον
545 ἔτι τὸ ἀπαγγελησόμενον περιμένων καὶ εἶδέ τινα ἐπὶ ξυνωρ[ίδος] ὀχ[ούμενον] κα[ὶ β]οῶντα ὡς [9] **Πέπτωκε Βαβυλών, καὶ πάντα τὰ ἀγάλματα αὐτῆς καὶ τὰ (χειροποί)ητα αὐτῆς συνετρίβη εἰς τὴν γῆν.** Δῆλον δὲ ὡς ἀόρατοι δυνάμεις ἦσαν αἱ ταῦτα διαπο(ρθμεύουσαι. Τούτων) ἀκούσας ὁ
550 προφήτης τῶν λόγων οὐκ ἀνέχεται κρύψαι ἀλλὰ τοῖς ὁμοφύλοις ση(μαίνει) · [10] **Ἀκούσατε οἱ καταλελειμμένοι καὶ ὀδυ-**

C : 540-543 ἡσυχίαν — ῥῆμα ‖ 548-551 δῆλον — σημαίνει

523 Dan. 4, 24 542 Deut. 19, 15

1. Le texte d'Isaïe, paraphrasé par Théodoret, ne parle en réalité

pas tenu compte, dit-elle, des conseils de Daniel qui disait à Nabuchodonosor : « Ô Roi, agrée mon conseil, lave tes péchés dans des œuvres de miséricorde et tes iniquités dans des œuvres de compassion à l'égard des pauvres » ; j'ai vu de très grands prodiges et je n'ai pas voulu voir en même temps mon devoir, bien que la célèbre fournaise ait refusé de consumer les nobles lutteurs. C'est bien le sens de ses paroles : « J'ai eu le tort de ne pas entendre, je me suis efforcée de ne pas voir. »

Voilà les paroles que le prophète a placées dans la bouche de Babylone. Il montre ensuite que Dieu ordonne aux ennemis de faire preuve d'audace contre Babylone : 5. *Préparez*, dit-il, *la table*, *faites le guet du haut de la tour*, *mangez*, *buvez! Debout les chefs*, *préparez les boucliers!* Puis il enseigne qu'il a reçu l'ordre de placer des guetteurs[1] en observation et d'annoncer ce qu'ils voient. Il le fit et vit deux cavaliers, l'un monté sur un âne, l'autre sur un chameau. Par « chevaux », il désigne la cavalerie militaire ; par « âne » et par « chameau », les bêtes qui assurent le transport des bagages. 7. *Et il* me *dit*, dit (le prophète) : *Prête l'oreille avec grande attention* 8. *et appelle Ourias sur la tour de guet: oracle du Seigneur*. Tiens-toi tranquille, dit-il, que la langue s'arrête, que les oreilles soient attentives ! Prends Ourias pour compagnon : « Car toute parole sera établie au dire de deux ou trois témoins. »

Puis il se tint sur la tour de guet à attendre, tout le jour puis toute la nuit, la nouvelle à annoncer ; et il vit, monté sur un attelage de deux chevaux, un homme qui criait : 9. *Elle est tombée Babylone! et toutes ses statues et toutes ses idoles se sont brisées sur la terre!* Il est clair que c'étaient les puissances invisibles qui transmettaient ce message. Dès qu'il l'eut entendu, le prophète, dans l'incapacité de le céler, le révèle à ses compatriotes : 10. *Écoutez*, *vous qui avez été abandonnés et qui êtes dans l'affliction! écoutez ce*

que d'un seul guetteur (βαδίσας σεαυτῷ στῆσον σκοπόν, καὶ ὃ ἂν ἴδῃς ἀνάγγειλον).

νώμενοι, ἀκούσατε ἃ ἤκουσα παρὰ κυρίου Σαβαώθ, (ἃ ὁ θεὸς τοῦ Ἰσραὴλ) ἀνήγγειλεν ἡμῖν. Ἱκανὰ δὲ ἦν ταῦτα τοῖς πιστεύουσιν ἐνθεῖναι ψυχαγωγίαν.

555 Οὕτω [τὰ περὶ τῆς] Βαβυλῶνος προθεσπίσας καὶ τῇ περὶ Αἰγυπτίων ταῦτα προφητείᾳ συνάψας [τὴν σωτηρίαν τῆς Ἰδου]μαίας προλέγει. Ἰδουμ[αίαν δὲ ἐνταῦθα] τοῦ Ἠσαῦ τὸ γένος καλεῖ · Ἐδὼμ γὰρ οὗτο[ς ἀπὸ τῆς πυρρᾶς] ὠνομάσθη μορφῆς. [Ἠ]σαῦ δὲ καὶ Ἰακὼβ ἀδελφοί · 560 ἀλλ' ὅμως [καίπερ] ἐξ Ἀ[βραὰμ τὸ γένος κατάγοντες] Ἰσραηλῖται καὶ Ἰδουμαῖοι μάλα δυσμενῶς περὶ ἀλλήλους διέκειν[το] .... |127 b| ...τως τὸ προγονικὸν ἐφύλαξαν μῖσος. Ἀλλὰ ταῦτα σαφέστερον ἐν ταῖς τῶν ἄλλων προφητῶν δεδηλώκαμεν προφητείαις.

565 [11] **Πρὸς ἐμὲ καλεῖ παρὰ τοῦ Σηίρ.** Σηὶρ τὸ ὄρος τῶν Ἰδουμαίων καλεῖται · ἐκ δὲ τοῦ Ἠσαῦ καὶ αὐτὸ τὴν προσηγορίαν ἐδέξατο · ἐπειδὴ γὰρ δασὺς ἦν, Σηὶρ ὠνομάσθη, τουτέστι τετριχωμένος. **Φύλασσε ἐπάλξεις. Τί ὀλολύζεις ; φυλάσσοντι ἀπὸ νυκτὸς** [12] **εἶπον · φυλάσσων ἦλθε τὸ πρωὶ** 570 **καὶ τὴν νύκτα.** Ἐπειδὴ γὰρ δεδιότες τοὺς πολεμίους ἠγρύπνουν καὶ τῷ τείχει προσήδρευον νύκτωρ καὶ μεθ' ἡμέραν φυλάσσοντες καὶ φυλάσσοντες ἐβόων φοβεῖν ταύτῃ τοὺς ἐναντίους νομίζοντες, εἰκότως αὐτοῖς ὁ προφητικὸς λόγος ἐπιτωθάζων φησίν · Φύλασσε τὰς ἐπάλξεις, ἀντὶ τοῦ · 575 Καλῶς ποιεῖς τῆς ἀσφαλείας προμηθούμενος, ἀνθ' ὅτου δὲ ὀλολύζεις φυλάσσων, καὶ οὐ νύκτωρ μόνον ἀλλὰ καὶ μεθ' ἡμέραν · ὅμως **ἐὰν ⟨ζητῆτε⟩, (ζητ)εῖτε · ἐπιστρέψατε, ἔλθετε καὶ παρ' ἐμοὶ οἰκεῖτε** [13] **ἐν τῷ δρυμῷ.** Εἰ σωτηρίαν ζητεῖτε,

C : 565-568 Σηὶρ² — τετριχωμένος ‖ 570-575 ἐπειδὴ — προμηθούμενος ‖ 578-581 εἰ — πολεμίων

555 τῇ Mö. : τὸ K ‖ 572 καὶ φυλάσσοντες K : > C ‖ 578 σωτηρίαν K : + φησί C

1. Cf. *In Is.*, 19, 577-580 ; explication souvent reprise par Théodoret (v. g. *In Joel.*, 81, 1661 C ; *In Abd.*, 81, 1709 A). Pour Cyrille (70, 493 CD), « Ésaü » surnommé « Édom » i.e. « terrestre » (γήϊνος) est l'ancêtre des Iduméens ou Agarénens, i.e. les Sarrasins.

que j'ai appris du Seigneur Sabaoth, ce que le Dieu d'Israël nous a annoncé! Voilà ce qui était suffisant pour mettre au cœur des croyants du réconfort.

Sur l'Idumée

Il a ainsi achevé la prophétie sur les événements de Babylone, qu'il a rattachés à la prophétie concernant l'Égypte. Il prédit ensuite le salut de l'Idumée. Dans ce passage, il appelle « Idumée » la race d'Ésaü, puisque son teint roux l'avait fait nommer Édom[1]. Ésaü et Jacob étaient frères ; néanmoins, bien qu'ils fissent descendre leur race d'Abraham, les Israélites et les Iduméens se trouvaient réciproquement dans des dispositions de très grande hostilité. .... ils conservèrent la haine héritée de leurs ancêtres. Mais nous l'avons fait voir plus explicitement dans les prophéties des autres prophètes[2].

11. *On m'appelle de Séir.* La montagne d'Idumée s'appelle Séir ; elle aussi tient son nom d'Ésaü, car son abondante pilosité le fit appeler « Séir », c'est-à-dire « poilu »[3]. *Garde les créneaux! Pourquoi pousses-tu des cris?* 12. *ai-je dit à celui qui monte la garde depuis la nuit; il est venu monter la garde dès le matin et durant la nuit.* Par crainte des ennemis, (ses habitants) restaient en éveil et se tenaient près du rempart à monter nuit et jour la garde ; ce faisant, ils poussaient des cris, parce qu'ils pensaient effrayer de cette façon leurs adversaires ; c'est pourquoi le texte prophétique se moque d'eux à juste titre, en ces termes : « Garde les créneaux », ce qui revient à dire : tu fais bien de veiller à ta sécurité, mais au lieu de le faire tu pousses des cris en montant la garde et ce, non seulement la nuit, mais encore le jour ; cependant, *si vous cherchez, cherchez! revenez! venez et habitez près de moi* 13. *dans la forêt.* Si

2. Cf. *In Amos*, 81, 1672 BC (*Amos* 1, 11-12) ; *In Mal.*, 81, 1961 CD (*Mal.* 1, 2-3) ; *In Ez.*, 81, 1064 CD (*Éz.* 25, 12-14).

3. Cf. *In Ez.*, 81, 1061 CD ; 1169 C. Selon Eusèbe (*GCS* 142, 18-20), cette montagne est encore appelée de la sorte par les indigènes à son époque.

πρὸς ἐμὲ ἔλθετε, μὴ ἑαυτοῖς (θα)ρρεῖτε. Μέμνημαι τῆς τοῦ
580 Ἀβραὰμ συγγενείας· διὰ τοῦτο καταφεύγοντας ὡς ἐν
δρυμῷ τινι κατακρύψω καὶ κρείττους ποιήσω τῶν πολεμίων.

Μετὰ τοὺς Ἰδουμαίους τοῖς Ἰσμαηλίταις τὰ ἐσόμενα
προλέγει· αὐτοὺς γὰρ Ἄραβας ὀνομάζει. **Ἑσπέρας κοιμηθήσονται ἐν τῇ ὁδῷ Δαιδανίμ. 14 Εἰς συνάντησιν διψῶντι φέρετε**
585 **ὕδωρ, οἱ κατοικοῦντες ἐν χώρᾳ Θαιμάν, ἄρτοις συναντᾶτε τοῖς
φεύγουσιν.** Δείκνυσι καὶ τούτους δραπετεύοντας τὸν Ἀσσύριον
καὶ παρακελεύεται τοῖς πελάζουσι καὶ ἄρτους παρασχεῖν
καὶ ὕδωρ ὡς φεύγουσιν. Διδάσκει δὲ καὶ τῆς φυγῆς τὴν
αἰτίαν· πολύ φησι πλῆθος μαχαιροφόρων, πολὺ δὲ καὶ
590 τοξοτῶν. Οὗ δὴ χάριν οἱ πλεῖστοι πεπτώκασιν.

16 **Διότι οὕτως εἶπέ μοι κύριος· Ἔτι ἐνιαυτὸς ὡς ἐνιαυτὸς
μισθωτοῦ, καὶ ἐκλείψει ἡ δόξα τῶν υἱῶν Κηδάρ, 17 καὶ τὸ
κατάλοιπον τῶν τοξευμάτων τοῦ ἀριθμοῦ τῶν ἰσχυρῶν
Κηδὰρ ἔσται ὀλίγον, ὅτι κύριος ὁ θεὸς Ἰσραὴλ οὕτως**
595 **ἐλάλησεν.** Ἔδειξε τῶν εἰρημένων τὸ ἀληθές, τὸν εἰρηκότα
δηλώσας· θεὸς γὰρ οὗτος καὶ κύριος. Τὸν μέντοι Κηδὰρ
ἐν τῷ γένει τοῦ Ἰσμαὴλ [εὑ]ρήκαμεν. Λέγει τοίνυν οὐχ
ὅτι παντελῶς τὸ τοιοῦτον καταλυθήσεται γένος, ἀλλ' ὅτι
ἡ δόξα κατασβεσθήσεται καὶ ὀλίγοι ἀντὶ πολλῶν ἔσονται.
600 Καὶ τοῦτο ἐγένετο μὲν ἐν τῇ τῶν Ἀσσυρίων προσβολῇ,
εὐξήθησαν δὲ πάλιν τῷ χρόνῳ. Ἀψευδὴς γὰρ ὁ τῷ Ἀβραὰμ
ὑποσχόμενος τῶν τοῦ Ἰσμαὴλ ἀπογόνων τὸ πλῆθος.

C : 586-588 δείκνυσι — φεύγουσιν

587 παρασχεῖν K : παρέχειν C

596-597 cf. Gen. 25, 13 601-602 cf. Gen. 21, 13

vous cherchez le salut, venez vers moi, ne vous fiez pas à vous-mêmes. Je me souviens de la parenté d'Abraham : c'est pourquoi je vous cacherai comme dans un bois, vous qui cherchez refuge, et je vous rendrai plus forts que vos ennemis.

Prédictions concernant Ismaël et Kédar

Après avoir prédit pour les Iduméens les événements futurs, il les prédit pour les Ismaélites : ce sont eux qu'il nomme « Arabes ». *La nuit, ils dormiront sur la route les Daïdanim.* 14. *Allez à la rencontre de celui qui a soif et portez-lui de l'eau, vous qui habitez la région de Thaïman; allez avec du pain à la rencontre des fugitifs.* Il montre qu'eux aussi fuient l'Assyrien et invite leurs voisins à (leur) fournir du pain et de l'eau puisque ce sont des fugitifs. Il enseigne également ce qui a motivé leur fuite : c'est, dit-il, un grand nombre de porteurs de lances ainsi qu'un grand nombre d'archers. C'est la raison pour laquelle la plupart sont tombés.

16. *Car le Seigneur m'a parlé en ces termes : Encore une année, comme une année de mercenaire, et disparaîtra la gloire des fils de Kédar ;* 17. *les valeureux archers de Kédar resteront en petit nombre, parce que le Seigneur, le Dieu d'Israël a parlé ainsi.* Il a montré le caractère véridique de ces paroles, en faisant connaître leur auteur : il est Dieu et Seigneur. D'autre part, nous avons trouvé que Kédar faisait partie de la race d'Ismaël. Il ne dit donc pas qu'une telle race sera complètement anéantie, mais que sa gloire s'éteindra et qu'un petit nombre d'hommes succédera à un grand nombre. Cela s'est bien produit au moment de l'attaque des Assyriens, mais ils se sont à nouveau accrus avec le temps : car il ne saurait mentir celui qui a promis à Abraham de donner un grand nombre de descendants à Ismaël.

Μετὰ τούτους πρὸς τὴν Ἱερουσαλὴμ ποιεῖται τοὺς λόγους. Καλεῖ δὲ αὐτὴν φάραγγα Σιὼν διὰ τὴν ὑπὸ Ῥωμαίων
605 [αὐ]τοῖς ἐπενεχθεῖσαν ἐρημίαν · ταύτην γὰρ ἐνταῦθα προλέγει. **22[1] Τί ἐγένετό σοι νῦν, ὅτι ἀνέβητε πάντες εἰς δώματα [2] μάταια ; Ἐνεπλήσθη ἡ πόλις βοώντων, ἡ πόλις γαυριῶσα.** Τί τὸ καινόν φησι, τί τὸ παράδοξον, ὅτι ἡ κατὰ πάντων φρυαττομένη πόλις ταραχῆς τε καὶ θορύβου πεπλή-
610 ρωται, ὡς αὐτὰ κα[ταλα]βεῖν τὰ δώματα καὶ ἄνωθεν περισκοπεῖν τῶν πολεμίων τὸ πλῆθος ; **Οἱ τραυματίαι σου οὐ τραυ(ματίαι) μαχαίρας, οὐδὲ οἱ νεκροί σου νεκροὶ πολέμου.** Οὐχ οἱ πολέμιοί φησιν ἰσχυροὶ γεγένηνται κατὰ (σοῦ), ἀλλ' ἐγώ σε προὔδωκα διὰ τὴν κατ' ἐμοῦ μανίαν. Διὰ
615 τοῦτο **[3] οἱ ἄρχοντές σου πεφεύγασιν** καὶ ὅ[σοι ἑάλ]ωσαν ἐπεδήθησαν · καὶ οὐ μόνον οἱ ἄρχοντες ἀλλὰ καὶ τῶν στρατιωτῶν οἱ ἀριστεύειν εἰω[θότες] οἱ μὲν ἀπέδρασαν οἱ δὲ ἁλόντες ἐδέθησαν.

Ταῦτα προθεσπίσας ὁ προφήτης [ἐπάγει] · **[4] (Διὰ) τοῦτο**
620 **εἶπον · Ἄφετέ με, πικρῶς κλαύσομαι · μὴ κατισχύσητε παρακαλεῖν με ἐπὶ τὸ (σύν)τρι(μμα τῆ)ς θυγατρὸς τοῦ γένους μου.** Ἀπαραμύθητά φησι τὰ συμβάντα τῇ πόλει κακά. Θυγα(τέρα) δὲ γέ(νους) αὐτὴν καλεῖ ὡς ἐξ αὐτῆς καὶ αὐτὸς κατάγων τὸ γένος. **[5] Ὅτι ἡμέρα ταραχῆς καὶ ἀπω-**
625 **(λείας καὶ κατα)πατήματος καὶ πλανήσεως παρὰ κυρίου Σαβαώθ · ἐν φάραγγι Σιὼν πλανῶνται, ἀπὸ μικροῦ (ἕως μεγάλου πλ)ανῶνται ἐπὶ τὰ ὄρη.** Συμφορῶν αὐτοῖς φησιν ἐπέστη καιρός, διὸ δὴ εὐάλωτοι πᾶσιν [ἐγένοντο οἱ λί]αν ἀκαταφρόνητ[οι]. Διὰ τοῦτο καὶ τὴν πόλιν καταλιπόντες

C : 613-614 οὐχ — μανίαν || 622-624 ἀπαραμύθητα — γένος

1. L'interprétation de CYRILLE (70, 504 D - 505) est strictement géographique : Jérusalem située au pied du mont Sion — ou de la ville haute de Sion — est, selon lui, à juste titre appelée « vallée de Sion » en raison de sa position inférieure.

2. Cette « folie » dont parle souvent Théodoret (cf. index) est naturellement celle de la crucifixion.

Annonce de la ruine de Jérusalem par les Romains

Après eux, il s'adresse à Jérusalem. Il l'appelle « ravin de Sion » à cause de la désolation que les Romains lui ont infligée[1] : c'est cette dernière qu'il prédit ici. **22,** 1. *Que t'est-il arrivé maintenant, puisque vous êtes tous montés sur les terrasses,* 2. *ville folle? La ville est remplie de gens qui poussent des cris, la ville qui fait la fière.* Quel événement étrange, dit-il, quel événement extraordinaire (s'est produit), puisque la ville qui montrait contre tous son arrogance s'est remplie de désordre et de tumulte, au point qu'on a occupé jusqu'aux terrasses et qu'on observe d'en haut la foule des ennemis ? *Tes blessés n'ont pas été blessés par l'épée; tes morts ne sont pas morts à la guerre.* Ce ne sont pas les ennemis, dit-il, qui ont exercé leur force contre toi, mais moi qui t'ai livrée à cause de ta folie à mon égard[2]. C'est pourquoi, 3. *tes chefs se sont enfuis* et tous ceux qui furent pris, on les mit dans les chaînes ; il ne s'agit pas seulement des chefs, mais aussi de ceux des soldats qui se distinguaient d'ordinaire au combat : les uns prirent la fuite, les autres furent pris et enchaînés.

Après cette prophétie, le prophète ajoute : 4. *C'est pourquoi, j'ai dit: Détournez-vous de moi, je vais pleurer amèrement; n'insistez pas pour me consoler de la ruine de la fille de ma race.* Ils ne peuvent pas trouver de consolation, dit-il, les malheurs survenus à la cité. Il l'appelle « fille de sa race », parce que c'est d'elle qu'il fait lui aussi descendre sa race. 5. *Car c'est un jour de désordre et de destruction, d'écrasement et de dispersion de la part du Seigneur Sabaoth: dans le ravin de Sion ils errent, du petit jusqu'au grand ils errent sur les montagnes.* Le temps des calamités est arrivé pour eux, dit-il, c'est pourquoi, les plus considérés sont devenus pour tous une proie facile. Voilà la raison qui leur a même fait abandonner leur cité

630 εἰς τὰ ὄρη πλανῶνται δρ[ασμῷ περιποιήσεσθ]αι τὴν σωτηρίαν ἐλπίζοντες.

[6] **Οἱ δὲ Ἐλαμῖται ἔλαβον φαρέτρας.** Ἐλαμίτας (τοὺς Σαμαρίτ)ας καλεῖ · ἐκ (γὰρ τῆς) Περσικῆς μετῳκίσθησαν χώρας. Ἀπε(χθ)ῶς δὲ διακείμεν(οι) |128 a| πρὸς Ἰουδαίους
635 συνεμάχουν κατ' αὐτῶν ἀναγκαίως Ῥωμαίοις. Εἶτα πάσῃ ὁμοῦ τῇ στρατιᾷ παρακελεύεται · **Ἀνάβητε ἄνθρωποι ἐφ' ἵππους, καὶ συναγωγὴ παρατάξεως.** Τούτων δέ φησι γενομένων · [7] **Καὶ φάραγγες πλησθήσονται ἁρμάτων, οἱ δὲ ἱππεῖς τὰς πύλας ἐμφράξουσι** [8] **καὶ ἀνακαλύψουσι τὰς**
640 **πύλας Ἰούδα,** τουτέστιν ἀνοίξουσιν. Ἐναντίον δὲ τῷ ἀνοῖξαι τὸ ἐμφράξαι. Ἀμφότερα δὲ ὅμως ἐποίουν · τοὺς μὲν γὰρ πολιορκουμένους ἐκώλυον φεύγειν, τοῖς δὲ πολεμίοις τὰς θύρας ἀνεπετάννυσαν.

Καὶ ἐμβλέψονται τῇ ἡμέρᾳ ἐκείνῃ εἰς τοὺς ἐκλεκτοὺς
645 **οἴκους τῆς πόλεως** [9] **καὶ ἀνακαλύψουσι τὰ κρυπτὰ τῶν οἴκων τῆς ἄκρας Δαυίδ.** Πάσας φησὶ μηχανὰς σωτηρίας ἀνερευνήσουσι καὶ τὰς ὑψηλὰς περισκοπήσουσ[ιν οἰκίας], ταύτῃ λογιζόμενοι κρείττους ἔσεσθαι τῶν δυσμενῶν, καὶ τὴν ἄκραν Δαυὶδ καταλήψονται. [Π]ό[λιν] δὲ τὴν Σιὼν
650 ὀνομάζει. **Καὶ εἶδον ὅτι πλείους εἰσὶ καὶ ἀπέστρεψαν τὸ ὕδωρ τῆς ἀρχαίας κολυμβήθρας εἰς τὴν πόλιν** [10] **καὶ τοὺς οἴκους Ἰερουσαλὴμ ἠρίθμησαν καὶ καθεῖλον τοὺς οἴκους εἰς ὀχύρωμα τείχ(ους τῇ πόλει).** Τὰ πλεῖστα τούτων καὶ Ἰώσηπος ἱστορεῖ τὴν Ἰουδαϊκὴν ἱστορίαν συγγράψας.
655 Ὥσπερ γὰρ εἶδον ἀπολλ[υμένην] τὴν πόλιν, οἱ τῆς στάσεως ἀρχηγοὶ πολλὰς τῶν οἰκιῶν καταλύσαντες τὴν Ἀντωνίαν καὶ τὸν ναὸν ἀσφαλέστερον ᾠκοδόμησαν. [11] **Καὶ ἐποιήσατε**

C : 632-635 Ἐλαμίτας — Ῥωμαίοις ‖ 640-643 τουτέστιν — ἀνεπετάννυσαν

630 δρασμῷ περιποιήσεσθαι Po.

---

1. CYRILLE note seulement l'origine perse des Élamites, en signalant que certains les assimilent aux Sarrasins, excellents archers à cheval (70, 508 D).

pour les montagnes où ils errent dans l'espoir de se procurer le salut par la fuite.

Le siège de Jérusalem

6. *Les Élamites ont pris leurs carquois.* Il appelle « Élamites » les Samaritains. Ce sont, en effet, des immigrants venus de la Perse[1]. Or, vu leurs sentiments de haine à l'égard des Juifs, ils combattaient nécessairement contre eux aux côtés des Romains. Il exhorte ensuite toute l'armée à la fois : *Hommes, en selle ! montez sur vos chevaux ! Rassemblement pour le combat !* Cela fait, il déclare : 7. *Les ravins seront remplis de chars, les cavaliers obstrueront les portes* 8. *et dévoileront les portes de Juda*, c'est-à-dire : ils les ouvriront. Or, « obstruer » est le contraire d'« ouvrir ». Ils faisaient, toutefois, l'un et l'autre : tout en empêchant les assiégés de s'enfuir, ils ouvrirent les portes aux ennemis[2].

Ils tourneront leurs regards en ce jour-là vers les belles maisons de la cité, 9. *et ils dévoileront les objets cachés que recèlent les maisons de la citadelle de David.* Ils chercheront à découvrir, dit-il, toutes sortes de moyens pour s'assurer le salut, ils examineront les maisons élevées en comptant de cette façon l'emporter sur leurs ennemis et ils occuperont la citadelle de David. C'est Sion qu'il nomme « cité ». *Ils virent qu'elles étaient en assez grand nombre et ils détournèrent l'eau de l'ancienne piscine vers la cité ;* 10. *ils ont compté les maisons de Jérusalem ; ils ont abattu les maisons pour consolider le rempart de la cité.* Josèphe, qui a rédigé l'histoire juive, rapporte également la plupart de ces faits. De fait, comme ils virent que la cité était perdue, les chefs de la sédition firent abattre bon nombre de maisons pour renforcer la (citadelle) Antonia et le Temple[3]. 11. *Vous avez amené pour vous*

2. Sur ce soin apporté à résoudre les apparentes contradictions du texte biblique, cf. *supra*, p. 77, n. 1.

3. L'Antonia — anciennement Baris — est la citadelle construite

ἑαυτοῖς ὕδωρ ἀναμέσον τῶν δύο τειχῶν ἐσώτερ(ον) τῆς ἀρχαίας κολυμβήθρας καὶ οὐκ ἐνεβλέψατε εἰς τὸν ἀπ' ἀρχῆς
660 **κτίσαντα αὐτὴν καὶ τὸν ποιήσαντα αὐτὴν πόρρ(ωθεν) οὐκ εἴδετε.** Οὐδενὸς ἂν τούτων ἐδεήθης, εἰ τὴν ἐμὴν ἐπεκαλέσω ῥοπήν· ἐν ἀκαρεῖ γὰρ ἂν τοὺς πολεμί(ους) ἐσκέδασα.

Ἐγκαλεῖ δὲ πρὸς τούτοις ὅτι, δέον πενθεῖν καὶ ὀλοφύρεσθαι καὶ τὸν θεὸν ἱλεοῦσθαι διὰ [τὸ μέ]γεθος τῶν συμφορῶν,
665 δημοθοινίαις ἐχρῶντο καὶ εὐωχούμενοι διετέλουν [13] **λέγοντες· Φάγωμεν καὶ πίωμεν, αὔριον γὰρ ἀποθνῄσκομεν.** Ταῦτα δέ φησιν ἅπαντα καὶ ἑώρα καὶ ἤκουσεν ὁ ἐν ὑψηλοῖς κατοικῶν [καὶ] τὰ ταπεινὰ ἐφορῶν. [14] **Ἀνακεκαλυμμένα** γάρ φησίν **ἐστι ταῦτα ἐν τοῖς ὠσὶ κυρίου Σαβαώθ, καὶ οὐκ ἀφεθήσεται**
670 **ὑμῖν ἡ ἁμαρτία αὕτη, ἕως ἂν ἀποθάνητε, εἶπε κύριος ὁ θεὸς τῶν δυνάμεων.** Καὶ ἀληθῶς π(αγχά)λεπόν ἐστι καὶ συγγνώμην οὐκ ἔχον ἀγανακτοῦντος τοῦ δεσπότου τοὺς οἰκέτας τρυφᾶν καὶ τῷ γέλωτ(ι δει)κνύναι τὴν καταφρόνησιν.

Ἐνταῦθα τοίνυν τὴν τούτου προφητείαν ἐπέρανεν· μετὰ
675 δὲ ταῦτα [διδά]σκει ὡς ἐκελεύσθησαν [15] **εἰσελθεῖν εἰς τὸ παστοφόριον πρὸς Σομνᾶν τὸν ταμίαν καὶ εἰπεῖν αὐτῷ·** [16] **Τί (σοι ὧδε) καὶ τί σοί ἐστιν ὧδε, ὅτι ἐλατόμησας σεαυτῷ ὧδε μνημεῖον καὶ ἐποίησας σεαυτῷ ἐν ὑψηλ(ῷ μνημεῖον) καὶ ἐλάξευσας σεαυτῷ ἐν πέτρᾳ σκηνήν ;** Παστοφόρια τοῦ θείου
680 νεὼ τὰς ἐξέδρας εὑρή[καμεν] ὠνομασμένας τὸν Ἰεζεκιὴλ ἑρμηνεύοντες. Δῆλος τοίνυν οὗτός ἐστιν, ὡς ἱερατικὴν

C 661-662 οὐδενὸς — ἐσκέδασα ‖ 671-673 καὶ[1] — καταφρόνησιν

661 ἂν τούτων K : ∾ C ‖ 662 ἂν K : > C ‖ 671 καὶ[1] K : +γὰρ C

---

par Hérode à l'angle nord-ouest de la première cour du Temple qu'elle domine (cf. la description de Fl. Josèphe, *Bell. Jud.* V, 5, 238-246). A quel passage du *Bell. Jud.* renvoie Théodoret ? On ne trouve rien de tel, à notre connaissance, dans le récit de Josèphe. Théodoret ferait-il allusion à la décision des Juifs de couper l'Antonia du Temple en mettant le feu au portique nord-ouest lorsque les Romains se furent emparés de la citadelle (*id.*, VI, 2, 165) ? Mais son texte semble indiquer que les Juifs sont encore maîtres de l'Antonia et renvoyer à des faits antérieurs à ceux-là.

l'eau de la vieille piscine à l'intérieur entre les deux murs; vous n'avez pas tourné vos regards vers celui qui l'a créée dès l'origine et vous n'avez pas vu celui qui depuis longtemps l'a faite. Tu n'aurais eu besoin d'aucun de ces travaux, si tu avais fait appel à mon appui : en un instant j'aurais dispersé les ennemis.

Il (leur) reproche en outre[1], alors qu'ils auraient dû mener le deuil, se lamenter à grands cris et supplier Dieu en raison de la grandeur des calamités, de prendre part à des banquets publics et de passer leur temps à se régaler, 13. *en disant: Mangeons et buvons, car demain nous mourrons.* Voilà, dit-il, tout ce que voyait et entendit Celui qui habite dans les hauteurs et qui abaisse ses regards sur les choses d'en bas. 14. *Telles sont*, dit-il, *les révélations faites aux oreilles du Seigneur Sabaoth: cette faute ne vous sera pas pardonnée, jusqu'à ce que vous mouriez, dit le Seigneur Dieu des Puissances.* Et, en vérité, il est insupportable et impardonnable que les serviteurs, malgré l'irritation du Maître, vivent dans la mollesse et que leur rire traduise leur mépris.

Contre le banquier Somnâs

Ici donc, il a achevé la prophétie de cet événement. Il enseigne ensuite qu'ils ont reçu l'ordre 15. *d'aller dans le pastophorion du Temple trouver le banquier Somnâs et de lui dire:* 16. *Qu'as-tu ici et qu'est-ce qui t'appartient ici, puisque tu t'es creusé ici un tombeau, que tu t'es bâti un tombeau sur un lieu élevé et que tu t'es taillé dans la pierre un abri?* Dans notre commentaire d'Ézéchiel, nous avons trouvé que l'on nommait « pastophoria » les salles du Temple divin[2]. Il est donc clair que cet homme, qui avait reçu la dignité sacerdotale, a complètement

1. Paraphrase d'*Is.* 22, 12-13.
2. Cf. *In Ez.*, 81, 1221 B (*Éz.* 40, 17) où ἐξέδρας est présenté comme la leçon donnée par le syriaque. EUSÈBE (*GCS* 147, 28-30) donne ici les variantes de Symmaque et d'Aquila.

[λαχὼν] ἀξίαν τῆς θείας κατημέλησε λειτουργίας εἰς π[λοῦ]-
τον καὶ τρυφὴν τὴν σπουδὴν μεταθείς. [Οὗ δὴ] χάριν καὶ
περίβλεπτον αὐτῷ κατεσκεύασε μνῆμα, ἀοίδιμος ἐντεῦθεν
685 ἔσεσθαι προ[σδοκῶν]. Ταμίαν δὲ αὐτὸν ἡγοῦμαι καλεῖσθαι
ὡς τὰ ἱερὰ σκεύη πεπιστευμένον.

Εἶτα αὐτῷ τὸν ὄλεθρον [ἀπειλεῖ]· [17] **Ἰδοὺ δὴ κύριος
Σαβαὼθ ἐκβαλεῖ ἄνδρα καὶ ἐκτρίψει σε καὶ ἀφελεῖ τὴν
στολήν σου** [18] **καὶ τὴν (κίδαρίν σου) καὶ τὸν στέφανόν σου
690 τὸν ἔνδοξον.** Ταῦτα τὸν ἀρχιερατικὸν κοσμον ἐπλήρωσεν.
Ἐντεῦθεν δῆλ[ον ὅτι] τῶν πρώτων ἦν ἱερέων. **Καὶ ῥίψει σε
εἰς χώραν μεγάλην καὶ ἀμέτρητον, κἀκεῖ ἀπ(οθανῇ.** Φασί)
τινες, ὡς ἥλω φεύγων ὑπὸ τῶν Ἀσσυρίων καὶ δορυάλωτος
ἀπήχθη. **Καὶ θήσει τὸ ἅρμα σου τ(ὸ καλὸν) εἰς ἀτιμίαν καὶ
695 τὸν οἶκον τοῦ ἄρχοντός σου εἰς ἀπώλειαν.** [19] **Καὶ ἀφαιρεθήσῃ
ἐκ τῆς οἰκονομίας (σου, καὶ ἐκ) τῆς στάσεώς σου καθελεῖ σε.**

Εἶτα δῆλον ποιεῖ τὸν διαδεξάμενον τὴν ἐκείνου τιμήν·
[20] **Καὶ ἔσται ἐν τῇ (ἡμέρᾳ ἐκείνῃ) καλέσω τὸν παῖδά μου
700 Ἐλιακὶμ τὸν τοῦ Χελκίου.** Τούτου μέμνηται καὶ ἡ κατὰ τὸν
Ἐζεκίαν ἱ[στορία· οὗτος] γὰρ οὐκ ἐνεγκὼν τοῦ Ἀσσυρίου
τὴν βλασφημίαν τὴν ἐσθῆτα διέρρηξεν. Τοῦτον ὑπισχνεῖται
[ἐνδύσειν] τὴν στολὴν καὶ τῷ στεφάνῳ τὴν κεφαλὴν δια-
κοσμή[σειν καὶ τὸ κράτος αὐ]τῷ [καὶ τὴν οἰκονομίαν
705 δώσειν]. Ἐπαινεῖ δὲ αὐτὸν [ὡς ἠπ]ίου πατρὸς φι[λο]στοργίαν
[μι]μούμενον [καὶ τῶν τῆς Ἱερουσαλὴμ οἰκητόρων] |128 b|
καὶ τῶν περιοίκων ἐπιμελῶς προμηθούμενον.

[22] **Καὶ δώσω τὴν δόξαν Δαυὶδ αὐτῷ, καὶ ἄρξει, καὶ οὐκ
ἔσται ὁ ἀντιλέγων· καὶ δώσω αὐτῷ τὴν κλεῖδα οἴκου Δαυὶδ
710 ἐπὶ τοῦ ὤμου αὐτοῦ, καὶ ἀνοίξει, καὶ οὐδεὶς κλείσει, ⟨καὶ
κλείσει,⟩ καὶ οὐκ ἔσται ὁ ἀνοίγων.** Ἐν τούτῳ καὶ τὰ ἡμέτερα
προτυποῦται. « Ὃ ἂν δήσητε » γάρ φησιν « ἐπὶ τῆς γῆς,

C : 692-694 φασί — ἀπήχθη ‖ 711-714 ἐν — οὐρανοῖς

694 ἀπήχθη C : ἐδείχθη K ‖ 711 ἐν τούτῳ καὶ K : ἐνταῦθα C ‖
712-713 ὃ — γάρ ... δεδεμένον K : ὃν γὰρ ἂν δήσητε ... δεδεμένος C

700-702 cf. IV Rois 18, 28 - 19, 1 712 Matth. 18, 18

négligé le service divin, puisqu'il en a détourné son zèle pour l'appliquer à l'argent et au luxe. Voilà pourquoi il s'est même fait construire un sépulcre bien en vue : il s'attendait à ce qu'il lui valût la louange. Je pense qu'on l'appelle « banquier » parce qu'on lui avait confié les vases sacrés.

Puis il le menace de la mort : 17. *Or, voici que le Seigneur Sabaoth te jettera, homme ! il te brisera, t'enlèvera ton vêtement,* 18. *ton turban et ta couronne de gloire.* Voilà au complet les éléments de la parure de grand prêtre. D'où, il est clair qu'il appartenait à la première classe des prêtres. *Et il te projettera dans une contrée vaste et immense, et là tu mourras.* D'aucuns prétendent que les Assyriens le prirent, alors qu'il s'enfuyait, et qu'ils l'emmenèrent comme prisonnier. *Il transformera ton beau char en infamie et la Maison de ton souverain en (instrument de) ta perte.* 19. *Tu seras déposé de ta charge et il te fera déchoir de ta place.*

Éliakim successeur de Somnâs

Puis (le prophète) désigne clairement le successeur de ce dernier à cette dignité : 20. *Et il arrivera qu'en ce jour-là j'appellerai mon serviteur Éliakim, fils de Chelkias.* C'est ce dont fait également mention l'histoire du règne d'Ézéchias : incapable de supporter le blasphème de l'Assyrien, il déchira ses vêtements. Il promet de le revêtir de la tunique, de parer sa tête de la couronne, de lui donner le pouvoir et la direction des affaires. De plus, il le loue de ce qu'il imite la tendresse d'un père plein d'affection pour les siens et de ce qu'il veille attentivement sur les habitants de Jérusalem et sur leurs voisins.

22. *Et je lui donnerai la gloire de David, il commandera et il n'y aura personne pour le contredire ; je lui remettrai la clef de la Maison de David sur l'épaule : s'il ouvre, personne ne fermera ; s'il ferme, il n'y aura personne pour ouvrir.* Dans ce passage sont également préfigurées les réalités qui sont les nôtres : « Ce que vous lierez sur la terre,

ἔσται δεδεμένον ἐν τοῖς οὐρανοῖς· καὶ ὃ ἐὰν λύσητε ἐπὶ τῆς γῆς, ἔσται λελυμένον ἐν τοῖς οὐρανοῖς. » [23] **Καὶ στήσω αὐτὸν**
715 **ἄρχοντα ἐν τόπῳ πιστῷ, καὶ ἔσται εἰς θρόνον δόξης τῷ οἴκῳ τοῦ πατρὸς αὐτοῦ.** Κατὰ ταὐτὸν καὶ ἱερατικὴν αὐτῷ δίδωσι καὶ ἀρχοντικὴν ἐξουσίαν. Διὸ καὶ τοῦ Δαυὶδ ἐμνημόνευσεν· ὁ γὰρ Δαυὶδ οὐχ ἱερεὺς ἀλλὰ βασιλεύς, ἀλλ' ὅμως (καὶ) τὴν ἱερωσύνην διέταξεν.
720 [24] **Καὶ ἔσται πεποιθὼς ἐπ' αὐτῷ πᾶς ἔνδοξος ἐν τῷ οἴκῳ τοῦ πατρὸς αὐτοῦ ἀπὸ μ(ικρ)οῦ ἕως μεγάλου, πᾶν τὸ σκεῦος τὸ μικρὸν, ἀπὸ σκεύους τῶν ἀγανώθ, ⟨καὶ ἔσονται ἐπικρεμάμενοι αὐτῷ** [25] **τῇ ἡμέρᾳ ἐκείνῃ.** Τὸ ἀγανὼθ > « κρατήρων » ἡρμήνευσαν ὅ τε Σύμμαχος καὶ ὁ Ἀκύλας. Διὰ μέντοι τῶν
725 προειρημένων τὸ περὶ αὐτὸν ἐδήλωσε φίλτρον καὶ τῶν ἀρχόντων (καὶ) τῶν ἀρχομένων καὶ τῶν πλουτούντων καὶ τῶν πενομένων. Τροπικῶς γὰρ σκεύη ἐκάλεσε τούς τε μεγάλους καὶ τοὺς μικρούς. Καὶ γὰρ τῶν σκευῶν τὰ μὲν ἦν ἅγια τὰ δὲ ἁγιώτερα, καὶ τὰ μὲν ἐν τῇ αὐλῇ ἔκειτο τὰ
730 δὲ ἐν τῷ ναῷ.

Τάδε λέγει κύριος Σαβαώθ· Κινηθήσεται ἄνθρωπος ἐστηριγμένος ἐν τόπῳ πιστῷ καὶ ἀφαιρεθήσεται καὶ πεσεῖται, καὶ ἐξολοθρευθήσεται ἡ δόξα ἡ ἐπ' αὐτόν, ὅτι κύριος ἐλάλησεν. Τὸν περὶ τοῦ Σομνᾶ ἀνέλαβε λόγον καὶ ἔδειξεν αὐτὸν
735 ὠφέλειαν μὲν οὐδεμίαν ἐκ τῆς ἱερωσύνης δεξάμενον, τιμωρίαν δὲ ἐκ τῆς ῥᾳθυμίας δρεψάμενον.

Πρόκειται δὲ ἡμῖν εἰς ὠφέλειαν ἡ ἱστορία καὶ ἡ ταύτῃ συνηρμοσμένη προφητεία. Δυνατὸν γάρ, ἂν ἐθελήσωμεν τοῦ μὲν μισῆσαι τὴν πονηρίαν τοῦ δὲ ζηλῶσαι τὴν ἀρετήν,
740 καὶ τὴν αὐτὴν εὔκλειαν καὶ εὐφημίαν καρπώσασθαι. Δίκαιος γὰρ ὁ κριτὴς ἀποδιδοὺς ἑκάστῳ κατὰ τὰ ἔργα αὐτοῦ, ᾧ πρέπει ἡ δόξα εἰς τοὺς αἰῶνας τῶν αἰώνων. Ἀμήν.

C : 716-719 κατὰ — διέταξεν ‖ 724-730 διὰ — ναῷ ‖ 734-736 τὸν — δρεψάμενον

723 κρατήρων Mö. : κρατερὸν K ‖ 724 διὰ C : οἷα K ‖ 727 γὰρ K : δὲ C ‖ 735 μὲν K : > C

dit-il, sera lié dans les cieux ; et ce que vous délierez sur la terre, sera délié dans les cieux. » 23. *Je l'établirai comme chef en un lieu solide, et il deviendra un trône de gloire pour la Maison de son père.* Il lui donne en même temps le pouvoir de prêtre et le pouvoir de chef. Voilà pourquoi, il a également fait mention de David : David n'était pas prêtre, mais roi ; néanmoins, il a fixé aussi les règles de la fonction sacerdotale.

24. *Et en lui mettra sa confiance tout homme glorieux dans la Maison de son père, du petit jusqu'au grand, toute la petite vaisselle, depuis le vase des aganoth, et ils seront suspendus à lui* 25. *en ce jour-là.* Symmaque et Aquila ont traduit « aganoth » par « cratères ». D'autre part, il a fait voir, par les termes qui précèdent, l'affection qu'avaient pour lui tant les chefs que les sujets, les riches que les indigents. C'est, en effet, de manière figurée qu'il a appelé « vases » les grands et les petits : parmi les vases, les uns étaient sacrés, d'autres l'étaient davantage ; les uns se trouvaient déposés dans le parvis, d'autres dans le Temple.

Épilogue de l'histoire de Somnâs

Voici ce que dit le Seigneur Sabaoth : Il sera ébranlé l'homme installé en un lieu solide ; il sera arraché et il tombera ; la gloire qui reposait sur lui sera anéantie, car le Seigneur a parlé. Il a repris l'histoire de Somnâs, pour montrer qu'il n'a retiré aucun avantage de son sacerdoce, mais qu'il a récolté le châtiment que lui a valu sa négligence.

Parénèse

Or, cette histoire et la prophétie qui s'y rattache nous sont proposées pour notre utilité : si nous voulons haïr la perversité de l'un et chercher à imiter la vertu de l'autre, il (nous sera) possible de recueillir la même gloire et la même louange. Car juste est le Juge, qui rend à chacun selon ses œuvres ; à Lui convient la gloire pour les siècles des siècles. Amen.

ΤΟΜΟΣ Ζ'

23[1] Τὸ ῥῆμα Τύρου. Καὶ τὴν Τύρον οἱ Ἀσσύριοι πολιορκήσαντες ἐξεπόρθησαν. Καὶ τοῦτο τοίνυν τοῖς πνευματικοῖς ὀφθαλμοῖς προϊδὼν ὁ προφήτης προλέγει.

5 **Ὀλολύξατε πλοῖα Καρχηδόνος, ὅτι ἀπώλοντο καὶ (οὐ)κέτι ἔρχονται ἐκ γῆς Κιτιαίων.** Ἔνια τῶν ἀντιγράφων · « ὅτι ἀπώλετο », τουτέστιν ἡ Τύρος. Καρχηδὼν [μέν] ἐστιν ἡ τῆς Λιβύης τῆς νῦν Ἀφρικῆς καλουμένης μητρόπολις · παρὰ μέντοι τῷ Ἑβραίῳ « Θαρσὶς » κέκληται. [Κιτι]εῖς 10 δὲ ἢ « Χετιίμ » — οὕτω γὰρ καὶ παρὰ τῷ Ἑβραίῳ καὶ παρὰ τοῖς Λοιποῖς Ἑρμηνευταῖς κεῖται τὸ ὄνομα — [ἡ Κύ]προς καλεῖται · αὕτη γὰρ καὶ πόλισμα ἔχει Κίτιον καλούμενον μέχρι τοῦ νῦν. Τούτοις τοίνυν τοῖς μὲν [ὡς νη]σιώταις τοῖς δὲ ὡς παραλίμοις παρακελεύεται θρηνεῖν ὡς ἀναστάτου 15 γενομένης τῆς Τύρου, ἐν ᾗ [τῆς ἐμ]πορίας εἶχον τὰς ἀφορμάς. **Ἤχθησαν αἰχμάλωτοι,** τουτέστιν οἱ Τύριοι.

Τίνι [2] ὅμοιοι γεγόνασιν οἱ (ἐνοικ)οῦντες ἐν τῇ νήσῳ ταύτῃ ; Νήσῳ ἔοικεν ἡ τῆς Τύρου θέσις · ἰσθμὸς γάρ ἐστιν ἐν τῇ

C : 2-4 καὶ — προλέγει ‖ 18-19 νήσῳ — ἔχων

4 προλέγει K : λέγει C ‖ 5 ὀλολύξατε e tx.rec. : ὀλολύξετε K ‖ 15 ἐμπορίας Po. : εὐπορίας Mδ.

---

1. Comprenons ici encore les « Babyloniens » avec Nabuchodonosor : le siège de Tyr, entrepris en 588/587, devait se prolonger treize ans. Cyrille fait à cet endroit un véritable exposé historique (70, 520 C - 521).

2. Précision souvent apportée par Théodoret dans ses commentaires : cf. *In Jonam*, 81, 1724 C - 1725 A (Théodoret y fait référence à *Is.* 23, 14 et signale que « Tharsis » est à cet endroit-là, la leçon donnée par Aquila, Symmaque et Théodotion) ; *In Ez.*, 81, 1080 B ; 1204 D ; *In Jer.*, 81, 565 A.

3. La variante « Chétiim » est également signalée par Eusèbe

SEPTIÈME SECTION

La ruine de Tyr par les Assyriens

23, 1. *Oracle sur Tyr.* Les Assyriens firent aussi le siège de Tyr et la dévastèrent[1]. Voilà donc encore un événement que prédit le prophète parce que les yeux de l'esprit le lui ont fait voir par avance.

Lamentations sur Tyr

Poussez des cris de détresse, navires de Carthage, car on les a détruits et ils ne viennent plus du pays des Kitiens. Quelques exemplaires (portent) : « parce qu'on l'a détruite », c'est-à-dire Tyr. Carthage est la capitale de la Libye qu'on appelle maintenant l'Afrique ; toutefois, l'hébreu l'appelle « Tharsis »[2]. Par « Kitiens » ou « Chétiim », puisque c'est sous cette forme que se trouve ce nom dans le texte hébreu et chez le reste des interprètes, il désigne Chypre : elle possède même une ville qui s'appelle aujourd'hui encore « Kition »[3]. Il les invite donc, les uns en tant qu'insulaires, les autres en tant que gens du littoral, à se lamenter parce que Tyr a été ruinée de fond en comble, elle de qui dépendait leur commerce. *On les a emmenés comme prisonniers*, c'est-à-dire les habitants de Tyr.

A quoi 2. *sont devenus semblables les habitants de cette île?* Par sa position, Tyr ressemble à une île : il y a, en effet, un isthme qui s'étend au milieu de la mer et qui

(*GCS* 150, 19-20) ; sur l'équivalence Kition = Chypre, cf. aussi *In Dan.*, 81, 1020 C ; *In Ez.*, 81, 1077 A ; *In Jer.*, 81, 505 D. Cyrille est moins affirmatif : « Les uns disent que les (terres) des Kitiens sont des îles grecques ou macédoniennes ; d'autres affirment avec force que ce mot désigne Chypre, dans la mesure où elle a été nommée ainsi d'après le nom d'une de ses villes » (70, 521 C ; cf. aussi *id.*, 529 A).

θαλάσσῃ κείμενος (μία)ν εἴσοδον ἔχων. **Μεταβόλοι Φοινίκης.**
20 Τοὺς ἐ[μπ]όρους οὕτω καλεῖ ὡς τόδε μὲν κομίζοντας τόδε [δὲ ἀντι]λαμβάνοντας. **⟨Οἱ διαπερῶντες τὴν θάλασσαν** [3] **ἐν ὕδατι πολλῷ σπέρμα μεταβόλων.⟩** Ἀντὶ τοῦ · καὶ οἱ πρόγονοι αὐτῶν τοῦτον εἶχον τὸν βίον. **Ὡς ἀμητοῦ εἰσφερομένου οἱ (μεταβ)όλοι τῶν ἐθνῶν.** Ἔοικέ φησι τῶν
25 ἐμπόρων τὰ πλοῖα εἰς τοὺς λιμένας καταίροντα τοῖς ἀπὸ [τῶν ἀγρ]ῶν ἐν τῷ καιρῷ τοῦ θερισμοῦ εἰς τὰς ἅλως τὰ δράγματα μεταφέρουσιν.

[4] **Αἰ(σχύν)θητι, Σιδὼν (εἶπεν, ἡ) θάλασσα.** Ἡ Σιδὼν ὑπέκειτο καὶ πάλαι τῇ Τύρῳ. Εἰσάγει τοίνυν αὐτὴν ὁ λόγος
30 τῇ Τύρῳ λ[έγουσ]αν — [ταύτην γὰρ] ἐκάλεσε θάλασσαν — · Αἰσχύνθητι, ἀντὶ τοῦ · Παῦσαι τοῦ θράσους, γνῶθι σαυτήν. Οὐ γὰρ .... ἡ θάλασσα τῇ Σιδῶνι εἶπεν · Αἰσχύνθητι, ἀλλ' ἡ Σιδὼν τῇ καλουμένῃ θαλάσσῃ, τουτέστι τῇ ἔξω θαλάσσῃ, [ἣ τὴν Τύρον] ἀπεικάζει διὰ τὸ πλῆθος τῶν
35 οἰκητόρων. Καὶ τοῦτο δηλοῖ τὰ ἑξῆς · **Ἡ ἰσχὺς τῆς θαλάσσης εἶπεν · (Οὐκ ὤδινα) οὐδὲ ἔτεκον οὐδὲ ἐξέθρεψα νεανίσκους οὐδὲ ὕψωσα παρθένους.** Λόγους ταῖς πόλεσιν (ὁ προ)φητικὸς περιτίθησι λόγος καὶ τὴν μὲν Σιδῶνα λέγουσαν · Αἰσχύνθητι, τὴν δὲ Τύρον ὁμολο(γοῦσαν) ὅτι
40 τὸ πλῆθος τὸ τοῖς θαλαττίοις κύμασιν ἐοικὸς οὐχ ἡ αὐτῆς δύναμις ἔτεκε καὶ ἐξέθρεψεν. (Προσωποπ)οιεῖ δὲ ταῦτα ἡ

C : 37-43 λόγους — χορηγόν

34 ἣ Po. ‖ 40 τὸ² — ἐοικὸς K : > C

---

1. Il est curieux de constater que Théodoret semble ignorer qu'il n'en a pas toujours été ainsi. Car, à l'époque d'Isaïe, Tyr était véritablement une île. Ce n'est qu'avec la construction d'une digue par Alexandre le Grand (siège et prise de Tyr en 322) que Tyr sera reliée à la terre ferme. La digue, provoquant un ensablement, a conduit progressivement à la formation d'un isthme (*PW*, p. 1879). C'est donc de la situation de Tyr contemporaine de Théodoret, et non de celle que vise ici la prophétie, que témoigne le commentaire. Cf. aussi Cyrille (70, 521 A).

n'offre qu'un seul point d'accès[1]. *Changeurs*[2] *de Phénicie.* Il appelle ainsi les marchands parce qu'ils apportent une denrée et repartent avec une autre. *Eux qui traversaient la mer*, 3. *sur l'immensité de l'eau*, *semence de changeurs.* Ce qui revient à dire : leurs ancêtres menaient déjà ce genre de vie. *Comme lorsqu'on rentre la moisson, les changeurs des nations.* Les navires des marchands qui abordent aux ports ressemblent, dit-il, aux hommes qui, à l'époque de la moisson, transportent depuis les champs jusqu'aux aires les gerbes de blé.

4. *Rougis de honte*, *a dit Sidon*, *toi la mer.* Sidon, déjà par le passé, était soumise à Tyr. Le texte la met donc en scène et lui fait dire à Tyr — car c'est elle qu'il a appelée « mer » — : « Rougis de honte », ce qui revient à dire : « Cesse d'être arrogante, connais-toi toi-même. » Car ce n'est pas . . . la mer qui a dit à Sidon[3] : « Rougis de honte », mais Sidon (qui l'a dit) à celle qu'il appelle la « mer », c'est-à-dire « l'océan » auquel il compare Tyr en raison du grand nombre de ses habitants. C'est aussi ce que fait voir la suite du passage : *La forteresse de la mer a dit : Je n'ai ni accouché ni enfanté, je n'ai pas élevé de jeunes gens ni fait grandir de jeunes filles.* Le texte prophétique prête aux villes la parole : Sidon parle en ces termes : « Rougis de honte », tandis que Tyr reconnaît que la foule (de ses habitants), pareille aux flots de la mer, ce n'est pas sa puissance qui l'a enfantée et élevée. La grâce de l'Esprit

2. Le commentaire de Théodoret montre que le terme μεταβόλοι n'était pas clair pour le lecteur du Ve s. ; en le traduisant par « changeurs », nous avons tenté de conserver au texte d'Isaïe son obscurité.

3. La lacune n'enlève rien à l'explication : Théodoret tient à préciser la manière dont il faut lire et ponctuer le texte ; on serait, en effet, tenté de comprendre : Αἰσχύνθητι, Σιδών, εἶπεν ἡ θάλασσα. C'est ainsi, du reste, que l'entendent aujourd'hui les éditeurs de la Septante. C'est déjà l'interprétation de CYRILLE, pour qui c'est la mer, i.e. toutes les îles, qui dit à Sidon, la mère de Tyr : « Rougis de honte » (70, 524 BC).

χάρις τοῦ πνεύματος διδάσκουσα μὴ ἐφ' ἑαυτοῖς μέγα φρονεῖν ἀλλ' εἰδέναι τὸν τῶν (ἀγαθῶν) χορηγόν.

[5] **Ὅταν δὲ ἀκουστὸν γένηται Αἰγύπτῳ, λήψεται αὐτοὺς ὀδύνη**
45 **περὶ Τύρου.** Ἀπὸ γὰρ τῶν [συμφορῶν τοῦ Τύρου οἱ Αἰγύπτιοι σφ]ᾶς αὐτοὺς μεριμνήσουσιν. [6] **Ἀπέλθετε εἰς (Καρχ)ηδόνα, ὀλολύξατε** |129 a| **οἱ κατοικοῦντες ἐν τῇ νήσῳ ταύτῃ.** Παλαιὰ ἦν Καρχηδονίοις καὶ Τυρίοις φιλία, καὶ τὰ τῆς ἐμπορίας συμβόλαια πρὸς ἀλλήλας αἱ πόλεις ἐποιοῦντο. Οὗ δὴ χάριν
50 καὶ τοῖς Καρχηδονίοις ὀλολύζειν παρακελεύεται. [7] **Οὐχ αὕτη ἦν ὑμῶν ἡ ὕβρις ἡ ἀπ' ἀρχῆς πρὶν ἢ παραδοθῆναι αὐτήν ;** Διδάσκει ὁ λόγος τῆς τιμωρίας τὸ δίκαιον. Ὕβρις γάρ, τουτέστι παρανομία καὶ ἀλαζονεία, τῆς πολιορκίας ἡγήσατο. **Ἀπάξουσιν αὐτὴν οἱ πόδες αὐτῆς πόρρωθεν εἰς ἀποικίαν.**
55 Πόδας αὐτῆς καλεῖ τὴν ὁδὸν αὐτῆς, τουτέστι τῶν βίων τὰ ἐπιτηδεύματα. Διὰ ταῦτα γὰρ ἐγένετο δορυάλωτος. Τοῦτο καὶ ἀλλαχοῦ λέγει ὁ αὐτὸς προφήτης · « Οὐαὶ τῷ ἀνόμῳ, πονηρὰ κατὰ τὰ ἔργα τῶν χειρῶν αὐτοῦ συμβήσεται αὐτῷ. »

[8] **Τίς ταῦτα ἐβουλεύσατο ἐπὶ Τύρον ;** Τίς ταύ(την) κατ'
60 αὐτῆς τὴν ψῆφον ἐξήνεγκεν ; **Μὴ ἥσσων ἐστὶν ἢ οὐκ ἰσχύει ;** Ἀντὶ τοῦ · Μὴ μικρὰ πόλις ἐστὶ καὶ (ὀλίγην) ἔχουσα δύναμιν, οὐκ ἀποχρῶσαν τοῖς πολεμίοις ἀνθίστασθαι ; Εἶτα δείκνυσιν αὐτῆς τὴν εὐπραξί[αν] · **Οἱ ἔμποροι αὐτῆς ἄρχοντες Χαναάν, καὶ οἱ μεταβόλοι αὐτῆς ἔνδοξοι τῆς γῆς.** Καὶ μὴν
65 βασιλικωτά[τη] πόλις ἐστὶ καὶ πολυθρύλητον τῆς οἰκουμένης ἐμπόριον. Τίς τοίνυν ἡ αἰτία τῶν συμφορῶν ; [9] **Κύριος Σαβαὼθ ἐβουλεύσατο παραλῦσαι πᾶσαν τὴν ὕβριν τῶν**

C : 59-60 τίς² — ἐξήνεγκεν ‖ 61-62 ἀντὶ — ἀνθίστασθαι

45-46 συμφορῶν τοῦ Τύρου οἱ Αἰγύπτιοι σφ]ᾶς conieci : vacat circa 27 litt. Mö. ‖ 57 αὐτὸς : +ὁ K

57 Is. 3, 11

1. Cyrille propose la même interprétation du verset (70, 524 D).
2. Personne n'ignore les origines tyriennes de Carthage qui aurait

use de ces personnifications pour leur enseigner à ne pas avoir d'elles une opinion orgueilleuse, mais à reconnaître le dispensateur des biens.

5. *Quand l'Égypte aura entendu (la nouvelle), la douleur saisira ses habitants à propos de Tyr.* Les malheurs arrivés à Tyr[1] donneront aux Égyptiens des inquiétudes sur leur propre sort. 6. *Éloignez-vous vers Carthage, poussez des cris vous qui habitez dans cette île.* Une amitié de vieille date existait entre Carthaginois et Tyriens et les cités entretenaient entre elles des rapports commerciaux[2]. C'est pourquoi il invite également les Carthaginois à pousser des cris de douleur. 7. *N'était-elle pas votre orgueil depuis les origines avant qu'elle n'ait été livrée?* Le texte enseigne la justice du châtiment : c'est l'orgueil, c'est-à-dire l'iniquité et l'arrogance, qui a provoqué le siège de la ville. *Ses pas la conduiront de loin pour fonder une colonie.* Il appelle « ses pas » la route qu'elle suit, c'est-à-dire ses habitudes de vie. Voilà les responsables de sa condition de prisonnière. C'est ce que dit déjà dans un autre passage le même prophète : « Malheur à l'impie ! Les maux s'abattront sur lui selon les œuvres de ses mains. »

La raison du châtiment de Tyr

8. *Qui a pris ces décisions contre Tyr?* Qui a porté contre elle cette condamnation ? *Est-elle trop faible ou bien n'a-t-elle pas de force?* Ce qui revient à dire : est-elle une petite cité dont la faible puissance ne permet pas de résister aux ennemis ? Il montre ensuite le bonheur de ses entreprises : *Ses marchands (sont) les souverains de Canaan et ses changeurs, célèbres sur la terre.* Oui vraiment, c'est une cité royale entre toutes, une place de commerce fameuse dans le monde. Quelle est donc la cause de ses malheurs ? 9. *Le Seigneur Sabaoth a décidé de ruiner complètement l'orgueil des gens*

été fondée vers 814 avant J.-C. par la princesse Didon (cf. *Énéide*, livre I, v. 12 s. ; v. 314 s.).

ἐνδόξων καὶ ἀτιμάσαι πᾶν ἔνδοξον ἐπὶ (τῆς) γῆς. Ἐνδόξους ἐνταῦθα τοὺς ἀλαζόνας καὶ ὑπερηφάνους καλεῖ. Τούτοις γὰρ
70 ἀντιτάσσεται. Οὐ γὰρ τοὺς τῆς ἀρετῆς ἔχοντας κλέος τῆς δόξης γυμνοῖ ἀλλὰ τοὺς τὴν φύσιν ἀγνοοῦντας καὶ ὑπὲρ ταύτην φρονοῦντας. [10] **Ἐργάζου τὴν γῆν σου, καὶ γὰρ πλοῖα οὐκέτι ἔρχεται ἐκ Καρχηδόνος.** [11] **Ἡ δὲ χείρ σου οὐκέτι ἰσχύει κατὰ θάλασσαν παροξύνουσα βασιλεῖς.** Παῦσαι ἀπὸ τῆς
75 ἐμπορίας καὶ ἔχου τῆς γεωργίας καὶ ἀντὶ τῆς θαλάσσης ἐργάζου τὴν γῆν. Οὐκέτι γὰρ ἴσως τῆς ἀπὸ θαλάττης ἀφθονίας ἀπολαύσεις οὐδὲ ἐπίφθονος ἔσῃ τοῖς πελάζουσι βασιλεῦσιν.

Κύριος Σαβαὼθ ἐντέταλται περὶ Χαναὰν ἀπολέσαι αὐτῆς
80 **τὴν ἰσχύν.** [12] **Καὶ ἐροῦσιν· Οὐκέτι μ(ὴ προ)σθῆτε τοῦ ὑβρίζειν καὶ ἀδικεῖν τὴν παρθένον θυγατέρα Σιδῶνος.** Χαναὰν οὐ τὴν φύσιν ἀλλὰ τὸν τρόπον καλεῖ. Καὶ δηλοῖ αὐτὰ τὰ ῥήματα· τῆς γὰρ Τύρου κατηγορῶν κήδεται τῆς Σιδῶνος, ἡ δὲ Σιδὼν π[ρω]τότοκος τοῦ Χαναάν· « Χαναὰν » γάρ φησιν
85 « ἐγέννησε τὸν Σιδῶνα πρωτότοκον. » Ἄξιον δὲ θαυμάσαι τε κ[αὶ] ὑμνῆσαι τὴν τοῦ δεσπότου φιλανθρωπίαν, ὅτι τῶν δύο πόλεων, καὶ τῆς Τύρου καὶ τῆς Σιδῶνος, τὴν ἀσέ[βειαν] καὶ τὴν παρανομίαν ἀσπαζομένων τῆς μὲν κατηγορεῖ τῆς δὲ κήδεται, ἐπειδὴ ἡ μὲν Τύρος ἠδίκ[ησεν] ἀφορμὴν εἰς
90 ἀλαζονείαν τὴν περιφάνειαν ἔχουσα, ἠδικεῖτο δὲ παρ' αὐτῆς ἡ Σιδών· καὶ οὐκ ἀφεώρα ὁ φ[ιλάνθρωπος] θεὸς εἰς τὴν αὐτῆς ἀσέβειαν ἀλλ' εἰς ἣν ὑπέμεινεν ἀδικίαν.

Καὶ ἐὰν ἀπέλθῃς εἰς Κιτιεῖς, οὐδὲ ἐ(κεῖ ἀνά)παυσις ἔσται σοι· [13] **καὶ εἰς γῆν Χαλδαίων, καὶ αὐτὴ ἠρήμωται ὑπὸ τῶν**
95 **Ἀσσυρίων, οὐδὲ ἐκεῖ ἀνάπαυ(σις ἔ)σται σοι, ὅτι πέπτωκε τὸ τεῖχος αὐτῆς, ἐθεμελίωσεν αὐτὴν σιίμ, ἔστησεν ἐπάλξεις**

C : 68-72 ἐνδόξους — φρονοῦντας

92 ὑπέμεινεν Mö. : ὑπέμειναν K ‖ 94 γῆν e tx.rec. : τὴν K

84 Gen. 10, 15

---

1. Même commentaire chez Eusèbe (*GCS* 151, 16-19) et chez Cyrille (70, 528 B).

célèbres et de frapper d'infamie tout ce qui sur terre est célèbre. Il appelle ici « gens célèbres » les arrogants et les orgueilleux. C'est à eux qu'il s'oppose : il ne dépouille pas de leur renommée ceux dont la vertu fait la gloire, mais ceux qui, tout en méconnaissant leur nature, conçoivent de l'orgueil à son sujet. 10. *Cultive ta terre, puisque les navires ne viennent plus de Carthage.* 11. *Ta main n'a plus de force sur la mer pour exciter les rois.* Renonce au commerce, tiens-t'en à la culture de la terre ; au lieu de la mer, travaille la terre. Car tu ne vas plus, comme aujourd'hui, jouir de l'abondance que procure la mer et causer l'envie des rois qui abordent (chez toi)[1].

Le Seigneur Sabaoth a décrété contre Canaan la destruction de sa force. 12. *Et l'on dira : Trêve de violence et d'injustice à l'égard de la vierge, fille de Sidon.* Il appelle « Canaan » non pas sa nature, mais son caractère[2]. C'est ce que prouvent les termes mêmes qu'il emploie : tout en accusant Tyr, il se préoccupe de Sidon ; or Sidon est le premier-né de Canaan : « Canaan, dit en effet (l'Écriture), a engendré Sidon, son premier-né. » La bonté du Maître mérite donc admiration et louange : de deux cités — Tyr et Sidon — qui chérissaient l'impiété et l'iniquité, il accuse l'une et se préoccupe de l'autre : c'est que Tyr, dont la célébrité alimentait l'arrogance, a commis l'injustice, tandis que Sidon la subissait de sa part. Aussi le Dieu de bonté ne fixait-il pas ses regards sur son impiété, mais sur l'injustice qu'elle avait endurée.

Impossibilité d'échapper au châtiment

Que tu t'en ailles chez les Kitiens, tu n'y auras pas de repos ; 13. *que ce soit vers la terre des Chaldéens, elle aussi les Assyriens l'ont dévastée : tu n'y auras pas de repos, parce que son rempart est tombé ; les Siim l'ont fondée, ils ont assis ses créneaux, ils ont*

2. Cyrille (70, 528 C) note que le terme « Canaan » désigne ici tous ceux qui rendent un culte aux idoles.

αὐτῆς, ἐξήγει(ραν) βάρεις αὐτῆς · ὁ τοῖχος αὐτῆς πέπτωκεν.
Ὡς τῶν πολεμίων πανταχόθεν προσβαλόντων [καὶ παν]τοδαπῶν αὐτὴν κυκλωσάντων κακῶν ἐρώτησιν αὐτῇ προσάγει ·
100 Ποῦ φησι βεβούλευσ[αι ἀπελθεῖν] ; εἰ[ς Κι]τιεῖς, τουτέστιν εἰς Κύπρον ; Ἀλλ' οὐδὲ ἐκεῖ παῦλαν εὑρήσεις κακῶν. Ῥᾴδιον γὰρ τοῖς [ἔχουσι] ν[αῦ]ν, πρ[οσ]χρ[ησα]μένοις δυνάμει κἀκεῖθεν ἀγαγεῖν σε καὶ ἀπαγαγεῖν δορυάλωτον. Ἀλλὰ τὴν Βα[βυλῶνα] καταλαβεῖν ἐβουλεύσω τῇ ἀρχαίᾳ
105 συγγενείᾳ θαρροῦσα ; — καὶ γὰρ Νεβρὼδ ὁ ταύτην δείμα[ς ἐκ τοῦ] Χαναὰν κατάγει τὸ γένος — ἀλλὰ καὶ ταύτην ἔρημον εἰργάσατο τῶν οἰκητόρων ὁ δυσσεβὴς καὶ [παρά]νομος βίος. Τοῦτο γὰρ ὁ λόγος αἰνίττεται λέγων · Ἠρήμωται ὑπὸ τῶν Ἀσσυρίων, τουτέστιν .... αὐτῆς καὶ τῆς οἰκείας δυσσεβείας
110 τε καὶ παρανομίας. Πέπτωκε τὸ τεῖχος αὐτῆς, ἀντὶ τοῦ · (ἀσφαλείας) πάσης γεγύμνωται. Ἐθεμελίωσεν αὐτὴν σιίμ— τὸ σιὶμ γὰρ ὁ Ἀκύλας « ἐξερχομένους » ἡρμ[ήνευσεν] —, ἀντὶ τοῦ · ἄνωθεν ταύτην ἔλαβε τὴν ἀπόφασιν ὥστε γενέσθαι δορυάλωτος. Καὶ [ἡνίκα τὰς ἐπάλξεις] καὶ τοὺς περιβόλους
115 ἐδέχετο καὶ τὰς ἔνδοθεν οἰκίας, ταύτην εἶχε τὴν ψῆφον. Ὁ δὲ Σύρος τὸ [σιὶμ] |129 b| « δαιμόνια » ἡρμήνευσεν. Καὶ ἔστιν ἀληθὴς ἡ ἑρμηνεία · εὗρον γὰρ παρὰ τούτῳ τῷ προφήτῃ κείμενον τὸ σιίμ, ἔνθα λέγει · « Καὶ συναντήσει δαιμόνια ὀνοκενταύροις » · τοῦτο τὸ σιὶμ οἱ Ἑβδομήκοντα
120 « δαιμόνια » ἡρμήνευσαν. Δῆλοι τοίνυν εἰσὶν ἑκόντες αὐτὸ καταλελοιπότες ἐπὶ τῆς Βαβυλῶνος ἀνερμήνευτον, ἵνα μήτις ὑπολάβῃ δαίμονας τῆς πόλεως γεγενῆσθαι δημιουργούς. Δῆλον δὲ ὡς τὴν τῆς πονηρίας οἰκοδομίαν ὁ προφητικὸς λόγος τοῖς δαίμοσιν ἀνατίθησι, δι' ἣν καὶ τὴν ἐρημίαν ἡ
125 πόλις ἐδέξατο. Καὶ γάρ, ὅταν ὁ ἀπόστολος λέγῃ · « Ἐγὼ

C : 110-111 πέπτωκε — γεγύμνωται

114 τὰς ἐπάλξεις Br. Po.

105-106 cf. Gen. 10, 6.8.10 118 Is. 34, 14 125 I Cor. 3, 10

1. Cf. sur ce point Introd., t. I, p. 49-50.

dressé ses tours : son rempart est tombé. Étant donné que les ennemis firent assaut de tous côtés et que toutes sortes de malheurs l'ont enveloppée, il lui pose une question : Où as-tu décidé, dit-il, de t'en aller ? Chez les Kitiens, c'est-à-dire à Chypre ? Eh bien ! même là, tu ne trouveras pas un terme à tes malheurs : il est facile pour qui possède un navire, s'il fait en outre usage de sa puissance, de te ramener de là-bas et de t'emmener comme prisonnier. Mais as-tu décidé de gagner Babylone, parce que tu mets ta confiance dans l'antique parenté qui vous lie ? — Nemrod, qui l'a construite, tire son origine de Canaan — eh bien ! elle aussi, la conduite impie et inique de ses habitants l'a réduite en désert. C'est ce que laisse entendre le texte par ces mots : « Les Assyriens l'ont dévastée », c'est-à-dire . . . . elle, son impiété et son iniquité. « Son rempart est tombé », ce qui revient à dire : elle a été dépouillée de toute espèce de sécurité. « Les Siim l'ont fondée » — Aquila a traduit le mot « Siim » par « exilés » — ce qui revient à dire : elle a reçu dès le début l'avertissement qu'elle deviendrait prisonnière. Aussi, lorsqu'elle recevait ses créneaux, ses fortifications et, à l'intérieur, ses maisons, était-elle sous le coup de cette sentence. Pourtant, le Syrien a traduit le mot « Siim » par « démons » et cette traduction est la vraie[1] : j'ai trouvé, en effet, le mot « Siim » employé chez ce même prophète, dans le passage où il dit : « Et les démons se rencontreront avec les onocentaures » ; ce mot « Siim », les Septante l'ont traduit par « démons ». Il est donc évident qu'ils l'ont laissé volontairement sans le traduire dans le cas de Babylone, afin que personne ne pense que les démons ont été les artisans créateurs de la cité. En revanche, il est évident que le texte prophétique attribue aux démons la construction de la perversité qui valut précisément à la cité de subir la dévastation. Et de fait, lorsque l'Apôtre déclare : « Moi, tel un bon architecte, j'ai posé le fondement »,

ὡς σοφὸς ἀρχιτέκτων θεμέλιον τέθεικα », οὐ λίθους νοοῦμεν ἀλλ' εὐσεβεῖς λόγους.

Ὁ μέντοι προφήτης πάλιν τῷ ναυτικῷ τῆς Καρχηδόνος ὀλολύζειν παρεγγυήσας προλέγει καὶ τῆς ἐρημίας τῆς
130 Τύρου τὸν χρόνον · [15] **Καταλειφθήσεται** γάρ φησι **Τύρος ἑβδομήκοντα ἔτη ὡς χρόνον βασιλέως ἑνός, ὡς χρόνον ἀνθρώπου.** Ἀμέτρητος ἡ τοῦ δεσπότου φιλανθρωπία. Αὐτοὶ γὰρ ἐν πολλαῖς ἐξήμαρτον γενεαῖς, αὐτὸς δὲ περιγράφει τὴν τιμωρίαν μακροβίου βασιλέως ἀρχῇ ἢ ἑνὸς ἀνθρώπου ζωῇ.
135 **Καὶ ἔσται μετὰ ἑβδομήκοντα ἔτη ἔσται Τύρῳ ὡς ᾆσμα πόρνης.** [16] **Λάβε κιθάραν, ῥέμβευσον πόλις πόρνη ἐπιλελησμένη, καλῶς κιθάρισον, πολλὰ ᾆσον, ἵνα σου μνεία γένηται.** Τὴν πολλὴν αὐτῆς ἀκολασίαν καὶ ἀκρασίαν ἡ προφητεία διδάσκει · παρακελεύεται γὰρ αὐτῇ τοῖς τῆς εὐημερίας ἐπιτηδεύμασι
140 χρήσασθαι καὶ ἐν αὐτῇ τῇ κακοπραγίᾳ. Εἰρωνικῶς δὲ τοῦτο ποιεῖ διδάσκων τοῦ τοιούτου βίου τὸ βλαβερόν. [17] **Καὶ ἔσται μετὰ ἑβδομήκοντα ἔτη ἐπισκοπὴν ποιήσει ὁ θεὸς Τύρου, καὶ πάλιν ἀποκατασταθήσεται εἰς τὸ ἀρχαῖον, καὶ ἔσται ἐμπόριον πάσαις ταῖς βασιλείαις τῆς οἰκουμένης**
145 **ἐπὶ πρόσωπον πάσης τῆς γῆς.** Καὶ ταῦτα καταστέλλει τῶν Ἰουδαίων τὸν τῦφον · ὃν γὰρ ὥρισε χρόνον τῇ τῆς Ἱερουσαλὴμ ἐρημίᾳ, καὶ τῇ Τύρῳ διὰ τὴν πολλὴν δέδωκεν ἀγαθότητα, διδάσκων ὡς οὐκ Ἰουδαίων μόνον ἀλλὰ καὶ τῶν ἐθνῶν ἐστι θεός · « Αὐτοῦ γὰρ ἡ γῆ καὶ τὸ πλήρωμα
150 αὐτῆς. »

C : 132-134 ἀμέτρητος — ζωῇ ‖ 145-150 καὶ — αὐτῆς

132 αὐτοὶ K : +μὲν C ‖ 133 ἐν K : > C ‖ δὲ C : γὰρ K ‖ 134 ἀρχῇ ... ζωῇ C : ἀρχὴν ... ζωήν K ‖ 141 διδάσκων Po. : διδάσκει K ‖ 149 τῶν K : > C ‖ ἐστι C : ἔσται K

149 Ps. 23, 1 ; I Cor. 10, 26

---

1. La référence à *I Cor.* 3, 10 permet à Théodoret de prouver aux tenants du littéralisme qu'il est absolument nécessaire de dépasser la lettre si l'on veut comprendre correctement le texte « les Siim l'ont fondée » : l'activité des démons est uniquement spirituelle.
2. Résumé d'*Is.* 23, 14.

nous ne pensons pas à des pierres, mais à de pieuses paroles[1].

Durée de la désolation de Tyr

En tout cas, après avoir de nouveau ordonné à la flotte de Carthage de pousser des cris de douleur[2], le prophète prédit encore le temps que doit durer la dévastation de Tyr : 15. *Tyr sera abandonnée*, dit-il, *pendant soixante-dix ans*, *correspondant au temps d'un seul roi*, *au temps d'un homme.* La bonté du Maître est sans mesure : alors que, de leur côté, ils ont commis des fautes pendant une foule de générations, il borne, pour sa part, la durée du châtiment au règne d'un roi à grande longévité ou à la vie d'un seul homme. *Et il arrivera après soixante-dix ans*, *il arrivera à Tyr*, *comme (dit) le chant de la prostituée :* 16. *Prends ta cithare*, *erre sans but*, *ville prostituée*, *délaissée*, *joue bien de la cithare*, *chante de nombreux chants*, *pour qu'on garde le souvenir de toi.* La prophétie enseigne l'étendue de sa licence et de son intempérance : il l'invite, en effet, à s'adonner aux occupations qui sont celles de la prospérité, au sein même de l'adversité. Mais il le fait de façon ironique pour enseigner le caractère funeste d'un tel genre de vie. 17. *Et il arrivera*, *après soixante-dix ans*, *que Dieu visitera Tyr*, *que de nouveau elle se rétablira dans son état antérieur et qu'elle sera une place de commerce pour tous les royaumes du monde sur la face de toute la terre.* Voilà encore ce qui rabat l'orgueil des Juifs ! car le temps qu'il a fixé pour la désolation de Jérusalem, il l'a également attribué à Tyr dans sa grande bonté[3], pour enseigner qu'il n'est pas seulement le Dieu des Juifs, mais aussi celui des nations : « Car la terre lui appartient et tout ce qu'elle renferme. »

3. Même remarque chez Eusèbe (*GCS* 151, 32 - 152, 1) et chez Cyrille (70, 532 C). Par « désolation de Jérusalem » entendons la période de captivité à Babylone (cf. *In Ez.*, 81, 816 C - 817 ; 856 C - 857 ; 1069 C ; pour l'évaluation de cette durée, cf. *In Dan.*, 81, 1456-1457).

[18] **Καὶ ἔσται ἡ ἐμπορία αὐτῆς καὶ ὁ μισθὸς ἅγια τῷ κυρίῳ· οὐκ αὐτοῖς συναχθήσεται οὐδὲ ἀποτεθήσεται, ἀλλὰ τοῖς κατοικοῦσιν ἔναντι κυρίου ἔσται πᾶσα ἡ ἐμπορία αὐτῆς φαγεῖν καὶ πιεῖν καὶ ἐμπλησθῆναι εἰς συμβολὴν μνημόσυνον**
155 **ἔναντι κυρίου.** Τό · εἰς συμβολήν, ὁ μὲν Σύμμαχος καὶ ὁ Θεοδοτίων « εἰς τὸ περιβαλέσθαι » ἡρμήνευσαν, ὁ δὲ Ἀκύλας « ἐσθῆτα ». Δηλοῖ δὲ ὁ λόγος τὴν πολλὴν ἐπὶ τὰ κρείττω τῆς Τύρου μεταβολήν · τὴν γὰρ παρανόμως καὶ δυσσεβῶς πάλαι πολιτευομένην ἔφη προσοίσειν τῆς ἐμπορίας
160 τὰ κέρδη τοῖς ἐσχολακόσι τῇ τοῦ θεοῦ θερα[πείᾳ], ὥστε αὐτοὺς ἐκ τούτων καὶ τῆς τροφῆς τὴν χρείαν καὶ τὴν περιβολὴν ἔχειν.

Ταῦτά τινες ἔφασαν μετὰ [τὴν] ἀπὸ Βαβυλῶνος ἐπάνοδον γεγενῆσθαι, τῶν Τυρίων τοῖς ἐν Ἱεροσολύμοις ἱερεῦσι
165 ταῦτα προσ[φερόντων] τὰ δῶρα · τινὲς δὲ εἰρήκασι τὸν Γὼγ καὶ Μαγὼγ τὴν Τύρον πεπορθηκότας κατὰ τῆς Ἱερουσαλὴμ [ὁρμῆ]σαι, εἶτα ἐκεῖ θεηλάτῳ πληγῇ καταλῦσαι τὸν βίον, τὸν δὲ ὑπ' ἐκείνων συναθροισθέντα πλοῦτον [ἀνατεθῆ]ναι τῷ τῶν ὅλων θεῷ. Ἐγὼ δὲ ὁρῶν τῆς προφη-
170 τείας τὸ τέλος πολλῶν οὐ δέομαι λογισμῶν · [μάρτυρες] γὰρ τῆς ἀληθείας οἱ ὀφθαλμοί. Τὰ γὰρ λαμπρὰ καὶ περίβλεπτα κ[αὶ] πολυτάλαντα [δαιμόνων τε]μένη, ἃ οἱ παλαιοὶ τῆς Τύρου κατεσκεύασαν βασιλεῖς, ταῦτα .... καὶ θείους ἐκ τούτων σηκοὺς οἱ τῆς εὐσεβείας
175 κατεσκεύασαν ἱ[ερεῖ]ς. Ὁρῶ[μεν] δὲ καὶ μέχρι [τῆς τ]ήμερον πολλὰ παρὰ πάντων δῶρα προσφερόμενα τῷ θεῷ, καὶ τὰ κτήματα δέ, ἐξ ὧν οἱ τοῦ θείου [ἱερεῖς] καὶ τρέ[φ]ονται καὶ περιβάλλονται, τὰ μέν τινες ἔτι ζῶντες τὰ δὲ [τε]τελευτηκότες ἀνέθηκαν [τῷ] θεῷ. Μαρτυρ[εῖ] τοίνυν τῇ προφητείᾳ
180 τῶν πραγμάτων ἡ θεωρία.

170 μάρτυρες conieci : ὀξεῖς Mö.

---

1. Sur Gog et Magog, cf. *supra*, p. 83, n. 3.
2. Cf. *Thérap.* VIII, 68-69.
3. On a là un témoignage sur l'origine des biens d'Église (cf. J. GAUDEMET, *L'Église dans l'empire romain, IVe-Ve siècles*, Paris

La conversion de Tyr

18. *Son commerce et son salaire seront consacrés au Seigneur : ce n'est pas pour eux qu'ils seront rassemblés et mis en réserve ; mais c'est à ceux qui habitent devant le Seigneur qu'appartiendra tout son commerce, pour qu'ils mangent, qu'ils boivent et qu'ils aient à satiété de quoi s'équiper magnifiquement devant le Seigneur.* L'expression « de quoi s'équiper », Symmaque et Théodotion l'ont traduite par : « de quoi s'habiller » et Aquila par « vêtement ». Le texte fait donc voir l'importance du changement que connaîtra Tyr pour un état meilleur : elle, qui jadis se gouvernait de façon inique et impie, offrira, dit-il, les gains que lui procurera son commerce à ceux qui ont consacré leur vie au service de Dieu, en sorte que cela leur permette de subvenir à leurs besoins de nourriture et à leur habillement.

D'aucuns ont prétendu que cela s'était produit après le retour de Babylone, lorsque les gens de Tyr offraient ces présents aux prêtres de Jérusalem. D'autres ont dit que Gog et Magog pillèrent Tyr avant de s'élancer sur Jérusalem[1] ; qu'une fois là, Dieu leur porta un coup qui mit fin à leur vie et que les richesses qu'ils avaient réunies furent consacrées au Dieu de l'univers. Mais, pour ma part, puisque je vois l'accomplissement de la prophétie, je n'ai que faire de nombreux raisonnements : nos yeux sont témoins de la vérité. De fait, les sanctuaires des démons, magnifiques, célèbres, pleins de richesses, que les anciens rois de Tyr avaient édifiés, . . . (ont été détruits) . . . et les prêtres de la piété ont utilisé leurs ruines pour édifier des sanctuaires consacrés à Dieu[2]. D'autre part, nous voyons, aujourd'hui encore, qu'on apporte universellement à Dieu bon nombre de présents ; quant aux biens qui permettent aux prêtres de Dieu de se nourrir et de se vêtir, d'aucuns les ont consacrés à Dieu en partie de leur vivant, en partie après leur mort[3]. L'examen des faits témoigne donc en faveur de la prophétie.

Ὁ μέντοι προφητικὸς λόγος ἐνταῦθα [συμπεράνας] τῆς Τύρου τὴν πρόρρησιν τὰ πᾶσιν ἀνθρώποις συμβησόμενα προθεσπίζει· **24**[1] **Ἰδοὺ κύριος κατα(φθείρει) τὴν οἰκουμένην καὶ ἐρημώσει αὐτὴν καὶ ἀνακαλύψει τὸ πρόσωπον αὐτῆς**
185 **καὶ διασπερεῖ τοὺς (ἐνοικοῦντας) ἐν αὐτῇ.** Διπλῆν ὁ λόγος ἔχει τὴν προφητείαν· σημαίνει γὰρ καὶ τὰ κατὰ διαφόρους καιροὺς (ἐν τοῖς) πολέμοις γιγνόμενα καὶ τὰ ἐν τῇ συντελείᾳ τοῦ παρόντος ἐσόμενα αἰῶνος.

[2] **Καὶ ἔσται** |130 a| **ὁ λαὸς ὡς ὁ ἱερεὺς καὶ ὁ παῖς ὡς ὁ**
190 **κύριος καὶ ἡ θεράπαινα ὡς ἡ κυρία καὶ ἔσται ὁ ἀγοράζων ὡς ὁ πωλῶν καὶ ὁ δανείζων ὡς ὁ δανειζόμενος καὶ ὁ ὀφείλων ὡς ᾧ ὀφείλει.** Ταῦτα κυρίως μὲν καὶ ἀληθῶς μετὰ τὴν ἀνάστασιν ἔσται· τότε γὰρ μεταβάλλεται τοῦ παρόντος βίου τὸ σχῆμα καὶ παύεται μὲν ἡ τῶν ἀξιωμάτων διαφορά,
195 ἀντεισάγεται δὲ ἡ τῆς ἀρετῆς καὶ τῆς κακίας διαφορά, καὶ πολλάκις ἱερεῖς παρανομίᾳ συζήσαντες τιμωρίᾳ παραδοθήσονται, τινὲς δὲ εἰς τὸν τοῦ λαοῦ τελοῦντες κατάλογον εἰς τὸ ἐκείνων μεταβήσονται τάγμα, καὶ οἰκέται μὲν συναριθμήσονται τοῖς σῳζομένοις, δεσπόται δὲ τοῖς κολαζομένοις·
200 οὕτως ὁ Λάζαρος ἐνδιῃτᾶτο τοῖς κόλποις τοῦ Ἀβραάμ, ὁ δὲ πλούσιος κατεφλέγετο. Ἀλλ' ὅμως καὶ ἐν τοῖς πολέμοις ταὐτὸ τοῦτο ἔστιν ἰδεῖν γιγνόμενον· οὐκ ἴσασι γὰρ οἱ πολέμιοι δούλου καὶ δεσπότου διαφοράν, οὐκ εὐγενοῦς τε καὶ δυσγενοῦς, ἀλλὰ πᾶσιν ὁμοίως ἐπιφέρουσι τὸν τῆς
205 δουλείας ζυγόν.

Εἶτα πάλιν προειρηκὼς τὴν ἀπὸ τῆς θείας ψήφου ἐσομένην

C : 185-188 διπλῆν — αἰῶνος ‖ 192-199 ταῦτα — κολαζομένοις

188 ἐσόμενα αἰῶνος K : ∾ C ‖ 193 ἔσται C : ἔφη K ‖ 195 ἀντεισάγεται — διαφορά C : > K ‖ 201 πολέμοις Mö. : πολεμίοις K

200-201 cf. Lc 16, 23-24

1958, p. 294-299) ; pour Eusèbe également (*GCS* 152, 30 - 153, 4), la prophétie s'entend des présents offerts par les fidèles des diverses Églises, et destinés à l'entretien des ministres du culte ; il cite à l'appui de cette interprétation *I Cor.* 9, 13-14.

1. Expression couramment utilisée par Théodoret (v.g. *In Is.*,

Prophéties concernant toute l'humanité ; fin du monde et jugement dernier

Le texte prophétique, après avoir achevé ici la prédiction qui concerne Tyr, prophétise les événements qui se produiront pour l'ensemble de l'humanité : **24,** 1. *Voici que le Seigneur dévaste la terre : il la désolera, il en bouleversera la face et il en dispersera les habitants.* Le texte contient une double prophétie[1] : il fait connaître à la fois ce qui se produit à différentes époques au cours des guerres et ce qui arrivera lors de la consommation du siècle présent.

2. *Le peuple sera comme le prêtre, l'esclave comme le maître, la servante comme la maîtresse ; l'acheteur sera comme le vendeur, le prêteur comme l'emprunteur, le débiteur comme le créancier.* Voilà ce qui arrivera proprement et véritablement après la Résurrection : à ce moment-là, la structure de la vie présente se transforme et la différence de conditions cesse, tandis que s'y substitue la différence entre la vertu et le vice. Souvent même, des prêtres qui auront vécu avec iniquité seront livrés au châtiment, tandis que des gens qui appartenaient au peuple quitteront leur rang pour occuper celui des prêtres ; on comptera des serviteurs au nombre des sauvés, des maîtres au nombre des punis : ainsi Lazare vivait dans le sein d'Abraham, tandis que le riche était dans les flammes. Néanmoins, il est possible de voir se produire au cours des guerres également ce même phénomène : les ennemis ne connaissent pas de différence entre l'esclave et le maître, non plus qu'entre le noble et le roturier, mais ils imposent à tous uniformément le joug de la servitude.

Puis il prédit de nouveau la ruine future du monde

7, 759-760 ; 19, 7-10.42) pour désigner l'interprétation typologique : la prophétie réalisée une première fois en figure et de manière incomplète (« au cours des guerres ») trouve ailleurs son accomplissement définitif et total (la fin du monde). EUSÈBE rapporte lui aussi cette prophétie à la fin du monde et au jugement dernier (*GCS* 154, 2-7).

τῆς οἰκουμένης διαφ<θ>ορὰν καὶ τῶν ἐπὶ πλούτῳ καὶ δυνάμει γαυριώντων τὰς ὀλοφύρσεις, ἐπήγαγεν · [5] **Ἡ δὲ γῆ ἠνόμησε διὰ τοὺς κατοικοῦντας ἐν αὐτῇ, διότι παρῆλθον**
210 **τὸν νόμον καὶ ἤλλαξαν τὰ προστάγματα, διεσκέδασαν διαθήκην αἰώνιον.** Ἐπειδὴ γὰρ ἡ γῆ ἄλογός τε καὶ ἄψυχος, εἰκότως ἐδίδαξεν ὡς οἱ οἰκήτορες αὐτὴν ἀνομίας ἐνέπλησαν. Νόμον δὲ καὶ προστάγματα οὐ μόνον τὸν Μωυσέως λέγει ἀλλὰ καὶ τὸν ἄνωθεν ἐν τῇ φύσει γραφέντα. Αὐτοδίδακτος
215 γὰρ τῆς τῶν ἀγαθῶν καὶ τῶν κακῶν διαφορᾶς ἡ φύσις τῶν ἀνθρώπων · καὶ μαρτυροῦμεν ἀγαθῶν μὲν ἀπολαύειν βουλόμενοι, παραιτούμενοι δὲ πάσχειν κακῶς. Τοῦτο καὶ ὁ θεσπέσιος ἡμᾶς ἀπόστολος ἐξεπαίδευσεν · « Ὅταν γάρ » φησιν « ἔθνη τὰ μὴ νόμον ἔχοντα φύσει τὰ τοῦ νόμου ποιῇ,
220 οὗτοι νόμον μὴ ἔχοντες ἑαυτοῖς εἰσι νόμος. »

[6] **Διὰ τοῦτο ἀρὰ ἔδεται τὴν γῆν, ὅτι ἥμαρτον οἱ κατοικοῦντες ἐν αὐτῇ.** Τοῦτο καὶ νῦν ὁρῶμεν γιγνόμενον · ἀκρίδος γὰρ ἐμβολὴ καὶ ἐρυσίβης ψεκάδες καὶ χαλάζης σφενδόναι καὶ ὄμβρων ὑπερβολή τε καὶ ἔνδεια καὶ φυτοῖς ἐπιφέρεται
225 καὶ ληίοις διὰ τὴν ἡμετέραν παρανομίαν. Τοῦτο καὶ ὁ προφητικὸς ἔφη λόγος. [7] **Πενθήσει οἶνος, πενθήσει ἄμπελος, στενάξουσι πάντες οἱ εὐφραινόμενοι τὴν ψυχήν.** [8] **Πέπαυται εὐφροσύνη τυμπάνων, πέπαυται αὐθάδεια καὶ πλοῦτος δυσσεβῶν, πέπαυται φωνὴ κιθάρας.** [9] **Ἠσχύνθησαν καὶ οὐκ ἔπιον**
230 **οἶνον, πικρὸν ἐγένετο τὸ σίκερα τοῖς πίνουσιν αὐτό.** [10] **Ἠρημώθη πᾶσα πόλις, (κλει)σθήσονται αἱ οἰκίαι τοῦ μὴ εἰσελθεῖν.** Ἐπειδὴ γὰρ εἰς τρυφὴν ἐξώκειλε τῶν ἀνθρώπων

C : 222-225 τοῦτο — παρανομίαν ‖ 232-236 ἐπειδὴ — ἀταξία

218 Rom. 2, 14

1. Résumé d'*Is.* 24, 3-4.

2. Sur l'existence de cette loi naturelle, voir *infra* 7, 296-298 et *In Ez.*, 81, 952 A. Outre l'héritage paulinien dont se réclame Théodoret, il peut y avoir aussi quelques souvenirs platoniciens (cf. *Thérap.* XII, 43). Pour Eusèbe (*GCS* 155, 21-28) et pour Cyrille (70, 540 D), c'est également la violation de la loi naturelle dont il est ici question.

en vertu de la décision divine et les lamentations de ceux qui s'enorgueillissent de leur richesse et de leur puissance[1], avant d'ajouter : 5. *La terre a vécu dans l'iniquité à cause de ses habitants, parce qu'ils ont violé la loi et altéré les préceptes, parce qu'ils ont rompu l'alliance éternelle.* Puisque la terre est privée de raison et qu'elle est inanimée, il a enseigné à juste titre que ce sont ses habitants qui l'ont remplie d'iniquité. Par « loi » et par « préceptes » il ne parle pas seulement de la loi de Moïse, mais aussi de la loi inscrite depuis l'origine dans la nature[2] ; car la nature humaine connaît de façon innée la différence entre le bien et le mal : nous en témoignons par notre volonté de jouir du bonheur et par notre refus d'éprouver le malheur. C'est aussi l'enseignement que nous a donné l'Apôtre inspiré : « Lorsque les nations, dit-il, privées de la Loi, accomplissent naturellement les prescriptions de la Loi, ces hommes, sans posséder la Loi, se tiennent à eux-mêmes lieu de Loi. »

6. *C'est pourquoi la malédiction dévorera la terre : car ses habitants ont péché.* C'est ce que nous voyons maintenant encore se produire : attaque de sauterelles, taches de rouille, chutes de grêle, pluies excessives ou insuffisantes viennent s'abattre sur les arbres et les moissons à cause de notre iniquité[3]. Voilà aussi ce qu'a dit le texte prophétique. 7. *Le vin sera en deuil, en deuil la vigne : tous ceux qui avaient le cœur en liesse gémiront.* 8. *Elle a cessé l'allégresse des tambourins, elle a cessé la suffisance et la richesse des impies, il a cessé le son de la cithare.* 9. *Ils ont rougi de honte et n'ont pas bu de vin ; le sikéra est devenu aigre pour ceux qui le boivent.* 10. *La cité tout entière a été dévastée ; les maisons seront fermées pour qu'on n'y entre pas.* Puisque la nature humaine s'est laissée aller à la mollesse, c'est par

3. Théodoret s'en tient à une interprétation littérale concrète, à rapprocher de celle qu'il donne dans l'*In Joel.*, 81, 1636 BD, mais après avoir, dans ce cas, présenté et retenu comme vraie l'interprétation figurée d'autres exégètes.

ἡ φύσις, τοῖς ἐναν(τίοις) θεραπεύεται φαρμάκοις · τῇ ἐνδείᾳ ἡ εὐπορία, τῇ τῆς γῆς ἀκαρπίᾳ τὰ ἐκ τῆς πολυκαρπίας
235 σκιρτήμ(ατα), τῇ τῶν πόλεων ἐρημίᾳ ἡ τῶν οἰκητόρων ἀταξία.

Εἶτα πάλιν παρακελεύεται τοῖς τῇ γαστ[ρὶ τὴν] εὐδαιμονίαν μετροῦσι θρηνεῖν τοῦ οἴνου τὴν ἔνδειαν καὶ τὴν παῦλαν τῆς εὐφροσύνης καὶ τὰς τῶν πό[λεων] ἐρημίας καὶ τῶν
240 οἰκητόρων τὸ ἀοίκητον.

Ἔπειτα εἰκό[να] τῶν ἀπολλυμένων προτίθησιν. [13] **Ὃν τρόπον ἐάν τις καλαμᾶται ἐλαίαν, οὕτως καλαμήσονται αὐτούς. Καὶ ἐὰν παύσηται ὁ τρύγητος,** [14] **οὗτοι φωνῇ βοήσουσιν, οἱ δὲ καταλειφθέντες ἐπὶ τῆς γῆς εὐφρανθήσονται**
245 **ὑμνοῦντες τὸν ἐνδοξασμὸν τοῦ κυρίου ἅμα.** Ταῦτα ὁ Σύμ(μαχος) οὕτως ἡρμήνευσεν · « Ὡς καλαμητὸς ἐλαίας, ὡς ἐπιφυλλίδες, ὅταν συντελεσθῇ τρύγητος. Οὗτοι δὲ (ἐπα)ροῦσι φωνὴν (αὐ)τῶν, ἀγαλλιάσονται ἐν τῷ δοξασθῆναι κύριον. » Ταύτης τῆς παραβολῆς καὶ ἐν τοῖς κατὰ τ[ῆς Δαμασκοῦ]
250 ἐμνημόνευσ[ε] καὶ εἶπέ τινας ὑπολειφθῆναι ὡς « καλάμην ἐν φάραγγι στερεᾷ ἢ ὡς ῥᾶγας ἐλαίας δύο (ἢ τρεῖς) ἢ τέσσαρας ἢ πέντε ἐπ' ἄκρου μετεώρου ». Καὶ ἐνταῦθα δείκνυσι τοὺς μὲν ἀπολλυμένους, τοὺς δὲ ὑπο(λοίπους) καὶ τῆς σωτηρίας ἀπολαύοντας καὶ τὸν εὐεργέτην ὑμνοῦντας
255 θεόν. Εὕροι δ' ἄν τις καὶ ἐν τῷ καιρῷ τῆς συν(τελείας) τοῦτο ἐσόμενον · « Δύο » γάρ φησιν « εὑρεθήσονται ἐπὶ τῆς κλίνης, εἷς παραλαμβάνεται καὶ εἷς ἀφίεται, (δύο ἀ)λήθουσαι ἐν τῷ μυλῶνι, μία παραλαμβάνεται καὶ μία ἀφίεται », καὶ πάλιν · « Οὗτοι ἀπελ(εύ)σον(ται) εἰς ζωὴν αἰώνιον καὶ οὗτοι
260 εἰς κόλασιν καὶ αἰσχύνην αἰώνιον. »

C : 252-256 καὶ — ἐσόμενον

253 ὑπολοίπους C : ἀπο ...... K

250 Is. 17, 5.6 256 Matth. 24, 40-41 ; Lc 17, 34 259 Matth. 25, 46

---

1. Résumé d'*Is.* 24, 11-13 a.

les remèdes qui s'y opposent qu'on la soigne : l'indigence répond à l'abondance, la stérilité de la terre à la licence que fait naître une abondante récolte, la désolation des cités au dérèglement des habitants.

Puis il invite de nouveau ceux qui mesurent le bonheur à leur ventre à déplorer le manque de vin, la cessation de l'allégresse, la désolation des cités et l'absence de toit pour leurs habitants[1].

Châtiments et récompenses

Il propose ensuite une image de ceux qui périssent : 13. *Comme quand on gaule l'olivier, ainsi on les gaulera. Et lorsque aura cessé la vendange*, 14. *ceux-ci pousseront des cris à pleine voix, tandis que ceux qui auront été laissés sur la terre seront dans l'allégresse et chanteront l'hymne qui glorifie le Seigneur, tous ensemble.* Symmaque a traduit ce passage comme suit : « Comme le gaulage de l'olivier, comme des grappillons, lorsqu'on a achevé la vendange. Ceux-ci élèveront la voix, ils mettront leur joie à glorifier le Seigneur. » Il a déjà fait mention de cette parabole dans les (oracles) prononcés contre Damas[2] : d'aucuns, a-t-il dit, ont été laissés comme « du chaume en un ravin étroit ou comme deux ou trois, quatre ou cinq olives en haut, à la cime ». Dans ce passage aussi, il montre que les uns périssent et que ceux qui restent jouissent du salut et louent Dieu, leur bienfaiteur. On pourrait, toutefois, trouver que cela se produira aussi au moment de la consommation (des siècles) : « On trouvera, dit-il, deux hommes sur leur lit : l'un est pris, l'autre laissé ; deux femmes en train de moudre au moulin : l'une est prise, l'autre laissée », et encore : « Ils s'en iront, les uns à la vie éternelle, les autres vers une peine et une honte éternelles. »

2. Le texte donné en *Is.* 17, 5-6 (6, 46-50) est légèrement différent de celui que nous avons ici : Théodoret, selon son habitude, se contente de citer de mémoire.

Ὅτι τῇ δόξῃ κυρίου ταραχθήσεται (τὸ ὕδ)ωρ τῆς θαλάσσης. [15] **Διὰ τοῦτο ἡ δόξα κυρίου ἔσται ἐν ταῖς νήσοις τῆς θαλάσσης, ἐν ταῖς νήσοις τὸ ὄνομα κυρίου (θεοῦ Ἰσραὴλ |130 b| ἔν)δοξον ἔσται.** Δόξαν κυρίου κέκληκε τὰ διὰ τῶν ἀποστόλων γενόμενα 265 θαύματα, ὕδωρ δὲ θαλάσσης τῶν ἀνθρώπων τὸ πλῆθος. Δίκην γὰρ θαλάττης διεταράττοντο καὶ οἱ μὲν ἀντέλεγον οἱ δὲ ἐν τοῖς κηρυττομένοις ἐπίστευον. Νήσους δὲ τὰς ἐν μέσῳ τῆς θαλάττης ταύτης ἀνοικοδομηθείσας ἐκκλησίας καλεῖ καὶ δεχομένας μὲν τῆς θαλάττης τὰ κύματα, ἀβλαβεῖς 270 δὲ φυλαττομένας κατὰ τὴν τοῦ κυρίου ὑπόσχεσιν · ἐν ταύταις τὸ θεῖον ὄνομα παρὰ τῶν εὐσεβούντων ὑμνεῖται. Ταῦτα δὲ διὰ τῆς πνευματικῆς χάριτος ὁ προφήτης μεμαθηκὼς πρὸς τὸν δεσπότην φησίν · **Κύριος ὁ θεὸς τοῦ Ἰσραήλ,** [16] **ἀπὸ τῶν πτερύγων τῆς γῆς τέρατα ἠκούσαμεν.** Πτέρυγας τῆς 275 γῆς τὴν πίστιν καὶ τὴν θεογνωσίαν ὠνόμασεν · οἱ γὰρ γήινοι διὰ τούτων ἀνιπτάμενοι θεωροῦσι τὰ θεῖα. Τέρατα δὲ καλεῖ τά τε περὶ τῆς συντελείας προηγορευμένα καὶ τὰ περὶ τῶν ἐκκλησιῶν τεθεσπισμένα.

Εἶτα δείκνυσι τῶν εἰρημένων τὸ ἐπικερδές · ἐπάγει γάρ · 280 **Ἐλπὶς τῷ εὐσεβεῖ.** Ὁ γὰρ ἐννόμως καὶ εὐσεβῶς πολιτευόμενος τὰς τοῦ μέλλοντος αἰῶνος ἀντιδόσεις μανθάνων φέρει γενναίως τῆς ἀρετῆς τοὺς πόνους, τῆς ἐλπίδος ὑπερει-

C : 265-270 ὕδωρ — ὑπόσχεσιν ‖ 274-278 πτέρυγας — τεθεσπισμένα ‖ 280-283 ἐλπὶς — ὑπερειδούσης

266 θαλάττης C : θαλάσσης K ‖ 267 ἐν¹ K : > C ‖ 268 τῆς θαλάττης ταύτης K : ταυτησὶ τῆς θαλάττης C ‖ 270 κυρίου K : σωτῆρος C ‖ 275 οἱ γὰρ K : ὅτι γὰρ C$^{r \cdot 377}$ ὅτι οἱ C$^{v \cdot 90}$ ‖ 277 τε C : > K ‖ 280 καὶ εὐσεβῶς C : > K ‖ 282 φέρει C : +γὰρ K ‖ ὑπερειδούσης K : ἐπερειδούσης C

1. Pour CYRILLE également les mots « eau de la mer » désignent la multitude des nations (70, 545 BC).

2. Cf. *In Is.*, 12, 284-285, où Théodoret parle ouvertement des persécutions dirigées contre l'Église. Rapprocher de l'interprétation de CYRILLE, fondée sur les mêmes équivalences (« îles » = Églises ; « mer » = nations) : les Églises sont dans le monde comme les îles dans la mer, mais le secours du Christ empêche qu'elles soient frappées

Conversion du monde

Car la gloire du Seigneur troublera l'eau de la mer. 15. *C'est pourquoi la gloire du Seigneur résidera dans les îles de la mer; dans les îles, le nom du Seigneur Dieu d'Israël sera fameux.* Il a appelé « gloire du Seigneur » les miracles qui se sont produits par l'intermédiaire des apôtres, et « eau de la mer » le grand nombre des hommes[1]. A la façon de la mer, ils étaient bouleversés : les uns marquaient leur refus, les autres croyaient à ce qu'on leur annonçait. Il appelle « îles » les Églises qui se sont élevées au milieu de cette mer : les flots de la mer les atteignent, mais selon la promesse du Seigneur elles sont protégées de l'atteinte du mal[2]. C'est dans ces îles que les hommes pieux chantent le nom divin. Quant au prophète, qui doit à la grâce de l'Esprit de connaître ces réalités, il déclare au Maître : *Seigneur Dieu d'Israël*, 16. *depuis les ailes de la terre nous avons entendu des prodiges.* Il a nommé « ailes de la terre » la foi et la connaissance de Dieu , c'est grâce à elles que les gens de la terre s'envolent et contemplent les réalités divines[3]. Il appelle « prodiges » à la fois les annonces relatives à la consommation (des siècles) et les prophéties relatives aux Églises.

Le sort de l'homme juste et celui de l'impie

Il montre ensuite l'intérêt de ces paroles : il ajoute en effet : *Espérance pour l'homme pieux!* Pour qui se conduit avec justice et piété, prendre connaissance des récompenses du siècle à venir permet de supporter courageusement les peines que suppose la vertu, parce que l'espérance sert de soutien. Mais quelle

et submergées par les flots de la persécution ; c'est pourquoi elles glorifient le nom du Seigneur (70, 548 AB). Pour Eusèbe également (*GCS* 157, 13-15), ces « îles » désignent les Églises placées au milieu des nations incroyantes.

3. L'interprétation de Cyrille est légèrement différente : selon lui, ces termes désignent les « saints mystagogues » et les prêtres qui conduisent les hommes vers les réalités célestes (70, 548 BC).

δούσης. Τίς δὲ ἡ ἐλπίς, ὦ θεσπέσιε προφῆτα ; Ἀγαθῶν μέν φησιν ἐδεξάμην ἐλπίδα, τὰ δὲ ταύτης εἴδη σαφῶς οὐ
285 μεμάθηκα. Τοῦτο γὰρ ἐπήγαγεν · **Καὶ εἶπεν · Τὸ μυστήριόν μου ἐμοὶ καὶ τοῖς ἐμοῖς.** Διὰ τοῦτο ὁ θεῖος ἀπόστολος περὶ τούτων αὐτῶν διαλεγόμενος ἔφη · « Ἃ ὀφθαλμὸς οὐκ εἶδε καὶ οὖς οὐκ ἤκουσε καὶ ἐπὶ καρδίαν ἀνθρώπου οὐκ ἀνέβη, ἃ ἡτοίμασεν ὁ θεὸς τοῖς ἀγαπῶσιν αὐτόν · ἡμῖν δὲ ὁ θεὸς
290 ἀπεκάλυψε διὰ τοῦ πνεύματος αὐτοῦ. » Οὕτω καὶ ἐνταῦθα ὁ θεὸς διὰ τοῦ προφήτου φησίν · Τὸ μυστήριόν μου ἐμοὶ καὶ τοῖς ἐμοῖς.

Οὕτω μυσταγωγήσας τοὺς εὐσεβεῖς κατὰ τῶν παρανομούντων τρέπει τὸν λόγον · **Οὐαὶ τοῖς ἀθετοῦσιν, οἱ**
295 **ἀθετοῦντες ἀθεσίαν ἀθετούντων τὸν νόμον.** Ἀθετοῦσι τὸν νόμον οἱ παρὰ τὸ τούτου συμβιοτεύοντες βούλημα. Νόμον δὲ πάλιν ἐνταῦθα οὐ τὸν Μωσαϊκὸν μόνον (λέ)γει, ἀλλὰ καὶ τὸν φυσικόν · περὶ πάντων γὰρ ἀνθρώπων ὁ λόγος. [17] **Φόβος καὶ βόθυνος καὶ παγὶς ἐφ' ὑμᾶς τοὺς κατοικοῦντας ἐπὶ τῆς**
300 **γῆς.** [18] **Καὶ ἔσται ὁ φεύγων τὸν φόβον ἐμπεσεῖται εἰς τὸν βόθυνον, καὶ ὁ ἐκβαίνων (ἐκ) τοῦ βοθύνου ἁλώσεται ὑπὸ τῆς παγίδος.** Ἐπάλληλα λέγει κακὰ καὶ τὰ δεύτερα τῶν προτέρων χαλεπώτερα · (ὁ γὰρ) τὸ ἔλαττόν φησι διαφυγὼν τῷ χαλεπωτέρῳ περιπεσεῖται. **Ὅτι θυρίδες ἐκ τοῦ οὐρανοῦ**
305 **ἀνεῴχθησαν, καὶ σεισθήσεται τὰ θεμέλια τῆς γῆς.** Τὴν ἐποψίαν τοῦ θεοῦ τῶν ὅλων διὰ τούτων δεδήλωκεν. Τούτοις ἔοικε τὸ ὑπὸ τοῦ θειοτάτου (Δαυὶδ) εἰρημένον · « Κύριος ἐκ τοῦ οὐρανοῦ διέκυψεν ἐπὶ τοὺς υἱοὺς τῶν ἀνθρώπων τοῦ ἰδεῖν εἰ ἔστι συνίων ἢ ἐκζητῶν (τὸν θεόν). »

C : 291-292 τὸ — ἐμοῖς || 295-298 ἀθετοῦσι — λόγος || 302-304 ἐπάλληλα — περιπεσεῖται || 305-309 τὴν — θεόν

291 τὸ μυστήριον K : τὰ μυστήρια C || 296 συμβιοτεύοντες K : βιοτεύοντες C Sch. || 297 μόνον λέγει K : ∾ C || 302 λέγει K : προλέγει C || 306-307 τούτοις ἔοικε C : > K || 307 θειοτάτου K : θείου C

287 I Cor. 2, 9-10 307 Ps. 13, 2

1. Le prophète ne fait souvent qu'entrevoir les réalités futures, cf. *infra*, 7, 537-542.

espérance, prophète inspiré ? J'ai reçu, dit-il, l'espérance de biens, mais je n'ai pas une connaissance claire des formes que (revêtira) cette espérance[1]. Voici en effet ce qu'il a ajouté : *Et il a dit : Le mystère de ma personne (est) en ma possession et en celle des miens.* C'est pourquoi le divin Apôtre lors d'une discussion sur ce même sujet a déclaré : « Ce que l'œil n'a pas vu, ce que l'oreille n'a pas entendu, ce qui n'est pas monté au cœur de l'homme, ce que Dieu a préparé pour ceux qui l'aiment : c'est à nous que Dieu l'a révélé par l'intermédiaire de son Esprit. » De la même manière, dans ce passage, Dieu déclare par l'intermédiaire de son prophète : « Le mystère de ma personne (est) en ma possession et en celle des miens. »

Après avoir de cette façon initié les hommes pieux, il se tourne contre les prévaricateurs : *Malheur aux violateurs, les violateurs qui sont du nombre de ceux qui violent la loi !* Violent la loi ceux qui mènent une vie contraire à son esprit. Mais ici, de nouveau, par « loi » il ne parle pas seulement de la loi mosaïque, mais également de la loi naturelle, puisque le texte concerne toute l'humanité. 17. *Terreur, fosse et filet pour vous les habitants de la terre.* 18. *Il arrivera que celui qui fuit de frayeur tombera dans la fosse et que celui qui sort de la fosse sera pris au filet.* Il parle de malheurs successifs ; les seconds sont plus grands que les premiers : qui aura échappé à un petit malheur, dit-il, tombera dans un malheur plus grand. *Car les écluses du haut du ciel se sont ouvertes et les fondements de la terre seront ébranlés.* Il a fait voir par là l'inspection à laquelle se livre le Dieu de l'univers[2]. C'est ce à quoi ressemble la parole du très divin David : « Du haut du ciel le Seigneur a penché ses regards sur les fils des hommes pour voir s'il en est un de sensé ou un qui cherche Dieu. »

2. Même interprétation chez CYRILLE (70, 549 B) et chez EUSÈBE (*GCS* 158, 22) qui cite également David, mais la référence est faite au *Ps.* 23, 7-9.

310 Εἶτα πάλιν τὰ ἐκ τῆς θείας ἐποψίας συμβησόμενα λέγει, τὴν ἁπάντων ταραχήν, τοῦ πρακτέου τὴν ἀπορίαν · μεθύουσι γάρ φησιν ἐοικότες ἅπαντες τῇδε κἀκεῖσε περιπλανῶνται. [20] **Καὶ σεισθήσεται ὡς ὀπωροφυλάκιον ἡ γῆ καὶ πεσεῖται καὶ οὐ μὴ δύνηται ἀναστῆναι · κατίσχυσε γὰρ ἐπ' αὐτὴν**
315 **ἡ ἀνομία.** Τὸ ὀπωροφυλάκιον πρόσκαιρός ἐστι σκηνή. Οὕτω κ(αὶ τ)οῦ βίου τὸ σχῆμα χρόνῳ τινὶ περιώρισται · τοῦτο δὲ (παρ)άγειν ὁ μακάριος ἔφη Παῦλος. [21] **Καὶ ἐπάξει ὁ θεὸς ἐπὶ τὸν κόσμον τοῦ οὐρανοῦ ἐν τῷ ὕψει τὴν χεῖρα αὐτοῦ ἐν τῇ ἡμέρᾳ ἐκείνῃ καὶ ἐπὶ τὰς βασιλείας τῆς**
320 **γῆς ἐπὶ τῆς γῆς.** [22] **Καὶ συνάξουσι συναγωγὴν αὐτῆς εἰς δεσμωτήριον καὶ ἀποκλείσουσιν εἰς ὀχύρωμα.** Καὶ ταῦτα τοῦ παντὸς δηλοῖ τὴν συντέλειαν · τότε γὰρ κατὰ τὴν τοῦ κυρίου (φω)νὴν « Ὁ ἥλιος σκοτισθήσεται, καὶ ἡ σελήνη οὐ δώσει τὸ φέγγος αὐτῆς », καὶ πάλιν · « Πεσεῖται τὰ
325 ἄστρα τοῦ οὐρανοῦ (ὡς) πίπτει φύλλα ἀπὸ ἀμπέλου καὶ ὡς ἐκρεῖ φύλλα ἀπὸ συκῆς. » Τότε αἱ ἐπὶ τῆς γῆς βασιλεῖα(ι δ)έξονται τέλος (καὶ οἱ) κολάσεως ἄξιοι ὡς εἰς ὀχύρωμά τι καὶ δεσμωτήριον καθειρχθήσονται τὸ ἀφωρισμένον τοῖς (κολαζο)μένοις χωρίον.
330 **Διὰ πολλῶν γενεῶν ἐπισκοπὴ ἔσται αὐτῶν.** Πολλῆς γάρ φησι καὶ ἐπὶ πλεῖστον μακροθυμίας ἀπέλαυσαν. [23] **Καὶ τακήσεται ἡ πλίνθος,** τὸ γήινον φρόνημα. **Καὶ πεσεῖται τὸ τεῖχος,** ἡ νομιζομένη τῶν (ἐν δ)υναστείαις ἀσφάλεια. **Καὶ ἐντραπήσεται ἡ σελήνη, καὶ αἰσχυνθήσεται ὁ ἥλιος,** τῶν
335 ἀσεβῶν ἡ (πολύ)θεος πλάνη. Ἐπειδὴ γὰρ πᾶσαν τὴν κτίσιν ἐθεοποίησαν, ἀπὸ τῶν λαμπροτάτων μορίων (τῆς κτίσεως)

C : 315-317 τὸ — Παῦλος ‖ 321-329 καὶ² — χωρίον ‖ 330-331 διὰ — ἀπέλαυσαν ‖ 332 τὸ — φρόνημα ‖ 333 ἡ — ἀσφάλεια ‖ 334-339 τῶν — θεοποιήσαντας

320 εἰς e tx.rec. : ἐν K ‖ 326 αἱ C : > K ‖ τῆς K : > C ‖ 328 τὸ K : εἰς τὸ C ‖ 331 φησι K : > C ‖ ἀπέλαυσαν K : ἀπήλαυσαν C ‖ 336 λαμπροτάτων K : λαμπροτέρων C

317 cf. I Cor. 7, 31 — 323 Matth. 24, 29 — 324 Is. 34, 4

1. Paraphrase d'*Is.* 24, 19-20 a.

Nouvelle annonce de la fin du monde

Il redit ensuite[1] les effets que produira cette inspection de Dieu : la confusion universelle, l'incapacité d'agir ; tous, pareils à des hommes ivres, dit-il, errent à l'aventure de-ci de-là. 20. *La terre sera ébranlée comme la cabane d'un gardien de verger, elle tombera sans pouvoir se relever, car son iniquité l'a écrasée.* La cabane d'un gardien de verger est un abri temporaire. De la même manière, la structure de cette vie est également circonscrite à un temps déterminé : le bienheureux Paul a dit qu'elle « passe ». 21. *Dieu tendra sa main contre l'univers céleste, dans les hauteurs, en ce jour-là, et contre les royaumes terrestres, sur la terre.* 22. *On réunira le rassemblement de la terre dans une prison et on l'enfermera dans une forteresse.* Voilà encore ce qui fait voir la consommation de l'univers[2], puisque alors, selon la parole du Seigneur, « le soleil s'obscurcira et la lune ne donnera plus sa lumière », et encore : « les étoiles du ciel tomberont, comme tombent les feuilles de la vigne et comme se détachent les feuilles du figuier. » Alors les royaumes de la terre prendront fin et ceux qui méritent un châtiment seront, comme dans une espèce de forteresse et de prison, enfermés dans un lieu réservé aux punis.

C'est après bien des générations qu'ils seront visités. Car ils ont joui, dit-il, d'une patience abondante et la plus longue possible. 23. *La brique se désagrégera*, la présomption terrestre. *Et le rempart tombera*, la sécurité qu'on reconnaît d'ordinaire à ceux qui exercent le pouvoir. *La lune se retirera de honte et le soleil rougira de honte*, l'erreur polythéiste des impies. Puisqu'ils ont divinisé toute la création[3], il s'est servi des éléments les plus éclatants de la création

2. Cf. interprétation identique chez Eusèbe (*GCS* 159, 16 s.), accompagnée de la même citation (*Matth.* 24, 29).

3. Sur cette divinisation, cf. *Thérap.* II, 97-98 ; III, 6-7 ; 23 ; 44-45.

ὑπέδειξε τὴν παντελῆ τῆς πλάνης κατάλυσιν. Οὐδὲ γὰρ αὐτὰ τὰ στοιχεῖα λέγει καταισχυν(θήσεσθαι) τὰ ἄψυχά τε καὶ ἄλογα ἀλλὰ τοὺς ταῦτα θεοποιήσαντας. Ὅθεν ἐπήγαγεν·
340 **Ὅτι βασιλεύσει (κύριος ἐν Σ)ιὼν καὶ ἐν Ἱερουσαλὴμ καὶ ἐνώπιον τῶν πρεσβυτέρων αὐτοῦ δοξασθήσεται.** Σιὼν καὶ |131 a| Ἱερουσαλὴμ τὴν ἐπουράνιον λέγει. « Προσεληλύθατε » γάρ φησιν ὁ θεῖος ἀπόστολος « Σιὼν ὄρει καὶ πόλει θεοῦ ζῶντος, Ἱερουσαλὴμ ἐπουρανίῳ. » Ἐν ἐκείνῃ
345 τοίνυν τῇ πόλει δεικνυμένης τῆς τοῦ θεοῦ βασιλείας αἰσχυνθήσονται οἱ λατρεύσαντες τῇ κτίσει παρὰ τὸν κτίσαντα.

Ταῦτα πάλαι προδιδαχθεὶς ὁ προφήτης ὕμνον ὑφαίνει τῷ ταῦτα ποιοῦντι θεῷ καί φησιν. **25[1] Κύριε ὁ θεός μου δοξάσω σε, ὑμνήσω τὸ ὄνομά σου, ὅτι ἐποίησας θαυμαστὰ πράγματα,**
350 **βουλὴν ἀρχαίαν ἀληθινήν.** Ἄνωθεν γὰρ ταῦτα προώρισας, νῦν δὲ αὐτὰ διὰ πραγμάτων ἐδήλωσας. Οὕτω καὶ ὁ θεῖος ἀπόστολος· « Τὸ μυστήριόν » φησι « τὸ ἀποκεκρυμμένον ἀπὸ τῶν αἰώνων καὶ ἀπὸ τῶν γενεῶν ἐν τῷ θεῷ τῷ τὰ πάντα κτίσαντι », καὶ πάλιν· « Λαλοῦμεν σοφίαν θεοῦ ἐν μυστηρίῳ,
355 τὴν ἀποκεκρυμμένην, ἣν προώρισεν ὁ θεὸς πρὸ τῶν αἰώνων εἰς δόξαν ἡμῶν », καὶ αὖθις· « Ὅτι οὓς προέγνω καὶ προώρισε συμμόρφους τῆς εἰκόνος τοῦ υἱοῦ αὐτοῦ », καὶ ὁ κύριος ἐν τοῖς ἱεροῖς εὐαγγελίοις· « Δεῦτε οἱ εὐλογημένοι τοῦ πατρός μου, κληρονομήσατε τὴν ἡτοιμασμένην ὑμῖν
360 βασιλείαν ἀπὸ καταβολῆς κόσμου. » Τοῦτο καὶ ὁ προφήτης ἔφη· Ὅτι ἐποίησας θαυμαστὰ πράγματα, βουλὴν ἀρχαίαν ἀληθινήν. **Γένοιτο κύριε,** τουτέστι· τῶν εἰρημένων τὸ τέλος. **2 Ὅτι ἔθηκας πόλεις εἰς χῶμα, πόλεις ὀχυράς, τοῦ πεσεῖν**

C : 341-346 Σιὼν — κτίσαντα ‖ 350-351 ἄνωθεν — ἐδήλωσας ‖ 362 τουτέστι — τέλος

347 πάλαι Po. Sch. : πάλιν K ‖ 348 ποιοῦντι : +καὶ K

342 Hébr. 12, 22 352 Col. 1, 26 ; Éphés. 3, 9 354 I Cor. 2, 7 356 Rom. 8, 29 358 Matth. 25, 34

1. Eusèbe également entend le verset de la Jérusalem céleste et renvoie à S. Paul, mais sans le citer (*GCS* 161, 9-10) ; Cyrille pense que Sion pourrait désigner l'Église du Christ (70, 553 C).

pour faire entrevoir la ruine totale de l'erreur. Car il ne veut pas dire que ce sont proprement les planètes — inanimées et privées de raison — qui rougiront de honte, mais les hommes qui les ont divinisées. D'où il a ajouté : *Car le Seigneur régnera dans Sion et dans Jérusalem; devant ses anciens il sera glorifié.* Il parle de la Sion et de la Jérusalem célestes[1]. Car « vous vous êtes approchés », dit le divin Apôtre, « de la montagne de Sion et de la cité du Dieu vivant, de la Jérusalem céleste ». Lors donc que la royauté de Dieu se montrera dans cette cité, ils rougiront de honte, les hommes qui ont rendu un culte à la création au lieu de le rendre au Créateur[2].

Hymne de louange à Dieu

Instruit depuis longtemps de ces événements, le prophète compose un hymne en l'honneur de Dieu qui accomplit ces actions et dit : **25,** 1. *Seigneur mon Dieu, je te glorifierai, je chanterai ton nom, car tu as accompli des choses merveilleuses, dessein antique et véridique.* Ce que tu as déterminé par avance depuis l'origine, tu l'as fait voir maintenant en actes. C'est en ces termes que parle aussi le divin Apôtre : « Le mystère, qui est resté caché depuis les siècles et les générations en Dieu le créateur de toutes choses » ; et encore : « Nous parlons d'une sagesse de Dieu, mystérieuse, demeurée cachée, que Dieu avant les siècles a par avance destinée pour notre gloire » ; et, de nouveau : « Car ceux qu'il a d'avance discernés, il les a aussi par avance destinés à reproduire l'image de son Fils » ; et le Seigneur dans les saints Évangiles : « Venez les bénis de mon Père, recevez en héritage le royaume qui vous a été préparé depuis la fondation du monde. » Ce sont aussi les paroles du prophète : « Car tu as accompli des choses merveilleuses, dessein antique et véridique. » *Qu'il en soit ainsi, Seigneur*, c'est-à-dire l'accomplissement de ce qui vient d'être dit. 2. *Car tu as transformé les villes*

2. Rapprocher de *Thérap.* III, 10.

αὐτῶν τὰ θεμέλια. Ἤλεγξάς φησι καὶ τῶν ἀνθρωπείων
365 πραγμάτων τὸ πρόσκαιρον καὶ τὸ σὸν ἔδειξας κράτος.
Ἀσεβῶν πόλις τὸν αἰῶνα οὐ μὴ οἰκοδομηθῇ. Καθολικῶς
μὲν ὁ λόγος εἴρηται, δοκεῖ δέ μοι καὶ τὴν Ἱερουσαλὴμ
αἰνίττεσθαι κατὰ τὴν τοῦ κυρίου φωνὴν τὴν λέγουσαν·
« Οὐ μὴ μείνῃ ὧδε λίθος ἐπὶ λίθον, ὃς οὐ μὴ καταλυθῇ. »
370 [3] **Διὰ τοῦτο εὐλογήσει σε ὁ λαὸς ὁ πτωχός, καὶ πόλεις
ἀνθρώπων ἀδικουμένων φοβουμένων σε εὐλογήσουσί σε.** Λαὸν
πτωχὸν τὸν εὐσεβῆ καλεῖ τὸν μετρίῳ φρονήματι χρώμενον·
τοῦτον γὰρ καὶ ὁ κύριος μακαρίζει, « Μακάριοι » λέγων
« οἱ πτωχοὶ τῷ πνεύματι, ὅτι αὐτῶν ἐστιν ἡ βασιλεία τῶν
375 οὐρανῶν. » Διὰ δὲ τῶν πόλεων τῶν ἀδικουμένων μὲν
ὑπ' ἀνθρώπων τὸν δὲ θεὸν φοβουμένων τὴν ἀποστολικὴν
πολιτείαν ᾐνίξατο· τούτους γὰρ πάλιν μακαρίζων ὁ κύριος
ἔλεγεν· « Μακάριοι οἱ δεδιωγμένοι ἕνεκεν δικαιοσύνης,
ὅτι αὐτῶν ἐστιν ἡ βασιλεία τῶν οὐρανῶν. » [4] **Ἐγένου γὰρ
380 πάσῃ πόλει ταπεινῇ βοηθὸς καὶ τοῖς ἀθυμήσασι δι' ἔνδειαν
σκέπη, ἀπὸ ἀνθρώπων πονηρῶν ῥύσῃ αὐτούς· σκέπη διψών-
των καὶ πνεῦμα ἀνθρώπων ἀδικουμένων.** Πᾶσι τὰ κατάλληλα
προσφέρει· τοῖς ἀδικουμένοις βοήθειαν, τοῖς ἀθυμοῦσι
ψυχαγωγίαν, πᾶσι τοῖς δεομένοις τὴν χρείαν. [5] **Ὡς ἄνθρωποι
385 ὀλιγόψυχοι διψῶντες ἐν Σιὼν ἀπὸ ἀνθρώπων πονηρῶν οἷς
ἡμᾶς παρέδωκας.** Ὡς ἐκ τοῦ ἀποστολικοῦ ταῦτα λέγει
χοροῦ· Διψῶμεν τὴν ἐπουράνιον Σιὼν καὶ ἀπαλλαγῆναι
τῶν δυσσεβῶν ἀνθρώπων ἀντιβολοῦμεν, οἷς ἡμᾶς εἰς
γυμνασίαν καὶ δοκιμασίαν ἐξέδωκας.
390 **Καύσων ἐν σκέπῃ νέφους κληματίδα ἰσχυρῶν ταπεινώσει.**
Ταῦτα μετὰ ἀστερίσκων [πρόσ]κειται. Διδάσκει δὲ ὅτι

C : 364-365 ἤλεγξας — κράτος || 366-369 καθολικῶς — καταλυθῇ || 371-379 λαὸν — οὐρανῶν || 386-389 ὡς — ἐξέδωκας

384 δεομένοις Mö. : δεχομένοις K || 387 ἀπαλλαγῆναι K : ἀπαλλαγὴν C

369 Mc 13, 2 373 Matth. 5, 3 378 Matth. 5, 10

1. Sur la présence de ces astérisques, cf. Introd., t. I, p. 43.

en un amas de pierres, les villes fortifiées, pour que tombent leurs fondations. Tu as dénoncé, dit-il, le caractère temporaire des choses humaines et tu as montré ton pouvoir. *La cité des impies éternellement ne sera plus rebâtie.* Le texte a une portée universelle, mais à mon avis il fait allusion aussi à Jérusalem selon la parole du Seigneur que voici : « Il ne restera pas ici pierre sur pierre : tout sera détruit. »

3. *C'est pourquoi le peuple pauvre te bénira ; les cités des hommes victimes de l'injustice, des hommes qui te craignent, te béniront.* Il appelle « peuple pauvre » l'homme pieux, l'homme qui fait preuve de mesure dans ses pensers. C'est lui que le Seigneur à son tour loue en ces termes : « Bienheureux les pauvres en esprit, parce que le royaume des cieux leur appartient. » Par « cités victimes de l'injustice des hommes et qui craignent Dieu », il a fait allusion au mode de vie des apôtres ; ce sont eux que le Seigneur louait encore en ces termes : « Bienheureux ceux qui sont persécutés à cause de la justice, parce que le royaume des cieux leur appartient. » 4. *Car tu es devenu le défenseur de toute humble cité, un abri pour ceux à qui le dénuement fait perdre cœur : tu les protégeras des hommes pervers ; (tu es devenu) l'abri de ceux qui ont soif, et le souffle des hommes victimes de l'injustice.* A tous il présente ce qui correspond à leur besoin : aux victimes de l'injustice, le secours ; à ceux qui perdent cœur, le réconfort ; à tous ceux qui sont dans le besoin, le nécessaire. 5. *Comme des hommes pusillanimes qui ont soif dans Sion, loin des hommes pervers à qui tu nous a livrés.* Voilà ce qu'il dit, comme s'il faisait parler le chœur des apôtres : Nous avons soif de la Sion céleste et nous demandons en suppliant d'être délivrés des hommes impies, à qui tu nous as livrés pour nous exercer et nous éprouver.

A l'abri d'un nuage il brûlera et abaissera le sarment des puissants. Ces mots se trouvent entre astérisques[1]. Il

φλογμὸς ἡλίου μετὰ νέφους γιγνόμενος καὶ τὰς ἰσχυρὰς καὶ τεθηλυίας κληματίδας ξηραίνει. Συνῆπται δὲ ἡ διάνοια τῷ πρὸ τούτου ῥη[τῷ]. Ὀλιγοψυχοῦμέν φησι καὶ τὴν
395 ἐπουράνιον διψῶμεν Σιών · πολλὰ γὰρ ἡμῖν πανταχόθεν προσβάλλει δεινά, καὶ τὸ μὲν σὸν κρύπτεται φῶς, τὸ δὲ τῶν διωκόντων ἐπικείμενον νέφος ἱκανόν ἐστι δαπανῆσαι τὴν νοτίδα τῆς πίστεως. Τούτοις ἔοικε τὰ ὑπὸ τοῦ θειοτάτου ἀποστόλου εἰρημένα · « Ἐδόθη μοι σκόλοψ τῇ σαρκί,
400 ἄγγελος Σατάν, ἵνα με κολαφίζῃ, ἵνα μὴ ὑπεραίρωμαι · καὶ ὑπὲρ τούτου τρὶς τὸν (κύριον) παρεκάλεσα, ἵνα ἀποστῇ ἀπ' ἐμοῦ. Καὶ εἶπέ μοι · Ἀρκεῖ σοι ἡ χάρις μου · ἡ γὰρ δύναμίς μ(ου ἐν ἀ)σθενείᾳ τελειοῦται », καὶ πάλιν · « Οὐ θέλω ὑμᾶς ἀγνοεῖν, ἀδελφοί, περὶ τῆς θλίψεως τῆς γενομένης
405 ἡμῖν ἐν τῇ Ἀσίᾳ, ὅτι καθ' ὑπερβολὴν ἐβαρήθημεν ὑπὲρ δύναμιν, ὥστε ἐξαπορηθῆναι ἡμᾶς καὶ τοῦ ζῆν. »

Ἐντεῦθεν [πά]λιν ὁ προφήτης προθεσπίζει τὴν δοθεῖσαν τοῖς ἔθνεσι μυστικὴν δωρεάν · [6] **Καὶ ποιήσει κύριος ὁ θεὸς Σαβαὼθ πᾶσι τοῖς ἔθνεσιν ἐπὶ τὸ ὄρος τοῦτο πότον λιπασ-**
410 **μάτων, πότον τρυγιῶν · πίονται εὐφροσύνην, πίονται οἶνον, χρίσονται μύρον.** [7] **Καὶ παραδοθήσονται ἐν τῷ ὄρει τούτῳ παραδόσει καὶ καταπίεται ἐν τῷ ὄρει τούτῳ.** Ὄρος καλεῖ τῆς θεογνωσίας τὸ ὕψος · τοῦτο γὰρ καὶ ἐν τοῖς προειρημένοις ἐδείξαμεν. Τῶν δὲ τῆς θεογνω[σίας] μυστηρίων σύμβολα
415 τὰ προειρημένα. Συνῆπται δὲ τούτοις ἡ εὐφροσύνη · τῶν θεοσδότων γὰρ πότ[ων] τούτων ἅπαντα μεταλήψεσθαι προλέγει τὰ ἔθνη. Καὶ συμφωνεῖ τοῖς ὑπὸ τοῦ δεσπότου πρὸς τοὺς [ἱεροὺς] |131 b| ἀποστόλους εἰρημένοις · « Πορευθέντες μαθητεύσατε πάντα τὰ ἔθνη βαπτίζοντες αὐτοὺς εἰς

C : 412-413 ὄρος — ὕψος

416 ἅπαντα Mö. : δὲ πάντων K

399 II Cor. 1, 8 418 Matth. 28, 19

1. Cf. *In Is.*, 4, 451-452 ; rapprocher du commentaire de l'expression « ailes de la terre » en *Is.* 24, 16 (*In Is.*, 7, 274-275). Pour Cyrille, « montagne » désigne l'Église du Christ (70, 561 B).

enseigne que le rayonnement solaire, voilé par un nuage, dessèche les sarments robustes et florissants. Le sens se rattache au passage précédent. Nous sommes pusillanimes, dit-il, et nous avons soif de la Sion céleste : de tout côté, en grand nombre, des maux affreux nous assaillent et ta lumière se cache, tandis que, suspendu sur nos têtes, le nuage des persécuteurs suffit à épuiser l'humidité de notre foi. C'est à quoi ressemblent les paroles du très divin Apôtre : « Il m'a été donné une écharde en la chair, un ange de Satan, pour me souffleter, afin que je ne m'enorgueillisse pas ; à ce sujet, par trois fois j'ai prié le Seigneur, pour qu'il s'éloigne de moi. Et il m'a dit : Ma grâce te suffit ; car ma puissance se déploie dans la faiblesse » ; et encore : « Je ne veux pas que vous soyez, frères, dans l'ignorance au sujet de la tribulation qui nous est survenue en Asie : nous avons été accablés à l'extrême, au-delà de nos forces, à tel point que nous avons même été dans l'incertitude de conserver la vie. »

Les nations conviées au festin messianique

A partir de là le prophète prophétise de nouveau le présent mystique accordé aux nations : 6. *Et le Seigneur Dieu Sabaoth fera pour toutes les nations, sur cette montagne, un festin de viandes grasses, un festin de vins nouveaux : (elles) boiront la joie, elles boiront le vin, elles s'oindront d'essence parfumée.* 7. *Sur cette montagne elles seront livrées à la transmission (de la doctrine) et elles la dévoreront sur cette montagne.* Il appelle « montagne » le sommet de la connaissance de Dieu : nous l'avons déjà montré précédemment[1]. Cette prédiction est le symbole des mystères de la connaissance de Dieu. Or, la joie y est liée, puisqu'il prédit que toutes les nations auront part à ces boissons que donne Dieu. Il y a accord aussi avec les paroles que le Maître a dites aux saints apôtres : « Allez, enseignez toutes les nations, baptisez-les

420 τὸ ὄνομα τοῦ πατρὸς καὶ τοῦ υἱοῦ καὶ τοῦ ἁγίου πνεύματος. » Ταῦτα τὰ ἔθνη καὶ τῷ ὄρει λέγει παραδοθήσεσθαι, τουτέστι τῇ τῆς θεογνωσίας διδασκαλίᾳ. Συμφωνεῖ δὲ τούτοις καὶ τὰ ἑξῆς· **Παράδος ταῦτα πάντα τοῖς ἔθνεσιν· ἡ γὰρ βουλὴ αὕτη ἐπὶ πάντα τὰ ἔθνη.** Οὐ γάρ, ὥσπερ τὸν νόμον
425 μόνοις δέδωκεν Ἰουδαίοις, οὕτω καὶ τὴν καινὴν διαθήκην μόνοις αὐτοῖς παρέσχεν, ἀλλὰ πᾶσι τοῖς ἔθνεσι τὴν ἐντεῦθεν φυομένην προὔθηκε σωτηρίαν.

Εἶτα, ἐπειδὴ συμβαίνει τοὺς ἀγνοοῦντας τὸ τῆς οἰκονομίας μυστήριον καὶ μετὰ τὴν ἀπόλαυσιν τοῦ θείου βαπτίσματος
430 ὁρῶντας κρατοῦντα τὸν θάνατον ἀπιστεῖν τῇ δυνάμει τῆς χάριτος, ἐπήγαγεν· [8] **Κατέπιεν ὁ θάνατος ἰσχύσας.** Ἡμεῖς φησι δεδώκαμεν τῷ θανάτῳ τὴν ἰσχὺν διὰ τῆς ἁμαρτίας. **Καὶ πάλιν ἀφεῖλεν ὁ θεὸς πᾶν δάκρυον ἀπὸ παντὸς προσώπου· τὸ ὄνειδος τοῦ λαοῦ αὐτοῦ ἀφεῖλεν ἀπὸ πάσης τῆς γῆς·**
435 **τὸ γὰρ στόμα κυρίου ἐλάλησε ταῦτα.** Ἀλλ' ἀγαθότητι κυβερνῶν τὰ καθ' ἡμᾶς ὁ δεσπότης κατέλυσε μὲν τὸν θάνατον, ἔπαυσε δὲ τὰ ἐπὶ τοῖς τελευτῶσι γιγνόμενα δάκρυα, τῆς ἀναστάσεως δεδωκὼς τὴν ἐλπίδα, καὶ τὰ τῆς ἁμαρτίας περιεῖλεν ὀνείδη. Ταῦτα δὲ οὐκ ἐγώ φησιν ἐφθεγξάμην
440 ἀλλ' αὐτὸς δι' ἐμοῦ τῶν ὅλων ὁ κύριος. [9] **Καὶ ἐροῦσιν ἐν τῇ ἡμέρᾳ ἐκείνῃ· Ἰδοὺ ὁ θεὸς ἡμῶν, ἐφ' ὃν ἠλπίζομεν καὶ ἠγαλλιώμεθα, καὶ σώσει ἡμᾶς, οὗτος κύριος, ὑπεμείναμεν αὐτῷ· καὶ ἀγαλλιασόμεθα καὶ εὐφρανθησόμεθα ἐπὶ τῇ σωτηρίᾳ ἡμῶν.** [10] **Ἀνάπαυσιν δώσει ὁ θεὸς ἐπὶ τὸ ὄρος τοῦτο.**
445 Οἱ τῆς σωτηρίας τετυχηκότες τῶν (ἐλ)πιζομένων ἀγαθῶν τὸ τέλος ὁρῶντες τοῦτον τῷ σεσωκότι τὸν ὕμνον προσφέρουσιν. Οὗτός φησι τῆς ὑπομονῆς ὁ καρπός· εὐφροσύνη καὶ θυμηδία τέλος οὐκ ἔχουσα. Τούτους ἀπὸ τοῦδε τοῦ ὄρους ἐδρεψάμεθα τοὺς καρπούς, τουτέστι τῆς εὐσεβείας.

C : 424-427 οὐ — σωτηρίαν ‖ 431-432 ἡμεῖς — ἁμαρτίας ‖ 435-440 ἀλλ' — κύριος ‖ 445-449 οἱ — εὐσεβείας

422 τῇ ... διδασκαλίᾳ Mö. : τὰ ... διδασκαλεῖα K ‖ 437 γιγνόμενα K : γινόμενα C ‖ 448 τοῦδε K : τούτου C

---

1. Cf. t. I, p. 331, n. 1.

au nom du Père et du Fils et du Saint-Esprit. » Ces nations, dit-il, seront également livrées à la montagne, c'est-à-dire à l'enseignement de la connaissance de Dieu. La suite du passage également s'accorde avec ces idées : *Livre tout cela aux nations : car ce dessein (concerne) toutes les nations.* Alors qu'il a donné la Loi seulement aux Juifs, il n'a pas de la même façon procuré à eux seuls le Nouveau Testament : c'est à toutes les nations qu'il a proposé le salut qui en provient.

Le triomphe sur la mort

Ensuite, puisqu'il arrive que ceux qui ignorent le mystère de l'économie[1] et qui, après avoir joui du divin baptême, voient la mort régner en souveraine, doutent de la puissance de la grâce, il a ajouté : 8. *La mort qui a été la plus forte a dévoré.* C'est nous, dit-il, qui avons donné sa force à la mort à cause du péché. *Et de nouveau, Dieu a enlevé toute larme de tous les visages ; il a enlevé de toute la terre l'opprobre de son peuple : c'est la bouche du Seigneur qui l'a dit.* Mais le Maître qui dirige avec bonté nos affaires a détruit la mort ; il a fait cesser les larmes qu'on verse sur les mourants, puisqu'il a donné l'espérance de la résurrection ; il a aussi supprimé l'opprobre que causait le péché. Cela, ce n'est pas moi qui l'ai déclaré, dit-il ; c'est le Seigneur de l'univers en personne, par mon intermédiaire. 9. *Et ils diront en ce jour-là : Voici notre Dieu, en qui nous mettions notre espérance et notre allégresse, il nous sauvera ; voici le Seigneur, nous avons mis en lui notre attente ; nous serons dans l'allégresse et dans la joie à cause de notre salut.* 10. *Dieu donnera du repos sur cette montagne.* Ce sont ceux qui ont obtenu le salut qui, à la vue de l'accomplissement des biens qu'ils espéraient, présentent cet hymne à leur Sauveur. Voici, dit-il, le fruit de la persévérance : joie et contentement sans fin ! Voici les fruits que nous avons cueillis sur cette montagne, c'est-à-dire les fruits de la piété.

450 **Καὶ καταπατηθήσεται ἡ Μωαβῖτις ἐν τῷ τόπῳ αὐτῆς, ὃν τρόπον πατοῦσιν ἅλωνα ἐν ἁμάξαις· [11]καὶ ἀνήσει τὰς χεῖρας αὐτοῦ ὡς ἁπλοῖ ὁ λουόμενος εἰς τὸ κολυμβῆσαι.** Τῆς πολυθεΐας τὴν πλάνην καὶ τὸν τούτων διδάσκαλον διὰ τούτων ᾐνίζατο· τοῦτο γὰρ καὶ διὰ τοῦ Βαλαὰμ ἡ χάρις
455 τοῦ πνεύματος προηγόρευσεν· « Ἀνατελεῖ ἄστρον ἐξ Ἰακώβ, καὶ ἐξεγερθήσεται ἄνθρωπος ἐξ Ἰσραὴλ καὶ θραύσει τοὺς ἀρχηγοὺς Μωὰβ καὶ προνομεύσει πάντας τοὺς υἱοὺς Σήθ. » Ἀρχηγοὶ δὲ Μωὰβ Χαμὼς καὶ Βεελφεγὼρ καὶ τἆλλα εἴδωλα· διὰ τούτων τοίνυν τῆς τῶν εἰδώλων πλάνης τὴν
460 παῦλαν δεδήλωκεν· διὰ δὲ τῶν υἱῶν Σὴθ πάντων ἀνθρώπων τὴν σωτηρίαν· ἐκ γὰρ τοῦ Σὴθ ὁ Νῶε κατάγει τὸ γένος, πάντων δὲ τῶν ἄλλων ἀνθρώπων τῇ τοῦ κατακλυσμοῦ πανωλεθρίᾳ παραδοθέντων ἐκ τούτου πᾶσα τῶν ἀνθρώπων ἡ φύσις ἀνήνθησεν. Τὸν τῆς πλάνης τοίνυν ἔφη δι[δάσ]καλον
465 καταπατηθήσεσθαι κατὰ τὴν τοῦ κυρίου φωνήν· « Ἰδοὺ δέδωκα ὑμῖν ἐξουσίαν πατεῖν ἐπάνω ὄφεων καὶ σκορπίων καὶ ἐπὶ πᾶσαν τὴν δύναμιν τοῦ ἐχθροῦ. » Καὶ τῆς ἁμάξης δὲ τῆς τὴν [ἅ]λωνα λεπτυνούσης σαφέστερον ἡμᾶς ἐν ἑτέρῳ χωρίῳ ὁ αὐτὸς προφήτης ἐδίδαξε τὴν διάνοιαν·
470 « (Ἰδ)οὺ » γάρ φησιν « ἐποίησά σε ὡς τροχοὺς ἁμάξης ἀλοῶντας καινοὺς πριστηροειδεῖς. » Καὶ ὁ νηχόμενος δὲ ἄλλο μὲν οὐδὲν [ἐρ]γάζεται, προμηθεῖται δὲ τῆς ἑαυτοῦ σωτηρίας· οὕτω τοίνυν καὶ ὁ τῆς πλάνης διδάσκαλος καὶ οἱ τὴν ἐκείνου δεξάμενοι διδασκαλίαν ἐν τῷ μέλλοντι βίῳ
475 τῇ τιμωρίᾳ παραδοθέντες οὐκέτι μὲν ἄλλως [τὴν] ἀπάτην ἀγρεύουσι, τὸν δὲ οἰκεῖον θρηνοῦσιν ὄλεθρον.

Ὃν τρόπον καὶ αὐτὸς ἐταπείνωσεν τοῦ ἀ(πολ)έσαι, οὕτως ταπεινωθήσεται ⟨καὶ ταπεινωθήσεται⟩ τὸ ὕψος αὐτοῦ, ἐφ' ᾧ τὰς χεῖρας ἐπέβαλεν· [12]καὶ τὸ ὕψος (τῆς) κα(ταφυγ)ῆς
480 **τοῦ τοίχου σου ταπεινώσει, καὶ καταβήσονται ἕως τοῦ ἐδάφους ἕως κόνε(ως).** Ἐταπείνωσεν [αὐτ]ῶν τὴν φύσιν

455 Nombr. 24, 17 465 Lc 10, 19 470 Is. 41, 15

1. Même interprétation chez Cyrille (70, 565 D).

Le triomphe sur le diable

Et le pays de Moab sera foulé sur place comme on foule le blé dans les chariots ; 11. *et il tendra ses mains comme les étend pour nager celui qui se baigne.* Il a fait allusion par là à l'erreur du polythéisme et au maître de ces pratiques ; c'est ce que la grâce de l'Esprit a également annoncé par l'intermédiaire de Balaam : « Un astre se lèvera de Jacob, un homme sortira d'Israël ; il frappera les princes de Moab et pillera tous les fils de Seth. » Or, les princes de Moab, ce sont Chamos, Belphégor et les autres idoles ; il a donc fait voir par là la cessation de l'erreur des idoles[1] ; et, par « les fils de Seth », le salut de tous les hommes : c'est de Seth, en effet, que Noé fait descendre sa race ; or, une fois que tous les autres hommes eurent été livrés à la ruine complète causée par le déluge, c'est de lui qu'a refleuri toute l'espèce humaine. Il a donc dit que le maître de l'erreur serait foulé aux pieds conformément à la parole du Seigneur : « Voici que je vous ai donné pouvoir de fouler aux pieds serpents et scorpions et pouvoir sur toute la puissance de l'ennemi. » Quant au char qui écrase le grain, le même prophète, en un autre passage, nous en a enseigné plus clairement le sens : « Voici, dit-il, que je t'ai rendu comme les roues d'un char pour battre, neuves, semblables à des scies. » Le nageur, de son côté, ne fait rien d'autre que de veiller à son salut personnel ; de la même manière donc, le maître de l'erreur et ceux qui ont accueilli son enseignement, une fois livrés au châtiment dans la vie future, ne recherchent plus aucunement la tromperie, mais se lamentent sur leur propre mort.

Tout comme il a lui-même abaissé pour donner la mort, il sera abaissé ; sa hauteur sera abaissée, elle sur laquelle il a porté les mains ; 12. *il abaissera la hauteur du refuge qu'offre son rempart et ils descendront jusqu'au sol, jusqu'à la poussière.* Il a abaissé leur nature, après avoir détaché

ἀποστήσας τοῦ ποιητοῦ καὶ τῆς πλάνης τὰς ἀτραποὺς ὑποδείξας. Ταπεινωθήσεται [δὲ ἐπαιρ]όμενος καὶ ἐλεγχθήσεται δαίμων ὢν πονηρὸς ἀλλ' οὐ θεός. Τοῦτο γὰρ εἶπεν · 485 ἐφ' ᾧ τὰς χεῖρας (ἐπέ)βαλεν · ἥρπασε γὰρ τὸ μὴ προσῆκον ὄνομα. Καταφυγὴν δὲ τοῦ τοίχου αὐτοῦ καλεῖ τοὺς ὑπ' αὐτοῦ πλανηθέντας · καὶ γὰρ αὐτοὶ τιμωρίᾳ παραδοθήσονται κατὰ τὴν τοῦ κυρίου φωνήν · « Πορεύεσθε » γάρ [φησιν] « οἱ κατηραμένοι εἰς τὸ σκότος τὸ ἐξώτερον τὸ ἡτοιμασμένον 490 τῷ διαβόλῳ καὶ τοῖς ἀγγέλοις (αὐτοῦ). »

26[1] Τῇ ἡμέρᾳ ἐκείνῃ ᾄσονται τὸ ᾆσμα τοῦτο ἐπὶ τῆς γῆς Ἰούδα λέγοντες · Ἰδοὺ πόλις (ἰσχυρά), καὶ σωτήριον ἡμῶν θήσει τεῖχος καὶ περίτειχος. [2] Ἀνοίξατε πύλας, εἰσελθέτω δίκαιος λαὸς (φυ)λάσσων δικαιοσύνην καὶ φυλάσσων 495 **ἀλήθειαν, [3] ἀντιλαμβανόμενος ἀληθείας καὶ φυλάσσων** |132 a| **εἰρήνην τελείαν, ὅτι ἐπὶ σοὶ [4] ἠλπίσαμεν κύριε ἕως τοῦ αἰῶνος.** Ὅτι ὁ θεῖος ἀπόστολος οὐ μόνον τὸν ἐν τῷ φανερῷ ἀλλὰ καὶ τὸν ἐν τῷ κρυπτῷ οἶδεν Ἰουδαῖον, σαφῶς μεμαθήκαμεν. Διδάσκει τοίνυν ὡς τῶν εὐσεβῶν ὁ χορὸς ὁρῶν 500 τὴν τῶν πολεμίων κατάλυσιν ἀνυμνεῖ τὸν εὐεργέτην θεὸν καὶ τῆς εὐσεβοῦς πολιτείας τὸ ἄμαχον δείκνυσι παρακαλεῖ δὲ καὶ τὰς ἐπουρανίους ἀνοιγῆναι πύλας τῷ τῆς δικαιοσύνης τροφίμῳ λαῷ τῷ καὶ τὴν περὶ ἀνθρώπους δικαιοσύνην καὶ τῶν θείων δογμάτων φυλάξαντι τὴν ἀλήθειαν καὶ τὴν πρὸς 505 τὸν θεὸν εἰρήνην ἐντελῶς κτησαμένῳ καὶ ἐπὶ τῆς εἰς αὐτὸν ἐλπίδος βεβαίως ἐρηρεισμένῳ.

Ὁ θεὸς ὁ μέγας ὁ αἰώνιος, [5] ὃς ταπεινώσας κατήγαγες τοὺς κατοικοῦντας ἐν ὑψηλοῖς · πόλεις ὀχυρὰς καταβαλεῖς καὶ κατάξεις ἕως ἐδάφους, [6] καὶ πατήσουσιν αὐτὰς πόδες 510 **πραέων καὶ ταπεινῶν ἴχνη.** Τοῦτο καὶ ἡ ἁγία παρθένος ὑμνοῦσα ἔλεγεν · « Καθεῖλε δυνάστας ἀπὸ θρόνων καὶ

C : 510-512 τοῦτο — ταπεινούς

488 Matth. 25, 41 497-498 cf. Rom. 2, 28-29 511 Lc 1, 52

1. Sur les démons « usurpateurs du nom divin », cf. *Thérap.* X, 2.4.

les hommes du Créateur et leur avoir montré les sentiers de l'erreur. Il sera donc abaissé, lui qu'enfle l'orgueil, et convaincu d'être un démon pervers et non un dieu. En effet, (le prophète) a employé les termes « sur laquelle il a porté les mains », parce qu'il a usurpé un nom qui ne lui convenait pas[1]. D'autre part, il appelle « refuge qu'offre son rempart » les hommes qu'il a égarés : eux aussi seront en effet livrés au châtiment, selon la parole du Seigneur : « Allez les maudits, dit-il, vers les ténèbres extérieures qui ont été préparées pour le diable et pour ses anges. »

Action de grâces pour la victoire

26, 1. *Ce jour-là on chantera ce cantique sur la terre de Juda en disant : Voici une ville forte ! il établira un rempart et une enceinte pour être notre salut.* 2. *Ouvrez les portes ! Qu'il entre le peuple juste, gardien de la justice et gardien de la vérité,* 3. *qui s'attache à la vérité et garde une paix parfaite, parce qu'en toi* 4. *nous avons mis notre espérance, Seigneur, pour l'éternité.* Le divin Apôtre reconnaît pour Juif non seulement celui qui l'est extérieurement, mais aussi celui qui l'est intérieurement : nous le savons clairement. (Le prophète) enseigne donc que le chœur des gens pieux, à la vue de la ruine de ses ennemis, célèbre dans un hymne Dieu son bienfaiteur et il montre ce qu'a d'invincible la conduite pieuse. Il invite aussi à ouvrir les portes célestes au peuple qui s'est nourri de justice, qui a observé la justice envers les hommes et la vérité des préceptes divins, qui s'est acquis de façon parfaite la paix de Dieu et qui s'est appuyé fermement sur l'espérance en Lui.

Dieu, le grand, l'éternel, 5. *toi qui as abaissé et fait descendre ceux qui habitaient sur les hauteurs ! tu jetteras à bas les cités fortes et tu les feras descendre jusqu'au sol :* 6. *les fouleront les pieds des doux et les pas des humbles.* Voilà ce que disait également la Sainte Vierge dans son hymne : « Il a renversé les puissants de leurs trônes et il a élevé

ὕψωσε ταπεινούς. » Οὗτος καὶ τῶν κατὰ τῆς εὐσεβείας μαινομένων πόλεων τὸ θεομάχον φρόνημα καταλύσας τοῖς ἀποστολικοῖς αὐτὰς ὑπέταξεν ἴχνεσι καὶ τοῖς τὴν ἐκείνων 515 διδασκαλίαν ἐκδεξαμένοις.

[7] **Ὁδὸς εὐσεβῶν εὐθεῖα, τρίβος εὐσεβῶν ⟨εὐθεῖα⟩, εὐθεῖα ἐγένετο ἡ ὁδὸς τῶν εὐσεβῶν καὶ παρασκευασμένη· [8] ἡ γὰρ ὁδὸς τοῦ κυρίου κρίσις.** Ἄνωθεν ταύτην τὴν ὁδὸν ὁ θεὸς τοῖς ἀνθρώποις ὑπέδειξεν. Τοῦτο δὲ καὶ ὁ λόγος ἠνίξατο· 520 Εὐθεῖα ἡ ὁδὸς τῶν εὐσεβῶν καὶ παρεσκευασμένη. Οὗ δὴ χάριν καὶ διὰ τοῦ Νόμου διδάσκει· « Ὁδῷ βασιλικῇ πορεύσῃ, οὐκ ἐκκλινεῖς δεξιὰ ἢ ἀριστερά. » Ταύτην οἱ τῆς εὐσεβείας ὥδευσαν τρόφιμοι. **Ἠλπίσαμεν ἐπὶ τῷ ὀνόματί σου καὶ ἐπὶ τῇ μνείᾳ, [9] ἣ ἐπιθυμεῖ ἡ ψυχὴ ἡμῶν ἐπιθυμίᾳ ψυχῆς.** 525 Πάσης μνήμης ἀγαθῆς ἀξιεραστοτέρα ἡμῖν ἡ τοῦ ὀνόματος μνήμη. Τούτοις ἔοικε τὰ ὑπὸ τοῦ μακαρίου Δαυὶδ εἰρημένα· « Ἀπηνήνατο παρακληθῆναι ἡ ψυχή (μου), ἐμνήσθην τοῦ θεοῦ καὶ εὐφράνθην », καὶ πάλιν· « Εὐφρανθήτω καρδία ζητούντων τὸν κύριον. »

530 Ἐπειδὴ δὲ πολλοῖς ὕστερον χρόνοις ταῦτα ἔμελλεν ἔσεσθαι, διδάσκει ὁ προφήτης πόθεν ταῦτα μεμάθηκεν· **Ἐκ νυκτὸς ὀρθρίζει τὸ πνεῦμά μου πρὸς σὲ ὁ θεός, διότι φῶς τὰ προστάγματά σου ἐπὶ τῆς γῆς.** Νύκτα καλεῖ τὸν πρὸ τῆς ἐνανθρωπήσεως τοῦ κυρίου καιρόν, ὄρθρον δὲ τὴν 535 προφητικὴν πρόγνωσιν. Ἡμέρα γὰρ ἡ τῆς θεογνωσίας ἀνατολή. Καὶ γὰρ αὐτὸς ὁ κύριος « φῶς ἀληθινὸν » καὶ ἥλιος δικαιοσύνης ὠνόμασται. Λέγει τοίνυν ὁ προφήτης ὅτι ἔτι νυκτὸς οὔσης ὑπὸ τοῦ σοῦ φωτιζόμενος πνεύματος

C : 533-537 νύκτα — ὠνόμασται

536 γὰρ K : > C

521 Nombr. 20, 17 527 Ps. 76, 3-4 528 Ps. 104, 3 536 Jn 1, 9

---

1. Symbolique fréquente chez Théodoret (v.g. *In Ez.*, 81, 1156 AB ; *Thérap.* X, 43) et chez les Pères ; cf. Cyrille (70, 573 C) : « Il appelle ' nuit ' le temps qui a précédé l'Incarnation ; ' aurore ', la prescience

les humbles. » C'est lui qui a ruiné aussi, chez les cités qui se déchaînaient furieusement contre la piété, l'orgueil qui leur faisait combattre Dieu, avant de les soumettre aux pas des apôtres et à ceux qui ont recueilli leur enseignement.

7. *La route des hommes pieux (est) droite; le chemin des hommes pieux est droit; droite est devenue la route des hommes pieux et bien aménagée :* 8. *car la route du Seigneur, c'est le jugement.* Dieu, dès le début, a fait entrevoir cette route aux hommes. C'est à quoi précisément fait allusion le texte : « Droite est la route des hommes pieux et bien aménagée. » Voilà pourquoi il enseigne aussi dans la Loi : « Tu avanceras par une voie royale, tu ne pencheras ni à droite ni à gauche. » C'est la route qu'ont suivie les enfants de la piété. *Nous avons espéré en ton nom et en ton souvenir,* 9. *en qui est le désir de notre âme, un désir profond.* Le souvenir de ton nom, plus que tout souvenir heureux, mérite de notre part un amour passionné. C'est à quoi ressemblent les paroles prononcées par le bienheureux David : « Mon âme refusa d'être consolée, je me souvins de Dieu et je fus dans la joie », et encore : « Que le cœur de ceux qui cherchent le Seigneur soit dans la joie ! »

Prescience prophétique

Mais, puisque ces événements devaient arriver beaucoup plus tard, le prophète enseigne d'où il tient cette connaissance : *Pendant la nuit mon esprit se lève dès l'aurore vers toi, mon Dieu, parce que tes commandements (sont) lumière sur la terre.* Il appelle « nuit » le temps qui a précédé l'incarnation du Seigneur et « aurore » la prescience prophétique[1]. De fait, le lever de la connaissance de Dieu, c'est le jour : le Seigneur s'est lui-même nommé « lumière véritable » et soleil de justice. Le prophète veut donc dire : tandis qu'il fait encore nuit, ton Esprit m'illumine et je

prophétique ; ' lumière véritable ', l'Évangile du soleil de justice, le Christ. »

τῆς σῆς ἡμέρας τὸν ὄρθρον ὁρῶ, οὐδὲ γὰρ αὐτὰ βλέπω τὰ
540 πράγματα ἀλλὰ τὰς τούτων εἰκόν[ας]. Διὸ δὴ καὶ ὁ κύριος
ἔλεγεν · « Πολλοὶ προφῆται καὶ βασιλεῖς δίκαιοι ἐπεθύ-
μησαν ἰδεῖν ἃ βλέπετε καὶ οὐκ εἶ(δον). » Καὶ αὐτὰ δέ
φησι τὰ προστάγματά σου φωτὸς δίκην ὑποδείκνυσι τὴν
εὐθεῖαν ὁδόν.

545 **Δικαιοσύνην μάθετε οἱ ἐνοικοῦντες ἐπὶ τῆς γῆς.** Καὶ
διδάσκων τὴν τῆς μαθήσεως εὐκολίαν ἐπήγαγεν · [10] **Πέπαυται
γὰρ ὁ ἀσεβ(ής), οὐ μὴ μάθῃ δικαιοσύνην ἐπὶ τῆς γῆς,
ἀλήθειαν οὐ μὴ ποιήσῃ.** Τῆς γὰρ τοῦ διαβόλου τυραννίδος
διὰ τῆς δεσποτικῆς ἐπιφανείας καταλυθείσης ῥᾴων γέγονε
550 τῆς ἀρετῆς ἡ κατόρθωσις. Ἐκεῖνος δὲ οὐδὲν ἐντεῦθεν
ἀ(πώ)νατο · τὴν γὰρ δικαιοσύνην μαθεῖν οὐκ ἠνέσχετο.
[Δι]ὸ **ἀρθήτω ὁ ἀσεβής, ἵνα μὴ ἴδῃ τὴν (δόξαν) κυρίου.** Οὐκ
ὄψεται γάρ φησι τὸ ἀκήρατον φῶς τὸ τοῖς ἁγίοις ηὐτρεπισμένον. [11] **Κύριε, ὑψηλός σου ὁ βραχίων καὶ οὐκ ᾔ(δεισαν),
555 γνόντες δὲ αἰσχυνθήτωσαν.** Τοῦτο καὶ ὁ κύριος ἐν τοῖς ἱεροῖς
εὐαγγελίοις ἔφη · « Καὶ τότε ὄψονται τὸ σημεῖον τοῦ
(υἱοῦ) τοῦ ἀνθρώπου ἐν τῷ οὐρανῷ, καὶ τότε κόψονται
πᾶσαι αἱ φυλαὶ τῆς γῆς. » Δῆλον δὲ ὡς οἱ ἐν ἑκάστῳ ἔθνει
[τοῖς] δε[σπο]τικοῖς κ[ηρύ]γμασιν ἀπ[ι]στήσαντες θρηνή-
560 σουσι τὴν οἰκείαν ἀσθένειαν. **Ζῆλος λήψεται λαὸν ἀ(παί)-
δευτον.** Τοὺς Ἰου(δαί)ους αἰνίττεται διὰ ζῆλον δῆθεν τῷ
σταυρῷ τὸν κύριον προσηλώσαντας. Τοῦτο καὶ ὁ (θεῖός)
φησιν ἀπόστολος · « Μαρτυρῶ γὰρ αὐτοῖς ὅτι ζῆλον θεοῦ
ἔχουσιν ἀλλ᾽ οὐ κατ᾽ ἐπίγνωσιν. » **Καὶ νῦν πῦρ τ(οὺς
565 ὑ)πεναντίους ἔδεται.** Ἐπειδὴ γὰρ τὸ φῶς οὐκ ἐδέξαντο,
παραδοθήσονται τῷ πυρὶ καὶ τῷ σκότει.

C : 548-551 τῆς — ἀπώνατο ‖ 552-554 οὐκ — ηὐτρεπισμένον ‖
555-558 τοῦτο — γῆς ‖ 561-564 τοὺς — ἐπίγνωσιν ‖ 565-566 ἐπειδὴ
— σκότει

549 διὰ C : καὶ K ‖ ῥᾴων Po. : ῥᾶον KC ‖ 553 φησι K : > C ‖
ηὐτρεπισμένον C : εὐτρεπισμένον K ‖ 555 ἱεροῖς K : > C

541 Matth. 13, 17 556 Matth. 24, 30 563 Rom. 10, 2

vois l'aurore de ton jour : certes, je ne contemple pas la réalité proprement dite, mais les images de cette réalité. Voilà pourquoi le Seigneur disait à son tour : « Bien des prophètes et des rois justes ont souhaité voir ce que vous voyez, et ne l'ont pas vu. » Du reste, dit-il, même à eux seuls tes commandements montrent, à la façon d'une lumière, le droit chemin.

Châtiment de l'impie

Apprenez la justice, vous les habitants de la terre. Et, pour enseigner la facilité de cette étude, il a ajouté : 10. *Car l'impie se tient inactif : il n'apprendra sûrement pas la justice sur la terre, il n'accomplira sûrement pas la vérité.* Puisque la Manifestation du Maître a ruiné le pouvoir tyrannique du diable, il est devenu plus facile d'agir avec rectitude. Mais l'impie n'a tiré aucun profit de cette situation : il ne s'est pas résigné à apprendre la justice. Pour cette raison, *que l'impie soit supprimé afin qu'il ne voie pas la gloire du Seigneur !* Il ne verra pas, dit-il, la lumière sans mélange préparée pour les saints. 11. *Seigneur, ton bras (était) levé et ils ne le reconnaissaient pas ; qu'ils le reconnaissent et rougissent de honte !* C'est ce que le Seigneur a dit à son tour dans les saints Évangiles : « Et alors ils verront le signe du Fils de l'Homme dans le ciel, et alors toutes les tribus de la terre se frapperont la poitrine. » Il est donc clair que ceux qui, dans chaque nation, n'auront pas cru au message du Maître déploreront leur (propre) faiblesse. *Le zèle s'emparera d'un peuple stupide :* il fait allusion aux Juifs qui par zèle, à les en croire, ont cloué le Seigneur à la croix[1]. C'est ce que dit aussi le divin Apôtre : « Car je leur rends témoignage qu'ils ont du zèle pour Dieu, mais c'est un zèle mal éclairé. » *Et maintenant le feu va dévorer les ennemis.* Puisqu'ils n'ont pas accueilli la lumière, ils seront livrés au feu et aux ténèbres.

1. Reprise d'un argument traditionnel de la polémique antijuive, cf. t. I, p. 184, n. 1.

[12] **Κύριε ὁ θεὸς ἡμῶν εἰρήνην δὸς ἡμῖν, πάντα γὰρ τὰ ἔργα ἡμῶν ἀπέδωκας ἡμῖν.** [13] **Κύριε ὁ θεὸς ἡμῶν κτῆσαι ἡμᾶς, κύριε ἐκτὸς σοῦ ἄλλον οὐκ οἴδαμεν, τὸ ὄνομά σου**
570 **ὀνομάζομεν.** Τὴν σὴν ἠσπασάμεθα (δεσ)ποτείαν. Μὴ ἐκπέσωμέν σου τῆς προμηθείας · οὐδένα γὰρ ἄλλον ἴσμεν θεόν. Ταῦτα καὶ τὴν τοῦ Ἀρείου [καὶ] Εὐνομίου διελέγχει παραπληξίαν. Πῶς γὰρ δύνανται λέγειν · Ἐκτὸς σοῦ ἄλλον οὐκ οἴδαμεν, κτιστὸν (θεὸν τὸν) υἱὸν ὀνομάζοντες ; Ἡμεῖς
575 δὲ μίαν οὐσίαν τῆς τριάδος κηρύττοντες ἀληθεύομεν λέγοντες · Ἐκτὸς (σοῦ ἄλλον) |132 b| οὐκ οἴδαμεν.

[14] **Οἱ δὲ νεκροὶ ζωὴν οὐ μὴ ἴδωσιν.** Νεκροὺς καλεῖ τοὺς τοῖς ἀγαθοῖς ἔργοις νενεκρωμένους. Οὕτω γὰρ καὶ ὁ κύριος ἔφη · « Ἄφες τοὺς νεκροὺς θάπτειν τοὺς ἑαυτῶν νεκρούς. »
580 Οὗτοί φησι τῆς ἀληθοῦς ζωῆς στερηθήσονται · ἐν ὀδύνῃ γὰρ τὸν αἰῶνα διάξουσιν. **Οὐδὲ ἰατροὶ οὐ μὴ ἀναστήσουσιν.** Θεοῦ γὰρ κολάζοντος τίς ἐπαμῦναι δυνήσεται ; **Διὰ τοῦτο ἐπήγαγες καὶ ἀπώλεσας αὐτοὺς καὶ ἦρας πᾶν ἄρσεν αὐτῶν.** Τό · ἦρας πᾶν ἄρσεν αὐτῶν, ὁ Σύμμαχος « πᾶσαν
585 τὴν μνήμην αὐτῶν » ἡρμήνευσεν, Ἀκύλας δὲ καὶ Θεοδοτίων « πᾶν τὸ μνημόσυνον αὐτῶν ». Ταὐτὸ δὲ τοῦτο καὶ οἱ Ἑβδομήκοντα διὰ τοῦ ἄρσενος ᾐνίξαντο · διὰ γὰρ τῶν ἀρρένων μᾶλλον ἡ τῶν πατέρων φυλάττεται μνήμη. [15] **Πρόσθες αὐτοῖς κακὰ κύριε, πρόσθες κακὰ τοῖς ἐνδόξοις τῆς γῆς.**
590 Εἰς εὐκτικὸν τὸ προαγορευτικὸν ὁ προφήτης μετέβαλε σχῆμα καὶ προλέγει τὸν ὄλεθρον τῶν διωκόντων τοὺς εὐσεβεῖς.

C : 570-576 τὴν — οἴδαμεν ‖ 577-579 νεκροὺς — νεκρούς² ‖ 582 Θεοῦ — δυνήσεται ‖ 584-586 τὸ — αὐτῶν ‖ 590-592 εἰς — εὐσεβεῖς

572 τὴν C : > K ‖ Ἀρείου ... K : Ἀριανοῦ C ‖ 582 δυνήσεται C : δυνηθήσεται K ‖ 584 ἦρας K : ἦρες C ‖ 586 ταὐτὸ Mö. : τοῦτο K

579 Matth. 8, 22

1. Le verset permet de réfuter à la fois le polythéisme et l'arianisme. Sur la polémique anti-arienne dans le commentaire, cf. Introd., t. I, p. 86. Les ariens, on s'en souvient, faisaient du Christ une créature ou du moins un dieu inférieur au Dieu Père.

12. *Seigneur notre Dieu, donne-nous la paix, car toutes nos œuvres tu nous les as rendues.* 13. *Seigneur notre Dieu, garde-nous en ta possession ; Seigneur, en dehors de toi nous ne connaissons personne d'autre : c'est ton nom que nous prononçons.* Nous avons chéri ton pouvoir absolu. Puissions-nous ne pas perdre ta sollicitude ! puisque nous ne reconnaissons comme Dieu personne d'autre (que toi). Voilà des paroles qui réfutent complètement aussi la démence d'Arius et d'Eunomius[1] : comment peuvent-ils dire « en dehors de toi nous ne connaissons personne d'autre », tout en donnant au Fils le nom de « Dieu créé » ? En revanche, nous qui proclamons l'unité de substance de la Trinité, nous affirmons la vérité quand nous disons : « En dehors de toi, nous ne connaissons personne d'autre. »

14. *Quant aux morts, ils ne verront pas la vie.* Il appelle « morts » ceux qui sont morts aux bonnes actions[2]. De même, le Seigneur a déclaré à son tour : « Laisse les morts ensevelir leurs morts. » Ils seront, dit-il, privés de la vraie vie, puisqu'ils passeront dans les tourments leur éternité. *Et les médecins ne les ressusciteront pas.* De fait, lors du châtiment de Dieu, qui pourra protéger ? *C'est pourquoi, tu les as frappés, tu les as anéantis et tu as supprimé tous leurs mâles.* Symmaque a traduit l'expression « tu as supprimé tous leurs mâles » par : « tout le souvenir qu'on avait d'eux » ; Aquila et Théodotion par : « tout ce qui rappelait leur souvenir ». Or, c'est à cette même réalité qu'ont fait aussi allusion les Septante en usant du terme de « mâle », puisque c'est surtout par les mâles que se conserve le souvenir des ancêtres. 15. *Multiplie pour eux les malheurs, Seigneur, multiplie les malheurs pour les glorieux de la terre.* Le prophète a abandonné la forme prophétique au profit de la forme optative et prédit la mort de ceux qui persécutent les hommes pieux.

2. Même interprétatio nchez Eusèbe (*GCS* 168, 31-32).

[16] **Κύριε ἐν θλίψει ἐμνήσθημέν σου, ἐν θλίψει μικρᾷ ἡ παιδεία σου ἡμῖν.** [17] **Καὶ ὡς ἡ ἐν γαστρί, ἡ ἔγκυος, ἡ**
595 **ὠδίνουσα ἐγγίζει τοῦ τεκεῖν καὶ ἐπὶ τῇ ὠδῖνι αὐτῆς ἐκέκραγεν, οὕτως ἐγενήθημεν τῷ ἀγαπητῷ σου.** Δείξας τῶν διωκόντων τὴν ταλαιπωρίαν ἐπιδείκνυσι τῶν διωκομένων τὴν ὠφέλειαν. « Ἡ » γὰρ « θλῖψις » κατὰ τὸν μακάριον Παῦλον « ὑπομονὴν κατεργάζεται, ἡ δὲ ὑπομονὴ δοκιμήν, ἡ δὲ
600 δοκιμὴ ἐλπίδα, ἡ δὲ ἐλπὶς οὐ καταισχύνει. » Καὶ ἐνταῦθα δὲ ὁ προφήτης τῆς θλίψεως καρπὸν τοῦ θεοῦ τὴν μνήμην ὑπέδειξεν, ὑπέδειξε δὲ καὶ τὴν ταχεῖαν ἀντίληψιν · τικ[το]ύσῃ γὰρ παραπλησίως ὀδυνηθέντες διὰ τὸν ἀγαπητόν σου υἱὸν ἀπηλλάγημεν τῆς ὀδύνης. Καὶ ἐπιμένων τῇ [τ]ροπῇ ἐπή-
605 γαγεν · **Διὸ τὸν φόβον σου κύριε** [18] **ἐν γαστρὶ ἐλάβομεν καὶ ὠδινήσαμεν καὶ ἐτέκομεν πνεῦμα σωτηρίας σου, ὃ ἐποίησας ἐπὶ τῆς γῆς.** Ἐπειδὴ γὰρ ὠδινούσῃ ἑαυτοὺς ἀπείκασαν γυναικί, ἔδειξαν τὸν τῶν ὠδίνων καρπόν. Πνεῦμα γὰρ σωτηρίας φησὶν ἐτέκομεν, ὃ ἐποίησας ἐπὶ τῆς γῆς,
610 τουτέστιν · ὃ τῇ γῇ ἐδωρήσω. Οὐ γὰρ τὸ πνεῦμα ἐν τῇ γῇ (ἐ)δημιούργησεν, ἀλλὰ διὰ τοῦ πνεύματος ἐν τῇ γῇ τὴν σωτηρίαν εἰργάσατο. Εἰ δὲ ἀντιλέγουσιν οἱ τῷ παναγίῳ πνεύματι [πο]λεμοῦντες, λεγέτωσαν ὅτι διὰ τῶν ἀποστόλων ἐν τῇ γῇ τῆς δημιουργίας τετύχηκεν · τοῦτο γὰρ ὁ προφη-
615 τικὸς ἐδίδαξε λόγος. Ἀλλὰ δῆλον ὡς οὐ τὸ πνεῦμα λέγει

C : 596-600 δείξας — καταισχύνει ‖ 607-612 ἐπειδὴ — εἰργάσατο

609 σωτηρίας φησὶν K : ∾ C

598 Rom. 5, 4-5

1. Rapprocher de *Thérap.* IX, 21 s. où Théodoret montre que les persécutions ont pour effet d'affermir et de répandre la foi.

Les fruits de la persécution

16. *Seigneur, dans la tribulation nous nous sommes souvenus de toi; dans une brève tribulation, c'est la leçon qui nous (était donnée).* 17. *Et, comme la femme enceinte, comme la femme qui est grosse et qui est en proie aux douleurs, est proche d'enfanter et pousse des cris dans sa douleur, ainsi sommes-nous devenus pour ton bien-aimé.* Puisqu'il vient de montrer l'infortune des persécuteurs, il montre l'avantage que retirent les victimes de la persécution[1]. De fait, selon le bienheureux Paul, « la tribulation produit la constance, la constance une vertu éprouvée, la vertu éprouvée l'espérance et l'espérance ne déçoit point. » Dans ce passage également le prophète a fait entrevoir que la tribulation a pour fruit de faire souvenir de Dieu ; il a fait entrevoir aussi la rapidité du secours : après avoir supporté des douleurs presque identiques à celles d'une femme qui enfante, nous avons dû à ton Fils bien-aimé d'être délivrés des douleurs. Et, en filant la métaphore, il a ajouté : *A cause de la crainte que nous avions de toi, Seigneur,* 18. *nous avons conçu, nous avons été en proie aux douleurs et nous avons enfanté l'esprit de ton salut, l'esprit que tu as fait sur la terre.* Puisqu'ils se sont comparés à une femme dans les douleurs, ils ont fait voir le fruit de leurs douleurs : « nous avons enfanté, dit-il, un esprit de salut, l'esprit que tu as fait sur la terre », c'est-à-dire : « dont tu as fait don à la terre ». Car il n'a pas créé l'Esprit sur la terre, mais c'est par l'intermédiaire de l'Esprit qu'il a réalisé le salut sur la terre. Pourtant, si les adversaires du très saint Esprit contestent (cette interprétation), qu'ils disent que c'est par l'intermédiaire des apôtres qu'il a obtenu de faire sur la terre œuvre de création : voilà l'enseignement du texte prophétique. En tout cas, il ne dit pas, c'est évident,

ἐν τῇ γῇ γεγενῆσθαι ἀλλὰ τὴν διὰ τοῦ πνεύματος σωτηρίαν ἐν τῇ γῇ τοῖς ἀνθρώποις παρασχεθῆναι.

Οὐ πεσούμεθα, κἂν μυριάκις πολεμηθῶμεν. Τοῦτο καὶ ὁ θεῖος ἀπόστολος ἔφη · « Ἐν παντὶ (θλι)βόμενοι ἀλλ' οὐ 620 στενοχωρούμενοι, ἀπορούμενοι ἀλλ' οὐκ ἐξαπορούμενοι. » **Ἀλλὰ πεσοῦνται οἱ ἐνοικοῦντες τὴν γῆν,** οἱ τὰ γήινα φρονοῦντες, οἱ ὡς μένουσι θαρροῦντες τοῖς (ῥέ)ουσιν. Ἡμεῖς δὲ προσμένομεν τῶν νεκρῶν τὴν ἀνάστασιν · [19] **Ἀναστήσονται γὰρ οἱ νεκροί σου, καὶ ἐξεγερ(θήσ)ονται οἱ ἐν τοῖς μνή-625 μασιν, ἐξυπνισθήσονται καὶ εὐφρανθήσονται οἱ ἡσυχάζοντες ἐν τῇ γῇ.** Ταῦτα καὶ ὁ (κύριος) ἔφη ὅτι « ἀκούσονται οἱ ἐν τοῖς μνημείοις τῆς φωνῆς τοῦ υἱοῦ τοῦ θεοῦ, καὶ ἐξελεύσονται οἱ τὰ ἀγαθὰ (πράξ)αντες εἰς ἀνάστασιν ζωῆς, οἱ δὲ τὰ φαῦλα πράξαντες εἰς ἀνάστασιν κρίσεως. » Ἀκο-630 λούθως μέντοι τὸ ἐξυπνισθήσονται τέθεικεν ὁ προφήτης δεικνὺς ὕπνον ὄντα τὸν θάνατον. Εἶτα διδάσκει τὸν τῆς ἀναβι[ώ]σεως τρόπον · **Ἡ γὰρ δρόσος ἡ παρὰ σοῦ ἴαμα αὐτοῖς ἐστιν.** Ὥσπερ γὰρ ὁ ὑετὸς ζωοποιεῖ τὰ καταχωσθέντα (καὶ οἱονεὶ) ταφέντα σπέρματα, οὕτως ὁ σὸς λόγος 635 οἷόν τις δρόσος ἀνίστησι τῶν ἀνθρώπων τὴν φύσιν. **Ἡ δὲ γῆ τῶν ἀ(σεβῶν) πεσεῖται.** Τὸ γήινον αὐτῶν καταλυθήσεται φρόνημα.

C : 621-623 οἱ² — ἀνάστασιν || 626-629 ταῦτα — κρίσεως || 633-635 ὥσπερ — φύσιν || 636-642 τὸ — ὄλεθρον

622 οἱ — θαρροῦντες C : > K || 626 γῇ e tx.rec. : σῇ K || 636 καταλυθήσεται K : καταλύεται C

619 II Cor. 4, 8 626 Jn 5, 28-29

1. L'expression οἱ τῷ παναγίῳ πνεύματι πολεμοῦντες semble désigner les Pneumatomaques, connus plus tard sous le nom de Macédoniens, dont Théodoret a réfuté l'hérésie dans un traité aujourd'hui perdu. C'est vraisemblablement sur de tels versets que s'appuyaient les hérétiques pour affirmer que l'Esprit n'était qu'une créature. Sur Macédonius, cf. l'article de G. Bardy in *DTC*, t. 9, Paris 1927, c. 1464-1478.

que l'Esprit est né sur la terre, mais que le salut opéré par l'Esprit a été sur la terre procuré à l'humanité[1].

Nous ne tomberons pas, même si l'on nous fait indéfiniment la guerre. C'est ce qu'a également déclaré le divin Apôtre : « Nous sommes pressés de toutes parts, mais non pas écrasés, ne sachant qu'espérer, mais non pas désespérés. » *Mais ils tomberont, les habitants de la terre*, ceux qui prisent les choses terrestres, ceux qui mettent leur confiance en ce qui s'écoule comme si cela devait rester. Pour nous, nous attendons la résurrection des morts : 19. *Car ils ressusciteront, tes morts, et ils se réveilleront, ceux qui sont dans les tombeaux ; ils s'éveilleront et ils seront dans la joie, ceux qui vivent en repos dans la terre.* C'est ce qu'à son tour a dit le Seigneur : « Ils entendront, ceux qui sont dans les tombeaux, la voix du Fils de Dieu et ils s'avanceront, ceux qui ont accompli le bien, pour la résurrection de la vie, ceux qui ont accompli le mal, pour la résurrection du jugement. » En conséquence, du reste, le prophète a employé « ils s'éveilleront » pour montrer que la mort est un sommeil. Puis il enseigne le mode de ce retour à la vie : *Car la rosée qui vient de toi est pour eux un remède.* Tout comme la pluie donne vie aux semences enfouies et, pour ainsi dire, ensevelies (dans le sol), ta Parole, comme une espèce de rosée, ressuscite la nature humaine[2]. *Mais la terre des impies tombera.* Leur présomption terrestre sera abattue.

2. On ne peut guère donner à λόγος le sens de « Verbe » en raison de ce qui précède (7, 627 φωνῆς), mais ce serait pourtant à peine forcer le texte. EUSÈBE, en effet, assimile nettement cette « rosée » au Verbe Monogène de Dieu (*GCS* 171, 6-10). Pour CYRILLE, cette « rosée vivifiante » est l'Esprit qui vient du Père par le Fils et qui transmet aux corps terrestres l'incorruptibilité (70, 588 C - 589 A).

Ταῦτα μὲν οὖν ὁ προφήτης εἴρηκεν ὕμνον ὑ(φαίνων) τῷ τῶν ὅλων θεῷ. Αὐτὸς δὲ ὁ δεσπότης τοῖς εἰς αὐτὸν πεπιστευκόσι
640 παρεγγυᾷ ὥσπερ ἔν τισι (ταμ)ιείοις τῇ πίστει τῶν κηρυγμάτων καὶ τῇ ἐλπίδι τῶν μελλόντων κατακρυβῆναι καὶ διαφυγεῖν (τὸν τοῖς) ἄλλοις ἀνθρώποις ἐπιφερόμενον ὄλεθρον· [20] **Βάδιζε** γάρ φησι **λαός μου, εἴσελθε εἰ(ς τὸ τ)αμιεῖόν σου, (ἀπόκλει)σον τὴν θύραν σου, ἀποκρύβηθι μικρὸν ὅσον ὅσον.** Ἀντὶ
645 τοῦ πρὸς μικρόν. **Ἕως ἂν παρέλθῃ (ἡ ὀρ)γὴ κυρίου.** [21] **Ἰδοὺ γὰρ κύριος ἀπὸ τοῦ ἁγίου τόπου ἐπάγει τὴν ὀργὴν αὐτοῦ ἐπὶ τοὺς κατοικοῦντας ἐπὶ τῆς γῆς, (ἐπισκέψ)ασθαι τὴν ἀνομίαν τῶν κατοικούντων τὴν γῆν κατ' αὐτῶν.** Ταῦτα εὑρίσκομεν τὸν κύριον τοῖς (ἱεροῖς) ἀποστόλοις παρεγγυήσαντα·
650 « Ὅταν » γάρ φησιν « ἴδητε κυκλουμένην ὑπὸ στρατοπέδων τὴν Ἱερουσαλήμ, (γινώσ)κ(ε)τε ὅτι ἤγγικεν ἡ ἐρήμωσις αὐτῆς », καὶ πάλιν· « Τότε οἱ ἐν τῇ Ἰουδαίᾳ φευγέτωσαν εἰ(ς τὰ ὄρη), καὶ ὁ ἐπὶ τοῦ δώματος μὴ καταβάτω ἆραί τι ἐκ τῆς οἰκίας αὐτοῦ. » Προλέγει δὲ αὐτ(οῖς,
655 ἵνα διαφύγωσι τὸν) ἐπιφερόμενον τοῖς ἀπιστήσασιν ὄλεθρον.

Ὁ μέντοι προφήτης καὶ τὴν αἰτίαν διδά|133 a|σκει τῆς τιμωρίας· **Καὶ ἀνακ(αλύψει) ἡ γῆ τὸ αἷμα αὐτῆς καὶ οὐ κατακ(αλύψ)ει τοὺς (ἀνῃ)ρη(μένους ἔτι).** [Καὶ ἐπὶ] τοῦ Ἄβελ ὁ θεὸς εἴρηκεν· « Φωνὴ αἵματος τοῦ ἀδελφοῦ σου
660 βοᾷ πρός με ἐκ τῆς γῆς », καὶ νῦν τὸ δεσποτ[ικόν] φησιν αἷμα οὐκ ἀνέχεται κατακρύψαι ἡ γῆ ἀλλὰ τοῦτο δείκνυσι τῆς μανίας κατηγοροῦσα. Δι[ὰ] τοῦτο οὐδὲ τοὺς μιαιφόνους ἀναιρουμένους ὑποδέξεται θαπτομένους ἀλλὰ προθήσ[ει] αὐτοὺς βορὰν οἰωνοῖς καὶ θηρίοις.

665 **27[1] Ἐν τῇ ἡμέρᾳ ἐκείνῃ ἐπάξει ὁ θεὸς τὴν μάχαιραν αὐτοῦ τὴν ἁγίαν καὶ τὴν μεγάλην καὶ τὴν ἰσχυρὰν ἐπὶ τὸν δράκοντα τὸν ὄφιν τὸν φεύγοντα, ἐπὶ τὸν δράκοντα τὸν ὄφιν τὸν σκολιόν, καὶ ἀνελεῖ ἐν τῇ ἡμέρᾳ ἐκείνῃ τὸν δράκοντα**

C : 648-655 ταῦτα — ὄλεθρον

641 κατακρυβῆναι C : κατακρυβηθῆναι K ‖ 650 στρατοπέδων C : στρατοπέδου K

650 Lc 21, 20 652 Matth. 24, 16-17 659 Gen. 4, 10

Recommandations divines pour échapper au châtiment

Voilà donc ce qu'a dit le prophète dans l'hymne qu'il a composé en l'honneur du Dieu de l'univers. Quant au Maître, il invite en personne ceux qui croient en Lui à descendre se cacher, comme on le ferait dans des caves, dans la foi en ses promesses et dans l'espérance des choses à venir, pour échapper à la mort qui menace le reste de l'humanité : 20. *Va, mon peuple*, dit-il, *entre dans ta cave*, *ferme ta porte*, *cache-toi un tout petit peu*. Ce qui revient à dire : pour un peu de temps. *Jusqu'à ce que soit passée la colère du Seigneur*. 21. *Car voici que le Seigneur fait sortir sa colère du saint lieu contre les habitants de la terre*, *pour examiner l'iniquité des habitants de la terre pour leur malheur*. Ce sont les recommandations que nous voyons le Seigneur faire à ses saints apôtres : « Lorsque vous verrez, dit-il, Jérusalem investie par les armées, rendez-vous compte que sa désolation est proche », et encore : « Alors, que ceux qui seront en Judée s'enfuient sur les montagnes ; que celui qui sera sur la terrasse ne descende pas pour emporter quelque chose de sa maison. » Or, il leur fait ces prédictions pour qu'ils échappent à la mort qui menace les incrédules.

D'autre part, le prophète enseigne aussi la cause du châtiment : *La terre découvrira le sang qu'elle contient et elle ne couvrira plus ceux qui ont tué*. Dieu a déjà dit à propos d'Abel : « La voix du sang de ton frère crie vers moi depuis la terre », et maintenant la terre ne souffre plus, dit-il, de cacher le sang du Maître, mais elle le montre et accuse de folie. C'est pourquoi elle n'accueillera pas non plus les meurtriers dans son sein à leur mort, mais les offrira en pâture aux oiseaux et aux bêtes sauvages.

La défaite du diable

27, 1. *En ce jour-là*, *Dieu enfoncera son épée sainte*, *grande et forte dans le dragon*, *le serpent fuyant*, *dans le dragon*, *le serpent tortueux*, *et il tuera en ce jour-là le dragon*

τὸν ἐν τῇ θαλάσσῃ. Μάχαιραν θεοῦ καλεῖ τὸν τιμωρητικὸν
670 λόγον, δράκοντα δὲ ὄφιν σκολιὸν φεύγοντα ἐν τῇ θαλάττῃ διαιτώμενον τὸν διὰ τοῦ πρώτου ὄφεως ἐνεργήσαντα λέγει. Οὗτος γὰρ ἔφυγε τὴν τοῦ σωτῆρος μεμαθηκὼς ἐπιφάνειαν καὶ ἐβόα · « Τί ἐμοὶ καὶ σοὶ Ἰησοῦ υἱὲ τοῦ θεοῦ ; ἦλθες ὧδε πρὸ καιροῦ βασανίσαι ἡμᾶς ; » Οὗτος τῆς εὐθείας
675 ἀποτρέπων ὁδοῦ εἰς τὰς πολυελίκτους τῆς κακίας ἀτραποὺς τοὺς ἀνθρώπους ἀποπλανᾷ · οὗτος ἐν τῇ τῶν Ἁλῶν πάλαι Θαλάττῃ διῆγε, πικρὰ καὶ ἄποτα ταύτης κατασκευάζων τὰ ὕδατα · ἀλλὰ διὰ τοῦ ξύλου τοῦ σταυροῦ οἱ τοῦ σωτῆρος ἡμῶν ἀπόστολοι εἰς γλυκεῖαν ταῦτα μεταβαλόντες ποιότητα
680 ἐξήλασαν τοῦτον καὶ διεκώλυσαν ἐμβαλεῖν τὸν οἰκεῖον ἰόν, μᾶλλον δὲ ἔλαβον « ἐξουσίαν πατεῖν ἐπάνω ὄφεων καὶ σκορπίων καὶ ἐπὶ πᾶσαν τὴν δύναμιν τοῦ ἐχθροῦ ». Ταύτης τῆς μαχαίρας καὶ ὁ μακάριος Παῦλος μέμνηται. Τὴν γὰρ ἄλλην περ[ιθεὶς] τοῖς πιστοῖς πανοπλίαν ἐπήγαγεν · « Ἐπὶ
685 πᾶσιν ἀναλαβόντες τὸν θυρεὸν τῆς πίστεως καὶ τὴν μάχαιραν τοῦ πνεύματος, ὅ ἐστι ῥῆμα θεοῦ », καὶ πάλιν · « Ζῶν γὰρ ὁ λόγος τοῦ θεοῦ καὶ ἐνεργὴς καὶ τομώτερος ὑπὲρ πᾶσαν μάχαιραν δίστομον καὶ διϊκνούμενος ἄχρι μερισμοῦ ψυχῆς καὶ πνεύματος. »

690 Οὕτως ὁ θεῖος προφήτης ὑποδείξας ἡμῖν τὸν τῆς συντελείας καιρὸν καὶ τῶν ἀνόμων τὸν ὄλεθρον καὶ τοὺς τῶν ἁγίων χοροὺς καὶ τὴν παντελῆ τοῦ διαβόλου κατάλυσιν ἐφ' ἑτέραν προφητείαν τὸν λόγον μετέθηκεν · [2] **Ἀμπελὼν καλὸς ἐπιθύμημα αὐτοῦ ἐξάρχειν κατ' αὐτ(οῦ)**. Πάλιν
695 ἐνταῦθα τῆς Ἱερουσαλὴμ τὴν πολιορκίαν σημαίνει καὶ τῶν Ἀσσυρίων τὸν ὄλεθρον καὶ προσωποποιίᾳ κεχρημένος αὐτὴν εἰσάγει τὴν πόλιν λέγουσαν ὅτι ἀμπελών εἰμι καλὸς

C : 669-674 μάχαιραν — ἡμᾶς

672 οὗτος K : αὐτὸς C ‖ 673 ἐβόα C : βοᾷ K ‖ Ἰησοῦ K : > C

673 Matth. 8, 29 681 Lc 10, 19 684 Éphés. 6, 16-17
686 Hébr. 4, 12

1. Pour Cyrille, « l'épée de Dieu » est le Verbe Monogène envoyé par le Père contre le dragon, i.e. Satan (70, 592 C).

qui habile la mer. Il appelle « épée de Dieu » la parole du châtiment ; par « dragon, serpent tortueux, fuyant, qui habite la mer », il parle de celui qui a agi par l'intermédiaire du premier serpent[1]. C'est lui qui s'est enfui, lorsqu'il eut appris la Manifestation du Sauveur, en criant : « Que me veux-tu, Jésus Fils de Dieu ? Es-tu venu ici avant le temps pour nous tourmenter ? » C'est lui qui détourne les hommes du droit chemin et les égare sur les sentiers sinueux du mal ; c'est lui qui vivait dans la mer, autrefois mer de Sel, et qui rendait ses eaux saumâtres et imbuvables ; mais, par le bois de la croix, les apôtres de notre Sauveur ont changé ces eaux en une boisson douce[2], puis l'ont chassé et l'ont empêché de lancer son venin. Ou plutôt, ils ont reçu « pouvoir de fouler aux pieds les serpents et les scorpions et pouvoir sur toute la puissance de l'Ennemi. » De cette épée, le bienheureux Paul à son tour a fait mention. Après avoir revêtu les croyants du reste de l'armure, il a ajouté : « En toute occasion prenez en main le bouclier de la foi et l'épée de l'Esprit, c'est-à-dire la Parole de Dieu », et encore : « Car la Parole de Dieu est vivante, efficace et coupante plus qu'aucune épée à deux tranchants, et pénétrante jusqu'au point de séparation de l'âme et de l'esprit. »

Le siège et le salut de Jérusalem

Voilà comment le divin prophète nous a fait entrevoir l'époque de la consommation (des siècles), la mort des criminels, les chœurs des saints et la ruine totale du diable. Il a ensuite changé de sujet pour faire une autre prophétie : 2. *Le beau vignoble! son désir! donnez le signal contre lui!* Ici, de nouveau, il annonce le siège de Jérusalem et la ruine des Assyriens ; à l'aide d'une personnification, il met en scène la ville elle-même et lui fait dire : « Je suis un beau vignoble qui

2. Sur cette image, cf. *supra*, p. 50, n. 1 et p. 58, n. 1.

θεὸν ἔχων φυτουργὸν καὶ οὕτως εὐανθής εἰμι καὶ καλός, ὡς πολλοὺς τῆς ἐμῆς ἐφίεσθαι κτήσεως. [3] **Ἐγὼ πόλις ὀχυρά,**
700 **πόλις πολιορκουμένη.** Οὐδεμίαν φησὶν ἀπὸ τῶν περιβόλων ἀσφάλειαν ἔχω· πάντοθεν γὰρ ὑπὸ τῶν πολεμίων κεκύκλωμαι.

Μάτην ποτιῶ αὐτήν· ἁλώσεται γὰρ νυκτός, ἡμέρας δὲ πεσεῖται· [4] **τεῖχος γὰρ οὐκ ἔστιν, ὃ ἐπελάβετο αὐτῆς.** Τό·
705 μάτην ποτιῶ αὐτήν, ὁ Σύμμαχος οὕτως ἡρμήνευσεν· « ἐξαίφνης ποτιῶ αὐτήν », οὕτω δὲ καὶ οἱ Λοιποί. Τουτέστι τὴν π[ολι]ορκοῦσάν με στρατιάν. Ποτιῶ δὲ αὐτὴν ἐξαίφνης διὰ τῆς ἐμῆς μετανοίας καὶ τῆς σπουδαίας μου προσευχῆς· ἐκείνη γὰρ οὐκ ἔχει τῆς εὐσεβείας τὸ τεῖχος φυλάττον
710 αὐτήν. Οὗ δὴ χάριν καὶ νύκτωρ καὶ δίχα χει[ρῶν] ἀνθρωπίνων κατακοντίζεται, καὶ μεθ' ἡμέραν οἱ φυγόντες τὸν ὄλεθρον δέξονται.

Τίς με θήσει φυ(λά)σσειν καλάμην ἐν ἀγρῷ ; Διὰ τὴν πολεμίαν ταύτην ἠθέτηκα αὐτήν. Δείκνυσιν ὁ προφητικὸς
715 λόγος προσευχομέν[ην] τὴν πόλιν, τῶν ἀσταχύων ἐστερημένην καλάμην τῶν πολεμίων τὴν στρατιὰν κειμένην ἰδεῖν. Διὰ ταύτην γάρ φησι τὴν εὐχὴν καὶ τὸ παράδοξον ἐκεῖνο γεγένηται θαῦμα· τοῦτο γὰρ διὰ τῶν ἑξῆς ὁ προφήτης ἐδίδαξεν· **Τοί(νυν) διὰ τοῦτο ἐπο(ίησε) κύριος πάντα ὅσα**
720 **συνέταξεν.** Ἠθετηκέναι δὲ λέγεται, ἐπειδὴ τὸν συνήθη δασμὸν οὐ τε[τέλεκεν] Ἐζεκίας ὁ βασιλεύς. **Κατακέκαυμαι,** [5] **βοήσονται οἱ κατοικοῦντες ἐν αὐτῇ,** τουτέστιν ἐν τῇ στρατιᾷ. Το[ιαύτη] αὐτοῖς ἐπενεχθήσεται πληγή.

Εἶτα ἀλλήλοις παρακελεύσονται διὰ μετανοίας τὸν θεὸν
725 ἱλεώσασθαι· **Ποιήσω(μεν) εἰρήνην αὐτῷ, εἰρήνην ποιήσωμεν**

C : 700-702 οὐδεμίαν — κεκύκλωμαι

703.705.706 ποτιῶ e tx.rec. : ποτια K || 718 τῶν Mö. : τῆς K || 724 ἀλλήλοις Po. : ἀλλήλους K

720-721 cf. IV Rois 18, 7

1. Sans écarter explicitement la leçon de son texte, Théodoret choisit ici de commenter la version de Symmaque. Cyrille, en

a Dieu pour vigneron ; je suis si florissante et si belle, que bien des gens ambitionnent de me posséder. » 3. *Moi, cité forte, cité investie.* Mes remparts, dit-elle, ne me procurent aucune sécurité, puisque de tous côtés les ennemis m'encerclent.

En vain, je l'abreuverai : elle sera prise de nuit, c'est de jour qu'elle tombera, 4. *car il n'y a pas de rempart qui l'entoure.* Symmaque a traduit l'expression « en vain je l'abreuverai » en ces termes : « sur-le-champ je l'abreuverai » ; telle est aussi la traduction du reste des interprètes. Il s'agit de l'armée qui m'assiège. Je l'abreuverai sur le champ grâce à mon repentir et à ma prière ardente, car elle n'a pas le rempart de la piété pour la garder[1]. Voilà pourquoi c'est de nuit et sans intervention humaine qu'elle est décimée, tandis que c'est de jour que les fuyards trouveront la mort.

Qui me placera pour garder le chaume dans le champ? A cause de cette armée ennemie, je me suis révolté contre elle. Le texte prophétique montre que la cité demande dans sa prière de voir l'armée ennemie étendue comme un chaume privé de ses épis. C'est cette prière, dit-il, qui a provoqué aussi cet incroyable prodige ; le prophète l'a enseigné par ce qui suit : *C'est donc pour cette raison que le Seigneur a fait tout ce qu'il avait décidé.* D'autre part, il est dit qu'elle s'est révoltée, puisque le roi Ézéchias n'a pas acquitté le tribut habituel. *Je suis entièrement consumée,* 5. *crieront ceux qui habitent en elle,* c'est-à-dire dans l'armée. Tel est le coup qui leur a été porté.

Puis ils vont s'exhorter mutuellement à se concilier Dieu par leur repentir : *Faisons la paix avec lui, faisons*

revanche, s'en tient au texte « en vain » et comprend que Dieu ne donna plus sa « pluie spirituelle » à Israël (70, 593 AD) : la vigne aux vigoureux sarments (εὐκληματοῦσα), Israël, a été en vain abreuvée par l'ancienne Loi ; si elle l'était par la loi évangélique, ce serait également en vain : « (Dieu) ne donna donc plus aux Israélites la pluie spirituelle (νοητὸν ὑετόν) ».

[6] **οἱ ἐρχόμενοι.** Καταλλάξωμέν φησι τὸν δεσπότην, παύσωμεν τὴν καθ' ἡμῶν ἀ(γανά)κτησιν τῇ τοῦ βίου μεταβολῇ. Εἶτα δείκνυται ὁ τῆς μετανοίας καρπός · **Τέκνα Ἰακὼβ βλαστή(σει), καὶ ἐξανθήσει Ἰσραήλ, καὶ πλησθήσεται ἡ**
730 **οἰκουμένη τοῦ καρποῦ αὐτοῦ.** Οὐ μόνον φησὶ τῆς πολιορκίας [ταύτης] ἀπαλλαγήσεσθε, ἀλλὰ καὶ τὸν σωτήριον καρπὸν τῇ οἰκουμένῃ βλαστήσετε. Δηλοῖ δὲ διὰ τούτων [οὐ μόνον] τὸν δεσπότην Χριστόν, ὃς ἐξ αὐτῶν κατὰ σάρκα βεβλάστηκεν, ἀλλὰ καὶ τοὺς ἱεροὺς ἀποστόλους κ[αὶ καθόλου
735 |133 b| πάντας τοὺς ἐξ] Ἰουδαί[ων] πεπιστευκότας · διὰ τούτων γὰρ ἡ οἰκουμένη τὴν σωτηρίαν ἐδέξατο.

Οὕτω [τὰ Ἰουδαίω]ν προαγορεύσας προλέγει τὴν τῶν Ἀσσυρίων πληγήν · [7] **Μὴ ὡς αὐτὸς ἐπάταξε, καὶ (αὐτὸς οὕτ)ως πληγήσεται ; Ἢ ὡς αὐτὸς ἀνεῖλε, καὶ αὐτὸς οὕτως**
740 **ἀναιρεθήσεται ;** Σύ φησι παραταττόμενος [καὶ μα]χόμενος ἀνεῖλες τῆς Ἱερουσαλὴμ τοὺς περιοίκους · σὲ δὲ οὐκ ἄνθρωποι συμπλεκόμενοι κατακοντί[σ]ουσιν, ἀλλ' ἀόρατος ἡ μάχη καὶ ἡ νίκη γενήσεται. [8] **Μαχόμενος καὶ ὀνειδίζων ἐξαποστελεῖ αὐτούς.** Σὺ μά[χῃ καὶ] παρατάττῃ καὶ κατὰ
745 τοῦ θεοῦ τῶν ὅλων τὴν γλῶτταν κινεῖς καὶ ἀσθένειαν ὀνειδίζεις τῷ τὰ πάντα πεποιηκότι, ἐγὼ δὲ σιγῶν παραπέμψω σε θανάτῳ.

Οὐ σὺ ἦσθα ὁ μελετῶν τῷ πνεύματί σου τῷ σκληρῷ ἀνελεῖν αὐτοὺς πνεύματι θυμοῦ ; [9] **Διὰ τοῦτο ἀφαιρεθήσεται**
750 **ἡ ἀνομία Ἰακώβ, καὶ αὕτη ἐστὶν ἡ εὐλογία αὐτοῦ, ὅταν ἀφέλωμαι αὐτοῦ τὴν ἁμαρτίαν.** Ἤλπισάς φησιν αὔτανδρον καταλῦσαι τὴν πόλιν · ἀλλὰ τούτου χάριν ἐγὼ τῆς ἐμῆς

C : 726-727 καταλλάξωμεν — μεταβολῇ ‖ 751-754 ἤλπισας — βλασφημίαν

741 σὲ Mö. : σοὶ K Sch. ‖ 742 ἄνθρωποι Po. Sch. : ἂν οἱ K

---

1. Eusèbe ne rapporte le passage qu'aux apôtres (*GCS* 175, 35-37) ; Cyrille note de son côté que par « fruit » le prophète désigne les croyants, fruits des sueurs des apôtres (70, 600 A).

2. Il s'agit du désastre subi par les troupes de Sennachérib ; le miracle a suscité bien des controverses depuis l'antiquité grecque

la paix, 6. *nous les arrivants.* Réconcilions-nous avec le Maître, dit-il, faisons cesser son irritation contre nous en changeant de vie. On montre ensuite le fruit de ce repentir : *Les enfants de Jacob grandiront, Israël fleurira et le monde sera rempli de son fruit.* Non seulement vous serez délivrés de ce siège, dit-il, mais encore vous ferez croître pour le monde le fruit du salut. Or, il fait voir par là non seulement le Christ notre Maître qui est sorti d'eux selon la chair, mais aussi les saints apôtres et d'une façon générale tous ceux des Juifs qui ont cru[1] : c'est par eux que le monde a reçu le salut.

La ruine des Assyriens

Voilà en quels termes il a annoncé les événements qui concernent les Juifs, avant de prédire le châtiment des Assyriens : 7. *Sera-t-il frappé à son tour, comme il a lui-même frappé? Sera-t-il tué à son tour, comme il a lui-même tué?* Toi, c'est dans un combat en bataille rangée, dit-il, que tu as tué les voisins de Jérusalem ; mais ce ne sont pas des hommes qui s'attaqueront à toi et qui te décimeront : le combat et la victoire seront célestes[2]. 8. *C'est en combattant et en lançant des injures qu'il les chassera.* Toi, tu combats en bataille rangée, tu remues ta langue contre le Dieu de l'univers et dans tes injures tu reproches sa faiblesse au Créateur de toutes choses : en revanche, moi, je garderai le silence pour t'envoyer à la mort.

N'était-ce pas toi qui par ton souffle violent cherchais à les tuer au souffle de ta fureur? 9. *C'est pourquoi l'iniquité de Jacob sera enlevée et voici sa bénédiction, lorsque j'aurai enlevé son péché.* Tu as espéré, dit-il, détruire la cité avec tous ses habitants ; eh bien ! pour cette raison, je les

(HÉRODOTE II, 141) jusqu'à l'époque moderne (Jürgen THORWALD, *Histoire de la médecine dans l'Antiquité*, Munich 1962, trad. française Paris 1966, p. 137-139), mais Théodoret ne fait jamais allusion à ces interprétations « profanes » du phénomène et s'en tient au donné biblique.

αὐτοὺς ἀξιώσω προνοίας, οὐκ ἀποβλέπων εἰς τὰ ἐκείνων πλημμελήματα διὰ τὴν σὴν βλασφημίαν. Τοῦτο καὶ διὰ
755 ἑτέρου προφήτου φησὶν ὁ θεός· « Οὐ δι' ὑμᾶς ποιῶ, οἶκος Ἰσραήλ, ἀλλὰ διὰ τὸ ὄνομά μου, ἵνα μὴ βεβηλωθῇ ἐν τοῖς ἔθνεσιν. » Εἰδέναι μέντοι χρὴ ὅτι κυρίως ἡ τῆς ἁμαρτίας ἀφαί[ρεσι]ς ἁρμόττει τῇ τοῦ σωτῆρος ἡμῶν ἐπιφανείᾳ, ὡς ἐν τύπῳ δὲ καὶ τότε ἐγένετο. Οὕτω δὲ καὶ τὰ ἐπαγόμενα
760 [δι]πλῆν ἔχει τὴν προφητείαν· **Ὅταν θῶσι πάντας τοὺς λίθους τῶν βωμῶν κατακεκομμένους ὡς κονίαν λεπτήν· καὶ οὐ μὴ μείνῃ τὰ εἴδωλα αὐτῶ⟨ν⟩, καὶ τὰ δένδρα αὐτῶ⟨ν⟩ ἐκκεκομμένα ὥσπερ δρυμός.** Ταῦτα καὶ ὁ θαυμάσιος Ἐζεκίας πεποίηκεν· καὶ διδάσκει τῶν Παραλειπομένων ἡ δευτέρα
765 καὶ τῶν Βασιλειῶν ἡ τετάρτη. Ἀλλ' ἐκεῖνος ἐν τῇ Ἱερουσαλὴμ τοῦτο δέδρακε μόνῃ, ὁ δέ γε δεσπότης Χριστὸς τὴν οἰκουμένην τῆς τῶν εἰδώλων ἠλευθέρωσε πλάνης.

[Οὕ]τω προαγορεύσας τὴν γεγενημένην ἐπὶ τοῦ Σενναχηρὶμ τῇ Ἱερουσαλὴμ σωτηρίαν προλέγει καὶ τὴν ἐσομένην ἐπὶ
770 τοῦ Ναβουχοδονόσορ αἰχμαλωσίαν· **Μακρὰν [10] (τὸ) κατοικούμενον ποίμνιον ἀνειμένον ἔσται ὡς ποίμνιον ἐγκαταλελειμμένον· καὶ ἔσται πολὺν χρόνον εἰς βόσκημα, καὶ ἐκεῖ ἀναπαύσονται. Καὶ μετὰ χρόνον οὐκ ἔσται ἐν αὐτῇ οὐθὲν χλωρὸν [11] διὰ τὸ ξηρανθῆναι.** Αἰχμάλωτοί φησιν [ἀπαχ]θή-
775 σονται, καὶ ἔρημος αὐτῶν ἡ χώρα ἔσται, ἀλλὰ καὶ πάλιν ἐπανήξουσι καὶ οἰκήσουσιν ἐν αὐτῇ· μετὰ [μέ]ντοι χρόνον ἄκαρπος ἔσται, καὶ οὐδὲ βλαστήσει χλωρὸν διὰ τὸ ξηρανθῆναι. Δηλοῖ δὲ ὁ λόγος τὴν ἐπὶ τοῦ [παρ]όντος τῶν Ἰουδαίων ἀκαρπίαν· οὐδὲν γὰρ τέθηλε παρ' ἐκείνοις, ἐπειδὴ τὸν τῆς

753 οὐκ ἀποβλέπων C : οὐ κάτω βλέπων K

755 Éz. 36, 32.22 ; 20, 9.14.22 764-765 cf. II Chr. 31, 1 ; IV Rois 18, 4

1. La réforme d'Ézéchias, évoquée plus loin avec davantage de précision (*In Is.*, 11, 65-82), semble avoir consisté en la suppression de la pluralité des lieux de culte au bénéfice du seul temple de Jérusalem, beaucoup plus qu'en une suppression du culte des idoles.

jugerai dignes de ma Providence, sans considérer leurs fautes, à cause de ton blasphème. C'est ce que Dieu dit encore par l'intermédiaire d'un autre prophète : « Ce n'est pas à cause de vous que j'agis, Maison d'Israël, mais à cause de mon nom, pour qu'il ne soit pas profané parmi les nations. » Il faut, pourtant, savoir que l'enlèvement de la faute s'applique proprement à la Manifestation de notre Sauveur et qu'il eut lieu à cette époque-là comme en figure. De la même manière la suite du passage comporte également une double prophétie : *Lorsqu'ils auront mis toutes les pierres des autels en morceaux comme poussière légère : assurément leurs idoles ne demeureront pas et leurs arbres seront abattus comme une forêt.* C'est précisément ce qu'a fait l'admirable Ézéchias ; le deuxième livre des Paralipomènes et le quatrième livre des Règnes l'enseignent. Pourtant, il ne l'a accompli qu'à Jérusalem, tandis que le Christ notre Maître a libéré le monde de l'erreur des idoles[1].

La déportation des Juifs à Babylone

Voilà en quels termes il a annoncé le salut qu'obtint Jérusalem sous le règne de Sennachérim, avant de prédire aussi la déportation qui allait se produire sous celui de Nabuchodonosor : *Au loin* 10. *sera envoyé le troupeau qui habite (Jérusalem) comme un troupeau abandonné ; pendant longtemps elle servira de pâturage, et là on se reposera. Au bout d'un temps, il n'y aura en elle aucune verdure* 11. *à cause de la sécheresse.* On les déportera, dit-il, comme captifs, et leur région sera déserte ; mais, de nouveau encore, ils rentreront de captivité et habiteront en elle. Au bout d'un temps toutefois, elle sera stérile et ne fera même pas pousser de verdure à cause de sa sécheresse. Or, le texte fait voir la stérilité actuelle des Juifs : rien n'a fleuri chez eux,

Néanmoins, en supprimant les hauts lieux consacrés aux idoles, Ézéchias est une figure du Christ triomphant de l'idolâtrie.

780 χάριτος ὑετὸν οὐκ εἰσδέχεται. **(Γυν)αῖκες ἐρχόμεναι ἀπὸ θέας, δεῦτε· οὐ γὰρ λαός ἐστιν ἔχων σύνεσιν. Διὰ τοῦτο οὐ μὴ οἰκτείρῃ αὐτοὺς ὁ ποι(ήσ)ας αὐτούς, οὐδὲ ὁ πλάσας αὐτοὺς οὐ μὴ ἐλεήσῃ αὐτούς.** Γυναῖκας καλεῖ τὰς τῶν ἐθνῶν πόλεις ἢ τὰς ἐν αὐταῖς ἐκκλησίας τὰς τῆς Ἱερουσαλὴμ
785 θεωμένας τὴν ἐρημίαν, καὶ παρακελεύεται τὴν ἐκείνων ἀπιστίαν (φυγ)εῖν· συνιέναι γὰρ οὐκ ἐθέλουσι τὸ συμφέρον, οὗ δὴ χάριν καὶ συγγνώμης ἐστέρηνται.

[12] **Καὶ ἔσται ἐν τῇ ἡ(μέρᾳ ἐ)κείνῃ συμφράξει κύριος ἀπὸ τῆς διώρυγος τοῦ ποταμοῦ ἕως Ῥινοκορούρων.** Τοῦτο οἱ
790 Ἄλλοι Ἑρμη[νευταὶ ἔφ]ασαν « ἀπὸ ὅρους τοῦ ποταμοῦ ἕως τοῦ χειμάρρου Αἰγύπτου καταπαύσει τὰ ῥεῖθρα. » Οὔτε γὰρ ποταμὸς [οὔτε διῶρυξ] ἡ ἀσέβεια ἀλλὰ χειμάρρους ἐξ ἐράνου συνιστάμενος καὶ πρόσκαιρον ἔχων τὴν σύστασιν. **Ὑμεῖς (δὲ συν)αγάγετε τοὺς υἱοὺς Ἰσραὴλ κατὰ ἕνα ἕνα.**
795 Τοῖς ἱεροῖς ἀποστόλοις ὁ λόγος παρακελεύεται· αὐτοὶ (γὰρ τὰς) κατὰ τὴν οἰκουμένην περινοστοῦντες συναγωγὰς πρώτοις Ἰουδαίοις τὸν λόγον ἐκήρυττον καὶ τοὺς (τ)ῷ (θείῳ κηρύγ)ματι πειθομένους τῷ δεσπότῃ προσέφερον.

[13] **Καὶ ἔσται ἐν τῇ ἡμέρᾳ ἐκείνῃ σαλπίσουσι τῇ σάλπιγγι**
800 **τῇ μεγάλῃ, καὶ ἥξουσιν οἱ ἀπολόμενοι ἐν τῇ χώρᾳ τῶν Ἀσσυρίων καὶ οἱ ἀπολόμενοι ἐν Αἰγύπτῳ καὶ προσκυ(νή)σου(σι τῷ) κυρίῳ ἐπὶ τὸ ὄρος τὸ ἅγιον ἐν Ἱερουσαλήμ.** Σάλπιγγα μεγάλην ἐκάλεσε τὸ σωτήριον κήρυγμα· τῶν γὰρ τῆς ἀ(ληθείας) κηρύκων « εἰς πᾶσαν τὴν γῆν ἐξῆλθεν
805 ὁ φθόγγος καὶ εἰς τὰ πέρατα τῆς οἰκουμένης τὰ ῥήματα ».

C : 783-787 γυναῖκας — ἐστέρηνται || 795-798 τοῖς — προσέφερον || 803-806 σάλπιγγα — πρόβατα

784 τὰς[2] K : τὴν C || 785 τὴν[1] K : om. C

804 Ps. 18, 5

---

1. Rapprocher l'image de celle utilisée pour parler des prophètes, cf. t. I, p. 185, n. 2.
2. Ici encore Théodoret adopte une leçon — également présentée

puisqu'ils ne reçoivent pas la pluie de la grâce[1]. *Femmes qui revenez de (ce) spectacle, allez ! oui c'est un peuple sans intelligence. C'est pourquoi celui qui les a créés n'aura pas pitié d'eux, celui qui les a formés ne les prendra pas en pitié.* Il appelle « femmes » les cités des nations ou bien les Églises de ces cités qui contemplent la désolation de Jérusalem et il les invite à fuir l'incrédulité de ses habitants : puisqu'ils ne veulent pas comprendre leur intérêt, les voilà pour cette raison également privés de pardon.

L'Évangile annoncé par les apôtres

12. *Et il arrivera en ce jour-là que le Seigneur fera un barrage depuis le canal du fleuve jusqu'à Rhinokorouros.* Voici ce qu'ont dit les autres interprètes : « Depuis la montagne du fleuve jusqu'au torrent d'Égypte il fera cesser le courant. » De fait, l'impiété n'est ni un fleuve ni un canal, mais un torrent qui se forme par la réunion d'apports individuels et qui présente un rassemblement passager[2]. *Vous en revanche, rassemblez un à un les fils d'Israël.* Le texte adresse cette exhortation aux saints apôtres : ce sont eux qui faisaient le tour des synagogues répandues dans le monde, qui annonçaient aux Juifs en priorité la Parole et qui présentaient au Maître ceux que persuadait le message divin.

13. *Et il arrivera en ce jour-là qu'ils sonneront de la grande trompette : alors viendront ceux qui étaient perdus dans le pays d'Assur et ceux qui l'étaient dans le pays d'Égypte, et ils se prosterneront devant le Seigneur sur la montagne sainte à Jérusalem.* Il a appelé « grande trompette » le message du salut[3], puisque la voix des hérauts de la vérité « s'est répandue sur toute la terre et leurs paroles, jusqu'aux extrémités du monde ». Ce sont eux qui ont

par Eusèbe (*GCS* 177, 35-37) — différente de celle de son texte qu'il ne commente même pas.

3. Pour Cyrille, cette « grande trompette », ce sont les apôtres eux-mêmes (70, 609 D).

Οὗτοι (τὰ πλανώ)μενα συναγαγόντες « πρόβατα ἀπολωλότα οἴκου Ἰσραήλ », συναγαγόντες δὲ καὶ τὰ « ἄλλα πρόβατα, (ἃ οὐκ ἔστιν) ἐκ τῆς αὐλῆς ταύτης », μίαν ποίμνην κατεσκεύασαν τῷ δεσπότῃ καὶ ταύτην νέμουσιν ἐν τῷ [ὄρει
810 Σιών], τῆς θεολογίας αὐτοῖς ὑποδεικνύντες τὸ ὕψος. Καὶ τῆς ἄνω Ἱερουσαλὴμ <...> εἰ ὀνομάζοι, οὐκ ἂν ἁμάρτοι [τῆς] |134 a| ἀληθείας. Συνομολογεῖ δὲ τῷ θείῳ Δαυὶδ λέγοντι · « Ἀγαπᾷ κύριος τὰς πύλας Σιὼν ὑπὲρ πάντα τὰ (σκη)νώματα Ἰακώβ. »

815 Ταύτας δὲ ἡμεῖς ἀγαπήσωμεν τὰς πύλας καὶ ταύταις διηνεκῶς προσεδρεύσωμεν, ἵνα δι' ἐκείνων εἰς τὴν τριπόθητον ἐκείνην εἰσέλθωμεν πόλιν χάριτι καὶ φιλανθρωπίᾳ τοῦ κυρίου ἡμῶν Ἰησοῦ Χριστοῦ, μεθ' οὗ τῷ πατρὶ ἡ δόξα σὺν πνεύματι ἁγίῳ νῦν καὶ ἀεὶ καὶ εἰς τοὺς αἰῶνας τῶν
820 αἰώνων. Ἀμήν.

806 Matth. 10, 6 807 Jn 10, 16 813 Ps. 86, 2

1. Le mot « théologie » est à entendre dans le sens qu'il a chez les Pères : étude et connaissance de Dieu dans son unité et dans sa

rassemblé les brebis qui étaient errantes, « les brebis perdues de la Maison d'Israël », qui ont rassemblé aussi « les autres brebis qui ne sont pas de cette bergerie » et qui ont préparé pour le Maître un seul troupeau qu'ils font paître sur la montagne de Sion, en lui dévoilant les sommets de la théologie[1]. Et si l'on nommait... de la Jérusalem d'en haut, on ne s'écarterait pas de la vérité. Il y a, du reste, accord avec la déclaration du divin David : « Le Seigneur chérit les portes de Sion au-dessus de toutes les demeures de Jacob. »

Parénèse

Quant à nous, chérissons ces portes et tenons-nous sans discontinuer auprès d'elles, afin d'entrer par elles dans cette cité triplement désirée, par la grâce et la bonté de notre Seigneur Jésus-Christ. Gloire au Père, en union avec lui, dans l'unité du Saint-Esprit, maintenant et toujours et pour les siècles des siècles. Amen.

trinité. L'expression employée par Théodoret rappelle l'interprétation donnée plus haut du terme « montagne » (*In Is.*, 7, 412-413).

ΤΟΜΟΣ Η´

Ἐν τοῖς ἔναγχος ἑρμηνευθεῖσι τὰ κατὰ τὴν Ἱερουσαλὴμ προθεσπίσας καὶ τῶν ἱερῶν ἀποστόλων προαγορεύσας τὸ κήρυγμα, τὰ συμβησόμενα ταῖς δέκα προλέγει φυλαῖς·
5 **28[1] Οὐαὶ τῷ στεφάνῳ τῆς ὕβρεως, οἱ μισθωτοὶ Ἐφραίμ.** Μισθωτοὺς Ἐφραὶμ τοὺς ἐπικούρους λέγει, τὴν Δαμασκὸν καὶ τοὺς ἄλλους Σύρους· τούτους γὰρ ἀεὶ κατὰ τῆς Ἱερουσαλὴμ ἐμισθοῦντο. Στέφανον δὲ ὕβρεως τὴν ἀλαζονικὴν καλεῖ αὐτῶν βασιλείαν· καὶ τοῦ θεοῦ γὰρ ἀπέστησαν καὶ
10 κατὰ τῶν ἀδελφῶν ἐφρόνουν μέγα. Οὕτω δὲ καὶ ὁ Σύμμαχος ἔφη· « Οὐαὶ στέφανος ὑπερηφανίας. » **Τὸ ἄνθος τὸ ἐκπεσὸν τῆς δόξης ἐπὶ τῆς κορυφῆς τοῦ ὄρους τοῦ παχέος, οἱ μεθύοντες ἄνευ οἴνου.** Ἄνθος δόξης ἐκπεσὸν τὴν ἐξ <εὐ>ημερίας εἰς κακοπραγίαν μεταβολὴν ὠνόμασεν, κορυφὴν δὲ
15 ὄρους παχέος τὸν Ἀσσύριον ἡγοῦμαι καλεῖσθαι διά τε τὸ ὕψος τῆς βασιλείας καὶ τὴν τῆς καρδίας παχύτητα, μέθην δὲ ἄνευ οἴνου τὴν τῶν εἰδώλων μανίαν.

2 Ἰδοὺ ἰσχυρὸν καὶ σκληρὸν παρὰ κυρίου ὁ θυμὸς κυρίου καὶ ὀργὴ ὡς χάλαζα καταφερομένη οὐκ ἔχουσα σκέπην,
20 **βίᾳ καταφερομένη, ὡς ὕδατος πολλοῦ πλῆθος σῦρον χώραν, τῇ γῇ ποιήσει ἀνάπαυσιν ταῖς χερσὶ 3 καὶ τοῖς ποσίν.** Τοῦ θεοῦ τὴν ὀργὴν ἀπεικάζει χαλάζῃ σφο[δρο]τάτῃ κατά τινων φερομένῃ σκέπην οὐδεμίαν ἐχόντων καὶ χειμάρρῳ μεγίστῳ πλημμυροῦντι καὶ τὴν παρακειμένην παρασύροντι γῆν καὶ

20 καταφερομένη : +οὐκ ἔχουσα σκέπην K

1. L'interprétation d'Eusèbe est totalement différente : il voit là une menace adressée aux pharisiens et aux chefs des prêtres, et applique les termes « mercenaires d'Éphraïm » à Judas, issu de la tribu d'Éphraïm, qui a livré son maître pour de l'argent (*GCS* 178, 19-30) ; c'est aussi l'interprétation de Cyrille (70, 613 AB).

HUITIÈME SECTION

Contre le royaume d'Israël et ses auxiliaires

Après avoir prophétisé, dans les passages qu'on vient à l'instant d'interpréter, les événements relatifs à Jérusalem et annoncé le message (que devaient transmettre) les saints apôtres, (le prophète) prédit pour les dix tribus les événements futurs : **28,** 1. *Malheur à la couronne de l'orgueil, les mercenaires d'Éphraïm.* Par « mercenaires d'Éphraïm » il désigne leurs auxiliaires, Damas et le reste de la Syrie, qu'ils prenaient toujours à gages contre Jérusalem[1]. Il appelle, d'autre part, « couronne d'orgueil » leur royaume fanfaron, puisque à la fois ils se sont éloignés de Dieu et nourrissaient contre leurs frères des pensées d'orgueil. C'est en ces termes que s'est aussi exprimé Symmaque : « Malheur, couronne de fierté méprisante. » *(Malheur à) la fleur tombée de sa gloire sur le sommet de la grasse montagne, les hommes ivres sans vin.* Il a nommé « fleur tombée de la gloire » le passage du bonheur au malheur ; c'est l'Assyrien, à mon avis, qui est appelé « sommet d'une grasse montagne », en raison de l'élévation de son royaume et de l'épaisseur de son cœur, et « ivresse sans vin » la folie des idoles.

2. *Voici (quelque chose) de fort et de dur envoyé par le Seigneur : l'irritation du Seigneur et sa colère qui se précipite comme grêle sans offrir d'abri, qui se précipite avec violence, comme une trombe d'eau abondante qui ravine une contrée, provoqueront pour sa terre l'inertie des mains* 3. *et des pieds.* Il compare la colère de Dieu à une chute de grêle très violente qui s'abat sur des gens sans abri où se réfugier et à un torrent énorme qui, dans sa crue, entraîne la terre

25 μὴ συγχωροῦντι μήτε τοῖς ποσὶ τῶν ἐμπιπτόντων στῆναι μήτε ταῖς χερσὶ διαν[ή]ξασθαι.

Καὶ καταπατηθήσεται ὁ στέφανος τῆς ὕβρεως, οἱ μισθωτοὶ Ἐφραίμ. Τουτέστιν οἱ ἐπίκουροι αὐτοῦ, ἐφ' οἷς ἐφρόνει μέγα. [4] **Καὶ ἔσται τὸ ἄνθος τὸ ἐκπεσὸν τῆς ἐλπίδος τῆς δόξης**
30 **αὐτοῦ ἐπ' ἄκρου τοῦ ὄρους τοῦ ὑψηλοῦ ὡς πρόδρομον σύκου· ὃ ὁ ἰδὼν αὐτό, πρὶν ἢ εἰς τὴν χεῖρα αὐτοῦ λαβεῖν αὐτό, θελήσει αὐτὸ καταπιεῖν.** Τοῦ Σαλμανάσαρ ἐπελθόντος ταῖς δέκα φυλαῖς καὶ μέντοι καὶ τοῦ Σεναχηρὶμ ὕστερον, διέφυγόν τινες τὸν ἀνδραποδισμὸν ἐν τοῖς ὄρεσι λαθόντες, μετὰ δὲ
35 τὴν τῶν πολεμίων ἀναχώρησιν ἐν μέρει τινὶ τῆς οἰκείας ᾤκησαν χώρας. Ταύτης ἦν καὶ ἡ Γαλιλαία· τῶν δέκα γὰρ ἦν αὕτη φυλῶν· « Χώρα » γάρ φησι « Ζαβουλὼν καὶ γῆ Νεφθαλίμ, Γαλιλαία τῶν ἐθνῶν. » Ἐκ ταύτης ἦν τῆς χώρας ὁ ἱερὸς τῶν ἀποστόλων χορός. Προλέγει τοίνυν ὡς
40 ἀξιέραστοι πᾶσιν ἔσονται ὡς σῦκον πρώιμον ὅπερ λίαν ἐστὶ τοῖς θεωμένοις ἐπέραστον.

[5] **Τῇ ἡμέρᾳ ἐκείνῃ ἔσται κύριος Σαβαὼθ ὁ στέφανος τῆς ἐλπίδος ὁ πλακεὶς τῆς δόξης τῷ καταλειφθέντι τοῦ λαοῦ αὐτοῦ.** Τὸν ἀποστολικὸν ὑποδείξας χορὸν τὸν τούτων
45 ὑποδείκνυσι δεσπότην· οὗτος γάρ φησι τὸν τῆς ὕβρεως στέφανον καταλύσας αὐτὸς ἔσται στέφανος δόξης τοῖς καταλειφθεῖσι τοῦ λαοῦ αὐτοῦ. Δόξα γὰρ τῶν πεπιστευκότων Ἰουδαίων μεγίστη τὸ ἐξ αὐτῶν βλαστῆσαι κατὰ σάρκα τὸν κύριον. [6] **Καταλειφθήσονται γὰρ ἐν πνεύματι κρίσεως**
50 **ἐπὶ κρίσιν, καὶ ἰσχὺν κωλύων ἀνελεῖν.** Αὐτὸς γὰρ κωλύσας ἀναιρεθῆναι πάντας, ἐνίους ἐφύλαξε προορῶν ἅπαντα ὡς θεὸς καὶ κρίνων δικαίως. Τὸ δέ· ἐν πνεύματι κρίσεως ἐπὶ

C : 44-49 τὸν¹ — κύριον ‖ 50-54 αὐτὸς — φυλάττει

43 τοῦ λαοῦ e tx.rec. : τῷ λαῷ K ‖ 49 $\overline{κν}$ K : $\overline{χν}$ C ‖ 52 ἐν K : ἐπὶ C

37 Is. 8, 23

qui le borde, sans permettre aux pieds de ceux qui tombent de rester fermes ou à leurs mains de lutter à la nage.

Et elle sera foulée aux pieds la couronne de l'orgueil, les mercenaires d'Éphraïm. C'est-à-dire ses auxiliaires, sur lesquels se fondait son orgueil. 4. *Et la fleur tombée de l'espérance de sa gloire sur la cime de la haute montagne sera comme le premier fruit mûr d'un figuier : celui qui l'aura vu, avant que sa main l'ait saisi, désirera le dévorer.* Au moment de l'attaque de Salmanasar contre les dix tribus et, naturellement, au moment aussi de celle de Sennachérim plus tard, d'aucuns échappèrent à l'asservissement en se cachant dans les montagnes ; après le retrait des ennemis, ils habitèrent une partie de leur propre pays. A ce pays appartenait également la Galilée, puisqu'elle était possession des dix tribus : « Pays de Zabulon », dit en effet (le prophète), « et terre de Nepthalim, Galilée des Nations ». C'est de ce pays qu'était originaire le saint chœur des apôtres. Il prédit donc qu'ils mériteront l'affection passionnée de tous, comme une figue précoce est l'objet d'une extrême convoitise pour ceux qui la contemplent.

5. *En ce jour-là, la couronne de l'espérance sera le Seigneur Sabaoth, la couronne de gloire tressée pour le reste de son peuple.* Puisqu'il vient de faire entrevoir le chœur des apôtres, il fait entrevoir leur Maître : ce dernier, dit-il, après avoir détruit la couronne de l'orgueil, sera lui-même une couronne de gloire pour les survivants de son peuple. Ce qui constitue, en effet, pour les Juifs qui ont cru, le plus grand sujet de gloire, c'est que le Seigneur est sorti d'eux selon la chair. 6. *Car ils seront laissés dans un esprit de jugement pour un jugement, et (le Seigneur) empêche que la force (les) supprime.* C'est lui qui a empêché leur suppression totale et qui en a conservé quelques-uns, lui qui en tant que Dieu prévoit tout et décide avec justice. Quant à l'expression « dans un esprit de jugement pour

κρίσιν, ταύτην ἔχει τὴν διάνοιαν · καὶ τότε φησὶν ἔκρινεν αὐτοὺς σῶσαι καὶ πάλιν αὐτοὺς ἑτέρᾳ κρίσει φυλάττει.

55 [7] **Οὗτοι γὰρ οἴνῳ πεπ(λανη)μένοι εἰσίν · ἐπλανήθησαν διὰ τὸ σίκερα, ἱερεὺς καὶ προφήτης ἐξέστησαν διὰ τὸ σίκερα, κατεπόθησαν διὰ τὸν οἶνον, ἐσείσθησαν ἀπὸ τῆς μέθης τοῦ σίκερα, ἐπλανήθησαν · τοῦτό ἐστι τὸ φάσμα.** Τρυφὴν αὐτῶν καὶ ἀσωτίαν κατηγορεῖ καὶ ταύταις τῶν ἄλλων 60 κακῶν ἀνατίθησι τὴν αἰτίαν · τὸ δὲ καὶ χαλεπώτατον, ὅτι καὶ οἱ ἱερεῖς ταύτην τὴν νόσον ἐδέξαντο. Προφήτας δὲ τοὺς ψευδοπροφήτας καλεῖ. Σίκερα δὲ οἱ Λοιποὶ Ἑρμηνευταὶ « μέθυσμα » εἰρήκασιν · ἐγὼ δὲ οὐχ ἡγοῦμαι τὸ ἀπὸ τῶν φοινίκων κατασκευαζόμενον πό[μα] νῦν ὀνομάζεσθαι 65 σίκερα ἀλλὰ τὸν ἡδύσμασι κεκραμένον οἶνον. Τὸ μέντοι φάσμα οὕτως ὁ Θεοδοτίων ἡρμήνευσεν · « Ἠγνόησαν ἐν τῇ μέθῃ, ἠσωτεύθησαν ὑπερόγκως » · καὶ οἱ Ἑβδομήκοντα δὲ διὰ τοῦ φάσματος [παραπ]αίοντας αὐτοὺς ἀπὸ τῆς μέθης ὑπέδειξαν. [8] **Ἀρὰ ἔδεται τὴν βουλὴν ταύτην · αὕτη** 70 **γὰρ ἡ βουλὴ ἕνεκεν πλε(ονεξίας).** Βουλὴν τὴν αἵρεσιν τῆς γνώμης ἐκάλεσεν, ἀρὰν δὲ τὴν τιμωρίαν.

[9] **Τίνι ἀνηγγείλαμεν κακὰ ἢ τί(νι ἀν) |134 b| ηγγείλαμεν ἀγγελίαν ; Οἱ ἀπογεγαλακτισμένοι ἀπὸ γάλακτος, οἱ ἀπεσπασμένοι ἀπὸ μαστοῦ.** [10] **Θλῖψις ἐπὶ θλῖψιν, προσδέχου** 75 **⟨προσδέχου⟩ ἔτι μικρόν · ἐλπὶς ἐπ' ἐλπίδι ἔτι μικρόν.** Ἐπειδὴ οἱ διακρίνειν εἰδότες τῶν ἡμετέρων οὐκ ἀκούουσι θεσπισμάτων, τοῖς ἄρτι τοῦ γάλακτος ἀπαλλαγεῖσι τῶν κακῶν τὰς προρρήσεις προσφέρομεν. Τὸ δέ · ἔτι μικρὸν ἔτι μικρόν, τὴν μετ' ὀλίγον ἐσομένην ἔφοδον τῶν πολεμίων ᾐνίξατο ·

75 προσδέχου K mg.

---

1. Sur le « sikéra », cf. t. I, p. 239, n. 2.

un jugement », elle a le sens suivant : il a décidé, dit-il, de les sauver à ce moment-là et les garde encore pour un autre jugement.

Contre les prêtres et les faux prophètes

7. *Car ceux-ci sont égarés par le vin ; le sikéra les a égarés. Prêtre et prophète ont perdu le sens sous l'effet du sikéra, ils se sont abîmés sous l'effet du vin, ils ont vacillé en raison de l'ivresse que provoque le sikéra, ils ont été égarés : telle est la vision.* Il les accuse de mollesse et de débauche et attribue à ces modes de vie la cause de leurs autres vices ; mais, ce qui est encore le plus difficilement supportable, c'est que même les prêtres ont contracté cette maladie. Il appelle « prophètes » les faux prophètes. Pour « sikéra », le reste des interprètes a dit « boisson enivrante » ; pour ma part, je ne pense pas que soit présentement appelée « sikéra » la boisson préparée à partir du palmier, mais le vin auquel on a mêlé des aromates[1]. Quant au terme de « vision », Théodotion l'a interprété de la manière suivante : « Ils ont été dans l'ignorance au milieu de leur ivresse, ils ont mené une vie excessivement déréglée » ; les Septante ont également laissé entrevoir par le terme de « vision » la déraison à laquelle les poussait l'ivresse. 8. *Une malédiction consumera ce dessein ; car ce dessein est né de la cupidité.* Il a appelé « dessein » la suppression de l'intelligence, et « malédiction » le châtiment.

Annonce voilée du châtiment

9. *A qui avons-nous annoncé des malheurs ou à qui avons-nous annoncé une nouvelle? A ceux qu'on vient de sevrer, à ceux qu'on vient d'arracher au sein.* 10. *Oppression sur oppression, attends, attends encore un peu ; espérance sur espérance, encore un peu.* Puisque les hommes qui savent porter un jugement n'écoutent pas nos oracles, c'est à des enfants récemment sevrés que nous présentons nos prédictions des malheurs. L'expression « encore un peu, encore un peu » fait allusion à l'attaque des ennemis qui allait se produire peu de temps après ; quant à l'expression

80 τὸ δὲ · ἐλπὶς <ἐπ'> ἐλπίδι, τὴν ἐπάλληλον τῶν κακῶν
προσδοκίαν σημαίνει. [11] **Διὰ φαυλισμὸν χειλέων διὰ γλώσσης
ἑτέρας λαλήσουσι τῷ λαῷ τούτῳ [12] λέγοντες αὐτοῖς·
Τοῦτο ἀνάπαυμα τῷ πεινῶντι καὶ τοῦτο σύντριμμα, καὶ οὐκ
ἤθελον ἀκούειν.** Γλῶσσαν ἑτέραν καλεῖ τὴν παραβολικὴν
85 καὶ τροπικὴν τῶν προφητῶν διδασκαλίαν, φαυλισμὸν δὲ
χειλέων τοὺς παρ' αὐτῶν κατὰ τῶν προφητῶν γινομένους
ψόγους. Ἐπειδὴ γὰρ τὰ σαφῶς λεγόμενα διέπτυον, συγκε-
καλυμμένην αὐτοῖς καὶ παραβολικὴν προφητείαν προσέφερον,
ἵνα ἐρευνᾶν τὸ τῶν λεγομένων ἀναγκαζόμενοι βάθος τὴν
90 ἐντεῦθεν ὠφέλειαν καρπώσωνται.

[13] **Καὶ ἔσται αὐτοῖς τὸ λόγιον κυρίου · θλῖψις ἐπὶ θλῖψιν,
ἐλπὶς ἐπ' ἐλπίδι ἔτι μικρὸν ἔτι μικρόν, ἵνα πορευθῶσι καὶ
πέσωσιν εἰς τὰ ὀπίσω καὶ συντριβήσονται καὶ κινδυνεύσουσι
καὶ ἁλώσονται καὶ πεσοῦνται.** Ἐπειδὴ γὰρ οὐκ ἐβουλή-
95 θησάν τινα ὄνησιν ἀπὸ τῶν θείων λογίων καρπώσασθαι,
δρέψονται θλῖψιν ἐπὶ θλῖψιν καὶ κακῶν προσδοκίαν διηνεκῆ
καὶ τῶν προσδοκωμένων χαλεπῶν τὴν πεῖραν. Οἶμαι δὲ
καὶ τοὺς λογισμοὺς αὐτῶν τὸν προφητικὸν αἰνίττεσθαι
λόγον · ἤλπιζον γὰρ ἀπαλλαγήσεσθαι τῶν κακῶν καὶ
100 ἔλεγον πρὸς ἀλλήλους · Ἔτι μικρὸν ἔτι μικρὸν καὶ λύσις
ἔσται τῶν ἀλγεινῶν. Τοῦτο δὲ καὶ ὁ Σύμμαχος οὕτως
ἡρμήνευσεν · « Οὐκ ἠθέλησαν ἀκοῦσαι, ἀλλ' ἐγένετο αὐτοῖς
ὁ λόγος κυρίου ἐντολὴ οὐκ ἐντολή, ἐντολὴ οὐκ ἐντολή,
προσδοκία οὐ προσδοκία, προσδοκία οὐ προσδοκία, μικρὸν
105 ἔτι μικρόν. » Τὴν ἀπιστίαν αὐτῶν διὰ πάντων ᾐνίξατο
καὶ τὴν τῆς γνώμης διχόνοιαν · ποτὲ μὲν γὰρ τὰ θεῖα

C : 84-87 γλῶσσαν — ψόγους || 94-97 ἐπειδὴ — πεῖραν

94 ἐβουλήθησαν C : ἠβουλήθησαν K || 103 ἐντολή² : +οὐκ K

---

1. Les raisons de l'obscurité des prophéties sont multiples (cf. t. I, p. 141, n. 5) ; celle que Théodoret avance ici est fréquemment donnée dans ses commentaires — l'obscurité pique la curiosité du lecteur et provoque une recherche plus ardente et plus profitable d'un bien jugé alors précieux —, mais elle offre la particularité de s'intégrer à la polémique anti-juive.

« espérance sur espérance », elle laisse entendre l'attente sans cesse renouvelée des malheurs. 11. *A cause de (leur) mépris pour les lèvres, c'est dans une autre langue qu'ils parleront à ce peuple*, 12. *en disant à ses membres : Voici le repos pour l'affamé et voici la ruine, et ils ne voulaient pas entendre.* Il appelle « autre langue » l'enseignement en paraboles et en figures que dispensent les prophètes ; et « mépris pour les lèvres », les blâmes qu'ils adressaient aux prophètes. Puisqu'en effet ils conspuaient ce qui était dit en clair, (les prophètes) leur présentaient une prophétie couverte du voile de la parabole, afin que, dans l'obligation de rechercher la profondeur du message, ce fût là pour eux une source de profit[1].

Refus impudent de croire à la menace

13. *Et (tel) sera pour eux l'oracle du Seigneur : oppression sur oppression, espérance sur espérance encore un peu, encore un peu, afin qu'ils marchent et qu'ils tombent à la renverse ; ils seront foulés aux pieds et courront un danger, ils seront pris et ils tomberont.* Puisqu'en effet ils n'ont pas voulu retirer un quelconque avantage des oracles divins, ils récolteront les fruits de ce refus — oppression sur oppression, attente continuelle de malheurs — et feront l'expérience des épreuves attendues. A mon avis, le texte prophétique fait également allusion à leurs raisonnements, car ils espéraient être délivrés des malheurs et se disaient les uns aux autres : « Encore un peu de temps, encore un peu de temps, et viendra la fin des douleurs. » Du reste, Symmaque a également interprété ce passage de la manière suivante : « Ils n'ont pas voulu entendre, mais la parole du Seigneur leur arrivera (en ces termes) : « Ordre pas d'ordre, ordre pas d'ordre : attente pas d'attente, attente pas d'attente ; un peu de temps encore, un peu de temps. » Par tous ces termes il a fait allusion à leur refus de croire et aux contradictions de leur esprit ; tantôt ils accueillaient les oracles

λόγια ὡς ἐντολὴν τοῦ θεοῦ κατεδέχοντο, ποτὲ δὲ αὐτῶν διέπτυον ὡς οὐκ ὄντων θείων.

[14] **Διὰ τοῦτο ἀκούσατε λόγον κυρίου, ἄνδρες τεθλιμμένοι**
110 **καὶ οἱ ἄρχοντες τοῦ λαοῦ τούτου ἐν Ἱερουσαλήμ,** [15] **ὅτι εἴπατε· Ἐποιήσαμεν διαθήκην μετὰ τοῦ ᾅδου καὶ μετὰ τοῦ θανάτου συνθήκας.** Συμφωνεῖ καὶ ταῦτα τοῖς προηρμηνευμένοις· τὴν ἀλαζονείαν γὰρ αὐτῶν καὶ τὴν ἄνοιαν διὰ τούτων ἐλέγχει· ἀεὶ γὰρ ἤλπιζον κρείττους ἔσεσθαι τῶν
115 δεινῶν. Ἀντὶ δὲ τοῦ· ἄνδρες τεθλιμμένοι, οἱ Λοιποὶ Ἑρμηνευταὶ « ἄνδρες χλευασταὶ » τεθείκασιν· κατέπαιζον γὰρ τῶν διὰ τῶν προφητῶν προσφερομένων αὐτοῖς ἀπειλῶν. Τῆς δὲ Ἱερουσαλὴμ οὐχ ὡς ἀληθῶς ἄρχοντας τοὺς τοῦ Ἐφραὶμ ὀνομάζει, ἀλλ' ὡς τοῦτο ἔσεσθαι φαντασθέντας·
120 τοῦτο γὰρ καὶ ἐν τοῖς πρόσθεν ὁ προφήτης ἐδίδαξεν, ὅτι τὴν Δαυιτικὴν βασιλείαν ἐβουλεύσαντο καταλῦσαι καὶ τὸν υἱὸν Ταβεὴλ βασιλεῦσαι καὶ ὑπηκόους αὐτοὺς ἑαυτῶν καταστῆσαι. **Καταιγὶς φερομένη ἐὰν παρέλθῃ, οὐ μὴ ἔλθῃ ἐφ' ἡμᾶς· ἐθήκαμεν γὰρ ψεῦδος τὴν ἐλπίδα ἡμῶν καὶ**
125 **τῷ ψεύδει σκεπασθησόμεθα.** Ἀνδρῶν ἐστι μεμηνότων ταῦτα τὰ ῥήματα καὶ κατ' αὐτῆς τοῦ θεοῦ τῆς δίκης θρασυνομένων.

[16] **Διὰ τοῦτο τάδε λέγει κύριος ὁ θεός· Ἰδοὺ ἐγὼ (ἐμ)βάλλω εἰς τὰ θεμέλια Σιὼν λίθον πολυτελῆ ἐκλεκτὸν ἀκρογωνιαῖον**
130 **ἔντιμον θεμέλιον εἰς τὰ θεμέλια (αὐτῆς), καὶ ὁ πιστεύων ἐπ' αὐτῷ οὐ μὴ καταισχυνθῇ.** Ἀνοίας ἐσχάτης εἶναι νομίζω τὸ ταύτην τῷ Ἐζεκίᾳ προσαρμόζειν τὴν προφητείαν· εἰς

C : 125-127 ἀνδρῶν — θρασυνομένων ‖ 131-144 ἀνοίας — Χριστός

126 τοῦ θεοῦ/τῆς K : ∾ C

1. Cf. *Is.*, 7, 5-6, t. I, p. 281.

2. Théodoret s'élève ici vigoureusement contre une interprétation vétéro-testamentaire qui était peut-être celle de Théodore de Mopsueste ; il refuse même l'interprétation typologique qu'il adopte dans son commentaire de *Zach.* 3, 9, où il souligne que l'Écriture désigne souvent par le mot « pierre » le Christ et où il cite ce verset d'Isaïe (*In Zach.*, 81, 1896 AC). Eusèbe voit l'accomplissement de

divins comme un ordre de Dieu, tantôt ils les conspuaient sous prétexte qu'ils ne venaient pas de Dieu.

14. *C'est pourquoi, écoutez la parole du Seigneur, hommes opprimés et vous, chefs de ce peuple à Jérusalem,* 15. *parce que vous avez dit: Nous avons fait un pacte avec l'Hadès et un accord avec la mort.* Voilà ce qui s'accorde également avec ce qui vient d'être interprété ; il dénonce, en effet, par ces mots leur jactance et leur déraison, puisqu'ils ne cessaient d'espérer l'emporter sur l'adversité. Au lieu d'« hommes opprimés », le reste des interprètes a écrit « hommes qui raillez » : ils se moquaient, en effet, des menaces que leur transmettaient les prophètes. D'autre part, il donne aux gens d'Éphraïm le nom de chefs de Jérusalem, non pas parce qu'ils l'étaient réellement, mais parce qu'ils se flattaient de le devenir ; de fait, en un passage précédemment commenté[1], le prophète a déjà enseigné qu'ils avaient décidé d'abattre le royaume de David, de proclamer roi le fils de Tabéel et de faire de ses habitants leurs propres sujets. *L'ouragan qui se déchaîne, s'il vient à passer, ne viendra pas sur nous ; car nous avons fondé sur le mensonge notre espérance et du mensonge nous nous ferons un abri.* Ces propos sont le fait d'hommes que frappe la folie et que l'impudence conduit à parler contre la justice même de Dieu.

Sion assurée du salut

16. *C'est pourquoi le Seigneur Dieu parle en ces termes: Voici que moi je place dans les fondations de Sion une pierre magnifique, une pierre de choix, d'angle, de prix, de fondation, dans les fondements de Sion, et celui qui croit en elle ne sera pas confondu.* C'est le comble de l'incompréhension, à mon sens, que de rapporter cette prophétie à Ézéchias[2] : les enseignements divins interdisent, en

ce verset dans la déclaration du Christ : « Sur cette pierre je bâtirai mon Église » (*Matth.* 6, 181), mais pense que le mot « pierre » peut désigner aussi le corps humain du Sauveur (*GCS* 183, 18-26). Pour

ἄνθρωπον γὰρ πιστεύειν οἱ θεῖοι ἀπαγορεύουσι λόγοι· « Μὴ πεποίθατε » γάρ φησιν « (ἐπὶ ἄρ)χοντας, ἐπὶ υἱοὺς
135 ἀνθρώπων οἷς οὐκ ἔστι σωτηρία », καί· « Ἐπικατάρατος ἄνθρωπος ὃς τὴν ἐλπίδα (ἔχ)ει ἐπ' ἄνθρωπον », (καί· « Ἀγα)θὸν (πεποι)θέναι ἐπὶ κύριον ἢ πεποιθέναι ἐπ' ἄνθρωπον », ἐνταῦθα δὲ ὁ προφητικὸς ἐπαινεῖ λόγος τὸν εἰς τὸν λίθον τοῦτον πιστεύοντα. (Ἀκρογωνι)αῖος δὲ λίθος ὁ
140 δεσπότης Χριστὸς « ὁ ποιήσας τὰ ἀμφότερα ἕν », ὁ ἐν αὐτῷ τοὺς ἐξ ἐθνῶν καὶ τοὺς ἐξ Ἰσραὴλ (συν)άψας (κα)ὶ ἕνα λαὸν ἀποφήνας. Αὐτὸς δὲ καὶ θεμέλιος κέκληται· « Θεμέλιον γάρ » φησιν « οὐδεὶς ἄλλον δύ(νατ)αι (θεῖναι) παρὰ τὸν κείμενον, ὅς ἐστιν Ἰησοῦς Χριστός. » Ἐπειδὴ
145 γὰρ ἠπείλουν οἱ τῶν δέκα φυλῶν καταλύειν τὴν Δαυιτικὴν [βασι]λείαν, τὸ ἄμαχον αὐτῆς ὑποδείκνυσι καὶ τὸν ἐκεῖθεν δίχα χειρῶν τμηθησόμενον προθεσπί[ζει] λίθον, [ὃς] ἐγένετο ὄρος μέγα καὶ τὴν οἰκουμένην ἐκάλυψεν.

17 **Καὶ θήσω κρίσιν εἰς ἐλπίδα, τὴν δὲ ἐλε(ημοσύνην) μου**
150 **εἰς σταθμούς.** Τοῦτο ὁ Σύμμαχος οὕτω ἡρμήνευσεν· « Καὶ θήσω κρίμα εἰς σπαρτίον καὶ (δικ)αιοσύνην εἰς διαβήτην. » Ἀντὶ τοῦ· Δικαίαν κατὰ τῶν ἀντιλεγόντων ἐξοίσω ψῆφον. Καὶ γὰρ ὁ δια|135 a|βήτης ἴσην δείκνυσι τῶν λίθων τὴν ἐπιφάνειαν, καὶ ἡ σπάρτος διευθύνει τῆς οἰκο[δομίας τοὺς
155 σταθμούς. Διὰ] τούτων τοίνυν ἔδειξε τῆς ψήφου τὸ δίκαιον. Ἐντεῦθεν καὶ τὴν τῶν Ἑβδομήκοντα ἑρμηνείαν νοήσωμεν· [ἐλ]πί[δα] φησὶ δικαίαν κρίσιν καὶ ἐλεημοσύνην τῷ δικαίῳ συγκεκραμένην. Καὶ γὰρ ὁ τῆς θύρας σταθμὸς διὰ τῶν οἰκο[δομικῶν] ὀργάνων ἐδέξατο τὴν εὐθύτητα.

138-139 τὸν[1] ... πιστεύοντα K : τοὺς ... πιστεύοντας C ‖ 143 οὐδεὶς ἄλλον K : ∾ C ‖ 153 ἴσην Mö. : ἴσον K

134 Ps. 145, 3 135 Jér. 17, 5 137 Ps. 117, 8 140 Éphés. 2, 14 143 I Cor. 3, 11 146-148 cf. Dan. 2, 34-35

Cyrille aussi, cette pierre est le Christ, appelé « pierre angulaire » parce qu'il a fait des deux peuples — Juifs et nations — un seul peuple (70, 632 D).

effet, de mettre sa foi en l'homme : « Ne mettez point votre foi », dit (l'Écriture), « dans les princes, dans les fils des hommes auxquels n'appartient pas le pouvoir de sauver », ou bien : « Maudit l'homme qui met son espérance en l'homme », ou bien : « Il est bon de mettre sa confiance dans le Seigneur plutôt que de la mettre dans l'homme » ; or, ici, le texte prophétique fait l'éloge de celui qui met sa foi dans cette pierre. La pierre angulaire, c'est donc notre Maître le Christ « qui des deux n'a fait qu'un seul (peuple) », qui a réuni en lui ceux qui viennent des nations et ceux qui viennent d'Israël, pour ne faire voir qu'un seul peuple. C'est lui qui a été appelé également « pierre de fondation » : « De fondement, en effet », dit (l'Apôtre), « personne ne peut en poser d'autre que celui qui s'y trouve, à savoir Jésus-Christ. » Puisqu'en effet les membres des dix tribus menaçaient d'abattre le royaume de David, il fait entrevoir son caractère invincible et prophétise que la pierre qui en sera extraite sera taillée sans intervention humaine, elle qui est devenue une grande montagne et qui a recouvert le monde.

Châtiment d'Israël

17. *Et je prendrai un jugement pour qu'il serve d'espérance et ma miséricorde pour qu'elle serve de jambages.* Symmaque a interprété ce passage de la façon suivante : « Et je prendrai un arrêt en guise de fil à plomb et la justice en guise de niveau. » Ce qui revient à dire : Je porterai une juste condamnation contre mes contradicteurs. De fait, le niveau montre si la surface des pierres est plane et le fil à plomb assure la verticale des jambages de la construction. Par ces mots il a donc montré la justice de la condamnation. A partir de cette interprétation, comprenons aussi celle des Septante, selon laquelle l'espérance est un juste jugement et la miséricorde se mêle à la justice. Et, en effet, le jambage d'une porte tient des instruments de construction sa droiture.

160 **Καὶ οἱ πεποιθότες μάτην ψευδεῖς· ὅτι οὐ μὴ παρέλθῃ**
ἡμᾶς καταιγίς, [18] μὴ καὶ ἀφέλῃ ὑμῶν τὴν διαθήκην τοῦ
θανάτου, καὶ ἐλπὶς ὑμῶν πρὸς τὸν ᾅδην οὐ μὴ ἐμμείνῃ·
καταιγὶς φερομένη ἐὰν ἐπέλθῃ, ἔσεσθε αὐτῇ εἰς καταπάτημα·
[19] ὅταν ἐπέλθῃ, λήψεται ὑμᾶς. Καὶ ταῦτα οὕτως ὁ Σύμμαχος
165 τέθεικεν· « Καὶ ὁ προμαχὼν ὁ διὰ τὴν χάλαζαν, ἡ πεποί-
θησις ἡ ψευδὴς καὶ ἡ σκέπη ἡ διὰ τὸ ὕδωρ ἐπικλύσει· καὶ
ἐξαλειφθήσεται ἡ συνθήκη ὑμῶν ἡ πρὸς τὸν θάνατον καὶ
ἡ προσφυγὴ ὑμῶν ἡ πρὸς τὸν ᾅδην. » Οὐδὲν ὑμᾶς φησιν
ἀπαλλάξει τῶν ἐπιφ[ερο]μένων δεινῶν, ἀλλ' ἐλεγχθήσεται
170 τῆς ἐλπίδος ὑμῶν τὸ μάταιον. **Ὅτι πρωὶ πρωὶ παρελεύσεται,**
ἡμέρας καὶ ἐν νυκτὶ ἔσται ἐλπὶς πονηρά. Πρωὶ πρωὶ τὴν
ταχύτητα λέγει καὶ προλέγει τὰ ἐν ἡμέρᾳ καὶ ἐν νυκτὶ
ἐπενεχθησόμενα αὐτοῖς κακά.

Μάθετε ἀκούειν [20] στενοχωρούμενοι. Δι' αὐτῶν μαθήσεσθε
175 τῶν πραγμάτων μετὰ κατ[ανύ]ξεως τὸν προφητικὸν ἐπαι-
νεῖ<ν> λόγον. **Οὐ δυνάμεθα μάχεσθαι, αὐτοὶ δὲ ἀσθενοῦμεν**
τοῦ ἡμᾶς συναχθῆναι. [21] Ὥσπερ ἐν τῷ ὄρει τῶν διακοπῶν
ἀναστήσεται κύριος ⟨ὡς⟩ ἐν τῇ φάραγγι Γαβαών, μετὰ
θυμοῦ ποιήσει τὰ ἔργα αὐτοῦ, πικρίας ἔργα. Ἱστορίας ἡμᾶς
180 ἀνέμνησεν· τοῦ μακαρίου γὰρ Ἰησοῦ τοῦ Ναυὴ στρατη-
γοῦντος καὶ τοῖς πέντε [βασι]λεῦσι πολεμοῦντος, οἳ κατὰ
τῶν Γαβαωνιτῶν ἐπεστράτευσαν, ἐπήμυνε προφανῶς καὶ
αὐτὸς ὁ τῶν ὅλων θεὸς [νι]φάδας λίθων χαλάζης ἄνωθεν
κατ' αὐτῶν σφενδονήσας. Οὕτως φησὶ καὶ νῦν δείξει τὴν
185 τιμωρητικὴν αὐτοῦ δύναμιν.

Ὁ δὲ θυμὸς αὐτοῦ ἀλλοτρίως χρήσεται, καὶ ἡ πικρία
αὐτοῦ ἀλλοτρία. Οὐκέτι γὰρ ὑμῶν ὡς οἰκείου προμηθεῖται

C : 171-173 πρωὶ[1] — κακά ‖ 176-177 Sub nomine Thti invenitur in $C^{r\cdot 90\cdot 377\cdot 564\cdot 566}$: δείκνυσιν αὐτοὺς μετὰ τὴν πεῖραν τὴν οἰκείαν ὁμολογοῦντας ἀσθένειαν καὶ τῆς ἀσθενείας τὴν αἰτίαν διδάσκοντας· ἡ ἀσέβεια γὰρ ἐκείνην ἐγέννησεν ‖ 187-189 οὐκέτι — θυμῷ

172 ἡμέρᾳ καὶ ἐν νυκτὶ K : νυκτὶ καὶ ἡμέρᾳ C ‖ 173 αὐτοῖς K : > C

179-184 cf. Jos. 10

Et ceux qui s'en sont remis (au mensonge) ont été en vain menteurs, quand ils disaient : Non, l'ouragan ne passera pas sur nous, 18. *il ne détruira pas votre pacte avec la mort ; l'espérance que vous mettez dans l'Hadès ne demeurera pas : si l'ouragan qui se déchaîne survient, il vous transformera en ce qu'on foule aux pieds ;* 19. *lorsqu'il surviendra il vous emportera.* Cela encore Symmaque l'a rendu de la manière suivante : « Le combattant des premières lignes à cause de la grêle, la confiance mensongère et l'abri à cause de l'eau (seront livrés) à l'inondation ; et seront abolis votre convention avec la mort et votre refuge auprès de l'Hadès. » Rien ne vous délivrera, dit-il, des assauts de l'adversité, mais la preuve sera faite de la vanité de votre espérance. *Car c'est à l'aube, à l'aube qu'il passera, jour et nuit il y aura une espérance funeste.* Par « à l'aube, à l'aube », il exprime la rapidité et prédit les malheurs qui les assailliront durant le jour et durant la nuit.

Apprenez à écouter, 20. *vous qui êtes tourmentés.* Les événements eux-mêmes vous apprendront à donner avec componction votre assentiment au texte prophétique. *(Vous qui dites :) Nous ne pouvons pas combattre, nous sommes trop faibles par nous-mêmes pour nous rassembler.* 21. *Comme sur la montagne des Brèches le Seigneur se lèvera, comme dans le vallon de Gabaon, c'est avec colère qu'il accomplira son œuvre, une œuvre d'amertume.* Le prophète nous a rappelé un épisode historique : quand le bienheureux Josué, fils de Nûn, exerçait le commandement et faisait la guerre aux cinq rois qui firent campagne contre les Gabaonites, le Dieu de l'univers en personne vint également à son secours de façon manifeste, en criblant du haut du ciel les ennemis d'une pluie de lourds grêlons. De la même manière, dit-il, il va montrer maintenant encore sa puissance vengeresse.

Sa colère (vous) traitera d'une manière étrangère et son amertume (sera) étrangère. Car il ne prend plus soin de

(λαοῦ), ἀλλ' ὡς κατ' ἐκείνων τῶν παντάπασιν αὐτὸν ἠγνοηκότων χρήσεται καθ' ὑμῶν τῷ θυμῷ. 22 **Καὶ ὑμεῖς μὴ**
190 **εὐφρανθ(είητε), μηδὲ ἰσχύσουσιν ὑμῶν οἱ δεσμοί· διότι συντετελεσμένα καὶ συντετμημένα πράγματα ἤκουσα παρὰ κυρίου (Σα)βαὼθ ἃ ποιήσει ἐπὶ πᾶσαν τὴν γῆν.** Δεσμοὺς τὸ θράσος ἐκάλεσεν. Παρεγγυᾷ δὲ αὐτοῖς μὴ εὐφραίνεσθαι (μη)δὲ τῇ οἰκείᾳ δυνάμει θαρρεῖν· ἃ γὰρ προεῖπον, παρὰ
195 τοῦ τῶν ὅλων θεοῦ ἀκήκοα· ἀψευδὴς δὲ ὁ θεῖος λόγος.

23 **Ἐνωτίζεσθε καὶ (ἀκούετε) τῆς φωνῆς μου, προσέχετε καὶ ἀκούετε τοὺς λόγους μου.** 24 **Μὴ ὅλην τὴν ἡμέραν μέλλει ὁ ἄνθρωπος ὁ ἀροτριῶν ἀροτριᾶν ; ἢ σπ(όρον) προετοιμάσει πρὸ τοῦ ἐργάσαι τὴν γῆν αὐτοῦ ;** 25 **Καὶ ὅταν αὐτῆς ὁμαλίσῃ**
200 **τὸ πρόσωπον, τότε σπείρει μικρὸν μελάνθιον (καὶ κύ)μινον, καὶ πάλιν σπείρει πυρὸν καὶ κριθὴν καὶ κέγχρον καὶ ζειὰν ἐν τοῖς ὁρίοις σου.** Ἀπειλήσας ταῖς δέκα φυλαῖς τὴν [τιμωρίαν] πρὸς τοὺς τὴν Ἱερουσαλὴμ κατοικοῦντας μεταφέρει τὸν λόγον καὶ παρακελεύεται αὐτοῖς προθύμως τῆς προ-
205 φ[ητείας] ἀκούειν καὶ δείκνυσι τὸν μὲν γεωργὸν οὐκ ἀεὶ γεωργοῦντα αὐτῶν τὰς ψυχὰς καὶ κατασπείροντα. Με[λάνθιον] καὶ κύμινον αὐτοὺς καλεῖ, τὰ δὲ ἄλλα σπέρματα τοὺς ἄλλους ἀνθρώπους. Ὥσπερ γὰρ ὁ ἐκ πυρῶν καὶ κριθῶν [καὶ] ζειῶν ἄρτος τὸ κύμινον δεχόμενος καὶ τὸ μελάνθιον
210 ἡδίων γίνεται, οὕτω διὰ τούτων τοῖς ἄλλοις ἔθνεσιν ὁ θεὸς τὴν ὠφέλειαν ἐπόριζεν. Διὰ τοῦτο καὶ τοὺς ἱεροὺς ἀποστόλους ἅλας ὠνόμασεν, δηλονότι τοὺς ἄλλους ἀνθρώπους σῖτον κ[εκληκώς]. Τοῦτο δὲ καὶ ἐν τοῖς ἐφεξῆς διδάσκει σαφέστερον· 26 **Καὶ παιδευθήσῃ κρίματι θεοῦ καὶ εὐφραν-**
215 **θήσῃ.** Σέ φησι (πατρικῶς), παι(δε)ύσω, οὐ δικαστικῶς κολάσω.

C : 192-195 δεσμοὺς — λόγος ‖ 215-216 σὲ — κολάσω

194 ἃ C : ὃ K

211-212 cf. Matth. 5, 13

vous comme de son propre peuple, mais la colère dont il a usé à l'encontre de ceux qui l'ont absolument méconnu, il en usera contre vous. 22. *Et vous, puissiez-vous ne pas vous réjouir, de peur que vos liens ne se resserrent ; parce que j'ai appris du Seigneur Sabaoth les œuvres d'achèvement et de retranchement qu'il accomplira sur toute la terre.* Il a appelé « liens » l'audace. Il leur ordonne de ne pas se réjouir et de ne pas mettre leur confiance dans leur propre puissance ; car ce que j'ai prédit, c'est du Dieu de l'univers que je l'ai appris : or, la parole de Dieu n'est pas mensongère.

Le sort de Jérusalem

23. *Prêtez l'oreille et écoutez ma voix, soyez attentifs et écoutez mes paroles.* 24. *Est-ce que l'homme qui laboure va labourer pendant toute la journée? ou bien va-t-il préparer la semence avant d'avoir travaillé sa terre?* 25. *Et, lorsqu'il en a égalisé la surface, alors il sème un peu de nigelle et de cumin, et il sème encore du blé, de l'orge, du millet et de l'épeautre dans tes confins.* Après avoir menacé les dix tribus du châtiment, le prophète se tourne vers ceux qui habitent Jérusalem ; il les invite à écouter avec empressement la prophétie et montre que le cultivateur n'est pas toujours en train de cultiver leurs âmes et de les ensemencer. Ce sont eux qu'il appelle « nigelle et cumin », tandis qu'il désigne par les autres semences les autres hommes. Car tout comme le pain de blé, d'orge ou d'épeautre prend, grâce à l'adjonction de cumin et de nigelle, un goût plus agréable, c'est grâce à eux que Dieu procurait le secours aux autres nations. C'est pourquoi il a également nommé les saints apôtres « sel », puisqu'il a manifestement appelé les autres hommes « pain ». Du reste, dans le passage suivant également, il enseigne cela avec plus de clarté : 26. *Et tu seras instruit par le jugement de Dieu et tu seras dans la joie.* Toi, je t'instruirai, dit-il, comme fait un père au lieu de te châtier comme ferait un juge.

[27] **Οὐ γὰρ μετὰ σκληρότητος καθαίρεται τὸ μελάνθιον, ⟨οὐδὲ τροχὸς ἁμάξης περιάξει ἐπὶ τὸ κύμινον, ἀλλὰ ῥάβδῳ τινάσσεται τὸ μελάνθιον,⟩ τὸ δὲ κύ(μινον βακ)τηρίᾳ,** [28] **καὶ**
220 **μετὰ ἄρτου βρωθήσεται.** Ὑμᾶς φησι δίκην μελανθίου καὶ κυμίνου ῥάβδῳ παίω, τοὺς (δὲ) Ἀσσυρίους ὡς ζειὰς καὶ κριθὰς πρίονι δι' ἁμάξης λεπτυνῶ. **Οὐ γὰρ εἰς τὸν αἰῶνα ὑμῖν ὀργισθήσομαι, οὐδὲ φωνὴ τῆς πικρίας μου καταπατήσει ὑμᾶς.** Ἀντὶ τοῦ · ὥσπερ τοὺς [Ἀσσυρίους]. Ταύτης
225 δὲ ἀπέλαυον τῆς μακροθυμίας Ἰουδαῖοι, ἡνίκα ἦσαν μελάνθιον καὶ κύμινον καὶ « (ἄμπελος εὐκλη)ματοῦσα ». Ἐπειδὴ δὲ ἀντὶ τούτων ἀκάνθας ἐβλάστησαν, ταῖς Ῥωμαϊκαῖς καὶ αὐτοὶ παρ[εβλήθησαν ἁ]μάξαις. Ὁ μέντοι προφήτης, ὥσπερ ἐπὶ τῆς τιμωρίας τῶν δέκα φυλῶν εἴρηκε παρ[ὰ τοῦ θεοῦ
230 τῶν] ὅλων δεδέχθαι τὴν ψῆφον, οὕτω κἀνταῦθα · [29] **Καὶ ταῦτα παρὰ κυρίου Σαβαὼθ ἐξῆλθε τὰ (τέρατα).**

[Εἶτα] συμβουλὴν ἐπάγει · **Βουλεύσασθε, ὑψώσατε ματαίαν παράκλησιν.** Τοῦτο δὲ ὁ (Σύμμαχος) [οὕτω] τέθεικεν · « Καὶ τοῦτο παρὰ κυρίου δυνάμεων ἐξῆλθε, παρεδόξασε
235 βουλήν, ἐμεγάλυνε σωτηρίαν. » [Παρὰ δόξαν] φησὶν ἔδειξεν ἀγαθότητα καὶ παρ' ἀξίαν ἡμῖν δέδωκε σωτηρίαν. Κατὰ [δὲ τοὺς Ἑβδομήκοντα |135 b| αἰνίττεται] ὁ λόγος τὴν ἐσομένην αὐτῶν πανωλεθρίαν · οὐκ ἀνεχόμενοι γὰρ τῆς προφητικῆς διδασ[καλί]ας ἀλλὰ τὴν ἐναντίαν ὁδεύσαντες
240 μάτην ἐψυχαγωγοῦντο ταῖς ἀγαθαῖς ὑποσχέσεσιν.

Ἐφ' ἑτέραν [ἐν]τεῦθεν ὁ προφήτης πρόρρησιν μεταβαίνει καὶ τῆς Μωαβίτιδος προλέγει τὰς συμφοράς · [29 1] **Οὐαὶ Ἀριὴλ Ἀριὴλ πόλις ἣν Δαυὶδ ἐπολέμησεν.** Ἀριὴλ ἡ Ἀρεόπολις καλεῖται · τῆς δὲ Μωαβίτιδός ἐστιν αὕτη
245 [πόλ]ις ἐπίσημος. **Συναγάγετε γενήματα ἐνιαυτὸν ἐπὶ ἐνιαυ-**

C : 220-222 ὑμᾶς — λεπτυνῶ ‖ 243-245 Ἀριὴλ³ — ἐπίσημος

220 καὶ C : > K ‖ 221 ζειὰς C : ζειὰν K ‖ 231 τέρατα e tx.rec. : ῥήματα ? K ‖ 245 ... ις K : > C

226 Os. 10, 1

1. Cf. *In Is.*, 5, 480.

27. *Car on ne bat pas la nigelle avec rudesse et la roue du char ne circulera pas sur le cumin, mais on battra au bâton la nigelle et le cumin au fléau,* 28. *et on le mangera avec du pain.* Vous, je vous frappe avec un bâton, dit-il, à la manière de la nigelle et du cumin, tandis que les Assyriens je les écraserai comme (on écrase) grains d'épeautre et grains d'orge, au moyen d'un char équipé de roues dentées. *Car je ne serai pas éternellement irrité contre vous et la voix de mon amertume ne vous foulera pas (éternellement) aux pieds.* Ce qui revient à dire : comme c'est le cas pour les Assyriens. Les Juifs bénéficiaient de cette longanimité quand ils étaient nigelle et cumin et « vigne luxuriante ». Mais, lorsqu'ils ont remplacé ces productions par celle de chardons, ils ont été eux aussi livrés aux chars des Romains. Le prophète en tout cas, qui, à propos du châtiment des dix tribus, a dit tenir la sentence du Dieu de l'univers, s'exprime ici encore de la même manière : 29. *Et c'est du Seigneur Sabaoth que sont venues ces annonces prodigieuses.*

Puis il ajoute un conseil : *Délibérez, rejetez une vaine consolation.* Symmaque a rendu ce passage de la façon suivante : « Et cela est venu de la part du Seigneur des Puissances, il a fait admirer son conseil, il a magnifié son salut. » Contre toute attente, dit-il, il a montré sa bonté et, en l'absence de tout mérite, il nous a donné le salut. Selon les Septante, le texte fait allusion à la ruine totale qu'ils allaient subir ; puisque loin de supporter l'enseignement du prophète, ils avaient pris la route opposée, c'est en vain qu'ils étaient réconfortés par ces promesses de bonheur.

Contre Moab

A partir de là, le prophète passe à une autre prédiction et prédit les malheurs du pays de Moab : **29,** 1. *Malheur à Ariel, Ariel la cité que David a combattue.* C'est Aréopolis qui est appelée Ariel ; or c'est une cité remarquable du pays de Moab[1]. *Rassemblez les récoltes année par année! Les fêtes*

τόν. Ἑορταὶ συγκρουσθήσονται· φάγεσθε γὰρ σὺν Μωάβ. [2] **Ἐκ(θλί)ψω δὲ Ἀριήλ.** Μωὰβ τὴν Χαραχμωβὰν καλεῖ. Προμηνύει δὲ ὁ λόγος τὴν ἐσομένην πολιορκίαν. Ἐν ταύταις [γὰρ χρὴ] διαφερόντως ἔνδον ἔχειν τῶν περιβόλων τῶν
250 ἀναγκαίων τὴν χρείαν. **Καὶ ἔσται αὐτῆς ἡ ἰσχὺς καὶ ὁ πλοῦ(τος ἐμ)οί.** [3] **Καὶ κυκλώσω ὡς Δαυὶδ ἐπὶ σὲ καὶ βαλῶ ἐπὶ σὲ χάρακα καὶ θήσω ἐπὶ σὲ πύργους.** Φασί τινες μετὰ [τὴν] ἀπὸ Βαβυλῶνος ἐπάνοδον τοὺς Ἰουδαίους σύμμαχον ἔχοντας τὴν θείαν ῥοπὴν καταλῦσαι τοὺς Μω[αβίτ]ας. Καὶ ὁ προφη-
255 τικὸς δὲ τοῦτο αἰνίττεται λόγος· Ἔσται γὰρ αὐτῆς φησιν ἡ ἰσχὺς καὶ ὁ πλοῦτος ἐμοί, τουτέστιν εἰς τὸν ἐμὸν κομισθήσεται ναόν.

[4] **Καὶ ταπεινωθήσονται εἰς τὴν γῆν οἱ λόγοι σου κάτω, καὶ ταπεινωθήσῃ· εἰς (τὴν γῆν) λαλήσεις, καὶ εἰς τὴν γῆν**
260 **οἱ λόγοι σου καταδύσονται, καὶ ἔσται ὡς οἱ φωνοῦντες ἐκ τῆς γῆς ἡ φωνή σου, καὶ πρὸς (τὸ ἔδ)αφος ἡ φωνή σου ἀσθενήσει.** Ἐπειδὴ βλάσφημα κατὰ τοῦ θεοῦ τῶν ὅλων ἐφθέγγοντο — τὸν Χαμὼς γὰρ ἐνόμι[ζον κρείττονα] καὶ διὰ τοῦτο κατεγέλων τῶν Ἰουδαίων τὸν τῶν ὅλων προσκυ-
265 νούντων θεόν —, ἀπειλεῖ αὐτοῖς δουλείαν καὶ δει[λίαν] καὶ ἀφάνειαν. Τοὺς δὲ ἐκ τῆς γῆς φωνοῦντας τοὺς δαίμονας λέγει τοὺς ἐν τύπῳ νεκρῶν φαινομένους καὶ [φαι]ὰ φθεγγομένους. Τούτοις ἀπεικάζει τῶν Μωαβιτῶν τὴν φωνήν. Ἀπεικάζει δὲ αὐτῶν καὶ τὴν δυναστείαν [καὶ] τὴν εὐπορίαν
270 κονιορτῷ τοίχου καταλυομένου καὶ κόνει ὑπὸ λαίλαπος φερομένῃ. [5] **Καὶ ἔσται ὡς στιγμὴ** [6] **παρὰ (κυρίου) Σαβαώθ.** Ἐν ἀκαρεῖ φησι καὶ συντόμως τὸν ὄλεθρον δέξεται. **Ἐπισκοπὴ γὰρ ἔσται αὐτῆς μετὰ (βρ)οντῆς καὶ σεισμοῦ καὶ φωνῆς μεγάλης καὶ καταιγίδος φερομένης καὶ φλογὸς πυρὸς**
275 **κατεσθιούσης.** Τοῦτο [καὶ κατ'] ἄλλων ἐθνῶν πεποίηκεν ὁ θεός, καὶ σαφῶς ἡμᾶς αἱ παλαιαὶ διδάσκουσιν ἱστορίαι.

275 καὶ κατ' conieci : κατὰ τῶν Mö.

---

1. La remarque de Théodoret reste vague et nous ne voyons pas à quels événements il est fait allusion.
2. Résumé d'*Is.*, 29, 5.

s'enchevêtreront, car vous mangerez avec Moab. 2. *Et j'écraserai Ariel.* C'est Charachmoba qu'il appelle Moab. Le texte indique par avance le siège futur de la cité. Dans de telles situations, il faut en effet avant tout disposer, à l'intérieur des remparts, des biens indispensables à la vie. *Et elles m'appartiendront, sa force et sa richesse.* 3. *Je l'investirai comme l'a fait David, j'établirai contre toi un retranchement et je disposerai contre toi des tours.* D'aucuns prétendent qu'après le retour de Babylone les Juifs, avec l'appui divin pour allié, ont défait les Moabites[1]. Le texte prophétique fait également allusion à ce fait, puisqu'il déclare « sa force et sa richesse m'appartiendront », c'est-à-dire : seront transportées dans mon Temple.

4. *Et tes paroles en tombant seront abaissées jusqu'à terre et tu seras abaissée ; vers la terre tu parleras et dans la terre s'enfonceront tes paroles, et ta voix sera comme (celle de) ceux qui parlent de la terre et vers le sol ta voix parviendra affaiblie.* Puisqu'ils proféraient un blasphème contre le Dieu de l'univers — ils pensaient, en effet, que Chamos lui était supérieur et en tiraient prétexte pour se moquer des Juifs qui adoraient le Dieu de l'univers —, il menace de les réduire en esclavage, d'en faire des lâches et de les faire disparaître. Par « ceux qui parlent de la terre », il désigne les démons qui prennent l'apparence des morts pour se manifester et qui parlent d'une voix sourde. C'est à eux qu'il compare la voix des Moabites. Puis il compare leur puissance et leur prospérité à la cendre qui s'élève d'un mur détruit et à la poussière que soulève un ouragan[2]. 5. *Et ce sera comme un point* 6. *de la part du Seigneur Sabaoth.* En un bref et court instant, dit-il, (Moab) recevra la ruine. *Car sa visite s'accomplira au milieu d'un tonnerre, d'un tremblement de terre, de grands cris, d'un ouragan déchaîné et de la flamme dévorante d'un feu.* Dieu a également agi de la sorte contre d'autres nations : les histoires anciennes nous l'enseignent clairement.

Εἶτα ὀνείρῳ [ἀπ]εικάζει τῶν ἐθνῶν ἁπάντων τὴν δυναστείαν τῶν κατὰ τῆς Ἱερουσαλὴμ στρατευσάντων · [8] Ἔσονται γάρ φησιν ὡς (οἱ ἐν τ)ῷ ὕπνῳ **πίνοντες καὶ ἐσθίοντες,**
280 **καὶ ἐξαναστάντων μάταιον τὸ ἐνύπνιον αὐτῶν · καὶ ὃν τρόπον ἐνυπνι(άζε)ται ὁ διψῶν ὡς ὁ πίνων καὶ ἐξαναστὰς ἔτι διψᾷ, ἡ δὲ ψυχὴ αὐτοῦ εἰς κενὸν ἤλπισεν, οὕτως ἔσται ὁ πλοῦ(τος ἁ)πάντων τῶν ἐθνῶν, ὅσοι ἐπεστράτευσαν ἐπὶ Ἱερουσαλὴμ καὶ ἐπὶ τὸ ὄρος Σιών.** Συνάπτει τῇ κατὰ τῶν
285 Μω[αβιτ]ῶν προρρήσει καὶ τὰ κατὰ τοῦ Σενναχηρὶμ συμβεβηκότα · καὶ γὰρ ἐκεῖνος ἀπόνως ἐλπίσας ἀνά[στ]ατον ποιήσειν τὴν Ἱερουσαλὴμ οὐ μόνον οὐ δέδρακεν ἅπερ ἤλπισεν ἀλλὰ καὶ πέπονθεν ἅπερ οὐκ ἤλπισεν · καὶ ἐῴκει [οὕτω]ς τῷ πεινῶντι μὲν καὶ διψῶντι, ὄναρ δὲ ἐσθίοντι
290 καὶ πίνοντι, μετὰ δὲ τὴν ἐγρήγορσιν τῆς ἀπά[της α]ἰσθανομένῳ · οὕτω γὰρ κἀκεῖνος μετὰ τὸν ὄλεθρον τῶν πολλῶν μυριάδων αἴσθησιν τῆς οἰκείας [ἔσχεν] ἀσθενείας.

[9] **Θαυμάσατε καὶ ἔκστητε καὶ ἀπατήθητε καὶ ὑπεραπατήθητε καὶ μεθύσθητε οὐκ ἀπὸ (οἴνου) καὶ κραιπαλήσατε οὐκ ἀπὸ**
295 **σίκερα οὐδὲ ἀπὸ οἴνου κινούμενοι, [10] ὅτι πεπότικεν ὑμᾶς κύριος πνεῦμα (κατανύ)ξεως καὶ καμμύσει τοὺς ὀφθαλμοὺς ὑμῶν καὶ τῶν ἀρχόντων ὑμῶν καὶ τῶν προφητῶν ὑμῶν (τῶν ὁρ)ώντων τὰ κρυπτά.** Ἀντὶ τοῦ κατανύξεως « καρώσεως » μὲν ὁ Σύμμαχος τέθεικεν, ὁ δὲ Θεοδοτίων « ἐκστάσεως »,
300 [ὁ δὲ] (Ἀκύλα)ς « καταφορᾶς ». Τὸν ὄλεθρον τοῦ Ἀσσυρίου θαυμάσαντες Ἰουδαῖοι ἤλπισαν ἀεὶ κρείττους ἔσεσθαι [τῶν πολεμούν]των. Ταύτην καλεῖ ὁ προφητικὸς λόγος ἀπάτην. Ὁ δὲ θεὸς αὐτοὺς λέγεται καρῶσαι ἢ ἐκστῆσαι, παρὰ [πᾶσαν] ἐλπίδα τὴν παράδοξον αὐτοῖς ἐκείνην δωρησάμενος
305 σωτηρίαν. Ἔδει δὲ αὐτοὺς συνειδέναι ὡς [φειδοῦς τη]νικαῦτα παρέσχον ἀφορμὴν τῇ θείᾳ φιλανθρωπίᾳ μεταμελείᾳ

1. Résumé d'*Is.*, 29, 7.

Puis il compare à un songe[1] la puissance de toutes les nations qui ont fait campagne contre Jérusalem : 8. *Ils seront*, dit-il, *comme ceux qui dans leur sommeil boivent et mangent, et qui au saut du lit (constatent) la vanité de leur rêve : tout comme un homme assoiffé rêve qu'il boit et qu'au saut du lit il est encore assoiffé, et que son âme a espéré en vain, ainsi en sera-t-il de la richesse de toutes les nations, qui ont fait campagne contre Jérusalem et contre la montagne de Sion.* Il rattache à la prédiction contre les Moabites ce qui s'est également produit contre Sennachérim : alors qu'il avait espéré réaliser sans peine la ruine complète de Jérusalem, non seulement il n'a pas accompli ce qu'il avait espéré, mais il eut même à supporter ce qu'il n'avait pas espéré ; il ressemblait de la sorte à l'homme affamé et assoiffé qui mange et boit en songe, mais qui, après son réveil, a conscience d'avoir été trompé ; de la même manière, après la mort de bien des milliers d'hommes, il a pris lui aussi conscience de sa propre faiblesse.

L'aveuglement des Juifs. Dieu révélé aux nations

9. *Soyez dans l'étonnement et soyez dans la stupeur, soyez trompés et soyez-le au plus haut point, soyez ivres sans boire de vin, ayez la tête lourde et titubez sans boire de sikéra ni de vin :* 10. *car le Seigneur vous a abreuvés d'un esprit de componction et il fermera vos yeux, ceux de vos chefs et ceux de vos prophètes qui voient les choses cachées.* Au lieu (d'esprit) de « componction », Symmaque a écrit (esprit) de « torpeur », Théodotion (esprit) d'« égarement » et Aquila (esprit) de « léthargie ». Stupéfaits de la ruine de l'Assyrien, les Juifs ont espéré l'emporter toujours sur leurs adversaires. Voilà ce que le texte prophétique appelle « tromperie ». D'autre part, il est dit que Dieu les a plongés dans la torpeur ou qu'il les a égarés, car il leur a fait don contre toute espérance de cet extraordinaire salut. Or, ils auraient dû comprendre qu'en ce temps-là ils avaient fourni à la bonté divine un prétexte de les ménager pour avoir

χρησάμενοι. Μετὰ δὲ ταῦτα τὴν [ὑπερ]βάλλουσαν ἀσπασάμενοι πονηρίαν οὐκ εἰκότως ἐθάρρουν τῇ θείᾳ φιλανθρωπίᾳ. Ἑαυτοὺς τοίνυν ἠ[πάτησαν] τῆς θείας οἰκονομίας τὴν 310 σοφίαν οὐκ ἐθελήσαντες συνιδεῖν.

Οὗ δὴ χάριν φησίν · [11] **Καὶ ἔσται ὑμῖν (πάντα τὰ ῥήμα)τα ταῦτα ὡς οἱ λόγοι τοῦ βιβλίου τοῦ ἐσφραγισμένου, ὃ ἐὰν δῶσιν αὐτὸ (ἀνθρώπῳ ἐπιστα)μένῳ γράμματα λέγοντες αὐτῷ · Ἀνάγνωθι ταῦτα, καὶ ἐρεῖ · Οὐ δύναμαι ἀναγνῶναι,** | 136 a| 315 **ἐσφράγισται γάρ · [12] καὶ δοθήσεται τὸ βιβλίον τοῦτο εἰς χεῖρας ἀνθρώπου μὴ ἐπισταμένου γράμματα καὶ (ἐροῦσιν) αὐτῷ · Ἀνάγνωθι ταῦτα, καὶ ἐρεῖ · Οὐ δύναμαι ἀναγνῶναι, οὐκ ἐπίσταμαι γράμματα.** Τὸ ἀπειθὲς αὐτῶν καὶ ἀντίλο[γον] καὶ ἀσύνετον διὰ τούτων τῶν λόγων ἐδήλωσεν. Προλέγει 320 δὲ ὅμως καὶ ἕτερόν τι ὁ θεῖος λόγος. Πάλαι γὰρ τὰς περὶ τοῦ κυρίου προρρήσεις οὔτε Ἰουδαῖοι συνορᾶν ἠδύναντο κεκαλυμμένας καὶ οἱονεὶ σφραγίδων ἐντὸς ἀποκειμένας οὔτε τὰ ἔθνη τὰ προφητικὰ μὴ ἐπιστάμενα γράμματα · μετὰ μέντοι τὴν δεσποτικὴν ἐπιφάνειαν ἀφαιρεθεισῶν τῶν 325 σφραγίδων — τὰ γὰρ πράγματα μαρτυρεῖ τοῖς λόγοις — καὶ πλεῖστοι ἐξ Ἰουδαίων τῶν προρρήσεων ἔμαθον τὴν διάνοιαν καὶ τὰ ἔθνη μεμάθηκε τῆς εὐσεβείας τὰ γράμματα καὶ ἀναγινώσκουσι τὸ βιβλίον, ὃ τοῖς ἀπιστοῦσι τῶν Ἰουδαίων ἐσφραγισμένον ἔτι μεμένηκεν. Πρῶτος δὲ αὐτὸς 330 ὁ κύριος τὰς τῆς προφητ[είας] περιεῖλε σφραγῖδας · εἰσελθὼν γὰρ εἰς τὴν συναγωγὴν καὶ λαβὼν τὸν προφήτην Ἡσαΐαν καὶ ἀναγνούς · « Πνεῦμα κυρίου ἐπ' ἐμέ, οὗ εἵνεκεν ἔχρισέ με, εὐαγγελίσασθαι πτωχοῖς ἀπέσταλκέ με, ἰάσασθαι τοὺς συντετριμμένους τὴν κα(ρδί)αν, κηρύξαι αἰχμαλώτοις ἄφεσιν

C : 320-329 πάλαι — μεμένηκεν

332 Lc 4, 18.21

1. Nous sommes là au cœur de l'exégèse patristique : la « clef » des Écritures, c'est le Christ. Son Incarnation a mis fin à l'obscurité des prophéties messianiques : désormais on ne doit plus parler de

usé de repentir. Mais, à la suite de ces événements, ils ont chéri la perversité de façon excessive et mettaient sans raison leur confiance dans la bonté divine. Ils se sont donc trompés eux-mêmes, faute d'avoir voulu comprendre la sagesse de l'économie divine.

C'est bien la raison qui lui fait dire : 11. *Et toutes ces paroles seront pour vous comme les mots d'un livre scellé : si on le donne à un homme qui sait lire, en lui disant : Lis cela, il répondra : Je ne peux pas lire, car (le livre) est scellé ;* 12. *et on mettra ce livre aux mains d'un homme qui ne sait pas lire, et on lui dira : Lis cela, et il répondra : Je ne peux pas lire, je ne sais pas lire.* Il a clairement montré par ces propos leur esprit de désobéissance, d'opposition et d'inintelligence. Toutefois, le texte divin prédit encore autre chose. Jadis ni les Juifs ni les nations n'étaient capables de comprendre les prédictions relatives au Seigneur, parce qu'elles étaient pour les uns recouvertes d'un voile et, pour ainsi dire, enfermées sous des sceaux, et que les autres ne connaissaient pas les écrits prophétiques ; en revanche, après la Manifestation du Maître les sceaux furent enlevés — les faits viennent confirmer les paroles (prophétiques) —, les Juifs en très grand nombre comprirent le sens des prédictions et les nations ont eu connaissance des écrits de la Piété et lisent la Bible qui, pour les Juifs incrédules, reste encore scellée[1]. Or, c'est le Seigneur en personne qui a ôté le premier les sceaux de la prophétie : après être entré dans la synagogue, il prit le prophète Isaïe et lut : « L'esprit du Seigneur est sur moi, parce qu'il m'a consacré par l'onction ; il m'a envoyé porter la bonne nouvelles aux pauvres, guérir ceux qui ont le cœur brisé, annoncer aux captifs la délivrance et aux aveugles le

l'obscurité de la prophétie, mais de l'aveuglement volontaire de ceux — les Juifs — qui refusent d'utiliser cette clef dont ils connaissent l'existence et l'efficacité.

335 καὶ τυφλοῖς ἀνάβλεψιν » καὶ τὰ ἑξῆς ἐπήγαγεν · « Σήμερον ἐπληρώθη ἡ γραφὴ αὕ(τη) ἐν τοῖς ὠσὶν ὑμῶν. »

Ὁ μέντοι προφήτης, μᾶλλον δὲ ὁ τούτου θεός, καὶ ἑτέραν αὐτοῖς ἐπάγει κατηγορίαν · [13] **Εἶπε γάρ φησι κύριος · Ἐγγίζει μοι ὁ λαὸς οὗτος, τῷ στόματι αὐτῶν καὶ ἐν τοῖς χείλεσιν**
340 **αὐτῶν τιμῶσί με, ἡ δὲ καρδία αὐτῶν πόρρω ἀπέχει ἀπ' ἐμοῦ · μάτην δὲ σέβονταί με διδάσκοντες διδασκαλίας ἐντάλματα ἀνθρώπων.** Καὶ ταύτης τῆς μαρτυρίας ὁ κύριος ἐμνημόνευσε τῶν Φαρισαίων κατηγορῶν καὶ διδάσκων ὡς τοῦ θείου νόμου καταφρονοῦντες ἰδίαις ἐχρῶντο νομοθεσίαις. Καὶ
345 ὁ προφήτης δὲ Ἱερεμίας κατηγορεῖ αὐτῶν λέγων · « Ἐγγὺς εἶ τοῦ στόματος αὐτῶν καὶ πόρ(ρω) ἀπὸ τῶν νεφρῶν αὐτῶν » <καὶ ὁ μακάριος Δαυίδ · « Καὶ ἠγάπησαν αὐτὸν ἐν τῷ στόματι αὐτῶν> καὶ τῇ γλώσσῃ αὐτῶν ἐψεύσαντο αὐτῷ. » Αἰνίττεται δὲ διὰ τούτων τῆς ἀρνήσεως τὴν ὀξύτητα ·
350 ὥσπερ γὰρ ἡ γλῶσσα πελάζει τοῖς χείλεσιν, οὕτως φησὶ τῇ ὁμολογίᾳ αὐτῶν ἡ ἄρνησις.

[14] **Διὰ τοῦτο ἰδοὺ προσθήσω τοῦ μεταθεῖναι τὸν λαὸν τοῦτον καὶ μεταθήσω αὐτοὺς μεταθέσει.** Οὐ γὰρ μόνον (εἰς) Βαβυλῶνα ἀπάξω, ἀλλὰ καὶ εἰς πᾶσαν τὴν οἰκουμένην
355 διασπερῶ. **Καὶ ἀπολῶ τὴν σοφίαν τῶν σοφῶν αὐτοῦ καὶ τὴν σύνεσιν τῶν ⟨συνετῶν⟩ αὐτοῦ κρύψω.** Φροῦδα γὰρ τὰ τῶν Φαρισαίων καὶ γραμματέων · ἀνοίας γὰρ ἦν πλήρης ἡ δοκοῦσα σοφία.

[15] **Οὐαὶ τοῖς βαθέως ποιοῦσι βουλὴν καὶ οὐ διὰ κυρίου,**
360 **οἱ ἐν κρυφῇ βουλὴν (ποι)οῦντες, καὶ ἔσται ἐν σκότει τὰ ἔργα αὐτῶν, καὶ ἐροῦσιν · Τίς ἡμᾶς ἑώρακε καὶ τίς ἡμᾶς γνώσεται,** [16] **οἷα ἡ(μεῖς) ποιοῦμεν ;** Ταῦτα καὶ κοινὴν ἔχει κατηγορίαν κατὰ τῶν οἰομένων λήσειν τὸν τῶν ὅλων ἔφορον

C : 353-355 οὐ — διασπερῶ ‖ 356-358 φροῦδα — σοφία

341 σέβονται e tx.rec. : σέβοντες K ‖ 345 κατηγορεῖ : +δὲ K

342-344 cf. Matth. 15, 1-9 345 Jér. 12, 2 347 Ps. 77, 36

retour à la vue », ainsi que la suite du passage, et il ajouta : « Aujourd'hui s'est accompli à vos oreilles ce passage de l'Écriture. »

Condamnation du culte formaliste rendu à Dieu

Du reste, le prophète, ou plutôt son Dieu, lance encore contre eux une autre accusation en ces termes : 13. *Le Seigneur a dit : Ce peuple s'approche de moi, ils m'honorent de leur bouche et de leurs lèvres, mais leur cœur se tient loin de moi ; en vain ils me vénèrent en dispensant des enseignements qui sont préceptes d'origine humaine.* Le Seigneur à son tour a invoqué ce témoignage dans une accusation lancée contre les pharisiens, où il enseigne qu'ils pratiquaient leurs propres codes de lois, alors qu'ils méprisaient la Loi divine. Le prophète Jérémie de son côté les accuse en ces termes : « Tu es près de leur bouche et loin de leurs reins », ainsi que le bienheureux David : « Et ils l'ont chéri avec leur bouche et lui ont menti avec leur langue. » Il fait allusion par ces mots à la rapidité de leur rétractation : tout comme la langue est proche des lèvres, dit-il, la rétractation est proche chez eux de l'adhésion.

14. *C'est pourquoi, voici que je vais encore décider de déplacer ce peuple ; je vais provoquer leur déplacement.* Je ne me contenterai pas, en effet, de les emmener à Babylone, mais je les disperserai encore sur toute la surface du monde. *Je ruinerai la sagesse de ses sages, et l'intelligence des esprits intelligents, je l'obscurcirai.* Envolés, les enseignements des pharisiens et des scribes, puisque leur apparente sagesse était pleine de folie !

15. *Malheur à ceux qui méditent leurs projets dans les profondeurs et sans le secours du Seigneur, à ceux qui en cachette méditent leurs projets ! ils feront leurs œuvres dans les ténèbres et ils diront : Qui nous a vus et qui nous connaîtra,* 16. *(qui connaîtra) la nature de nos actes ?* Ce passage comporte à la fois une accusation générale dirigée contre ceux qui pensent échapper à l'œil qui surveille l'univers,

ὀφ[θαλμὸν] καὶ ἰδίαν γραμματέων καὶ Φαρισαίων, οἳ δόλῳ
365 χρησάμενοι συνεργῷ πολλὰς ἐρωτήσεις τῷ σωτῆρι [προσέ]-
φερον πειρώμενοι, ᾗ φησιν ὁ εὐαγγελιστής, παγιδεῦσαι
αὐτὸν ἐν λόγῳ, ἀλλὰ καὶ συμβούλιον πολλάκις ἔλαβον, ὅπως
αὐτὸν ἀπολέσωσιν. Ἀλλ' ὅμως καὶ τούτοις καὶ τοῖς ἄλλοις
ἅπασι τοῖς οἰομένοις ἀγνοεῖν τὸν θεὸν [τὰ] κρύβδην γινόμενα
370 τὸ πανάγιον πνεῦμα διὰ τοῦ προφήτου φησίν· **Οὐχ ὡς ὁ
πηλὸς τοῦ κεραμέως λογι(σθήσε)σθε ; Μὴ ἐρεῖ τὸ πλάσμα
τῷ πλάσαντι· Οὐ συνετῶς με ἔπλασας ; καὶ τὸ ποίημα τῷ
ποιήσαντι· Οὐ (συνε)τῶς με ἐποίησας ;** Πῶς οἷόν τέ φησι
τὸν κεραμέα τὸν πηλὸν ἀγνοεῖν ; Εἰ δὲ ἐκεῖνος οἶδεν ὁ
375 διαπλά[στης, πόσῳ] μᾶλλον ἐγὼ τοῦ κεραμέως ὁ ποιητής.
Ἀλλ' ὁ μὲν πηλὸς οὐκ ἀντιλέγει τῷ κεραμεῖ οὐδὲ τῆς
ἐκείνου [ἐργασίας κα]τηγορεῖ — καὶ ταῦτα τὴν αὐτὴν
ἐκείνῳ φύσιν ἔχων· ἐκ πηλοῦ γὰρ κἀκεῖνος —, ὑμεῖς δὲ
ἀντιτείν[ετε τῷ θεῷ]. Μάθετε τοίνυν τὴν ἐντεῦθεν ὑμῖν
380 ἐσομένην βλάβην· ὥσπερ γὰρ ὁ κεραμεὺς τὰ ἤδη πλασθέντα
καὶ (μηδέπω) πυρὶ ὁμιλήσαντα ἀνασκευάσαι δύναται καὶ
πάλιν ἕτερα ἀντ' ἐκείνων κατασκευάσαι, οὕτως (ἐγὼ μὲν)
ὑμᾶς ἀπώσομαι, τὰ δὲ ἔθνη προσλήψομαι καὶ τὴν ἐν ὑμῖν
ἀνθοῦσαν πνευματικὴν χάριν εἰς ἅπασ(αν τῶν) ἀνθρώπων
385 μεταθήσω τὴν φύσιν.

Τοῦτο γὰρ διὰ τῶν ἑξῆς δεδήλωκεν· [17] **Οὐχὶ ἔτι μικρὸν
καὶ μετατε(θήσεται ὁ Λί)βανος ὡς τὸ ὄρος τὸ Χερμὲλ καὶ
ὁ Χερμὲλ εἰς δρυμὸν λογισθήσεται ;** Λίβανον τὰ ἔθνη καλεῖ
διὰ τὴν (προτέραν) ἀσέβειαν, καὶ αὐτὸ δὲ τὸ ὄρος οὐκ
390 Ἰουδαίων ἦν ἀλλ' ἐθνῶν. Χερμὲλ δὲ τὸν Κάρμηλον· ὄρο(ς

C : 380-386 ὥσπερ — δεδήλωκεν || 388-398 Λίβανον — δρυμόν
382-383 ...... ὑμᾶς K : μὲν ὑμᾶς ἐγὼ C
365-367 cf. Matth. 22, 15 ; 12, 14

1. Nouvelle variation sur le thème du transfert des Promesses : à l'image agricole habituelle — l'échange qui s'opère entre le désert (nations) et la terre cultivée et féconde (Juifs) — s'ajoute ici celle que Théodoret emprunte à l'art du potier.

et une accusation particulière qui vise les scribes et les pharisiens ; ils se firent de la ruse une auxiliaire pour présenter une foule de questions au Sauveur en tentant, comme le dit l'évangéliste, de le surprendre en paroles, mais ils tinrent souvent aussi conseil (contre lui) en vue de le faire périr. C'est néanmoins à leur intention et à celle de tous les autres hommes qui pensent que Dieu ne connaît pas ce qui se passe en cachette, que le très saint Esprit déclare par l'intermédiaire du prophète : *Ne serez-vous pas considérés comme l'argile du potier? Est-ce que l'ouvrage dira à l'ouvrier: Tu ne m'as pas façonné avec intelligence? et l'objet créé à son créateur: Tu ne m'as pas créé avec intelligence?* Comment est-il possible, dit-il, que le potier méconnaisse l'argile ? Or, s'il la connaît lui qui la façonne, je la connais bien davantage moi qui suis le créateur du potier. Mais l'argile ne s'oppose pas au potier et n'incrimine pas son travail — et ce, bien qu'elle ait la même nature que lui, puisqu'il vient lui aussi de l'argile —, tandis que vous, vous vous opposez à Dieu. Apprenez donc le dommage que vous allez subir en conséquence de cette attitude : tout comme le potier peut détruire les objets qu'il a déjà façonnés, mais qu'il n'a pas encore passés au feu, et en fabriquer à nouveau d'autres à leur place, de mon côté je vous repousserai, je prendrai les nations sous ma protection et la grâce spirituelle qui fleurit au milieu de vous, je la ferai passer à toute la nature humaine[1].

Le salut promis aux nations

Voilà ce qu'il a clairement fait voir par la suite du passage : 17. *Encore un peu de temps et le Liban ne sera-t-il pas changé en la montagne du Chermel, et le Chermel ne sera-t-il pas réputé une forêt?* Ce sont les nations qu'il appelle « Liban » en raison de leur impiété d'autrefois, d'autant que la montagne en question n'appartenait pas aux Juifs, mais aux nations. C'est, d'autre part, le Carmel

δὲ τοῦτο πο)λυφόρον καὶ πολύκαρπον ἐν τῇ τοῦ Ἰσραὴλ κείμενον χώρᾳ. Τροπικῶς τοίνυν διδάσκει τὴν τῶν (ἐθνῶν καὶ τῶν Ἰουδαίων |136 b| ἐν)αλλαγήν · δοθήσεται γάρ φησι τῷ Λιβάνῳ — τουτέστι τοῖς ἔθνεσιν — ἡ τοῦ Καρμήλου
395 — τουτέστι τῶν Ἰουδαίων — [εὐ]καρπία, ὁ δὲ Κάρμηλος — τουτέστιν Ἰουδαῖοι — δρυμὸς ἔσονται ἄκαρπος. Καὶ ὁρῶμεν τὴν τῆς προφητείας ἀλήθειαν · καὶ γὰρ καὶ κατὰ τὸ πλῆθος καὶ κατὰ τὴν ἀκαρπίαν μιμοῦνται δρυμόν.

[18] **Καὶ ἀκούσονται ἐν τῇ ἡμέρᾳ ἐκείνῃ κωφοὶ λόγους**
400 **βιβλίου.** Οἱ μὴ εἰδότες γράμματα, οἱ ἐξ ἐθνῶν πεπιστευκότες, οἱ μὴ δυνάμενοι διαγνῶναι τὸν προφητικὸν χαρακτῆρα, οὗτοι τούτων ἐπακούσονται προθύμως τῶν λόγων. **Καὶ οἱ ἐν τῷ σκότει καὶ οἱ ἐν τῇ ὁμίχλῃ ὀφθαλμοὶ τυφλῶν ὄψονται.** Ἀληθῶς ἦσαν ἐν σκότῳ καὶ ὁμίχλῃ καθήμενοι τὴν κτίσιν
405 ὁρῶντες καὶ τὸν ταύτης ποιητὴν ἀγνοοῦντες, ἀλλ' ὅμως καὶ οὗτοί φησιν ὄψονται τῆς ἀληθείας τὸ φῶς. [19] **Καὶ ἀγαλλιάσονται πτωχοὶ διὰ (κύριον ἐν) εὐφροσύνῃ.** Τοὺς αὐτοὺς καὶ πτωχοὺς ὀνομάζει τοῦ παναγίου πνεύματος τὴν εὐπορίαν οὐκ ἐσχηκότας. **Καὶ οἱ (ἀπ)ελπισμένοι τῶν ἀνθρώπων πλη-**
410 **σθήσονται εὐφροσύνης.** Ἀπεγνωσμένοι γὰρ ὑπὸ Ἰουδαίων παρὰ πᾶσαν ἐλπίδα τῆς σωτηρίας ἀπέλαυσαν.

[20] **Ἐξέλιπεν ἄνομος, καὶ ἀπώλετο ὑπερήφανος, καὶ ἐξωλοθρεύθησαν οἱ ἀνομοῦντες ἐπὶ κακίᾳ** [21] **καὶ οἱ ποιοῦντες ἁμαρτεῖν ἀνθρώπους ἐν λόγῳ.** Τῶν ἐθνῶν προθεσπίσας τὴν
415 σωτηρίαν προλέγει καὶ τῶν ἀπιστησάντων Ἰουδαίων τὴν τιμωρίαν. Διαφερόντως δὲ αὐτῶν τῶν ἀρχιερέων καὶ

C : 400-402 οἱ¹ — λόγων ‖ 404-406 ἀληθῶς — φῶς ‖ 407-409 τοὺς — ἐσχηκότας ‖ 410-411 ἀπεγνωσμένοι — ἀπέλαυσαν ‖ 414-416 τῶν — τιμωρίαν

395-396 τῶν — τουτέστιν K : οἱ C ‖ 397 καὶ² K : > C ‖ 404 ἀληθῶς K : τυφλοὶ (δὲ) ἀληθῶς C ‖ σκότῳ ... ὁμίχλῃ K : ∾ C ‖ 406 οὗτοι K : αὐτοί C ‖ 408 τὴν K : > C

1. Sur ce symbolisme, sa fréquence et son rôle dans la polémique anti-juive, cf. note précédente et Introd., t. I, p. 83-84. Voir les

qu'il appelle « Chermel » ; c'est une montagne très fertile et très féconde, sise sur le territoire d'Israël. Il enseigne donc de manière figurée le changement qui a inversé la situation des nations par rapport à celle des Juifs : elle sera, dit-il, donnée au Liban — c'est-à-dire aux nations — l'abondance du Carmel — c'est-à-dire des Juifs —, tandis que le Carmel — c'est-à-dire les Juifs — sera une forêt stérile. Et nous voyons la vérité de la prophétie : tant par le nombre que par la stérilité ils ressemblent à une forêt[1].

18. *Et en ce jour-là les sourds entendront les paroles d'un livre.* Ceux qui ne connaissaient pas les Écritures, les croyants venus des nations, ceux qui n'étaient pas capables de discerner leur caractère prophétique, voilà les hommes qui prêteront avec empressement l'oreille à ces propos. *Et les yeux des aveugles qui sont dans les ténèbres et dans l'obscurité verront.* Ils étaient en vérité installés dans les ténèbres et dans l'obscurité, eux qui, tout en voyant la création, méconnaissaient son créateur ; néanmoins, dit-il, ils verront eux aussi la lumière de la vérité. 19. *Et à cause du Seigneur les pauvres tressailliront de joie.* Ce sont les mêmes hommes qu'il nomme encore « les pauvres », parce qu'ils ne possédaient pas l'abondance des biens que procure le très saint Esprit. *Et les hommes désespérés seront remplis de joie.* Car les Juifs les ont rejetés, mais ils ont contre toute espérance bénéficié du salut.

Le châtiment des Juifs incrédules

20. *Le criminel a disparu et le superbe a péri ; ils ont été exterminés ceux qui vivaient avec crime dans le mal* 21. *et ceux qui faisaient pécher les hommes par leurs propos.* Après avoir prophétisé le salut des nations, il prédit également le châtiment des Juifs qui ont été incrédules. Il accuse particulièrement les chefs des prêtres et les

développements très proches d'EUSÈBE (*GCS* 191, 36 - 192, 9) qui note également l'équivalence entre la forme hébraïque « Chermel » et la forme « Carmel », et de CYRILLE (70, 660 CD).

γραμματέων κατηγορεῖ· οὗτοι γὰρ ἁμαρτάνειν τῇ γλώττῃ
[τοὺς] ὑπηκόους ἠνάγκαζον· καὶ μάρτυς ὁ εὐαγγελιστὴς
διδάσκων ὡς ἐκέλευσαν ἅπαντας τοὺς ὁμολογοῦντας [τὸν
420 σωτῆρα] Χριστὸν ἀποσυναγώγους γενέσθαι. **Πάντας δὲ τοὺς
ἐλέγχοντας ἐν πύλαις πρόσκομμα θήσουσι καὶ ἐπλα(γίασ)αν
ἐν ἀδίκοις δίκαιον.** Οὕτω φησὶν ἔφευγον τοὺς μετὰ παρρησίας
ἐλέγχοντας, ἐκκλίνοντες λίθον ἐν μέ[σῳ] κείμενον καὶ
προσπ<τ>αίειν παρασκευάζοντα. Καὶ μέντοι καὶ τοῖς
425 ἀπατηλοῖς αὐτῶν λόγοις τοὺς ἁπλότητι συζῶντας [ἀπέτρ]ε-
πον τῆς εὐθείας ὁδοῦ.

22 **Διὰ τοῦτο τάδε λέγει κύριος ἐπὶ τὸν οἶκον Ἰακώβ, ὃν
ἀφώρισεν ἐξ Ἀβραάμ.** [Πολλῶν ἐ]γένετο παίδων Ἀβραὰμ
ὁ πατριάρχης πατήρ· καὶ γὰρ Ἰσμαὴλ ἐξ Ἀβραὰμ καὶ
430 οἱ ἐκ τῆς [Ῥεύμ]ας τεχθέντες· καὶ μέντοι καὶ ὁ Ἠσαῦ
ἐκεῖθεν κατάγει τὸ γένος. Αἰνίττεται τοίνυν ὁ λόγος τὴν
[τοῦ θεοῦ] εὐεργεσίαν καὶ ὅτι οὐ τῇ φύσει προσέχει ὁ δίκαιος
κριτὴς ἀλλὰ πίστιν ζητεῖ. Εἰ γὰρ τοῦ Ἀβραάμ φησιν
[ἠγά]πων τὸ γένος, πάντας ἂν τοὺς ἐξ Ἀβραὰμ τῆς ἴσης
435 κηδεμονίας ἠξίωσα· ἐπειδὴ δὲ ἀρετὴν ζητ[ῶ], προτετίμηκα
τῶν ἄλλων τὸν Ἰακώβ. Τοῦτον δὲ ὑμεῖς ῥίζαν αὐχεῖτε
τοῦ γένους.

Εἶτα διδάσκει ὁ προφήτης, τίνα τοῦ γένους εἴρηκεν·
**Οὐ νῦν αἰσχυνθήσεται Ἰακώβ, οὐδὲ νῦν τὸ πρόσωπον αὐτοῦ
440 μεταβαλεῖ· 23 (ἀλλ' ὅ)ταν ἴδωσι τὰ τέκνα αὐτῶν τὰ ἔργα
μου, δι' ἐμὲ ἁγιάσουσι τὸ ὄνομά μου καὶ ἁγιάζουσι τὸν
ἅγιον τοῦ Ἰακὼβ καὶ τὸν θεὸν τοῦ Ἰσραὴλ φοβηθήσονται.
24 Καὶ γνώσονται οἱ τῷ πνεύματι πλανώμενοι σύνεσιν, οἱ δὲ
γογγύζοντες μαθήσονται ὑπακούειν, καὶ αἱ γλῶσσαι αἱ
445 ψελλίζουσαι μαθήσονται λαλεῖν εἰρήνην.** Ἰα[κὼ]β τοὺς ἐξ

427 Ἰακώϐ : Ἰακὼϐ Ἰακώϐ K

418-419 cf. Jn 9, 22 429-430 cf. Gen. 22, 24

scribes, car par leur parole ils contraignaient à pécher ceux qui leur étaient soumis ; l'enseignement de l'évangéliste en témoigne : ils avaient ordonné que tous ceux qui reconnaissaient le Sauveur pour le Christ fussent exclus de la synagogue. *Tous ceux qui (leur) adressent des reproches, ils les placeront aux portes comme une pierre d'achoppement, et ils ont trompé par leurs propos injustes l'homme juste.* Voilà la manière, dit-il, dont ils fuyaient ceux qui leur adressaient avec franchise des reproches : ils évitaient la pierre placée au milieu de la route qui s'apprêtait à les faire choir. Et, naturellement, c'est aussi par leurs discours pleins de tromperie qu'ils détournaient du droit chemin les hommes qui vivaient avec simplicité.

22. *C'est pourquoi, voici ce que dit le Seigneur à la Maison de Jacob qu'il a mise à part parmi la descendance d'Abraham.* Le patriarche Abraham fut père de nombreux enfants : descendent en effet d'Abraham, Ismaël et ceux qu'a engendrés Réuma ; et, bien sûr, Ésaü fait également descendre sa race de cette origine. Le texte fait donc allusion à la générosité de Dieu et (laisse entendre) que le juste Juge ne prête pas attention à l'origine naturelle, mais considère la foi. Si, en effet, dit-il, c'était la race d'Abraham que je chérissais, j'aurais jugé dignes d'une égale sollicitude tous les descendants d'Abraham ; mais, puisque je considère la vertu, j'ai de loin préféré Jacob aux autres. De votre côté, vous tirez gloire de l'avoir pour souche de votre race.

Le prophète enseigne ensuite ce que (le Seigneur) a dit de leur race : *Désormais Jacob ne rougira plus de honte et désormais son visage ne changera plus ;* 23. *mais, lorsque leurs enfants verront mes œuvres, à cause de moi ils sanctifieront mon nom et ils sanctifient le Saint de Jacob et ils craindront le Dieu d'Israël.* 24. *Et ceux qui ont l'esprit égaré accéderont à l'intelligence, ceux qui murmurent apprendront à obéir, les langues qui balbutient apprendront à dire des paroles de paix.* Il appelle « Jacob » les descendants de

Ἰακὼβ καλεῖ. Τούτων δὲ ἀναίδειαν κατηγορεῖ καὶ διδάσκει
ὡς πολλὴν δεξάμενοι διδα[σκαλ]ίαν οὐκ ἐνετράπησαν, μετὰ
δὲ τὰς συμφορὰς τὴν ὠφέλειαν ἐδέξαντο · καὶ γὰρ μετὰ
τὴν ἀπὸ [τῆς Βα]βυλῶνος ἐπάνοδον ἀπέστησαν τῆς περὶ
450 τὰ εἴδωλα πλάνης. Ἁρμόττει δὲ κυρίως ἡ προφητεία [τοῖς
ἐξ αὐ]τῶν εἰς τὸν σωτῆρα πεπιστευκόσι Χριστόν · οὗτοι
γὰρ ἀληθῶς πρῶτον μὲν ἐγόγγυσαν, ὕστερον δὲ [ἐπίστευσα]ν.
Ἐγόγγυσαν γάρ φησιν « Ἰουδαῖοι λέγοντες · Πῶς δύναται
ἡμῖν οὗτος δοῦναι τὴν σάρκα φαγεῖν ; » [Οἱ δὲ] ἐξ αὐτῶν
455 ὕστερον πιστεύσαντες τῆς σωτηρίας ἀπέλαυσαν. Καὶ αἱ
γλῶσσαι (αἱ ψε)λλίζουσαι (μαθήσονται λαλεῖ)ν εἰρήνην ·
ἀντὶ γὰρ τῆς βλασφημίας ὑμνωδίαν προσφ(έρο)υσιν.

[Ἐντεῦ]θεν μετα[φέρει τὸν λόγ]ον εἰς Αἴγυπτον. Τῆς
γὰρ Ἱερουσαλὴμ ἐμπρησθείσης καὶ τῶν πλείστων ἀπαχθέντων
460 δορυα[λώτων, οἱ λοιποὶ] διέφυγον τῶν πολεμίων τὰς χεῖρας
<καὶ> κατ' αὐτῶν ἠθροίσθησαν. Ναβουζαρδὰν δὲ τού[τοις
ὁ ἀρχιμ]άγειρος ἄρχοντα ἐδεδώκει τὸν Γοδολίαν. Τοῦτον
ὁ Ἰσμαὴλ ἀνεῖ[λε] τῆς ἡγεμονίας [ἐπιθυμή]σας. Δείσαντες
οὖν οἱ λοιποὶ φυγεῖν εἰς Αἴγυπτον ἠβουλήθησαν. Τούτους
465 ὁ προ[φήτης Ἱερε]μίας πολλοῖς χρώμενος λόγοις ἐπισχεῖν
ἐπειράθη, ἀλλὰ τῆς ἀπειθοῦς αὐτῶν καὶ ἀτε[ράμονος οὐ]
περιεγένετο γνώμης · κατέλαβον γὰρ τὴν Αἴγυπτον. Τούτοις
ὁ θεὸς διὰ τοῦ προ[φήτου λέγει] · **30**[1] **Οὐαὶ τέκνα ἀποστάται.**
Καὶ καλεῖ τέκνα τοὺς πατέρα καλεῖν αὐτὸν οὐκ ἐθέλοντας
470 καὶ [τούτους θρηνεῖ] φιλόστοργον μητέρα μιμούμενος ·
θρῆνος γάρ ἐστι τὸ οὐαί. **Ἐποιήσατε βουλὴν καὶ** |137 a|
**οὐ δι' ἐμοῦ καὶ συνθήκας οὐ διὰ τοῦ πνεύματός μου τοῦ
προσθεῖναι ἁμαρτίας ἐπὶ ἁμαρτίαις.** Οὔ[κ ἐλάλησε] γὰρ
αὐτοῖς διὰ τοῦ προφήτου τὸ πανάγιον πνεῦμα, αὐτοὶ δὲ
475 βλασφήμοις κατὰ τοῦ θεοῦ τῶν ὅλων ἐχρήσαντο λόγοις

C : 457 ἀντὶ — προσφέρουσιν

473 ἐπὶ e tx.rec. : +ἐφ' K*

453 Jn 6, 52 458-467 cf. IV Rois 25 ; Jér. 49

1. Rapprocher des remarques faites au début du commentaire (*In Is.*, 1, 76-80 ; 2, 299-301).

Jacob. Il les accuse d'impudence et il enseigne que, malgré le nombre des enseignements reçus, ils n'en sont pas venus à d'autres sentiments, mais que c'est de leurs épreuves qu'ils ont tiré profit : c'est, de fait, après le retour de Babylone qu'ils se sont détournés de l'erreur des idoles. La prophétie s'applique, toutefois, avec exactitude à ceux d'entre eux qui ont cru au Christ Sauveur : ce sont véritablement eux qui ont d'abord murmuré, mais qui par la suite ont cru. Ils ont murmuré, dit (l'Écriture), « les Juifs, en disant : comment cet homme peut-il nous donner sa chair à manger ? », mais ceux d'entre eux qui par la suite ont cru, ont bénéficié du salut. « Les langues qui balbutient apprendront à dire des paroles de paix » : au lieu du blasphème, elles présentent un hymne.

Contre ceux qui sont allés chercher refuge en Égypte

A partir de là, le prophète change de sujet pour parler de l'Égypte. Après l'incendie de Jérusalem et la déportation de la plupart des prisonniers, le reste (de la population) échappa aux mains des ennemis et se regroupa contre eux. Le maître queux Nabouzardan leur avait donné pour gouverneur Godolias. Ismaël le tua par désir de s'emparer du pouvoir. Le reste (de la population) se prit alors à craindre et décida de fuir en Égypte. Le prophète Jérémie prononça force discours pour tenter de les retenir, mais il ne put se rendre maître de leurs esprits indociles et inflexibles : ils gagnèrent l'Égypte. Dieu leur dit par l'intermédiaire de son prophète : **30,** 1. *Malheur (à vous) enfants rebelles !* Il appelle « enfants » ceux qui ne veulent pas l'appeler père[1] et il se lamente sur eux à l'instar d'une mère pleine de tendresse, car le terme « malheur » est une lamentation. *Vous avez formé un dessein auquel je n'ai pas eu de part ; et vous avez fait des conventions auxquelles mon esprit n'a pas eu de part, afin d'accumuler péchés sur péchés.* Car le très saint Esprit ne leur a pas parlé par l'intermédiaire du prophète, mais eux, ils ont tenu des propos blasphématoires contre le

καὶ τετολμήκασιν εἰπεῖν ὡς, ἐξ οὗ τῆς τῶν εἰδώλων ἀπέστησαν θεραπείας, ταῖς παντοδαπαῖς περιέπεσον συμφοραῖς. [2] **Οἱ πορευόμενοι καταβῆναι εἰς Αἴγυπτον, ἐμὲ δὲ οὐκ ἐπηρώτησαν τοῦ βοη⟨θη⟩θῆναι ὑπὸ τοῦ Φαραὼ καὶ σκεπα-**
480 **σθῆναι ὑπὸ Αἰγυπτίων.**

Εἶτα δείκνυσι τὸ ἀνόητον τῆς φυγῆς · [3] **Ἔσται γὰρ ὑμῖν ἡ σκέπη Φαραὼ εἰς αἰσχύνην καὶ τοῖς πεποιθόσιν ἐπ' Αἰγυπτί(ους) ὄνειδος.** [4] **Ὅτι εἰσὶν ἐν Τάνει ἀρχηγοὶ αὐτοῦ καὶ ἄγγελοι αὐτοῦ πονηροί · μάτην κοπιάσουσι** [5] **πρὸς**
485 **λαόν, ὃς οὐκ ὠφελήσει αὐτοὺς εἰς βοήθειαν οὐδ' εἰς ὠφέλειαν ἀλλ' εἰς αἰσχύνην καὶ ὄνειδος.** Διαβάλλει τῶν Αἰγυπτίων τοὺς ἄρχοντας ὡς βλάψαι μὲν ἱκανούς, εἰς ὠφέλειαν δὲ ἀδρανεῖς. Προεῖπε δὲ καὶ τῆς καταφυγῆς τὸ ἀκερδές, μᾶλλον δὲ τὸ ἐπονείδιστον. Ἐπιστρατεύσας γὰρ καὶ κατ' ἐκείνων
490 ὁ Βαβυλώνιος καὶ αὐτοὺς καὶ τοὺς ἐκεῖ καταφυγόντας Ἑβραίους ἐνίκησε καὶ ἀνδραποδίσας ἀπήγαγεν.

Παιδευόμεθα τοίνυν ἡμεῖς τὴν Δαυιτικὴν μελῳδίαν λέγειν · « Ἀγαθὸν πεποιθέναι ἐπὶ κύριον ἢ πεποιθέναι ἐπ' ἄνθρωπον · ἀγαθὸν ἐλπίζειν ἐπὶ κύριον ἢ ἐλπίζειν
495 ἐπ' ἄρχουσιν. » Ταύτῃ γὰρ τῇ ἐλπίδι φραττόμενοι, κἂν ὑπὸ μυρίων κυκλωθῶμεν κακῶν, κρείττους ἐσόμεθα τῶν δεινῶν · « Πάντα » γάρ φησι « τὰ ἔθνη ἐκύκλωσάν με, ἐγὼ δὲ τῷ ὀνόματι κυρίου ἠμυνάμην αὐτούς. » Ὧ πρέπει πᾶσα δόξα, τιμὴ καὶ μεγαλοπρέπεια νῦν [καὶ] ἀεὶ καὶ εἰς τοὺς αἰῶνας
500 τῶν αἰώνων. Ἀμήν.

493 Ps. 117, 8-9 497 Ps. 117, 10

1. Allusion à la campagne de Nabuchodonosor contre Amasis en 568/567 ; cf. FLAVIUS JOSÈPHE, *Ant. Jud.* X, 9, 7. EUSÈBE note qu'à cet endroit prend fin la trentième section des commentaires exégétiques d'Origène sur Isaïe (*GCS* 195, 20-21). CYRILLE place ici un assez long développement historique (70, 668 D - 669 B).

Dieu de l'univers et osé dire que, du jour où ils se sont écartés du culte des idoles, ils sont tombés dans toutes sortes de malheurs. 2. *Ceux qui marchent pour descendre en Égypte ne m'ont pas interrogé pour être secourus par le Pharaon et pour être protégés par les Égyptiens.*

Puis il montre le caractère insensé de cette fuite : 3. *Car pour vous la protection du Pharaon tournera à votre honte et pour vous qui avez mis votre confiance dans les Égyptiens (elle sera) un opprobre.* 4. *Parce que ses ministres sont à Tanis ainsi que ses messagers pleins de perversité; en vain ils se mettront en peine* 5. *d'un peuple, qui ne leur procurera ni secours ni assistance, mais honte et opprobre.* Il accuse les chefs des Égyptiens d'avoir assez de puissance pour faire du tort, mais trop de faiblesse pour porter assistance. Il prédit aussi le caractère funeste de ce refuge, ou plutôt son caractère honteux. De fait, le Babylonien fit aussi campagne contre les Égyptiens, remporta à la fois la victoire sur eux et sur les Hébreux qui s'étaient réfugiés là-bas, les réduisit en esclavage et les déporta[1].

Parénèse

Pour nous donc, ceci nous conduit à réciter le poème de David : « Il est bon de mettre sa confiance dans le Seigneur plutôt que de la mettre en l'homme ; il est bon de mettre son espérance dans le Seigneur plutôt que de la mettre dans les puissants. » Car, munis de cette espérance, des milliers de méchants nous encercleraient que nous triompherions de la crainte : « Toutes les nations », dit-il, « m'ont encerclé, mais grâce au nom du Seigneur, moi je les ai repoussées. » A lui conviennent toute gloire, honneur et magnificence, maintenant et toujours et dans les siècles des siècles. Amen.

[6] **Ἡ ὅρασις τῶν τετραπόδων τῶν ἐν τῇ ἐρήμῳ.** Τῆς αὐτῆς ἔχεται διανοίας καὶ ταῦτα · κατηγορεῖ [γὰρ] τῶν εἰς Αἴγυπτον καταπεφευγότων καὶ τῆς θείας βοηθείας κατα-
5 πεφρονηκότων. Ἔρημον δὲ καλεῖ τὴν Ἱερουσαλήμ · ἔρημος γὰρ ἦν τηνικαῦτα, ἀνάστατος ὑπὸ τοῦ Ναβουχοδονόσορ γεγενημένη. Τετράποδα δὲ π(ρο)σαγορεύει τοὺς τὴν ἀλογίαν νενοσηκότας καὶ τὸν εὐεργέτην καὶ ποιητὴν οὐκ ἐπεγνωκό- τας. « Ἄνθρωπος » γὰρ « ἐν τιμῇ ὢν οὐ συνῆκε, παρα-
10 συνεβλήθη τοῖς κτήνεσι τοῖς ἀνοήτοις καὶ ὡμοιώθη αὐτοῖς. »
Ἐν τῇ θλίψει καὶ ἐν τῇ στενοχωρίᾳ λέων καὶ σκύμνος λέοντος, ἐκεῖθεν καὶ ἀσπίδες καὶ ἔκγονα ἀσπίδων πετομένων, οἳ ἔφερον ἐπὶ ὄνων θησαυροὺς αὐτῶν καὶ ἐπὶ καμήλων τὸν πλοῦτον αὐτῶν πρὸς ἔθνος ὃ οὐκ ὠφελήσει αὐτούς. Καὶ
15 διδάσκων ποῖον τὸ ἔθνος, ἐπήγαγεν · [7] **Αἰγύπτιοι μάταια καὶ κενὰ ὠφελήσουσιν ὑμᾶς.** Τὴν πολλὴν αὐτῶν πονη(ρίαν) ὁ προφητικὸς αἰνιττόμενος λόγος οὐ κτήνεσιν ἀλλ' ἰοβόλοις ἀπεικάζει θηρίοις · διὰ γὰρ τοῦ λέοντος καὶ τοῦ σκύμνου δεδήλωκε τὸ θρασύ, διὰ δὲ τῶν ἀσπίδων τὸ πονηρὸν καὶ
20 τὸ πικρόν. Διδάσκει δὲ ὡς διὰ τῶν ἀχθοφόρων ζῴων μετεκόμιζον εἰς τὴν Αἴγυπτον ὅσα τῶν Βαβυλωνίων τὰς χεῖρας διέφυγεν. (Καὶ) προλέγει μηδεμίαν αὐτοῖς ὠφέλειαν ἐκεῖθεν γενήσεσθαι. **Ἀπάγγειλον αὐτοῖς ὅτι ματαία ἡ παράκλ(ησις) αὐτῷ αὕτη.** Κελεύεται ὁ προφήτης διαμαρτύ-

C : 5-10 ἔρημον — αὐτοῖς ‖ 16-23 τὴν — γενήσεσθαι ‖ 24-26 κελεύεται — παρέχον

23 γενήσεσθαι C[309] : γεγένησθαι KC

9 Ps. 48, 13

NEUVIÈME SECTION

Contre ceux qui sont allés chercher refuge en Égypte (suite)

6. *Vision des quadrupèdes dans le désert.* Cela se rattache également à la même idée : il met, en effet, en accusation ceux qui sont allés chercher refuge en Égypte et qui ont méprisé le secours divin. Il appelle « désert » Jérusalem : elle était déserte à ce moment-là, puisque Nabuchodonosor l'avait ruinée de fond en comble. Il appelle, d'autre part, « quadrupèdes » ceux qui ont été atteints de déraison et qui n'ont pas reconnu leur bienfaiteur et leur créateur : « L'homme, qui jouissait de considération, n'a pas compris, il s'est assimilé aux bestiaux insensés et leur a ressemblé. »

Dans la tribulation et dans la détresse allaient le lion et le petit du lion, de là-bas (venaient) aussi les vipères et les petits des vipères volantes, qui portaient sur des ânes leurs trésors et sur des chameaux leur richesse vers une nation qui ne leur serait pas utile. Et pour enseigner l'identité de cette nation, il a ajouté : 7. *Les Égyptiens en vain et sans effet vous prêteront assistance.* Le texte prophétique, pour faire allusion à leur grande perversité, ne les compare pas à des bestiaux, mais à des animaux malfaisants : par « lion » et « lionceau » il a fait voir clairement leur caractère audacieux, par « vipères » leur caractère pervers et agressif. Il enseigne, d'autre part, que c'est grâce à des bêtes de somme qu'ils transportaient en Égypte tout ce qui avait échappé aux mains des Babyloniens. Et il prédit qu'ils ne tireront de là aucun avantage. *Annonce-leur que cette consolation est vaine pour lui.* Le prophète reçoit l'ordre de protester solennellement du

25 ρασθαι ὡς ἀνόνητον τὸ γινόμενον καὶ οὐδεμίαν αὐτοῖς ἢ παραψυχὴν ἢ ὠφέλειαν παρέχον.

[8] **Νῦν οὖν καθίσας γράψον ἐπὶ πυξίων ταῦτα καὶ εἰς βιβλίον ἐγχάραξον αὐτά, ὅτι ἔσται εἰς ἡμέρας ταῦτα εἰς μαρτύριον ἐν καιρῷ καὶ ἐμφανῆ εἰς τὸν αἰῶνα.** Τινὲς ᾠήθησαν ἐπὶ τοὺς 30 Ἀσσυρίους καταπεφευγέναι τοὺς νῦν κατηγορουμένους εἰς Αἴγυπτον, ἀλλ' οὔτε ἡ ἱστορία τοῦτο διδάσκει οὔτε ἡ προκειμένη προφητεία. Ἡ μὲν γὰρ ἱστορία τὰ ἐπὶ Ἱερεμίου τοῦ προφήτου σαφῶς λέγει, ἡ δὲ προφητεία διδάσκει ὡς ὁ τῶν ὅλων θεὸς ἐκέλευσεν ἀνάγραπτον γενέσθαι τὴν 35 πρόρρησιν · ὅτι ἔσται φησὶν εἰς ἡμέ(ρας ταῦτα) εἰς μαρτύριον, τουτέστι μετὰ χρόνον ταῦτα πραχθήσεται · γενέσθω τοίνυν ἔγγραφος ἡ μαρτυρία. Ἐδ(έξατο) δὲ τέλος ἡ πρόρρησις μετὰ τεσσαράκοντα καὶ ἑκατὸν ἔτη · τοσαῦτα γὰρ εὑρεθήσεται ἐκ τοῦ πρώτου ἔτους τῆς βασιλείας Ἐζεκίου μέχρι 40 τῆς εἰς Αἴγυπτον φυγῆς ἢ μετὰ τὴν ἅλωσιν τῆς Ἱερουσαλὴμ ἐγεγόνει.

[9] **Ὅτι λαός ἐστιν ἀπειθής, υἱοὶ ψευδεῖς οἳ οὐκ ἐβούλοντο ἀκούειν τὸν νόμον τοῦ θεοῦ.** Σαφῶς αὐτοῖς διαρρήδην ὁ θεῖος Ἱερεμίας ἀπηγόρευσε τὴν φυγήν, καὶ ὁ θεὸς διὰ τοῦ 45 προφήτου παρηγγύησε μεῖναι, ὑπισχνούμ[ενος] πειθομένοις μὲν σωτηρίαν, ἀπειθοῦσι δὲ τιμωρίαν · καὶ διέμειναν ἀντιλέγοντες. [10] **Οἱ λέγοντες τοῖς προφ(ήταις · Μὴ ἀν |137 b| αγγέλλετε ἡ)μῖν, καὶ τοῖς τὰ ὁράματα ὁρῶσιν · Μὴ λαλεῖτε ἡμῖν ὀρθῶς ἀλλὰ λαλεῖτε ἡμῖν λαλίαν καὶ ἀναγγέλλετε 50 ἡμῖν ἑτέραν πλάνησιν** [11] **καὶ ἀποστρέψατε ἡμᾶς ἀπὸ τῆς ὁδοῦ ταύτης καὶ ἀφέλετε ἡμᾶς τὴν τρίβον ταύτην καὶ ἀφέλετε ἡμῶν τὸ λόγιον τοῦ ἁγίου Ἰσραήλ.** Ὁ Σύμμαχος ἀντὶ τοῦ · λαλεῖτε ἡμῖν λαλίαν, « λαλεῖτε ἡμῖν λεῖα »

C : 37-41 ἐδέξατο — ἐγεγόνει

25-26 αὐτοῖς — παρέχον K : παρέχον παραψυχήν C || 37 δὲ K : > C || 38 εὑρεθήσεται C : εὑρεθήσονται K

1. Sur cet élément da datation et les problèmes qu'il pose, cf. *supra*, p. 81, n. 4.

caractère insensé de l'entreprise et de son incapacité à leur procurer réconfort ou avantage.

Leur refus d'écouter les prophètes

8. *Maintenant donc assieds-toi, écris cela sur des tablettes et inscris-le soigneusement dans un livre, parce que cela servira de témoignage pour les jours à venir, au moment opportun, et (sera) manifeste pour l'éternité.* D'aucuns ont pensé qu'étaient allés chercher refuge en Assyrie ceux que l'on accuse maintenant de l'avoir fait en Égypte, mais ni l'histoire ni la prophétie précédemment citée ne l'enseignent. L'histoire rapporte clairement les événements contemporains du prophète Jérémie et la prophétie enseigne que le Dieu de l'univers a ordonné de consigner par écrit la prédiction : « parce que cela servira », dit-il, « de témoignage pour les jours à venir », c'est-à-dire parce que cela s'accomplira dans longtemps ; que ce témoignage soit donc mis par écrit. Or la prédiction a reçu son accomplissement cent quarante ans plus tard : tel est, en effet, le nombre que l'on trouvera à partir de la première année du règne d'Ézéchias jusqu'à la fuite en Égypte qui s'est produite après la prise de Jérusalem[1].

9. *Car c'est un peuple désobéissant, ce sont des fils menteurs qui ne voulaient pas écouter la loi de Dieu.* Le divin Jérémie leur a clairement interdit, en termes précis, cette fuite, et Dieu, par l'intermédiaire de son prophète, leur a prescrit de rester, en promettant à ceux qui obéiraient le salut, à ceux qui n'obéiraient pas, le châtiment ; et ils ont persisté à s'opposer à ces avis ! 10. *Eux qui disent aux prophètes : Ne nous faites pas des annonces, et à ceux qui voient des visions : Ne nous entretenez pas de la vérité, mais tenez-nous riches propos et annoncez-nous un autre moyen d'erreur ;* 11. *détournez-nous de cette route, supprimez-nous ce chemin et supprimez-nous l'oracle du Saint d'Israël.* Au lieu de « tenez-nous riches propos », Symmaque a écrit « tenez-nous des propos agréables »,

τέθεικεν, ὁ δὲ Ἀκύλας « ὀλισθηρά », ὁ δὲ Θεοδοτίων
55 « ὀλισθήματα ». Αἰνίττεται δὲ ὁ λόγος, ὡς τὴν πλατεῖαν
ὁδεύειν ἐβούλοντο τὴν ἀπάγουσαν εἰς τὴν <ἀπώλειαν καὶ
οὐ τὴν τεθλιμμένην τὴν ἀπάγουσαν εἰς τὴν> ζωήν. Ταὐτὸ
δὲ τοῦτο σημαίνει καὶ τῶν Ἑβδομήκοντα ἡ ἑρμηνεία · λαλία
γὰρ ἡ φιλαργυρία καλεῖται, ὅταν ἡ παρατέλευτος ἔχῃ τὸν
60 τόνον.

Τοιοῦτος ἦν Ἀχαὰβ περὶ τοῦ Μιχαίου λέγων · « Μεμίσηκα
αὐτόν, ὅτι οὐ λαλεῖ περὶ ἐμοῦ ἀγαθὰ ἀλλ' ἢ κακά. » Τοιαῦτα
δὲ καὶ οὗτοι περὶ ὧν ὁ λόγος πρὸς Ἱερεμίαν ἔλεγον τὸν
προφήτην · « Τὸν λόγον, ὃν ἀπεκρίθης καὶ ἐλάλησας πρὸς
65 ἡμᾶς τῷ ὀνόματι κυρίου, οὐκ ἀκούσομέν σου, ὅτι ποιοῦντες
ποιήσομεν πάντα τὸν λόγον, ὃς ἐξελεύσεται ἐκ τοῦ στόματος
ἡμῶν θυμιᾶν τῇ βασιλίσσῃ τοῦ οὐρανοῦ καὶ σπένδειν σπονδάς,
καθὰ ἐποιήσαμεν ἡμεῖς καὶ οἱ πατέρες ἡμῶν καὶ οἱ βασιλεῖς
ἡμῶν καὶ οἱ ἄρχοντες ἐν πόλεσιν Ἰούδα καὶ ἐν διόδοις
70 Ἱερουσαλήμ, καὶ ἐπλήσθημεν ἄρτων καὶ ἐγενήθημεν χρηστοὶ
καὶ κακὰ οὐκ εἴδομεν. » Καὶ Ἀζαρίας δὲ καὶ Ἰωανὰν καὶ
οἱ τούτοις παραπλήσιοι ἄντικρυς πρὸς τὸν αὐτὸν ἐβόων
προφήτην · « Ψευδῆ λαλεῖς σύ, οὐκ ἀπέστειλέ σε κύριος
ὁ θεὸς ἡμῶν πρὸς ἡμᾶς λέγων · Μὴ εἰσέλθητε εἰς Αἴγυπτον
75 οἰκεῖν ἐκεῖ. Ἀλλὰ Βαροὺχ υἱὸς Νηρίου συμβάλλει σε πρὸς
ἡμᾶς, ἵνα δῷς ἡμᾶς εἰς χεῖρας Χαλδαίων τοῦ θανατῶσαι
ἡμᾶς καὶ ἀποικίσαι ἡμᾶς εἰς Βαβυλῶνα. » Ταύτην αὐτῶν

57 ταὐτὸ Mö. : τοῦτο K ‖ 75 Βαροὺχ e tx.rec. : Βαχοὺρ K

55-57 cf. Matth. 7, 13 61 III Rois 22, 8 ; II Chr. 18, 7 64 Jér. 51, 16-17 73 Jér. 50, 2-3

1. Selon Théodoret — c'est là, à notre connaissance, un témoignage unique (Photius, Suidas, Étienne de Byzance, Hésychius, l'*Etymologicum Magnum* n'en disent rien) —, il existerait donc du mot λαλιά (bavardage) une forme paroxyton qui en ferait le synonyme de φιλαργυρία. C'est le sens de ce λαλία que nous avons cherché à rendre dans la traduction par « riches propos ». Quant aux interprétations d'Aquila (ὀλισθηρά) et de Théodotion (ὀλισθήματα), elles suggèrent l'idée de « faux pas », de « glissade » : ce que le peuple

Aquila « des propos faciles » et Théodotion « des propos de facilité ». Le texte laisse entendre qu'ils voulaient suivre la voie large qui conduit à la perdition et non la voie étroite qui conduit à la vie. Quant à l'interprétation des Septante, elle a également cette même signification, puisque l'amour de l'argent s'appelle *lalia*, lorsque la pénultième porte l'accentuation[1].

Tel était le comportement d'Achab qui disait de Michée : « Je le hais, parce qu'il ne tient pas à mon sujet des propos de bonheur, mais seulement des propos de malheur. » Telles étaient les paroles que prononçaient également ceux que vise notre texte à l'adresse du prophète Jérémie : « En ce qui concerne la parole que tu nous as transmise et que tu nous as adressée au nom du Seigneur, nous ne t'écouterons pas, parce que nous exécuterons entièrement toute parole qui sortira de notre bouche — offrir de l'encens à la Reine du ciel[2] et (lui) verser des libations —, comme nous l'avons fait, nous et nos pères, nos rois et nos chefs dans les cités de Juda et les rues de Jérusalem ; alors nous avons été rassasiés de pain, nous sommes devenus heureux et nous n'avons pas vu le mal. » Azarias, Joanan et leurs semblables criaient ouvertement à l'adresse du même prophète : « Ce sont des mensonges que tu débites, le Seigneur notre Dieu ne t'a pas envoyé nous dire : ' N'allez pas en Égypte pour y séjourner. ' Mais c'est Baruch le fils de Nérios qui t'excite contre nous, afin que tu nous livres aux mains des Chaldéens, pour qu'ils nous mettent à mort et qu'ils nous déportent à Babylone. »

demande aux prophètes, ce sont littéralement des « propos qui le fassent glisser » vers la mauvaise voie ; nous avons tenté de rendre cette idée en traduisant par « propos faciles, propos de facilité ».

2. « La reine du ciel », la déesse Ishtar dans le panthéon assyrien, était la déesse de la fécondité ; son culte était surtout pratiqué par les femmes qui l'honoraient par des sacrifices et par des offrandes de gâteaux (cf. *Jér.* 7, 18).

τὴν ἀπείθειαν καὶ τὴν δυσσεβῆ γνώμην ὁ μετὰ χεῖρας λέγει προφήτης · Ἀποστρέψ(ατε) ἡμᾶς ἀπὸ τῆς ὁδοῦ ταύτης καὶ
80 ἀφέλετε ἡμῶν τὸ λόγιον τοῦ ἁγίου Ἰσραήλ. Οὕτως ἐναργῶς ἔοικε τῇ [ἐκ]βάσει ἡ πρόρρησις.

[12] **Διὰ τοῦτο τάδε λέγει κύριος ὁ θεὸς τοῦ Ἰσραὴλ ὁ ἅγιος · Ὅτι ἠπειθήσατε τοῖς λόγοις τούτοις καὶ ἠλπίσατε ἐπὶ ψεύδει καὶ ὅτι ἐγογγύσατε καὶ πεποιθότες ἐγένεσθε ἐν**
85 **τῷ λόγῳ τούτῳ, [13] διὰ τοῦτο ἔσται (ὑμῖ)ν ἡ ἁμαρτία αὕτη ὡς τεῖχος πῖπτον παραχρῆμα πόλεως ὀχυρᾶς ἑαλωκυίας ἧς παραχρῆμα πάρεστι (τὸ πτῶ)μα · [14] καὶ τὸ πτῶμα αὐτῆς ἔσται ὡς σύντριμμα ἀγγείου ὀστρακίνου ἐκ κεραμίου λεπτά, ὥστε μὴ εὑρεῖν (ἐν αὐ)τοῖς ὄστρακον ἐν ᾧ πῦρ ἀρεῖς ἀπὸ**
90 **καύστρας καὶ ἐν ᾧ ἀποσυριεῖς ὕδωρ μικρόν.** Τὴν ἐπ' Αἰγυπτίους (ἐλπ)ίδα περιβόλῳ καταλυομένῳ καὶ πόλει ἁλισκομένῃ ἀπείκασε καὶ τῇ παραβολῇ παραβολὴν ἑτέραν παρέ(θηκεν · ἐ)οικέναι γὰρ ἔφη τὴν ταῦτα πάσχουσαν πόλιν ἀγγείῳ ὀστρακίνῳ συντριβομένῳ καὶ τοσαύτην ὑπομένοντι (συντρι)-
95 βήν, ὡς παντελῶς ἄχρηστα διαμεῖναι διὰ σμικρότητα καὶ αὐτὰ τοῦ ἀγγείου τὰ ὄστρακα.

Φιλάνθρωπος δὲ [ὢν ὁ δε]σπότης μετὰ τὴν ἀπειλὴν μετανοίας προφέρει παραίνεσιν · [15] **Ὅτι οὕτως λέγει κύριος ὁ θεὸς ὁ ἅγιος τοῦ Ἰσραήλ · (ὅταν) ἀποστραφεὶς στενάξῃς,**
100 **τότε σωθήσῃ καὶ γνώσῃ ποῦ ἦσθα, ὅτε ἐπεποίθεις ἐπὶ τοῖς ματαίοις.** Μετανοίας ὅρος οὐ (τὸ στέν)ειν μόνον ἐπὶ ταῖς ἁμαρτίαις ἀλλὰ καὶ τὸ φεύγειν ταύτας καὶ τὴν τούτων ὁδὸν ἀποστρέφεσθαι καὶ τὴν ἐναντίαν ὁδεύειν. Τοῦτο γὰρ καὶ ὁ θεῖος δεδήλωκε λόγος · Ὅταν ἀποστραφεὶς στενάξῃς.
105 Οὐχ ὅταν ἁπλῶς στενάξῃς [ἀλλ'] ὅταν καταλιπὼν τὴν

C : 90-96 τὴν — ὄστρακα ‖ 101-104 μετανοίας — στενάξῃς

De cette désobéissance et de cette pensée impie qui sont les leurs, le prophète dit tenir la preuve en mains : « Détournez-nous de cette route et supprimez-nous l'oracle du Saint d'Israël. » A tel point est évidente la similitude qui existe entre la prédiction et son accomplissement !

Châtiment de la désobéissance

12. *C'est pourquoi, voici ce que dit le Seigneur Dieu, le Saint d'Israël: Parce que vous avez désobéi à ces paroles et que vous avez mis votre espérance dans le mensonge, parce que vous avez murmuré et que vous avez mis votre confiance en cette parole*, 13. *à cause de cela, ce péché sera pour vous comme un rempart qui s'écroule soudain, quand est prise une ville fortifiée dont la chute se produit soudain;* 14. *et sa chute sera comme le bris d'une jarre de terre, en menus fragments d'argile, de sorte qu'on ne trouve pas parmi eux un tesson dans lequel on puisse emporter du feu d'un brasier ou puiser un peu d'eau.* Il a comparé l'espérance mise dans les Égyptiens à la destruction d'un rempart et à la prise d'une ville ; il a ajouté à cette parabole une autre parabole : la ville qui subit ce sort, a-t-il dit, ressemble à une jarre de terre que l'on brise et qui est si bien brisée, que même les tessons de la jarre, en raison de leur petitesse, restent à jamais totalement inutiles.

Toutefois, étant donné sa bonté, le Maître (leur) adresse, après la menace, une exhortation à se repentir : 15. *Car ainsi parle le Seigneur Dieu, le Saint d'Israël: lorsque, après t'être détourné (de ton chemin), tu te lamenteras, alors tu seras sauvé et tu connaîtras où tu étais, lorsque tu mettais ta confiance dans les choses vaines.* La règle à observer, en matière de repentir, ce n'est pas seulement de gémir sur ses péchés, mais encore de les fuir et de se détourner de la route qui y conduit pour emprunter la route opposée. Voilà ce qu'a également montré clairement le texte divin : « Lorsque, après t'être détourné (de ton chemin), tu te lamenteras. » Non pas uniquement lorsque tu te lamenteras, mais lorsque tu auras abandonné la

παρανομίας ὁδὸν τὰ γεγενημένα θρηνήσῃς, τότε τεύξῃ τῆς σωτηρίας [καὶ] τῆς προτέρας δυσσεβείας ἐν αἰσθήσει γενήσῃ. **Ματαία ἡ ἰσχὺς ὑμῶν ἐγενήθη. Καὶ οὐκ ἐβούλεσθε (ἀκούειν)** [16] **ἀλλ' εἴπατε · Ἐφ' ἵππων φευξόμεθα · διὰ τοῦτο φεύξεσθε.**
110 **Καὶ εἴπατε · Ἐπὶ κούφοις ἀναβάταις ἐσόμεθα · (διὰ τοῦ)το κοῦφοι ἔσονται οἱ διώκοντες ὑμᾶς.** Ὧν ἐλπίζετε τἀναντία γενήσεται.

Εἶτα προλέγει ὡς μύριο[ι] κα[ὶ τὴν ὀλίγων] πολεμίων οὐ δέξονται προσβολήν, καὶ τὸν πολὺν αὐτῶν σημαίνων
115 ὄλεθρον ἐπήγαγεν · [17] **ἕως (ἂν) καταλειφθῆτε ὡς ἱστὸς ἐπ' ὄρους καὶ ὡς σημαίαν φέρων ἐπὶ βουνοῦ.** Τὴν σημαίαν ὁ μὲν Σύμμαχος « (ἱστίο)ν » ἡρμήνευσεν, ὁ δὲ Ἀκύλας καὶ Θεοδοτίων « σύσσημον ». Ὃ δὲ λέγει τοιοῦτόν ἐστιν · Τὰ πολλὰ δένδρα (ἐν τοῖς ὄρε)σιν οὐχ οὕτως ἐστὶν ἐπίσημα ·
120 εἰ δέ που ἐν ὄρους κορυφῇ μία πίτυς ἢ κυπάριττος καταλειφθείη, (λίαν ἐστὶ) τ(οῖ)ς παριοῦσιν ἐπίσημος. Οὕτω φησὶ καὶ ὑμεῖς ὀλίγοι μὲν ἐκ τῶν πολλῶν καταλειφθήσε(σθε) μυριάδων, ἐπίσημα δὲ ὑμῶν γενήσεται τὰ κακά.

[18] **Καὶ πάλιν μενεῖ ὁ θεὸς τοῦ οἰκτειρῆσαι (ὑμᾶς) καὶ**
125 **διὰ τοῦτο ὑψωθήσεται τοῦ ἐλεῆσαι ὑμᾶς.** Ἀλλ' ὅμως καὶ μετὰ ταῦτα φειδοῦς ὑμᾶς [ἀξιώσει] καὶ διδάξει τοὺς ἀγνοοῦντας τὴν οἰκείαν ἰσχύν. **Διότι κριτὴς ὑμῶν κύριος ὁ θεὸς ἡμῶν.** |138 a| **Μακάριοι πάντες οἱ ὑπομένοντες αὐτόν,** [19] **διότι λαὸς ἅγιος ἐν Σιὼν κατοικήσει.** Καὶ ταῦτα προτρέ-
130 [πων] αὐτοὺς μένειν καὶ μὴ καταφεύγειν εἰς Αἴγυπτον εἴρηκεν ὁ προφήτης. Προεδήλωσε δὲ καὶ τὴν ἀπὸ Βαβυλῶνος ἐπάνοδον · λαὸν γὰρ ἅγιον ἐκείνους ἐκάλεσεν. Τοιοῦτος ἦν Ἰησοῦς ὁ τοῦ Ἰωσεδέκ, τοιοῦτος ἦν ὁ Ζοροβάβελ, τοιοῦτος ὁ Ἔζρας, τοιοῦτος ὁ Νεεμίας καὶ <οἱ> μετὰ τούτων πᾶσαν

C : 118-123 ὃ — κακά

119 ἐν τοῖς ὄρεσιν/οὐχ — ἐπίσημα K : ∾ C ‖ 121 παριοῦσιν $C^{87 \cdot 90 \cdot 309 \cdot 377 \cdot 564}$: πάρουσιν $KC^{v \cdot 91}$

---

1. Paraphrase d'*Is.* 30, 17 a.

route de l'iniquité et que tu déploreras le passé, alors tu obtiendras le salut et tu auras pleine connaissance de ton impiété d'autrefois. *Vaine est devenue votre force. Et vous ne vouliez pas écouter*, 16. *mais vous avez dit : Nous fuirons sur nos chevaux ; c'est pourquoi vous fuirez. Et vous avez dit : Nous monterons sur de légers coursiers ; c'est pourquoi légers seront vos poursuivants.* C'est le contraire de ce que vous espérez qui se produira.

Puis il prédit[1] que des milliers d'hommes ne soutiendront pas l'attaque d'ennemis pourtant en petit nombre, et, pour laisser entendre la ruine considérable qu'ils subiront, il a ajouté : 17. *jusqu'à ce que vous soyez laissés comme un mât de navire sur une montagne et comme un porte-étendard sur une colline.* Symmaque a interprété « étendard » par « voile », Aquila et Théodotion par « signal convenu ». Or, voici le sens de ce que dit (le prophète) : un grand nombre d'arbres sur les montagnes n'est pas à ce point remarqué ; mais si, en quelque endroit, sur la cime d'une montagne on a laissé un unique pin ou un unique cyprès, il est très remarqué des passants. Ainsi, dit-il, serez-vous laissés, vous aussi, en petit nombre sur de nombreux milliers et vos malheurs seront-ils remarqués.

Pitié de Dieu pour Jérusalem ; annonce du retour d'exil

18. *De nouveau Dieu attendra pour avoir pitié de vous et c'est pourquoi il se lèvera pour vous prendre en pitié.* Néanmoins, après ces événements, il vous jugera dignes de ménagement et enseignera sa propre force à ceux qui le méconnaissent. *Car le Seigneur notre Dieu est votre juge. Bienheureux tous ceux qui l'attendent*, 19. *car un peuple saint habitera dans Sion.* Le prophète a également prononcé ces paroles pour les exhorter à rester et à ne pas aller chercher refuge en Égypte. D'autre part, il a aussi clairement fait voir à l'avance le retour de Babylone, car ce sont les exilés qu'il a appelés « peuple saint ». Tel était Josué le fils de Josédek, tel était Zorobabel, tel était Esdras, tel était Néhémie et ceux qui avec eux

135 εἰς τὴν οἰκοδομίαν καὶ τοῦ ναοῦ καὶ τῆς πόλεως εἰσενεγκόντες σπουδήν. Ἀνάγεται δὲ ὁ λόγος καὶ εἰς τοὺς μετὰ τὴν ἐνανθρώπησιν τοῦ σωτῆρος ἡμῶν πιστούς, οἳ τῶν ἀπίστων ἐκ τῆς Ἱερουσαλὴμ ἐξελαθέντων ᾤκησαν τὴν πόλιν βίῳ λαμπρῷ καὶ ὕμνοις διηνεκέσι τὸν θεὸν ἐξιλεούμενοι.

140 **Καὶ Ἱερουσαλὴμ κλαυθμῷ ἔκλαυσεν · Ἐλέησόν με.** Προσωποποιίᾳ πάλιν ὁ προφήτης ἐχρήσατο, αὐτὸς ἀντ' ἐκείνης προσφέρων τὴν δέησιν. Ἐκόμισε δὲ καὶ τὴν ἀπόκρισιν · **Ἐλεῶν ἐλεήσει σε πρὸς τὴν φωνὴν τῆς κραυγῆς σου · ἡνίκα εἶδεν ἐπήκουσέ σου.** Ἔοικε ταῦτα τῷ εὐαγγελικῷ λόγῳ ὃν 145 ὁ κύριος ἔφη · « Ὧ μέτρῳ μετρεῖτε ἀντιμετρηθήσεται ὑμῖν. » Καὶ ἐνταῦθα γὰρ τὸν ἔλεον τῇ προθυμίᾳ τῆς μετανοίας ἐμέτρησεν · φωνὴν γὰρ τὴν προθυμίαν ἐκάλεσεν. Ἀντὶ τοῦ · πρὸς τὴν σπουδήν σου, πρὸς τὴν ἐπιστροφήν σου δέξῃ τὸν ἔλεον. [20] **Καὶ δώσει ὑμῖν κύριος ἄρτον θλίψεως καὶ** 150 **ὕδωρ στενόν.** Ἐπειδὴ γὰρ τὸν κόρον οὐκ ἤνεγκας ἀλλὰ βλάβην ἐκεῖθεν εἰσεδέξω καὶ νόσον, τοῖς ἐναντίοις χρήσεται φαρμάκοις ὁ ἰατρός. **Καὶ οὐκέτι οὐ μὴ ἐγγίσωσί σοι οἱ πλανῶντές σε, ὅτι οἱ ὀφθαλμοί σου ὄψονται τοὺς πλανῶντάς σε** [21] **⟨καὶ τὰ ὦτά σου ἀκούσεται τοὺς λόγους τῶν** 155 **ὀπίσω πλανησάντων σε⟩ τῶν λεγόντων · Αὕτη ἡ ὁδός, πορευθῶμεν ἐν αὐτῇ εἴτε εἰς δεξιὰ εἴτε εἰς ἀριστερά.** Τοὺς ψευδοπροφήτας καὶ τοὺς δυσσεβεῖς ἄρχοντας διὰ τούτων δεδήλωκεν.

[22] **Καὶ μιανεῖ τὰ εἴδωλα τὰ περιηργυρωμένα καὶ τὰ περι-** 160 **κεχρυσωμένα καὶ λεπτὰ ποιήσεις καὶ λικμήσεις καὶ ποιήσεις ὡς ὕδωρ ἀποκαθημένης καὶ ὡς κόπρον ὤσεις αὐτά.** Ταῦτα ἀκριβέστερον μετὰ τὴν τοῦ σωτῆρος ἡμῶν ἐνανθρώπησιν (γέ)γονεν οὐ τῶν ἐξ Ἰουδαίων πεπιστευκότων μόνων ἀλλὰ

C : 140-143 προσωποποιίᾳ — σε ‖ 150-152 ἐπειδὴ — ἰατρός ‖ 156-158 τούς — δεδήλωκεν ‖ 161-165 ταῦτα — βδελυξαμένων

140 προσωποποιίᾳ C : προσωποποιίαις K ‖ 143 σε C : με K ‖ 151-152 χρήσεται φαρμάκοις K : ∾ C ‖ 152 ἐγγίσωσι e tx.rec. : ἐγγίσουσι K

145 Lc 6, 38

ont apporté leur zèle à la reconstruction du Temple et de la cité. Mais le texte s'applique aussi à ceux qui après l'incarnation de notre Sauveur ont eu la foi : les incroyants une fois chassés de Jérusalem, ils ont habité la ville en se conciliant la faveur de Dieu par une vie limpide et par des hymnes continuels.

Et Jérusalem a pleuré avec larmes (en disant) : Aie pitié de moi ! Le prophète s'est à nouveau servi d'une prosopopée, puisque, à la place de la cité, c'est lui qui présente la supplication. Il a également fourni la réponse : *Dans sa pitié il aura pitié de toi, selon la voix de ton cri : dès qu'il a vu, il l'a exaucée.* Ces propos sont semblables à la parole évangélique qu'a prononcée le Seigneur : « De la mesure avec laquelle vous mesurez, on mesurera pour vous en retour. » Ici aussi il a mesuré sa pitié sur leur empressement à se repentir, car il a appelé « voix » leur empressement. Ce qui revient à dire : c'est en fonction de ton zèle, en fonction de ta conversion, que tu recevras ma pitié. 20. *Et le Seigneur vous donnera un pain d'oppression et une eau peu abondante.* Puisque tu n'as pas supporté d'être rassasiée, mais que tu as retiré de là dommage et maladie, le médecin fera usage des remèdes opposés. *Et, en vérité, ils ne s'approcheront plus de toi ceux qui t'égarent, parce que tes yeux verront ceux qui t'égarent* 21. *et tes oreilles entendront les paroles de ceux qui par-derrière t'égaraient en disant : Voici la route, avançons sur elle soit à droite soit à gauche.* Il a par ces mots clairement fait voir les faux prophètes et les chefs impies.

Le renoncement à l'idolâtrie et la prospérité future

22. *Tu souilleras les idoles à placage d'argent et celles à placage d'or et tu les réduiras en miettes ; tu les vanneras, tu les considéreras comme le flux menstruel d'une femme et tu les repousseras comme fumier.* Voilà ce qui s'est produit avec plus d'exactitude après l'incarnation de notre Sauveur, puisque non seulement ceux des Juifs qui ont cru, mais encore les nations (répan-

καὶ τῶν κατὰ τὴν οἰκουμένην ἐθνῶν τὰ πάλαι θεοπ(οι)ούμενα
165 εἴδωλα συντριψάντων καὶ βδελυξαμένων πλέον ἢ τὴν
δυσωδεστάτην κόπρον. Ἐγένετο δὲ ὡς ἐν τύ[πῳ] τινὶ καὶ
ὑπὸ Ἐζεκίου καὶ ὑπὸ Ἰωσίου τῶν εὐσεβῶν βασιλέων καὶ
μετὰ τὴν ἀπὸ Βαβυλῶνος ἐπάνοδον [τοῖς] εἰρημένοις παρα-
πλήσια.

170 [23] **Τότε ἔσται ὁ ὑετὸς τῷ σπέρματι τῆς γῆς σου ἔσται εἰς
πλησμονὴν καὶ λιπαρός · καὶ βοσ(κη)θήσεταί σου τὰ κτήνη
ἐν τῇ ἡμέρᾳ ἐκείνῃ τόπον πίονα καὶ εὐρύχωρον, [24] οἱ ταῦροι
ὑμῶν καὶ οἱ βόες οἱ ἐργαζό(μενοι) τὴν γῆν φάγονται ἄχυρα
ἀναπεποιημένα ἐν κριθῇ λελικμημένῃ.** Εὐετηρίαν αὐτοῖς καὶ
175 καρπῶν εὐθηνίαν κ[αὶ] σωματικῶν ἀγαθῶν ἀπόλαυσιν
ἐπαγγέλλεται · περὶ ταῦτα γὰρ κεχήνασι μᾶλλον. Ἐν δὲ
τῇ Καινῇ Διαθήκῃ [ἐπὶ τὰ] τέλεια παιδεύων ἀπαγορεύει
τῶν τοιούτων τὴν αἴτησιν · « Μὴ μεριμνήσητε » γάρ φησι
« τί φάγητε ἢ τί πίητε ἢ τῷ (σώματι) ὑμῶν τί ἐνδύσησθε ·
180 ταῦτα γὰρ πάντα τὰ ἔθνη ἐπιζητεῖ. Αἰτεῖτε δὲ τὴν βασιλείαν
τοῦ θεοῦ καὶ τὴν δικαιοσύνην αὐτ(οῦ), καὶ τὰ λοιπὰ πάντα
ἐκ περιττοῦ προστεθήσεται ὑμῖν. » Τούτοις δὲ περίγειον
ἔχουσι φρόνημα τῆς γῆς ἐπαγγέλλεται τοὺς καρπούς.

[25] **Καὶ ἔσται ἐπὶ παντὸς ὄρους ὑψηλοῦ καὶ ἐπὶ παντὸς
185 βουνοῦ μετεώρου ὕδωρ διαπορευόμενον ἐν τῇ ἡμέ(ρᾳ ἐκεί)νῃ,
ὅταν ἀπόλωνται πολλοὶ καὶ ὅταν πέσωσι πύργοι. [26] Καὶ
ἔσται τὸ φῶς τῆς σελήνης ὡς τὸ φῶς τοῦ ἡλίου, καὶ
τὸ φῶς τοῦ ἡλίου ἔσται ἑπταπλάσιον ὡς τὸ φῶς τῶν ἑπτὰ
ἡμερῶν ἐν τῇ ἡμέρᾳ, ὅταν ἰάσηται κύριος τὸ σύντριμμα
190 τοῦ λαοῦ αὐτοῦ, καὶ τὴν ὀδύνην τῆς πληγῆς αὐτοῦ ἰάσεται.**
Οἱ ἐξαπίνης ἀντὶ τῶν λυπηρῶν τὰ θυμήρη δεχόμενοι καὶ
τὴν ἡμέραν λαμπροτέραν ὁρῶσι καὶ τὸν ἥλιον πολλῷ τοῦ
συνήθους φανότερον · ὥσπερ αὖ οἱ πενθοῦντες [σκότος]
ὑπολαμβάνουσι καὶ τὸ φῶς. Τὴν ἐσομένην τοίνυν αὐτοῖς

C : 194-198 τὴν — κατάλυσιν

178 Matth. 6, 25.31-33

---

1. Sur la réforme d'Ézéchias et de Josias, cf. *supra*, p. 226, n. 1.

dues) à travers le monde ont brisé les idoles qu'ils avaient jadis divinisées et ont éprouvé à leur égard plus de dégoût que pour le fumier le plus malodorant. Mais se produisirent comme en figure, à l'instigation des rois pieux Ézéchias et Josias[1], et après le retour de Babylone, des événements presque semblables à ce qui vient d'être dit.

23. *Alors viendra la pluie pour la semence de ta terre, elle viendra jusqu'à satiété et en abondance ; et tes troupeaux paîtront en ce jour-là un lieu gras et vaste,* 24. *vos taureaux et vos bœufs qui travaillent la terre mangeront des chaumes préparés au milieu d'orge vanné.* Il leur promet une bonne année, une abondance de fruits et la jouissance de biens matériels, puisque c'est surtout ce devant quoi ils restent bouche bée[2]. Dans le Nouveau Testament, en revanche, parce qu'il veut (les) guider vers les biens parfaits, il (leur) interdit de demander des biens de cette espèce : « Ne soyez pas en souci, dit-il, de ce que vous mangerez ou de ce que vous boirez ou de quoi vous vêtirez votre corps : tout cela, en effet, les nations le recherchent. Mais demandez le Royaume de Dieu et sa justice, et tout le reste vous sera donné par surcroît. » Mais à eux, qui avaient un esprit terrestre, il promet les fruits de la terre.

25. *Et il y aura sur toute haute montagne et sur toute colline élevée de l'eau ruisselante en ce jour-là, lorsque beaucoup auront été tués et que seront tombés les tours.* 26. *Et la lumière de la lune sera comme la lumière du soleil, et la lumière du soleil sera sept fois plus forte, égale à la lumière de sept jours, en ce jour, lorsque le Seigneur aura guéri la meurtrissure de son peuple, et il guérira la douleur de sa plaie.* Ceux qui, tout à coup, alors qu'ils attendent des nouvelles affligeantes, reçoivent des nouvelles agréables, voient à la fois le jour plus brillant et le soleil beaucoup plus éclatant que d'habitude ; de la même manière, inversement, ceux qui sont dans le deuil tiennent pour obscurité même la lumière. Il a donc par avance clairement fait

2. Cf. *In Is.*, 1, 292-293, t. I, p. 174.

195 εὐφροσύνην διὰ τὴν ἐπάνοδον προδεδήλωκεν · οὐ γὰρ τὰ στοιχεῖα πολλαπλάσιον ἔσχε τὸ φῶς, ἀλλ' οἱ ἐν ἀθυμίᾳ ὄντες ταῦτα ἑώρων λαμπρότερα. Ταῦτα δέ φησιν ἔσται μετὰ (τὴν) τῶν Βαβυλωνίων κατάλυσιν. Αὐτοὺς γὰρ καὶ πολλοὺς διὰ τὸ πλῆθος καὶ πύργους διὰ τὴν δυναστείαν ὠνόμ[ασεν].
200 Τὸ δὲ ἐπὶ παντὸς ὄρους καὶ βουνοῦ ὕδατα ἀναβλύζειν οὐχ εὑρίσκομεν πληρωθὲν κατὰ τὸ ῥητόν, ἴσμεν δὲ ὅμως [ἡμεῖς] ἀψευδῆ τοῦ θεοῦ τὴν ὑπόσχεσιν. Οὗ δὴ χάριν ἀνάγκη, κἂν μὴ θέλωσιν οἱ Ἰουδαῖοι, τροπικῶς νο[ῆσαι τὴν πρόρρησιν] καὶ τὴν ἔκβασιν εὑρεῖν μετὰ τὴν ἐνανθρώπησιν τοῦ δεσπότου
205 Χριστοῦ · τότε γὰρ ἡ διψῶσα τῶν ἀνθρώπων φύσις οἱόν [τινα ὕδατα] τοὺς θείους ἀποστόλους ἐδέξατο.

Ταῦτα οὕτω προαγορεύσας εἰς τὸν Ἀσσύριον μεταφέρει τὸν [λόγον] · 27 **(Ἰδοὺ τὸ ὄ)νομα κυρίου ἔρχεται διὰ χρόνου πολλοῦ.** Ἐπειδὴ μέγιστον ἦν θαῦμα τὸ δίχα χειρῶν ἀνθρω-
210 πίνων τοσα(ύτας μυριάδας |138 b| πεσεῖν), ταὐτὸ δὲ τοῦτο πεπόνθασι καὶ Αἰγύπτιοι ὑποβρύχιοι πάντες ἐν τῇ θαλάττῃ γενόμενοι, πολὺς δὲ ἦν ὁ ἐν μέσῳ χρόνος τῶν τε ἐπὶ τοῦ μεγάλου Μωυσέως καὶ τῶν ἐπὶ τοῦ βασιλέως Ἐζεκίου γεγενημένων, εἰκότως ἔφη · Ἰδοὺ τὸ ὄνομά μου ἔρχεται
215 διὰ χρόνου πολλοῦ. Ὄνομα δὲ ἐκάλεσε τὴν δόξαν καὶ τὴν ἀπὸ τοῦ θαύματος περιφάνειαν. Τοῦτο δὲ καὶ διὰ τῶν ἐπαγομένων ἐδήλωσεν · **Καιόμενος ὁ θυμὸς αὐτοῦ μετὰ δόξης.** Τὸν μὲν γὰρ Ἀσσύριον κολάσει, αὐτὸν δὲ πάντες

C : 209-216 ἐπειδὴ — περιφάνειαν ‖ 218-219 τὸν — τούτῳ

209 ἦν C : > K ‖ δίχα K : διὰ C ‖ 210 ταὐτὸ C : τοῦτο K ‖ 211 καὶ K : +οἱ C ‖ θαλάττῃ C : θαλάσσῃ K ‖ 214 μου K : κυρίου C ‖ 218 κολάσει K : κολάζει C

---

1. Interprétation fondée sur la psychologie, assez courante chez Théodoret (cf. *In Is.*, 5, 499-500 ; 14, 10-13.144-149 ; *In Jer.*, 81, 532 CD ; *In Ez.*, 81, 1116 B ; *In Mich.*, 81, 1757 A).

2. Sur cette interprétation métaphorique, cf. t. I, p. 140, n. 1. Le passage est révélateur de la méthode exégétique de Théodoret : la mise en cause de la véracité de la prophétie étant impossible et le sens littéral ne permettant pas d'en rendre compte, le recours au sens figuré s'impose.

voir la joie que leur causerait le retour, car ce ne sont pas les astres qui ont possédé une luminosité considérablement accrue, mais ceux qui étaient en proie au découragement qui les voyaient plus brillants[1]. Or, cela se produira, dit-il, après la ruine des gens de Babylone. Car ce sont eux qu'il a désignés par « nombreux » en raison de leur grand nombre et par « tours » en raison de leur puissance. Quant à l'expression « sur toute montagne et sur toute colline les eaux jaillissent », nous ne la trouvons pas accomplie à la lettre, mais nous savons toutefois que la promesse de Dieu n'est pas mensongère. Voilà bien pourquoi il faut, n'en déplaise aux Juifs, comprendre la prédiction de manière figurée et trouver son accomplissement après l'incarnation de notre Maître le Christ : c'est alors que le genre humain altéré a reçu en guise d'eaux, pour ainsi dire, les divins apôtres[2].

Le châtiment d'Assur

Après avoir en ces termes annoncé ces événements, le prophète change de sujet pour parler de l'Assyrien : 27. *Voici que le nom du Seigneur vient après un temps important.* C'était un très grand prodige que tant de milliers (de combattants) fussent tombés sans l'intervention de la main de l'homme[3] ; or les Égyptiens ont également éprouvé le même désastre, lorsqu'ils furent tous submergés dans la mer ; pour cette raison, et puisqu'un long intervalle de temps séparait les événements contemporains du grand Moïse de ceux qui l'étaient du roi Ézéchias, il a dit à juste titre : « Voici que mon nom vient après un temps important. » Or il a appelé « nom » la gloire du Seigneur et sa célébrité due au prodige. Il l'a fait voir clairement encore par le passage suivant : *Ardente est sa colère avec gloire.* Car il châtiera l'Assyrien et tous lui adresseront des

3. Allusion au désastre subi par l'armée de Sennachérib (cf. *Is.* 37, 36).

ὑμνήσουσιν ἐπὶ τούτῳ. **Τὸ λόγιον τῶν χειλέων αὐτοῦ**
220 **λόγιον ὀργῆς πλήρης, τὸ λόγιον τῆς γλώσσης αὐτοῦ.**
Εἶτα δείκνυσι τοῦ θείου προστάγματος τὴν ἰσχύν· **Ὡς πῦρ ἔδεται· 28 καὶ τὸ πνεῦμα αὐτοῦ ὡς ὕδωρ ἐν φάραγγι σῦρον ἥξει ἕως τοῦ τραχήλου.** Ἐνταῦθα σημαίνει τὸν τῆς πόλεως κίνδυνον· ἐῴκει γὰρ ἀνθρώπῳ μέχρι τοῦ τραχήλου
225 δεξαμένῳ τὴν τοῦ ὕδατος προσβολὴν καὶ προσδοκήσαντι συγκαλύπτεσθαι, εἶτα παρ' ἐλπίδα πᾶσαν ἀπαλλαγέντι. Οὕτω γὰρ καὶ ἡ Ἱερουσαλὴμ μετὰ τὴν ἀπόγνωσιν τῆς σωτηρίας τετύχηκε τῆς σωτηρίας. **Καὶ διαιρεθήσεται τοῦ ταράξαι ἔθνη ἐπὶ πλανήσει ματαίᾳ καὶ διώξεται αὐτοὺς πλάνησις**
230 **καὶ λήψεται αὐτοὺς κατὰ πρόσωπον αὐτῶν.** Τοῦτό φησι τὸ ὕδωρ τὸ κατὰ σοῦ ὁρμῆσαν διαιρεθήσεται καὶ καθ' ἑαυτοῦ ταραχθήσεται. Ὕδωρ δὲ καλεῖ τῶν Ἀσσυρίων τὴν στρατιάν· τούτους γὰρ καὶ πεπλανῆσθαι λέγει προσδοκήσαντας περιέσεσθαι τοῦ τῶν ὅλων θεοῦ.
235 **29 Μὴ διὰ παντὸς δεῖ ὑμᾶς εὐφραίνεσθαι καὶ εἰσπορεύεσθαι εἰς τὰ ἅγιά μου διὰ παντὸς ὡσεὶ ἑορτάζοντας καὶ ὡσεὶ εὐφραινομένους εἰσελθεῖν μετὰ αὐλῶν (εἰ)ς τὸ ὄρος κυρίου πρὸς τὸν θεὸν τοῦ Ἰσραήλ ;** Ἐπειδὴ τῶν δέκα περιεγένεσθε φυλῶν ἐμοῦ διὰ τὴν ἐκείνων ἀσέβειαν (συγχω)ρήσαντος,
240 καὶ τὴν ἀφιερωμένην μοι πόλιν πορθήσειν προσεδοκήσατε καὶ τοσαύτην ἐμοὶ μὲν ἀσθέ(νειαν), ὑμῖν δὲ αὐτοῖς προσμεμαρτυρήκατε δύναμιν ὡς μετὰ αὐλῶν καὶ χορῶν τὴν πολιορκίαν ποιήσα(σθαι).
Ἀλλ' ἐλέγχεται τῆς ἐλπίδος ὑμῶν τὸ μάταιον· 30 **Ἀκου-**
245 **στὴν γὰρ κύριος ποιήσει τὴν δόξαν τῆς φωνῆς αὐτοῦ καὶ τὸν (θυ)μὸν τοῦ βραχίονος αὐτοῦ δείξει, μετὰ θυμοῦ καὶ ὀργῆς καὶ φλογὸς κατεσθιούσης κεραυνώσει βιαίῳ (καὶ) ὡς λίθοι καὶ ὡς χάλαζα συγκαταφερομένη βίᾳ.** Ἔδειξε τῆς τιμωρίας τὸ εὔκολον. Ῥᾴδιον γάρ μοί φησι καὶ φλογὶ παραδοῦναι

C : 232-234 ὕδωρ — θεοῦ ‖ 238-244 ἐπειδὴ — μάταιον ‖ 248-252 ἔδειξε — ὄλεθρον

243 ποιήσα .... K : ποιεῖσθαι C ‖ 249 γάρ μοι K : ∾ Cr γάρ Cv·90·377·564

hymnes à ce propos. *L'oracle de ses lèvres est un oracle plein de colère, l'oracle de sa bouche.*

Il montre ensuite la force du commandement divin : *Comme un feu il dévorera; 28. et son souffle comme une eau en crue dans un ravin arrivera jusqu'au cou.* Il révèle ici le danger couru par la cité : elle est comparée à un homme qui a subi le déferlement de l'eau jusqu'à hauteur du cou et qui s'est attendu à être englouti, puis qui a été, contre toute espérance, délivré (du danger). De même aussi Jérusalem, après avoir désespéré du salut, a obtenu le salut. *Et elle se divisera pour agiter les nations au sujet de leur vaine erreur et l'erreur les poursuivra et les prendra au visage.* Cette eau, dit-il, après s'être élancée contre toi, se divisera et s'agitera contre elle-même. Or, il appelle « eau » l'armée des Assyriens ; ils ont eux aussi, dit-il, été victimes de l'erreur, puisqu'ils avaient compté se rendre maîtres du Dieu de l'univers.

29. *Vous faut-il par hasard vous réjouir toujours et pénétrer toujours dans mes lieux saints comme si vous célébriez une fête et, comme si vous étiez dans la joie, entrer avec des flûtes sur la montagne du Seigneur vers le Dieu d'Israël?* Pour vous être rendus maîtres des dix tribus — je l'ai permis à cause de leur impiété —, vous avez compté mettre à sac la cité qui m'est consacrée ; par votre conduite vous avez attesté que vous étiez persuadés de l'importance de ma faiblesse et inversement de celle de votre puissance, au point de faire le siège de la cité avec des flûtes et des chœurs de danse.

Mais la preuve est faite de la vanité de votre espérance : 30. Car *le Seigneur fera entendre la majesté de sa voix et il montrera la colère de son bras ; avec colère, avec irritation et avec un feu dévorant, il frappera avec violence comme pierres et comme grêle qui s'abat avec force.* Il a montré la facilité qu'il a d'exercer le châtiment. Car il m'aurait été facile, dit-il, de vous livrer à la flamme, d'envoyer contre

250 καὶ κεραυνοὺς καὶ πρηστῆρας ἐπαγαγεῖν καὶ λίθους ἀφεῖναι χαλάζης, ἀλλὰ (τῆς) δυνάμεως δεικνὺς τὴν ὑπερβολὴν λόγῳ μόνῳ ποιοῦμαι τὸν ὄλεθρον · [31] **Διὰ γὰρ τῆς φωνῆς κυρίου (ἡττηθή)σονται οἱ Ἀσσύριοι τῇ πληγῇ ᾗ ἂν πατάξῃ αὐτούς.** Ἀρκεῖ μοι καὶ ὁ λόγος εἰς τιμωρίαν καὶ μαρτυρήσει (τῷ
255 λ)όγῳ τὸ ἔργον. [32] **Καὶ ἔσται αὐτῷ κυκλόθεν, ὅθεν ἦν αὐτῷ ἡ ἐλπὶς τῆς βοηθείας, ἐφ' ᾗ αὐτὸς ἐπεποίθει · οὗτοι (μετὰ) τυμπάνων καὶ κιθάρας καὶ ἐν πολέμοις ἀφορισμοῦ καὶ πολεμήσουσιν αὐτὸν ἐκ μεταβολῆς.** (Τὴν γὰρ) τῶν Ἀσσυρίων πανωλεθρίαν αἱ ὑπήκοοι πόλεις μεμαθηκυῖαι δημοτελεῖς
260 ἐπετέλουν πανηγύρεις (καὶ τοῖς) φεύγουσιν ἀπαντῶσαι τοὺς πλείστους διέφθειραν.

[33] **Σὺ γὰρ πρὸ ἡμερῶν ἀπατηθήσῃ · μὴ καὶ σοὶ ἡτοιμά(σθη) βασιλεύειν φάραγγος βαθείας ; Ὅτι ἡτοιμάσθη πρὸ ἡμερῶν ὁ θαφὲθ αὐτῆς καί γε αὐτὴ τῷ βασιλεῖ ἡτοιμάσθη.** Ταῦτα
265 ὁ Σύμμαχος οὕτως ἡρμήνευσεν · « Προητοίμασται γὰρ ἀπ' ἐχθὲς ὁ θαφὲθ αὐτῆς καί γε αὐτὴ (τῷ) βασιλεῖ ἡτοιμάσθη » · οὕτω δὲ καὶ ὁ Θεοδοτίων. Τὸ δὲ θαφὲθ ἢ θόφθη εὗρον παρὰ τῷ Σύρῳ ἡρμηνευμένον [οὕ]τως · « ὅτι ἀπ' ἐχθὲς ἡτοιμάσθη ἡ βρῶσις αὐτῆς », τουτέστι τῆς τοῦ Ἀσσυρίου
270 στρατιᾶς · ἐν δέ γε τῇ Ἑρμηνείᾳ τῶν [Ἑβρ]αϊκῶν Ὀνομάτων εὗρον τοῦτο « συγκλεισμὸν » ἡρμηνευμένον. Ἡ αὐτὴ δέ ἐστι διάνοια · λέγει γὰρ ὁ προφητικὸς [λόγος] τῷ Ἀσσυρίῳ · Ἐπειδὴ ὡς φάραγγος κατεφρόνησας τῆς Ἱερουσαλὴμ καὶ ταύτης κρατήσειν ἤλπισας, ἴσθι ὅτι [ἐκεῖ ὁ κατὰ] σοῦ
275 ὄλεθρος προευτρέπισται · ἐνταῦθα γὰρ συγκλεισθήσῃ καὶ καταβρωθήσῃ.

C : 254-255 ἀρκεῖ — ἔργον || 258-261 τὴν — διέφθειραν

1. Allusion à l'histoire de Gédéon précédemment évoquée (*In Is.*, 3, 797-799 ; 4, 314-317).

2. Il s'agit encore du désastre éprouvé par l'armée de Sennachérib ; en réalité, le désastre est loin d'avoir été total, mais l'importance de l'événement pour les Juifs explique les proportions exagérées que lui donnent le texte sacré et, à sa suite, Théodoret. C'est à partir du texte biblique que l'exégète conjecture la rébellion et la liesse des cités sujettes de l'Assyrie.

vous foudres et éclairs d'orage et de lancer contre vous des grêlons[1], mais, pour montrer que ma puissance passe tout cela, je me contente de la parole pour provoquer la mort : 31. *Car c'est grâce à la voix du Seigneur que les Assyriens seront vaincus par le coup dont il les frappera.* Il me suffit même de la parole pour exercer le châtiment et l'œuvre accomplie témoignera en faveur de ma parole. 32. *Et cela se produira pour lui de tous les lieux d'alentour d'où il espérait le secours dans lequel il avait mis sa confiance: ils (viendront) avec tambourins et cithare et, en des combats séparés, ils le combattront après avoir changé d'attitude.* En effet, lorsque les villes sujettes eurent appris la ruine totale des Assyriens[2], elles organisaient aux frais de l'État des réjouissances publiques et se portaient à la rencontre des fugitifs dont elles mirent à mort le plus grand nombre.

33. *Car toi tu seras trompé (plusieurs) jours à l'avance: a-t-elle pa hasard été préparée également pour toi la royauté sur un ravin profond? Car il a été préparé (plusieurs) jours à l'avance son thapheth et elle a été préparée pour le roi.* Symmaque a interprété ce passage de la manière suivante : « Car il est tout prêt depuis hier son thapheth et elle a été préparée pour le roi » ; telle est aussi l'interprétation de Théodotion. Quant au terme « thapheth » ou « tophthé », j'en ai trouvé chez le traducteur syrien l'interprétation suivante : « car depuis hier a été préparé son manger », c'est-à-dire celui de l'armée de l'Assyrien[3] ; toutefois, dans l'*Interprétation des noms hébreux*, j'ai trouvé ce terme traduit par « fermeture ». Mais le sens est identique ; le texte prophétique déclare à l'Assyrien : Puisque tu as méprisé Jérusalem comme un ravin et que tu as espéré l'emporter sur elle, sache qu'en ce lieu la mort qui doit te frapper se tient toute prête : car c'est là que tu seras enfermé et dévoré.

3. Cf. Introd., t. I, p. 48 s.

Ὅθεν ἐπήγαγεν · **Ἐβάθυνεν (ἐπλ)άτυνε τὴν πυρὰν αὐτῆς.** Τουτέστιν ἡ ἑτοιμασθεῖσά σοι τιμωρία · τοῦτο γὰρ δηλοῖ τὰ ἑξῆς · **Ξύλα κείμενα, πῦρ καὶ (ξύλα) πολλά, ὁ θυμὸς**
280 **κυρίου ὡς φάρα⟨γ⟩ξ ὑπὸ θείου καιομένη.** Οὗ δὴ χάριν ὁ Σύρος τὸ θαφὲθ ἑρμηνεύων « βρῶσιν » τὴν [τιμωρ]ίαν ἐκάλεσε · τροφὴ γὰρ πυρὸς τὰ ξύλα.

Οὕτω καὶ ταῦτα συμπεράνας τοὺς εἰς Αἴγυπτον καταπεφευγότας [πάλι]ν θρηνεῖ · **31**[1] **Οὐαὶ οἱ καταβαίνοντες εἰς**
285 **Αἴγυπτον ἐπὶ βοήθειαν, οἱ ἐφ' ἵπποις πεποιθότες καὶ ἅρμασιν · (ἔστ)αι γὰρ πολλὰ ἅρματα καὶ ἔφιπποι εἰς πλῆθος σφόδρα · καὶ οὐκ ἦσαν πεποιθότες ἐπὶ τὸν ἅγιον τοῦ Ἰσραὴλ (καὶ τὸν κύριον) οὐκ ἐξεζήτησαν.** Ἰσχυροτέραν φησὶ τῆς τοῦ βοηθείας τὴν ἵππον ὑπέλαβον, ἐπειδὴ πολλοὺς
290 (ἔμαθον παρ') Αἰγυπτίοις ἵπποις καὶ ἅρμασι κεχρημένους.

2 Καὶ αὐτὸς σοφὸς ἦγεν ἐπ' αὐτοὺς κακά, καὶ ὁ λόγος |139 a| **αὐτοῦ οὐ μὴ ἀθετηθῇ.** Ἠπείλησεν αὐτοῖς φησι τιμωρίαν, καὶ ἔσται πάντως ἡ πρόρρησις · ἀψευδὴς γὰρ τῆς ἀληθείας ἡ ψῆφος. **Καὶ ἐπαναστήσεται ἐπ' οἴκους**
295 **ἀνθρώπων πονηρῶν καὶ ἐπὶ τὴν ἐλπίδα αὐτῶν τὴν ματαίαν.** Κολάσει γὰρ οὐ μόνον αὐτοὺς ἀλλὰ καὶ τοὺς Αἰγυπτίους εἰς οὓς ἐπεποίθεσαν. Τοῦτο γὰρ ἐπήγαγεν · **3 Αἰγύπτιον ἄνθρωπον καὶ οὐ θεόν, ἵππων σάρκες καὶ οὐκ ἔστι βοήθεια.** Δέον πιστεύειν θεῷ τοῖς Αἰγυπτίοις ἐθάρρησαν καὶ τῇ ῥώμῃ
300 τῶν ἵππων. **Ὁ δὲ κύριος ἐπάξει τὴν μάχαιραν αὐτοῦ ἐπ' αὐτούς, καὶ κοπιάσουσιν οἱ βοηθοῦντες, καὶ πεσοῦνται οἱ βοηθούμενοι, καὶ ἅμα πάντες ἀπολοῦνται.** Μάχαιραν τοὺς Βαβυλωνίους καλεῖ · οὗτοι γὰρ τοῖς Αἰγυπτίοις

C : 288-290 ἰσχυροτέραν — κεχρημένους ‖ 292-294 ἠπείλησεν — ψῆφος ‖ 296-297 κολάσει — ἐπεποίθεσαν ‖ 299-300 δέον — ἵππων ‖ 302-305 μάχαιραν — Ἰουδαίους

290 ἵπποις C : > K ‖ 291 σοφὸς e tx.rec. : σοφῷ K ‖ 297 ἐπεποίθεσαν Mö. : πεποίθεσαν K ἐπεποίθεισαν C

---

1. Nouvelle allusion à la défaite des Égyptiens devant Nabuchodonosor, cf. *supra*, p. 266, n. 1.

En conséquence, il a ajouté : *Il a creusé, il a élargi son bûcher.* C'est-à-dire le châtiment qui t'a été préparé, comme le fait voir clairement la suite du passage : *Tas de bois, feu et bois en grand nombre, la colère du Seigneur (est) comme un ravin incendié par Dieu.* C'est bien la raison pour laquelle le traducteur syrien, dans l'interprétation qu'il donne du terme « thapheth », a appelé « manger » le châtiment, car l'aliment du feu c'est le bois.

Contre ceux qui ont mis une vaine confiance en l'Égypte

Sur ces mots s'achève aussi cette prédiction. Puis le prophète déplore de nouveau le sort de ceux qui sont allés chercher refuge en Égypte :

31, 1. *Malheur à ceux qui descendent en Égypte pour y chercher du secours, qui ont mis leur confiance dans des chevaux et dans des chars, car les chars seront nombreux et les cavaliers en foule compacte; et ils n'ont pas mis leur confiance dans le Saint d'Israël et ils n'ont pas recherché le Seigneur.* Ils ont pensé, dit-il, que la cavalerie avait plus de force que le secours de Dieu, pour avoir appris que chez les Égyptiens un grand nombre d'hommes se servait de chevaux et de chars.

2. *Et lui-même dans sa sagesse a envoyé contre eux le malheur, et sa parole n'a pas été violée.* Il les a menacés, dit-il, d'un châtiment et sa prédiction s'accomplira pleinement : elle n'est pas mensongère la décision de la vérité. *Et il s'élèvera contre la maison des hommes pervers et contre leur vaine espérance.* Car il ne châtiera pas seulement les fugitifs, mais aussi les Égyptiens en qui ils avaient mis leur confiance[1]. Voici, en effet, ce qu'il a ajouté : 3. *L'Égyptien est un homme et non un dieu, les chevaux sont de chair et il n'y a pas de secours.* Alors qu'ils auraient dû mettre leur foi en Dieu, ils ont mis leur confiance dans les Égyptiens et dans la vigueur de leurs chevaux. *Le Seigneur brandira son épée contre eux, les protecteurs trébucheront, les protégés tomberont et, tous ensemble, ils périront.* Il appelle « épée » les Babyloniens : ces derniers firent campa-

ἐπιστρατεύσαντες καὶ αὐτοὺς καὶ τοὺς πρὸς αὐτοὺς κατα-
305 πεφευγότας διέφθειραν Ἰουδαίους. Διὰ τοῦτο καὶ ὁ προφητικὸς ἔφη λόγος κοπιάσειν μὲν τοὺς βοηθοῦντας — τουτέστι
τοὺς Αἰγυπτίους —, πεσεῖσθαι δὲ τοὺς βοηθουμένους —
τουτέστι τοὺς Ἰουδαίους.

Εἶτα διά τινος παραβολῆς τὴν οἰκείαν αὐτοῖς ἐπιδείκνυσι
310 δύναμιν · καθάπερ γὰρ λέοντος ἐν τοῖς ὄρεσι βρυχωμένου
πτήσσει φησὶ τὰ ὑποκείμενα ζῷα, οὕτως τῆς ἐμῆς ἐπιφαι-
νομένης δυνάμεως καταλυθήσεται τὸ πλῆθος τῶν πολεμίων.
4 **Οὕτως γάρ φησι καταβήσεται κύριος Σαβαὼθ ἐπιστρατεῦσαι
ἐπὶ τὸ ὄρος Σιὼν καὶ ἐπὶ τὰ ὄρη αὐτῆς.**[1]

315 Εἶτα καὶ ἑτέραν ἐπάγει παραβολήν · 5 **Ὡς ὄρνεα πετόμενα.**
Καθάπερ γὰρ τὰ ὄρνεα τῶν οἰκείων ὑπερμαχεῖ νεοττῶν,
οὕτως ἐγὼ τῆσδε τῆς πόλεως φροντιῶ. Ταύτην μέντοι τὴν
εἰκόνα οὐκ ἐπὶ τῆς δυνάμεως ἀλλ' ἐπὶ τῆς φιλοστοργίας
ἔλαβεν · τὰ γὰρ πτηνὰ βούλεται μὲν ἐπαμῦναι τοῖς νεοττοῖς,
320 οὐ δύναται δέ, ὁ δὲ θεὸς καὶ βούλεται καὶ δύναται. Τοῦτο
γὰρ διδάσκει καὶ τὰ ἑξῆς · **Οὕτως ὑπερασπιεῖ κύριος
Σαβαὼθ καὶ ὑπὲρ (Ἱερουσαλὴμ) ὑπερασπιεῖ καὶ ἐξιλάσεται
καὶ περιποιήσεται καὶ ὑπερβήσεται καὶ σώσει αὐτήν.** Ἔδειξε
διὰ μὲν τοῦ ὑπερασπιεῖ τὴν πατρικὴν φιλοστοργίαν, διὰ
325 δὲ τοῦ ἐξιλάσεται τὴν πολλὴν φιλανθρωπίαν, διὰ δὲ τοῦ
περιποιήσ(εται) τὴν κηδεμονίαν, διὰ δὲ τοῦ ὑπερβήσεται
τὴν κατὰ τῶν πολεμίων νίκην, διὰ δὲ τοῦ σώσει τὴν ἄρρητον
(δύν)αμιν.

6 **Ἐπιστράφητε οἱ τὴν βαθεῖαν βουλὴν βουλευόμενοι καὶ
330 ἄνομον υἱοὶ Ἰσραήλ.** Ταῦτα τοίνυν εἰδότες τῶν [παρα]νόμων
ὑμῶν ἀπόστητε λογισμῶν. 7 **Ὅτι τῇ ἡμέρᾳ ἐκείνῃ ἀφαι-
ροῦνται οἱ ἄνθρωποι τὰ χειροποίητα αὐτῶν τὰ ἀρ(γυρᾶ)**

C : 306-308 τουτέστι — Ἰουδαίους ‖ 316-321 καθάπερ — ἑξῆς ‖
323-328 ἔδειξε — δύναμιν

304 καὶ αὐτοὺς K : > C ‖ 307-308 τούς¹ — τοὺς C : > K ‖ 317
οὕτως ἐγὼ K : οὕτω κἀγὼ C ‖ 318 φιλοστοργίας C : στοργίας K ‖
327 σώσει C : σῶσαι K

1. Résumé d'*Is.* 31, 4 a.

gne contre les Égyptiens et causèrent leur perte en même temps que celle des Juifs qui étaient allés chercher refuge auprès d'eux. C'est précisément pourquoi le texte prophétique a dit que les protecteurs — c'est-à-dire les Égyptiens — trébucheront et que les protégés — c'est-à-dire les Juifs — tomberont.

La puissance de Dieu et la défaite de Sennachérim

Puis, en usant d'une parabole, il leur montre sa propre puissance[1] : lorsqu'un lion rugit sur les montagnes, dit-il, les animaux qui subissent sa loi se blottissent de crainte ; de la même manière, quand se manifestera ma puissance, la foule des ennemis sera anéantie. 4. *Ainsi le Seigneur Sabaoth*, dit-il, *descendra pour guerroyer sur la montagne de Sion et sur ses hauteurs*.

Puis il introduit encore une autre parabole : 5. *Comme des oiseaux qui volent (au secours de leurs petits)*. Tout comme les oiseaux combattent pour défendre leurs propres petits, je me soucierai pour ma part de cette cité[2]. Il a pris à coup sûr cette image pour traduire non la puissance, mais la tendresse : car les volatiles veulent défendre leurs petits, mais n'en ont pas le pouvoir, tandis que Dieu le veut et en a le pouvoir à la fois. C'est ce qu'enseigne aussi la suite du passage : *Ainsi le Seigneur Sabaoth prendra la défense, de Jérusalem il prendra la défense ; il l'apaisera et l'épargnera, il la protégera et la sauvera.* Il a montré par le verbe « il prendra la défense » son amour paternel, par le verbe « il l'apaisera » l'étendue de sa bonté, par le verbe « il l'épargnera » sa sollicitude, par le verbe « il la sauvera » son indicible puissance.

6. *Convertissez-vous, vous qui concevez un dessein fourbe et criminel, fils d'Israël.* Puisque vous connaissez ces événements, renoncez donc à vos raisonnements criminels. 7. *Car en ce jour-là, les hommes feront disparaître les œuvres*

2. Rapprocher de l'interprétation de CYRILLE (70, 697 D), voisine elle-même de celle de JÉRÔME (*PL* 24, 356 B).

καὶ τὰ χρυσᾶ ἃ ἐποίησαν αἱ χεῖρες αὐτῶν ἁμαρτίαν. Προλέγει τὴν ἐσομένην εὐσέβειαν, εἰς τὴν τ[ῶν] ἐκγόνων μίμησιν
335 καὶ αὐτοὺς διεγείρων.

[8] **Καὶ πεσεῖται Ἀσ⟨σ⟩οὺρ οὐ μαχαίρᾳ ἀνδρός, οὐδὲ μάχαι(ρα) ἀνθρώπου καταφάγεται αὐτόν, καὶ φεύξεται οὐκ ἀπὸ προσώπου μαχαίρας· καὶ οἱ νεανίσκοι αὐτοῦ ἔσον(ται) εἰς ἥττημα.** Οὔτε γὰρ ἀνθρώποις οὔτε ὅπλοις ὑπουργοῖς
340 χρήσομαι κατ' αὐτοῦ, ἀλλ' ἀόρατον αὐτῷ ἐπά(ξω τὴν) πληγήν. [9] **Πέτρᾳ γὰρ περιληφθήσεται ὡς χάρακι, ὁ δὲ φεύγων ἁλώσεται.** Πέτραν καλεῖ τοῦ Ἐζεκί(ου τὴν) πίστιν· ἐκεῖνος γὰρ αὐτὸν ἀφύκτοις κακοῖς περιέλαβεν. **Καὶ ἡττηθήσονται φυγῇ οἱ ἄρχοντες αὐτοῦ, (λέγει) κύριος ὁ ἔχων
345 πῦρ ἐν Σιὼν καὶ κλίβανος αὐτῷ ἐν Ἱερουσαλήμ, ὁ δὲ φεύγων ἁλώσεται.** Ταύτην δὲ [αὐτῷ] τὴν ἀπόφασιν ἐξήνεγκεν ὁ τῶν ὅλων θεός, ὃς καὶ ἐν τῇ Σιὼν .χο..ότι καὶ ἐκεῖθεν ἐξάπτει [κατ' αὐτοῦ] οἷόν τινα κλίβανον τὴν τιμωρίαν, ἐπειδήπερ ταύτης ἤλπισε περιέσεσθαι.

350 Ἐντεῦθεν εἰς ἑτέραν πρα[γματικὴν] προφητείαν μεταφέρει τὸν λόγον καὶ προθεσπίζει τὴν κατὰ σάρκα τοῦ σωτῆρος ἡμῶν ἐπιφάνειαν· **Μα(κάριος) ὃς ἔχει ἐν Σιὼν σπέρμα καὶ οἰκείους ἐν Ἱερουσαλήμ. 32[1] Ἰδοὺ γὰρ βασιλεὺς δίκαιος βασιλεύσει, καὶ ἄρχ(οντες) μετὰ κρίσεως ἄρξουσιν·** μακα-
355 ρίζει τοὺς τὴν Σιὼν οἰκοῦντας καὶ αὐτόθι παιδοποιοῦν[τας, ποιεῖται δὲ κατη]γορίαν τῶν εἰς Αἴγυπτον πεφευγότων. Προλέγει δὲ καὶ τοῦ βασιλέως καὶ τῶν ἀρχόντων τὸ [δίκαιον κρίμα]. Εἰ δέ τις ταῦτα περὶ τοῦ Ἐζεκίου ἢ περὶ τοῦ Ἰωσίου ἢ περὶ τοῦ Ζοροβάβελ εἰρῆσθαι λέγει, δια[μαρτάνει]
360 τῆς ἀληθείας. Ὁ μὲν γὰρ Ἐζεκίας ἤδη βεβασιλεύκει, ὁ δὲ

C : 339-341 οὔτε¹ — πληγήν ‖ 342-343 Πέτραν — περιέλαβεν
343 περιέλαβεν K : περιέβαλεν C

---

1. L'histoire de Sennachérib, qui vient d'être une nouvelle fois évoquée, devrait détourner de leur projet ceux qui veulent aller chercher refuge en Égypte ; l'annonce de la venue du Messie est une raison supplémentaire pour les Juifs de ne pas quitter Jérusalem.

2. Le refus d'appliquer la prophétie à Ézéchias repose sur un

de leurs mains, leurs œuvres d'argent et d'or que leurs mains ont fabriquées (pour le) péché. Il prédit la piété à venir et les pousse eux aussi à imiter leurs descendants.

8. *Assur tombera, mais non pas sous l'épée d'un guerrier ; l'épée d'un homme ne le dévorera pas et il fuira, mais non pas à la vue d'une épée ; et ses jeunes hommes iront à la défaite.* Ce ne sont ni des hommes ni des armes que j'utiliserai comme auxiliaires contre lui, mais je lui assénerai un coup invisible. 9. *Car il sera entouré d'une pierre comme d'une palissade et quiconque essayera de fuir sera pris.* Le prophète appelle « pierre » la foi d'Ézéchias, car ce dernier a enveloppé Sennachérim de maux inéluctables. *Et ils seront vaincus dans leur fuite, ses chefs, dit le Seigneur qui détient le feu dans Sion et à qui appartient la fournaise dans Jérusalem, et quiconque essayera de fuir sera pris.* Voilà la sentence que lui a fait connaître le Dieu de l'univers, qui dans Sion . . . . . . et qui de là allume contre lui, comme une espèce de fournaise, le châtiment, puisqu'il a précisément espéré devenir maître de Jérusalem.

L'annonce de la venue du Christ

A partir de là, il change de sujet pour faire une autre prophétie liée aux événements et prophétise la Manifestation de notre Sauveur selon la chair[1] : *Heureux celui qui a dans Sion un rejeton et des parents dans Jérusalem !* **32,** 1. *Voici en effet qu'un roi juste va régner et que des chefs vont commander avec jugement* : Il estime heureux ceux qui habitent Sion et qui y engendrent des enfants et met en accusation ceux qui ont fui en Égypte. Il prédit la droiture du jugement rendu par le roi et par les chefs. Si l'on déclare, toutefois, que ces paroles ont été prononcées au sujet d'Ézéchias, de Josias ou de Zorobabel, on s'écarte de la vérité[2]. Car le règne d'Ézéchias appartenait désormais au passé et Zorobabel

argument historique qui ne vaut que si l'on interprète l'ensemble de la prophétie comme le fait Théodoret : ce chapitre, comme les

Ζοροβάβελ οὐδὲ βασιλεὺς ἦν [ἀλλὰ δη]μαγωγὸς καὶ στρατηγός, ὁ δὲ Ἰωσίας βασιλεὺς μὲν ἦν καὶ εὐσεβὴς βασιλεύς, ὑπερβαίνει δὲ [τοῦ] προφητευομένου τὰ κατορθώματα. Νοητέον <οὖν> βασιλέα μὲν τὸν δεσπότην Χριστόν, ἄρχοντας
365 δὲ τοὺς ἱεροὺς ἀπο[στόλους] καὶ τοὺς μετ' ἐκείνους τὴν τῶν ἐκκλησιῶν ἡγεμονίαν παρειληφότας. Περὶ τούτων καὶ ὁ μακάρι[ος ἔφη Δαυίδ]· « Ἀντὶ τῶν πατέρων σου ἐγεννήθησάν σοι υἱοί· καταστήσεις αὐτοὺς ἄρχοντας ἐπὶ πᾶσαν τὴν γῆν ».

370 [2] **(Καὶ ἔσται) ἄνθρωπος κρύπτων τοὺς λόγους αὐτοῦ καὶ κρυβήσεται ὡς ἀφ' ὕδατος φερομένου πολλοῦ.** Μαρτυρ(εῖ τούτοις τῶν) ἱερῶν εὐαγγελίων ἡ συγγραφή· ἐν παραβολαῖς γὰρ ἐλάλει τοῖς ὄχλοις, οἴκοι δὲ τὰς (παραβολὰς τοῖς) |139 b| ἀποστόλοις ἡρμήνευεν. **Καὶ φανήσεται ἐν Σιὼν ὡς**
375 **ποταμὸς φερόμενος ἔνδοξος ἐν γῇ διψώσῃ.** Καὶ τούτων εὑρίσκω ἐν τοῖς θείοις εὐαγγελίοις τὴν μαρτυρίαν, αὐτὸς γὰρ ἔλεγεν ὁ σωτήρ· « Ὁ πιστεύων εἰς ἐμέ, καθὼς εἶπεν ἡ γραφή, ποταμοὶ ἐκ τῆς κοιλίας αὐτοῦ ῥεύσουσιν ὕδατος ζῶντος ἀλλομένου εἰς ζωὴν αἰώνιον. » Τοῦτο τὸ ὕδωρ
380 διψῶσαν ἅπασαν ἄρδει τὴν οἰκουμένην, διαφερόντως δὲ τὴν Σιών, « ἥτις ἐστὶν ἐκκλησία θεοῦ ζῶντος, στῦλος καὶ ἑδραίωμα τῆς ἐκκλησίας ».

C : 371-374 μαρτυρεῖ — ἡρμήνευεν
375 τούτων Mö. : τοῦτο K

367 Ps. 44, 17 371-374 cf. Mc 4, 33-34 377 Jn 7, 38 ; 4, 14
381 I Tim. 3, 15

---

précédents, concerne, selon lui, les Juifs qui vont se réfugier en Égypte après le siège de Jérusalem par Nabuchodonosor et l'assassinat de Godolias. L'argument utilisé à l'égard de Zorobabel est constant chez Théodoret (cf. *supra* 4, 478-481 ; *In Jer.*, 81, 628 C ; *In Ez.*, 81, 1196 A ; 1197 A ; *In Zach.*, 81, 1924 A ; *In Psal.*, 80, 1816 BC) ; l'argument avancé dans le cas de Josias conduit bien souvent à l'interprétation typologique. Pourtant, ni Josias ni Zorobabel ne sont retenus ici à titre de « figures », comme si Théodoret voulait refuser absolument toute interprétation vétéro-testamentaire. A

n'était même pas roi, mais chef du peuple et général ; quant à Josias, il était bien roi et même un roi pieux, mais les traits de vertu dont parle le texte prophétique dépassent (sa personne). Il faut donc entendre par « roi » notre Maître le Christ et par « chefs » les saints apôtres et ceux qui, à leur suite, ont reçu la charge de diriger les Églises. C'est à leur sujet que le bienheureux David également a déclaré : « A la place de tes pères te sont nés des fils : tu les établiras comme chefs sur toute la terre. »

2. *Cet homme couvrira d'un voile ses paroles et se cachera comme (on se détourne) d'une eau impétueuse et abondante.* La relation des saints Évangiles le confirme : il parlait aux foules en paraboles, mais, en privé, il interprétait les paraboles pour ses apôtres[1]. *Et il se manifestera dans Sion comme un fleuve qui coule glorieux sur une terre assoiffée.* De cela aussi je trouve confirmation dans les divins Évangiles, car le Sauveur en personne disait : « Celui qui croit en moi, selon le mot de l'Écriture, des fleuves couleront de son sein, des fleuves d'une eau vive qui bondit pour la vie éternelle. » Cette eau étanche la soif du monde entier, mais particulièrement celle de Sion, « qui est l'Église du Dieu vivant, colonne et support de l'Église ».

l'inverse, EUSÈBE concède aux Juifs que le texte peut se rapporter à Zorobabel (roi) et à ceux qui, avec Josué, le secondaient dans son rôle (chefs) ; mais il juge impossible de leur rapporter la fin du verset (« Et il se manifestera dans Sion... ») ; revenant alors sur son explication, il voit dans le « roi » le Christ (cf. CYRILLE 70, 704 A) et dans les « chefs » les apôtres (*GCS* 206, 2-16). Quant à CHRYSOSTOME (*M.*, p. 208, § 1-2), il entend le texte de manière littérale sans préciser de quel roi il s'agit — la suite du verset est rapportée à Ézéchias — et se borne à signaler, en citant comme Théodoret le *Ps.* 44, 17, que d'autres commentateurs ont appliqué le texte au Christ et aux apôtres.

1. Même interprétation chez EUSÈBE (*GCS* 207, 6-12) et chez CYRILLE (70, 704 B).

[3] **Καὶ οὐκέτι ἔσονται πεποιθότες ἐπ' ἀνθρώποις ἀλλὰ τὰ ὦτα δώσουσιν ἀκούειν,** [4] **καὶ ἡ καρδία τῶν ἀσθενούντων**
385 **προσέξει τοῦ νοεῖν, καὶ αἱ γλῶσσαι αἱ ψελλίζουσαι ταχὺ μαθήσονται λαλεῖν εἰρήνην.** Τὴν μεταβολὴν τῶν πραγμάτων ὁ λόγος δεδήλωκεν. Ὁ γὰρ Ἄχαζ ὑπὸ τῶν Σύρων πολιορκούμενος τοὺς Ἀσσυρίους εἰς συμμαχίαν ἐκάλεσεν · οἱ δὲ μετ' ἐκεῖνον τοὺς Ἀσσυρίους φεύγοντες πρὸς Αἰγυπτίους
390 κατέφυγον. Οἱ δὲ τῷ σωτῆρι πεπιστευκότες τὴν αὐτοῦ ῥοπὴν ἀναμένουσι καὶ ταῖς αὐτοῦ διδασκαλίαις τὰ ὦτα προσφέρουσιν · καὶ αἱ πάλαι ψελλίζουσαι γλῶσσαι τρανὰ λαλοῦσι καὶ τὰ τῆς θείας εἰρήνης ποιητικά, οὐκέτι γὰρ θεοὺς ἀλλὰ θεὸν ὑμνοῦσιν.

395 [5] **Καὶ οὐκέτι οὐ μὴ εἴπωσι τῷ μωρῷ ἄρχειν, καὶ οὐκέτι οὐ μὴ εἴπωσιν οἱ ὑπηρέται σου · Σίγα.** Τοῦτο δὲ ὁ Σύμμαχος οὕτως τέθεικεν · « Οὐ κληθήσεται ἔτι ὁ ἄφρων ἄρχων οὐδὲ δολίῳ ῥηθήσεται σωτήρ. » Κατὰ μέντοι τοὺς Ἑβδομήκοντα δηλοῖ ἡ πρόρρησις τῆς ἀνοήτου τῶν Φαρισαίων καὶ γραμμα-
400 τέων διδασκαλίας τὴν παῦλαν καὶ τῶν ἐκείνοις διακονούντων τὸν τῦφον · εἷς γὰρ ἐκείνων τὸν κύριον ἐπὶ κόρρης ἐπάταξε, καὶ τῷ θειοτάτῳ ἄλλοι ἔλεγον Παύλῳ · « Τὸν ἀρχιερέα τοῦ θεοῦ λοιδορεῖς. » [6] **Ὁ γὰρ μωρὸς μωρὰ λαλήσει, καὶ ἡ καρδία αὐτοῦ μάταια νοήσει τοῦ συντελεῖν ἄνομα καὶ λαλεῖν**
405 **πρὸς κύριον πλάνησιν τοῦ διασπεῖραι ψυχὰς πεινώσας καὶ τὰς ψυχὰς τὰς διψώσας κενὰς ποιῆσαι.** Ἴδιον τῶν ἀνοήτων διδασκάλων τοὺς μαθητευομένους πλανᾶν καὶ λιμῷ κατατήκειν τοὺς τῆς θείας δεομένους τροφῆς.

[7] **Ἡ γὰρ βουλὴ τῶν πονηρῶν ἄνομα βουλεύσεται, (κατα)-**
410 **φθεῖραι ταπεινοὺς ἐν λόγοις ἀδίκοις καὶ διασκεδάσαι λόγους**

C : 406-408 ἴδιον — τροφῆς

401 cf. Jn 18, 22 402 Act. 23, 4

1. A l'époque où Phakée et Rasin le menaçaient, cf. *Is.* 7.
2. Il s'agit des Juifs qui, après la prise de Jérusalem et l'assassinat de Godolias, ont pris le parti de se réfugier en Égypte.

3. *Et ils ne mettront plus leur confiance dans les hommes, mais ils prêteront l'oreille pour écouter ; 4. le cœur des faibles s'appliquera à comprendre et les langues qui balbutient apprendront rapidement à parler de la paix.* Le texte a clairement fait voir le changement de comportement. Achaz, assiégé par les Syriens, a réclamé l'alliance des Assyriens[1] ; et ses descendants, pour fuir les Assyriens, sont allés chercher refuge auprès des Égyptiens[2]. En revanche, ceux qui ont cru au Sauveur attendent patiemment son appui et présentent leurs oreilles à ses enseignements ; les langues qui jadis balbutiaient[3] parlent un langage clair et disent la vertu créatrice de la paix divine, car ce ne sont plus des dieux, mais Dieu, qu'elles célèbrent dans leurs hymnes.

5. *Ils ne diront plus au fou de gouverner, et tes serviteurs ne te diront plus : Tais-toi.* Symmaque a rendu ce passage de la façon suivante : « On ne donnera plus le nom de ' prince ' à l'insensé et l'on n'appellera plus ' sauveur ' l'homme fourbe. » En tout cas, d'après (la version) des Septante, la prédiction fait clairement voir la cessation de l'enseignement insensé des pharisiens et des scribes ainsi que l'aveuglement orgueilleux de ceux qui les servaient ; l'un d'eux frappa en effet le Seigneur sur la joue et d'autres disaient au très divin Paul : « C'est le grand prêtre de Dieu que tu insultes. » 6. *Car le fou dira des folies et son cœur méditera des choses vaines en vue d'accomplir des choses iniques et de tenir à l'égard du Seigneur le langage de l'erreur, pour disperser les âmes affamées et rendre vides les âmes assoiffées.* C'est le propre de maîtres insensés que d'égarer leurs disciples et de faire se consumer de faim ceux qui ont besoin de la nourriture divine.

7. *Car le dessein des hommes pervers projettera des choses iniques pour perdre les humbles avec des paroles injustes et ruiner les paroles des pauvres au cours d'un*

3. C'est-à-dire les nations païennes ; rapprocher d'Eusèbe (*GCS* 207, 34-36) et de Cyrille (70, 705 C).

πενήτων ἐν κρίσει. Ἐνταῦθα τῶν κρινόντων [ἐ]λέ[γχ]ει τὸ ἄδικον. [8] **Οἱ δὲ εὐσεβεῖς συνετὰ ἐβουλεύσαντο, καὶ αὕτη ἡ βουλὴ μένει.** Μόνιμοι γὰρ οἱ τῆς εὐσεβείας καρποί, οἱ δὲ τῆς ἀσεβείας «ὡς ὁ χνοῦς, ὃν ἐκρίπτει ὁ ἄνεμος ἀπὸ
415 προσώπου τῆς γῆς».

[9] **Γυναῖκες πλούσιαι (ἀνάστη)τε καὶ ἀκούσατε τῆς φωνῆς μου· θυγατέρες ἐν ἐλπίδι εἰσακούσατέ μου τοὺς λόγους.** Γυναῖκας τὰς (πόλεις) καλεῖ· ταύτας καὶ θυγατέρας ὠνόμασεν οὐχ ὡς τοῦτο οὔσας ἀλλ' ὡς ἐσομένας διὰ τῆς
420 πίστεως· διὰ γάρ (τοι τοῦτο) προσέθηκεν· ἐν ἐλπίδι. [10] **Ἡμερῶν ἐνιαυτοῦ μνείαν ποιήσασθε ἐν ὀδύνῃ μετ' ἐλπίδος.** Διὰ τοῦ ἐνιαυτοῦ τὰς [παντ]οδαπὰς εὐεργεσίας δεδήλωκε· τὰς τῶν ὡρῶν τροπάς, τὰς τῶν ἀέρων μεταβολάς, τῶν ὑετῶν τὴν [φοράν], τοὺς διαφόρους ἀνέμους, τοὺς διὰ τούτων
425 ἀπὸ γῆς φυομένους καρπούς. Καὶ παρεγγυᾷ ὀδυνᾶσθαι κατὰ [ταὐτὸν] καὶ ἐλπίζειν· ὀδυνᾶσθαι μὲν ἐπὶ ταῖς ἁμαρτίαις, ἐλπίζειν δὲ καὶ προσμένειν τῷ θεῷ τῶν ὅλων.

(Ἀνήλ)ωται ὁ τρυγητός, πέπαυται καὶ οὐκέτι οὐ μὴ ἔλθῃ. Τρυγητὸν καλεῖ τὴν τῶν ἀγαθῶν ἀφθονίαν· οὐ[κέτι φησὶν] ἐν
430 τῇ προτέρᾳ ἔσεσθε εὐπραξίᾳ. Τοῦτο δηλοῖ καὶ διὰ τῶν ἑξῆς· [11] **Εὐθηνοῦσαι ἔκστητε, λυπήθητε (αἱ πεποιθυῖ)αι ἐπὶ πλούτῳ, ἐκδύσασθε, γυμναὶ γένεσθε, περιζώσασθε τὰς ὀσφύας σάκκους** [12] **καὶ ἐπὶ τῶν (μαστῶν) κόπτεσθε ἐπὶ ἀγρῷ ἐπιθυμήματος καὶ ἐπὶ ἀμπέλῳ γενήματος.** Ἐπειδὴ τὴν παρανομίαν οὐ(κ
435 ὀλοφύρεσθε), τὰς διὰ ταύτην ὑμῖν ἐπαγομένας τιμωρίας θρηνεῖτε.

[13] **Ἐν τῇ γῇ τοῦ λαοῦ μου ἄ(κανθα καὶ) χόρτος ἀναβήσεται,**

C : 413-415 μόνιμοι — γῆς ‖ 418-420 γυναῖκας — ἐλπίδι ‖ 434-436 ἐπειδὴ — θρηνεῖτε

419 οὔσας K : ἦσαν C ‖ 435 ταύτην C : ταύτης K

414 Ps. 1, 4

1. Cf. *In Ez.*, 81, 868 B. Même remarque chez CHRYSOSTOME (*M.*, p. 210, l. 14). CYRILLE note de son côté (70, 708 CD) que c'est une habitude de l'Écriture que d'appeler « femmes » les cités qui

jugement. Il dénonce ici l'injustice de ceux qui prononcent les jugements. 8. *Mais les hommes pieux ont conçu des desseins sensés et ce dessein demeure*. Car les fruits de la piété sont stables, tandis que ceux de l'impiété sont « comme la poussière que le vent emporte de la surface de la terre ».

L'appel des nations au détriment du peuple juif

9. *Femmes opulentes, levez-vous et écoutez ma voix ! Filles dans l'espérance, prêtez l'oreille à mes discours !* Il appelle « femmes » les cités[1] ; il les a également nommées « filles », non parce qu'elles le sont, mais parce qu'elles le deviendront grâce à la foi ; c'est bien pourquoi il a ajouté « dans l'espérance ». 10. *Faites mémoire des jours de l'année, dans une douleur mêlée d'espérance*. Par « année », il a clairement fait voir toutes sortes de bienfaits : la succession des saisons, les changements de températures, la chute des pluies, les différents vents, les fruits que ces éléments font sortir de terre. Et il recommande de s'affliger et d'espérer en même temps : de s'affliger sur ses péchés, mais de mettre son espérance et son attente dans le Dieu de l'univers.

La vendange a été supprimée, on y a mis un terme et elle ne viendra plus. Il appelle « vendange » l'abondance des biens : vous ne serez plus, dit-il, dans le bonheur facile d'autrefois. Il le fait voir clairement encore par le passage suivant : 11. *Vous qui êtes florissantes, soyez dans la stupeur, soyez dans le deuil, vous qui avez mis votre confiance dans la richesse, dévêtez-vous, mettez-vous nues, ceignez vos reins de sacs* 12. *et frappez-vous les seins sur la campagne de (votre) désir et sur la vigne de (votre) génération*. Puisque vous ne déplorez pas votre iniquité, pleurez les châtiments qui vous sont envoyés à cause d'elle.

13. *Sur la terre de mon peuple s'élèveront ronces et foin*,

jouent le rôle de métropoles et « filles », celles qui en dépendent ; il cite pour le prouver le *Ps.* 97, 8 (Sion et les filles de Juda).

καὶ ἐκ πάσης οἰκίας ἀρθήσεται εὐφροσύνη. Καὶ ταῦτα τῆς ἐρημίας (δηλωτικά). **Πόλις πλουσία.** Ἀντὶ τοῦ · πάλαι.
440 [14] **Οἶκοι ἐγκαταλελειμμένοι,** τουτέστιν · ἔσονται. **Πλοῦτον (πόλεως ἀφ)ήσουσιν, οἴκους ἐπιθυμήματος.** Τοὺς γὰρ πολεμίους ὁρῶντες πάντων προτιμήσουσι (τὴν φυγ)ήν. **Καὶ ἔσονται αἱ κῶμαι σπήλαια ἕως αἰῶνος, εὐφροσύνη ὄνων ἀγρίων, βοσκήματα ποιμέ(νων).** [Αὗται] αἱ κῶμαι μέχρι
445 καὶ τήμερον μεμενήκασιν ἔρημοι. Ἐνίων τὰ μὲν ὀνόματα εὑρίσκομεν [ἐν τῇ γρ]αφῇ, αὐτῶν δὲ τὰ ἴχνη μόνα παρ' ἐνίων ὁρᾶται.

[15] **Ἕως ἂν ἔλθῃ ἐφ' ὑμᾶς πνεῦμα ἀφ' ὑψηλοῦ, (καὶ ἔσται ἡ ἔρ)ημος ὡς ὁ Χερμέλ, καὶ ὁ Χερμὲλ εἰς δρυμὸν λογισθήσεται.**
450 Τὴν οὐρανόθεν ἐπιφοιτήσασαν (χάριν μετὰ τὴν τοῦ θεοῦ) καὶ σωτῆρος ἡμῶν ἀνάληψιν ὁ λόγος δεδήλωκεν · μετὰ γὰρ ἐκείνην τὴν δωρεὰν |140 a| ἡ μὲν πάλαι ἔρημος — τουτέστι τὰ ἔθνη — ἡ προφητικὸν ἄροτρον οὐ δεξαμένη τοῦ Καρμήλου τὴν (εὐκαρ)πίαν ἐδέξατο. Κάρμηλον δὲ τροπικῶς τὴν πάλαι
455 Ἰουδαίοις ἐπανθήσασαν ὠνόμασε χάρ(ιν). Ἰουδαῖοι δὲ πάλαι ἤνθουν ἐν προφήταις καὶ δικαίοις καὶ ἱερεῦσι, νῦν δὲ τῶν δρυμῶν τὴν ἀκαρπίαν μεμίμηνται. Ταύτην δὲ τὴν μεταβολὴν κἀν τοῖς προηρμηνευμένοις δεδήλωκεν. [16] **Καὶ ἀναπαύσεται ἐν τῇ ἐρήμῳ κρίμα,** τουτέστιν · ἐν τοῖς ἔθνεσιν. **Καὶ δικαι-**
460 **οσύνη ἐν τῷ Καρμήλῳ κατοικήσει.** Ἐν τοῖς αὐτοῖς · τὴν γὰρ ἔρημον ὠνόμασε Κάρμηλον.

C : 438-439 καὶ² — δηλωτικά ‖ 441-442 τοὺς — φυγήν ‖ 450-457 τὴν¹ — μεμίμηνται ‖ 459 τουτέστιν — ἔθνεσιν ‖ 460-461 ἐν² — Κάρμηλον

455 ὠνόμασε χάριν K : ∾ C ‖ πάλαι Mö. : οἱ πάλαι C πάλιν K ‖ 456 καὶ² C : > K ‖ νῦν δὲ K : > C ‖ 459 ἐν² K : > C

1. Cf. *In Is.*, 8, 388-398. Sur le thème du transfert des Promesses, cf. Introd., t. I, p. 83-84. Même interprétation chez Eusèbe (*GCS* 211, 15 - 212, 2) et chez Cyrille (70, 713 AB).

et de toute maison sera enlevée la joie. Cela aussi est propre à rendre évidente la désolation. *Ville opulente.* Ce qui revient à dire : « autrefois (opulente) ». 14. *Maisons délaissées*, c'est-à-dire : « elles le seront ». *Ils abandonneront la richesse de la ville, les maisons de leur désir.* A la vue des ennemis, en effet, ils préféreront la fuite à tout. *Et les bourgs seront des cavernes pour l'éternité, la joie des onagres, les pacages des troupeaux.* Ces bourgs jusqu'aujourd'hui sont restés déserts. Nous trouvons les noms de quelques-uns dans l'Écriture, mais seules leurs traces sont vues par quelques hommes.

15. *Jusqu'à ce que vienne sur vous un esprit d'en haut ; alors le désert deviendra semblable au Chermel et le Chermel sera réputé une forêt.* C'est la grâce venue du ciel après l'ascension de notre Dieu et Sauveur que le texte a clairement fait voir : à la suite de ce présent, le désert de jadis — c'est-à-dire les nations —, qui n'avait pas bénéficié de la charrue prophétique, bénéficia de la fécondité du Carmel. Il a donné le nom de Carmel de manière figurée à la grâce qui a fleuri jadis chez les Juifs. Il y avait jadis chez les Juifs floraison de prophètes, de justes et de prêtres, tandis qu'ils ont imité aujourd'hui la stérilité des forêts. Il a déjà clairement fait voir ce changement dans un passage précédemment commenté[1]. 16. *Et le jugement reposera dans le désert*, c'est-à-dire parmi les nations. *Et la justice habitera dans le Carmel.* Il s'agit encore des nations, puisqu'il a donné au désert le nom de Carmel[2].

2. Par souci d'éviter une contradiction dans le texte biblique, CYRILLE pense que le terme de « Carmel » désigne « le reste d'Israël », i.e. ceux des Juifs qui ont reconnu le Christ et qui se sont unis aux nations, si bien que le Christ habite à la fois chez eux et chez elles, lui qui est justice et jugement (70, 713 C).

[17] **Καὶ ἔσται τὰ ἔργα τῆς δικαιοσύνης εἰρή(νη).** Εἰρηνεύει γὰρ πρὸς θεὸν ὁ ταῖς θείαις ἑπόμενος ἐντολαῖς. **Καὶ κρατήσει ἡ δικαιοσύνη ἀνάπαυσιν.** Τῆς γὰρ δικαιο-
465 σύνης καὶ τῆς πρὸς θεὸν εἰρήνης καρπὸς ἡ τῶν κακῶν τῶν παρόντων ἀπαλλαγὴ καὶ ὁ ἄλυπος βίος καὶ φροντίδων ἀπηλλαγμένος. **Καὶ πεποιθότες ὦσιν ἕως τοῦ αἰῶνος.** Βέβαιον γὰρ τῶν εἰς τὸν θεὸν πεπιστευκότων τὸ φρόνημα. [18] **Καὶ κατοικήσει ὁ λαός μου ἐν πόλει εἰρήνης καὶ ἐν**
470 **πόλεσιν ἀμεριμνίας καὶ ἐν οἴκοις πεποιθήσεως, καὶ ἀναπαύσονται μετὰ πλούτου.** Πόλιν εἰρήνης τὴν ἐν τοῖς οὐρανοῖς λέγει · « Ἡ γὰρ ἄνω » φησὶν « Ἰερουσαλὴμ ἐλευθέρα ἐστίν, ἥτις ἐστὶ μήτηρ πάντων ἡμῶν. » Πόλεις δὲ ἀμεριμνίας καὶ τὰς διαφόρους λέγει μονάς · « Πολλαὶ » γάρ φησι
475 « μοναὶ παρὰ τῷ πατρί μου. » Ἔχουσι δὲ καὶ τὸν πλοῦτον τὸν ἄσυλον · « Θησαυρίζετε » γάρ φησιν « ὅπου σὴς καὶ βρῶσις οὐκ ἀφανίζει οὔτε κλέπται διορύττουσι καὶ κλέπτουσιν. »

[19] **Ἡ δὲ χάλαζα ἐὰν καταβῇ, οὐκ ἐφ' ὑμᾶς ἥξει.** Καὶ κατὰ
480 τὸν παρόντα δὲ βίον κρείττους διὰ τῆς ἐμῆς ἐπικουρίας τῶν πολεμούντων γενήσεσθε. **Καὶ ἔσονται οἱ ἐνοικοῦν(τες) ἐν τοῖς δρυμοῖς πεποιθότες ὡς ἐν τῇ πεδινῇ.** Δρυμὸν τὰ ἔθνη προσηγόρευσε τὰ ἄκαρπα [πάλαι καὶ] πεδινὴν τὴν Ἰουδαίαν ὡς πάλαι καρποφοροῦσαν. Προλέγει τοίνυν ὡς
485 ἀδεῶς τῆς ἀληθ[είας] οἱ κήρυκες καὶ μεταξὺ τῶν ἐθνῶν πολιτεύσονται. Εἰ δὲ καὶ κατὰ τὸ ῥητὸν βούλεταί τις τὸ χωρίον νοῆσαι, ὁράτω τοὺς ἐν ταῖς κορυφαῖς τῶν ὀρῶν ἀσκητάς, μόνους μὲν ἐνδιαιτωμένους ταῖς ἀκρωρεί[αις],

C : 462-463 εἰρηνεύει — ἐντολαῖς ‖ 464-467 τῆς — ἀπηλλαγμένος ‖ 468 βέβαιον — φρόνημα ‖ 471-478 πόλιν — κλέπτουσιν ‖ 479-481 καὶ — γενήσεσθε

462-463 εἰρηνεύει C : εἰρηνεύσει K ‖ 465 καρπὸς C : ὁ καρπὸς K ‖ 468 τὸν K : > C ‖ 477 οὔτε K : οὐδὲ C ‖ διορύττουσι C : διορύσσουσιν K

Promesse d'une vie de paix et de sécurité

17. *Et les œuvres de la justice seront la paix.* Car il vit en paix avec Dieu celui qui observe les commandements divins. *Et la justice assurera le repos.* Car la justice et la paix avec Dieu ont pour fruits la délivrance des maux présents, une vie exempte de chagrin et libérée des soucis. *Et qu'ils soient dans la confiance pour l'éternité.* Car ferme est l'esprit de ceux qui ont cru en Dieu. 18. *Et mon peuple habitera dans une cité de paix, dans des cités exemptes d'inquiétude et dans des maisons de confiance, et ils s'y reposeront au sein de la richesse.* Par « cité de paix » il entend la cité qui est dans les cieux : « Car la Jérusalem d'en haut », dit (l'Apôtre), « est libre, elle qui est notre mère à tous. » Par « cités exemptes d'inquiétude » il entend également les différentes demeures (célestes) : « Nombreuses sont les demeures », dit (l'Écriture) « auprès de mon Père. » Enfin, (ceux qui ont cru) possèdent aussi la richesse que rien ne peut atteindre : « Amassez des trésors », dit (l'Écriture), « là où le ver et la mite ne détruisent pas, où les voleurs ne percent pas les murs et ne volent pas. »

19. *Et si la grêle tombe, elle ne viendra pas sur vous.* Même durant la vie présente, grâce à mon assistance vous l'emporterez sur vos ennemis. *Et ceux qui habitent dans les forêts seront dans la confiance comme ceux qui habitent dans la plaine.* Il a donné le nom de « forêt » aux nations qui étaient jadis stériles, et celui de « plaine » à la Judée parce qu'elle portait jadis du fruit. Il prédit donc que les hérauts de la vérité vivront sans crainte même au milieu des nations. Si, toutefois, on veut comprendre également à la lettre le passage, que l'on considère les ascètes qui vivent au sommet des montagnes : ils mènent une existence solitaire sur les cimes, mais leur confiance est plus grande

472 Gal. 4, 26 474 Jn 14, 2 476 Matth. 6, 20

μᾶλλον δὲ θαρροῦντας ἢ τοὺς τὰς μεγίστας πόλεις οἰκοῦντας
490 τῷ πλήθει τῶν οἰκητόρων.

[20] **(Μακά)ριος ὁ σπείρων ἐπὶ πᾶν ὕδωρ, οὗ βοῦς καὶ ὄνος πατεῖ.** Τὴν μίαν ἐκκλησίαν τὴν ἐξ ἐθνῶν καὶ Ἰουδαίων συνειλεγμένην ὁ λόγος ᾐνίξατο. Ἀκάθαρτος γὰρ κατὰ νόμον ὁ ὄνος, τοιαῦτα δὲ (ἦν) καὶ τὰ ἔθνη πρὸ τῆς τοῦ σωτῆρος
495 ἐπιφανείας · καὶ καθαρὸς δὲ κατὰ νόμον ὁ βοῦς, διὸ καὶ ὑπὲρ τοῦ (ἀρχι)ερέως καὶ ὑπὲρ τοῦ λαοῦ προσεφέρετο. Καλεῖ τοίνυν ὄνον μὲν τοὺς ἐξ ἐθνῶν, βοῦν δὲ τοὺς ἐξ (Ἰουδαίων) πεπιστευκότας, ὕδωρ δὲ τὸ λυτήριον τῶν ἁμαρτημάτων καὶ καθαρτήριον τῶν ψυχῶν, τὸ παν(άγιον)
500 βάπτισμα, σπόρον δὲ τὸν διδασκαλικὸν λόγον.

Ἐπειδὴ δὲ τὰ εἰρημένα ὑπέσχετο, πολλὰς [δὲ τῆς] ἀληθείας οἱ κήρυκες ὀδύνας ὑπέμενον ἐξελαυνόμενοι καὶ διωκόμενοι καὶ μαστιγούμενοι καὶ μυ[ρία θανάτων] ὑπομένοντες εἴδη, διὰ τῆς προφητικῆς αὐτοῦ γλώττης ὁ δεσπότης
505 ψυχαγωγεῖ · **33[1] Οὐαὶ ὁ ταλαι(πωρῶν) ὑμᾶς, ὑμᾶς δὲ οὐδεὶς ποιεῖ ταλαιπώρους.** Οἱ διώκοντες ὑμᾶς φησιν ἄθλιοί εἰσι καὶ τρι(σάθλιοι, ὑμεῖς) δὲ μακάριοι · οἱ μὲν γὰρ ἀδικοῦσιν, ὑμεῖς δὲ οὐκ ἀδικεῖσθε. Τοῦτο καὶ ὁ μακάριος ἔφη Παῦλος · « (Ἐν παντὶ) θλιβόμενοι ἀλλ' οὐ στενοχωρού-
510 μενοι, ἀπορούμενοι οὐκ ἐξαπορούμενοι, διωκόμενοι ἀλλ' οὐκ ἐγκαταλειπό(μενοι, κα)ταβαλλόμενοι ἀλλ' οὐκ ἀπολλύμενοι. » **Καὶ ὁ ἀθετῶν ὑμᾶς οὐκ ἀθετεῖ.** Τοῦτο καὶ ἐν τοῖς θείοις [εὐαγγελίοις] ἔφη πρὸς αὐτοὺς ὁ δεσπότης · « Ὁ δεχόμενος

C : 492-500 τὴν[1] — λόγον ‖ 506-508 οἱ — ἀδικεῖσθε

493 γὰρ K : μὲν γὰρ C ‖ 493.495 νόμον K : τὸν νόμον C ‖ 495 καὶ[1] K : > C ‖ 497 βοῦν K : βοῦς C

493-496 cf. Lév. 11, 3 ; 4, 3.13.14 509 II Cor. 4, 8-9 513 Matth. 10, 40 ; Lc 10, 16

1. On sait l'intérêt porté par Théodoret au monachisme et à la vie érémitique en honneur en Syrie ; sur cette présence des ascètes sur les cimes, cf. *Thérap.* X, 52. CHRYSOSTOME ne retient pour ce verset qu'un sens moral assez proche, du reste, du sens littéral donné

que celle de ceux qui résident dans les plus grandes villes entourés d'une foule d'habitants[1].

20. *Heureux celui qui sème sur toute eau, là où le bœuf et l'âne foulent le sol.* Le texte a fait allusion à l'unique Église que forme la réunion des nations et des Juifs. Car, selon la Loi, l'âne est impur et c'était également la condition des nations avant la Manifestation du Sauveur ; en revanche, selon la Loi, le bœuf est pur, c'est pourquoi on l'offrait dans l'intérêt du grand prêtre et du peuple. Il appelle donc « âne » les croyants issus des nations et « bœuf » les croyants issus des Juifs ; « eau » le très saint baptême qui délivre des péchés et qui purifie les âmes[2], et « semence » l'enseignement de la doctrine.

Encouragements prodigués aux apôtres

Puisqu'il a fait les promesses que nous venons d'entendre, mais que les hérauts de la vérité subissaient une foule d'épreuves — ils étaient chassés, persécutés, victimes du fouet et supportaient mille espèces de morts —, par la voix de son prophète, le Maître (les) réconforte : **33,** 1. *Malheur à celui qui vous afflige, mais personne ne fait de vous des affligés.* Malheureux, oui trois fois malheureux, dit-il, sont ceux qui vous persécutent, mais vous, bienheureux êtes-vous ! car ils commettent l'injustice, mais vous, vous ne succombez pas à l'injustice. C'est ce qu'a également dit le bienheureux Paul : « Pressés de toutes parts, mais non pas écrasés ; ne sachant qu'espérer, mais non désespérés ; persécutés, mais non abandonnés ; terrassés, mais non annihilés. » *Et celui qui vous rejette ne vous rejette pas.* C'est ce que, dans les divins Évangiles également, le Maître leur a dit : « Qui vous accueille

par Théodoret : l'homme vertueux vit plus en sécurité dans les forêts que l'homme dépravé dans les villes (*M.*, p. 211-212).

2. Voir l'interprétation très proche de CYRILLE à propos du « bœuf » et de l'« âne » ; s'il voit seulement dans l'« eau » la parole de Dieu inspirée par l'Esprit, il parle plus loin du baptême qui purifie (70, 716 D - 717 A).

ὑμᾶς ἐμὲ δέχεται καὶ ὁ ἀθετῶν ὑμᾶς οὐχ ὑμᾶς (ἀθετεῖ
515 ἀλλὰ) τὸν ἀποστείλαντα ὑμᾶς. »

Ἁλώσονται γὰρ οἱ ἀθετοῦντες καὶ παραδοθήσονται, καὶ ὡς σὴς (ἐφ' ἱματίῳ) οὕτως ἡττηθήσονται. Ταῦτα δὲ ὁ Σύμμαχος οὕτως ἡρμήνευσεν · « Ὅταν συντελέσῃς ταλαιπ(ωρίζων, ταλαι)πωρηθήσῃ · ὅταν κοπιάσῃς ἀθετῶν, ἀθε-
520 τ<ηθ>ήσῃ. » Ἀντὶ τοῦ · Καθ' ἑαυτὸν τὸ ξίφος ὠθεῖς καί, [τῷ πλησίον εἰ ὀ]ρύττεις βόθρον, σαυτὸν ἐμβαλεῖς. Καὶ ὥσπερ τὸ ἱμάτιον τίκτει τὸν σῆτα καὶ [ὑπὸ τοῦ σητὸς] κατεσθίεται, οὕτω καὶ ὑμεῖς ὑπὸ τῆς πονηρίας ἣν ἐτέκετε καταναλωθήσ[εσθε.

525 Ἡμεῖς δὲ ταῦτα |140 b| με]μαθηκότες τὴν μὲν τούτων ὁδὸν καταλίπωμεν, τῶν δὲ προφητῶν καὶ ἀποστόλων τὸν βίον ζηλώσωμεν, ἵνα σὺν αὐτοῖς τῶν ἐπηγγελμένων ἀπολαύσωμεν ἀγαθῶν χάριτι καὶ φιλανθρωπίᾳ τοῦ τὰς [ἐπ]αγγελίας δεδωκότος Χριστοῦ, μεθ' οὗ τῷ πατρὶ σὺν τῷ παναγίῳ
530 πνεύματι δόξα πρέπει καὶ τιμὴ καὶ μεγαλοπρέπεια νῦν καὶ ἀεὶ καὶ εἰς τοὺς αἰῶνας τῶν αἰώνων. Ἀμήν.

515 ὑμᾶς : +οἱ K

---

1. L'expression traduit sans doute la croyance de Théodoret à

m'accueille ; et qui vous rejette, ce n'est pas vous qu'il rejette, mais celui qui vous a envoyés. »

Car ils seront pris ceux qui (vous) rejettent et ils seront livrés : comme le ver sur un manteau, ainsi seront-ils vaincus. Symmaque a interprété ce passage de la manière suivante : « Lorsque tu auras achevé de répandre l'affliction, tu seras affligé ; lorsque tu seras las de rejeter, tu seras rejeté. » Ce qui revient à dire : C'est contre toi-même que tu pousses le glaive et, si tu creuses un trou pour ton prochain, c'est toi-même que tu y précipiteras. Et tout comme le manteau engendre le ver et que le ver le mange, la perversité que vous avez engendrée vous anéantira[1].

Parénèse

Quant à nous qui venons d'apprendre ces vérités, abandonnons la route que suivent ces gens-là et cherchons à imiter la vie des prophètes et des apôtres, afin qu'avec eux nous jouissions des biens promis en raison de la grâce et de la bonté du Christ qui a fait ces promesses. Au Père, en union avec lui, dans l'unité du très saint Esprit, conviennent gloire, honneur et magnificence, maintenant et toujours et pour les siècles des siècles. Amen.

une espèce de génération spontanée, cf. *In Is.*, 16, 112-113 et rapprocher du « fer qui engendre la rouille » (*id.*, 4, 76-77).

ΤΟΜΟΣ Ι'

[2] **Κύριε ἐλέησον ἡμᾶς, ἐπὶ σοὶ γὰρ πεποίθαμεν.** Προθεσπίσας ὁ προφήτης καὶ τῶν Ἀσσυρίων τὴν ἔφοδον καὶ τὸν ὄλεθρον καὶ τὴν μετὰ ταῦτα τῶν Ἰουδαίων αἰχμαλωσίαν καὶ τὴν 5 τῆς Ἱερουσαλὴμ ἐρημίαν, εἶτα τὴν ἐπάνοδον καὶ τὰ μετὰ τὴν ἐπάνοδον γεγενημένα καὶ τὴν τῶν ἐθνῶν ἐκλογὴν καὶ τὴν τῶν Ἰουδαίων ἀποβολὴν καὶ τὰ τῶν ἀποστόλων κηρύγματα, τὴν ὑπὲρ τῶν Ἰουδαίων ἱκετείαν προσφέρει ὀλοφυρόμενος αὐτῶν τὴν ἀπιστίαν καὶ τὴν ἐντεῦθεν προσγε- 10 νομένην αὐτοῖς ἀπώλειαν· τοῦτο γὰρ καὶ διὰ τῶν ἑξῆς δεδήλωκεν. **Ἐγενήθη τὸ σπέρμα τῶν ἀπειθούντων εἰς ἀπώλειαν, ἡ δὲ σωτηρία ἡμῶν παρὰ σοῦ ἐν καιρῷ θλίψεως.** Κέκληκε δὲ αὐτοὺς οὐ μόνον ἀπειθοῦντας ἀλλὰ καὶ σπέρμα ἀπειθούντων, ἐπειδὴ καὶ αὐτοὶ καὶ οἱ πατέρες τὴν αὐτὴν 15 ἐσχήκασι γνώμην.

[3] **Διὰ τὴν φωνὴν τοῦ φόβου σου ἐξέστησαν λαοί, καὶ ἀπὸ τῆς ὑψώσεώς σου διεσπάρη τὰ ἔθνη.** Τότε μὲν ἐν τῷ κατὰ τοὺς Ἀσσυρίους θαύματι τοῦτο ἐγένετο, χρόνῳ δὲ ὕστερον τὰ ἀποστολικὰ θαύματα καὶ εἰς θαῦμα [το]ύτους διήγειρε 20 καὶ τὴν κακὴν διεῖλεν ὁμόνοιαν· δίκην γὰρ μαχαίρας ὁ θεῖος λόγος διεῖλεν υἱὸν ἀπὸ πατρὸς καὶ θυγατέρα ἀπὸ μητρός.

20-22 cf. Matth. 10, 35

---

1. Ce résumé destiné à rappeler quelques-uns des grands ensembles autour desquels s'organise le commentaire dans la section précédente témoigne de la volonté de clarté de notre exégète, mais laisse l'impression décevante d'une énumération sans unité véritable. Théodoret ne fait même pas allusion à l'exhortation réitérée du prophète à l'adresse de ceux qui veulent gagner l'Égypte ; or la manière dont les choses étaient présentées dans la 9e section laissait entrevoir là un thème essentiel, autour duquel pouvait s'articuler tout le reste de

DIXIÈME SECTION

Résumé et supplication en faveur des Juifs

2. *Seigneur, aie pitié de nous, car nous avons mis en toi notre confiance.* Le prophète vient de prophétiser l'attaque et la ruine des Assyriens et, à une époque postérieure à ces événements, la captivité des Juifs et la désolation de Jérusalem ; puis le retour d'exil et les événements qui ont suivi ce retour, l'élection des nations, le rejet des Juifs et la proclamation du message par les apôtres[1]. Il présente maintenant en faveur des Juifs cette supplication, en déplorant leur incrédulité et la ruine qu'elle leur a procurée : c'est ce qu'il a fait voir clairement aussi par le passage suivant. *La semence des désobéissants est allée à sa ruine, mais notre salut (est venu) de toi au temps de la tribulation.* Il ne s'est pas contenté de les appeler « désobéissants », mais encore « semence de désobéissants », puisqu'ils eurent eux et leurs pères la même disposition d'esprit.

Conversion des nations

3. *A cause de la voix de la crainte que tu inspires, des peuples se sont éloignés et, loin de ta grandeur, se sont dispersées les nations.* Voilà ce qui se produisit alors, au moment où s'accomplit le prodige qui frappa les Assyriens et plus tard, lorsque les miracles opérés par les apôtres provoquèrent leur étonnement et brisèrent du même coup leur unanimité dans le mal : car la parole de Dieu, à la manière d'un glaive, a séparé le fils de son père et la fille de sa mère.

la prophétie. Si Théodoret discerne aisément les grandes masses du texte, il ne sait donc pas toujours en souligner l'unité.

[4] **Νῦν δὲ συναχθήσεται τὰ σκῦλα ὑμῶν ἀπὸ μικροῦ ἕως
μεγάλου, ὃν τρόπον ἐάν (τις) συναγάγῃ ἀκρίδα· ὡς ἀπὸ
25 βοθύνων οὕτως ἐμπαίξουσιν ὑμῖν.** Τὴν πολλὴν εὐκολίαν τοῦ
ἀποστολικοῦ κηρύγματος ἔδειξεν. Καθάπερ γάρ φησιν
εὐπετές ἐστιν ἀκρίδας συναγαγεῖν, οὕτως ἐκεῖνοι τοὺς
(γενο)μένους σκῦλα τοῦ διαβόλου καὶ συλλέξουσι καὶ τῷ
σωτῆρι προσοίσουσιν. Τὸ δὲ ἐμπαίξουσι παρ' [οὐδενὶ] τῶν
30 Ἄλλων εὕρομεν Ἑρμηνευτῶν. Αἰνίττεται δὲ ὁ λόγος ὡς
οἶμαι τὴν ἀποστολικὴν μεγαλοφ[ροσύν]ην, δι' ἣν παντὸς τοῦ
δήμου τῶν Ἰουδαίων κατ<ὰ τ>αὐτὸν κατεφρόνουν. Οὕτως
ὁ μακάριος Στέφανος [ἐβόα] · « Σκληροτράχηλοι καὶ ἀπε-
ρίτμητοι τῇ καρδίᾳ καὶ τοῖς ὠσίν, ὑμεῖς ἀεὶ τῷ πνεύματι
35 τῷ ἁγίῳ ἀντιπίπτετε, ὡς οἱ πατέρες ὑμῶν καὶ ὑμεῖς »,
οὕτω τὸ ἱερὸν ζεῦγος τῶν ἀποστόλων Πέτρος καὶ Ἰωάννης
ἔλεγον · « Πει(θαρ)χεῖν δεῖ θεῷ μᾶλλον ἢ ἀνθρώποις. »

[5] **Ἅγιος ὁ θεὸς ὁ κατοικῶν ἐν ὑψηλοῖς.** Ὑψηλοὺς τοὺς
μεταρσίους λέγει τὴν διάν(οια)ν · τούτους γὰρ οἰκητήριον
40 ἀπειργάσατο θεῖον. Διὸ καὶ ὁ θεῖος ἔλεγε Παῦλος · « Οὐκ
οἴδατε ὅτι ναὸς θεοῦ ἐστε καὶ τὸ πνεῦμα τοῦ θεοῦ οἰκεῖ
ἐν ὑμῖν ; » Ἔχεται τοίνυν τῆς ἀκολουθίας ὁ προφητικὸς
λόγος · ὑποδείξας γὰρ [τοὺς] ἱεροὺς ἀποστόλους, οἰκητήριον
αὐτοὺς καλεῖ τοῦ τῶν ὅλων θεοῦ.

45 **Ἐνεπλήσθη Σιὼν κρίσεως καὶ δι(και)οσύνης.** Τὰς κατὰ
τὴν οἰκουμένην ἐκκλησίας Σιὼν καλεῖ, ὡς πολλάκις προαπε-

C : 25-29 τὴν — προσοίσουσιν ‖ 38-42 ὑψηλοὺς — ὑμῖν ‖ 45-47 τὰς — προαπεδείξαμεν

39 λέγει/τὴν διάνοιαν K : ∾ C

33 Act. 7, 51 37 Act. 5, 29 40 I Cor. 3, 16

1. Cf. *In Psal.*, 80, 1384 B. L'interprétation de Cyrille est différente (70, 720 D), même si le terme de « dépouilles » désigne chez lui aussi les hommes spirituellement livrés à Satan et aux esprits impurs : il rapporte la prophétie à Israël et non aux nations (Φαίη δ' ἄν τις αὐτὸ δὴ τουτὶ πεπονθέναι τὸν Ἰσραήλ, καὶ πνευματικῶς παραδοθέντα τῷ Σατανᾷ καὶ τοῖς ἀκαθάρτοις πνεύμασι, καθάπερ τισὶ πολεμίοις εἰς διαρπαγήν).

4. *Et maintenant on ramassera vos dépouilles, du petit jusqu'au grand, comme lorsqu'on ramasse des sauterelles ; comme (sauterelles) au sortir de fosses, ainsi se joueront-ils de vous.* Il a montré la grande facilité avec laquelle s'est répandu le message des apôtres. Tout comme il est aisé, dit-il, de ramasser des sauterelles, ils rassembleront ceux qui étaient devenus les dépouilles du diable et les présenteront au Seigneur[1]. Quant à l'expression « ils se joueront », nous ne l'avons trouvée chez aucun des autres interprètes. Le texte fait allusion, à mon avis, à la grandeur d'âme des apôtres qui les amenait, dans le même temps, à ne faire aucun cas de tout le peuple juif. Voici les apostrophes que lançait le bienheureux Étienne : « Nuques raides, hommes au cœur et aux oreilles incirconcis, toujours vous résistez à l'Esprit-Saint ; tels furent vos pères, tels êtes-vous ! » ; voici les déclarations du saint couple que formaient les apôtres Pierre et Jean : « Il faut obéir à Dieu plutôt qu'aux hommes. »

5. *Dieu saint qui habites dans les hauteurs.* Par « hauteurs » il veut dire les hommes à la pensée élevée : car il les a transformés en demeure de Dieu[2]. Voilà pourquoi le divin Paul disait également : « Ne savez-vous pas que vous êtes le temple de Dieu et que l'Esprit de Dieu habite en vous ? » Le texte prophétique présente donc une suite logique : après avoir fait entrevoir les saints apôtres, il les appelle demeure du Dieu de l'univers.

Sion a été remplie de jugement et de justice. Il appelle « Sion » les Églises répandues à travers le monde[3], comme

2. Sans refuser le sens littéral, CHRYSOSTOME propose aussi une interprétation comparable (*M.*, p. 219, § 5 : *Non ibi tantum, verum etiam in animis excelsis*)... ; rapprocher également de CYRILLE (70, 721 A), pour qui Dieu habite bien sûr dans les hauteurs célestes, mais aussi dans ces « demeures douées de raison », les hommes, dont la grandeur de la vertu fait l'élévation.

3. De même pour CYRILLE (70, 721 A), « Sion » est l'Église du Christ pleine de droiture et de justice.

δείξαμεν. Εἰ δὲ καὶ τὴν Ἱερουσαλήμ τις ἐνταῦθα σημαίνεσθαι βούλεται, ἔχει καὶ οὕτως ἡ προφητεία τὸ ἀληθές · πολλαὶ γὰρ ἐν αὐτῇ μυ[ριά]δες ἐπίστευσαν · καὶ μάρτυς ὁ μέγας
50 Ἰάκωβος ταύτας ὑποδεικνὺς καὶ λέγων · « Θεωρεῖς ἀδελφέ, (πόσαι) μυριάδες εἰσὶ τῶν πεπιστευκότων Ἰουδαίων, καὶ πάντες ζηλωταὶ τοῦ νόμου ὑπάρχουσιν. » Οὗ δὴ [χάριν] καὶ ὁ προφητικὸς ἐπήγαγε λόγος · [6] **Ἐν νόμῳ παραδοθήσονται.** Τουτέστι τῇ καινῇ διαθήκῃ · τοῦτο γὰρ οἱ Τρεῖς [Ἑρμην]ευ-
55 ταὶ δεδηλώκασιν. Ὁ μὲν γὰρ Θεοδοτίων ἔφη< · « Καὶ ἔσται πίστις ὁ καιρός σου », ὁ δὲ Σύμμαχος> · « Καὶ ἔσται πίστις τοῦ καιροῦ σου », ὁ δὲ Ἀκύλας . « Καὶ ἔσται (πίστις) οἱ καιροί σου. » Τὰς δὲ τρεῖς ἑρμηνείας παρέθηκα, ἵνα τῆς διανοίας δείξω τὴν συμφωνίαν · καὶ [οἱ]
60 Ἑβδομήκοντα τοιγαροῦν νόμον τὴν καινὴν ἐκάλεσαν διαθήκην, ἣν οἱ Λοιποὶ « πίστιν » ὠνόμασαν.

Ἐν (θησαυροῖς) ἡ σωτηρία ἡμῶν. Ἐν ἐλπίσι γὰρ τοῖς ἁγίοις ἀπόκειται τὰ ἀγαθά. Διά τοι τοῦτο καὶ ὁ θεῖος ἀπόστολος βοᾷ · « (Τῇ γὰρ ἐλ)πίδι ἐσώθημεν · ἐλπὶς δὲ
65 βλεπομένη οὐκ ἔστιν ἐλπίς · ὃ γὰρ βλέπει τις, τί καὶ ἐλπίζει ; Εἰ δὲ ὃ οὐ βλέ(πομεν ἐλ)πίζομεν, δι' ὑπομονῆς ἀπεκδεχόμεθα », καὶ πάλιν · « Ἡ ζωὴ ἡμῶν κέκρυπται σὺν τῷ Χριστῷ ἐν τῷ (θεῷ ». **Ἐκεῖ) σοφία καὶ ἐπιστήμη καὶ εὐσέβεια πρὸς κύριον · οὗτοί εἰσι θησαυροὶ δικαιοσύνης.** Οἱ
70 γὰρ ταῦτα [μεμαθηκό]τες τῶν μελλόντων ἀπολαύσουσιν ἀγαθῶν. Σοφίαν δὲ καὶ ἐπιστήμην καὶ εὐσέβειαν καλεῖ τὴν [τοῦ δεσπότου διδ]ασκαλίαν · καὶ γὰρ ὁ θεῖος ἀπόστολός φησιν · « Ἐδόθη ἡμῖν σοφία ἀπὸ θεοῦ, δικαιοσύνη τε καὶ |141 a| ἁγιασμὸς καὶ ἀπολύτρωσις. »

75 [7] **Ἰδοὺ δὴ ἐν τῷ φόβῳ ὑμῶν αὐτοὶ φοβηθήσονται · (οὓς ἐ)φοβεῖσθε, φοβηθήσονται ἀφ' ὑμῶν.** Καὶ τῆσδε τῆς προφη-

C : 62-63 ἐν² — ἀγαθά

59 διανοίας Mö. : συμφωνίας K ‖ 64 δὲ e tx.rec. : γὰρ K

50 Act. 21, 20 64 Rom. 8, 24-25 67 Col. 3, 3 73 I Cor. 1, 30

nous l'avons déjà souvent montré. Si, toutefois, l'on veut voir ici la désignation de Jérusalem, la prophétie conserve encore de cette manière son caractère véridique : bien des milliers d'hommes qui s'y trouvaient ont embrassé la foi ; et (j'en veux) pour témoin le grand Jacques qui les présente en ces termes : « Tu vois, frère, combien de milliers de Juifs ont embrassé la foi, et ce sont tous de zélés partisans de la Loi. » Voilà bien pourquoi le texte prophétique a encore ajouté : 6. *Ils se soumettront à la loi*, c'est-à-dire au Nouveau Testament, comme l'ont fait voir clairement les trois interprètes. Théodotion a dit en effet : « Et la foi sera ton occasion (de salut) », Symmaque : « Et la foi constituera ton occasion (de salut) », Aquila : « Et la foi sera tes occasions (de salut). » J'ai présenté les trois interprétations pour montrer l'accord de la pensée ; les Septante, de leur côté, ont par conséquent appelé « loi » le Nouveau Testament que le reste des interprètes a nommé « foi ».

Notre salut est dans ses trésors. En espérance résident, en effet, les biens réservés aux saints. Voilà bien pourquoi le divin Apôtre s'écrie à son tour : « Car c'est en espérance que nous avons été sauvés ; or, voir ce que l'on espère n'est plus espérance : car ce que l'on voit, pourquoi l'espérer encore ? Mais si nous espérons ce que nous ne voyons pas, nous l'attendons avec constance » ; ou encore : « Notre vie a été cachée avec le Christ en Dieu. » *Là, près du Seigneur, sont sagesse, science et piété : ce sont là les trésors de justice.* Ceux qui auront appris cela jouiront des biens futurs. Il appelle « sagesse, science et piété » l'enseignement du Maître ; et, de fait, le divin Apôtre déclare : « La sagesse vous a été donnée par Dieu, ainsi que la justice, la sanctification et la rédemption. »

La ruine de l'idolâtrie

7. *Voici donc qu'au milieu de la crainte que vous éprouviez, ils se mettront eux-mêmes à craindre ; ceux que vous craigniez se mettront à vous craindre.* De cette

τείας θεωροῦμεν τὸ τέλος · καὶ γὰρ Ἰουδαίων (καὶ) Ἑλλήνων οἱ πάλαι τὰς ἐκκλησίας διώκοντες ταύτας δεδίασι καὶ πεφρίκασιν · καὶ οἱ πάλαι δὲ τοῖς ἀνθρώποις φοβεροὶ
80 δαίμονες νῦν τῆς εὐσεβείας τοὺς τροφίμους δειμαίνουσιν. **Ἄγγελοι ἀποσταλήσονται ἀξιοῦντες εἰρήνην, πικρῶς κλαίοντες · [8] ἐρημωθήσονται γὰρ αἱ τούτων ὁδοί.** Διέφθειρεν ὁ δεσπότης Χριστὸς διὰ τῶν τῆς εὐσεβείας κηρύκων καὶ αὐτὰς τῆς τῶν εἰδώλων πλάνης τὰς ἀτραπούς · ἐκ βάθρων
85 γὰρ ἀνέσπασε τὰ τῶν δαιμόνων τεμένη. Καὶ αὐτοὶ δὲ οἱ πάλαι θεοποιούμενοι δαίμονες παρὰ τὰς τῶν ἁγίων μαρτύρων μαστιγούμενοι θήκας πικρῶς ὀλοφύρονται. Οὕτω καὶ αὐτὸν ἐνανθρωπήσ[αντα] τὸν θεὸν λόγον ἱκέτευον λέγοντες · « Τί ἡμῖν καὶ σοὶ Ἰησοῦ υἱὲ τοῦ θεοῦ ; Ἦλθες ὧδε πρὸ καιροῦ
90 βασανίσαι ἡμᾶς ; Ἐπίτρεψον ἡμῖν ἀπελθεῖν εἰς τὴν ἀγέλην τῶν χοίρων. »

Πέπαυται ὁ φόβος τῶν ἐθνῶν, καὶ ἡ πρὸς τούτους διαθήκη αἴρεται, καὶ οὐ μὴ λογίσησθε αὐτοὺς ἀνθρώπους. Τοῦτο πάλιν οἱ Τρεῖς οὕτως ἡρμήνευσαν · « Ἐπαύσατο διοδεύων
95 τρίβον, διεσκέδασε διαθήκην, ἀπώσατο πόλεις, οὐκ ἐλογίσατο ἀνθρώπους. » Ἐπειδὴ γὰρ εἶπεν ἀνατετράφθαι τὰς ἐπιβλαβεῖς ἀτραπούς, ἐπέμεινε διδάσκων ὡς ἀπέστησαν τῶν τρίβων ἐκείνων οἱ πάλαι διοδεύοντες καὶ τὴν πρὸς τὰ εἴδωλα διαθήκην ἐσκέδασαν. Καὶ οἱ Ἑβδομήκοντα δὲ ταὐτὸ τοῦτο
100 σημαίνουσιν, ὅτι ἐπαύσατο ὁ μάταιος τῶν ἐθνῶν φόβος, τοὺς δὲ τῇ πλάνῃ προστετηκότας οὐδὲ τοῖς ἀνθρώποις συναριθμοῦσιν.

C : 77-80 καὶ — δειμαίνουσιν
80 δειμαίνουσιν K : δεδίασιν C
88 Matth. 8, 29.31

1. Dire les « Grecs » est, à cette époque, une manière de désigner l'ensemble des païens ; hellénisme et paganisme sont devenus, depuis Julien l'Apostat surtout, deux termes synonymes.
2. Sur le culte des martyrs, cf. *Thérap.* VIII (notamment § 68-70).

prophétie également nous contemplons l'accomplissement. De fait, ceux des Juifs et des Grecs[1] qui persécutaient jadis les Églises les craignent et sont dans l'effroi ; et les démons qui plaçaient jadis les hommes dans la crainte redoutent maintenant les disciples de la piété. *Des messagers seront envoyés qui réclament la paix, qui pleurent amèrement : 8. car leurs routes seront désertes.* Notre Maître le Christ a ruiné, grâce aux hérauts de la piété, jusqu'aux sentiers mêmes de l'erreur des idoles : de fond en comble, en effet, il a renversé les sanctuaires des démons. Et les démons eux-mêmes, jadis divinisés, reçoivent le fouet près des tombeaux des saints martyrs et se lamentent amèrement[2]. C'est ainsi qu'ils suppliaient même en personne le Dieu Verbe après son incarnation, en ces termes : « Qu'y a-t-il entre nous et toi, Jésus fils de Dieu ? Es-tu venu ici avant le temps pour nous tourmenter ? Ordonne-nous d'aller dans ce troupeau de porcs[3]. »

La crainte des nations a cessé, le pacte passé avec eux est rompu et vous ne les compterez pas au nombre des hommes. De ce passage, de nouveau, les trois interprètes ont donné l'interprétation suivante : « Il a cessé de parcourir le chemin, il a brisé le pacte, il a rejeté des cités, il n'a pas tenu compte des hommes. » Puisqu'il vient de dire que les sentiers de la perdition ont été bouleversés, il s'est attaché à enseigner que se sont détournés de ces chemins ceux qui les parcouraient autrefois et qu'ils ont dénoncé le pacte passé avec les idoles. Quant aux Septante, ils font également entendre cette même idée : la crainte vaine des nations a cessé, ceux qui se sont consumés dans l'erreur, on ne les compte même pas au nombre des hommes.

3. Cf. *Thérap.* X, 43-44, où la citation est utilisée pour montrer la déroute des démons, auteurs des oracles païens, après la venue du Christ ; voir aussi un développement voisin dans l'*In Zach.*, 81, 1888 BD où Théodoret cite précisément *Is.* 33, 7-8.

[9] **'Επένθησεν ἡ γῆ,** οἱ τὰ γήινα φρονοῦντες. **'Ησχύνθη ὁ Λίβανος,** τῶν εἰδώλων ἡ τυραννίς. **"Ελη ἐγένετο ὁ 'Ασηρών.**
105 Τ[ῶν] ὑπὸ νόμον τὴν ἀκαρπίαν διὰ τούτων ἠνίξατο· τῆς γὰρ αὐτῶν χώρας ὁ 'Ασηρών. **Φανερὰ ἔσται ἡ Γαλιλαία καὶ ὁ Κάρμηλος.** Κάρμηλον πολλάκις τὴν ἔρημον προσηγόρευσε, τοῦτο αὐτῇ τὸ ὄνομα τεθεικὼς μετὰ τὴν <τῶν> πραγμάτων μεταβολήν. Τῇ δὲ Γαλιλαίᾳ καὶ ἤδη προείρηκε
110 τὰ ἀγαθά· « Γαλιλαία » γὰρ « τῶν ἐθνῶν, ὁ λαὸς ὁ καθήμενος ἐν σκότει, εἶδε φῶς μέγα. » Τί δὲ οὕτω περιφανὲς ἐγένετο καὶ περίβλεπτον ; οἱ ἐκ τῆς Γαλιλαίας ἀπόστολοι. [10] **Νῦν ἀναστήσομαι, λέγει κύριος, νῦν δοξασθήσομαι, νῦν ὑψωθήσομαι,** [11] **νῦν (ὄ)ψεσθε, νῦν αἰσθήσεσθε.** Πάλαι γὰρ
115 ὑπὸ τῶν πλείστων ἀγνοούμενος διὰ τῶν εὐαγγελικῶν θαυμάτων γνωσθήσομαι, καὶ τῆς πλάνης ἀπαλλαγέντες οἱ ἄνθρωποι ἐπιγνώσονταί με τῶν ὅλων τὸν ποιητήν.

Ματαία ἔσται ἡ ὕβρις (τοῦ) πνεύματος ὑμῶν. Πρὸς 'Ιουδαίους λέγει τοὺς καὶ σταυρώσαντας καὶ τῇ ἀπιστίᾳ
120 προσμείναντας. **Πῦρ ὑμᾶς κατέ(δεται),** τὸ αἰώνιόν τε καὶ ἄσβεστον. [12] **Καὶ ἔσται ἔθνη κατακεκαυμένα ὡς ἄκανθα ἐν ἀγρῷ ἐρριμμένη καὶ κατακεκαυμένη,** οἱ τὸ σωτήριον μὴ δεξάμενοι κήρυγμα. [13] **'Α(κούσονται) οἱ πόρρωθεν ἃ ἐποίησα, γνώσονται οἱ ἐγγίζοντες τὴν ἰσχύν μου.** 'Ακριβεστέραν γὰρ

C : 103 οἱ — φρονοῦντες ‖ 104 τῶν — τυραννίς ‖ 114-117 πάλαι — ποιητήν ‖ 118-120 πρὸς — προσμείναντας ‖ 120-121 τὸ — ἄσβεστον ‖ 122-123 οἱ — κήρυγμα

115 εὐαγγελικῶν K : ἀποστολικῶν C ‖ 117 τῶν ὅλων/τὸν K : ∾ C$^{v\cdot 90}$ τὸν > C$^{r\cdot 377}$

110 Is. 8, 23 — 9, 1

---

1. L'explication de Cyrille (70, 725 A) est plus claire : selon lui, le vallon de Saron (Aséron), contrée fertile de Judée et propice à l'agriculture, deviendra un lieu stérile. L'interprétation retenue par Cyrille et Théodoret est donc tout à fait comparable à celle qu'ils donnent habituellement du terme « Carmel » (voir suite du verset).

2. Sur ce thème du transfert des Promesses, cf. Introd., t. I,

9. *La terre a été dans le deuil*, (c'est-à-dire) ceux qui ont des pensées terrestres. *Le Liban a été couvert de confusion*, (c'est-à-dire) la tyrannie des idoles. *L'Aséron s'est transformé en marécages*. Par là il a fait allusion à la stérilité de ceux qui vivent sous l'autorité de la Loi, car l'Aséron fait partie de leur territoire[1]. *En évidence seront placés la Galilée et le Carmel*. Il a souvent désigné sous le nom de Carmel le désert, auquel il a imposé ce nom à la suite du changement de situation qui s'est opéré[2]. Quant à la Galilée, il lui a même déjà prédit les biens (futurs) : « Galilée des nations, le peuple qui vit dans les ténèbres a vu une grande lumière. » Qu'est-ce donc ce qui est devenu à ce point évident et visible ? Les apôtres originaires de la Galilée. 10. *Maintenant je me lèverai, dit le Seigneur, maintenant je serai glorifié, maintenant je serai exalté*, 11. *maintenant vous verrez, maintenant vous comprendrez*. Alors que jadis un très grand nombre d'hommes me méconnaissait, les miracles de l'Évangile me feront connaître ; les hommes s'écarteront de l'erreur et me reconnaîtront comme le Créateur de l'univers.

Contre les Juifs incrédules

Vaine sera la démesure de votre esprit. Il s'adresse aux Juifs qui l'ont crucifié et qui ont persévéré dans leur incrédulité. *Le feu vous dévorera*, le feu éternel et inextinguible. 12. *Et les nations seront consumées par le feu, comme le chardon qu'on extirpe dans un champ et que l'on consume par le feu*, (c'est-à-dire) les hommes qui n'ont pas accepté le message du salut. 13. *Ceux qui sont au loin entendront ce que j'ai fait, ceux qui sont proches connaîtront ma force*. Car elle est plus précise la connais-

p. 83-84. L'interprétation de CYRILLE va dans le même sens (70, 725 A) : par « Galilée » le prophète désigne, selon lui, le territoire des nations, les nations elles-mêmes ou l'Église issue des nations, et par « Carmel » l'Église du Christ, tournée vers les choses d'en haut et séparée des choses terrestres, puisque l'Écriture a coutume de comparer l'Église aux montagnes.

125 ἔχουσι τὴν [γνῶσιν] οἱ « ἐν νόμῳ κυρίου μελετῶντες ἡμέρας καὶ νυκτός », καὶ οἱ πόρρωθεν δὲ θαυμάσουσιν ἀκούοντες τὸ τῆς [οἰκο]νομίας μυστήριον. [14] **Ἀπέστησαν οἱ ἐν Σιὼν ἄνομοι, τρόμος λήψεται τοὺς ἀσεβεῖς.** Οὐ πάντας [ἔφη] ἀποστήσεσθαι τοὺς ἐν Σιὼν ἀλλὰ τοὺς ἀνόμους · οὐδὲ
130 πάντας ἔφη δέξεσθαι τὴν τοῦ δέους ὑπερ[βολὴν] ἀλλὰ τοὺς ἀσεβείᾳ συζῶντας. Εἶτα προαγορεύει τῆς γεέννης τὴν φλόγα · **Τίς ἀναγγελεῖ ὑμῖν ὅτι (πῦρ) καίεται ; Τίς ἀναγγελεῖ ὑμῖν τὸν τόπον τὸν αἰώνιον ;**

Διδάσκει καὶ τῶν ταῦτα κηρυττόντων τὴν ἀρετήν ·
135 [15] **Πορευόμενος ἐν δικαιοσύνῃ,** τουτέστι τὴν θείαν ὁδεύων ὁδόν. **Λαλῶν εὐθέα ἐν ὁδῷ,** ἐκεῖνα κ(ηρύττων) ἃ παρὰ τῆς ἀληθείας μεμάθηκεν. Οὕτως αὐτῶν δείξας τὴν περὶ τὰ κρείττω τῆς διανοίας [σπουδήν, δεί]κνυσι καὶ τὸ περὶ τἀναντία μῖσος · **Μισῶν ἀνομίαν καὶ ἀδικίαν καὶ τὰς χεῖρας**
140 **ἀποσειόμενος (ἀπὸ) δώρων, βαρύνων τὰ ὦτα τοῦ μὴ ἀκούειν κρίσιν αἵματος ἀδίκου καὶ καμμύων τοὺς ὀφ(θαλμοὺς αὐτοῦ) ἵνα μὴ ἴδῃ ἀδικίαν.** Πάντων τῶν αἰσθητηρίων τοῦ σώματος τὸν κόσμον ὑπέδειξεν · τὸ στόμα [λαλοῦν] τὴν τῶν δογμάτων εὐθύτητα, τὰς χεῖρας δωροδοκίας ἀπεχομένας, τὰ ὦτα τοῖς
145 ἀδίκοις λόγ[οις τὰς εἰσό]δους ἀποτειχίζοντα, τοὺς ὀφθαλμοὺς τοῖς ἐκ φύσεως κεχρημένους καλύμμασι καὶ [περιορᾶν οὐ]κ ἀνεχομένους τὰ παρανόμως γινόμενα.

Εἶτα τούτων .... · |141 b|
[16] **(Οὗτος) οἰκήσει ἐν ὑψηλῷ σπηλαίῳ πέτρας ἰσχυρᾶς · ἄρτος**
150 **αὐτῷ δοθήσεται, καὶ τὸ ὕδωρ αὐτοῦ πιστόν.** Ἔχει γὰρ τὸ

C : 134 διδάσκει — ἀρετήν ‖ 135-136 τουτέστι — ὁδόν ‖ 136-137 ἐκεῖνα — μεμάθηκεν

134 καὶ K : > C

125 Ps. 1, 2

---

1. Cf. t. I, p. 331, n. 1.
2. Le sens général de cette brève lacune se devine aisément ; on peut penser à une formule d'introduction semblable à celle que nous avons plus haut (*In Is.*, 7, 279) : Εἶτα τῶν εἰρημένων δείκνυσι τὸ ἐπικερδές.

sance de ceux « qui s'appliquent nuit et jour à la loi du Seigneur » ; quant à « ceux qui sont au loin », ils seront également dans l'étonnement en apprenant le mystère de l'économie[1]. 14. *Les criminels qui habitent Sion sont partis, un tremblement saisira les impies.* Il n'a pas dit que tous ceux qui habitent Sion partiront, mais seulement les criminels ; il n'a pas dit davantage que tous éprouveront une terreur excessive, mais seulement ceux qui vivent dans l'impiété. Puis il prédit la flamme de la géhenne : *Qui vous annoncera qu'un feu est allumé? Qui vous annoncera le séjour éternel?*

La conduite vertueuse de l'homme juste

Il enseigne également la vertu de ceux qui font ces proclamations : 15. *Celui qui marche dans la justice*, c'est-à-dire, celui qui emprunte la route de Dieu. *Celui qui tient des propos droits sur la route*, (c'est-à-dire) celui qui proclame ce qu'il a appris de la vérité. Puisqu'il vient de montrer de cette manière l'ardeur de leur pensée pour ce qui est le plus haut, il montre aussi leur haine pour ce qui s'y oppose : *Celui qui hait l'iniquité et l'injustice et secoue ses mains pour ne pas prendre de présents ; celui qui se bouche les oreilles pour ne pas entendre le jugement d'un sang injuste et ferme ses yeux pour ne pas voir l'injustice.* Il a fait entrevoir l'heureuse disposition de tous les sens du corps : la bouche qui proclame la droiture des commandements, les mains qui s'abstiennent de la vénalité, les oreilles qui murent leur accès aux paroles injustes, les yeux qui font usage des voiles prévus par la nature et qui ne supportent pas de considérer les faits de nature criminelle.

Puis (il indique la récompense que vaudra) ce (comportement)[2] : 16. *Celui-ci habitera dans une caverne élevée faite d'un roc résistant ; on lui donnera du pain, et son eau (sera) fidèle.* Car il possède une sécurité inébranlable l'homme qui

ἀσάλευτον ἐπὶ τῆς πέτρας ἐρηρεισμένος. Περιττὸς δὲ αὐτῷ καὶ ὁ πλοῦτος · μόνων γὰρ τῶν ἀναγκαίων μεταλαγχάνει · « Ἀρχὴ » γὰρ « ζωῆς ἀνθρώποις » κατὰ τὸν σοφὸν « ἄρτος καὶ ὕδωρ. » Τὸ δὲ τούτων ὕδωρ καὶ πιστὸν ὀνομάζει, καὶ
155 οἶμαι τὸ μυστικὸν διὰ τούτου σημαίνεσθαι.

Εἶτα δείκνυσι τῆς ἀρετῆς τοὺς καρπούς · [17] **Βασιλέα μετὰ δόξης ὄψεσθε.** Τὸν ἐπουράνιον λέγει ἐρχόμενον ἐπὶ τῶν νεφελῶν τοῦ οὐρανοῦ καὶ ἐπὶ τοῦ θρόνου τῆς δόξης καθήμενον κατὰ τὴν αὐτὴν τοῦ κυρίου φωνήν. **Καὶ οἱ ὀφθαλμοὶ ὑμῶν**
160 **ὄψονται γῆν πόρρωθεν.** Οὐ σκοποῦσι γὰρ κατὰ τὸν θεῖον ἀπόστολον « τὰ βλεπόμενα ἀλλὰ τὰ μὴ βλεπόμενα · τὰ γὰρ βλεπόμενα πρόσκαιρα, τὰ δὲ μὴ βλεπόμενα αἰώνια ». [18] **Καὶ ἡ ψυχὴ ὑμῶν μελετήσει φόβον.** Ὁ γὰρ τοῦ θεοῦ φόβος τῆς ἀρετῆς συνεργὸς καὶ τῶν ἀγαθῶν χορηγός.

165 **Ποῦ εἰσιν οἱ γραμματικοί ; Ποῦ εἰσιν οἱ σύμβουλοι ; Ποῦ ἐστιν ὁ ἀριθμῶν τοὺς ἀναστρεφομένους,** [19] **μικρὸν καὶ μέγαν λαόν ;** Οὕτω καὶ ὁ θεῖος ἀπόστολος δείξας τὴν σωματικὴν τῶν κηρύκων ἀσθένειαν ἐπήγαγεν · « Ποῦ σοφός ; Ποῦ γραμματεύς ; Ποῦ συζητητὴς τοῦ αἰῶνος τούτου ; » Διελή-
170 λε<γ>κται γὰρ καὶ τῆς Ἑλληνικῆς φιλοσοφίας τὸ ψεῦδος καὶ τῆς Φαρισαϊκῆς διδασκαλίας ὁ φθόνος. Τούτοις ἐπήγαγεν ὁ προφήτης · **Ὡς οὐ συνεβουλεύσαντο οὐδὲ ᾔδει βαθύφωνον**

C : 157-159 τὸν — φωνήν || 163-164 ὁ — χορηγός

158 τοῦ ουνου C : αὐτοῦ K

153 Sir. 29, 21 157-159 cf. Matth. 24, 30 ; 25, 31 161 II Cor. 4, 18 168 I Cor. 1, 20

---

1. C'est-à-dire l'eau du baptême comme le dit plus clairement l'interprétation de CYRILLE (70, 729 D : pain de vie = le Christ, eau fidèle = baptême). Si Théodoret semble privilégier l'interprétation spirituelle des mots ὕδωρ πιστόν (« eau fidèle »), en s'appuyant sur l'adjectif πιστόν qui dans le texte prophétique signifie seulement que « l'eau ne manquera pas » à l'homme juste, il n'évacue pas totalement le sens littéral, comme le prouve notamment la citation de *Sir.* 29, 21.

2. Pour CYRILLE aussi ce roi n'est autre que le Christ (70, 729 D).

3. Théodoret en a fait amplement la démonstration dans sa

s'est appuyé sur le roc. Même la richesse est pour lui superflue ; il a seulement part aux biens indispensables : car « le fondement de la vie pour l'homme », selon le sage, « ce sont le pain et l'eau ». Quant à son eau, il la qualifie de « fidèle » et laisse entendre par ce terme, à mon avis, l'eau mystique[1].

Puis il montre les fruits de la vertu : 17. *Vous verrez un roi dans sa gloire.* Il veut parler du roi céleste qui vient sur les nuées du ciel et qui est assis sur le trône de gloire[2], selon la parole identique du Seigneur. *Et vos yeux verront une terre de loin.* Car ils ne regardent pas, selon le divin Apôtre, « les choses visibles, mais les invisibles ; car les choses visibles sont passagères, mais les invisibles sont éternelles ». 18. *Et votre âme fera de la crainte sa préoccupation.* Car la crainte de Dieu est l'adjuvant de la vertu et la dispensatrice des biens.

Les apôtres

Où sont les hommes cultivés? Où sont les conseillers? Où est celui qui compte les hommes retournés, 19. *petit et grand peuple?* De la même manière le divin Apôtre à son tour a montré la faiblesse physique des hérauts (de la vérité) avant d'ajouter : « Où est le sage ? où est l'homme cultivé ? où est le raisonneur de ce siècle ? » Car la preuve a été faite du mensonge de la philosophie grecque et de la malveillance de l'enseignement des pharisiens[3]. A cela le prophète a ajouté : *Car ils n'ont pas demandé conseil et on ne connaissait pas (un peuple) à la voix profonde*

Thérap. en montrant tour à tour la fausseté, les erreurs ou les insuffisances de cette philosophie, cf. P. Canivet, *Thérap.*, Introd., p. 48 s. Du reste, si l'ouvrage de Théodoret *Contre les Grecs et les Juifs* ne fait qu'un avec la *Thérap.*, comme le veut P. Canivet, la remarque de Théodoret qui associe « philosophie grecque » et « enseignement des pharisiens » pourrait constituer une allusion discrète à ce traité. Cyrille (70, 732 CD) n'applique le verset qu'aux scribes, prêtres et pharisiens qui usent de leur autorité et de leurs enseignements pour dresser le peuple contre le Christ.

ὥστε μὴ ἀκοῦσαι. Τοῦτο δὲ οἱ Τρεῖς οὕτως ἡρμήνευσαν· « Οὐκ ὄψει λαὸν βαθὺν χείλεσιν ὥστε μὴ ἀκοῦσαι διάλεκτον
175 γλώσσης. » Ἀντὶ τοῦ· ὁμόγλωττοί σού εἰσιν οἱ κήρυκες τῆς ἀληθείας, Ἑβραῖοι τὸ γένος, ἐν τῇ Γαλιλαίᾳ τραφέντες, τὴν αὐτήν σοι γλῶτταν ἔχοντες, ἀλλ' ἑκὼν οὐκ ἐπαΐεις τῶν λεγομένων. Τοῦτο γὰρ δεδήλωκε διὰ τῶν ἑξῆς· **Λαὸς ὁ πεφαυλισμένος, καὶ οὐκ ἔστι τῷ ἀκούοντι σύνεσις.** Τῆς θείας
180 γὰρ γνώσεως ἑκόντες σφᾶς αὐτοὺς ἀπεστέρησαν, οὗ δὴ χάριν καὶ ἀπερρίφησαν καὶ εὐκαταφρόνητοι πᾶσιν ἀνθρώποις ἐγένοντο.

Οὕτω δείξας ὁ προφητικὸς λόγος καὶ τῆς ἀ[ληθ]είας τοὺς κήρυκας διαλάμποντας καὶ τοὺς ἀντιτείνοντας ἐν
185 αἰσχύνῃ, τῶν εὐσεβῶν πάλιν [ὀνο]μάζει τὸ σύστημα καὶ τὴν Σιὼν αὐτοῖς καὶ τὴν Ἱερουσαλὴμ ἀπεικάζει· [20] **Ἰδοὺ Σιὼν ἡ πόλις τὸ σωτήριον ἡμῶν· οἱ (ὀφ)θαλμοί σου ὄψονται, Ἱερουσαλὴμ πόλις πλουσία.** Ὥσπερ τοὺς Ἰουδαίους ἐξ Ἀβραὰμ τὸ γένος κατάγοντας, [τὴν ἐ]κείνου δὲ ζηλῶσαι
190 πίστιν οὐκ ἐθελήσαντας ἄρχοντας Σοδόμων καὶ λαὸν Γομόρρας ὠνόμασεν, οὕτω [τὴν] ἐξ ἐθνῶν ἐκκλησίαν τὰ πνευματικὰ δεξαμένην χαρίσματα Ἱερουσαλὴμ καὶ Σιὼν προσαγορεύει. Καὶ γὰρ [ἐν] τοῖς πρόσθεν ἡρμηνευμένοις καὶ τὴν ἔρημον καὶ τὸν Λίβανον ὠνόμασε Κάρμηλον, αὐτὸν
195 δὲ τὸν Κάρ[μηλ]ον δρυμὸν προσηγόρευσεν. Πλουσίαν δὲ ὀνομάζει τοῦ θεοῦ τὴν ἐκκλησίαν τὸν πνευματικὸν αὐτῆς πλοῦτον ἐπι(δεικ)νύς. Μαρτυρεῖ δὲ τῇ προφητείᾳ ὁ ἀπόστολος οὕτω λέγων· « Ὅτι ἐν παντὶ ἐπλουτίσθητε ἐν αὐτῷ, ἐν παντὶ (λόγῳ) καὶ πάσῃ γνώσει. »

C : 195-198 πλουσίαν — αὐτῷ

186 ἀπεικάζει Mö. : ὀνομάζει K ‖ 198 οὕτω K : οὕτως C

188-191 cf. Is. 1, 10   198 I Cor. 1, 5

1. Cf. CYRILLE (70, 733 D) : par « Sion » il faut entendre l'Église qui est sur la terre ou bien la cité céleste.

2. Cf. *In Is.*, 8, 388-398 (*Is.* 29, 17 : « Liban ») et 9, 452-454 (*Is.* 32, 15 : « désert »).

en sorte qu'on ne l'entendait pas. De ce passage les trois interprètes ont donné l'interprétation suivante : « Tu ne verras pas un peuple aux lèvres profondes, de manière que tu ne puisses pas comprendre sa façon de parler. » Ce qui revient à dire : les hérauts de la vérité parlent la même langue que toi, puisqu'ils sont hébreux de race, qu'ils ont été élevés en Galilée et qu'ils possèdent la même langue que toi, mais c'est volontairement que tu ne comprends pas ce qu'ils disent. Il l'a, en effet, clairement fait voir par la suite du passage : *Peuple tenu pour méprisable; il n'y a pas pour celui qui entend de compréhension.* C'est volontairement qu'ils se sont privés de la connaissance de Dieu ; voilà bien pourquoi ils ont été rejetés et sont devenus un objet de mépris pour tous les hommes.

La puissance de Dieu assure la fermeté de l'Église

Après avoir montré de la sorte les hérauts de la vérité pleins d'éclat et ceux qui leur résistaient, dans la honte, le texte prophétique désigne de nouveau l'ensemble des hommes pieux en les assimilant à Sion et à Jérusalem : 20. *Voici la ville de Sion, notre salut; tes yeux verront, Jérusalem, ville riche.* Les Juifs qui descendent d'Abraham par la race, mais qui n'ont pas voulu imiter sa foi, il les a appelés « chefs de Sodome et peuple de Gomorrhe » ; de la même manière, à l'Église formée à partir des nations, qui a reçu les grâces de l'Esprit, il décerne le nom de Jérusalem et de Sion[1]. Et, de fait, dans les passages précédemment commentés[2], il a donné au désert et au Liban le nom de « Carmel », alors qu'il a attribué au Carmel proprement dit le nom de « forêt ». D'autre part, il appelle l'Église de Dieu « riche », en faisant état de sa richesse spirituelle. L'Apôtre apporte, du reste, une confirmation à la prophétie, quand il déclare : « Parce qu'en lui vous avez été comblés de toutes les richesses, toutes celles de la parole et toutes celles de la connaissance. »

200 **Σκηναὶ αἳ οὐ μὴ σαλευθῶσιν, οὐδὲ μὴ κινηθῶσιν οἱ πάτταλοι τῆς σκηνῆς αὐτῆς εἰς τὸν (αἰῶν)α χρόνον, οὐδὲ τὰ σχοινία αὐτῆς οὐ μὴ διαρραγῇ.** Καὶ ἐντεῦθεν δῆλον ὡς οὐδαμῶς ἁρμόττει τῇ παλαιᾷ [Ἱερουσαλὴμ] τὰ τῆσδε τῆς προφητείας ῥητά · ἐκείνη γὰρ ἐσαλεύθη καὶ κατελύθη καὶ ἐρημίαν
205 ἐδέξατο παντελῆ, ἡ δὲ νέα — [τουτέστιν αἱ κα]τὰ τὴν οἰκουμένην τοῦ θεοῦ σκηναὶ — τὸ ἀσάλευτον ἔχουσι κατὰ τὴν τοῦ κυρίου φωνήν · « Ἐπὶ ταύτῃ γὰρ τῇ πέτρᾳ » [φησὶν] « (οἰ)κοδομήσω μου τὴν ἐκκλησίαν, καὶ πύλαι ᾅδου οὐ κατισχύσουσιν αὐτῆς. » Πασσάλους δὲ τῆς σκηνῆς
210 ἡγοῦμαι (καλεῖσθ)αι τοὺς θείους ἀποστόλους, τοὺς νικηφόρους μάρτυρας. Καθάπερ γὰρ τῶν σκηνῶν οἱ πάσσαλοι ἐν τῇ (γῇ κεκρυ)μμένοι τὴν στάσιν ταῖς σκηναῖς πραγματεύονται, οὕτως ἐκεῖνοι δεξάμενοι τοῦ βίου τὸ πέρας καὶ (ἐν τῇ γῇ) κεκρυμμένα τὰ σώματα ἔχοντες τὰς θείας ὑπερείδουσιν
215 ἐκκλησίας · σχοινίοις δὲ ἔοικεν ἐκ τῶν πασσά(λων μέ)χρι τῶν σκηνῶν διήκουσι τὰ σωτήρια ἐκείνων παιδεύματα, δι' ὧν ἀκίνητος μένει τῶν εὐσεβεῖν (προαιρ)ουμένων ἡ πίστις.

21 **Διότι τὸ ὄνομα κυρίου μέγα ὑμῖν, τόπος ὑμῖν ἔσται.**
220 Ἐν τῷ ὀνόματι κυρίου καὶ τὰ θαύματα [ἐγένετο] καὶ τὸ σωτήριον ἐπιτελεῖται βάπτισμα καὶ ἡ μυστικὴ τροφὴ μεταβάλλεται · διὰ τούτου τοῦ ὀνόματος [τοὺς] οἰκοδομουμένους τῷ θεῷ ναοὺς ἁγιάζομεν. **Ἐν ᾧ ποταμοὶ καὶ διώρυγες πλατεῖς καὶ εὐρύχωροι.** (Ποταμοὶ) μὲν οἱ πρῶτοι τῆς
225 ἀληθείας κήρυκες, διώρυγες δὲ οἱ ἐκείνων μαθηταὶ καὶ διάδοχοι ἐξ (αὐτῶν) μὲν ἕλκοντες τὰ σωτήρια δογμάτων ῥεῖθρα, ἄρδοντες δὲ τὸν θεῖον παράδεισον.

C : 209-218 πασσάλους — πίστις ‖ 224-227 ποταμοὶ — παράδεισον

201 αὐτῆς e tx.rec. : αὐτοῦ K ‖ 205 τουτέστιν Po. ‖ 209 αὐτῆς K : +σκηνὴν τὴν ἐκκλησίαν καλεῖ C ‖ 212 στάσιν KC$^{87 corr\cdot 90}$: στράταν C$^{87*?\cdot 91\cdot 377\cdot 564}$ στερρότητα C^{309} στερεότητα C^{v} ‖ 215 ἔοικεν K : ἐοίκασιν C ‖ 216 διήκουσι Mö. : διηκούσαις KC ‖ 226 δογμάτων K : > C ‖ 227 δὲ C : > K

207 Matth. 16, 18

Tentes qui ne seront aucunement ébranlées ; les piquets de cette tente ne seront aucunement arrachés, et ce pour l'éternité, et ses cordages ne seront pas rompus. D'après ce passage également, il est clair que les termes de cette prophétie ne conviennent en aucune manière à l'ancienne Jérusalem ; de fait, cette dernière a été ébranlée, elle a été détruite et a subi une désolation totale, tandis que la nouvelle (Jérusalem) — c'est-à-dire les tentes de Dieu dressées à travers le monde — possède une sécurité inébranlable selon la parole du Seigneur : « Car sur cette pierre », dit-il, « je bâtirai mon Église et les portes de l'Hadès ne prévaudront pas contre elle. » Sont appelés « piquets de la tente », à mon avis, les divins apôtres et les martyrs victorieux. Comme les piquets des tentes, enfouis dans la terre, assurent aux tentes leur stabilité, ainsi, après avoir atteint le terme de leur vie, de leurs corps enfouis dans la terre ils soutiennent les Églises de Dieu. D'autre part, leurs enseignements relatifs au salut, grâce auxquels reste inébranlable la foi de ceux qui ont choisi de vivre pieusement, sont semblables aux cordages qui relient les piquets aux tentes.

21. *Car le nom du Seigneur (sera) grand pour vous, il y aura pour vous un lieu.* C'est au nom du Seigneur que les miracles ont eu lieu, que le baptême du salut est conféré et que la nourriture mystique est transformée ; c'est par l'action de ce nom que nous consacrons les temples édifiés en l'honneur de Dieu. *Dans lequel (couleront) des fleuves et des canaux larges et spacieux.* « Les fleuves », ce sont les premiers hérauts de la vérité, « les canaux » ce sont leurs disciples et leurs successeurs, qui font dériver d'eux les flots salutaires de la doctrine et qui irriguent le jardin de Dieu[1].

1. Rapprocher de Cyrille (70, 736 BC) : par « fleuves et canaux » le prophète désigne les saints évangélistes, les apôtres et tous ceux qui dirigent les Églises, en tant qu'ils irriguent les âmes des croyants ; mais la source unique, c'est le Christ.

Οὐ πορεύσῃ ταύτην τὴν (ὁδόν, οὐδὲ πορ)εύσεται πλοῖον ἐλαῦνον. Ὁ γὰρ θεός μου μέγας ἐστίν· οὐ παρελεύσεταί με.
230 Τοῦτο <ὁ> Ἀκύλας [οὕτως ἡρμήνευ]σεν· « Οὐ μὴ πορευθῇ ἐν αὐτῷ ναῦς κώπης, καὶ τριήρης ὑπερμεγέθης οὐ διαβήσεται αὐτό. » |142 a| Ἀντὶ τοῦ· κρείττων ἐστὶ τῶν πολεμίων, οὐδεμίαν ἔχει πάροδον διὰ τόνδε τὸν ποταμὸν τριήρης πολεμική· μέγας γάρ ἐστι τῶν ἐκκλησιῶν ὁ θεὸς καὶ
235 παρορᾶν αὐτὰς οὐκ ἀνέχεται. Τοῦτο γὰρ καὶ διὰ τῶν ἐπιφερομένων δεδήλωκεν· [22] **Κύριος κριτὴς ἡμῶν, κύριος ἄρχων ἡμῶν, κύριος βασιλεὺς ἡμῶν, κύριος σωτὴρ ἡμῶν αὐτὸς ἥξει καὶ σώσει ἡμᾶς.** Πάντα πόρον ἀγαθὸν δι' αὐτοῦ κεκομίσμεθα. Τούτου δὴ χάριν καὶ τὴν ἡγεμονίαν αὐτοῦ
240 καὶ τὴν βασιλείαν μεθ' ἡδονῆς ἀσπαζόμεθα. Αὐτὸς γὰρ ἡμῖν χορηγὸς σωτηρίας.

Οὕτω τῆς ἐκκλησίας τὸ βέβαιον δείξας τῆς Ἰουδαίων πληθύος τὴν ἀπιστίαν ἐλέγχει· [23] **Ἐρράγη τὰ σχοινία σου, ὅτι οὐκ ἐνίσχυσαν.** Περὶ τῆς ἐκκλησίας ἔφη ὅτι « εἰς τὸν
245 αἰῶνα οὐ μὴ κινηθῶσιν οἱ πάσσαλοι τῆς σκηνῆς αὐτῆς, οὐδὲ τὰ σχοινία αὐτῆς οὐ μὴ διαρραγῇ »· ἐνταῦθα δὲ λέγει ταῦτα διαρραγῆναι. Καὶ τὴν αἰτίαν διδάσκει· ὅτι οὐκ ἐνίσχυσεν· οὐ γὰρ ἔσχε τῆς πίστεως τὴν ἰσχύν. Ἐναντία τοίνυν ταῦτα ἐκείνοις, καὶ δῆλον ὡς περὶ ἄλλων μὲν ἐκεῖνα
250 προείρηται, περὶ ἑτέρων δὲ ταῦτα προλέγει οὕτως. **Ὁ ἱστός σου ἔκλινεν, οὐ χαλάσει τὰ ἱστία σου, οὐκ ἀρεῖ σημεῖον, ἕως ἂν παρ(αδοθῇς) εἰς προνομήν.** Διὰ τὴν αὐτήν φησιν ἀπιστίαν καὶ ὁ ἱστός σου ἔκλινεν. Πλὴν τέως ἀνέχομαι καὶ παρ' αὐτὴν τοῦ σταυροῦ τὴν μανίαν οὐκ ἐπάγω τὴν
255 τιμωρίαν· ἀλλ' ὅμως οὐδὲ αὕτη σε ἡ μακροθυμία πείσει

C : 238-240 πάντα — ἀσπαζόμεθα ‖ 252-257 διὰ — παραδοθῇς

229 ἐλαῦνον e tx.rec. : ἐπαύλιον K ‖ παρελεύσεταί με e tx.rec. : παρασαλεύσεταί μου K ‖ 240 ἀσπαζόμεθα C : ἠσπαζόμεθα K ‖ 249 ἐκεῖνα Mö. : εἰκόνα K

244 Is. 33, 20

1. Il s'agit évidemment de la folie qui a poussé les Juifs à crucifier Jésus ; cette accusation est un lieu commun de la polémique anti-

N'empruntera cette route et n'y naviguera aucun navire dans sa course. Car mon Dieu est grand ; il ne me méprisera pas. De ce passage Aquila a donné l'interprétation suivante : « En cet endroit ne naviguera aucun vaisseau à rames et aucune trière gigantesque ne le traversera. » Ce qui revient à dire : il est plus fort que ses ennemis, tout passage à travers ce fleuve est interdit à une trière ennemie : il est grand le Dieu des Églises et il a à cœur de ne pas les dédaigner. Il l'a clairement fait voir encore par ce qu'il ajoute : 22. *Le Seigneur est notre juge, le Seigneur est notre chef, le Seigneur est notre roi, le Seigneur est notre sauveur, il viendra en personne et nous sauvera.* Tous les moyens d'entrer en possession de biens, nous les avons obtenus grâce à lui. Voilà bien pourquoi nous chérissons avec joie sa domination et sa royauté. Car il est pour nous le dispensateur du salut.

L'incrédulité des Juifs et la ruine de Jérusalem

Après avoir montré de cette façon la robustesse de l'Église, il dénonce l'incrédulité de la masse des Juifs : 23. *Tes cordages ont été rompus, parce qu'ils n'ont pas eu de force.* Au sujet de l'Église il a dit : « pour l'éternité les piquets de cette tente ne seront pas arrachés et ses cordages ne seront pas rompus » ; ici, en revanche, il dit qu'ils ont été rompus. Et il en enseigne la cause : « parce qu'ils n'ont pas eu de force » ; de fait, ils n'ont pas eu la force que donne la foi. La présente déclaration est donc en opposition avec la précédente et il est évident que la première concernait des réalités différentes de celles que vise dans les mêmes termes la seconde. *Ton mât s'est incliné, il ne fera pas descendre tes voiles, il ne hissera pas le signal, jusqu'à ce que tu aies été livrée au pillage.* C'est en raison de la même incrédulité, dit-il, que ton mât lui aussi s'est incliné. Mais jusque-là, je supporte (ton incrédulité) et, pour la folie même de la croix[1], je n'inflige pas de châtiment ; néanmoins, même cette longanimité ne te persuadera pas d'accueillir le signal

δέξασθαι τὸ σημεῖον τῆς σωτηρίας, ἕως ἂν τῇ Ῥωμαίων
δουλείᾳ παραδοθῇς.
Τοίνυν πολλοὶ χωλοὶ προνομὴν ποιήσουσι [24] **καὶ οὐ μὴ
εἴπωσιν· Κοπιᾷ ὁ λαὸς ὁ ἐνοικῶν ἐν αὐτῇ. Ἀφέθη γὰρ αὐτοῖς
260 ἡ ἁμαρτία.** Χωλοὺς τοὺς Ῥωμαίους ἐκάλεσε διὰ τὴν ἀσέβειαν
ἣν εἶχον, ἡνίκα ταύτην ἐπολιόρκουν· τούτοις δὲ λέγει καὶ
τὴν ἁμαρτίαν ἀφεθῆναι τὸν θεῖον ἐμπρήσασι νεών, ἐπειδὴ
τῆς θείας οὗτος ἐγυμνοῦτο χάριτος.

Ἐντεῦθεν εἰς ἑτέραν ὑπόθεσιν ὁ προφητικὸς [με]ταβέβηκε
265 λόγος καὶ προλέγει τά τε τῇ Ἰουδαίᾳ ἐσόμενα λυπηρά,
ἁρμόττει δὲ ἡ προφητεία καὶ τοῖς κατὰ [τὸν] τῆς συντελείας
ἐσομένοις καιρόν. **34**[1] **Προσαγάγετε ἔθνη καὶ ἀκούσατε, ἄρχοντες προσέχετε· ἀκουσάτω ἡ γῆ καὶ οἱ ἐν αὐτῇ, (ἡ)
οἰκουμένη καὶ ὁ λαὸς ὁ ἐν αὐτῇ.** [2] **Διότι ὁ θυμὸς κυρίου ἐπὶ
270 πάντα τὰ ἔθνη καὶ ἡ ὀργὴ αὐτοῦ ἐπὶ πάντα τὸν ἀριθμὸν
αὐτῶν τοῦ ἀπολέσαι αὐτοὺς καὶ παραδοῦναι αὐτοὺς εἰς
σφαγήν.** Ταῦτα καὶ περὶ τῆς συντελείας ἐν τοῖς ἱεροῖς
[εὐα]γγελίοις ὁ δεσπότης προείρηκεν· « Ἐγερθήσεται ἔθνος
ἐπὶ ἔθνος καὶ βασιλεία ἐπὶ βασιλείαν καὶ ἔσοντ(αι σεισμοὶ)
275 καὶ λοιμοί. » Ταῦτα καὶ ὁ προφητικὸς ἐδίδαξε λόγος. Καὶ
προστέθεικεν ὅτι καὶ τραυματιῶν ἡ γῆ καὶ νεκρῶν πληρωθήσεται καὶ ἡ δυσοσμία αὐτῶν τὸν ἀέρα κεράσει καὶ τὸ αἷμα
τὴν γῆν καταβρέξει.

Ἐπήγαγε δὲ ὅτι [4] **(καὶ) τακήσονται αἱ δυνάμεις τῶν
280 οὐρανῶν, καὶ εἱλιχθήσεται ὡς βιβλίον ὁ οὐρανός, καὶ πάντα**

C : 260-261 χωλοὺς — ἐπολιόρκουν

262 ἐμπρήσασι Mö. : ἐμπρήσασα K || 269 ὁ² K* : μου K^corr

273 Matth. 24, 7

juive de Théodoret, mais d'ordinaire l'exégète parle de « folie » sans autre précision ou plus clairement de « folie contre le Maître » (cf. index).

1. Cf. *In Psal.*, 80, 988 A. L'interprétation d'Eusèbe (*GCS* 220, 4-7) et celle de Cyrille (70, 740 A : boiteux = nations dans l'erreur) sont fondamentalement identiques.

du salut, jusqu'à ce que tu aies été livrée à l'esclavage des Romains.

Nombreux seront donc les boiteux à se livrer au pillage 24. *et ils ne diront plus : Il est las, le peuple qui habite en elle. Car leur péché a été enlevé.* Il a appelé « boiteux » les Romains en raison de l'impiété qui était la leur, lorsqu'ils faisaient le siège de cette cité[1] ; il dit d'autre part que même le péché d'avoir incendié le Temple de Dieu leur a été enlevé, puisque le Temple était dépouillé de la grâce divine[2].

Oracles relatifs à la Judée et à la fin du monde

A partir de là le texte prophétique passe à un autre sujet et prédit les fâcheux événements qui attendent la Judée ; mais la prophétie s'applique aussi aux événements qui surviendront au moment de la fin des temps : **34,** 1. *Approchez, nations, et écoutez ! Princes, soyez attentifs ! Que la terre écoute, ainsi que ceux qui l'habitent, le monde et le peuple qui l'habite !* 2. *Car la fureur du Seigneur (vient) sur toutes les nations et sa colère sur tout leur nombre, pour les détruire et pour les livrer au carnage.* Telle est dans les saints Évangiles la prédiction du Maître sur la fin des temps : « On dressera nation contre nation et royaume contre royaume, et il y aura des tremblements de terre et des famines. » Tel est également l'enseignement du texte prophétique qui poursuit en disant que la terre sera remplie de blessés et de cadavres, que la puanteur qui s'en dégagera rendra l'air vicié et que le sang inondera la terre[3].

Puis (le prophète) a ajouté : 4. *Les puissances des cieux se liquéfieront et le ciel s'enroulera comme un livre ; tous les*

2. A l'inverse des Babyloniens (cf. *infra*, 14, 501-503), les Romains ne seront pas vraiment « impies » en incendiant le Temple, puisque ce dernier, en raison du transfert des Promesses, n'était plus le séjour de Dieu.

3. Résumé d'*Is.*, 34, 3.

τὰ ἄστρα τοῦ οὐρανοῦ πεσεῖται ὡς πίπτει φύλλα ἀπὸ ἀμπέλου καὶ ὡς ἐκρεῖ φύλλα ἀπὸ συκῆς. Καὶ ὁ κύριος ἐν τοῖς ἱεροῖς εὐαγγελίοις φησὶν ὅτι « αἱ δυνάμεις τῶν οὐρανῶν σαλευθήσονται », καὶ ὁ μακάριος Δαυὶδ περὶ τοῦ οὐρανοῦ καὶ τῆς
285 γῆς · « Αὐτοὶ ἀπολοῦνται, σὺ (δὲ) διαμενεῖς · καὶ πάντες ὡς ἱμάτιον παλαιωθήσονται καὶ ὡσεὶ περιβόλαιον ἑλίξεις αὐτοὺς καὶ ἀλλαγήσονται · σὺ δὲ ὁ αὐτὸς εἶ, καὶ τὰ ἔτη σου οὐκ ἐκλείψουσιν. » Καὶ περὶ τοῦ ἡλίου καὶ τῆς σελήνης ἔφη · « Τότε σκοτισθήσ(εται ὁ) ἥλιος, καὶ (ἡ) σελήνη οὐ
290 δώσει τὸ φέγγος αὐτῆς. »

[5] **᾿Εμεθύσθη ἡ μάχαιρά μου ἐν τῷ οὐρανῷ · ἰδοὺ ἐπὶ τὴν ᾿Ιδουμα(ίαν) καταβήσεται καὶ ἐπὶ τὸν λαὸν τῆς ἀπωλείας μετὰ κρίσεως.** Οὐρανὸν οἶμαι τροπικῶς ἐνταῦθα (τὴν ῾Ιερουσαλὴμ) ὀνομάζεσθαι. Ὥσπερ γὰρ ὁ οὐρανὸς οἰκητήριον
295 ὑπείληπται τοῦ θεοῦ, οὕτω καὶ ὁ ἐν ῾Ιεροσολύμοις νεώς. (᾿Επει)δὴ τοίνυν ᾿Ιδουμαῖοι ἐφήσθησαν τῇ τῶν ᾿Ιουδαίων πληγῇ καὶ τῇ τῶν Βαβυλωνίων νίκῃ, (προλέγει) τὰ ἐσόμενα αὐτοῖς ἀλγεινά. Ὅτι δὲ ταῖς ᾿Ιουδαίων ἐνετρύφων συμφοραῖς, καὶ ὁ μακάριος ἡμᾶς δι[δάσκει Δαυίδ] · « Μνήσθητι κύριε
300 τῶν υἱῶν ᾿Εδὼμ τὴν ἡμέραν ῾Ιερουσαλὴμ τῶν λεγόντων · ᾿Εκκενοῦτε ἐκκενοῦτε ἕως τῶν (θεμελίων) αὐτῆς » · ἀντὶ τοῦ · καταλύσατε καὶ κατασπάσατε καὶ πρόρριζον ἀνασπάσατε. Διὰ τοῦτό φησιν [ὁ θεὸς ὅτι σείων] μετὰ κρίσεως τὴν μάχαιραν αὐτοῦ ἐπὶ τῆς ᾿Ιδουμαίας χωρήσει ὡς δικαίαν
305 αὐτοὺς κα .... ποινήν.

[6] **῾Η μάχαιρα κυρίου ἐνεπλήσθη αἵματος, ἐπαχύνθη ἀπὸ στέατος, ἀπὸ αἵματος ταύρων καὶ ἀμ(νῶν καὶ) ἀπὸ στέατος τράγων καὶ κριῶν.** Ταύρους καὶ τράγους καὶ κριοὺς τοὺς ἄρχοντας καλεῖ, ἀμνοὺς δ(ὲ τοὺς ὑπη)κόους · μάχαιραν δὲ

C : 282-285 καὶ² — διαμενεῖς || 293-298 οὐρανὸν — ἀλγεινά || 308-313 ταύρους — γεγενημένην

292 ᾿Ιδουμαίαν e tx.rec. : ᾿Ιουδα ... K || 296 ἐφήσθησαν K : ἔφθησαν C[r.377] ἔφθασαν C[564] ἐφθάρησαν C[90]

283 Matth. 24, 29 285 Ps. 101, 27-28 289 Matth. 24, 29
299 Ps. 136, 7

astres du ciel tomberont comme tombent les feuilles de la vigne et comme se détachent les feuilles du figuier. De son côté le Seigneur dans les saints Évangiles déclare : « Les puissances des cieux seront ébranlées » ; et le bienheureux David dit du ciel et de la terre : « Eux périront, mais toi tu demeureras ; tous, comme un manteau, ils s'useront avec l'âge, comme un vêtement tu les rouleras et ils seront changés ; tandis que toi tu es le même et tes années n'auront pas de fin. » Et il a dit du soleil et de la lune : « Alors le soleil s'obscurcira et la lune ne donnera plus sa clarté. »

Contre l'Idumée

5. *Mon glaive s'est enivré dans le ciel ; voici qu'il va descendre sur l'Idumée et sur le peuple (voué) à la ruine avec jugement.* Par « ciel » il nomme ici, à mon avis, de manière figurée Jérusalem. De même que le ciel a été conçu comme la demeure de Dieu, ainsi en a-t-il été également du temple de Jérusalem. Et puisque les Iduméens[1] se sont réjouis du coup subi par les Juifs et de la victoire des Babyloniens, il prédit les événements douloureux qui les attendent. Qu'ils aient applaudi aux malheurs des Juifs, le bienheureux David nous l'enseigne également : « Souviens-toi Seigneur des fils d'Édom au jour de Jérusalem, quand ils disaient : Dévastez, dévastez jusqu'à ses assises », ce qui revient à dire : Détruisez-la, renversez-la et abattez-la jusqu'à la racine. C'est pourquoi Dieu dit qu'en brandissant son glaive avec jugement, il s'avancera en direction de l'Idumée pour (tirer) d'eux une juste vengeance.

6. *Le glaive du Seigneur s'est rempli de sang, il s'est épaissi de graisse, du sang des taureaux et des agneaux et de la graisse des boucs et des béliers.* Il appelle « taureaux, boucs et béliers » les chefs, et « agneaux » leurs sujets ; il appelle, en outre, « glaive de Dieu » les ennemis[2]. Quant

1. Selon CYRILLE, « Idumée » désigne ici la Judée (70, 741 C).
2. Même interprétation chez EUSÈBE (*GCS* 222, 32-35).

310 θεοῦ τοὺς πολεμίους. Τὸ δέ · ἐνεπλήσθη ἀπὸ αἵματος καὶ ἐπαχύνθη ἀπὸ στέ(ατος, τῶν) ἀνῃρημένων τὸ πλῆθος δηλοῖ. Εἶτα θυσίαν κυρίου καλεῖ τὴν ἐκείνων σφαγὴν ὡς δικαίαν (οὖσαν καὶ κατὰ) θείαν ψῆφον γεγενημένην. Ἁδροὺς δὲ πάλιν τοὺς εὐπόρους προσαγορεύει, καὶ ἐκ τοῦ [αἵματος καὶ 315 ἐκ τοῦ |142 b| στέα]τος τούτων λέγει τὴν γῆν ἐμπλησθήσεσθαι · οὐδενὸς γὰρ τὰ σώματα κατακρύπτοντος τοῦ δυσώδους ἰχῶρος ἐνεπίπλατο πᾶσα τῆς γῆς ἐκείνη<ς> ἡ ἐπιφάνεια. [8] **Ἡμέρα γὰρ κρίσεως κυρίου καὶ ἐνιαυτὸς ἀνταποδόσεως τῇ κρίσει Σιών.** Διὰ γὰρ τὴν εἰς τὴν Σιὼν ἀδικίαν 320 ταῦτα ὑπέμειναν Ἰδουμαῖοι.

[9] **Καὶ στραφήσονται αἱ φάραγγες αὐτῆς εἰς πίσσαν καὶ ἡ γῆ αὐτῆς εἰς θεῖον, καὶ ἔσται ἡ γῆ αὐτῆς ὡς πίσσα καιομένη** [10] **νυκτὸς καὶ ἡμέρας καὶ οὐ σβεσθήσεται εἰς τὸν αἰῶνα χρόνον.** Θεῖον πάλιν καὶ πῦρ τὴν τιμωρίαν ἐκάλεσε καὶ τὴν 325 ἐκ ταύτης ἐσομένην ἐρημίαν · καὶ γὰρ « ἐπὶ τὰ Σόδομα ἔβρεξέ » φησι « κύριος πῦρ καὶ θεῖον. » Τὸ δέ · οὐ σβεσθήσεται εἰς τὸν αἰῶνα χρόνον, τὴν ἐρημίαν δηλοῖ · καὶ γὰρ μέχρι καὶ τήμερον τὰ πλεῖστα τῆς Ἰδουμαίας μεμένηκεν ἔρημα. Ἰδουμαία δέ ἐστιν ἡ τοῦ <Ἠ>σαῦ χώρα · φασὶ 330 δὲ τὴν Πέτραν ταύτης εἶναι μητρόπολιν.

Καὶ ἀναβήσεται ὁ καπνὸς αὐτῆς ἄνω, καὶ ἀπὸ γενεᾶς εἰς γενεὰν ἐρημωθήσεται καὶ εἰς χρόνον πολύν, καὶ οὐκ ἔσται ὁ παραπορευόμενος δι' αὐτῆς. Ἔδειξε τὰ μὲν αὐτοῖς παντελῶς καὶ εἰς τὸν αἰῶνα ἠρημωμένα, τὰ δὲ ἐπὶ πλεῖστον 335 ἀοίκητα μένοντα. Καὶ μαρτυρεῖ τὰ ὁρώμενα τῇ προφητείᾳ · ἐνίων μὲν γὰρ κωμῶν καὶ πόλεων οὐδὲ τὰ ἴχνη ὁρᾶται,

329 φασὶ Mö. : φησὶ K

325 Gen. 19, 24

---

1. Résumé d'*Is.* 34, 6 b - 7.
2. La restriction φασί est curieuse : Théodoret considérerait-il le fait comme douteux ? Cela paraît invraisemblable et la suite le dément (*In Is.*, 12, 620-621). C'est plutôt une manière de souligner

à la phrase : « il s'est rempli de sang et s'est épaissi de graisse », elle fait voir le grand nombre de ceux qui ont perdu la vie. Puis il appelle « sacrifice du Seigneur » le massacre dont ils furent victimes, dans la pensée qu'il était juste et qu'il s'est produit en vertu d'une décision divine. Il donne, de nouveau, le nom de « forts » à ceux qui ont d'importantes ressources et dit que la terre sera couverte de leur sang et de leur graisse[1] : comme personne n'ensevelissait les cadavres, toute la surface de cette terre était couverte de pus fétide. 8. *Car c'est le jour du jugement du Seigneur et c'est l'année de la revanche à cause du jugement (rendu en faveur) de Sion.* C'est en effet l'injustice des Iduméens à l'égard de Sion qui leur a valu d'endurer ces malheurs.

9. *Ses torrents se changeront en poix et sa terre en soufre ; sa terre sera comme de la poix en feu*, 10. *nuit et jour, et elle ne s'éteindra pas, pour l'éternité.* De nouveau, il a appelé « soufre et feu » le châtiment et la désolation qui en résultera ; et, de fait, « sur Sodome », dit (l'Écriture), « le Seigneur fit pleuvoir du feu et du soufre ». Quant à la phrase : « Elle ne s'éteindra pas, pour l'éternité », elle fait voir la désolation ; de fait, jusqu'aujourd'hui la plupart des régions de l'Idumée sont restées désolées. Or l'Idumée, c'est le pays d'Ésaü, dont Pétra était, dit-on, la capitale[2].

Et sa fumée s'élèvera vers les hauteurs ; d'âge en âge elle restera désolée et pour longtemps, et personne ne la traversera. Il a montré que certains lieux ont été totalement et pour l'éternité abandonnés par leurs habitants, et que d'autres restent dans leur majeure partie inhabités. Et ce que nous voyons vient confirmer la prophétie[3] ; de plusieurs bourgs et de plusieurs villes on ne voit même pas les vestiges,

la désolation de l'Idumée au point que Pétra n'a plus rien aujourd'hui de la capitale d'autrefois.

3. Faut-il prendre ce « nous voyons » au sens étroit, comme un témoignage direct de Théodoret qui aurait traversé ces régions ? On peut le penser, mais faute de preuves on ne saurait l'affirmer.

τὰ δέ γε οἰκούμενα ὀλιγοστοὺς οἰκήτορας ἔχει. [11] **Καὶ κατοικήσει ἐν αὐτῇ ὄρνεα καὶ ἐχῖνοι, καὶ ἴβεις καὶ κόρακες κατοικήσουσιν ἐν αὐτῇ.** Τοῖς ἐρημοτέροις ἐμφιλοχωρεῖ ταῦτα
340 χωρίοις.

Καὶ ἐπιβληθήσεται (ἐπ') αὐτὴν σπαρτίον γεωμετρίας ἐρήμου. Οἱ δὲ Ἄλλοι Ἑρμηνευταὶ οὕτω τοῦτο τεθείκασιν· « Καὶ ἐκταθήσεται ἐπ' αὐτὴν (μ)έτρον γεωμέτρου καὶ λίθοι συγχύσεως. » Τὸ μέτρον σημαίνει τῆς τιμωρίας τὸ δίκαιον·
345 « Ὧ μέτρῳ » γάρ φησι « με(τρ)εῖτε, ἀντιμετρηθήσεται ὑμῖν. » Ἡ δὲ σύγχυσις τῶν λίθων δηλοῖ τῶν οἰκοδομῶν τὴν κατάλυσιν. **Καὶ ὀνοκέν(τ)αυροι οἰκήσουσιν ἐν αὐτῇ.** Καὶ ἤδη προειρήκαμεν ὡς τῇ συνηθείᾳ τῶν ἀνθρώπων ὁ προφητικὸς λόγος κέχρηται καὶ ἀπὸ (τ)ῶν παρὰ ἀνθρώποις
350 πολιτευομένων ὀνομάτων προσαγορεύει τοὺς δαίμονας· καλεῖ τοίνυν ὀνοκενταύρους τὰς παρά (τι)νων ὀνοσκελίδας καλουμένας. Τοῦτο εὑρίσκομεν καὶ ἐπὶ τῶν ἀστέρων ποιοῦσαν τὴν θείαν γραφήν· καὶ [κα]λεῖ τὸν μὲν Ὠρίωνα, τὴν δὲ Πλειάδα καὶ τὸν μὲν Ἀρκτοῦρον, τὸν δὲ Ἕσπερον, οὐκ
355 αὐτὴ τὰς προσηγορίας [ἐπ]ιθεῖσα ἀλλὰ ταῖς τῶν ἀνθρώπων ὀνομασίαις ἀκολουθοῦσα εἰς δήλωσιν τῶν λεγομένων.

Εἶτα διδάσκει καὶ τῶν [β]ασιλέων καὶ τῶν ἀρχόντων τὸν ὄλεθρον καὶ ὅτι ἀκάνθινα ξύλα αἱ πόλεις βλαστήσουσι διὰ τὴν πολλὴν τῶν οἰκητόρων. [13] **Καὶ ἔσται ἔπαυλις**
360 **σειρήνων καὶ αὐλὴ στρουθῶν,** [14] **καὶ συναντήσεται δαιμόνια ⟨ὀνοκενταύροις, καὶ βοήσουσιν ἕτερος πρὸς τὸν ἕτερον· ἐκεῖ ἀναπαύσονται⟩ ὀνο(κέντα)υροι, εὗρον γὰρ ἑαυτοῖς ἀνάπαυσιν·** [15] **ἐκεῖ ἐνόσσευσεν ἐχῖνος, καὶ ἔσωσεν ἡ γῆ τὰ παιδία αὐτῆς μετὰ ἀσ(φα)λείας.** Διὰ πάντων τῶν εἰρημένων

C : 344-346 τὸ¹ — ὑμῖν ‖ 348-352 καὶ — καλουμένας ‖ 364-369 διὰ — προσδιαλέγεσθαι

345 μέτρῳ/γάρ φησι K : ∾ C ‖ 349 λόγος κέχρηται K : ∾ C ‖ 363-364 τὰ παιδία αὐτῆς e tx.rec. : αὐτὴ τὰ παιδία K* τὰ παιδία αὐτὴ K^{corr}

345 Lc 6, 38

tandis que les lieux encore habités ont un très petit nombre d'habitants. 11. *En elle habiteront des oiseaux et des hérissons ; des ibis et des corbeaux habiteront en elle.* Ces animaux séjournent volontiers dans les lieux déserts.

Et on appliquera sur elle le cordeau d'arpentage du désert. Les autres interprètes ont rendu ce passage en ces termes : « Et on tendra sur elle l'instrument de mesure du géomètre et les pierres du bouleversement. » L'instrument de mesure fait entendre la justice du châtiment : « De la mesure dont vous mesurerez », dit (l'Écriture), « on mesurera pour vous en retour. » Quant au bouleversement des pierres, il fait bien voir la ruine des habitations. *Et les onocentaures habiteront en elle.* Nous avons déjà dit précédemment que le texte prophétique se conforme à la manière habituelle dont s'expriment les hommes et qu'il a recours aux noms en usage chez les hommes pour désigner les démons[1]. Il appelle donc « onocentaures » ceux que d'aucuns appellent « onoskelis ». Nous trouvons que la divine Écriture procède également de cette manière à l'égard des astres : elle appelle l'un Orion et l'autre Pléiade, l'un Ourse et l'autre Vesper, non qu'elle leur ait imposé elle-même ces noms, mais parce qu'elle s'en tient aux appellations des hommes pour faciliter la clarté de l'expression.

Puis (le texte) enseigne[2] la mort des rois et des chefs et la croissance de bois épineux dans les cités en raison de leur manque important d'habitants. 13. *Elle sera le repaire des sirènes et le séjour des autruches ;* 14. *les démons s'(y) rencontreront avec les onocentaures et ils s'appelleront l'un l'autre ; là se reposeront les onocentaures, car ils y ont trouvé leur repos ;* 15. *là a niché le hérisson et la terre a assuré le salut de ses petits avec sécurité.* Par tous ces termes il a

1. Cf. *supra*, 5, 185-189 et p. 80, n. 1 et 2 ; voir également l'interprétation similaire d'EUSÈBE (*GCS* 224, 32-33).

2. Résumé d'*Is.* 34, 12-13 a.

365 τὴν πολλὴν ἐρημίαν δεδήλωκεν. Οὕτω γάρ φησι στερηθήσεται τῶν (ἐνοι)κούντων, ὡς ἀδεῶς τοὺς ἐχίνους τεκεῖν καὶ τὰ γεννώμενα ἀσφαλείας τυχεῖν καὶ τοὺς εἰς πολλὰς (ἰδέα)ς μετασχηματιζομένους δαίμονας σχολῆς ἀπολαύοντας ἀλλήλοις προσδιαλέγεσθαι. **Ἐκεῖ συ(νήν)τησαν ἔλαφοι καὶ εἶδον**
370 **τὰ πρόσωπα ἀλλήλων · [16] ἀριθμῷ παρῆλθον, καὶ μία αὐτῶν οὐκ ἀπώλετο, ἑ(τέρα τὴν) ἑτέραν οὐκ ἐζήτησεν, ὅτι κύριος ἐνετείλατο αὐτοῖς καὶ τὸ πνεῦμα αὐτοῦ συνήγαγεν αὐτάς. [17] Καὶ αὐτὸς ἐπιβα(λεῖ αὐ)ταῖς κλήρους, καὶ ἡ χεὶρ αὐτοῦ διεμέρισεν αὐτοὺς βόσκεσθαι εἰς τὸν αἰῶνα χρόνον**
375 **κληρονομῆσαι (αὐτὴν) γενεαῖς γενεῶν, καὶ ἀναπαύσονται ἐπ' αὐτῆς.** Καὶ ταῦτα ὁμοίως τὴν ἐρημίαν τῶν οἰκητόρων δηλοῖ · (ἀδε)ῶς γὰρ τὰ ἄγρια νέμεται ζῷα τῶν θηρευόντων οὐκ ὄντων. Τοῦτο δὲ καὶ ὁ προφητικὸς δεδήλωκε λόγος · (καὶ μί)α αὐτῶν οὐκ ἀπώλετο καὶ ἑτέρα τὴν ἑτέραν οὐκ
380 ἐζήτησεν · δέδωκε γὰρ αὐταῖς φησιν ὁ κύριος τὴν ἄδειαν [τῆς νο]μῆς καταψηφισάμενος τῆς χώρας ἐκείνης ἐρημίαν ἀνθρώπων.

Ταῦτα ἐκείνοις προαγορεύσας με[ταφέρει] τὸν λόγον εἰς τὴν πάλαι ἔρημον, εἶτα Κάρμηλον καὶ Σιὼν καὶ Ἱερουσαλὴμ
385 ὀνομασθεῖσαν, καί φησιν · **35[1] Εὐ(φράνθη)τι ἔρημος διψῶσα, ἀγαλλιάσθω ἡ ἔρημος καὶ ἀνθείτω ὡς κρίνον.** Διψῶσαν αὐτὴν καλεῖ (ὡς μὴ δε)ξαμένην ἀρδείαν προφητικήν, ἔρημον δὲ ὡς γεωργίαν θείαν μὴ δεξαμένην. Ταύτῃ εὐφρ(αίνεσθαι παρε)γγυᾷ καὶ τοῦ κρίνου μιμεῖσθαι τὸ ἄνθος. Αἰνίττεται
390 δὲ τοῦ κρίνου τὸ ἄνθος τὴν ὑπὸ τοῦ πανα(γίου πνεύματος προσ)γινομένην διὰ τοῦ βαπτίσματος καθαρότητα.

Εἶτα προαγορευτικῶς · **[2] Καὶ ἐξανθήσει (καὶ ὑλοχαρήσει)**

C : 376-378 καὶ — ὄντων || 386-391 διψῶσαν — καθαρότητα

376 τὴν ἐρημίαν/τῶν οἰκητόρων K : ∾ C || 389-390 αἰνίττεται — ἄνθος K : > C || 390 παναγίου K : ἁγίου C || 391 προσγινομένην C^{r} : γινομένην $C^{v \cdot 90 \cdot 377}$

1. Sur ces métaphores agricoles, voir *supra*, 3, 490-494 ; 9, 452-457 ; cf. aussi *In Cant.*, 81, 117 C, où Théodoret cite *Is.* 35, 1 et voit dans

clairement fait voir l'importance de la solitude. Elle sera à ce point, dit-il, privée de ses habitants, que les hérissons s'y reproduiront sans crainte, que leur progéniture y trouvera sécurité et que les démons qui revêtent bien des apparences auront tout loisir d'y converser ensemble. *Là se sont rassemblées les biches et elles se sont regardées face à face;* 16. *elles sont venues en nombre et aucune d'elles n'a péri, l'une n'a pas recherché l'autre, car le Seigneur leur a donné ses ordres et son esprit les a rassemblées.* 17. *C'est lui qui fixera pour elles les parts et c'est sa main qui les a réparties pour qu'elles les paissent éternellement, pour qu'elles aient le pays en partage de générations en générations, et elles se reposeront en lui.* Cela encore, pareillement, fait voir le manque d'habitants : sans crainte paissent les bêtes sauvages en l'absence des chasseurs. Voilà ce qu'a également fait voir le texte prophétique : « Et aucune d'elles n'a péri et l'une n'a pas recherché l'autre » : le Seigneur, dit-il, leur a donné de paître en sûreté, puisqu'il a condamné cette contrée à être privée d'habitants.

Le transfert de la Promesse

Voilà ce qu'il a annoncé aux Iduméens, avant de changer de sujet pour parler du désert de jadis, qui s'est ensuite appelé Carmel, Sion et Jérusalem ; il dit : **35,** 1. *Réjouis-toi désert altéré! que le désert exulte de joie et qu'il porte des fleurs comme un lis.* Il l'appelle « altéré » parce qu'il n'a pas reçu l'irrigation prophétique, et « désert » parce qu'il n'a pas reçu le travail d'agriculture qu'accomplit Dieu[1]. Il l'invite à se réjouir et à imiter la fleur de lis. Or, la fleur du lis fait allusion à la pureté que procure le très saint Esprit par l'intermédiaire du baptême.

Puis (il déclare) de façon prophétique : 2. *Ils fleuriront, ils se couvriront de forêts et exulteront de joie, les déserts*

le désert une manière de désigner la nature humaine en raison de son impiété d'autrefois. Cf. EUSÈBE (*GCS* 227, 17-19) et CYRILLE (70, 749 C) pour qui le terme « désert » désigne l'Église des nations.

καὶ ἀγαλλιάσεται τὰ ἔρημα τοῦ Ἰορδάνου, καὶ ἡ δόξα τοῦ Λιβάνου ἐδόθη αὐτῇ καὶ ἡ τι(μὴ τοῦ Καρμήλου). [Ἀνθοῦσαν]
395 δείκνυσι τὴν ἔρημον καὶ τοῖς Ἰορδανείοις ἀρδομένην ῥείθροις · ἐκεῖνα |143 a| γὰρ τὰ ῥεῖθρα πρῶτα ἐδέξαντο τὴν τοῦ ἁγίου πνεύματος χάριν, καὶ δι' ἐκείνων τὸ πανάγιον μηνύεται βάπτισμα. Λέγει δὲ μεταβεβηκέναι εἰς τὴν ἔρημον τὴν τοῦ Λιβάνου τιμὴν καὶ τοῦ Καρμήλου τὴν [δόξαν].
400 Κάρμηλον δὲ ὡς πολλάκις εἰρήκαμεν τὴν Ἰουδαίαν καλεῖ · αὕτη γὰρ ἐπεπλήρωτο τῶν προφητικῶν πάλαι καρπ[ῶν]. Λίβανον δὲ τὴν Ἱερουσαλὴμ πολλάκις ἡ θεία προσαγορεύει γραφή · « Ὁ ἀετὸς ὁ μέγας ὁ μεγαλοπτέρυγος ὁ πολὺς τοῖς ὄνυξιν, ὃς ἔχει τὸ ἥγημα εἰσελθεῖν εἰς τὸν Λίβανον
405 καὶ ἔλαβε τὰ ἁπαλὰ τῆς κέδρου καὶ τῆς κυπαρίσσου. » Εἶτα ἑρμηνεύων διδάσκει Λίβανον μὲν εἶναι τὴν Ἱερουσαλήμ, ἀετὸν δὲ τὸν Βαβυλώνιον, ἁπαλὰ δὲ τῆς κέδρου τὸ σπέρμα τῆς βασιλείας.

Καὶ ὁ λαός μου ὄψεται τὴν δόξαν κυρίου καὶ τὸ ὕψος τοῦ
410 **θεοῦ.** Καὶ κατὰ τὸν παρόντα βίον ὁρῶσιν οἱ πεπιστευκότες τοῦ κυρίου τὴν δόξαν καὶ φανερωτέραν ταύτην ἐν τῇ δευτέρᾳ θεάσονται παρουσίᾳ. [3] **Ἰσχύσατε χεῖρες ἀνειμέναι καὶ γόνατα παραλελυμένα. Παρακαλέσατε,** [4] **εἴπατε τοῖς ὀλιγοψύχοις τῇ διανοίᾳ · Ἰσχύσατε μὴ φοβεῖσθε.** Τοὺς ἡττηθέντας πάλαι

C : 410-412 καὶ — παρουσίᾳ || 414-416 τοὺς — δεδιέναι

394 αὐτῇ καὶ e tx.rec. : αὐτῆς K

403 Éz. 17, 3.12.13

---

1. Interprétation similaire chez EUSÈBE (*GCS* 227, 24-31) et CYRILLE (70, 749 D).

2. Si l'on trouve souvent dans les commentaires de Théodoret, et dans l'*In Is.* notamment, l'assimilation « Carmel = Judée ou Juifs au temps de leur élection », l'équivalence « Liban = Jérusalem » est moins fréquente ; elle n'est cependant pas propre à notre exégète comme le prouve un précédent passage où il rejette cette interpréta-

du Jourdain; la gloire du Liban lui a été donnée ainsi que la renommée du Carmel. Il montre que le désert fleurit et que l'irriguent les flots du Jourdain ; car ces flots ont les premiers reçu la grâce du saint baptême et leur mention constitue une révélation du très saint baptême[1]. Il dit, d'autre part, que sont passées au désert la renommée du Liban et la gloire du Carmel. Or, comme nous l'avons souvent dit, il appelle « Carmel » la Judée, car elle était remplie jadis des fruits prophétiques. Quant à « Liban », c'est le nom que donne souvent à Jérusalem la divine Écriture[2] : « Le grand aigle, à la grande envergure, plein de serres, qui a le dessein de marcher contre le Liban, a pris les parties tendres du cèdre et du cyprès. » Ensuite l'interprétation (que donne le prophète) enseigne que Jérusalem c'est « le Liban », le Babylonien « l'aigle » et le rejeton du royaume « les parties tendres du cèdre ».

La venue du Sauveur et le salut du monde

Et mon peuple verra la gloire du Seigneur et l'élévation de Dieu. Dès la vie présente, ceux qui ont cru voient la gloire du Seigneur ; ils la contempleront plus éclatante encore lors de son second avènement. 3. *Fortifiez-vous, mains languissantes et genoux chancelants ! Consolez,* 4. *dites aux âmes timorées : Prenez courage, ne craignez pas.* A ceux qui jadis furent

tion avancée par d'autres exégètes (*In Is.*, 5, 245-249) et on la retrouve plus loin dans le commentaire (*id.*, 19, 203-210). Néanmoins, comme si Théodoret avait conscience du caractère inattendu de cette identification — d'ordinaire « Liban » est le symbole des nations païennes —, il éprouve le besoin de citer un passage d'Ézéchiel, déjà utilisé à titre d'exemple dans l'*In Cant.* (81, 33 AB), dont l'interprétation est certaine, puisque le prophète en donne lui-même la clef. En dehors de l'*In Is.*, les exemples sont, il est vrai, nombreux de cette identification « Liban = Jérusalem » : *In Cant.*, 81, 124 (πολλάκις), 145 C *(id.)* ; *In Jer.*, 81, 620 B ; *In Ez.*, 81, 960 A et C ; *In Habac.*, 81, 1824 B. Les interprétations d'Eusèbe (*GCS* 228, 4 s.) et de Cyrille (70, 752 A) se fondent sur le même symbolisme.

415 καὶ τῷ διαβόλῳ δεδουλευκότας ὁ θεῖος ἀναρρώννυσι λόγος καὶ παρεγγυᾷ τὴν ἐκείνου τυραννίδα μὴ δεδιέναι.

Ἰδοὺ ὁ θεὸς ἡμῶν κρίσ(ιν) ἀνταποδίδωσι καὶ ἀνταποδώσει. Καὶ ἐπειδὴ φοβερὰ ἦν ἡ τῆς κρίσεως ἀπειλή, ὑποδείκνυσι τὸν ταύτης καρπόν. **Αὐτὸς ἥξει καὶ σώσει ἡμᾶς.** Ἡ γὰρ
420 προτέρα τοῦ σωτῆρος ἡμῶν ἐπιφάνεια τὴν σωτηρίαν τοῖς ἀνθρώποις προσήνεγκεν. Οὕτω γὰρ καὶ αὐτὸς ἔφη· « Οὐ γὰρ ἀπέστειλεν ὁ θεὸς τὸν υἱὸν αὐτοῦ, ἵνα κρίνῃ τὸν κόσμον, ἀλλ' ἵνα σωθῇ ὁ κόσμος δι' αὐτοῦ. » Τῇ κρίσει τοίνυν κατὰ τῶν πολεμούντων ἡμῖν δαιμόνων ἐχρήσατο, ἡμᾶς δὲ οἴκτου
425 καὶ φιλανθρωπίας ἠξίωσεν.

Εἶτα ἐπιδείκνυσι τὰ τῆς θείας παρουσίας σημεῖα· [5] **Τότε ἀνοιχθήσονται ὀφθαλμοὶ τυφλῶν, καὶ ὦτα κωφῶν ἀκούσεται·** [6] **Τότε ἁλεῖται ὡς ἔλαφος ὁ χωλός, καὶ τρανὴ ἔσται γλῶσσα μογγιλάλων.** Ταύτην καὶ τοῖς σώμασιν ὁ σωτὴρ τὴν θεραπείαν
430 προσήνεγκε καὶ ταῖς ψυχαῖς προσφέρει διηνεκῶς καὶ τὴν οἰκουμένην τυφλώττουσαν ἀναβλέψαι πεποίηκε καὶ χωλεύουσαν δραμεῖν πρὸς αὐτὸν παρεσκεύασε καὶ τῶν θείων λογίων ἀκούειν οὐκ ἀνεχομένην τοῖς θείοις λογίοις προστρέχειν ἀνέπεισε καὶ ψελλιζομέ[νην] καὶ εἰς πολλὰ τὴν θείαν
435 προσηγορίαν μερίζουσαν ἀρτιλαλεῖν ἐξεπαίδευσε καὶ τρανὰ καὶ ἀντίθ[ροα] θεὸν ὑμνεῖν παρεσκεύασεν. **Ὅτι ἐρράγη ἐν τῇ ἐρήμῳ ὕδωρ καὶ φάραγξ ἐν γῇ διψώσῃ.** Τῆς γὰρ (δι)δασκαλίας τὸ κήρυγμα τὴν οἰκουμένην ἐπλήρωσεν.

C : 429-434 ταύτην — ἀνέπεισε || 437-438 (solum in C[87] mg.) τῆς — ἐπλήρωσεν

415 δεδουλευκότας K : δουλεύοντας C || 435 ἀρτιλαλεῖν Mö. : ἄρτι λαβεῖν K

421 Jn 3, 17

---

1. Sur le sens métaphorique de « boiteux », cf. *supra*, 10, 260-261.
2. Allusion au polythéisme : la multiplicité des dieux est le résultat d'un « bégaiement » de l'esprit et de l'âme incapables de concevoir le Dieu unique.
3. Rapprocher le commentaire de ces versets (*Is.* 35, 4-6) de celui d'Eusèbe (*GCS* 228, 35 - 229, 15) qui, de manière différente, donne la même interprétation : prophétie accomplie avec le Christ médecin

vaincus et qui ont été les esclaves du diable, la parole divine apporte réconfort et les invite à ne pas redouter sa tyrannie.

Voici que notre Dieu rend en retour son jugement et qu'il va le rendre. Et, puisque la menace du jugement était effrayante, il fait entrevoir le fruit qui en résulte. *Il viendra en personne et nous sauvera.* De fait, la première Manifestation de notre Sauveur a procuré le salut à l'humanité. Il a même en personne déclaré : « Car Dieu n'a pas envoyé son Fils afin de juger le monde, mais afin que le monde soit sauvé par lui. » C'est donc contre les démons qui nous faisaient la guerre qu'il a mis en œuvre son jugement, tandis qu'il nous a jugés dignes de pitié et de bonté.

Puis il expose les signes de l'avènement de Dieu : 5. *Alors s'ouvriront les yeux des aveugles et les oreilles des sourds entendront ; 6. alors bondira comme un cerf le boiteux et déliée sera la langue de ceux qui bégayaient.* Le Sauveur a appliqué cette thérapeutique au corps, comme il l'applique continuellement aux âmes ; il a fait recouvrer la vue au monde qui était aveugle et l'a rendu apte, lui qui boitait[1], à courir vers lui ; alors qu'il refusait d'entendre les enseignements divins, il l'a persuadé de courir vers les enseignements divins ; alors qu'il parlait avec difficulté et qu'il fractionnait en nombreuses parts le titre de Dieu[2], il lui a enseigné à parler correctement et l'a rendu apte à louer Dieu d'une langue déliée et d'une voix sonore[3]. *Car l'eau s'est répandue dans le désert et un torrent sur la terre altérée.* Car la proclamation de la doctrine a rempli le monde.

des corps et des âmes ; cessation de l'aveuglement des nations qui les conduisait à l'idolâtrie ; cessation de la surdité et de la claudication de ceux qui s'ouvrent désormais aux enseignements divins et qui courent vers la piété ; cessation du « bégaiement » que Satan imposait pour empêcher la connaissance du vrai Dieu. Eusèbe pense, toutefois, que ce « bégaiement » pourrait désigner les hommes qui, à l'époque où régnait l'erreur, ont osé exposer, malgré les difficultés, des vues justes sur la Divinité.

[7] **Καὶ ἔσται ἡ ἄνυδρος εἰς ἕλη, καὶ εἰς τὴν διψῶσαν (γῆν)**
440 **πηγὴ ὕδατος ἔσται.** Τὸ πλῆθος τῆς ἀρδείας ὁ λόγος δεδήλωκεν. Καὶ ὁ κύριος δὲ ἐν τοῖς θείοις εὐαγγελίοις ἔφη · « Ὁ πιστεύων εἰς ἐμέ, καθὼς εἶπεν ἡ γραφή, ποταμοὶ ἐκ τῆς κοιλίας αὐτοῦ ῥεύσουσιν ὕδατος ζῶντος. » **Ἐκεῖ ἔσται εὐφροσύνη ὀρνέων,** οὐ κοράκων καὶ τῶν ἄλλων σαρκοβόρων
445 ἀλλὰ τῶν ὑπόπτερον ἐχ(όντων) διάνοιαν καὶ μετάρσιον φρόνημα κεκτημένων. **Ἐπαύλεις σειρήνων.** Τοὺς διδασκάλους διὰ τούτων δεδήλωκε τὰς τῶν μαθητευομένων καταθέλγοντας ἀκοάς. **Καὶ κάλαμοι καὶ ἕλη.** Ξένον τοῦτο καὶ [παρά]δοξον ἐν ἀνύδρῳ γῇ φαινόμενον · ταῦτα δὲ εἰς ἀπόδειξιν τοῦ
450 πλήθους τῶν ὑδάτων τέθεικεν. Καλάμ[ους] δὲ καὶ ἕλη καλεῖ τοὺς τὴν πίστιν μὲν ἔχοντας καὶ ταύτην τεθηλότας, τοῖς δὲ τῆς ἀρετῆς οὐ κομῶντας καρποῖς. Ἔχει δὲ καὶ τούτους τῆς ἐκκλησίας ὁ σύλλογος.

[8] **Καὶ ἐκεῖ ἔσται ὁδὸς καθαρά, καὶ ὁδὸς ἁγία κληθή(σεται ·**
455 **καὶ) οὐ μὴ παρέλθῃ ἐκεῖ ἀκάθαρτος, οὐδὲ ἔσται ἐκεῖ ὁδὸς ἀκάθαρτος.** Ἀκαθάρτους καλεῖ τοὺς τῶν εἰδώλ(ων) θεραπευτάς · τούτων φησὶν ὁ θεῖος ἀπήλλακται σύλλογος. **Οἱ δὲ διεσπαρμένοι πορεύσονται δι' αὐτῆς, οὐ μὴ (πλανη)θῶσιν.** Ἡγοῦμαι διεσπαρμένους τοὺς ἱεροὺς ἀποστόλους ἐπὶ
460 τοῦ παρόντος κληθῆναι · τούτους γὰρ [κατὰ πᾶσαν] τὴν οἰκουμένην διέσπειρεν ὥστε τὰ σωτήρια διαπορθμεῦσαι κηρύγματα, ἀλλ' ὅμως καὶ διασπ[αρέντες ἀπλα]νῶς ὥδευσαν · εἶχον γὰρ ποδηγὸν τὴν χάριν τοῦ πνεύματος.

[9] **Καὶ οὐκ ἔσται ἐκεῖ λέων, οὐδὲ τῶν θηρίων τῶν (πονηρῶν**
465 **οὐ μὴ ἀν)αβῇ εἰς αὐτὴν οὐδὲ μὴ εὑρεθῇ ἐκεῖ.** Λέοντα γὰρ τὸν διάβολον ὡς οἶμαι καλεῖ · « Ὁ » γὰρ « ἀντίδικος

C : 444-446 οὐ — κεκτημένων ‖ 446-448 τοὺς — ἀκοάς ‖ 456-457 ἀκαθάρτους — σύλλογος ‖ 465-470 λέοντα — ἔφη

444 ἄλλων K : +τῶν C ‖ 465 γὰρ K : > C

442 Jn 7, 38 466 I Pierre 5, 8

---

1. Cf. *supra*, 10, 386-387 et *passim*.
2. Même interprétation spirituelle chez CYRILLE (70, 753 B).

7. *La terre aride se transformera en marais et sur la terre altérée coulera une source d'eau.* Le texte a clairement fait voir l'abondance de l'irrigation[1]. Le Seigneur également dans les saints Évangiles a déclaré : « Celui qui croit en moi, selon le mot de l'Écriture, de son sein couleront des fleuves d'eau vive. » *Là sera la joie des oiseaux*, non pas celle des corbeaux et des autres charognards, mais celle de ceux qui possèdent un esprit ailé et qui ont acquis une pensée sublime[2]. *Repaires de sirènes.* Il a clairement désigné par ces mots les maîtres qui charment les oreilles de leurs disciples. *Et (il y aura) des roseaux et des marais.* Voici qui semble étrange et surprenant dans une terre aride ; mais il a écrit cela pour donner la preuve de l'abondance des eaux. Il appelle « roseaux » et « marais » ceux qui ont la foi et qui l'ont fait croître en verdure, mais qui ne la couronnent pas des fruits de la vertu. Toutefois, le rassemblement que forme l'Église comprend également ces gens-là.

8. *Il y aura là une route pure et elle sera appelée route sainte ; là ne passera aucun être impur et il n'y aura pas là de route impure.* Il appelle « impurs » les serviteurs des idoles : le divin rassemblement, dit-il, en a été délivré. *Ceux qui ont été dispersés s'avanceront sur elle, ils ne s'égareront pas.* A mon sens, ce sont les saints apôtres qui sont appelés, dans le cas présent, « ceux qui ont été dispersés », car il les a dispersés à travers le monde entier de manière à transmettre le message du salut[3] ; néanmoins, malgré leur dispersion, ils ont fait route sans s'égarer, car ils avaient pour guide la grâce de l'Esprit.

9. *Il n'y aura pas là de lion ; des bêtes sauvages malfaisantes, aucune ne montera vers elle et ne se trouvera là.* Il appelle « lion », à mon avis, le diable ; car, dit (l'Écriture),

3. Cyrille comprend qu'il s'agit de ceux qu'a dispersés Satan, i.e. les nations, et qui apprennent maintenant à connaître la voie droite et pure qui conduit à une vie sainte (70, 753 D).

(ὑμῶν » φησι) « διάβολος ὡς λέων ἕστηκε προσδεχόμενος τίνα ὑμῶν καταπίῃ. » Θηρία δὲ τοὺς ὑπ' ἐκείνῳ τελοῦντας (δαί)μονας, ὧν ἀπηλλάχθαι τῆς ἐκκλησίας τὸν σύλλογον
470 ἡ θεία πρόρρησις ἔφη. **Ἀλλὰ πορεύσονται (ἐν αὐτῇ)** |143 b| **λελυτρωμένοι** [10]**καὶ συνηγμένοι ὑπὸ κυρίου · καὶ ἀποστραφήσονται καὶ ἥξουσιν εἰς Σιὼν μετ' εὐφροσύνης καὶ ἀγαλλιάματος.** Σιὼν τὴν ἐπουράνιον λέγει · « Προσεληλύθατε » γάρ φησι « Σιὼν ὄρει καὶ πόλει θεοῦ ζῶντος, Ἱερουσαλὴμ
475 ἐπουρανίῳ. » Εἰς ταύτην ἥξειν τοὺς λελυτρωμένους ἔφη εὐφραινομένους καὶ χαίροντας.

Καὶ εὐφροσύνη αἰώνιος ὑπὲρ κεφαλῆς αὐτῶν. Τέλος γὰρ οὐκ ἔχει τὰ προσδοκώμενα ἀγαθά. **Ἐπὶ γὰρ τῆς κεφαλῆς αὐτῶν αἴνεσις καὶ ἀγαλλίασις, ἀπέδρα ὀδύνη καὶ λύπη καὶ**
480 **στεναγμός.** Ἄλυπος γὰρ ὁ βίος ἐκεῖνος, φροντίδων ἀπηλλαγμένος, ζάλην οὐδεμίαν δεχόμενος, ἀλλ' ἑορτὴν ἔχων διηνεκῆ καὶ πανήγυριν.

Ἐγὼ δὲ εἰς δύο βίβλους τῆσδε τῆς προφητείας τὴν ἑρμηνείαν διελεῖν δοκιμάσας τοῦτο τῇ προτέρᾳ δίδωμι πέρας
485 καὶ παρακαλῶ τοὺς ἐντευξομένους καὶ συντόνως καὶ ἐννόμως δραμεῖν καὶ τὴν νύσσαν καταλαβεῖν καὶ τὸ βραβεῖον λαβεῖν καὶ τῶν στεφάνων τυχεῖν καὶ τῆς μακαρίας ἐκείνης ἀπολαῦσαι ζωῆς ὡς καὶ ἡμᾶς μεγαλαυχεῖν γένοιτο χάριτι καὶ φιλανθρωπίᾳ τοῦ κυρίου ἡμῶν Ἰησοῦ Χριστοῦ, μεθ' οὗ τῷ πατρὶ
490 πρέπει δόξα σὺν τῷ παναγίῳ καὶ ἀγαθῷ πνεύματι νῦν καὶ ἀεὶ καὶ εἰς τοὺς αἰῶνας τῶν αἰώνων. Ἀμήν.

C : 473-476 Σιὼν — χαίροντας ‖ 480-482 ἄλυπος — πανήγυριν

469 σύλλογον C : ἐπίλογον K ‖ 478 ἐπὶ e tx.rec. : καὶ K ‖ 480 ὁ C : > K

473 Hébr. 12, 22

---

1. Pour Cyrille (70, 756 B), il s'agit de l'Église.
2. Rapprocher de *In Is.*, 19, 25-26 et de *Thérap.* XI, 52.
3. En vertu de cette indication fournie par Théodoret lui-même,

« Votre ennemi le diable se tient comme un lion cherchant parmi vous qui dévorer. » Par « bêtes sauvages » (il désigne) les démons qui lui sont soumis, dont le rassemblement que forme l'Église a été délivré selon la divine prédiction. *Mais s'avanceront en elle ceux qui ont été rachetés* 10. *et ceux qui ont été rassemblés par le Seigneur ; ils se détourneront du mal et ils arriveront à Sion avec joie et avec allégresse.* Il veut dire la Sion céleste[1] : « Vous vous êtes approchés », dit (l'Écriture), « de la montagne de Sion et de la cité du Dieu vivant, de la Jérusalem céleste. » Vers elle arriveront, dit-il, les rachetés dans la joie et dans l'allégresse.

Et une joie éternelle sera sur leur tête. Car les biens que l'on attend n'ont pas de fin. *Car sur leur tête il y aura louange et allégresse ; ils se sont enfuis, douleur, chagrin et gémissement.* Car cette vie-là est exempte de chagrin, elle est libre de tout souci, elle n'est sujette à aucune tempête ; elle consiste au contraire en une fête et en une réjouissance éternelles[2].

Parénèse

Quant à moi, j'ai jugé bon de séparer l'interprétation de cette prophétie en deux livres et je mets fin ici au premier[3], en invitant mes lecteurs à mener leur course avec effort et droiture, à toucher la borne et à recueillir le prix, à remporter les couronnes et à jouir de cette vie bienheureuse, afin qu'il nous soit possible à nous aussi de nous glorifier par la grâce et la bonté de notre Seigneur Jésus-Christ. Au Père, en union avec lui, convient la gloire dans l'unité de l'Esprit très saint et bon, maintenant et toujours et pour les siècles des siècles. Amen.

une glose a été introduite dans le manuscrit entre cette section et la suivante pour souligner la séparation en deux livres : « L'interprète de l'ouvrage a séparé ici en deux (son commentaire de) la prophétie d'Isaïe. »

ΤΟΜΟΣ ΙΑ'

36[1] Καὶ ἐγένετο τοῦ τεσσαρεσκαιδεκάτου ἔτους βασιλεύοντος Ἐζεκίου ἀνέβη Σενναχηρὶμ βασιλεὺς Ἀσσυρίων ἐπὶ τὰς πόλεις τῆς Ἰουδαίας τὰς ὀχυρὰς καὶ ἔλαβεν (αὐτ)άς. Μέμνηται μὲν τῆς ἱστορίας καὶ ἡ τετάρτη τῶν Βασιλειῶν. Ὁ δὲ προφήτης οὐ παρέλκον τι δρῶν ταύτην συνῆψε τῇ προφητείᾳ ἀλλὰ δεικνὺς τῶν προηγορευμένων τὸ ἀληθές. Ἐπειδὴ γὰρ πλεῖστα ἐν τοῖς ἔμπροσθεν [ἐθέ]σπισε περί τε Βαβυλωνίων καὶ Τυρίων καὶ Αἰγυπτίων καὶ πολλῶν ἄλλων ἐθνῶν, διαφερόντως [δὲ] περὶ <τῆς> τοῦ σωτῆρος ἡμῶν ἐνανθρωπήσεως καὶ τῆς Ἰουδαίων ἀπιστίας καὶ τιμωρίας καὶ τῆς τῶν ἐθνῶν κλήσεώς [τε] καὶ σωτηρίας, προηγόρευσε δὲ καὶ τῶν Ἀσσυρίων τὴν ἔφοδον καὶ τὸν ἐπενεχθέντα αὐτοῖς θεήλατον ὄλεθρον, [ἐνταῦθ]α εἰκότως μέμνηται τῆς ἱστορίας, ἵνα δείξῃ τῆς προφητείας τὸ ἀψευδὲς καὶ ὅτι, καθάπερ τὰ κατὰ τὸν Σενναχηρὶμ [τετύ]χηκε πέρατος, οὕτω δὴ καὶ τὰ ἄλλα πάντα ὅσα προείρηκεν εἰς ἔργον ἀχθήσεται.

Ὁ δὲ Σενναχηρὶμ οὗτος, [ἐπει]δὴ τῶν δέκα φυλῶν ἐνίας πόλεις ἐξηνδραπόδισε καί τινας τῆς Ἰουδαίας ἐπολιόρκησεν, ἤλπισε [νῦν] καὶ τῆς Ἱερουσαλὴμ περιέσεσθαι. Ἀπέστειλε δὲ μετὰ στρατιᾶς ὅτι πλείστης καὶ Ῥαψάκην τινὰ στρατηγὸν

1 +τοῦ Ἡσαίου τὴν προφητείαν μέσον ἐνταῦθα διεῖλεν ὁ ἑρμηνεὺς τῆς βίβλου K || 7 τῶν — ἀληθές Mö. : τῷ προηγορευμένῳ τῷ ἀγαθῷ (ἀγαθῷ cum indice in cod., mg. autem deleta) K

5 cf. IV Rois 18, 13 - 20, 19

1. Eusèbe (*GCS* 231, 3) renvoie en outre au deuxième livre des *Paralipomènes*.

2. Sur ce souci de sauvegarder la logique interne du texte scriptu-

ONZIÈME SECTION

Le siège de Jérusalem par l'armée de Sennachérim

36, 1. *Et il arriva la quatorzième année du règne d'Ézéchias que Sennachérim, le roi d'Assyrie, monta contre les villes fortifiées de Judée et s'en empara.* Le quatrième livre des Règnes a également fait mention de l'événement[1]. Le prophète l'a rattaché à sa prophétie non pour faire une espèce d'appendice, mais pour montrer la vérité de ce qui a été annoncé[2]. En effet, dans les passages précédents, il a fait de très nombreuses prophéties concernant Babylone, Tyr, l'Égypte et beaucoup d'autres nations, mais surtout l'incarnation de notre Sauveur, l'incrédulité des Juifs et leur châtiment, l'appel des nations et leur salut ; il a annoncé, en outre, l'attaque lancée par les Assyriens et la ruine que Dieu leur a infligée. Il est donc naturel qu'il ait fait ici mention de l'événement, afin de montrer le caractère véridique de sa prophétie : tout comme les annonces relatives à Sennachérim ont trouvé leur accomplissement, toutes les autres prophéties qu'il a faites seront également menées à leur réalisation.

Or, ce Sennachérim, après avoir réduit en esclavage plusieurs villes appartenant aux dix tribus et assiégé quelques villes de Judée, conçut alors l'espoir de l'emporter également sur Jérusalem. Il envoya donc une armée la plus considérable possible, avec un dénommé Rhapsakès

raire, cf. t. I, p. 188, n. 1. La reprise du développement concernant Sennachérib ne saurait être pour Théodoret une simple redite : le prophète, en notant la réalisation de faits précédemment annoncés, confère à l'ensemble de ses prophéties, et notamment à celles qui concernent le Christ, un caractère évident de véracité.

ὥστε [τ]αύτην πολιορκῆσαι. Οὗτος ἐπιτήδειόν τινα ἐκλεξάμενος τόπον καὶ ἐν τούτῳ στρατοπεδευσάμενος — λέγει [δὲ] καὶ τὸν τόπον ὁ προφήτης — διεπόρθμευσε τὰ ὑπὸ
25 τοῦ βασιλέως δεδηλωμένα · καὶ γὰρ ἐξεληλύθεισαν [πρ]ὸς αὐτὸν Ἐλιακὶμ ὁ τοῦ Χελκίου καὶ Σομνᾶς καὶ Ἰωάχαζ. Τούτου δὲ τοῦ Ἐλιακὶμ καὶ ἐν τοῖς πρό[σθεν] ἐμνήσθη καὶ πολλαῖς αὐτὸν ἐταινίωσεν εὐφημίαις. Καὶ τὸν Σομνᾶν δέ τινες αὐτὸν ἔφασαν [εἶναι] τὸν ἄνω κατηγορούμενον, ἐγὼ
30 δὲ οὐκ οἶμαι · ὁ μὲν γὰρ πολλὰς εἰς βλακείαν καὶ τρυφὴν λοιδορίας [ἐδέξ]ατο, οὗτος δὲ οὐδὲ τὴν παρ' ἄλλων τολμηθεῖσαν ἀπαθῶς ἤνεγκε βλασφημίαν ἀλλὰ τὴν ἐσθῆτα [διέ]ρρηξεν.

Τούτοις ὁ Ῥαψάκης παρεγγυᾷ τῷ Ἐζεκίᾳ εἰπεῖν ὅτι
35 ὁ βασιλεὺς Ἀσσυρίων τάδε φησίν · [4] **Τίνι (πεποι)θὼς εἶ ;** [5] **Μὴ ἐν βουλῇ ⟨καὶ⟩ λόγοις χειλέων παράταξις γίνεται ;** Δήλην ἡμῖν ποίησον τὴν αἰτίαν τοῦ θράσους. Οὐ χρεία νῦν βουλῆς ἀλλὰ συμπλοκῆς · οὐκ ἔστιν ὁ καιρὸς λόγων ἀλλ' ἔργων, οὐ πρ(εσβεί)ας ἀλλὰ παρατάξεως. Ἀλλ' ἴσως
40 τῇ Αἰγυπτίων ἐπικουρίᾳ θαρρεῖς · καίτοι καλάμῳ ἐοί(κασι) καὶ τούτῳ τεθλασμένῳ καὶ τοὺς σκηριπτομένους οὐ μόνον οὐκ ἐρείδοντι ἀλλὰ καὶ τὴν τούτων (χεῖρα τι)τρώσκοντι. Ταύτην δὲ προσήνεγκε τὴν παραβολήν, καὶ τῆς ἀσθενείας καὶ τῆς πο[νηρίας τ]ῶν Αἰγυπτίων κατηγορῶν. Ἐπαρκέσαι
45 μὲν γάρ φησιν οὐ δύνανται δι' ἀσθένειαν, λυμαίνονται δὲ [καὶ τοῖς] φεύγουσι διὰ πολλὴν πονηρίαν.

Καὶ ταῦτα μὲν οὖν τὰ ῥήματα πολλῆς ἀλαζονείας καὶ

C : 37-42 δήλην — τιτρώσκοντι

29 cf. Is. 22, 15-21

1. Résumé d'*Is.* 36, 2-3. Théodoret prend fréquemment le parti, dans cette section de son commentaire (*Is.* 36-39), de résumer le texte prophétique. Cf. le résumé très proche donné par Eusèbe (*GCS* 231, 7-12).

2. Tel est l'avis d'Eusèbe (*GCS* 234, 14-18) ; ce dernier rapporte, en outre, l'opinion des Juifs (φασὶ δὲ παῖδες Ἑβραίων) selon laquelle ce Somnâs serait passé comme transfuge au parti de l'Assyrien et

comme général, pour en faire le siège[1]. Ce dernier choisit une position adéquate et y installa son camp — le prophète indique précisément cette position —, puis il transmit les intentions du roi à ceux qui s'étaient rendus auprès de lui, Éliakim le fils de Chelkias, Somnâs et Joachaz. Le prophète a fait mention de cet Éliakim dans un passage précédent et l'a enrubanné de multiples éloges. Quant à Somnâs, d'aucuns ont prétendu qu'il s'agissait de celui qui était accusé plus haut[2], mais pour ma part je ne le pense pas, car ce dernier a reçu bien des reproches pour sa mollesse et pour son luxe, tandis que celui-là, loin même de supporter avec indifférence le blasphème que d'autres avaient l'audace de prononcer, déchira son vêtement.

Déclaration du roi d'Assur

C'est à eux que Rhapsakès enjoint de dire à Ézéchias que le roi d'Assyrie fait la déclaration suivante : 4. *En qui as-tu mis ta confiance?* 5. *Est-ce en réflexion et en paroles sorties des lèvres que se mène le combat?* Fais-nous connaître clairement la cause de ton audace. Point n'est besoin maintenant de réflexion, mais de lutte : ce n'est pas le moment de parler, mais d'agir ; non celui d'une ambassade, mais celui d'un combat. Mais, peut-être, mets-tu ta confiance dans le secours qu'apporteraient les Égyptiens : ils sont, en vérité, semblables au roseau, et encore au roseau broyé, qui non seulement ne soutient pas ceux qui s'appuient sur lui, mais qui blesse même leur main[3]. Or il a présenté cette parabole pour accuser à la fois de faiblesse et de perversité les Égyptiens. Car ils ne sont pas capables, dit-il, de fournir du secours en raison de leur faiblesse, mais ils maltraitent même les fugitifs en raison de leur grande perversité.

Ces propos sont donc déjà abondamment remplis de

aurait, pour cette raison, mérité la prophétie rapportée plus haut (*Is.* 22, 15).

3. Paraphrase d'*Is.* 36, 6.

[κακίας μεστ]ά · οὐδεμίαν δὲ κακοηθείας ὑπερβολὴν καταλείπει τὰ μετὰ ταῦτα, ἐστὶ δὲ ταῦτα · ⁷(Εἰ δὲ λέγετε)
50 πρός με · Ἐπὶ κύριον τὸν θεὸν ἡμῶν πεποίθαμεν, καὶ μὴν οὗτός ἐστιν οὗ περιεῖλεν Ἐζεκίας τὰ (ὑψηλὰ αὐτοῦ) καὶ τὰ θυσιαστήρια αὐτοῦ καὶ εἶπε τῷ Ἰούδᾳ καὶ τῇ Ἱερουσαλήμ · Κατὰ πρόσωπον |144 a| τοῦ θυσιαστηρίου τούτου προσκυνεῖτε. Κακοτεχνίᾳ καὶ πανουργίᾳ χρώμενος οὐκ εὐθ(ὺς ἐπὶ)
55 τὴν βλασφη(μίαν) ἐχώρησεν, ἀλλὰ κατὰ τοῦ εὐσεβοῦς βασιλέως τέως ὑφαίνει κατηγορίαν τοῖς πολλοῖς τῶν ὑπηκόων οὐκ ἀπαρέσκουσαν. Καὶ γὰρ οἱ πλείους ἀδεῶς θύειν ἐβούλοντο καὶ τὴν γνώμην ἐγύμνωσαν ἐπί τε τοῦ Ἄχα(ζ) καὶ τοῦ Μανασσῆ καὶ τῶν ἄλλων τῶν κατ' ἐκείνους προελομένων
60 τὴν πλάνην.

Δεῖ μέντοι ἐπισημήνασθαι ὡς οὐ τῆς τῶν εἰδώλων καταλύσεως ὁ Ῥαψάκης μέμνηται ἀλλὰ τῶν ἐν τοῖς ὑψηλοῖς τόποις ἀνακειμένων τῷ θεῷ θυσιαστηρίων. Ἡγοῦμαι γὰρ ταῦτα τὰ καλούμενα ὑψηλὰ τῷ θεῷ μὲν ἀνατεθῆναι, παρὰ
65 δὲ τὸν νόμον ἀνατεθῆναι · πρὸ γὰρ τῆς οἰκοδομίας τοῦ ναοῦ καὶ ἐν τῇ Χεβρὼν καὶ ἐν τῇ Γαβαὼν καὶ ἐν τῇ Μασσηφὰ καὶ ἐν πολλοῖς ἑτέροις τόποις θυσίας προσέφερον τῷ θεῷ, μετὰ δέ γε τὴν οἰκοδομίαν οἱ κατὰ νόμον πολιτευόμενοι οὐκ ἠνείχοντο θύειν ἔξω τοῦ θείου νεώ, οἱ δὲ κτηνώδεις
70 καὶ τῆς ὁδοῦ τῆς θεί(ας) ἔξω βαίνοντες ἐν τοῖς ὑψηλοῖς τόποις προσέφερον τὰς θυσίας οὐκ εἰδώλοις ὡς οἶμαι ἀλλὰ τῷ θεῷ. Καὶ τοῦτο δῆλον ἡμῖν ἡ τῶν Βασιλειῶν καὶ ἡ τῶν Παραλειπομένων ἱστορία ποιεῖ · καὶ τὸν Ἀσὰ γὰρ καὶ τὸν Ἰωσαφὰτ ἐπαινέσαντες οἱ ἐκεῖνα συγγράψαντες καὶ
75 ταῦτα ἔφασαν · « Καὶ ἐποίησεν Ἀσὰ τὸ εὐθὲς ἐνώπιον κυρίου τοῦ θεοῦ αὐτοῦ καὶ ἀπέστησε τὰ θυσιαστήρια τὰ ἀλλότρια καὶ τὰ ὑψηλὰ καὶ συνέτριψε τὰς στήλας καὶ

C : 54-87 κακοτεχνίᾳ — ναῷ

57 ἀδεῶς θύειν K : ∾ C ‖ ἐβούλοντο C : ἠβούλοντο K ‖ 64-65 παρὰ — ἀνατεθῆναι K : > C ‖ 66 τῇ³ K : > C ‖ 72 ἡ² C : > K ‖ 74 Ἰωσαφὰτ C : Ἰασὰφ K

75 II Chr. 14, 1-2

jactance et de méchanceté, mais rien ne peut dépasser en malice ceux qui leur font suite ; les voici : 7. *Mais, si vous me dites : C'est dans le Seigneur notre Dieu que nous avons confiance, n'est-ce pas en vérité celui dont Ézéchias a supprimé les hauts lieux et les autels de sacrifices, lui qui a dit à Juda et à Jérusalem : C'est devant cet autel que vous vous prosternerez.* Le recours à l'artifice et à la fourberie l'a dispensé d'aller tout droit au blasphème, mais c'est contre le roi pieux qu'il se contente encore de tramer une accusation, qui n'était pas pour déplaire à bon nombre de ses sujets. De fait, ils étaient assez nombreux à vouloir sacrifier en toute liberté, et ils mirent à nu leur sentiment sous le règne d'Achaz, de Manassé et des autres (rois) qui se sont rangés à leur avis pour préférer l'erreur.

La réforme d'Ézéchias

Il faut toutefois faire remarquer que Rhapsakès n'a pas fait mention de la destruction des idoles, mais de celle des autels de sacrifices qui étaient consacrés à Dieu sur les lieux élevés. A mon avis, en effet, ces « hauts lieux », comme on les appelle, ont été consacrés à Dieu, mais l'ont été en violation de la Loi : car, avant la construction du Temple, c'est à Cébron, à Gabaon, à Massépha et en bien d'autres lieux que les Juifs offraient des sacrifices à Dieu ; au contraire, après sa construction précisément, ceux qui se conformaient à la Loi ne supportaient pas de sacrifier en dehors du Temple de Dieu, tandis que les hommes stupides et qui marchaient en dehors de la voie divine continuaient à présenter sur les lieux élevés leurs sacrifices, non pas à des idoles, selon moi, mais à Dieu. C'est aussi ce que nous font voir clairement l'histoire des Règnes et celle des Paralipomènes ; après avoir loué Asa et Josaphat, les rédacteurs de ces ouvrages ont dit entre autres choses : « Et Asa fit ce qui est droit au regard du Seigneur son Dieu et il supprima les autels de sacrifices de l'étranger et les hauts lieux, il brisa les stèles et coupa

ἐξέκοψε τὰ ἄλση. » « Πλὴν ἔτι ἐθυμία ὁ λαὸς ἐν τοῖς ὑψηλοῖς. » Τοὺς μὲν γὰρ τῶν εἰδώλων κατέλυον τόπ(ους),
80 τοὺς δὲ τῷ θεῷ ἀνακειμένους κατελίμπανον ἐπὶ σχήματος. Μόνοι δέ γε Ἐζεκίας καὶ Ἰωσίας καὶ ταύτην τὴν παρανομίαν ἐκώλυσαν. Ταύτην τὴν ἀξιάγαστον τοῦ Ἐζεκίου σπουδὴν κατηγορίας ἀξίαν ὁ Ῥαψάκ(ης) ἐνόμισε καὶ παρεγγυᾷ μὴ θαρρεῖν τῷ θεῷ, ἀγανακτεῖν αὐτὸν λέγων ὡς τῶν ἀνακει-
85 μένων αὐτῷ θυ(σι)αστηρίων ἐκ βάθρων ἀνεσπασμένων καὶ περιορισθείσης αὐτῷ τῆς θεραπείας μόνῳ τῷ ἀφιερ(ωμένῳ) ναῷ.

Εἶτά φησιν· Ἐπὶ τῇ ῥώμῃ θαρρήσαντες δότε τῆς δυνάμεως πεῖραν· ἐγὼ τοὺς ἵππους παρέξω, [καὶ ὑ]μεῖς
90 δισχιλίους ἐπιβάτας παράσχετε. Εἰ δὲ καὶ τοῦτο ὑμῖν ἀδύνατον, [9] **πῶς δύνασθε ἀποστρέψαι εἰ(ς) πρόσωπον τῶν τοπαρχῶν ἑνὸς τῶν δούλων τοῦ κυρίου τῶν μικρῶν ;** Οὐ δύνασθέ φησιν ἑνὸς αὐτοῦ [εὐτελοῦς] τοπάρχου δέξασθαι προσβολήν. **Οἰκέται εἰσὶν οἱ πεποιθότες ἐπ' Αἴγυπτον,**
95 **ἐφ' ἵππον καὶ ἀναβ(άτην).** Οἱ δὲ Τρεῖς Ἑρμηνευταὶ οὕτως τοῦτο τεθείκασιν· « Καὶ ἐθάρρησεν ἑαυτῷ εἰς Αἴγυπτον καὶ εἰς ἅρματα [καὶ] ἵππους. » Κατὰ δὲ τοὺς Ἑβδομήκοντα οὕτω νοητέον, ὅτι δοῦλοι καὶ φυγάδες εἰσὶν οἱ πεποιθότες ἐπ' Αἰγυπτίοις· ἐπειδὴ γὰρ ὁ Ἄχαζ δασμόν τινα παρεῖχε
100 τοῖς Ἀσσυρίοις διὰ τὸ δέος τῶν Σύρων, ὁ δὲ Ἐζεκίας τῇ

78 ἔτι ἐθυμία C : κατεθυμία K || 79 κατέλυον C : κατέλυσεν K || 81 γε C : > K || 85 ἀνεσπασμένων C : ἀνασπασμένων K || 86 αὐτῷ C : αὐτοῦ K || 88 εἶτα Mö. : εἰ δὲ K || 98 ὅτι Mö. : ἔτι K

78 III Rois 22, 44

---

1. Sur cette réforme d'Ézéchias que Théodoret présente ici de façon plus détaillée, cf. *supra*, p. 226, n. 1. L'habileté de Rhapsakès consiste, selon Théodoret, à exploiter la connaissance psychologique qu'il a du peuple juif. Ses propos cherchent à faire passer le roi Ézéchias pour un homme qui a fait tort à Dieu en supprimant ses autels et en restreignant son culte au temple de Jérusalem : Dieu ne saurait donc accorder son appui à un tel roi. Par de semblables arguments, capables de séduire des gens qui n'avaient pas tous accepté de bon gré la réforme d'Ézéchias, Rhapsakès espérait

les bois sacrés. » « Malgré tout, le peuple continuait encore à brûler de l'encens sur les hauts lieux. » Car on détruisait les lieux réservés aux idoles, mais on laissait en l'état ceux qui étaient consacrés à Dieu. Or, les seuls à empêcher également cette violation de la Loi furent précisément Ézéchias et Josias. Ce zèle admirable d'Ézéchias, Rhapsakès le jugea digne d'accusation et il engage (les Juifs) à ne pas mettre leur confiance en Dieu : selon lui, Dieu serait irrité de ce que les autels de sacrifices qui lui étaient consacrés eurent été renversés de leurs bases et que le culte qu'on lui rend eut été circonscrit au seul Temple consacré[1].

Reprise du discours de Rhapsakès

Puis il déclare : Vous qui avez mis votre confiance dans la force, donnez la preuve de votre puissance ; moi, je vous fournirai les chevaux, fournissez de votre côté deux mille cavaliers[2] ! Si pourtant, même cela n'est pas en votre pouvoir, 9. *comment pouvez-vous tourner vos regards vers la face d'un seul des toparques qui sont parmi les moindres serviteurs de mon maître?* Vous n'êtes pas capables, dit-il, de soutenir l'attaque d'un seul toparque[3], malgré son peu d'importance. *Ce sont des serviteurs ceux qui se sont fiés à l'Égypte, au cheval et au cavalier.* Les trois interprètes ont rendu ce passage de la manière suivante : « Et il a mis, en ce qui le concerne, sa confiance dans l'Égypte, dans ses chars et dans ses chevaux. » Mais, selon les Septante, il faut comprendre de la manière suivante : ceux qui se sont fiés aux Égyptiens sont des esclaves et des fugitifs. En effet, puisque Achaz payait une contribution aux Assyriens, en raison de la crainte que lui inspiraient les Syriens, tandis qu'Ézéchias, fort

détacher le peuple du roi et contraindre ainsi ce dernier à céder, sous la pression populaire, aux exigences de l'Assyrie.

2. Paraphrase d'*Is.* 36, 8.

3. « Toparque », i.e. gouverneur d'une province, d'un district.

εὐσεβείᾳ θ[αρρήσας] κατεφρόνησε καὶ τὸν φόρον οὐκ ἔδωκεν, οἰκέτας αὐτοὺς ἐκάλεσεν Αἰγυπτίοις προσπεφευγότας.

Εἶτα [προσ]τίθησι τοῖς εἰρημένοις καὶ ἕτερον ψεῦδος τοὺς ἐπὶ τοῦ τείχους ἑστῶτας ἀποβουκολῆσαι βουλόμενος· 105 [10] **Καὶ ν(ῦν) μὴ ἄνευ κυρίου ἀνέβημεν ἐπὶ τὴν χώραν ταύτην πολεμῆσαι αὐτήν ; Κύριος εἶπε πρός με· Ἀνάβηθι ἐπὶ (τὴν γῆν) ταύτην καὶ διάφθειρον αὐτήν.** Δῆλός ἐστιν ὁ τρισάθλιος οὗτος ὡς Ἑβραῖος ὢν καὶ εἰδὼς ὅτι πολλάκις αὐτοὺς ὁ (θεὸς) δίκας τῆς ἀσεβείας πραττόμενος ἀλλοφύλοις παρέδωκεν 110 ἔθνεσι τούτοις τοῖς λόγοις ἐχρήσατο. Καὶ δυοῖν (θάτερον)· ἢ αὐτομολήσας προσεχώρησεν ἐκείνοις ἢ αἰχμάλωτος ἀπαχθείς, ἡνίκα τὰς δέκα φυλὰς ἠνδραπό(δισαν), ἠσπάσατο τὴν ἐκείνων ἀσέβειαν. Πρὸς ταῦτα μέντοι ἀπεκρίναντο οἱ περὶ τὸν Ἐλιακ[ὶμ] παρακαλοῦντες μὴ τῇ Ἑβραίων ἀλλὰ 115 τῇ Σύρων κεχρῆσθαι φωνῇ· Ἐπαΐομεν γὰρ καὶ τῆς [τούτων] γλώττης· οὐ γὰρ προσήκει πᾶσι τὰ λαλούμενα δῆλα γενέσθαι. Ὁ δέ φησιν· Οὐ πρὸς ὑμᾶς οὐδὲ πρὸς [τὸν] ὑμέτερον ἀπεστάλην δεσπότην ἀλλὰ πρὸς τὸν λαὸν τοῦτον τὸν πάσης ἄξιον ἀτιμίας.

120 Εἶτα [τούτους κατα]λιπὼν καὶ βοῇ μεγίστῃ χρησάμενος ἐξαπατᾶν πειρᾶται τὸ πλῆθος τὸν μέγιστον βασι[λέα λέγων] δεδηλωκέναι· [14] **Μὴ ἀπατάτω ὑμᾶς Ἐζεκίας λόγοις οἷς οὐ μὴ δύνηται ῥύσασθαι ὑμᾶς·** [15] **(καὶ μὴ λεγέτω) ὑμῖν Ἐζεκίας ὅτι ῥύσεται ὑμᾶς ὁ θεὸς καὶ οὐ μὴ παραδοθῇ ἡ πόλις αὕτη** 125 **εἰς χεῖρας βασιλ(έως Ἀσσυρίων)·** [16] **μὴ ἀκούετε Ἐζεκίου.**

C : 107-113 δῆλος — ἀσέβειαν

108 οὗτος C : > K || 112 φυλὰς K : +καταλύσαντες C || ἠσπάσατο C : ἢ ἠσπάσατο K

---

1. Théodoret n'émet de telles hypothèses que pour justifier la vraisemblance du discours tenu par Rhapsakès ; comment admettre, en effet, qu'un étranger à la nation juive, un Assyrien, ait une telle connaissance des desseins du Dieu d'Israël sur son peuple et qu'il l'utilise aussi habilement pour fléchir la force de résistance de ce peuple ? Cf. *Quaest. in IV Reg.*, 80, 785 C - 788 A.

2. Paraphrase d'*Is.* 36, 11-13.

de sa piété, n'en fit aucun cas et ne versa pas le tribut, il les a appelés « serviteurs » eux qui allaient chercher refuge chez les Égyptiens.

Puis il ajoute à ce qu'il vient de dire encore un autre mensonge, avec la volonté de séduire ceux qui se tenaient sur le rempart : 10. *Et maintenant est-ce sans le Seigneur que nous sommes montés contre ce pays pour lui faire la guerre? C'est le Seigneur qui m'a dit: Monte contre cette terre et dévaste-la.* De toute évidence, c'est parce que ce très misérable individu était hébreu et qu'il savait que Dieu, pour leur faire expier leur impiété, les avait souvent livrés aux nations étrangères, qu'il leur a tenu ce langage. Et de deux choses l'une : ou bien c'est un transfuge qui est passé au parti des Assyriens ou bien il a été emmené comme prisonnier, lorsqu'ils réduisirent en esclavage les dix tribus, et il a embrassé leur impiété[1]. Ces paroles provoquèrent, toutefois, la réponse d'Éliakim et de ses compagnons[2] qui le priaient de ne pas utiliser la langue hébraïque, mais la langue syriaque[3] : « Car nous comprenons également cette langue ; il ne convient pas, en effet, que notre entretien soit saisi de tous. » Mais lui de dire : « Ce n'est pas vers vous ni vers votre maître que j'ai été envoyé, mais vers ce peuple qui mérite un total mépris. »

Puis il les laisse de côté, prend une voix très forte et tente de tromper la masse (des défenseurs) en disant que le très grand roi a fait la déclaration suivante : 14. *Qu'Ézéchias ne vous trompe point par des discours, avec lesquels il est incapable de vous défendre!* 15. *Et qu'Ézéchias ne vous dise pas que Dieu vous défendra et que cette ville ne sera pas livrée aux mains du roi des Assyriens!* 16. *N'écoutez pas Ézéchias.* Ni lui ni Dieu notre Maître

3. On comprend pourquoi : les interlocuteurs de Rhapsakès redoutent que le discours de ce dernier, s'il est compris de tous, ne sape le moral du peuple ; Cyrille donne la même interprétation (70, 760 D - 761 A).

Οὔτε οὗτος λύττης οὔτε ὁ δεσπότης θεὸς μακροθυμίας ὑπερ(βολὴν κατέλιπεν · |144 b| οὗτος) μὲν γὰρ π(λή)ττειν οὐ δυνάμενος ἔβαλλεν, ὁ δὲ παντοδύναμος ἔφερεν. Προστίθησι δὲ πάλιν τοῖς [εἰρημένοις] ὅτι, εἰ τοῦ εὐπαθεῖν ἐφίεσθε,
130 τὰς πύλας ἀναπετάσατε, ἀδεῶς πρὸς ἡμᾶς ἐξέλθετε καὶ τ[εύ]ξεσθε εἰρήνης, ἀπολαύσεσθε καὶ τῶν τῆς χώρας καρπῶν, [17] **ἕως ἂν ἔλθω** φησὶ **καὶ λάβω ὑμᾶς εἰς (γῆν) ὡς τὴν γῆν ὑμῶν**, ὁμοίως γόνιμόν τε καὶ πίονα καὶ παντοδαποὺς φέρουσαν τοῖς γεωργοῦσι καρπούς. Δῆλος δὲ ἦν οὗτος ἄλλοις ἐπι-
135 στρατεῦσαι βουλόμενος, διὸ δὴ ἔφη · ἕως ἂν ἔλθω. Πρὸς τούτοις [ἀπ]αριθμεῖται τὰ ἔθνη καὶ τὰς πόλεις, ἃς ὑπακούειν ἠνάγκασεν · πρὸς ταῖς ἄλλαις καὶ τῆς Σαμαρείας φέρει τὴν μνήμην βρενθυόμενος καὶ λέγων ὡς οὐδεὶς αὐτῶν ἀμείνων ἐφάνη, οὐ βασιλεύς, οὐ στρατηγός, οὐχ ὁ τούτων
140 προστατεύων θεός · πάντων γάρ φησιν ὁμοῦ καὶ τῶν ἀνθρώπων καὶ τῶν θεῶν ἐκρατήσαμεν, οὐ τοίνυν οὐδὲ ὁ ὑμέτερος περιέσται μου θεός.

Ταύτην ἀκούσαντες τὴν ἄρρητον βλασφημίαν οἱ περὶ τὸν Ἐλιακὶμ λόγου μὲν οὐδενὸς μετέδοσαν τῷ δυσσεβεῖ, τὴν
145 ἐσθῆτα δὲ διαρρήξαντες ἔδραμον πρὸς τὸν εὐσεβῆ βασιλέα καὶ ἐδίδαξαν τοῖς τε λόγοις τῷ τε σχήματι τὴν τῆς βλασφημίας ὑπερβολήν. Ταὐτὸ [δὲ] τοῦτο καὶ ὁ πάντα ἄριστος δέδρακε βασιλεύς · τὴν γὰρ βασιλικὴν διαρρήξας στολὴν καὶ σάκκον ἀντὶ [ταύ]της περιβαλόμενος ἔδραμε πρὸς τὸν
150 σὺν αὐτῷ πολεμούμενον, τὸν τῶν ἁπάντων δημιουργόν.

Μέτρα (δὲ τῆς) ἀρετῆς διακρίνειν εἰδὼς οὐ μόνος ἱκετεύει τὸν τῶν ὅλων θεόν, ἀλλὰ τὸν προφήτην Ἡσαΐαν εἰς ἐπι-

C : 126-128 οὔτε¹ — ἔφερεν ‖ 134-135 δῆλος — ἔλθω ‖ 149-153 ἔδραμε — παρακαλεῖ

128 παντοδύναμος K : πάντα δυνάμενος C ‖ 134 οὗτος K : ὁ Ῥαψάκης C ‖ 135 ἔλθω K : +καὶ λάβω ὑμᾶς C ‖ 151 διακρίνειν C : διακρῖναι K

---

1. Résumé d'*Is.* 36, 16-17 a.
2. A partir d'ici, Théodoret résume toute la fin du chapitre (*Is.* 36, 18-22).

n'ont laissé un moyen d'aller plus loin, l'un dans la rage, l'autre dans la patience : car, malgré son incapacité à blesser, c'est lui qui portait les coups, tandis que Dieu malgré sa toute puissance les supportait. A ce qu'il vient de dire il ajoute encore[1] : « Si vous avez désir de mener une vie douce, ouvrez les portes, venez sans crainte vers nous et vous obtiendrez la paix, vous jouirez aussi des fruits du pays », 17. *jusqu'à ce que je vienne*, dit-il, *et que je vous transporte dans une terre comme la vôtre*, pareillement féconde, riche et porteuse de toutes sortes de fruits pour ceux qui la cultivent. Il est clair qu'il voulait conduire la guerre contre d'autres peuples, puisqu'il a dit précisément : « jusqu'à ce que je vienne ». En outre, il fait le compte des nations et des villes qu'il a contraintes à la soumission[2] ; entre autres, il fait notamment mention de Samarie, en se rengorgeant et en déclarant que personne ne s'est montré plus fort qu'eux (les Assyriens), ni roi, ni général, ni le dieu protecteur de ces cités : nous avons vaincu à la fois, dit-il, tous les hommes et tous les dieux, ce n'est donc pas votre Dieu qui se rendra maître de moi !

Quand ils eurent entendu ce blasphème qui défie toute parole, Éliakim et ses compagnons ne répondirent pas un mot à l'impie, mais ils déchirèrent leurs vêtements, avant de courir vers le roi pieux et de lui apprendre, tout à la fois par leurs paroles et leurs gestes, l'excès du blasphème. A son tour ce roi en tout point excellent fit de même : il déchira, en effet, sa tunique royale, revêtit à sa place un sac, puis courut auprès de celui que l'on attaquait avec lui, le Créateur de toutes choses.

Recours au prophète Isaïe

Toutefois, comme le roi savait apprécier les limites de sa vertu, il n'entend pas supplier à lui seul le Dieu de l'univers, mais appelle le prophète Isaïe pour

κου(ρί)αν καλεῖ καὶ πρεσβευτὴν γενέσθαι παρακαλεῖ, τούς τε προειρημένους καὶ τῶν ἱερέων τοὺς αἰδοῦς [ἀ]ξιωτέρους
155 τὸ πένθιμον σχῆμα περικειμένους πρὸς αὐτὸν ἀποστείλας. Οἱ δὲ παραγενόμενοι ἔφασαν ταῦτα · **37³ (Τά)δε λέγει Ἐζεκίας.** Καὶ ἐντεῦθεν ἔστι καταμαθεῖν τὴν διαφορὰν τοῦ φρονήματος. Ὁ μὲν γὰρ Ῥαψάκης (ἔλεγ)εν · « Τάδε λέγει ὁ βασιλεὺς ὁ μέγας Ἀσσυρίων », οὗτοι δὲ τὸ μέτριον τοῦ
160 πεπομφότος δεικνύντες οὐδὲ βασιλέα (αὐτ)ὸν ὀνομάζουσιν ἀλλὰ μόνου τοῦ ὀνόματος μέμνηνται.

Ἡμέρα θλίψεως καὶ ὀνειδισμοῦ καὶ ἐλεγμοῦ καὶ ὀργῆς (ἡ σή)μερον ἡμέρα, ὅτι ἥκει ἡ ὠδὶν τῇ τικτούσῃ, ἰσχὺν δὲ οὐκ ἔχει τοῦ τεκεῖν. Ὀνειδισμὸν καλεῖ τὴν ἐκείνου (βλασ)φημίαν,
165 ἐλεγμὸν δὲ τὴν τοῦ λαοῦ παρανομίαν. Ἡμεῖς γὰρ αἴτιοι τῆς βλασφημίας παρανόμως βιοῦντες (καὶ ἀ)ξίους ἡμᾶς αὐτοὺς ἀποφαίνοντες τῆς τιμωρίας · ἀλλ' ὅμως ὀργιζόμεθα μὲν διὰ τὴν τῆς βλασ(φ)ημίας ὑπερβολὴν καὶ κολάσαι τὸν ἀλιτήριον ἐφιέμεθα, ἐπιθεῖναι δὲ τῇ προθυμίᾳ τὸ πέρας
170 οὐκέτι (δυν)άμεθα καὶ ἐοίκαμεν γυναικὶ κυούσῃ μὲν καὶ δεδεγμένῃ τῶν ὠδίνων τὴν προσβολήν, τεκεῖν δὲ (δι' ἀτ)ονίαν οὐ δυναμένῃ.

⁴ Εἴ πως εἰσακούσεται κύριος ὁ θεός σου τοὺς λόγους Ῥαψάκου ὃν ἀπέστειλε βασι(λεὺς) Ἀσσυρίων ὁ κύριος
175 **αὐτοῦ ὀνειδίζειν θεὸν ζῶντα καὶ ὀνειδίζειν λόγους οὓς ἤκουσε κύριος ὁ θεός σου ;** Δηλοῖ (καὶ τ)αῦτα τοῦ βασιλέως τὴν ἀρετήν · ἐπαμῦναι γὰρ αὐτῷ τὸν θεὸν ἱκετεύει οὐ διὰ τὴν εὐσέβειαν, ἧς πολλὴν ἐποι(εῖτο) φροντίδα, ἀλλὰ διὰ τὴν τοῦ ἀλάστορος ἐκείνου μανικὴν βλασφημίαν. Τοῖς γὰρ οὐκ
180 οὖσί φησι θεοῖς (παραπ)λησίως ὠνείδισε τὸν ὄντα. **Καὶ δεηθήσῃ πρὸς κύριον τὸν θεόν σου περὶ τῶν καταλελειμ-**

C : 157-161 ἐντεῦθεν — μέμνηνται ‖ 164-172 ὀνειδισμὸν — δυναμένῃ ‖ 176-180 δηλοῖ — ὄντα

160 οὐδὲ K : οὔτε C ‖ 161 μόνου K : μόνον C ‖ 167 αὐτοὺς C : ἑαυτοὺς K ‖ τῆς C : > K ‖ 179 μανικὴν K : μανιώδη C ‖ 180 φησι θεοῖς K : ∾ C

lui prêter assistance : il le presse de devenir son ambassadeur (auprès de Dieu) par la bouche des ministres précédemment nommés et par celle des prêtres les plus dignes de respect qu'il avait envoyés en habit de deuil le trouver[1]. Arrivés près de lui, ils déclarèrent ce qui suit : **37,** 3. *Voici ce que dit Ézéchias.* Rien qu'à partir de cette formule, il est possible de comprendre la différence de sentiment entre Rhapsakès qui disait : « Voici ce que dit le grand roi des Assyriens », et eux qui, pour montrer la modestie de celui qui les a envoyés, ne lui donnent même pas le titre de « roi », mais font uniquement mention de son nom.

Jour de tribulation et d'opprobre, de blâme et de colère que le jour présent, parce que les douleurs sont arrivées pour celle qui enfante, mais elle n'a pas de force pour enfanter. Il appelle « opprobre » le blasphème de Rhapsakès, et « blâme », l'iniquité du peuple. C'est nous qui sommes responsables du blasphème, puisque nous vivons de manière inique et que nous nous montrons dignes du châtiment ; néanmoins, l'excès du blasphème nous irrite et nous souhaitons châtier le coupable, mais nous ne pouvons plus conduire notre désir à son terme et nous sommes semblables à une femme enceinte qui a ressenti la venue des douleurs, mais qui, en raison de sa langueur, ne peut pas enfanter.

4. *Peut-être le Seigneur ton Dieu entendra-t-il les paroles de Rhapsakès qu'a envoyé le roi des Assyriens, son seigneur, pour outrager le Dieu vivant et pour l'outrager en des paroles qu'a entendues le Seigneur ton Dieu?* Ces propos font également bien voir la vertu du roi : il supplie Dieu de le défendre, non pas en raison de la piété dont il faisait sa grande préoccupation, mais en raison du blasphème insensé de ce scélérat. Car il a, dit-il, outragé Celui qui est, presque dans les mêmes termes que les dieux qui ne sont pas. *Et tu adresseras une prière au Seigneur ton Dieu*

1. Résumé d'*Is.* 37, 1-2.

μένων τούτων. ('Επειδ)ὴ γὰρ τὰς δέκα φυλὰς ἠνδραπόδισαν καὶ πλείστας τῆς 'Ιουδαίας ἐπολιόρκησαν πόλεις, εἰκότως (τοὺς εἰς) τὴν Ἱερουσαλὴμ καταπεφευγότας λείψανον ὀνομάζει.
185 Ταῦτα ὁ μὲν 'Εζεκίας ἐδήλωσεν, οἱ δέ γε ἀπο(σταλέν)τες τὸν προφήτην ἐδίδαξαν.

Ὁ δὲ τοῦ προφήτου θεὸς προλαμβάνει τοῦ προφήτου τὴν ἱκε(τείαν) καὶ διὰ τοῦ προφήτου φησίν· [6] **Μὴ φοβηθῇς ἀπὸ τῶν λόγων ὧν ἤκουσας δι' ὧν ὠνείδισάν με (οἱ πρέσ)-**
190 **βεις βασιλέως 'Ασσυρίων.** 'Εγώ σοι ἐκοινώνησα τῆς λοιδορίας, ἐγώ σοι κοινωνήσω τῆς (μάχης)· ἐγὼ τὴν βλασφημίαν ἐδεξάμην, ἐγὼ τὴν τιμωρίαν ἐποίσω. [7] **'Ιδοὺ ἐγὼ ἐμβα(λῶ εἰς αὐ)τὸν πνεῦμα, καὶ ἀκούσας ἀγγελίαν ἀποστραφήσεται εἰς τὴν χώραν αὐτοῦ καὶ πεσεῖται (μαχαίρᾳ ἐν) τῇ γῇ αὐτοῦ.**
195 Πνεῦμα τὴν δειλίαν ἐκάλεσεν· οὕτω γὰρ καὶ ὁ θεῖος ἀπόστολος λέγει· « Οὐ γὰρ ἔδωκεν (ἡμῖν ὁ θεὸς) πνεῦμα δειλίας. » Δηλοῖ δὲ καὶ τὰ ἐπαγόμενα· φήμην γάρ τινα δεξάμενος πονηρὰν ἀνα(στρέψει μὲν) εἰς τὴν πατρίδα, δέξεται δὲ τὴν τιμωρίαν ἐκεῖ. Οὕτω τούτων συμπληρωθέντων
200 [ἀπέστρεψεν] ἐκεῖνο[ς ὁ] 'Ραψάκης [καὶ] τὴν πολιορκίαν καταλιπὼν τὸν πεπομφότα κατέλαβε |145 a| βασιλέα τὴν Λόβναν πολιορκοῦντα — πόλις δὲ αὕτη τῆς 'Ιουδαίας —, καταλιπὼν γάρ φησι τὴν Λαχὶς κατ' ἐκείνης ἐχώρησεν.

Εἶτα ὁ προφητικὸς ἡμᾶς διδάσκει λόγος, ὡς μαθὼν ὁ
205 μεμηνὼς βασιλεὺς τῶν Αἰθιόπων τὸν βασιλέα κατ' αὐτοῦ κεχωρηκέναι κατὰ τὴν θείαν ἀνεχώρησε πρόρρησιν, οὐ μὴν

C : 182-188 ἐπειδὴ — ἱκετείαν ‖ 190-192 ἐγώ — ἐποίσω ‖ 195-199 πνεῦμα — ἐκεῖ ‖ 206-207 κατὰ — ἐπαύσατο

185 γε C : > K ‖ 187 προλαμβάνει C : παραλαμβάνει K ‖ 192 ἐποίσω C^v : ἐμ(ν)ποιήσω KC praeter C^v ‖ 198 ἀναστρέψει Br. Sch. : ἀναστρέφει C ‖ δέξεται K : δέχεται C ‖ 206 ἀνεχώρησε πρόρρησιν K : ∾ C

196 II Tim. 1, 7

---

1. Cf. Chrysostome (*M.*, p. 236, § 6, 7) : *Ecce ego immitto in eum spiritum, id est perturbationem.*

2. Cet abandon subit du siège pourrait s'expliquer, comme le laisse entendre la suite du texte biblique, par la crainte de Sennachérib

en faveur de ceux qui restent. Puisqu'ils ont, en effet, emmené en esclavage les dix tribus et qu'ils ont fait le siège de la plupart des villes de Judée, il donne à juste titre à ceux qui se sont réfugiés à Jérusalem le nom de « reste ». Voilà la déclaration que fit Ézéchias et ce dont ses envoyés instruisirent le prophète.

Quant au Dieu du prophète, il prévient la supplique du prophète et déclare par l'intermédiaire du prophète : 6. *Ne crains pas à cause des paroles que tu as entendues, par lesquelles m'ont outragé les ambassadeurs du roi des Assyriens.* J'ai partagé avec toi l'insulte, je partagerai avec toi le combat ; c'est moi qui ai reçu le blasphème, c'est moi qui infligerai le châtiment. 7. *Voici que je vais mettre en lui un esprit ; il apprendra une nouvelle et il retournera dans son pays et il tombera sous le glaive dans sa terre.* Il a appelé « esprit » la crainte[1] ; c'est ainsi que le divin Apôtre déclare à son tour : « Car Dieu ne nous a pas donné un esprit de crainte. » Ce qui suit le fait également bien voir : il recevra une mauvaise nouvelle qui le fera retourner dans sa patrie, et c'est là qu'il recevra son châtiment. Ainsi s'accomplirent ces prédictions et l'orgueilleux Rhapsakès s'en retourna ; après avoir abandonné le siège, il trouva le roi qui l'avait envoyé en train d'assiéger Lobna — c'était une ville de Judée —, car, dit (le prophète), il abandonna Lachis pour marcher contre cette ville[2].

Nouvelle mise en garde de Sennachérim

Puis le texte prophétique nous apprend[3] que le roi, rendu furieux de savoir que le roi d'Éthiopie s'était mis en marche contre lui, fit retraite conformément à la prédiction divine ; cependant, loin de

d'être pris à revers par l'armée égyptienne de « Tirhaqua, roi d'Éthiopie » et par l'épidémie (*Is.* 37, 36) qui semble s'être déclarée dans l'armée assyrienne ; mais la raison essentielle qui obligea Sennachérib à la retraite paraît bien avoir été la reprise de la révolte à Babylone.

3. Résumé d'*Is.* 37, 8-10 a.

τῆς λύττης ἐπαύσατο ἀλλὰ ταῦτα διά τινων τῷ Ἐζεκίᾳ δεδήλωκεν· [10] **Μή σε ἀπατάτω ὁ θεός σου, ἐφ' ᾧ σὺ πέποιθας ἐπ' αὐτῷ λέγων· Οὐ μὴ παραδοθῇ ἡ Ἱερουσαλὴμ**
210 **εἰς χεῖρας βασιλέως Ἀσσυρίων.**

Εἶτα πάλιν ἀπαριθμεῖται τὰ ἔθνη καὶ τὰς πόλεις καὶ τοὺς τούτων θεοὺς καὶ λέγει ταύτας ἁπάσας ὑπ' αὐτοῦ καὶ τῶν πατέρων καταλυθῆναι. Ταύτην αὐτοῦ τὴν μανίαν προδιαγράφων ὁ προφήτης, μᾶλλον δὲ ὁ τοῦ προφήτου
215 θεός, ἔφη· « Ἐπισκέψομαι ἐπὶ τὸν νοῦν τὸν μέγαν, τὸν βασιλέα τῶν Ἀσσυρίων, καὶ ἐπὶ τὸ ὕψος τῆς δόξης τῶν ὀφθαλμῶν αὐτοῦ. Εἶπε γάρ· Τῇ ἰσχύι τῆς χειρός μου ποιήσω καὶ τῇ σοφίᾳ τῆς συνέσεώς μου, ἀφελῶ ὅρια ἐθνῶν καὶ τὴν ἰσχὺν αὐτῶν προνομεύσω καὶ σείσω πόλεις κατοι-
220 κουμένας καὶ τὴν οἰκουμένην ὅλην καταλήψομαι ὡς νοσσιάν » καὶ τὰ ἄλλα, ἵνα μὴ πάντα διεξέρχωμαι.

Ὁ μέντοι θαυμάσιος βασιλεὺς τὰ δυσσεβῆ ταῦτα δεξάμενος γράμματα καὶ τὴν ἐγκειμένην αὐτοῖς βλασφημίαν ἰδὼν πάλιν ἔδραμεν εἰς τὸν θεῖον νεὼν καὶ ἀναπτύξ(ας) ὑπέδειξε τῷ
225 ὀνειδισθέντι θεῷ καὶ τήνδε τὴν ἱκετείαν προσφέρει· [16] **Κύριε Σαβαὼθ ὁ θεὸς τοῦ Ἰσραὴλ ὁ καθήμενος ἐπὶ τῶν χερουβίμ, σὺ εἶ ὁ θεὸς μόνος πάσης τῆς ⟨βασιλείας τῆς⟩ οἰκουμένης.** Ὁ Ἀσσύριός φησιν ἕνα σε τῶν ψευδωνύμων νομίζει θεῶν, ἐγὼ δέ σε οἶδα τῶν δυνάμεων κύριον καὶ τοῦ Ἰσραὴλ
230 δεσπότην, θρόνον ἔχοντα οὐ κάτω που καὶ ἐπὶ γῆς κείμενον (ἀλλὰ) τοῖς χερουβὶμ ἐπικείμενον. Πάσης τῆς οἰκουμένης καὶ τῶν ἐν αὐτῇ βασιλέων οἶδά σε καὶ θεὸν καὶ δεσπότην καὶ (πρὸς) τούτοις τῶν ὅλων δημιουργόν.

C : 222-225 (solum in Cv) ὁ — προσφέρει ‖ 228-233 ὁ — δημιουργόν

212 αὐτοῦ Mö. : αὐτῶν K ‖ 219 σείσω e tx.rec. : θήσω K ‖ 222 μέντοι K : > Cv ‖ ταῦτα K : > Cv ‖ 224 νεὼν K : ναὸν Cv ‖ 229 καὶ KC90 : > C (praeter C90) ‖ 232 αὐτῇ C : ταύτῃ K ‖ καὶ² K : > C

215 Is. 10, 12-14

1. Résumé d'*Is.* 37, 11-13.

2. Son souci de la concision dispense Théodoret de rappeler

mettre fin à sa fureur, il fit à Ézéchias par l'intermédiaire de messagers la déclaration suivante : 10. *Que ton Dieu ne te trompe pas, lui en qui tu as mis ta confiance, en disant : Jérusalem ne sera pas livrée aux mains du roi des Assyriens.*

Puis, de nouveau, le roi fait le compte des nations[1], des villes et de leurs dieux et déclare qu'elles ont toutes été détruites par lui et par ses pères. Quand il décrivait par avance cette folie du roi, le prophète, ou plutôt le Dieu du prophète, a dit : « Je tournerai mes regards sur l'esprit d'orgueil, le roi des Assyriens, et sur la hauteur de la gloire de ses yeux. Car il a dit : Par la force de ma main, j'agirai, et par la sagesse de mon intelligence, j'enlèverai les limites des nations, je pillerai leur richesse, je détruirai des villes habitées et je m'emparerai du monde entier comme d'un nid », mais je laisse de côté la suite du passage, afin de ne pas énumérer tous ses propos[2].

Prière à Dieu du roi Ézéchias

En tout cas, dès que l'admirable roi eut reçu ces écrits impies et qu'il eut pris connaissance du blasphème qu'ils contenaient, il courut de nouveau dans le Temple de Dieu, il déplia (la lettre), la montra à Dieu qui avait été outragé, et il lui présente cette supplication[3] : 16. *Seigneur Sabaoth, Dieu d'Israël, toi qui sièges sur les chérubins, c'est toi qui es le seul Dieu de tout le royaume de la terre.* L'Assyrien, dit-il, pense que tu es l'un des dieux faussement appelés de ce nom, mais moi je sais que tu es le Seigneur des Puissances et le Maître d'Israël, que tu as un trône qui n'est pas en quelque lieu ici-bas ni placé sur la terre, mais placé sur les chérubins. Je sais que, du monde entier et des rois qui l'habitent c'est toi qui es le Dieu et le Maître, et que tu es, en outre, le Créateur de l'univers.

intégralement un passage précédemment commenté ; il se contente d'y renvoyer le lecteur, cf. *supra*, p. 29.

3. Paraphrase d'*Is.* 37, 14-15.

Τοῦτο γὰρ ἐπήγαγεν · **Σὺ ἐποίησας τὸν οὐρανὸν καὶ τὴν**
235 **γῆν.** [17] **Κλῖνον κύριε τὸ οὖς σου (καὶ εἰσ)άκουσον κύριε, ἄνοιξον κύριε τοὺς ὀφθαλμοὺς καὶ ἴδε κύριε καὶ ἄκουσον τοὺς λόγους Σενναχηρίμ, οὓς ἀπέστειλεν ὀνει(δίζειν) θεὸν ζῶντα.** Ἐπειδὴ τοίνυν τὴν τοῦ θεοῦ μακροθυμίαν ὕπνον ἡ θεία προσαγορεύει γραφή, εἰκότως ὁ θαυμάσιος βασιλεὺς
240 ἀντιβολεῖ λέγων. Ἄνοιξον τοὺς ὀφθαλμούς σου καὶ κλῖνον τὸ οὖς σου καὶ τῆς βλασφημίας ἐπάκο(υσον) καὶ τὰ ὀνείδη βλέπε τε καὶ δίδαξον αὐτόν, ὡς οὐχ εἷς εἶ τῶν καλουμένων θεῶν. Εἰς ταύτην γὰρ αὐτὸν τὴν μανίαν (ἤ)γαγεν ἡ ἐκείνων ἀσθένεια · ἐπειδὴ γὰρ ἐκείνων κεκράτηκε, καὶ τῆς σῆς
245 δυνάμεως κρατήσειν νεανιεύεται.

Τοῦτο [δὲ] δηλοῖ καὶ τὰ ἑξῆς · [18] **Ἐπ' ἀληθείας γὰρ κύριε ἠρήμωσαν βασιλεῖς Ἀσσυρίων τὴν οἰκουμένην ὅλην καὶ τὴν χώρ(αν) αὐτῶν** [19] **καὶ ἐνέβαλον τὰ εἴδωλα αὐτῶν εἰς τὸ πῦρ.** Καὶ ταῦτα τοῦ βασιλέως τὴν σοφίαν δηλοῖ ·
250 εἴδωλα γὰρ ἐκάλεσε τὰ γενόμενα τροφὴν τοῦ πυρός. Καὶ δεικνὺς τὴν αἰτίαν τῆς ἥττης ἐπήγαγεν · **Οὐ γὰρ ἦσαν θεοὶ ἀλλ' ἔρ(γα) χειρῶν ἀνθρώπων, καὶ ἀπώλεσαν αὐτούς.** Εἰκότως φησὶν ἐκεῖνα φροῦδα γεγένηται καὶ ὑπὸ τοῦ πυρὸς (δε)δαπάνηται · τέχνῃ γὰρ αὐτοῖς ἀνθρωπίνῃ τὸ εἶναι δεδώρηται.
255 [20] **Νῦν δὲ κύριε ὁ θεὸς ἡμῶν σῶσον ἡμᾶς ἐκ χειρὸς αὐτ(οῦ), ἵνα γνῷ πᾶσα ἡ βασιλεία τῆς οἰκουμένης ὅτι σὺ εἶ θεὸς μόνος.** Πρόφασίς φησι θεογνωσίας ἡ ἡμετέρα σωτηρί(α) γενήσεται · ὅταν γὰρ τοὺς μὲν ἄλλους ἴδωσιν ἡττηθέντας, ἡμᾶς δὲ μόνους κεκρατηκότας, εἴσονται τὸ διά(φορον) καὶ
260 μαθήσονται ὅτι σὺ μόνος ὑπάρχεις θεός.

Ταύτην τοῦ Ἐζεκίου προσενηνοχότος τὴν ἱκετείαν διὰ τῆς πρ[οφητικῆς γλώττ]ης πρὸς αὐτὸν ὁ θεὸς διαλέγεται καί φησιν · [21] **Ἤκουσα ἃ προσηύξω πρός με περὶ Σενναχηρὶμ**

C : 238-245 ἐπειδὴ — νεανιεύεται ‖ 249-250 καὶ — πυρός ‖ 252-254 εἰκότως — δεδώρηται ‖ 256-260 ἵνα — θεός

238 τοίνυν K : > C ‖ 242 τε K : > C ‖ 257 πρόφασις ... θεογνωσίας K : πρόγνωσις ... θεοσεβείας C ‖ 258 γὰρ K : > C ‖ ἄλλους K : + ἅπαντας C

Voici en effet ce qu'il a ajouté : *C'est toi qui as fait le ciel et la terre.* 17. *Incline ton oreille, Seigneur, et entends, Seigneur ; ouvre les yeux, Seigneur, et vois, Seigneur ; écoute les paroles de Sennachérim, qu'il a envoyées pour outrager le Dieu vivant.* Puisque la divine Écriture donne souvent le nom de « sommeil » à la longanimité de Dieu[1], c'est donc à juste titre que l'admirable roi adresse sa supplication en ces termes : Ouvre les yeux et incline ton oreille, entends le blasphème, regarde l'outrage et apprends-lui que tu n'es pas l'un de ces prétendus dieux. Car c'est leur faiblesse qui l'a poussé à cette folie : puisqu'il a remporté sur eux la victoire, il se flatte impudemment de la remporter sur ta puissance.

La suite du passage également le fait voir avec clarté : 18. *Car en vérité, Seigneur, les rois des Assyriens ont désolé le monde tout entier et leur pays,* 19. *et ils ont jeté leurs idoles au feu.* Cela encore fait bien voir la sagesse du roi, puisqu'il a appelé « idoles » ce qui est devenu la nourriture du feu. Puis, pour montrer la cause de leur défaite, il a ajouté : *Car ce n'étaient pas des dieux, mais des ouvrages de mains d'hommes, et ils les ont détruits.* C'est à juste titre, dit-il, que ces idoles ont disparu et que le feu les a consumées : un art humain leur avait donné l'existence. 20. *Mais maintenant, Seigneur notre Dieu, sauve-nous de sa main, afin que tout le royaume du monde connaisse que tu es seul à être Dieu.* Notre salut sera, dit-il, à l'origine de la connaissance de Dieu : lorsque les hommes verront que les autres ont été vaincus et que nous avons été les seuls à remporter la victoire, ils sauront faire la différence et comprendront que tu es seul à être Dieu.

La réponse divine

Lorsque Ézéchias eut présenté cette supplication, Dieu se sert de la langue du prophète pour s'adresser à lui et lui dire : 21. *J'ai entendu la prière que tu m'as adressée*

1. Sur ce sens figuré de « sommeil », cf. *supra*, p. 23, n. 1.

βασιλέως Ἀσσυρίων. Ἐδεξ(άμην) τὴν ἱκετείαν, θάρρησον
265 ὡς τῆς αἰτήσεως τεύξῃ. [22] **Οὗτος ὁ λόγος ὃν ἐλάλησε περὶ αὐτοῦ ὁ θεός· Ἐφαύλισέ σε καὶ ἐμ(υκ)τήρισέ σε, παρθένος θύγατερ Σιών, κεφαλὴν ἐπὶ σοὶ ἐκίνησε, θύγατερ Ἱερουσαλήμ.** Θυγατέρα δὲ αὐτὴν ὀνομά(ζει) τὴν οἰκειότητα δεικνύς. Τὴν αὐτὴν δὲ καλεῖ καὶ Σιὼν καὶ Ἱερουσαλήμ. Εὐτελῆ
270 σέ φησιν ἐνόμισε καὶ εὐχείρωτον (ὡς οὐ)δὲ δισχιλίων εὐποροῦσαν ἱππέων ἀλλὰ τῆς Αἰγυπτίων δεομένην ἐπικουρίας, καὶ ἀπειλῶν σοι τὸν ὄ(λεθρον) ἐκίνει τὴν κεφαλήν.

Εἶτα μεταφέρει πρὸς ἐκεῖνον τὸν λόγον· [23] **Τίνα ὠνείδισας καὶ παρώξυνας ἢ (πρὸς τὸν τίνα) ὕψωσας τὴν φωνήν**
275 **σου ; Καὶ οὐκ ἦρας εἰς ὕψος τοὺς ὀφθαλμούς σου εἰς τὸν ἅγιον τοῦ Ἰσραήλ.** [24] **Ὅτι δι' ἀγγέ(λων σου) ὠνείδισας τὸν κύριον.** Ἐνόμισάς μέ φησιν ἕνα τῶν ἄλλων εἶναι ψευδωνύμων θεῶν, δέον εἰς οὐρανὸν ἀναβ(λέψαι καὶ) τὴν ἐμὴν δεσποτείαν μαθεῖν· ἱκανὰ δὲ ἦν καὶ τὰ περὶ τὸν Ἰσραὴλ γεγενημένα
280 τὴν ἐμὴν δύναμιν διδάξαι, (ἀλλὰ τῇ ῥώ)μῃ καὶ τῇ δυναστείᾳ θαρρῶν συνιδεῖν οὐκ ἠθέλησας τὸ διάφορον.

Εἶτα αὐτοῦ εἰς μέσον [ἤγαγε τοὺς ἀλαζονικοὺς] |145 b| λογισμούς· **Σὺ γὰρ εἶπας· Τῷ πλήθει τῶν ἁρμάτων μου ἀνέβην εἰς ὕψος ὀρέων καὶ εἰς τὰ ἔσχατα (τοῦ) Λιβάνου**
285 **καὶ ἔκοψα τὸ ὕψος τῆς κέδρου αὐτοῦ καὶ τὸ κάλλος τῆς κυπαρίσσου αὐτοῦ καὶ εἰσῆλθον (εἰς) τὸ ὕψος μέρους τοῦ δρυμοῦ τοῦ Καρμήλου** [25] **καὶ ἔθηκα γέφυραν καὶ ἠρήμωσα ὕδατα καὶ πᾶσαν (συν)αγωγὴν ὕδατος.** Τροπικῶς ἅπαντα εἴρηκε, κέδρους καὶ κυπαρίσσους τοὺς βασιλέας καὶ τοὺς
290 τοπάρχας καλῶν, Λίβανον δὲ τὰ ἔθνη, Κάρμηλον δὲ τὸν Ἰσραήλ· ὅθεν ἐπὶ μὲν τοῦ Λιβάνου καὶ τὰ ἔσχατα τούτου τέθεικεν, ἐπὶ δὲ τοῦ Καρμήλου μέρος ἔφη δεικνὺς ὅτι τῶν

C : 264-265 ἐδεξάμην — τεύξῃ ‖ 268-272 θυγατέρα — κεφαλήν ‖ 277-281 ἐνόμισας — διάφορον ‖ 288-296 τροπικῶς — μεθόδους

268 δὲ K : > C ‖ 277 μέ φησιν ἕνα K : ἕνα με C ‖ εἶναι K : +τῶν C ‖ 278 εἰς K : +τὸν C ‖ 287 τοῦ e tx.rec. : τῆς K ‖ 292 μέρος C : μέρους K

au sujet de Sennachérim, le roi des Assyriens. J'ai accueilli ta supplication ; aie confiance, tu obtiendras ce que tu demandes. 22. *Voici la parole que Dieu a prononcée à son sujet : Il l'a méprisée et l'a raillée, vierge fille de Sion, il a hoché la tête à ton sujet, fille de Jérusalem.* Il la nomme « fille » pour montrer leur parenté. C'est la même (ville) qu'il appelle Sion et Jérusalem[1]. Il t'a considérée comme de peu de prix, dit-il, et comme une proie facile, parce que tu n'avais même pas à ta disposition deux mille cavaliers, mais que tu avais besoin du secours des Égyptiens, et il hochait la tête tout en te menaçant de mort.

Puis il change son propos d'adresse pour dire au roi : 23. *Qui as-tu outragé et irrité, ou encore contre qui as-tu élevé ta voix? Et tu n'as pas levé tes yeux vers les hauteurs, vers le saint d'Israël.* 24. *Car, par tes envoyés, tu as outragé le Seigneur.* Tu as pensé, dit-il, que j'étais l'un des autres dieux faussement appelés de ce nom, alors qu'il (te) fallait tourner tes regards vers le ciel et connaître ma puissance ; à eux seuls, pourtant, les événements concernant Israël suffisaient à (t')enseigner ma puissance, mais tu avais confiance en ta force et en ton pouvoir et tu n'as pas voulu saisir la différence (entre ces dieux et moi).

Puis il étale au grand jour ses raisonnements fanfarons : *Tu as dit, en effet : Avec la multitude de mes chars, je suis monté sur le sommet des montagnes et sur les dernières cimes du Liban ; j'ai coupé le sommet de ses cèdres et la beauté de ses cyprès et j'ai pénétré sur le sommet d'une partie de la forêt du Carmel ;* 25. *j'ai établi un pont et j'ai desséché les eaux et tout amas d'eau.* Il a dit tout cela de manière figurée et appelle « cèdres et cyprès » les rois et les toparques, « Liban » les nations, et « Carmel » Israël. C'est pourquoi, à propos du Liban, il a écrit « même ses dernières cimes », tandis qu'à propos du Carmel il a dit « une partie »,

1. Sur cette distinction entre Sion et Jérusalem, cf. *infra*, 16, 411-412.

μὲν ἐθνῶν ἐκείνων ἁπάντων ἐκράτησαν τοῦ δὲ Ἰσραὴλ οὐ παντός · ἀχείρωτος γὰρ ἔμεινεν ἡ μητρόπολις. Ὕδατα δὲ
295 τὰ πλήθη καλεῖ, γέφυραν δὲ τήν τε ῥώμην καὶ τὰς ἐπινοίας καὶ τὰς τῆς νίκης μεθόδους καὶ ὅτι οἷόν τινι γεφύρᾳ τοῖς προκατειλημμένοις κατὰ τῶν ὑπολοίπων ἐκέχρ[η]το.

Οὕτω τοὺς ἐκείνου λογισμοὺς γυμνώσας τὴν οἰκείαν δείκνυσι δύναμιν · [26] **Οὐ ταῦτα ἤκουσας πάλαι ἃ ἐγὼ**
300 **ἐποίησα ; Ἐξ ἡμερῶν ἀρχαίων συνέταξα, νῦν δὲ ἀπέδειξα ἐξερημῶσαι ἔθνη ἐν ὀχυροῖς καὶ ἐνοικοῦντας ἐν πόλεσιν ὀχυραῖς.** Ὁ δὲ Σύμμαχος οὕτω τοῦτο τέθεικεν · « Μὴ ἤκουσας ; Πάλαι αὐτὸ ἐποίησα ἀφ' ἡμερῶν ἀρχαίων καὶ ἔπλασα αὐτό, νῦν ἤγαγον αὐτό, καὶ ἐγένετο εἰς ἐκρίζωσιν. »
305 Ἔδει σέ φησι συνιδεῖν [ὡς] τῶν ἁπάντων ὁ ποιητὴς οὐκ εἴασεν ἀκυβέρνητα ἃ ἐποίησε, προμηθεῖται γὰρ ὧν ἐποίησεν, καὶ ὅτι [οὐ]δὲν ἂν ἔδρασας παρὰ γνώμην ἐμήν, ἐγὼ γὰρ ταῦτα, ἃ σὺ νῦν ποιεῖς, ἐξ ἡμερῶν ἀρχαίων συνέταξα καὶ [πόρρω]θεν προορῶν οὕτως ὥρισα ταῦτα γενέσθαι καὶ τοὺς
310 οἰκοῦντας ἐν πόλεσιν ὀχυραῖς καὶ τῶν ἀγαθῶν τὸν χορηγὸν ἀγνοοῦντας μαθεῖν τὴν τῶν εἰδώλων ἀσθένειαν.

[27] **Ἀνῆκά μου τὰς χεῖρας, καὶ ἐξηράν(θησα)ν καὶ ἐγένοντο ὡσεὶ χόρτος ξηρὸς ἐπὶ δωμάτων καὶ ὡς ἄγρωστις ἀφανιζομένη πρὸ τοῦ τελεσφορη(θῆν)αι.** Ἤνθησάν φησιν ὅσον ἠθέλησα
315 χρόνον, εἶτα τῆς ἐμῆς αὐτοὺς κηδεμονίας ἐγύμνωσα καὶ τὸ πρότερον (ἀπ)έβαλον ἄνθος. Ἄγρωστιν δὲ αὐτοὺς ὀνομάζει καὶ χόρτον διὰ τὴν ἀκαρπίαν. [28] **Νῦν δὲ τὴν ἀνάπαυ(σίν) σου καὶ τὴν ἔξοδόν σου καὶ τὴν εἴσοδόν σου ἐγὼ ἐπίσταμαι** ·

C : 314-317 ἤνθησαν — ἀκαρπίαν

294 ἀχείρωτος γὰρ ἔμεινεν K : διέμεινε γὰρ ἀχείρωτος C ‖ 305 ἔδει σε Mö. : ἔδεισεν K ‖ 309 προορῶν K^{corr} : πόρρωθεν K*

---

1. Cyrille entend ces termes de manière littérale (70, 773 D - 776 A).
2. C'est le rôle de la providence divine.

pour montrer qu'ils ont vaincu ces nations dans leur totalité, mais Israël en partie seulement, puisque la capitale est restée hors d'atteinte. Il appelle, d'autre part, « eaux » la foule (des populations) et « pont » la force, les projets et les plans méthodiques pour parvenir à la victoire[1], parce qu'il a utilisé les nations dont il s'est emparé en premier lieu, comme une espèce de pont contre les nations restantes.

Après avoir mis à nu de la sorte les raisonnements du roi, il montre sa propre puissance : 26. *N'as-tu pas entendu dire ce que j'ai fait depuis longtemps? Depuis les jours anciens, j'ai mis en place ce dessein et maintenant j'ai montré que j'ai dévasté les nations à l'abri de leurs fortifications et ceux qui habitaient dans des villes fortifiées.* Symmaque a rendu ce passage de la manière suivante : « N'as-tu pas entendu ? Depuis longtemps j'ai fait cela, depuis les jours anciens j'ai formé ce dessein, maintenant je l'ai conduit à son terme et cela a abouti à un déracinement. » Il aurait fallu que tu comprisses, dit-il, que le créateur de toutes choses n'a pas laissé sa création sans pilote — car il veille aux intérêts de sa création[2] —, et que tu n'aurais rien fait contre ma volonté, car ce que tu accomplis maintenant, je l'ai mis en place depuis les jours anciens ; c'est en prévoyant de longue date ces événements que j'ai fixé de la sorte leur réalisation, comme j'ai fixé que ceux qui habitaient dans des villes fortifiées et qui méconnaissaient le dispensateur des biens apprissent la faiblesse des idoles.

27. *J'ai retiré mes mains et ils se sont desséchés, ils sont devenus comme l'herbe sèche sur des terrasses et comme le chiendent disparu avant d'être parvenu à maturité.* Ils ont été florissants, dit-il, aussi longtemps que je l'ai voulu, puis je les ai dépouillés de ma sollicitude et ils ont perdu leur fleur d'autrefois. Il les nomme « chiendent et herbe » en raison de leur stérilité. 28. *Maintenant, l'heure de ton repos, de ta sortie et de ton entrée, je la sais ;* 29. *l'empor-*

[29] **ὁ δὲ θυμός σου ὃν ἐθυμώθης πρός με (καὶ ἡ) πικρία σου**
320 **ἀνέβη πρός με, καὶ ἐμβαλῶ κημὸν εἰς τὴν ῥῖνά σου καὶ χαλινὸν εἰς τὰ χείλη σου (καὶ) ἀποστρέψω σε τῇ ὁδῷ ᾗ ἦλθες ἐν αὐτῇ.** Ὡς ἀλόγῳ κέχρηται τῷ τὸ λογικὸν διαφθείραντι· « Ἐν χαλι(νῷ) » [γάρ] φησι « καὶ κημῷ τὰς σιαγόνας αὐτῶν ἄγξεις τῶν μὴ ἐγγιζόντων πρός σε. »
325 Ἔδειξεν αὐτὸν καὶ (δουλι)κὴν ἔχοντα φύσιν· ἐπειδὴ γὰρ αὐτοὶ τοῖς οἰκέταις περιτιθέασι τοὺς ἐκ δερμάτων κημούς, (εἰκότ)ως ὡς οἰκέτῃ πονηρῷ ἠπείλησεν αὐτῷ τὸν κημὸν περιθήσειν.

Εἶτα δίδωσι τῷ Ἐζεκίᾳ τῆς σωτηρίας [σημεῖο]ν·
330 [30] **Τοῦτο δέ σοι τὸ σημεῖον· φάγῃ τὸν ἐνιαυτὸν τοῦτον ἃ ἔσπαρκας, τῷ δὲ ἐνιαυτῷ τῷ δευτέρῳ τὸ κα(τάλειμμ)α, τῷ δὲ τρίτῳ ἔτει σπείραντες ἀμήσετε καὶ φυτεύσετε ἀμπελῶνας καὶ φάγεσθε τὸν καρπὸν αὐτῶν.** [Τοῦτο δὲ] οἱ Τρεῖς οὕτως ἡρμήνευσαν· « Φάγετε ἐπ' ἔτος αὐτόματα καὶ τῷ δευτέρῳ
335 αὐτοφυῆ, ἐν δὲ τῷ ἔτει τῷ [τρίτῳ] σπείρατε καὶ θερίσατε. » Ἐπειδὴ γὰρ πολιορκούμενοι γεωργεῖν οὐκ ἠδύναντο, αὐτοφυεῖς αὐτοῖς (δέδωκε) καρποὺς ὁ θεός, καὶ τῷ δευτέρῳ δὲ ἔτει ὡσαύτως διὰ τὴν σπάνιν ὡς ἔοικε τῶν σπερμάτων (καὶ τῶν β)οῶν, εἶτα τῷ τρίτῳ ἔτει παντοδαπῶν αὐτοῖς
340 καρπῶν ἀφθονίαν ὑπέσχετο.

[31] **Καὶ ἔσονται (οἱ καταλε)λειμμένοι ἐν τῇ Ἰουδαίᾳ εἰς διάφευξιν.** Διαφεύξονται γὰρ τῶν πολεμίων τὰς χεῖρας. **Καὶ (φυήσουσι) ῥίζαν κάτω καὶ ποιήσουσι σπέρμα ἄνω.**

C : 322-328 ὡς — περιθήσειν || 336-340 ἐπειδὴ — ὑπέσχετο

323 ... φησι K : > C || 337 δέδωκε καρποὺς C : καρποὺς ...... καρποὺς K || 338 δὲ K : > C

323 Ps. 31, 9

---

1. Cette manière de châtier les esclaves par l'imposition d'une muselière, et de les ravaler ainsi au rang de la bête de somme (τῷ ἀλόγῳ), n'est pas, semble-t-il, dans l'Antiquité, le fait des seuls Assyriens. C'est encore, au dire de Sénèque (*Ad Lucilium* V, 47, 4), la pratique de certains Romains à l'égard de ceux qui les servent à table. Pour Ammien Marcellin (*Histoire* XXIII, 6, 80, éd.

tement dont tu as fait preuve à mon égard et ta fureur sont montés jusqu'à moi, et je mettrai une muselière à ton nez et un mors à tes lèvres, et je te ferai retourner par la route que tu as empruntée pour venir. Il l'a traité comme un être privé de raison, lui qui avait perdu le sens : « Avec un mors et une muselière », dit (l'Écriture), « tu brideras les mâchoires de ceux qui ne s'approchent pas de toi. » Il a montré qu'il avait aussi une nature d'esclave : puisqu'ils appliquent à leurs serviteurs des muselières de cuir, il l'a, à juste titre, menacé de lui appliquer la muselière comme à un mauvais serviteur[1].

Le signe donné à Ézéchias

Puis il donne à Ézéchias le signe du salut : 30. *Mais voici pour toi le signe du salut : tu mangeras cette année ce que tu as semé, et la deuxième année le reste ; mais, en la troisième année, vous sèmerez et vous moissonnerez, vous planterez des vignes et vous mangerez leur fruit.* De ce passage les trois interprètes ont donné l'interprétation suivante : « Mangez pendant (cette) année ce que la terre produira spontanément et, au cours de la deuxième année, ce qui naîtra spontanément de la terre, mais, durant la troisième année, semez et moissonnez. » Puisqu'en raison du siège, ils ne pouvaient pas cultiver la terre, Dieu leur a donné des fruits que la terre a produits spontanément ; il en fut de même la deuxième année en raison, semble-t-il, du manque de semences et de bœufs ; puis, la troisième année, il leur a promis abondance de toutes sortes de fruits.

31. *Et ceux qui auront été laissés en Judée le seront en vue d'échapper.* Ils échapperont, en effet, aux mains des ennemis. *Et ils pousseront racine en bas et produiront du*

J. Fontaine, « Belles Lettres », t. IV, Paris 1977), ce serait là un usage persique ; voir aussi Athénée (*Deipnosophistes* 12, 548 c, Teubner, vol. 3, Leipzig 1925 ; mais ici la mesure concerne des esclaves boulangers et cuisiniers et semble uniquement commandée par des raisons d'hygiène).

Τουτέστιν · ἐπὶ πλεῖστον αὐτῶν φυλάξω (τὸ γένος). [32] **Ὅτι**
345 **ἐξ Ἱερουσαλὴμ ἔσονται οἱ καταλελειμμένοι καὶ οἱ σῳζόμενοι ἐξ ὄρους Σιών.** Ὁ δὲ Θεοδοτίων [οὕτω τοῦτο] ἡρμήνευσεν · « Ὅτι ἐξ Ἱερουσαλὴμ ἔσονται ὑπόλειμμα καὶ σωτηρία ἐξ ὄρους Σιών. » Ἐκεῖ γὰρ ἡ τῆς (οἰκουμένης) ἤνθησε σωτηρία καὶ τὸ ἐκείνων κατάλειμμα, τουτέστιν · οἱ θεῖοι ἀπόστολοι
350 τὴν οἰκουμένην εἰς (θεογνωσίαν ἐ)πέστρεψαν. Τούτων δὲ ἁπάντων αἴτιος ὁ τῶν ὅλων θεός · **Ὁ ζῆλος κυρίου Σαβαὼθ ποιήσει ταῦτα.** (Ζηλώσας γὰρ διά τε τὸ) ὄνειδος τῆς Ἱερουσαλὴμ καὶ διὰ τὴν κατ' αὐτοῦ βλασφημίαν, παρέξει τὴν σωτηρίαν.

355 Εἶτα ὑπισχνεῖται [τῷ Ἐζεκίᾳ ὅτι οὐκ εἰ]σελεύσεται ὁ πολέμιος εἴσω τῶν περιβόλων ἀλλὰ οὐδὲ χαρακώματα ἐπιστήσει [οὐδὲ θυρεοὺς] προσείσει ἀλλ' ἀναστρέψει κατῃσχυμμένος. [35] **Ὑπερασπιῶ** γάρ φησιν **ὑπὲρ τῆς πόλεως ταύτης** |146 a| **τοῦ σῶσαι αὐτὴν δι' ἐμὲ καὶ διὰ Δαυὶδ τὸν**
360 **παῖδά μου.** Ἔλεγχος ταῦτα τῶν τὴν πόλιν οἰκούντων · Δι' ἐμὲ γὰρ ἔφη καὶ διὰ Δαυὶδ τὸν παῖδά μου τῆς πόλεως φροντιῶ, (διὰ τὴν ἐμὴν) ἀγαθότητα καὶ διὰ τὴν ἐκείνου μνήμην · οἰκιστὴς γὰρ ἐκεῖνος τῆς πόλεως καὶ γνήσιος θεράπων ἐμός. Ζητητέον δὲ τί δήποτε οὐ τοῦ Ἐζεκίου
365 ἀλλὰ τοῦ Δαυὶδ ἐμνημόνευσεν · ἐγὼ δὲ οἶμαι ὅτι τὸ φρόνημα κωλύων οὐκ αὐτῷ τὴν αἰτίαν τῆς σωτηρίας ἀλλὰ τῷ Δαυὶδ ἀνατέθεικεν. Εἰ γὰρ καὶ τούτων οὕτως εἰρημένων ἡ τῶν Παραλειπομένων ἱστορία φησὶν ὅτι μετὰ ταῦτα ὑψώθη ἡ καρδία βασιλέως Ἐζεκίου, τί οὐκ ἂν ἔπαθεν αὐτὸς αἴτιος

C : 344 τουτέστιν — γένος || 348-351 ἐκεῖ — θεός || 352-354 ζηλώσας — σωτηρίαν || 360-376 ἔλεγχος — μνήμη

351 ἁπάντων K : πάντων C || 353 κατ' αὐτοῦ K : > C || 360-361 ἔλεγχος — μου C : > K (μου cum indice in cod., mg. autem deleta) || 367-368 τῶν Παραλειπομένων K : > C || 369 βασιλέως Ἐζεκίου K : Ἐζεκίου τοῦ βασιλέως C

367-369 cf. II Chr. 32, 25

1. Résumé d'*Is.* 37, 33-34.
2. Théodoret prévient la question que pourrait se poser un lecteur

fruit en haut. C'est-à-dire : je veillerai pour longtemps sur leur race. 32. *Parce que de Jérusalem sortiront ceux qui auront été laissés, et les sauvés, de la montagne de Sion.* Théodotion a donné de ce passage l'interprétation suivante : « Parce que de Jérusalem sortira un reste, et le salut, de la montagne de Sion. » C'est là, en effet, que le salut du monde a fleuri ainsi que leur reste, c'est-à-dire : les divins apôtres qui ont tourné le monde vers la connaissance de Dieu. Quant à la cause de tout cela, c'est le Dieu de l'univers : *C'est le zèle du Seigneur Sabaoth qui fera cela.* De fait, enflammé de colère en raison de l'affront fait à Jérusalem et du blasphème proféré contre lui, il (lui) procurera le salut.

Puis il promet à Ézéchias[1] que l'ennemi, loin d'entrer à l'intérieur des remparts, n'établira même pas de retranchements et n'agitera pas de boucliers, mais qu'il s'en retournera humilié. 35. *Je protégerai cette ville*, dit-il, *afin de la sauver à cause de moi et de David mon serviteur.* Cela constitue une mise en accusation des habitants de la ville : c'est à cause de moi, a-t-il dit, et de David, mon serviteur, que je veillerai sur la ville, à cause de ma bonté et du souvenir que je garde de lui : car il a été le fondateur de la ville et mon loyal serviteur. On doit, pourtant, se demander pour quelle raison il a fait mention non d'Ézéchias, mais de David ; or je pense, pour ma part, qu'il a voulu empêcher son orgueil en attribuant la cause du salut non pas à lui, mais à David[2]. Si en effet, malgré une déclaration faite en ces termes, le cœur du roi Ézéchias s'enfla d'orgueil à la suite de cela, comme le rapporte l'histoire des Paralipomènes, que n'aurait-il pas éprouvé s'il avait été nommé en personne comme la cause du

épris de logique, mais c'est pour lui montrer que la prophétie obéit à une logique plus profonde encore, comme veut le prouver l'explication psychologique avancée par l'exégète. CYRILLE, sans parler d'Ézéchias, considère que le passage est destiné à rabaisser l'orgueil des Juifs (70, 780 D).

370 τῆς σωτηρίας ὀνομασθείς ; Τούτου χάριν οὐδὲ τὸν Ἡσαΐαν, καίτοι προφήτην ὄντα καὶ προφήτην ἐπισημότατον, ἀξιόχρεων ἐκάλεσε τῆς πόλεως σύμμαχον, ἀλλὰ τοὺς ζῶντας καταλιπὼν τοῦ τετελευτηκότος ἐμνήσθη, καὶ τὸ φρόνημα καταστέλλων καὶ προτρέπων εἰς ἀρετὴν τῇ μνήμῃ τῶν παρελθόντων καὶ 375 διδάσκων ὡς ἀνθεῖ παρ' αὐτῷ διηνεκῶς τῶν δικαίων ἡ μνήμη.

Πρὸς τούτοις ἐδίδαξεν ὁ προφητικὸς λόγος ὡς θεόθεν ἀποσταλεὶς ἄγγελος πέντε καὶ ὀγδοήκοντα καὶ ἑκα[τὸν] χιλιάδας τῶν Ἀσσυρίων ἀνεῖλεν · τινὲς δὲ ὅμως διέφυγον 380 οὐ τῆς ἀγγελικῆς περιγενόμενοι δεξιᾶς, ἀ(λλ' ἵ)να τῶν συμβεβηκότων κήρυκες ἀξιόχρεοι γένωνται καὶ τοῦ θεοῦ τῶν Ἑβραίων τὸ κράτος κηρύξωσιν.

Τούτου δὴ χάριν καὶ αὐτὸς ὁ δυσσεβὴς διέφυγε βασιλεὺς καὶ τὴν Νινευὴ κατέλαβε — πόλις γὰρ ἦν αὕτη βασιλική —, 385 ἀλλ' ἐκεῖ δέδωκεν ὧν ἐτόλμησε δίκας καί, ἐπειδὴ αὐτὸς κατὰ τοῦ ποιητοῦ τὴν γλῶτταν ἐξέτεινεν, ὑπὸ τῶν υἱέων [αὐτοῦ] δέχεται τὴν σφαγὴν εἰσπραχθεὶς ὧν ἐτόλμησε δικαιοτάτην ποινήν. Καὶ οὐδὲ ὁ προσκυνούμενος ὑπ' αὐτοῦ ψευδώνυμος θεὸς ἐπήρκεσεν αὐτῷ σφαττομένῳ, ἀλλὰ 390 παρ' αὐτὴν τὴν λατρείαν ἐδέξατο τὴν σφαγήν. Εἰδέναι μέντοι δεῖ ὡς τὰ ἀκριβῆ τῶν ἀντιγράφων οὐ πάταρχον ἔχει ἀλλὰ πάτεχρον, τουτέστι τὸ εἴδωλον · οὕτω γὰρ καὶ οἱ Τρεῖς ἡρμήνευσαν · « προσκυνοῦντος ἐν οἴκῳ Νεσερὲχ θεοῦ αὐτοῦ. » Καὶ ἐκεῖνοι μὲν εἰς τὴν Ἀρμενίαν διέφυγον, 395 διεδέξατο δὲ τὴν βασιλείαν Ναχορδὰν ὁ υἱὸς αὐτοῦ · ἀλλὰ

C : 379-382 τινὲς — κηρύξωσιν

373 τοῦ τετελευτηκότος C : τῶν τετελευτηκότων K ‖ 374 παρελθόντων KC[566] : ἀπελθόντων C (praeter C[566]) ‖ 393 προσκυνοῦντος Mö. : προσκυνοῦντες K

---

1. Résumé d'*Is.* 37, 36-38.

2. Cf. *infra,* 11, 528-531 où ce même argument sert à justifier l'ambassade de Mérodek Baladan auprès d'Ézéchias.

3. Chrysostome souligne de la même manière l'incapacité de l'idole à protéger (*M.*, p. 240, § 37-38).

salut ? C'est pour cette raison que, même Isaïe, malgré sa qualité de prophète et de prophète particulièrement remarquable, il ne l'a pas désigné comme un allié convenable de la ville, mais qu'il a délaissé les vivants pour faire mention de celui qui était mort ; c'était à la fois pour réprimer leur orgueil, pour exhorter à la vertu par le souvenir des disparus et pour enseigner que le souvenir des justes est éternellement vivant auprès de lui.

La ruine de l'armée assyrienne

Le texte prophétique enseigne en outre[1] qu'un ange, envoyé par Dieu, extermina cent quatre-vingt-cinq milliers d'Assyriens ; d'aucuns cependant ont échappé, non qu'ils aient été plus forts que la droite de l'ange, mais pour devenir les hérauts que réclamaient les événements survenus et pour proclamer la force du Dieu des Hébreux[2].

Pour cette raison précisément, le roi impie prit lui aussi la fuite et gagna Ninive — c'était la ville royale —, mais là il fut puni de ses audaces et, puisqu'il avait personnellement levé la langue contre le Créateur, il fut égorgé par ses fils et paya la plus juste expiation pour ses audaces. Et, loin que le dieu, faussement appelé de ce nom, qu'il adorait, lui ait porté secours[3] tandis qu'on l'égorgeait, c'est précisément au cours du culte qu'il lui rendait qu'il se fit égorger. Il faut savoir, toutefois, que les copies exactes portent non pas « patarchon », mais « patechron », c'est-à-dire « l'idole »[4] ; telle est aussi l'interprétation qu'ont donnée les trois interprètes : « Comme il se prosternait dans la demeure de Nésérech son dieu. » Ses meurtriers se réfugièrent en Arménie, tandis que son fils Nachordan lui succéda à la tête du royaume ; mais Marodachos ne

4. La plupart des mss donnent, en effet, la leçon πάτραρχον, πάταρχον ou πατρίαρχον, i.e. « le dieu de ses pères, de la patrie » ; sur cet appel au syriaque, cf. Introd., t. I, p. 52.

καὶ τοῦτον οὐκ εἰς μακρὰν καταλύσας Μαρόδαχος εἰς τὴν Βαβυλῶνα μετέθηκε τὰ βασίλεια.

Ὁ δὲ Ἐζεκίας κατὰ τοῦτον τὸν καιρὸν περιέπεσεν ἀρρωστίᾳ καὶ διδάσκεται διὰ τοῦ προφήτου τὰ κατὰ τὴν
400 οἰκίαν διατεθῆναι ὡς τοῦ θανάτου πελάζοντος. Ἐπειδὴ γὰρ μέγα ἐφρόνησε παραδόξου τετυχηκὼς σωτηρίας — τοῦτο γὰρ καὶ τῶν Παραλειπομένων ἡ ἱστορία δηλοῖ · « Ὑψώθη » γάρ φησιν « ἡ καρδία αὐτοῦ, καὶ ὑπερήρθη Ἐζεκίας κατ' ὀφθαλμοὺς πάντων τῶν ἐθνῶν, καὶ πολλοὶ ἔφερον δῶρα
405 τῷ κυρίῳ ἐν Ἱερουσαλὴμ καὶ δό(ματα) Ἐζεκίᾳ τῷ βασιλεῖ » —, ὁ ἄριστος τῶν ψυχῶν ἡμῶν ἰατρὸς τῇ νόσῳ τοῦ σώματος τὴν ψυχὴν θεραπεύει. Ταύτην δὲ αὐτοῦ τὴν ὑψηλοφροσύνην καὶ ὁ θεῖος Δαυὶδ προεθέσπισε τῷ κθ' Ψαλμῷ, σχηματίζει δὲ τὸν λόγον ὡς ἐξ αὐτοῦ · « Ἐγὼ εἶπα ἐν
410 τῇ εὐθηνίᾳ (μου) · Οὐ μὴ σαλευθῶ εἰς τὸν αἰῶνα. »

Δεξάμενος δὲ ὅμως τοῦ θανάτου τὴν ἀγγελίαν ἀναστῆναι μὲν ὑπὸ τῆς νόσου διεκωλύετο, πρὸς δὲ τὸν τοῖχον στραφεὶς ἱκετείαν προσήνεγκε τῷ θεῷ, ὃν ἔσχε κατὰ τῆς τῶν εἰδώλων π[λάνης] ζῆλον διεξιὼν καὶ μετὰ δακρύων τὸν θεὸν ἱλεούμε-
415 νος. Ἀλλ' εὐθὺς ὁ φιλάνθρωπος θεὸς ἀνεκαλέσατο τοῦ θα[νάτου] τὴν [ψῆ]φον καὶ τὸν προφήτην ἐξαποστείλας

396 Μαρόδαχος Mö. : Μαρόδαχον K || 400 διατεθῆναι K : διατιθέναι Sch. || 401 τετυχηκὼς Mö. : τετυχηκότος K

402 II Chr. 32, 25.23 409 Ps. 29, 7

---

1. Ce Nachordan ou Asordan, selon d'autres mss, est plus connu sous le nom d'Asarhaddon ; son règne (680-669) ne fut pas aussi bref que semble le croire Théodoret (cf. Eusèbe, *GCS* 246, 8-11, selon qui, en une seule et même année, se produisirent l'attaque des Assyriens contre Juda, leur défaite, la fuite de Sennachérib, le soulèvement de ses fils contre lui et la mort de celui de ses fils qui lui avait succédé ; il aurait donc régné moins d'un an). Asarhaddon eut pour successeur le grand Assourbanipal (668-621), dont notre exégète ne paraît même pas soupçonner l'existence ; avec ce dernier, l'empire assyrien est à son apogée. Quant à Marodakos dont ne parle pas autrement Théodoret, on voit mal qui il est : où l'exégète a-t-il trouvé son information ? Une confusion ne se serait-elle pas opérée

fut pas long à l'abattre à son tour et transféra à Babylone le palais royal[1].

Maladie et guérison du roi Ézéchias

Quant à Ézéchias, il tomba malade à cette époque[2] et le prophète lui apprend (qu'il doit) mettre en ordre les affaires de sa maison, parce que sa mort est proche. En effet, il conçut de l'orgueil pour avoir obtenu un salut inattendu, comme le fait également bien voir l'histoire des Paralipomènes[3] : « Son cœur s'enorgueillit », dit-elle, « et Ézéchias acquit du prestige aux yeux de toutes les nations, et l'on venait en foule apporter des présents au Seigneur à Jérusalem et des cadeaux au roi Ézéchias » ; cela lui vaut que le meilleur médecin de nos âmes fasse de la maladie de son corps un moyen de soigner son âme. Cet orgueil du roi, le divin David l'a également prophétisé par le Psaume vingt-neuf, mais il donne à ses paroles un tour qui fait croire qu'il s'agit de lui : « Moi, j'ai dit dans mon bonheur : Je ne serai pas ébranlé pour l'éternité ! »

Toutefois, lorsqu'il reçut l'annonce de sa mort, la maladie l'empêchait de se lever ; il se tourna alors vers le mur et adressa à Dieu une supplication, où il faisait état du zèle qu'il avait déployé contre l'erreur des idoles et où il tentait d'apaiser Dieu au milieu de ses larmes. Eh bien ! aussitôt le Dieu de bonté rapporta sa sentence de mort et envoya son prophète pour (lui) promettre la vie :

entre ce Marodakos et Marodek, le fils de Baladan, dont il est question plus loin (*In Is.*, 11, 526) ? On est tenté de le croire en voyant CYRILLE faire précisément de ce dernier le successeur de Nachordan (70, 793 A). En tout cas, la prise de Ninive et la chute de l'empire assyrien sont l'œuvre de Nabopolassar, et c'est à ce moment-là que le siège du pouvoir en Assyro-Babylonie est véritablement transféré de Ninive à Babylone.

2. Résumé d'*Is.* 38, 1-4.

3. CHRYSOSTOME (*M.*, p. 241, § 1-2) voit également dans la maladie d'Ézéchias une punition de l'orgueil qu'il aurait conçu de la défaite des Assyriens et cite à l'appui de ses dires *II Chr.* 32, 26.

ὑπέσχετο τὴν ζωήν · 38[5] **Τάδε γάρ φησι λέγει κύριος ὁ θεὸς Δαυὶδ τοῦ πατρός (σου).** Πάλιν αὐτὸν τοῦ προπάτορος ἀναμιμνήσκει δεικνὺς τὴν τῶν τρόπων συγγένειαν. Εἶτα
420 καὶ τῆς προ[σευχῆς] ἀκηκοέναι φησὶ καὶ τὰ δάκρυα τεθεᾶσθαι καὶ δεδέχθαι τὴν δέησιν · καὶ πέντε καὶ δέκα ἐτῶν [ζωὴν] ἐπαγγέλλεται καὶ εἰρήνην ἀκραιφνῆ καὶ διηνεκῆ πρόνοιαν.

Δίδωσι δὲ αὐτῷ καὶ σημεῖον τῶν [ἐπαγγελιῶν], ὃ πᾶσιν
425 ἀνθρώποις ἔμελλε κατάδηλον ἔσεσθαι · [8] **Ἰδοὺ γὰρ ἐγώ** φησι **στρέψω τὴν σκιὰν τῶν ἀναβ(αθμῶν) οὓς κατέβη ὁ ἥλιος, τοὺς δέκα ἀναβαθμοὺς τοῦ οἴκου Ἄχαζ τοῦ πατρός σου, ἀποστρέψω εἰς τὰ (ὀπίσω) τὸν ἥλιον τοὺς δέκα ἀναβαθμούς.** Τοῦτο καὶ εἴρηκε καὶ πεποίηκεν ὁ θεός. Ὁ μέντοι Σύμμ[αχος
430 ταῦτα] οὕτω τέθεικεν · « Ἰδοὺ ἐγὼ παλινδρομῶ τὴν σκιὰν τῶν ἀναβαθμῶν ὧν κατέβη ἐν τῷ (ὡρολο)γίῳ Ἄχαζ τὸν ἥλιον ὀπισθίως δέκα ἀναβάσεις. » Δηλοῖ τοίνυν ὁ λόγος μηχάνημά τι ὡροσκο[ποῦν] περὶ τοὺς βαθμοὺς ὑπὸ τοῦ Ἄχαζ κατεσκευάσθαι καὶ ἐν ἐκείνοις δοθῆναι τοῦ ἡλίου τὸ
435 θαῦ[μα.

Εἶτα σωτηρίας] ἀπολαύσας ὁ μακάριος Ἐζεκίας ὕμνοις ἀμείβεται τὸν τῶν ὅλων θεὸν καί φησιν · [10] **Ἐγὼ εἶπα ·**

431 ὧν e tx.rec. : οὗ K

---

1. Résumé d'*Is*. 38, 5-7.

2. Le recours à l'interprétation de Symmaque s'explique ici encore, sans aucun doute, par sa clarté plus grande que celle des Septante ; Chrysostome le dit ouvertement (*M.*, p. 246, l. 14 : *Symmacus clarius dicit)*, mais c'est Eusèbe qui s'en explique le mieux. Selon lui, le terme « maison » (« les dix degrés de la maison d'Achaz ») donné par les Septante rend le texte incompréhensible : la maison d'Achaz qu'on peut encore voir à Jérusalem à son époque (εἰσέτι καὶ νῦν δεικνύμενος ἐν Ἱεροσολύμοις) et qu'on appelle « maison d'Ézéchias » (ὃν εἰσέτι καὶ νῦν Ἐξεκίου καλοῦσιν) ne permet pas de rendre compte du cadre dans lequel s'est déroulé le prodige solaire. Eusèbe cite alors les versions de Symmaque, d'Aquila et de Théodotion : aucune ne parle de « maison », mais d'« horloge » et d'« escalier » ; c'est donc sur un édifice distinct de la

38, 5. *Voici*, dit-il, *ce que dit le Seigneur, le Dieu de David ton père.* De nouveau il lui rappelle son aïeul pour montrer leur parenté de mœurs. Puis il déclare qu'il a entendu sa prière, qu'il a vu ses larmes et qu'il a accueilli sa demande ; et il lui promet quinze années de vie, une paix sans mélange et une providence ininterrompue[1].

Il lui donne aussi (pour confirmer) ses promesses un signe qui allait revêtir pour tous les hommes une extrême évidence : 8. *Voici que je ferai reculer*, dit-il, *l'ombre sur les degrés que le soleil a descendus, les dix degrés de la maison d'Achaz ton père ; je ferai revenir en arrière le soleil de dix degrés.* Voilà ce que Dieu a dit et réalisé. Symmaque, toutefois, a rendu ce passage de la manière suivante[2] : « Voici que moi je fais rebrousser chemin à l'ombre sur les degrés qu'elle a descendus sur l'horloge d'Achaz, (je fais rebrousser chemin) au soleil de dix marches en arrière. » Le texte fait donc voir clairement qu'un appareil qui indiquait l'heure sur les degrés avait été construit par Achaz et que le prodige du soleil fut donné sur ces degrés[3].

Cantique d'Ézéchias

Puis, en remerciement du salut dont il a bénéficié, le bienheureux Ézéchias adresse des hymnes au Dieu de l'univers et dit :

maison que le prodige a été donné (*GCS* 242, 20-33). Telle est, du reste, l'interprétation de Théodoret (*In Is.*, 11, 433 : μηχάνημά τι ὡροσκοποῦν). Cyrille se contente de rapporter l'opinion de ceux pour qui il y avait dans « la maison d'Achaz » un appareil indiquant l'heure (70, 788 A).

3. Cet appareil devait être une espèce de cadran solaire que certains imaginent de la manière suivante : sur un piédestal d'au moins douze marches, se serait dressée une stèle dont l'ombre projetée sur les marches aurait indiqué l'heure (cf. F. Vigouroux, art. « cadran solaire » in *Dict. de la Bible*, Paris 1895). Selon Flavius Josèphe (*Ant. Jud.* X, 2, 1), ces degrés de la maison d'Achaz seraient les marches d'un escalier du palais ; telle n'est pas l'opinion d'Eusèbe (cf. note précédente) qui pense néanmoins à un escalier partant du palais et donnant accès à l'enceinte du Temple ; cf. aussi Jérôme (*PL* 24, 392 A) selon qui ces degrés sont les divisions *(lineas)* d'un cadran solaire *(horologium)*.

Ἐν τῷ ὕ(ψει τῶν) ἡμερῶν μου πορεύσομαι. Ὅτε ὑψώθην
καὶ περίβλεπτος ἐγενόμην, τότε δέχομαι τοῦ βίου (τὸ
440 πέρας). Τούτοις ἔοικε τὸ ὑπὸ τοῦ μακαρίου Δαυὶδ εἰρημένον ·
« Ἐγὼ δὲ εἶπα ἐν τῇ εὐθηνί(ᾳ μου · Οὐ μὴ σα|146 b|λευ)θῶ
εἰς τὸν αἰῶνα. » **Ἐν πύλαις ᾅδου καταλείψω τὰ ἔτη τὰ
ἐπίλοιπα.** Τὴν τοῦ θανάτου φησὶ παρὰ τοῦ θεοῦ δεξάμενος
ψῆφον ἀπέγνων τῆς σωτηρίας. [11]**Εἶπον · Οὐκέτι οὐ μὴ ἴδω
445 τὸ σωτήριον τοῦ θεοῦ ἐπὶ γῆς ζώντων.** Οὐκέτι φησὶν ὄψομαι
κατὰ τόνδε τὸν βίον τὰς ἐπὶ σωτηρίᾳ τῶν ἀνθρώπων ὑπὸ
τοῦ θεοῦ γιγνομένας θαυματουργίας. **Οὐ μὴ ἴδω ἄνθρωπον
ἔτι μετὰ κατοικούντων. Ἐξέλιπον ἐκ τῆς συγγενείας μου,
κατέλιπον τὸ λοιπὸν [12]τῆς ζωῆς μου.** Ἀλλότριος ἐγενόμην
450 τῶν ζώντων, ξένος τῶν συγγενῶν μου.

**Ἐξῆλθε καὶ ἀπῆλθεν ἀπ' ἐμοῦ ὥσπερ ὁ καταλύων σκηνὴν
πήξας τὸ πνεῦμά μου παρ' ἐμοί.** Σκηνὴν καλεῖ τὸ σῶμα,
ἔνοικον δὲ τὴν ψυχήν, ἧς ἀναχωρούσης ἔοικε τὸ σῶμα
καταλυομένῃ σκηνῇ. Εἶτα καὶ ἑτέραν εἰσάγει παραβολήν ·
455 **Ἐγένετο ὡς ἱστὸς ἐρίθου ἐγγιζούσης ἐκτεμεῖν.** Ἐῴκειν
φησὶν οὐ μόνον σκηνῇ καταλυομένῃ ἀλλὰ καὶ ὑφάσματι ἐν
ἱστῷ μὲν ὄντι, οὐκ εἰς μακρὰν δὲ θεριζομένῳ. Πρὸς τούτοις
διδάσκει τῆς νόσου τὴν χαλεπότητα · **Παρε(δό)θην** γάρ
φησιν [13]**ἕως πρωὶ ὡς λέοντι · οὕτω συνέτριψε πάντα τὰ ὀστᾶ
460 μου. Ἀπὸ γὰρ τῆς ἡμέρας ἕως τῆς νυκτὸς παρεδόθη⟨ν⟩.**

Ἐπειδὴ δὲ παρ' ἐλπίδα τῆς σωτηρίας ἀπήλαυσα, χελιδόνος
καὶ περιστερᾶς τὴν ἀδολεσχίαν μιμήσομαι ὕμνους ὑφαίνων
σοὶ τῷ χορηγῷ τῆς ζωῆς. [14]**Ἐξέλιπον γάρ μου οἱ ὀφθαλμοὶ
τοῦ μὴ βλέπειν εἰς τὸ ὕψος τοῦ οὐρανοῦ πρὸς τὸν κύριον,
465 ὃς ἐξείλετό με καὶ ἀφείλετό μου [15]τὴν ὀδύνην τῆς ψυχῆς.**

C : 438-440 ὅτε — πέρας ‖ 443-444 τὴν — σωτηρίας ‖ 445-447 οὐκέτι — θαυματουργίας ‖ 449-450 ἀλλότριος — μου ‖ 452-454 σκηνὴν — σκηνῇ ‖ 455-457 ἐῴκειν — θεριζομένῳ ‖ 461-463 ἐπειδὴ — ζωῆς

447 γιγνομένας C : γινομένας K ‖ 450 μου K : > C ‖ 454 καταλυομένῃ K : > C ‖ 461 δὲ K : γὰρ C

10. *J'ai dit : Au sommet de mes jours je vais m'en aller.* Je viens d'être porté au sommet de la gloire et de devenir un homme en vue, et c'est alors que ma vie reçoit son terme. A cette réflexion ressemble la parole qu'a prononcée le bienheureux David : « Moi, j'ai dit dans mon bonheur : Je ne serai pas ébranlé pour l'éternité ! » *Aux portes de l'Hadès je vais laisser le reste de mes ans.* Puisque j'ai reçu de Dieu, dit-il, la sentence de mort, j'ai désespéré du salut. 11. *J'ai dit : Non, je ne verrai plus le salut de Dieu sur la terre des vivants.* Je ne verrai plus pendant cette vie, dit-il, les prodiges que Dieu accomplit pour le salut des hommes. *Je ne verrai plus d'homme parmi les habitants (de la terre). J'ai disparu du sein de ma parenté, j'ai laissé le reste* 12. *de ma vie.* Je suis devenu un exclu pour les vivants, un étranger pour mes proches.

Il est parti et il est allé loin de moi, comme l'homme qui détruit une hutte après l'avoir dressée, l'esprit qui habitait en moi. Il appelle « hutte » son corps et « habitant » son âme : une fois qu'elle s'est en allée, le corps est semblable à une hutte détruite. Puis il présente encore une autre image : *Il est devenu pareil à la toile qu'une fileuse s'apprête à couper.* Il ressemble non seulement, dit-il, à une hutte détruite, mais encore à une tapisserie tendue sur un métier et dont la trame n'est pas longue à être tranchée. Il enseigne en outre la rigueur de sa maladie : *J'ai été livré*, dit-il, 13. *jusqu'à l'aurore comme à un lion : ainsi il a broyé tous mes os. Car depuis le jour jusqu'à la nuit je (lui) ai été livré.*

Mais, puisque j'ai joui du salut contre toute espérance, j'imiterai le babil de l'hirondelle et de la colombe et je composerai des hymnes en ton honneur, toi le dispensateur de la vie. 14. *Car mes yeux ont cessé de ne pas regarder vers le plus haut du ciel, vers le Seigneur qui m'a tiré (du danger) et qui a enlevé* 15. *la souffrance de mon âme.* J'ai

441 Ps. 29, 7

Πᾶσαν γὰρ ἀνθρωπίνην καταλιπὼν μηχανὴν πρὸς σὲ ἦρα τοὺς ὀφθαλμούς μου τὸν κατοικοῦντα ἐν τῷ οὐρανῷ · σὺ δέ με οἰκτείρας τῆς ἐπικειμένης ὀδύνης ἀπήλλαξας. [16] **Κύριε περὶ αὐτῆς γὰρ ἀνηγγέλη σοί.** Περὶ τούτου γάρ φησι καὶ
470 τὴν ἱκετείαν προσήνεγκά σοι. **Καὶ ἐξήγειράς μου τὴν πνοήν, καὶ παρακληθεὶς ἔζησα.** Ἐπανήγαγες γὰρ ταύτην μέλλουσαν κατασβέννυσθαι. [17] **Ἰδοὺ εἰς εἰρήνην ἡ πικρία μου.** [Μετε]-βλήθη φησὶν εἰς θυμηδίαν ἡ λύπη.

Εἵλου γάρ μου τὴν ψυχήν, ἵνα μὴ ἀπόληται, καὶ ἀπέρριψας
475 **ὀπίσω μου πάσας τὰς ἁμαρτίας μου.** [18] **Οὐ γὰρ οἱ ἐν ἅδου αἰνέσουσί σε, οὐδὲ οἱ ἀποθανόντες εὐλο(γήσ)ουσί σε, οὐδὲ ἐλπιοῦσιν οἱ ἐγκαταβαίνοντες εἰς λάκκον τὴν ἀλήθειάν σου ·** [19] **οἱ ζῶντες εὐλογήσουσί σε (ὃν) τρόπον κἀγώ.** Ἡνίκα ἠσθένει, τὴν οἰκείαν εὐσέβειαν ὑπέδειξε τῷ θεῷ, καὶ τῆς
480 σωτηρίας τυχὼν τὴν τοῦ (θεοῦ) φιλανθρωπίαν ὑμνεῖ ὡς τοῦ θανάτου διὰ ταύτην ἀπαλλαγείς. Ἀπέρριψας γάρ μού φησι τὰς ἀνομίας (καὶ ἔδ)ωκάς μοι πάλιν πρόφασιν εἰς κτῆσιν δικαιοσύνης · τοῖς γὰρ ἔτι ζῶσι τοῦτο ποιεῖν ῥᾴδιον · οἱ γὰρ τε(θν)εῶτες ἔξω τῆς ἐμπορίας γεγένηνται. Τοῦτο
485 καὶ ὁ μακάριος ἔφη Δαυίδ · « Οὐκ ἔστιν ἐν τῷ θανάτῳ ὁ μνη(μονεύ)ων σου · ἐν δὲ τῷ ᾄδῃ τίς ἐξομολογήσεταί σοι ; »

Ἀπὸ γὰρ τῆς σήμερον παιδία ποιήσω ἃ ἀναγγελεῖ τὴν (δικαι)οσύνην σου, [20] **κύριε τῆς σωτηρίας μου · καὶ οὐ**
490 **παύσομαι εὐλογῶν σε μετὰ ψαλτηρίου πάσας τὰς ἡμέρας τῆς ζωῆς μου (κατ)έναντι τοῦ οἴκου τοῦ θεοῦ.** Διηνεκῆ ὑμνῳδίαν καὶ τὴν ἐν τῷ θείῳ ναῷ προσεδρείαν ὁ πάντα ἄριστος ἐπα[γγέλλεται] βασιλεύς · προλέγει δὲ ὅτι καὶ παιδίων ἔσται πατὴρ τῆς θείας αὐτῷ δηλονότι χάριτος
495 σ(υν)εργο(ύ)σης.

C : 466-468 πᾶσαν — ἀπήλλαξας ‖ 469-470 περὶ² — σοι ‖ 471-472 ἐπανήγαγες — κατασβέννυσθαι ‖ 478-484 ἡνίκα — γεγένηνται ‖ 493-495 προλέγει — συνεργούσης

470 σοι K : > C ‖ 479 καὶ K : > C ‖ 494 ἔσται C : ἐστὶ K

délaissé tout expédient humain et j'ai levé mes yeux vers toi qui habites dans le ciel : toi, tu as eu pitié de moi et tu m'as délivré de la douleur qui m'accablait. 16. *Car, Seigneur, on t'a informé de cette douleur.* A ce sujet, dit-il, je t'ai même présenté ma supplication. *Et tu as ranimé mon souffle, j'ai été rappelé à la vie et j'ai vécu.* De fait, tu as fait reprendre ce souffle qui allait s'éteindre. 17. *Voici que mon amertume est devenue paix.* Le deuil s'est, dit-il, changé en joie.

Car tu as pris mon âme, pour qu'elle ne meure pas et tu as rejeté en arrière tous mes péchés. 18. *Car ceux qui sont dans l'Hadès ne te loueront pas, et ceux qui sont morts ne te célébreront pas ; ils n'espéreront plus dans ta vérité, ceux qui descendent dans la fosse :* 19. *ce sont les vivants qui te célébreront comme moi.* Au moment de sa maladie, le roi laissa voir à Dieu sa piété et, une fois le salut obtenu, il loue dans un hymne la bonté de Dieu, puisqu'il doit à cette bonté d'avoir été délivré de la mort. Car tu as rejeté, dit-il, mes iniquités et tu m'as donné de nouveau l'occasion de parvenir à la possession de la justice ; en effet, pour ceux qui sont encore en vie, cela est facile à faire : ceux qui sont morts sont hors d'affaire. C'est ce qu'a dit également le bienheureux David : « Personne dans la mort ne se souvient de toi ; et dans l'Hadès, qui te rendra grâces ? »

Car à partir d'aujourd'hui je ferai des enfants qui annonceront ta justice, 20. *Seigneur de mon salut ! et je ne cesserai pas de te louer avec la harpe tous les jours de ma vie devant la maison de Dieu.* Ce roi en tout point excellent promet de chanter sans cesse des hymnes à Dieu et de se tenir avec assiduité dans son Temple ; il déclare même par avance qu'il deviendra père, s'il obtient bien sûr l'assistance de la grâce divine.

466-467 cf. Ps. 122, 1 485 Ps. 6, 6

Τινὲς [δὲ] ἐντεῦθεν πρόφασιν εἰληφότες ἔφασαν τὸν μακάριον Ἐζεκίαν τὰς πρὸς τὸν Δαυὶδ ὑπὸ τοῦ θεοῦ γεγενημένας ἐπιστάμενον ὑποσχέσεις καὶ ὅτι « οὐκ ἐκλείψει » τῆς βασιλείας τὸ γένος, « ἕως ἂν ἔλθῃ ᾧ ἀπόκειται », ἀμελῆσαι
500 [τῆ]ς παιδοποιίας διὰ τὴν τῆς ζωῆς ἐπιθυμίαν, ὑπελάμβανε γὰρ μὴ πρότερον αὐτὸν τελευτήσειν πρὶν [ἢ] π[αί]δων γενέσθαι πατέρα· καὶ τούτου χάριν ὁ θεὸς τήν τε νόσον ἐπήγαγε καὶ τῆς τελευτῆς τὴν ψῆφον δέδωκεν, [μετὰ δὲ] τ[οῦτό] φησι τῆς θείας φιλανθρωπίας ἐπέτυχε καὶ τῆς ζωῆς
505 τὸ δῶρον δεξάμενος εἶπεν· Ἀπὸ τοῦ νῦν παι(δία) ποιήσω ἃ ἀναγγελεῖ τὴν δικαιοσύνην σου, κύριε τῆς σωτηρίας μου. Καὶ ὁ μὲν λόγος ἔχει τὸ εἰκός, ἐμοὶ δὲ δοκεῖ τολ[μήματι ἀ]πονοίας ἀκολουθεῖν, μάλιστα τῆς θείας γραφῆς ἄκρον δικαιοσύνης τῷ βασιλεῖ μαρτυρού[σης· ἐγῷμ]αι τοίνυν ὅτι,
510 μαθὼν ὅτι πέντε καὶ δέκα ἔτη μετὰ τὴν ἀρρωστίαν βιώσεται, τῆς παιδο[ποιί]ας ὑπέσχετο φρόντισιν, ἵνα καὶ ἐκθρέψας αὐτοὺς διαδόχους καταλίπῃ τῆς βασιλείας.

Ὁ μέντοι [προφήτης] παρακελεύεται αὐτῷ παλάθην σύκων λεπτύνεσθαι καὶ χρᾶναι καὶ ἐπιθεῖναι τῷ ἕλκει καὶ
515 [τὴν ὑγε]ίαν πορίσασθαι. Διδάσκει δὲ ἡμᾶς ὁ λόγος τὴν ἰατρικὴν μὴ ἀποσείεσθαι τέχνην· καὶ γὰρ καὶ αὐ(τὴ δῶρον θεοῦ). Προσήκει δὲ μὴ τῇ τέχνῃ θαρρεῖν ἀλλὰ τῷ ταύτης δοτῆρι· τοσαῦτα γὰρ αὕτη δ(ύναται) |147 a| ὅσα ἂν ἐκεῖνος βούληται. Καὶ πολλάκις μὲν διὰ σμικρῶν φαρμάκων μεγάλα
520 τραύμα(τα) θεραπεύει, πολλάκις δὲ διὰ μεγάλων ἐλέγχεται, ἵνα μὴ ταύτῃ τῷ δὲ ταύτην δεδωκότι θαρρῶμεν. [22] **Καὶ**

C : 515-521 διδάσκει — θαρρῶμεν

498 Gen. 49, 10

---

1. Après avoir rapporté l'opinion de ceux qui pensent que le roi Ézéchias a promis d'installer dans le Temple un chœur formé des voix les plus harmonieuses pour chanter les louanges de Dieu (70, 789 D), CYRILLE semble se rallier à l'interprétation que rejette ici Théodoret (*id.*, 792 A : Ἕτεροι δὲ καὶ τοῖς ἀπορρητοτέροις ἔτι τὸν νοῦν ἐνιέντες λέγουσι κτλ.).

2. Paraphrase d'*Is.* 38, 21.

3. CHRYSOSTOME insiste davantage encore sur le fait que Dieu

D'aucuns[1] en ont pris prétexte pour prétendre que le bienheureux Ézéchias, qui connaissait les promesses faites par Dieu à David, et notamment la promesse que sa race « ne cesserait pas » d'exercer la royauté « jusqu'à ce que vienne celui à qui elle était réservée », a négligé l'œuvre de procréation en raison de son goût pour la vie, car il comptait ne pas mourir avant d'être devenu père ; voilà pourquoi Dieu a envoyé la maladie et rendu sa sentence de mort ; après quoi, toutefois, selon cette interprétation, il a bénéficié de la bonté divine et, pour avoir reçu le don de la vie, il a dit : « A partir de maintenant je ferai des enfants qui annonceront ta justice, Seigneur de mon salut ! » Pour vraisemblable que soit cette explication, elle me paraît relever de l'audace d'un esprit fort déraisonnable, principalement parce que la divine Écriture atteste en faveur du roi un très haut degré de justice. Donc, selon moi, quand il sut qu'il lui restait quinze années à vivre après sa maladie, il a promis de faire œuvre de procréation, afin de pouvoir élever ses enfants avant de les laisser comme héritiers du trône.

En tout cas, le prophète ordonne au roi d'écraser une galette de figues, d'en faire un cataplasme et de l'appliquer sur son ulcère pour se procurer la santé[2]. Le texte nous enseigne donc à ne pas repousser l'art médical : car il est lui aussi un don de Dieu. Il convient pourtant de mettre sa confiance non dans l'art, mais dans l'auteur de ce don : car cet art n'est efficace que dans la mesure où le veut ce dernier. Souvent le secours de remèdes peu importants permet à cet art de guérir de grandes blessures ; souvent, au contraire, malgré le secours de remèdes importants, il est mis en échec, afin que nous mettions notre confiance non dans cet art, mais dans celui qui en a fait don[3]. 22. *Et*

n'a pas besoin du secours des médicaments pour guérir ; s'il réclame une intervention humaine, il n'exige en réalité que la foi de celui qu'il guérit : l'élément extérieur n'est qu'un signe, la parole du Christ opère seule la guérison (*M.*, p. 248, § 21, 22 - 249).

εἶπεν Ἐζεκίας· Τοῦτο τὸ σημεῖον ὅτι ἀναβήσομαι εἰς τὸν οἶκον τοῦ θεοῦ. Θαρρῶ φησιν ὅτι καὶ τῆς ὑγείας [τεύ]ξομαι καὶ ἐν τῷ θείῳ ναῷ προσκυνήσω τὸν τῶν ὅλων θεόν.

525 Κατ' αὐτὸν δὲ τὸν καιρὸν τῶν Βαβυλωνίων ὁ βασιλεὺς Μαροδὲχ ὁ τοῦ Βαλαδὰν υἱὸς πρεσβευτὰς καὶ δῶρα καὶ γράμματα ἐξέπεμψε τῷ βασιλεῖ Ἐζεκίᾳ, καὶ τὴν ἀρρωστίαν καὶ τὴν ὑγείαν μαθών. Ζητητέον δὲ πόθεν οὗτος τὰ κατὰ τοῦτον μεμάθηκεν. Δῆλον δὲ τοῖς συνιδεῖν δυναμένοις, ὡς 530 οἱ μὲν ἐκπεφευγότες τὸν ἐπενεχθέντα τοῖς Ἀσσυρίοις ὄλεθρον τὸ ξένον καὶ παράδοξον ἐκήρυξαν θαῦμα· ἀκολουθῆσαν δὲ τὸ πολλῷ μεῖζον ἐκείνου καὶ παραδοξότερον, τὸ κατὰ τὸν ἥλιόν φημι, μειζόνως τοὺς Βαβυλωνίους ἐξέπληξεν. Συ[νῆ]καν γὰρ <ὅτι> ὁ τοσαύτας μυριάδας δίχα χειρὸς 535 ἀνθρωπίνης διὰ τὸν εὐσεβῆ βασιλέα παραπέμψας θανάτῳ διὰ τοῦτον πάντως καὶ τοῦτο τὸ θαῦμα πεποίηκεν. Καὶ πολλοῦ ἀξίαν τὴν τοῦ θεοῦ φιλανθρωπίαν καὶ συμμαχίαν ἐνόμισαν, ὃς οὐ δεῖται ὅπλων παραταττόμενος ἀλλ' ἀοράτως καταλύει τοὺς ἐπιόντας.

540 Ἔπειτα ἡμ[ᾶς] ὁ προφήτης διδάσκει ὡς ἥσθη μὲν **39[2] ἐπ' αὐτοῖς Ἐζεκίας, ἔδειξε δὲ αὐτοῖς τὸν οἶκον τοῦ νεχωθὰ**

1. Résumé d'*Is.* 39, 1. Théodoret s'en tient ici à la manière biblique de voir les événements. En réalité, l'ambassade de Mardouk-apal-iddina (Marodek) auprès d'Ézéchias semble se situer avant et non après l'attaque de Sennachérib contre Jérusalem. Ce prince chaldéen a été le grand adversaire de Sargon II ; dès 721 il se soulève contre l'autorité assyrienne et se fait reconnaître roi de Babylone. Son ambassade auprès d'Ézéchias pourrait remonter à cette époque : voulait-il entraîner le roi de Juda dans une révolte générale contre l'Assyrie ? On comprendrait alors qu'il ait tenu à évaluer la richesse et la puissance d'Ézéchias. A la mort de Sargon (705), Mardouk-apal-iddina reprend la lutte contre l'Assyrie, mais il est rapidement chassé de Babylone par Sennachérib, sans cesser pour autant d'être l'âme de la révolte. Aussi certains historiens ont-ils voulu placer à cette époque son ambassade auprès d'Ézéchias.

2. Cf. *supra*, 11, 379-382.

3. Eusèbe (*GCS* 246, 1-3) et Cyrille (70, 793 AB) notent aussi l'importance du prodige solaire pour les Babyloniens accoutumés à l'étude du ciel et adorateurs du soleil.

Ézéchias dit : Voici le signe que je monterai à la Maison de Dieu. J'ai confiance, dit-il, que j'obtiendrai la santé et que j'irai me prosterner dans le Temple divin devant le Dieu de l'univers.

Ambassade du roi de Babylone

Vers la même époque[1], le roi de Babylone, Marodek, fils de Baladan, envoya au roi Ézéchias des ambassadeurs, des présents et une lettre, parce qu'il avait été informé de sa maladie et de sa guérison. On doit donc se demander comment il a été informé du sort d'Ézéchias[2]. Or, pour des gens capables de prendre une vue globale des événements, il est clair que ceux qui avaient échappé à la mort qui s'abattit sur les Assyriens se sont faits les hérauts de ce prodige étrange et extraordinaire ; quant au prodige qui suivit, il fut beaucoup plus grand et beaucoup plus extraordinaire que celui-là — je parle du prodige relatif au soleil —, et il a plus grandement (encore) frappé d'étonnement les Babyloniens[3]. Ils se sont, en effet, rendu compte que celui qui avait envoyé à la mort, sans l'intervention d'une main humaine, tant de milliers (de soldats) à cause de la piété du roi, n'avait également accompli qu'à cause de lui ce nouveau prodige. Ils ont alors pensé qu'on devait faire grand cas de la bonté et de l'alliance de ce Dieu, qui n'a pas besoin d'armes pour se défendre, mais qui, de manière invisible, anéantit ses assaillants[4].

Puis le prophète nous apprend qu' **39,** 2. *Ézéchias* se réjouit *de leur arrivée et leur montra la maison du néchotha,*

4. Selon Eusèbe (*GCS* 246, 8-16), tant d'événements prodigieux en une seule année — l'attaque de Jérusalem par le roi d'Assyrie et le désastre qu'il subit, sa retraite et la révolte de ses fils, la mort rapide de son successeur — ont impressionné le roi chaldéen Marodak Baldan et l'ont poussé à rechercher l'alliance du roi Ézéchias, protégé par un Dieu si puissant.

καὶ τ(οῦ) ἀργυρίου καὶ τοῦ χρυσίου καὶ τῆς στακτῆς καὶ τῶν θυμιαμάτων καὶ πάντας τοὺς οἴκους τῶν σκευῶν τῆς γάζης καὶ πάντα ὅσα ἦν ἐν τοῖς θησαυροῖς αὐτοῦ· καὶ οὐκ
545 **ἦν οὐθὲν ὃ οὐκ ἔδειξεν αὐτοῖς Ἐζεκίας ἐν τῷ οἴκῳ αὐτοῦ καὶ ἐν πάσῃ τῇ ἐξουσίᾳ αὐτοῦ.** Τὸν δὲ οἶκον τοῦ νεχωθὰ « τὸν οἶκον τῶν ἀρωμάτων » ὁ Σύμμαχος εἴρηκε, τὴν δὲ στακτὴν « ἡδύσματα » προσηγόρευσεν· ἡγοῦμαι δὲ τὴν στακτὴν τὸ βάλσαμον εἶναι. Γάζαν δὲ καλεῖ τὸν θησαυρόν.
550 Ὁ δὲ τῶν ὅλων θεὸς τούτων γεγενημένων ἠχ<θ>έσθη· οὐ γὰρ ἐπὶ τούτοις ἔδει μέγα φρονῆσαι τὸν εὐσεβῆ βασιλέα οὐδὲ ταῦτα τοῖς ἀφιγμένοις ἐπιδεῖξαι ἀλλὰ τοῦ θεοῦ διδάξαι τὴν δύναμιν καὶ κηρύξαι τὰ μέγιστα θαύματα καὶ πρὸς τὴν ἀλήθειαν ποδηγῆσαι καὶ πρόφασιν [διδασ]καλίας τὴν
555 πρεσβείαν ποιήσασθαι. Διὰ τοῦτο πέμπει μὲν πρὸς αὐτὸν τὸν προφήτην, πυνθάνεται δὲ καὶ πόθεν οἱ ἀφιγμένοι καὶ τίς αὐτοὺς ἤγαγε πρόφασις μονονουχὶ λέγων ὡς· Ἐγὼ τούτων (αἴ)τιος, ὁ γὰρ πρὸ βραχέος ὑπ' αὐτῶν πολεμούμενος καὶ φόρον αὐτοῖς ὑπισχνούμενος νῦν παρ' αὐτῶν (δέχῃ) δῶρα
560 καὶ φόρον καὶ φίλος γενέσθαι παρακαλεῖ.

Εἶτα τοῦ Ἐζεκίου εἰρηκότος ὅτι [3] **ἐκ γῆς πόρ(ρωθεν) ἥκασι πρός με, ἐκ Βαβυλῶνος,** πάλιν ὁ προφήτης ἤρετο· [4] **Τί εἶδον ἐν τῷ οἴκῳ σου ;** Ἐκείνου δὲ (εἰρη)κότος πάντα αὐτοὺς καὶ τὰ δῆλα καὶ τὰ κεκρυμμένα ἰδεῖν, εἶπεν ὁ
565 προφήτης· [5] **Ἄκουσον τὸν λόγον (κυρίου) Σαβαώθ· [6] Ἰδοὺ ἡμέραι ἔρχονται, καὶ λήψονται πάντα τὰ ἐν τῷ οἴκῳ σου, καὶ ὅσα συνήγαγον οἱ (πατέρες) σου ἕως τῆς ἡμέρας ταύτης εἰς Βαβυλῶνα ἥξει, καὶ οὐδὲν οὐ μὴ καταλειφθῇ· εἶπε δὲ (ὁ θεὸς) [7] ὅτι καὶ ἀπὸ τῶν τέκνων σου τῶν ἐξερχομένων ἀπό**
570 **σου ὧν γεννήσεις λήψονται καὶ ποιήσουσι σπά(δοντας) ἐν τῷ οἴκῳ τοῦ βασιλέως τῶν Βαβυλωνίων.** Δηλοῖ δὲ διὰ τούτων

Cv : 550-580 ὁ — λέγει (553-555 καὶ² — ποιήσασθαι> ‖ 565-571 ἰδοὺ — Βαβυλωνίων : καὶ τὰ ἑξῆς)

550 δὲ — ἠχ<θ>έσθη K : μὲν θεὸς τῶν ὑπὸ τοῦ Ἐζεκίου γεγενημένων ἠνέσχετο Cv ‖ 552 ἐπιδεῖξαι K : ἐφαρμόσαι Cv ‖ 559 .... δῶρα K : δῶρα δέχῃ Cv ‖ 561 ὅτι K : > Cv ‖ 562 πρός με K : > Cv ‖

de l'argent, de l'or, de l'huile parfumée, des aromates, ainsi que toutes les maisons des meubles du dépôt et tout ce qu'il y avait dans ses trésors ; et il n'y eut rien qu'Ézéchias ne leur montrât dans sa maison et dans ce qui faisait toute son abondance. Symmaque a appelé la maison du néchotha « la maison des aromates » et donné à l'huile parfumée le nom d'« essences » ; je pense, quant à moi, que l'huile parfumée est le baume. D'autre part, il appelle « dépôt » le trésor. Mais le Dieu de l'univers s'irrita de ce qui s'était passé : le pieux roi n'aurait pas dû s'enorgueillir de ces richesses ni les montrer à ses visiteurs ; il aurait dû leur enseigner la puissance de Dieu, proclamer la grandeur extrême de ses prodiges, guider leurs pas vers la vérité et faire de leur ambassade une occasion d'enseignement. Pour cette raison, il envoie vers lui son prophète, s'informe du lieu d'origine de ses visiteurs et du motif de leur venue ; c'est presque comme s'il disait : C'est moi qui suis la cause de ces événements, car voici peu de temps ils te faisaient la guerre et tu leur promettais un tribut, (tandis que) maintenant tu reçois d'eux des présents et un tribut, et ils t'invitent à devenir leur ami.

Puis, après qu'Ézéchias eut répondu : 3. *C'est d'une terre lointaine qu'ils sont venus vers moi, de Babylone*, le prophète l'interrogea de nouveau : 4. *Qu'ont-ils vu dans ta maison?* Quand il eut répondu qu'ils avaient tout vu, tout ce qui était visible et tout ce qui était caché, le prophète dit : 5. *Écoute la parole du Seigneur Sabaoth:* 6. *Voici que viendront des jours où l'on prendra tout ce qui est dans ta maison; tout ce qu'ont amassé tes pères jusqu'à ce jour ira à Babylone et rien ne sera laissé; Dieu a dit d'autre part:* 7. *Même parmi les enfants issus de toi, parmi ceux que tu engendreras, on en prendra et on en fera des castrats dans la maison du roi de Babylone.* Il fait voir

564 αὐτοὺς C^v : αὐτοῦ K ‖ 564-565 εἶπεν ὁ προφήτης K : ὁ προφήτης φησίν C^v

ὡς εὐσέβειαν μὲν καὶ (δικαι)οσύνην καὶ παιδείαν οὐδεὶς ἀφελέσθαι δυνήσεται, ὁ δὲ πλοῦτος οὐκ ἔστι μόνιμον (ἀγαθόν) · μεταβατικὴν γὰρ ἔχει τὴν φύσιν καὶ νῦν μὲν
575 τοῦτον νῦν δὲ ἐκεῖνον λαμπρύνει. Ἐπει(δὴ τοίνυν) ταῦτα ὑπέδειξας καὶ οὐ τὴν ἐμὴν προμήθειάν τε καὶ κηδεμονίαν, εὖ ἴσθι ὡς ταῦτ(α ὑπὸ τὴν) ἐκείνων γενήσεται δεσποτείαν · πρὸς δὲ τούτοις καὶ ἐκ τῶν σῶν ἀπογόνων ἀπαχθ(ήσονται δο)ρυάλωτοι καὶ τῷ Βαβυλωνίων δουλεύσουσι βασιλεῖ.
580 Σπάδοντας δὲ τοὺς (εὐν)ού(χους) λέγει.

[8] **Καὶ εἶπεν Ἐζεκίας πρὸς Ἠσαΐαν · Ἀγαθὸς ὁ λόγος κυρίου ὃν ἐλάλησ(εν) · γεν(έσθω δὴ) εἰρήνη καὶ δικαιοσύνη ἐν ταῖς ἡμέραις μου.** Πάντα φησὶ τὰ ὑπὸ [τοῦ θεοῦ τῶν ὅλων εἰρη]μένα ἀγαθά τε καὶ ὀνησιφόρα · ἔχω γὰρ θυμηδίαν
585 ἀρκοῦσαν ὡς τα .... |147 b| ... ρου[ς] μὴ θεῶμ[αι] · διὸ αἰτῶ εἰρήνης τυχεῖν παρὰ πᾶσάν μου τὴν ζωήν, οὐ μόνον δὲ εἰρήνης ἀλ[λὰ καὶ] δικαιοσύνης · ἀνωφελὴς γὰρ εἰρήνη δικαιοσύνης κεχωρισμένη. Ἐπαινετὸς μὲν οὖν ὁ βασιλεὺς τὴν δικαιοσύνην μετὰ τῆς εἰρήνης αἰτήσας, οὐ
590 βασιλικὴ δὲ ὅμως ἡ αἴτησις · τὸν γὰρ τῶν ὑπηκόων κηδεμόνα πᾶσαν ἐκείνων προσήκει ποιεῖσθαι κηδεμονίαν · ἔδει τοίνυν αὐτὸν καὶ ὑπὲρ τῶν ἐγγόνων, ἐ[φ'] ὧν ἔμελλεν ἔσεσθαι ἐκεῖνα τὰ σκυθρωπά, προσενεγκεῖν ἱκετείαν τῷ φιλανθρώπῳ δεσπότῃ.

595 Ἡμᾶς <δὲ> προσήκει μήτε ἐπὶ πλούτῳ μήτε ἐπὶ ῥώμῃ μήτε ἐπ' ἄλλῳ τινὶ τῶν ἀνθρωπίνων μέγα φρονεῖν ἀλλὰ

572 καὶ παιδείαν K : > C^{v}

---

1. Même remarque chez Cyrille (70, 796 C). Selon Chrysostome (*M.*, p. 251, § 5-8), telle est la version des autres interprètes *(alii)*.

2. Chrysostome traite longuement lui aussi de ce point pour blâmer la conduite trop humaine du roi Ézéchias (*M.*, p. 251-252). L'interprétation de Cyrille est comparable (70, 797 A) : s'il blâme Ézéchias qui n'a songé qu'à lui-même et s'est totalement désintéressé de son pays, de sa cité et de sa postérité (ἀφειδήσας παντελῶς χώρας

par ces mots que personne ne pourra enlever la piété, la justice et l'instruction, mais que la richesse n'est pas un bien stable : elle possède une nature changeante et donne tantôt à l'un tantôt à l'autre de l'éclat. Puisque tu as montré ces richesses (à ces gens-là) au lieu de montrer ma prévenance et ma sollicitude, sache donc bien qu'elles tomberont en leur pouvoir ; en outre, certains de tes descendants seront même emmenés comme prisonniers et seront esclaves du roi de Babylone. Il désigne par « castrats » les eunuques[1].

8. *Et Ézéchias dit à Isaïe: Bonne est la parole que le Seigneur a prononcée! Qu'il y ait donc paix et justice durant mes jours!* Tout ce qu'a dit le Dieu de l'univers est, dit-il, bon et avantageux : j'ai, en effet, une joie suffisante si je ne vois pas (les malheurs annoncés) : c'est pourquoi je demande d'obtenir la paix pendant toute ma vie, et non seulement la paix mais encore la justice, car vaine est la paix sans la justice. Le roi mérite donc d'être loué pour avoir demandé la justice en même temps que la paix, mais sa demande cependant n'est pas digne d'un roi : il convient, en effet, à celui qui veille sur ses sujets de veiller sur eux totalement ; il aurait donc fallu qu'il présentât également au Maître de bonté une supplication en faveur de ses descendants, sous le règne desquels allaient se produire ces malheurs[2].

Parénèse

Quant à nous, il convient que nous ne tirions orgueil ni de la richesse, ni de la force, ni de quelque autre avantage humain ;

τε ὁμοῦ τῆς ἰδίας πόλεώς τε καὶ γένους), il le fait sans sévérité excessive ; cette attitude témoigne, selon lui, de la faiblesse de l'esprit humain dont nous prenons nous aussi la mesure en bien des circonstances.

καὶ πλοῦτον ἔχοντα καὶ σοφίαν καὶ δύναμιν τῷ θεῷ μόνῳ θαρρεῖν τῷ καὶ τούτων δοτῆρι καὶ τὴν παρ' [αὐ]τοῦ προσμένειν ῥοπήν · ᾧ πρέπει δόξα καὶ μεγαλοπρέπεια εἰς τοὺς 600 αἰῶνας τῶν αἰώνων. ['Αμήν.]

600 ἀμήν addidi iuxta consuetudinem Thti : > K Mö.

1. Notre traduction par « sanction » rend très imparfaitement

mais, que celui qui possède richesse, sagesse et puissance mette en Dieu seul sa confiance, lui qui précisément est l'auteur de ces dons, et qu'il attende de lui la sanction[1]. C'est à lui que conviennent gloire et magnificence pour les siècles des siècles. Amen.

compte de l'image contenue dans le mot ῥοπή qui désigne littéralement « l'inclinaison d'une balance », et représente ici de manière concrète le jugement de Dieu.

ΤΟΜΟΣ ΙΒ'

40[1] **Παρακαλεῖτε παρακαλεῖτε τὸν λαόν μου, λέγει ὁ θεός.** **2 Ἱερεῖς λαλήσατε (εἰ)ς τὴν καρδίαν Ἱερουσαλήμ.** Προηγόρευσεν ἐν τοῖς ἔμπροσθεν ἡρμηνευμένοις τὴν ὑπὸ
5 τῶν Βαβυλωνίων ἐσομένην αἰχμαλωσίαν. Ὁ δὲ βασιλεὺς Ἐζεκίας οὐ προσήνεγκεν ἱκετηρίαν τῷ δεσπότῃ θεῷ οὐδὲ ἠν[τι]βόλ[ησ]ε λυθῆναι τὴν ἀπειλὴν ἀλλὰ τῆς οἰκείας σωτηρίας ἐφρόντισε μόνης εἰρηκώς· « Γενέσθω δὴ εἰρήνη καὶ δικαιοσύνη ἐν ταῖς ἡμέραις μου. » Τούτου δὴ χάριν
10 ὁ τῶν ὅλων θεὸς τὸν βασιλέα καταλιπὼν τοῖς [ἱ]ερεῦσι παρακελεύεται παραμυθεῖσθαι τὴν Ἱερουσαλὴμ ὡς ἤδη τῆς ἀπειληθείσης τιμωρίας καταλα[β]ούσης. Τοῦτο γὰρ δηλοῖ τὰ ἑξῆς· **Παρακαλέσατε αὐτήν, ὅτι ἐπλήσθη ἡ ταπείνωσις αὐτῆς.** Πέρας [καλὸ]ν ἔλαβε τὰ τῆς ἀπειλῆς.
15 **Λέλυται αὐτῆς ἡ ἁμαρτία, ὅτι ἐδέξατο ἐκ χειρὸς κυρίου διπλᾶ τὰ ἁμαρτή(ματα) αὐτῆς.** Ἄξιον ἐνταῦθα θαυμάσαι τὴν τοῦ δεσπότου φιλανθρωπίαν· ἀγαθὸς γὰρ ὢν καὶ ἀγαθότητος ἄβυσσος καὶ σφόδρα ἐλάττονα τῆς ἁμαρτίας τιμωρίαν ἐπάγων τὴν σμικρὰν τιμωρίαν διὰ πολλὴν
20 φιλανθρωπίαν διπλασίονα τῆς ἁμαρτίας καλεῖ. Ὅτι δὲ τῆς ἁμαρτίας σφόδρα ἐλάττων ἦν ἡ τιμωρία, μάρτυς ὁ αὐτὸς προφήτης βοῶν· « Ἐν θλίψει μικρᾷ ἡ παιδεία σου ἡμῖν. » Ἀλλ' ὅμως ἐλέῳ πλείστῳ (τὸ δί)καιον

C : 16-25 ἄξιον — κριτής

19 σμικρὰν C : μικρὰν K ‖ διὰ K : +τὴν C ‖ 21-22 ὁ αὐτὸς K : ∾ C

8 Is. 39, 8   22 Is. 26, 16

1. Cf. *supra*, 11, 575-579. Théodoret souligne ici le lien qui unit cet ensemble prophétique au précédent.

DOUZIÈME SECTION

Consolation pour Jérusalem

40, 1. *Consolez, consolez mon peuple, dit Dieu.* 2. *Prêtres, parlez au cœur de Jérusalem.* Il a proclamé par avance, dans le passage précédemment commenté, la captivité qu'allaient lui imposer les Babyloniens[1]. Or, le roi Ézéchias n'a pas présenté à Dieu notre Maître une prière de supplication et n'a pas imploré l'abrogation de la menace, mais il s'est uniquement soucié de son propre salut, quand il a dit : « Qu'il y ait donc paix et justice durant mes jours ! » Voilà bien pourquoi le Dieu de l'univers a laissé de côté le roi pour inviter les prêtres à redonner courage à Jérusalem, comme si le châtiment dont elle a été menacée était déjà survenu[2]. C'est ce que fait bien voir la suite du passage : *Consolez-la, parce que son abaissement s'est accompli.* Les termes de la menace ont reçu un parfait accomplissement.

Son péché a été expié, parce que ses fautes ont reçu de la main du Seigneur double punition. Il vaut la peine d'admirer ici la bienveillance du Maître : parce qu'il est bon et qu'il est un abîme de bonté, et bien qu'il inflige un châtiment fort inférieur au péché, il dit, en raison d'une grande bienveillance, que ce petit châtiment est deux fois plus grand que le péché. Or, que le châtiment soit fort inférieur au péché, le même prophète en témoigne puisqu'il s'écrie : « C'est dans une petite tribulation que ta leçon nous (a été donnée). » Néanmoins, parce qu'il tempère sa

2. L'énallage est ailleurs présenté par Théodoret comme un tour habituel à l'Écriture, cf. Introd., t. I, p. 59.

κεραννύς, ἣν οἱ τιμωρούμενοι σμικρὰν ἐκάλουν παιδείαν
25 διπλασίονα ὠνόμασεν (ὁ κ)ριτής.

Εἶτα διδάσκει τοὺς παρακαλοῦντας τῆς ψυχαγωγίας τὸν
τρόπον · 3 **Φωνὴ βοῶντος (ἐν) τῇ ἐρήμῳ · Ἑτοιμάσατε τὴν
ὁδὸν κυρίου, εὐθείας ποιεῖτε διὰ τῆς ἀβάτου τὰς τρίβους
τοῦ θεοῦ ἡμῶν.** Ἡ ἀληθὴς παράκλησις καὶ παραψυχὴ
30 <καὶ> τῶν ἀνθρωπίνων λύσις κακῶν <ἡ> τοῦ θεοῦ καὶ
σωτῆρος ἡμῶν ἐνανθρώπησις. Ταύτης δὲ κῆρυξ ἐγένετο
πρῶτος ὁ θεσπέσιος Ἰωάννης ὁ βαπτιστής. Τὰ κα[τ]' αὐτὸν
τοίνυν ὁ προφητικὸς προαγορεύει λόγος · τοῦτο γὰρ ἡμᾶς
καὶ οἱ τρεῖς μακάριοι ἐδίδαξαν [εὐα]γγελισταί, ὁ δὲ θειότατος
35 Μᾶρκος καὶ προοίμιον τοῦτο τῆς συγγραφῆς ἐποιήσατο.
Καὶ αὐτὸς [δέ] γε ὁ θεσπέσιος Ἰωάννης ἐρωτηθεὶς ὑπὸ τῶν
Φαρισαίων, εἰ αὐτὸς εἴη ὁ Χριστός, ἔφη · « Ἐγὼ φωνὴ
(βο)ῶντος ἐν τῇ ἐρήμῳ · Ἑτοιμάσατε τὴν ὁδὸν κυρίου,
καθὼς εἶπεν Ἡσαΐας ὁ προφήτης » · οὐκ εἰμι [θεὸς] λόγος
40 ἀλλὰ φωνή, ἐγὼ γὰρ κηρύττω τὸν ἐνανθρωπήσαντα θεὸν
λόγον. Ἄβατον δὲ καλεῖ τὰ ἔθνη [τὸ] προφητικὸν ἴχνος
οὐδέπω δεξάμενα.

4 **Πᾶσα φάραγξ πληρωθήσεται, καὶ πᾶν ὄρος καὶ βουνὸς
(ταπει)νωθήσεται · καὶ ἔσται πάντα τὰ σκολιὰ εἰς εὐθεῖαν
45 καὶ αἱ τραχεῖαι εἰς πεδία.** Τὴν εὐκο(λίαν) τοῦ κηρύγματος
διὰ τούτων ἐδήλωσεν · διὰ ταύτην γὰρ ἐν ὀλίγῳ χρόνῳ
πᾶσαν τοῦτο τὴν (οἰκου)μένην ἐπλήρωσεν. Φάραγγας δὲ
πληρουμένας καὶ ὄρη καὶ βουνοὺς ταπεινουμένους (κατὰ
μὲν) τὸ ῥητὸν νοητέον τὴν λείαν ὁδὸν καὶ δυσκολίας ἀπηλ-

C : 45-58 τὴν — γενόμενοι

24 σμικρὰν C : μικρὰν K ‖ 25 διπλασίονα K : διπλάσιαν C ‖ 30 καὶ et ἡ add. Po. ‖ 47 τοῦτο KC[564] : τούτου C (praeter C[564])

37 Jn 1, 23

---

1. Rapprocher de l'image de « la charrue prophétique » (*supra*, 9, 453). Même interprétation chez Eusèbe (*GCS* 250, 32-33).

justice d'une infinie miséricorde, la leçon que les victimes du châtiment appelaient petite, le juge l'a nommée deux fois plus grande (que la faute).

La vraie consolation : le Christ

Puis il apprend aux consolateurs le mode du réconfort : 3. *Voix de celui qui crie dans le désert : Préparez la route du Seigneur, rendez droits à travers (la terre) non foulée les chemins de notre Dieu.* La véritable consolation, le vrai réconfort et la vraie délivrance des maux de l'homme, c'est l'incarnation de notre Dieu et Sauveur. Or, le premier à en avoir été le héraut, ce fut Jean-Baptiste l'inspiré. Le texte prophétique proclame donc par avance les réalités qui le concernent : voilà, en effet, ce que nous ont enseigné les trois bienheureux évangélistes et ce dont le très divin Marc a même fait le prologue de son ouvrage. Quant à Jean l'inspiré, à qui les pharisiens demandaient s'il était le Christ en personne, il déclara pour sa part : « Moi, je suis la voix de celui qui crie dans le désert : Préparez la route du Seigneur, comme l'a dit le prophète Isaïe » ; je ne suis pas le Dieu-Verbe, mais une voix, car c'est en héraut que j'annonce le Dieu-Verbe qui s'est incarné. Il appelle, d'autre part, « (terre) non foulée » les nations, parce qu'elles n'ont pas encore reçu l'empreinte prophétique[1].

4. *Toute vallée sera comblée, toute montagne et toute colline sera abaissée ; tous les chemins tortueux deviendront droits et les (routes) raboteuses seront aplanies.* Il a clairement fait voir par ces termes la facilité (dont bénéficia) la proclamation (évangélique) : grâce à cette facilité, elle a en peu de temps rempli le monde entier. Par « vallées comblées », par « montagnes et collines abaissées », il faut comprendre, selon la lettre, (qu'il s'agit) d'une route unie et débarrassée de ses obstacles, mais selon le sens,

Chrysostome (*M.*, 254, § 3) donne de « désert » une interprétation spirituelle : les âmes désertes et abandonnées.

50 λαγμένην, κατὰ δὲ διά(νοιαν) φάραγγες μέν εἰσιν αἱ τῶν ἀπίστων ψυχαὶ εἰς βάθος που κείμεναι καὶ μετάρσιον οὐ(κ ἔχουσαι) φρόνημα, ὄρη δὲ καὶ βουνοὶ οἱ ἐν τοῖς ὄρεσι καὶ τοῖς βουνοῖς θεραπευόμενοι δαίμονες (ὧν τὴν) πλάνην ἡ τοῦ σωτῆρος ἡμῶν ἔσβεσεν ἐνανθρώπησις. Οὐκ ἂν δέ τις
55 ἁμάρτοι καὶ περὶ (Ἰουδαίων τοῦ)το εἰρῆσθαι φήσας · περιφανεῖς γὰρ ὄντες καὶ περίβλεπτοι πάλαι διὰ τὴν θείαν |148 a| κηδεμονίαν ἧς ἀπήλαυον, νῦν ἐταπεινώθησαν ἔρημοι ταύτης γενόμενοι. Δηλοῖ τοίνυν ὁ λόγος ὅτι τὰ μὲν ταπεινὰ ἔθνη ὑψωθήσεται, οἱ μέγα δὲ φρονοῦντες Ἰουδαῖοι ταπεινω-
60 θήσονται.

Τοῦτο γὰρ δηλοῖ καὶ τὰ ἑξῆς · [5] **Καὶ ὄψεται πᾶσα σὰρξ τὸ σωτήριον τοῦ θεοῦ.** Καὶ ἡ βεβαίωσις τῶν εἰρημ[ένων] · **Ὅτι κύριος ἐλάλησεν.** Ἀψευδὴς γάρ φησιν ὁ ταῦτα φθεγξάμενος. Ἐγὼ δὲ λίαν ἄγαμαι τοὺς οἰομένους ταῦτα περὶ
65 τῆς ἀπὸ Βαβυλῶνος ἐπανόδου τὸν προφήτην θεσπίσαι · ἔδει γὰρ αὐτοὺς συνιδεῖν ὅτι σ[αφ]ῶς ὁ προφητικὸς προηγόρευσε λόγος πᾶσιν ἀνθρώποις δῆλον ἔσεσθαι τοῦ θεοῦ τὸ σωτήριον, ἐκείνη δὲ ἡ ἀνάκλησις οὐ πᾶσιν ἐγένετο δήλη, ὁ δὲ σωτήριος σταυρὸς καὶ τὰ δεσποτικὰ πάθη καὶ αὐτὰς ἔφθασε τὰς τῆς
70 οἰκουμένης ἐσχατιάς.

[6] **Φωνὴ λέγοντος · Βόησον.** Τοιαύτη τίς φησιν ἠνέχθη φωνή, βόησόν μοι παρεγγυῶσ(α). **Καὶ εἶπον · Τί βοήσω ;** Εἶτα λέγει τὸ προσταχθέν · **Πᾶσα σὰρξ χόρτος, καὶ πᾶσα δόξα ἀνθρώπου ὡς ἄνθος χόρτου · [7] ἐξηράνθη ὁ χόρτος,**

Cv : 71-112 τοιαύτη — φωνήν (72-73 καὶ — προσταχθέν et 75-77 ὅτι — ἄνθος>) *sequitur Cv p. 400.*

52 δὲ Mö. : τε C > K ‖ 52-53 καὶ τοῖς βουνοῖς K : > C ‖ 55 εἰρῆσθαι K : λέγεσθαι C90 γενέσθαι C (praeter C90) ‖ 68 δήλη Mö. : δῆλον K ‖ 72 βόησον K : βοῆσαι Cv

1. Chrysostome recourt ici à l'interprétation typologique : le verset lui paraît avoir trouvé un premier accomplissement lors du retour d'exil de Babylone et s'être pleinement réalisé de manière morale après la venue du Christ, qui a rendu très facile à parcourir la route qui mène à la vertu, alors qu'elle était auparavant presque impraticable (*M.*, 255, § 4 - 256).

ce sont les âmes des incroyants qui sont des vallées, elles qui gisent en quelque sorte au fond d'un gouffre et qui ne possèdent pas une intelligence tournée vers le ciel, tandis que sont des montagnes et des collines les démons à qui l'on rendait un culte sur les montagnes et sur les collines : à l'erreur qu'ils entretenaient, l'incarnation de notre Sauveur a mis fin[1]. Pourtant, on ne se tromperait pas si l'on affirmait que cette déclaration a été faite aussi au sujet des Juifs : alors qu'ils occupaient jadis une position éclatante et bien en vue à cause de la sollicitude divine dont ils jouissaient, ils ont été maintenant abaissés, puisqu'ils en ont été privés. Le texte fait donc bien voir que les nations abaissées seront élevées, tandis que les Juifs remplis d'orgueil seront abaissés.

C'est ce que fait également bien voir la suite du passage, 5. *Et toute chair verra le salut de Dieu.* Et (voici) la confirmation de ce qui vient d'être dit : *Parce que le Seigneur a parlé.* Celui qui a fait ces déclarations, dit-il, est incapable de mensonge[2]. Quant à moi, je m'étonne grandement de ceux qui pensent que le prophète a fait ces prophéties au sujet du retour de Babylone[3] ; il faudrait, en effet, qu'ils considèrent que le texte prophétique a clairement proclamé par avance que le salut de Dieu serait évident pour tous les hommes, alors que ce rappel (d'exil) n'a pas été évident pour tous, tandis que la croix du Sauveur et les souffrances du Maître ont atteint jusqu'aux extrémités mêmes du monde.

6. *Voix de celui qui dit: Crie!* Telle est, dit-il, la voix qui m'est parvenue pour me donner cet ordre : « Crie ». *Et j'ai dit: Que crierai-je?* Puis il fait la déclaration qui lui a été prescrite : *Toute chair (est comme) l'herbe et toute gloire humaine (est) comme la fleur de l'herbe ;* 7. *l'herbe*

2. Même remarque chez Chrysostome (*M.*, 258, l. 3 s.).

3. Théodoret rejette toute interprétation vétéro-testamentaire à l'opposé de Chrysostome (voir n. 1).

75 **καὶ τὸ ἄνθος ἐξέπεσεν, ὅτι πνεῦμα κυρίου ἔπνευσεν εἰς αὐτόν· ἀληθῶς ὅμοιος χόρτῳ ὁ λαός· [8] ἐξηράνθη ὁ χόρτος, καὶ ἐξέπεσε τὸ ἄνθος.** Τῶν ἐθνῶν ἁπάντων προθεσπίσας τὴν σωτηρίαν προμηνύει καὶ τῶν Ἰουδαίων τὴν ἀκαρπίαν. Φύσει μὲν γάρ φησι χόρτῳ ἔοικε τῶν ἀνθρώπων τὸ γέν(ος),
80 ἄνθει δὲ χόρτου ἡ ἐπιγινομένη δόξα καὶ δυναστεία. Καὶ καθάπερ τοῦ χόρτου ξηραινομένου τὸ ἄν(θος) ἐκρεῖ, οὕτω τοῦ θανάτου τοῖς ἀνθρώποις ἐπιόντος καὶ ἡ δυναστεία καὶ ἡ περιφάνεια σβέννυται. (Γί)νεται δὲ τοῦτο διὰ τοῦ θείου θελήματος καθάπερ τινὸς προσβαλόντος πνεύματος. Ἀληθέ-
85 στερον μέντοι ταῦ(τα) ἁρμόττει τῷ χρηματίσαντι πάλαι λαῷ, ὃς ἐξηράνθη μὲν οὐκ ἔχων τὴν νοτίδα τῆς πίστεω(ς), τὴν ἐπανθοῦσαν δὲ ἀπώλεσε χάριν.

Καὶ ἵνα μή τις ὑπολάβῃ ἀγνοίᾳ τὸν τῶν ὅλων θεὸν τ(οῦτον) ἐκλέξασθαι τὸν λαόν, ἐπήγαγεν· **Τὸ δὲ ῥῆμα**
90 **κυρίου μένει εἰς τὸν αἰῶνα.** Ἄνωθέν φησι ταῦτα (καὶ) προέγνω καὶ προηγόρευσεν, ἀλλ' ὅμως καὶ ταύτην αὐτῶν τὴν ἀπείθειαν εἰδὼς ἐπιβαίνει προτ[ρέπων] εἰς σωτηρίαν· ᾔδει γὰρ τοὺς ἐν αὐτοῖς τὸ σωτήριον κήρυγμα δεξαμένους.

[9] **Ἐπ' ὄρους ὑψηλοῦ ἀνάβηθ(ι ὁ εὐ)αγγελιζόμενος τὴν**
95 **Σιών, ὕψωσον τῇ ἰσχύι τὴν φωνήν σου ὁ εὐαγγελιζόμενος Ἱερουσαλήμ, ὑψ(ώσατε) μὴ φοβεῖσθε.** Τὸν ἀποστολικὸν ἐνταῦθα χορὸν ὁ προφητικὸς διεγείρει λόγος. Οὗ δὴ χάρ(ιν) ἑνικῶς σχηματίσας τὴν παρακέλευσιν εἰς τὸν πληθυντικὸν μεταβέβηκε καί φησιν· Ὑψ(ώσατε) μὴ φοβεῖσθε. Οὕτως

Cv : (91-97 ἀλλ' — ἐνταῦθα : τὸ δὲ ἐπ' ὄρος ὑψηλὸν ἀνάβηθι ὁ εὐαγγελιζόμενος Σιὼν τὸν ἀποστολικὸν | 99-108 οὕτως — ταῦτα : τὸ δὲ εἶπον ταῖς πόλεσιν Ἰούδα)
C : 76-83 ἀληθῶς — σβέννυται || 96-99 τὸν — φοβεῖσθε

79 φησι χόρτῳ K : ∾ C || 81 ἐκρεῖ KCv : ἐκρίπτει Cr·377·564·565 ἐκπίπτει C90·566 || 83 διὰ K : > Cv || 84 προσβαλόντος πνεύματος K : πνεύματος προσβάλλοντος Cv || 85-86 ἁρμόττει — λαῷ K : ἁρμόζει τῷ χρηματίζοντι λαῷ θεοῦ Cv || 92 προτ[ρέπων] coni. Po. || 97 διεγείρει K : διηγεῖται C

s'est desséchée et la fleur est tombée, parce que le souffle du Seigneur a soufflé sur elle; en vérité, le peuple est semblable à l'herbe; 8. l'herbe s'est desséchée et la fleur est tombée. Après avoir prophétisé le salut de toutes les nations, il indique aussi par avance la stérilité des Juifs. Par nature, dit-il, l'espèce humaine ressemble à l'herbe et la gloire et la puissance qui s'y ajoutent (ressemblent) à la fleur de l'herbe. Et, tout comme tombe la fleur de l'herbe desséchée, de même, lorsque la mort s'approche de l'homme, la puissance et la considération s'évanouissent. Or cela se produit sous l'effet de la volonté divine qui agit à la manière d'un coup de vent qui s'abat. Ce passage s'applique, toutefois, avec une plus grande vérité à celui qui porta jadis le nom de peuple : il s'est desséché, faute de posséder l'humidité de la foi, et il a perdu la grâce qui fleurissait (en lui)[1].

Et pour que personne ne pense que l'ignorance a fait choisir ce peuple au Dieu de l'univers, il a ajouté : *Mais la parole du Seigneur demeure pour l'éternité.* Dès l'origine, dit-il, il a prévu cela et l'a proclamé par avance ; néanmoins, et bien qu'il connaisse leur désobéissance future, il en vient à (les) exhorter au salut : il connaissait, en effet, ceux qui parmi eux ont accueilli le message du salut.

Annonces messianiques

9. *Sur une montagne élevée, monte, toi qui portes la bonne nouvelle à Sion; élève avec force ta voix, toi qui portes la bonne nouvelle à Jérusalem; élevez (la voix), ne craignez pas.* C'est le chœur des apôtres que le texte prophétique stimule ici[2]. C'est précisément pour cette raison qu'il a exprimé au singulier son exhortation avant de passer au pluriel et de dire : « Élevez (la voix), ne craignez

1. Métaphore habituelle (voir t. I, p. 140, n. 1 et *passim*), fréquemment utilisée dans la polémique anti-juive.

2. Cyrille (70, 805 C) rapporte lui aussi le verset à la prédication des apôtres et à l'enseignement des évangélistes.

100 αὐτοῖς <καὶ> ὁ δεσπότης ἔλεγε Χριστός· « Μὴ φοβεῖσθε ἀπὸ τῶν ἀποκτενόντων (τὸ) σῶμα, τὴν δὲ ψυχὴν μὴ δυναμένων ἀποκτεῖναι. » Καὶ πάλιν αὐτοὺς τῆς εἱρκτῆς ἀπαλλάξας [παρ]ηγγύησε μετὰ παρρησίας λαλεῖν τὰ ῥήματα τῆς ζωῆς. Ὄρος δὲ καλεῖ τῆς θεογνωσίας τὸ ὕψος.

105 **Εἶ(πον) ταῖς πόλεσιν Ἰούδα· Ἰδοὺ ὁ θεὸς ὑμῶν, [10] ἰδοὺ κύριος μετὰ ἰσχύος ἔρχεται, καὶ ὁ βραχ(ίων) αὐτοῦ μετὰ κυρείας· ἰδοὺ ὁ μισθὸς αὐτοῦ μετ' αὐτοῦ, καὶ τὸ ἔργον ἑκάστου ἐναντ(ίον αὐτοῦ).** Ταῦτα τὴν δευτέραν τοῦ σωτῆρος ἡμῶν παρουσίαν μηνύει· τότε γὰρ καὶ τὸν μισθὸν τοῖς 110 [ἐργά]ταις παρέξει καὶ « ἀποδώσει ἑκάστῳ κατὰ τὰ ἔργα αὐτοῦ »· τότε γὰρ « τὸ ἔργον ἑκάστου φ(ανερὸν) γενήσεται » κατὰ τὴν τοῦ ἀποστόλου φωνήν· « Ἡμέρα γάρ » φησι « δηλώσει, ὅτι ἐν πυρὶ ἀ(ποκαλύ)πτεται, καὶ ἑκάστου τὸ ἔργον ὁποῖόν ἐστι τὸ πῦρ δοκιμάσει. » Τοῦτο καὶ τοῖς ἱεροῖς 115 [ἀποστόλοις] ὁ κύριος ποιεῖν παρηγγύησεν· « Πορεύεσθε » γὰρ ἔφη « πρὸς τὰ πρόβατα τὰ ἀπολωλότα (οἴκου Ἰακ)ώβ. Πορευόμενοι δὲ λέγετε ὅτι ἤγγικεν ἡ βασιλεία τῶν οὐρανῶν. » Ἔστι τοίνυν ἰδεῖν [οὕτω συ]μβαίνοντα τοῖς εὐαγγελικοῖς λόγοις τὰ κατὰ τὸν προφήτην θεσπίσματα.

120 **[11] Ὡς ποιμ(ὴν ποιμανεῖ) τὸ ποίμνιον αὐτοῦ καὶ τῷ βραχίονι αὐτοῦ συνάξει ἄρνας καὶ ἐν τῷ κόλπῳ αὐτοῦ β(αστάσει καὶ) τὰς ἐν γαστρὶ ἐχούσας παρακαλεῖ.** Καὶ τούτων τὸ πέρας ἐν τοῖς ἱεροῖς εὐαγγελίοις ἀκ[ριβῶς ἀληθῶς] τε μάθωμεν. Πρῶτον μὲν γὰρ αὐτὸς ὁ κύριος 125 ἔφη· « Ἐγώ εἰμι ὁ ποιμὴν ὁ καλὸς καὶ γινώ(σκω τὰ ἐμὰ) καὶ γινώσκομαι ὑπὸ τῶν ἐμῶν καὶ τὴν ψυχήν μου τίθημι ὑπὲρ τῶν προβά(των). » [Συνήγαγε |148 b| δὲ] καὶ

C : 108-112 ταῦτα — φωνήν

110 .... ταις K : ἔργοις C || 119 τὸν προφήτην Mö. : τοῦ προφήτου K

100 Matth. 10, 28 102-103 cf. Act. 5, 17-20 110 Matth. 16, 27 111 I Cor. 3, 13 115 Matth. 10, 6-7 125 Jn 10, 14-15

1. Cf. *supra*, p. 200, n. 1.

pas. » De même, à son tour, notre Maître le Christ leur disait : « Ne craignez pas ceux qui tuent le corps, mais qui ne peuvent pas tuer l'âme. » Et encore, après les avoir tirés de la prison, il leur ordonna de proclamer en toute liberté les paroles de la vie. D'autre part, il appelle « montagne » le sommet de la connaissance de Dieu[1].

Dis aux villes de Juda: Voici votre Dieu, 10. *voici que le Seigneur vient avec force, et son bras, avec souveraineté; voici que le salaire qu'il donne l'accompagne et que l'œuvre de chacun est en sa présence.* Ces mots font entrevoir la seconde venue de notre Sauveur[2] : c'est alors qu'il procurera le salaire à ses ouvriers et qu'« il donnera à chacun selon ses œuvres » ; c'est alors que « l'œuvre de chacun deviendra manifeste », selon la parole de l'Apôtre : « Car le jour, dit-il, la fera connaître, parce qu'il se révèle dans le feu et que c'est le feu qui éprouvera la qualité de l'œuvre de chacun. » C'est la proclamation que le Seigneur a ordonné aux saints apôtres de faire à leur tour : « Allez, a-t-il dit, vers les brebis perdues de la maison de Jacob. Chemin faisant, proclamez que le royaume des cieux est proche. » On peut donc voir que les oracles du prophète sont ainsi en accord avec les paroles de l'Évangile.

11. *Comme un pasteur il paîtra son troupeau; avec son bras il rassemblera les agneaux et les tiendra sur son sein; il réconfortera les brebis qui sont pleines.* De cela encore remarquons l'accomplissement de manière exacte et véritable dans les saints Évangiles[3]. En premier lieu, le Seigneur lui-même a dit : « Je suis le bon pasteur ; je connais mes brebis et mes brebis me connaissent et je donne ma vie pour mes brebis. » D'autre part, il a également

2. Même interprétation chez EUSÈBE (*GCS* 252, 29 s.) et chez CHRYSOSTOME (*M.*, 262, § 10).

3. CHRYSOSTOME (*M.*, 263, l. 4 s.) entend la fin du verset (« il les tiendra sur son sein », etc.) du jugement dernier et de la rétribution finale, mais voit un premier accomplissement de la prophétie lors du retour d'exil de Babylone.

τῷ βραχίονι ἄρνας· τῇ τῆς διδασκαλίας δυνάμει. Νῦν γὰρ τοῖς ἁλιεῦσιν ἔλεγεν· « Δεῦτε ὀπίσω μου καὶ ποιήσω ὑμᾶς
130 ἁλιέας ἀνθρώπων », νῦν δὲ τοὺς τελώνας ἐκάλει καὶ τούτοις συνειστιᾶτο· ἄλλοτε δὴ καὶ πόρνης γυναικὸς παρὰ τοὺς πόδας ὀλοφυρομένης ἠνέσχετο· παρεκάλεσε δὲ καὶ τὰς κυούσας ὥσπερ σωτηρίᾳ τικτούσας· μανθάνουσαι γὰρ τὴν τοῦ θανάτου κατάλυσιν καὶ τῆς ἀναστάσεως τὴν ἐλπίδα,
135 ἱκανὴν εἶχον τῶν ὠδίνων παραμυθίαν τῶν κηρυττομένων τὴν προσδοκίαν. Καὶ ἔτι δὲ κυοφορούμενος ὑπὸ τῆς ἁγίας παρθένου κυοφοροῦσαν τὴν Ἐλισάβετ εὐφροσύνης ἐνέπλησεν.

Εἶτα διδάσκει τοῦ ἐνανθρωπήσαντος θεοῦ λόγου τὴν σοφίαν, τὴν ἐπιστήμην, τὴν δύναμιν καὶ διελέγχει τῶν
140 εἰδώλων τὸ μάταιον· [12] **Τίς ἐμέτρησε τῇ χειρὶ αὐτοῦ τὸ ὕδωρ καὶ τὸν οὐρανὸν σπιθαμῇ καὶ πᾶσαν τὴν γῆν δρακί ;** Τὸ μὲν θεῖον ἀσώματόν τε καὶ ἀσχημάτιστον καὶ ἁπλοῦν καὶ ἀσύνθετον· ἐπειδὴ δὲ ἀνθρώπους ὄντας οὐ δυνατὸν ἄλλως ἢ ἀπὸ τῶν ἀνθρωπείων τὰ θεῖα καταμαθεῖν, διδάσκει
145 ἡμᾶς ὁ προφητικὸς λόγος ὡς αὐτὸς μὲν ὁ τῶν ὅλων θεὸς ἀπερίληπτός τε καὶ ἀπερίγραφος, πᾶσαν δὲ τὴν κτίσιν ἐν χειρὶ περιέχει — τῆς χειρὸς δηλονότι ἐνεργείας τινὸς νοουμένης —, ὡς πᾶσαν μὲν τῶν ὑδάτων τὴν φύσιν μέτρον ἔχειν κοτύλης, τὰ δὲ τῶν οὐρανῶν κύτη τῇ σπιθαμῇ περιέχε-

C : 142-151 τὸ — δακτύλων

146 ἐν K : +τῇ C

129 Matth. 4, 19 131-137 cf. Matth. 9, 9-10 ; Lc 7, 36-50 ; 1, 39-45

1. La « spithame » ou « empan » (cf. Platon, *Alcibiade* 126 c) est une mesure d'une demi-coudée, ou trois quarts de pied (= 0,222 m) ; quant à δράξ (poignée), le terme désigne l'espace délimité par l'extrémité du petit doigt jusqu'à l'extrémité du pouce lorsqu'on les écarte, comme le montre du reste le commentaire (12, 150-151).

2. Cf. *In Is.*, 3, 46-48 ; 13, 366-367 ; voir aussi *In Ez.*, 81, 1040 B ; *In Dan.*, 81, 1380 C ; *In Zach.*, 81, 1880 CD ; *Thérap.* II, 99, 110 ; V, 5 ; X, 70.

3. Pour prévenir tout danger de représentation anthropomor-

rassemblé les agneaux avec son bras, (c'est-à-dire) par la puissance de son enseignement. De fait, tantôt il disait aux pêcheurs : « Venez à ma suite et je vous ferai pêcheurs d'hommes », tantôt il appelait les publicains et mangeait avec eux ; une autre fois encore, il supporta même qu'une femme de mauvaise vie versât des larmes à ses pieds ; il a également réconforté les femmes enceintes à l'idée qu'elles enfantaient pour le salut : en apprenant la destruction de la mort et l'espérance de la résurrection, elles avaient un soulagement suffisant à leurs douleurs dans l'attente des biens annoncés. Enfin, alors que la Sainte Vierge le portait encore dans son sein, il remplit de joie Élisabeth qui était enceinte.

Nature de Dieu et nature des idoles

Puis il enseigne la sagesse du Dieu-Verbe qui s'est incarné, sa science, sa puissance, et il dénonce la vanité des idoles : 12. *Qui a mesuré de sa main l'eau, le ciel à l'empan et toute la terre à la poignée*[1]*?* L'Être divin est incorporel, sans figure, simple et sans parties[2]. Mais, puisque notre condition humaine ne nous permet pas de comprendre, autrement qu'à partir de réalités humaines[3], les réalités divines, le texte prophétique nous enseigne que le Dieu de l'univers est pour sa part sans limites et incirconscrit, tandis qu'il enveloppe toute la création dans sa main — « main » est évidemment à entendre au sens de puissance agissante —, de sorte que toute la masse des eaux a la mesure d'un cotyle[4], que les profon-

phique de la Divinité, Théodoret ne se contente pas de ce type de remarque (cf. *In Ez.*, 81, 1040 B ; *In Psal.*, 80, 896 C), il précise souvent comme ici le sens dans lequel on doit entendre des mots tels que « main » ou « bras » (voir *In Is.*, 14, 215-216 ; 16, 204-205, 331-332, 478 ; *In Ez.*, 81, 1189 A ; *In Os.*, 81, 1592 C ; *In Psal.*, 80, 1001 C ; 1005 B, etc.).

4. Le mot « cotyle » est ici particulièrement bien choisi, puisqu'il désigne notamment la cavité formée par le creux de la main ; mais c'est aussi une mesure attique de capacité, employée pour les liquides. et les solides ; sa valeur approximative est de 27 centilitres.

150 σθαι, τὴν δὲ γῆν ἅπασαν μηδὲν διαφέρειν σμικροτάτης τινὸς ὕλης ὑπὸ τῶν πέντε τῆς χειρὸς συνεχομένης δακτύλων.

(Τίς) ἔστησε τὰ ὅρια σταθμῷ καὶ τὰς νάπας ζυγῷ ; Ἀντὶ τοῦ· πάντα αὐτῷ δυνατά, πάντα (αὐ)τῷ μετρητά, καὶ ἕκαστον τῆς δημιουργίας εἶδος πρός τι γεγένηται χρήσιμον,
155 οὐδὲν γὰρ (ἀ)ργὸν οὐδὲ περιττὸν εἰς τὸ εἶναι παρήχθη. [13]**Τίς ἔγνω νοῦν κυρίου, καὶ τίς αὐτοῦ σύμβουλος ἐ(γέν)ετο ὃς συμβιβάσει αὐτόν ; [14]Ἢ τίς ἔδειξεν αὐτῷ κρίσιν ; Ἢ ὁδὸν συνέσεως τίς ἔδειξεν αὐτῷ ;** Ἅπαντες ἄνθρωποι διδασκαλίας δεόμεθα. Κἂν γὰρ ἄγαν τις ᾖ σοφός, ἀνατίθεται τὸ πρακ(τέο)ν
160 ἑτέρῳ· ὁ δὲ τῶν ὅλων θεὸς σοφίας ἐστὶν ἄβυσσος καὶ συνέσεως πέλαγος.

[15]**Εἰ πάντα τὰ ἔ(θνη) ὡς σταγὼν ἀπὸ κάδου καὶ ὡς ῥοπὴ ζυγοῦ ἐλογίσθησαν, καὶ ὡς ⟨σ⟩ίαλος λογισθήσονται· [16](ὁ δὲ) Λίβανος οὐχ ἱκανὸς εἰς καῦσιν, καὶ πάντα τὰ τετράποδα**
165 **οὐχ ἱκανὰ εἰς ὁλοκάρπωσιν, [17]καὶ (πά)ντα τὰ ἔθνη εἰς οὐθέν εἰσι καὶ εἰς οὐθὲν ἐλογίσθησαν αὐτῷ. [18]Τίνι ὡμοιώσατε κύριον ἢ (τί)νι ὁμοιώματι ὡμοιώσατε αὐτόν ;** Καὶ νομοθετῶν ὁ τῶν ὅλων θεὸς παρεκελεύσατο λέγων· « (Οὐ) ποιήσεις σεαυτῷ εἴδωλον οὐδὲ παντὸς ὁμοίωμα ὅσα ἐν τῷ
170 οὐρανῷ ἄνω καὶ ὅσα ἐν τῇ γῇ κά(τω) καὶ ὅσα ἐν τοῖς ὕδασιν ὑποκάτω τῆς γῆς, ὅτι ἐγὼ κύριος ὁ θεός σου », τουτέστιν· οὗ εἶδος οὐκ ἐθεάσω. [Καὶ ἐν]ταῦθα ὁ προφητικὸς λόγος τῶν τὰ εἴδωλα τεκταινομένων τε καὶ προσκυνούντων τὴν ἄνοιαν διε[λέγχ]ων φιλονεικεῖ μὲν τῆς θείας δυνάμεως τὸ
175 ἄπειρον δεῖξαι, μὴ δυνάμενος δὲ ἄλλως τοὺς ἀνθρώπους [διδά]ξαι ἀπὸ τῆς κτίσεως δείκνυσι τὴν ὑπερβολήν· ὅπερ

C : 152-155 ἀντὶ — παρήχθη ‖ 158-161 ἅπαντες — πέλαγος

159 ᾖ K : εἴη C ‖ 160-161 καὶ συνέσεως K : συνέσεώς τε C

168 Deut. 5, 8-9

1. Chrysostome se sert du verset contre les schismatiques (*M.*, 264, l. 25 s.).

deurs des cieux ont la dimension de l'empan et que la terre entière ne diffère en rien de la plus petite matière qu'enserrent les cinq doigts de la main.

Qui a pesé les montagnes avec un poids et les vallons boisés avec une balance? Ce qui revient à dire : tout lui est possible, tout est pour lui susceptible de recevoir une mesure et chaque élément de la création a été formé en vue de quelque utilité, car rien de vain ou de superflu n'a été amené à l'existence. 13. *Qui a connu l'esprit du Seigneur et qui a été son conseiller pour l'instruire?* 14. *Ou bien qui lui a montré la justice? Ou qui lui a montré la route de l'intelligence?* Nous tous, qui sommes des hommes, nous avons besoin d'un enseignement[1]. Et, de fait, s'il se trouve un homme très sage, il fait part à autrui de la conduite à tenir ; tandis que le Dieu de l'univers est un abîme de sagesse et une mer d'intelligence.

15. *S'il est vrai que toutes les nations ont été comptées comme la goutte d'eau qui tombe d'un seau et comme l'oscillation d'une balance, et si elles doivent être comptées comme de la graisse;* 16. *le Liban ne suffit pas pour un bûcher et tous les quadrupèdes ne suffisent pas pour un holocauste;* 17. *toutes les nations sont tenues pour rien et pour rien elles ont été comptées à ses yeux.* 18. *A qui donc avez-vous fait semblable le Seigneur ou à quelle image l'avez-vous fait semblable?* Au moment où il donnait la Loi, le Dieu de l'univers a transmis ses ordres en ces termes : « Tu ne feras pas pour toi d'idole ni d'image de quoi que ce soit qui se trouve dans le ciel là-haut et sur la terre ici-bas et dans les eaux au-dessous de la terre, parce que moi (je suis) le Seigneur ton Dieu », c'est-à-dire : celui dont tu n'as pas vu l'apparence. Ici aussi le texte prophétique, tout en dénonçant le manque de sens de ceux qui fabriquent des idoles et qui les adorent, s'efforce de montrer le caractère infini de la puissance divine ; mais, dans l'incapacité de l'enseigner aux hommes d'une autre manière, il se sert de la création pour en montrer l'étendue démesurée ;

γάρ ἐστί φησι σταγὼν πρὸς κάδον [καὶ ῥ]οπὴ ζυγοῦ καὶ σίαλος, τοῦτο πᾶσα τῶν ἀνθρώπων ἡ φύσις πρὸς τὴν ἄρρητον ἐκείνην καὶ ἀπεριό[ριστον] δύναμιν. Εἶτα διδάσκει ὡς
180 ἅπαντα τῶν τετραπόδων τὰ γένη σμικρά τινα καὶ οὐκ ἀρκοῦντα [πρὸς θ]υσίαν τῇ θείᾳ μεγαλειότητι, ἅπαντα δὲ τοῦ Λιβάνου τὰ ξύλα οὐχ ἱκανὰ πληρῶσαι τὸ ἐπι[καιόμεν]ον πῦρ. Ποίαν τοίνυν εἰκόνα τοῦ τοιούτου κατασκευάσαι δυνήσεσθε ;

185 [19] **Μὴ εἰκόνα ἐποίησε τέκτων ; (Ἢ χρυσοχό)ος χωνεύσας χρυσίον περιεχρύσωσεν αὐτὸν ἢ ὁμοιώματι κατεσκεύασεν αὐτόν** ; Τὸν οὕτως (ἄπειρον), τὸν οὕτως ἀπεριόριστον ποία τέχνη δύναται μιμήσασθαι ; [20] **Ξύλον γὰρ ἄσηπτον ἐκλέγεται τέκτων (καὶ σοφῶς) ζητεῖ, πῶς στήσει αὐτὸ εἰκόνα καὶ ἵνα**
190 **μὴ σαλεύηται.** Ἐπὶ μὲν τοῦ θεοῦ τῶν ὅλων ἔφη [οὕτως] · « Ὁ Λίβανος οὐχ ἱκανὸς εἰς καῦσιν », ἐνταῦθα δὲ τῶν εἰδώλων κωμῳδῶν τὴν ἀσθένειαν [ἀποφαίνει] ξύλου τὸν τεχνίτην δεόμενον εἰς τὴν τοῦ καλουμένου θεοῦ διαμόρφωσιν. Οὐ μόνον δέ φησιν |149 a| ἐξ ἐράνου λαμβάνει καὶ τὴν
195 οὐσίαν καὶ τὸ εἶδος, ἀλλὰ καὶ πολλῆς δεῖται τ[έχνης, ἵνα τύχῃ ὁμοιώ]σεως καὶ ἀκίνητον μείνῃ.

Εἶτα ἐντρεπτικῶς · [21] **Οὐ γνώσεσθε ; Οὐκ ἀκούσεσθε ; Οὐκ ἀνηγγέλη ἐξ (ἀρχῆς) ὑμῖν ; Οὐκ ἔγνωτε τὰ θεμέλια τῆς γῆς** ; Οὐκ ἄνωθέν φησιν ὑμᾶς ἐδίδαξα τῶν εἰδώλων τὸ
200 [ἀσθενές] ; Οὐκ ἔγνωτε τίς ὁ θεμελιώσας τὴν γῆν ἐπὶ τὴν ἀσφάλειαν αὐτῆς ; Τοῦτο γὰρ ἐπήγαγεν · [22] **Ὁ κατέχων τὸν γῦρον τῆς γῆς καὶ τοὺς κατοικοῦντας ἐν αὐτῇ ὡσεὶ ἀκρίδας.** Αὐτός φησιν αὐτὴν παρήγαγεν, αὐτὸς κατέχει καὶ

C : 187-188 τὸν[1] — μιμήσασθαι

181 τῇ θείᾳ μεγαλειότητι Mö. : τῆς θείας μεγαλειότητος K || 182 ἐπι[καιόμεν]ον coni. Po. || 188 δύναται μιμήσασθαι K : ∾ C || 189 αὐτὸ e tx.rec. : αὐτῷ K

191 Is. 40, 16

ce qu'est, dit-il, une goutte d'eau par rapport à un seau, ce qu'est l'oscillation d'une balance ou la graisse, voilà ce qu'est toute l'espèce humaine par rapport à cette puissance indicible et illimitée. Puis il enseigne que l'ensemble des espèces de quadrupèdes est peu de chose et ne suffit pas au sacrifice offert en l'honneur de la magnificence divine, et que l'ensemble des bois du Liban est incapable de satisfaire le feu qu'on allume (sur son autel). Quelle image pourrez-vous donc façonner de qui a semblable nature ?

19. *Est-ce qu'un artisan a jamais fait (son) image? Est-ce qu'un orfèvre a fondu de l'or pour la recouvrir d'or ou l'a-t-il façonnée en faisant une imitation?* Celui qui est à ce point infini, à ce point illimité, quel art peut en faire l'imitation ? 20. *Car l'artisan choisit un bois imputrescible et met sa science à rechercher la manière dont il l'érigera sous forme de statue, afin qu'elle ne chancelle pas.* Au sujet du Dieu de l'univers il s'est exprimé de la manière suivante : « Le Liban ne suffit pas pour un bûcher », tandis qu'ici, pour se moquer de la faiblesse des idoles, il fait voir que l'artisan a besoin de bois pour donner forme au prétendu dieu. Non seulement, dit-il, il tire son essence et son apparence d'un apport étranger, mais il réclame encore beaucoup d'art pour obtenir une ressemblance et se maintenir sans être ébranlé.

Puis (il déclare) de manière à provoquer un sentiment de honte : 21. *Ne l'apprendrez-vous pas? Ne l'entendrez-vous pas? Ne vous l'a-t-on pas annoncé dès le commencement? N'avez-vous pas connu les fondements de la terre?* Ne vous ai-je pas enseigné, dit-il, dès l'origine la faiblesse des idoles ? N'avez-vous pas connu l'identité de celui qui a assis la terre sur ses fondements en vue d'assurer sa stabilité ? Il a, en effet, ajouté ceci : 22. *C'est lui qui tient (dans sa main) le cercle de la terre et ceux qui habitent sur elle comme des sauterelles.* C'est lui, dit-il, qui a fait paraître la terre, c'est lui qui la tient dans sa main et qui la

κυβερνᾷ. Καὶ ἀκρίδων οὐδὲν διενηνόχασιν οἱ ἄνθρωποι τῇ
205 θείᾳ δυνάμει παραβαλλόμενοι.

Εἶτα διδάσκει ὡς οὐ μόνον τῆς γῆς ἐστι ποιητὴς ἀλλὰ
καὶ τῶν οὐρανῶν δημιουργός · **Ὁ στήσας τὸν οὐρανὸν ὡσεὶ
καμάραν καὶ διατείνας αὐτὸν ὡς σκηνὴν κατοικεῖν.** Ἐπειδὴ
γὰρ ἐδάφει μὲν ἔοικεν ἡ γῆ, μιμεῖται δὲ καμαροειδῆ καὶ
210 θολοειδῆ ὄροφον ὁ οὐρανός, εἰκότως σκηνῇ αὐτὸν ἀπείκασεν.

Καὶ οὕτως ἡμῖν ὑποδείξας δημιουργὸν τὸν τῶν ὅλων
θεὸν ὁ προφητικὸς λόγος ὑποδείκνυσιν ἡμῖν αὐτοῦ καὶ τὴν
ἄρρητον πρόνοιαν · [23] **Ὁ διδοὺς ἄρχοντα⟨ς⟩ εἰς οὐδὲν ἄρχειν.**
Οὕτω γὰρ καὶ τὸν Σενναχηρὶμ καὶ τὸν Ναβουχοδονόσορ
215 καὶ μυρίους ἑτέρους κατέλυσεν. **Τὴν δὲ γῆν ὡς οὐδὲν
ἐποίησεν.** Οὐδὲ γὰρ τοῖς δημιουργήμασιν ἡ δύναμις μεμέτρηται τοῦ ποιητοῦ ἀλλὰ τῇ βουλήσει μόνῃ · « Πάντα » γάρ φησιν
« ὅσα ἠθέλησεν ὁ κύριος ἐποίησεν », οὐχ ὅσα ἴσχυσεν ἀλλ' ὅσα
ἠθέλησεν · ἠδύνατο μὲν γὰρ πολλαπλάσια, πεποίηκε δὲ ἃ
220 καλῶς ἔχειν ἔκρινεν. [24] **Οὐ γὰρ μὴ σπείρωσιν οὐδὲ μὴ
φυτεύσωσιν, οὐδὲ μὴ ῥιζωθῇ εἰς τὴν γῆν ἡ ῥίζα αὐτῶν ·
ἔπνευσεν ἐπ' αὐτοὺς ἄνεμος καὶ ἐξηράνθησαν, καὶ καταιγὶς
ὡς φρύγανα λήψεται αὐτούς.** Περὶ τῶν ἀρχόντων ταῦτα
ἔφη τῶν δυσσεβῶν οὓς τῆς δυναστείας ἐγύμνωσεν.

225 [25] **Νῦν οὖν τίνι με ὡμοιώσατε, καὶ ὑψωθήσομαι ; εἶπεν ὁ
ἅγιος.** Τὸν ταῦτα πεποιηκότα, τὸν ταῦτα διηνεκῶς ἐνεργοῦντα
τίνι ἀπεικάζετε ; Ποῖον ἄξιον προσφέρετε σέβας ; [26] **Ἀναβλέψατε εἰς τὸ ὕψος τοὺς ὀφθαλμοὺς ὑμῶν καὶ ἴδετε · Τίς
κατέδειξε ταῦτα πάντα ;** Βλέπετε γάρ φησι τὸν ἥλιον, τὴν
230 σελήνην, τὴν τῶν ἀστέρων χορείαν, τὰς τοῦ ἔτους τροπάς,
τὰς τῶν ὡρῶν μεταβολάς, τὰς ἰσομέτρους νυκτὸς καὶ

C : 208-210 ἐπειδὴ — ἀπείκασεν ‖ 214-215 οὕτω — κατέλυσεν ‖ 216-220 οὐδὲ — ἔκρινεν ‖ 223-224 περὶ — ἐγύμνωσεν ‖ 226-227 τὸν[1] — σέβας ‖ 229-232 βλέπετε — διαδοχάς

216 οὐδὲ K : οὐ C ‖ μεμέτρηται K : μετρεῖται C ‖ 219 μὲν K : > C ‖ πολλαπλάσια K : +ποιῆσαι C ‖ 227 ἄξιον προσφέρετε/σέβας K : ∾ C ‖ 229 γάρ K : > C ‖ 231 νυκτὸς $C^{v\cdot 90\cdot 309}$: νύκτας $KC^{91\cdot 377\cdot 564\cdot 566}$ νυκτῶν C^{77}

217 Ps. 113 B, 3

dirige. Quant aux hommes, ils ne diffèrent en rien des sauterelles, si on les compare à la puissance divine.

Puis il enseigne qu'il est non seulement le créateur de la terre, mais aussi le démiurge des cieux : *Lui qui a établi le ciel comme une voûte et qui l'a tendu comme une tente où l'on doit habiter.* Puisqu'en effet la terre est semblable à un sol (d'habitation) et que le ciel imite l'aspect d'une toiture en forme de voûte et de coupole, il l'a comparé à juste titre à une tente.

Et, après nous avoir montré de la sorte le Dieu de l'univers en tant que démiurge, le texte prophétique nous montre sa providence indicible : 23. *Lui qui donne aux princes un vain pouvoir.* C'est ainsi qu'il a abattu Sennachérim, Nabuchodonosor et des milliers d'autres. *Et il fit la terre comme rien.* De fait, la puissance du Créateur n'a pas même pour mesure les objets de sa création, mais sa seule volonté : « Tout ce qu'a voulu le Seigneur », dit (l'Écriture), « il l'a accompli » ; non pas tout ce qu'il a pu, mais tout ce qu'il a voulu : il aurait pu, en effet, (accomplir) des œuvres plusieurs fois aussi grandes, mais il a accompli ce qu'il a jugé bon. 24. *Car ils ne sèmeront ni ne planteront et leur racine ne sera pas enfoncée dans la terre; le vent a soufflé sur eux et ils ont été desséchés, et l'ouragan les emportera comme bois morts.* Il a prononcé ces paroles au sujet des princes impies qu'il a dépouillés de leur pouvoir[1].

25. *Maintenant, donc, à qui m'avez-vous fait semblable, et j'en serai exalté? dit le Saint.* Celui qui a fait ces œuvres, celui qui accomplit continuellement ces œuvres, à qui le comparez-vous ? Quelle marque de respect digne (de lui) lui présentez-vous ? 26. *Levez vos yeux vers la hauteur et voyez: Qui a fait voir tout cela?* Regardez, dit-il, le soleil, la lune, le mouvement des étoiles, la révolution de l'année, le changement des saisons, la succession régu-

1. Chrysostome entend ce verset des idoles et des Babyloniens (*M.*, 271, l. 12 s.).

ἡμέρας διαδοχάς. Τοῦ[το] γὰρ ἐπήγαγεν · **Ὁ ἐκφέρων κατὰ ἀριθμὸν τὸν κόσμον αὐτοῦ.** Κόσμον δὲ καλεῖ τὴν τῆς κτίσεως διακόσμησιν. **Πάντας ἐπ' ὀνόματι καλέσει.** Οὐδέν φησιν
235 ἀγνοεῖ ἀλλὰ πάντα σαφῶς ἐπίσταται · αὐτὸς γὰρ ἑκάστῳ καὶ τὰ ὀνόματα τέθεικεν. **Ἀπὸ πολλῆς δόξης καὶ ἐν κράτει ἰσχύος οὐδέν (σε) ἔλαθεν.** Πάντα ἰσχύει, πάντα δύναται, οὐδὲν ἀγνοεῖ τῶν γιγνομένων καὶ αὐτοὺς [ἐπί]σταται τῶν ἀνθρώπων τοὺς λογισμούς.

240 [27] **Μὴ γὰρ εἴπῃς Ἰακὼβ καὶ τί ἐλάλησας Ἱερουσαλήμ · Ἀπεκρύβη ἡ ὁδός μου ἀπὸ τοῦ θεοῦ μου, ἡ κρίσις μου παρῆλθεν ;** Μὴ νόμιζέ φησιν ἀγνοεῖν με τῶν ὑμετέρων ψυχῶν τὰ βουλεύματα μηδὲ οἴου λανθάνειν τὰ πονηρὰ λογιζόμενος. Ἐντεῦθεν δῆλον ὡς κ[αὶ] τούτων αὐτῶν
245 ἐποιήσατο τῆς πολυθεΐας κατηγορίαν. [28] **Καὶ νῦν οὐκ ἔγνως ; Εἰ μὴ ἤκουσας ;** Ταῦτα οἱ Τρεῖς σαφέστερον ἡρμήνευσαν · ὁ μὲν γὰρ Σύμμαχός φησιν · « Μὴ οὐκ ἔγνως ἢ οὐκ ἤκουσας ; » Ὁ δὲ Ἀκύλας · « Μήτι οὐκ ἔγνως ἢ οὐκ ἤκουσας ; » Ὁ δὲ Θεοδοτίων · « Οὐκ ἔγνως ἢ οὐκ ἤκου-
250 σας ; » Οὐδεμίαν φησὶν ἀ[πο]λογίαν ἔχεις · διὰ πάντων γάρ σε τῶν προφητῶν καὶ μυρίων θαυμάτων τὴν ἐμὴν ἐδίδαξα [δύν]αμιν.

Εἶτα ἀναμιμνήσκει ὧν πολλάκις ἐδίδαξεν · **Θεὸς αἰώνιος.** Τοῦτο καὶ ὁ μακάριος [ἔφη Μω]υσῆς · « Ἐγώ εἰμι ὁ ὤν »,
255 καὶ ὁ μακάριος δὲ Δαυίδ φησι πρὸς αὐτόν · « Σὺ δὲ κύριε

C : 233-234 κόσμον² — διακόσμησιν ‖ 242-244 μὴ — λογιζόμενος

254 Ex. 3, 14 255 Ps. 101, 13

1. L'expression veut suggérer la régularité de la création ; on rapprochera cette idée des conceptions pythagoriciennes qui font du nombre le principe de l'univers.

2. Il s'agit des astres (πάντας, sous-entendu τοὺς ἀστέρας), mais Théodoret donne au texte une portée plus générale, en entendant le masculin πάντας comme l'équivalent du neutre πάντα.

3. La traduction des trois interprètes est plus claire que celle des Septante dans la mesure où le second membre de cette double

lière de la nuit et du jour. Voici, en effet, ce qu'il a ajouté : *Celui qui produit au jour, selon le nombre*[1], *l'ordre (de l'univers)*. Il appelle « ordre » l'ordonnance de la création. *Il les appellera tous*[2] *par leur nom.* Il n'ignore rien, dit-il, mais il connaît toutes choses avec clarté, puisque c'est lui qui, à chaque chose, a également imposé un nom. *A cause de la grandeur de (ta) gloire et eu égard à la souveraineté de (ta) force rien ne t'a échappé.* Il a puissance sur tout, il peut tout, il n'ignore rien de ce qui existe et il connaît jusqu'aux raisonnements des hommes.

27. *Ne dis pas, Jacob, et pourquoi as-tu déclaré, Jérusalem : Ma route a été cachée à mon Dieu, mon jugement (lui) a échappé?* Ne pense pas que j'ignore, dit-il, les desseins de vos âmes et ne crois pas que tu échappes à ma vue, lorsque tu tiens des raisonnements pervers. Ce passage permet de voir clairement qu'il a lancé aussi contre les Juifs eux-mêmes l'accusation de polythéisme. 28. *Et maintenant n'as-tu pas compris? A moins que tu n'aies pas entendu?* De ce passage les trois interprètes ont donné une interprétation plus claire[3]. Symmaque dit, en effet : « Est-ce que tu n'a pas compris ou est-ce que tu n'as pas entendu ? » ; Aquila : « Est-ce que par hasard tu n'as pas compris ou est-ce que tu n'as pas entendu ? » ; et Théodotion : « N'as-tu pas compris ou n'as-tu pas entendu ? » Tu n'as, dit-il, aucune justification : car j'ai usé de tous les prophètes et d'une foule de miracles pour t'enseigner ma puissance.

Puis il rappelle des vérités qu'il a souvent enseignées : *(Je suis un) Dieu éternel.* C'est ce qu'a dit aussi le bienheureux Moïse : « Je suis celui qui est » ; quant au bienheureux David, il s'adresse, à son tour, à lui en ces termes :

interrogation y est introduit, conformément à l'usage grec, par la particule ἤ ; d'autre part, alors que l'interrogation n'existe chez les Septante que dans l'intonation donnée au verset, elle est soulignée chez Symmaque et Aquila, par une particule interrogative.

εἰς τὸν αἰῶνα μένει(ς καὶ) τὸ μνημόσυνόν σου εἰς γενεὰν καὶ γενεάν », καὶ πάλιν · « Σὺ δὲ ὁ αὐτὸς εἶ, καὶ τὰ ἔτη σου οὐκ ἐκ(λείψουσιν). » **Θεὸς ὁ κατασκευάσας τὰ ἄκρα τῆς γῆς.** Καὶ τοῦτο ὁ μακάριος ἐδίδαξε Μωυσῆς · « (Ἐν ἀρχῇ) »
260 γάρ φησιν « ἐποίησεν ὁ θεὸς τὸν οὐρανὸν καὶ τὴν γῆν », καὶ ὁ μακάριος Δαυίδ · « Ὁ θεμελιῶν τὴν γῆν (καὶ) τὴν ἀσφάλειαν αὐτῆς. » **Οὐ πεινάσει οὐδὲ κοπιάσει.** Καὶ τοῦτο διὰ τοῦ μακαρίου ἔφ[η Δαυίδ] · « (Μὴ |149 b| φάγο)μαι κρέα ταύρων ἢ αἷμα τράγων πίομαι ; » **Οὐδὲ ἔστιν ἐξεύρεσις**
265 **τῆς φρονήσεως αὐτοῦ.** Καὶ τοῦτο καὶ ὁ μακάριος Δαυὶδ προεκήρυξεν · « Μέγας ὁ κύριος ἡμῶν καὶ μεγάλη ἡ ἰσχὺς αὐτοῦ, καὶ τῆς συνέσεως αὐτοῦ οὐκ ἔστιν ἀριθμός. » [29] **Διδοὺς τοῖς πεινῶσιν ἰσχὺν καὶ τοῖς μὴ ὀδυνωμένοις λύπην.** Τοῦτο καὶ ἡ θαυμασία Ἄννα ἔφη · « Κύριος
270 πτωχίζει καὶ πλουτίζει, ταπεινοῖ καὶ ἀνυψοῖ » καὶ τὰ ἑξῆς.

[30] **Πεινάσουσι γὰρ νεώτεροι καὶ κοπιάσουσι νεανίσκοι καὶ ἐκλεκτοὶ ἀνίσχυες ἔσονται ·** [31] **οἱ δὲ ὑπομένοντες τὸν θεὸν ἀλλάξουσιν ἰσχύν, πτεροφυήσουσιν ὡς ἀετοί, δραμοῦνται καὶ οὐ κοπιάσουσι, βαδιοῦνται καὶ οὐ πεινάσουσιν.** Ταῦτα
275 δὲ καὶ ἐπὶ τῶν Ἰουδαίων καὶ ἐπὶ τῶν θείων ἀποστόλων ἐγένετο. Ὅσοι μὲν γὰρ ἠπίστησαν, λιμῷ καὶ λοιμῷ καὶ πολέμῳ καὶ ἀνδραποδισμῷ παρεδόθησαν · οἱ δὲ πεπιστευκότες τῷ παναγίῳ νεουργηθέντες πνεύματι τὴν ὀξυτάτην τῶν ἀετῶν μιμησάμενοι πτῆσιν εἰς ἅπασαν ἔδραμον τὴν
280 οἰκουμένην ὡς ἐν ἀλλοτρίοις ἀγωνιζόμενοι σώμασιν.

Οὕτω τῶν ἀποστόλων ὑποδείξας τὸν δρόμον ταῖς κατὰ τὴν οἰκουμένην ἐκκλησίαις προαγορεύει τὴν σωτηρίαν · **41** [1] **Ἐγκαινίζεσθε πρός με νῆσοι · οἱ γὰρ ἄρχοντες ἀλλάξουσιν**

C : 269-270 τοῦτο — ἑξῆς

283 γὰρ e tx.rec. : +οἱ K

257 Ps. 101, 28 259 Gen. 1, 1 261 Ps. 103, 5 263 Ps. 49, 13 266 Ps. 146, 5 269 I Sam. 2, 7

« Mais toi, Seigneur, tu demeures pour l'éternité et ta mémoire de génération en génération » ; ou encore : « Mais toi, tu es le même et tes années n'auront pas de fin. » *Un Dieu qui a façonné les extrémités de la terre.* Cela encore le bienheureux Moïse l'a enseigné : « Au commencement, dit-il, Dieu a fait le ciel et la terre », ainsi que le bienheureux David : « Lui qui a assis la terre sur ses fondements et assuré sa stabilité. » *Il n'aura pas faim et ne se fatiguera pas.* Cela encore il l'a dit par l'intermédiaire du bienheureux David : « Est-ce que je mangerai la viande des taureaux et est-ce que je boirai le sang des boucs ? » *Et il n'est pas possible de pénétrer son intelligence.* Cela encore le bienheureux David l'a proclamé : « Grand est notre Seigneur et grande est sa force ; à son intelligence, il n'est point de mesure. » 29. *(C'est) lui qui donne force à ceux qui ont faim et affliction à ceux qui ne sont pas dans la douleur.* C'est ce qu'a dit aussi l'admirable Anne : « C'est le Seigneur qui appauvrit et qui enrichit, qui abaisse et qui élève », et la suite.

30. *Car les enfants auront faim, les jeunes gens se fatigueront et les hommes d'élite seront sans force ;* 31. *mais ceux qui mettent leur attente en Dieu prendront une force nouvelle, ils deviendront ailés comme des aigles ; ils courront et ne se fatigueront pas, ils marcheront et n'auront pas faim.* Voilà ce qui s'est produit au temps des Juifs et des divins apôtres. De fait, tous ceux qui n'ont pas cru ont été livrés à la famine, à la peste, à la guerre et à l'esclavage ; tandis que tous ceux qui ont cru ont été renouvelés par le très saint Esprit, ils ont imité le vol très rapide des aigles et se sont précipités sur le monde entier, comme s'ils menaient le combat dans des corps qui leur fussent étrangers.

Le salut transmis aux nations

Puisqu'il a fait entrevoir de la sorte la course des apôtres, le prophète annonce le salut aux Églises répandues à travers le monde : **41,** 1. *Régénérez-vous en venant vers moi, îles, car les princes vont prendre une force nouvelle.*

ἰσχύν. Νήσους τὰς ἐκκλησίας καλεῖ ὡς τὰ τῶν διωκόντων
285 κύματα δεχομένας καὶ ἐπὶ τῆς πέτρας ἐρηρεισμένας, ἄρχοντας δὲ προσαγορεύει τῆς ἀληθείας τοὺς κήρυκας ἑτέρους ἀνθ' ἑτέρων μετὰ τὴν κλῆσιν γεγενημένους · « Δεῦτε » γάρ φησιν « ὀπίσω μου, καὶ ποιήσω ὑμᾶς ἁλιέας ἀνθρώπων. » Ἤλλαξαν τοιγαροῦν τὴν ἰσχύν · οὐκέτι γὰρ ἰχθύας ἀπὸ
290 λίμνης μιᾶς ἀλλ' ἀνθρώπους ἀπὸ πάσης τῆς οἰκουμένης ἐθήρευον. **Ἐγγισάτωσαν καὶ λαλησάτωσαν ἅμα, τότε κρίσιν ἀναγγειλάτωσαν.** Τοῖς αὐτοῖς παρακελεύεται σύμφωνον προσφέρειν διδασκαλίαν καὶ τὴν ἐσομένην κρίσιν ἅπασι προμηνύειν.

295 [2] **Τίς ἐξήγειρεν ἀπὸ ἀνατολῶν δικαιοσύνην ; Ἐκάλεσαν αὐτὸν κατὰ πόδας αὐτοῦ, καὶ πορεύσονται, καὶ δώσει ἐναντίον ἐθνῶν καὶ βασιλεῖς ἐκστήσει καὶ δώσει εἰς γῆν τὰς μαχαίρας αὐτῶν (καὶ) ὡς φρύγανα ἐξωσμένα τὰ τέκνα αὐτῶν** [3] **καὶ διώξεται αὐτούς, καὶ διελεύσεται ἐν εἰρήνῃ ἡ ὁδὸς τῶν ποδῶν**
300 **αὐτοῦ, οὐχ ἥξει.** Περὶ ταύτης τῆς δικαιοσύνης καὶ ὁ μακάριος ἔφη Παῦλος · « Ἐδόθη ἡμῖν σοφία ἀπὸ θεοῦ, δικαιοσύνη τε καὶ ἁγιασμὸς καὶ ἀπολύτρωσις. » Ταύτης τῆς δικαιοσύνης ἀνατειλάσης καὶ τὴν οἰκουμένην περιδραμούσης ἐξέστησαν μὲν βασιλεῖς, ἡττήθησαν δὲ τύραννοι, πᾶν δὲ εἶδος τιμωρίας
305 ἠλέγχθη, καὶ τοὺς διώκοντας οἱ διωκόμενοι νενικήκασι καὶ ὡς ἄκρας εἰρήνης ἀπολαύοντες τὸν προκείμενον ἐξήνυσαν δρόμον. Τὸ μέντοι · οὐχ ἥξει, παρὰ μὲν τοῖς Ἑβδομήκοντα οὐ κεῖται, ὡς δὲ παρὰ τοῖς Ἄλλοις κείμενον προσετέθη μετὰ ἀστερίσκου. Δηλοῖ δὲ ὡς δικαιοσύνη οὐ πᾶσιν ἥξει

C : 284-287 νήσους — γεγενημένους ‖ 292-294 τοῖς — προμηνύειν ‖ 300-307 περὶ — δρόμον

292 τοῖς C : ἕνα γὰρ K ἅμα γὰρ Sch.

287 Matth. 4, 19 301 I Cor. 1, 30

1. Rapprocher d'Eusèbe (*GCS* 258, 23 s.) et de Cyrille, qui envisage les divers sens possibles du mot « îles » ; selon lui, le terme peut désigner les îles de la mer au sens propre, les villes et les bourgs entourés d'une terre désertique ou inculte (Idumée, Moab) et enfin les Églises au milieu des nations (70, 825 C - 828 A).

Il appelle « îles » les Églises, parce qu'elles reçoivent (l'assaut) des vagues des persécuteurs et qu'elles ont été fondées sur la pierre[1] ; il donne le titre de « princes » aux hérauts de la vérité qui sont devenus autres qu'ils n'étaient après leur appel : « Venez à ma suite », dit (l'Écriture), « et je vous ferai pêcheurs d'hommes. » Ils ont, par conséquent, pris une force nouvelle : ce n'étaient plus de poissons tirés d'un seul lac, mais d'hommes tirés du monde entier qu'ils faisaient la prise. *Qu'ils s'avancent et qu'ils parlent ensemble, qu'ils annoncent alors le jugement.* Ce sont les mêmes hommes qui reçoivent l'ordre de présenter un enseignement identique en tous points et d'annoncer à tous les hommes le jugement futur.

2. *Qui a suscité de l'Orient la justice? Ils l'ont appelé sur ses pas et ils avanceront; il donnera (la justice) en face des nations et il frappera les rois de stupeur; il donnera à la terre leurs glaives et, comme broussailles, ont été rejetés leurs enfants;* 3. *il les poursuivra et la route de ses pieds passera en paix, il n'arrivera pas.* De cette justice, le bienheureux Paul a dit à son tour : « C'est de Dieu que nous ont été données sagesse, justice, sanctification et rédemption. » Lorsque cette justice se fut levée et qu'elle eut fait le tour du monde, les rois furent frappés de stupeur, les tyrans furent vaincus, toute espèce de supplice fut supprimée ; les persécutés ont triomphé de leurs persécuteurs et, comme s'ils jouissaient d'une paix extrême, ils ont mené à terme la course qui leur était proposée[2]. Toutefois, les mots « il n'arrivera pas » ne se trouvent pas chez les Septante, mais comme ils se trouvent chez les autres interprètes, ils ont été ajoutés avec un astérisque[3]. Or ils font voir clairement que la justice n'arrivera pas pour

2. Chrysostome note que certains exégètes appliquent le passage à Cyrus, d'autres à Zorobabel (*M.*, p. 280, § 2, 3). Pour Cyrille (70, 828 D), il s'agit du Christ qui a instauré le règne de la justice.

3. Sur ces astérisques, cf. Introd., t. I, p. 43.

310 ἀλλὰ το[ῖς] πιστεύουσιν · οἱ γὰρ δυσσεβεῖς οὐδὲ προσέχειν ἐβούλοντο τοῖς θείοις κηρύγμασιν.

[4] **Τί(ς ἐνήρ)γησε (καὶ ἐπ)οίησε ταῦτα ; Ἐκάλεσεν αὐτὴν ὁ καλῶν αὐτὴν ἀπὸ γενεῶν ἀρχῆς**, τουτέστι τὴν δικαιοσύνην. Ἄνωθέν φησι τὰ περὶ αὐτῆς προηγόρευσεν. Ταύτας
315 καὶ πρὸς τὸν Ἀβραὰμ ἐποιήσατο τὰς συνθήκας « Ἐν τῷ σπέρματί σου » λέγων « εὐλογηθήσεται πάντα τὰ ἔθνη τῆς γῆς » καὶ πρὸς τὸν Ἰσαὰκ καὶ πρὸς τὸν Ἰ[ακ]ὼβ καὶ πρὸς τὸν Μω<υ>σέα καὶ πρὸς τὸν Δαυίδ · ταῦτα καὶ διὰ τῶν ἄλλων προφητῶν προηγό[ρευσεν]. **Ἐγὼ θεὸς πρῶτος**
320 **καὶ εἰς τὰ ἐπερχόμενα ἐγώ εἰμι.** Οὐκ ἄλλος φησὶ τὴν παλαιὰν ἔδωκε (δια)θήκην καὶ ἄλλος νομοθετεῖ τὴν καινήν · μία ἐστὶν ἡ θεία φύσις, ἀεὶ ὡσαύτως καὶ κατὰ ταὐτὰ (ἔχουσα).

[5] **Εἶδον ἔθνη καὶ ἐφοβήθησαν, τὰ ἄκρα τῆς γῆς ἐξέστησαν.** Καὶ μαρτυρεῖ τῶν πραγμάτων (ἡ πεῖρα) · καταλιπόντες
325 γὰρ τὴν πλάνην οἱ ἄνθρωποι μετέμαθον τὴν ἀλήθειαν. **Ἤγγισαν καὶ ἦλθον (ἅμα),** [6] **κρίνων ἕκαστος τῷ πλησίον βοηθῆσαι καὶ τῷ ἀδελφῷ.** Οἱ γὰρ πάλαι πλανώμενοι τοῦ τῆς (θεογνω)σίας φωτὸς ἀπολαύσαντες οὐκ ἀνέχονται κρύπτειν τὴν αἴγλην ἀλλὰ πάντας εἰς κοινωνίαν (κα)λοῦσιν.
330 **Καὶ ἐρεῖ,** τουτέστιν ὁ τοῦ γνόφου τῆς ἀγνοίας ἀπαλλαγείς · [7] **Ἴσχυσεν ἀνὴρ τέκτων, καὶ χαλκεὺς (τύπτων σ)φῦραν ἅμα ἐλαύνων ποτὲ μὲν ἐρεῖ · Σύμβλημα καλόν ἐστιν, ἰσχύρωσαν αὐτὰ** |150 a| **ἐν ἥλοις, θήσουσιν αὐτό, καὶ οὐ κινηθήσεται.** Ταῦτά φησιν ἐροῦσιν οἱ τῇ ἀληθείᾳ προσεληλυθότες τοῖς
335 (ἔτι κα)τεχομένοις τῇ πλάνῃ τῇ τῶν εἰδώλων τὴν τούτων

C : 320-322 οὐκ — ἔχουσα ‖ 324-325 καὶ — ἀλήθειαν ‖ 327-329 οἱ — καλοῦσιν ‖ 334-340 ταῦτα — συνήρμοσται

320-321 τὴν παλαιὰν/ἔδωκε K : ∾ C ‖ 322 ταὐτὰ K : τὰ αὐτὰ C ‖ 335 κατεχομένοις C : .. τέχουσι K ‖ 335-336 τῇ² — δεικνύντες K : τὴν τῶν εἰδώλων ἐπιδεικνύντες C

315 Gen. 26, 4

1. Même précision chez Eusèbe (*GCS* 259, 13).
2. Sur cette unicité et cette immuabilité de la nature divine, cf. *infra*, 13, 164-166 ; 15, 89-93. Ce caractère d'immuabilité s'attache

tous, mais (seulement) pour les croyants ; car les impies ne voulaient même pas prêter attention aux messages divins.

4. *Qui a accompli et fait cela? Il l'a appelée, lui qui l'appelle depuis le commencement des générations*, (elle) c'est-à-dire la justice[1]. Dès l'origine, dit-il, il a annoncé ce qui la concerne. Voilà l'alliance qu'il a conclue avec Abraham, en ces termes : « Dans ta descendance seront bénies toutes les nations de la terre » et (renouvelée) avec Isaac, Jacob, Moïse et David ; voilà ce qu'il a également annoncé par l'intermédiaire des autres prophètes. *Moi, Dieu, je suis le premier et je suis pour les temps à venir.* Celui qui a donné l'Ancien Testament, dit-il, n'est pas différent de celui qui établit le Nouveau : une est la nature divine, toujours identique et immuable[2].

5. *Les nations ont vu et ont été effrayées, les extrémités de la terre ont été frappées de stupeur.* C'est ce qu'atteste aussi l'examen des faits : les hommes ont abandonné l'erreur, puis ont pris connaissance de la vérité. *Elles se sont approchées et sont venues en même temps*, 6. *chacun décidant de porter secours à son voisin et à son frère.* Ceux qui jadis étaient dans l'erreur, une fois qu'ils ont bénéficié de la lumière de la connaissance de Dieu, ne supportent pas d'en cacher l'éclat, mais appellent tous les hommes à la partager.

Et il dira, c'est-à-dire celui qui s'est éloigné des ténèbres de l'ignorance : 7. *L'artisan a eu de la force! et le forgeron, tout en abattant le marteau et en battant (l'enclume), dira alors : L'emboîtement est bon! ils ont assuré les (idoles) avec des clous, ils mettront en place l'(idole) et elle ne sera pas ébranlée.* Voilà, dit-il, ce que diront les hommes parvenus à la vérité à ceux que tient encore prisonniers l'erreur des idoles, pour leur en montrer la faiblesse :

aussi à la nature divine du Christ après l'Incarnation (cf. *Thérap.* II, 90) ; on sait à quels excès la volonté maladroite de le préserver a conduit Nestorius.

δεικνύντες ἀσθένειαν · οὔτε γὰρ βαδίσαι δύνανται οὔ(τε) στῆναι μὴ τοῖς ἥλοις δεσμούμενα. Τὸ δέ · σύμβλημα καλόν ἐστιν, οἱ Τρεῖς οὕτω τεθείκασιν · « Εἰς κόλλησιν καλόν ἐστιν », τουτέστι · καλῶς συμβέβληται, τεχνικῶς συνήρμο-
340 σται.

[8] **Σὺ δὲ Ἰσραὴλ παῖς μου, Ἰακὼβ ὃν ἐξελεξάμην, σπέρμα Ἀβραὰμ ὃν ἠγάπησα,** [9] **οὗ ἀντελαβόμην ἀπ' ἄκρου τῆς γῆς καὶ ἐκ τῶν σκοπιῶν αὐτῆς ἐκάλεσά σε καὶ εἶπόν σοι · Παῖς μου εἶ, ἐξελεξάμην σε καὶ οὐκ ἐγκατέλιπόν σε ·** [10] **μὴ φοβοῦ,**
345 **μετὰ σοῦ γάρ εἰμι · μὴ πλανῶ, ἐγὼ γάρ εἰμι ὁ θεός σου ὁ ἐνισχύσας σε καὶ ἐβοήθησά σοι καὶ ἠσφαλισάμην σε τῇ δεξιᾷ μου τῇ δικαίᾳ.** Τῷ Ἰσραὴλ ποτὲ μὲν εὐφημίας ὑφαίνει ποτὲ δὲ κατηγορίας προσάπτει οὐκ ἐναντία ποιῶν ἀλλὰ κατάλληλα δρῶν · ἐκ γὰρ τοῦ Ἰσραὴλ οἱ πεπιστευκότες
350 καὶ ἐκ τοῦ Ἰσραὴλ οἱ ἐσταυρωκότες · εἰκότως τοίνυν τοὺς μὲν ἐπαινεῖ τῶν δὲ κατηγορεῖ. Ἐνταῦθα μέντοι καὶ τῶν παλαιῶν ἀνέμνησεν αὐτοὺς <ἐπαγγελιῶν> καὶ εὐεργεσιῶν καὶ ὡς ἐξήγαγε μὲν ἐκ γῆς Χαλδαίων τὸν πατριάρχην, ἅπαν δὲ τὸ γένος τῆς Αἰγυπτίων ἠλευθέρωσε δυναστείας
355 καὶ παντοδαπῆς προνοίας ἠξίωσεν.

[11] **Ἰδοὺ αἰσχυνθήσονται καὶ ἐντραπήσονται πάντες οἱ ἀντικείμενοί σοι, ἔσονται γὰρ ὡς οὐκ ὄντες, καὶ ἀπολοῦνται πάντες οἱ ἀντίδικοί σου,** [12] **ζητήσεις αὐτοὺς καὶ οὐ μὴ εὕρῃς τοὺς ἀνθρώπους οἳ παροινήσουσιν εἰς σέ · ἔσονται (γὰρ)**
360 **ὡς οὐκ ὄντες, καὶ οὐκ ἔσονται οἱ ἀντιπολεμοῦντές σε.** Εἶτα τῆς νίκης τὴν αἰτίαν διδάσκει · [13] **Ὅτι ἐ(γὼ) ὁ θεός σου, ὁ κρατῶν τῆς δεξιᾶς σου, ὁ λέγων σοι · Μὴ φοβοῦ, ἐγὼ ἐβοήθησά σοι.** Ταῦτα τυπικῶς μὲ[ν] καὶ ἐπὶ τῶν Βαβυλωνίων ἐγένετο. Καταλύσας γὰρ τὴν ἐκείνων ἀρχὴν ὁ τῶν ὅλων

C : 347-351 τῷ — κατηγορεῖ || 363-370 ταῦτα — πρόμαχοι (363-366 τυπικῶς — γῆν> | 366 μέντοι>)

352 ἐπαγγελιῶν add. Sch. || 364 ἐκείνων Mö. : ἐκείνην K

---

1. Souci constant chez Théodoret de montrer la cohérence et la logique de l'Écriture ; cf. *supra*, 5, 153-159.

elles ne peuvent ni marcher ni se tenir debout sans être fixées par des clous. Quant à la phrase : « l'emboîtement est bon », les trois interprètes l'ont rendue de la manière suivante : « C'est bon pour la soudure », c'est-à-dire : elle a été bien emboîtée, elle a été ajustée avec art.

Le salut pour les croyants d'Israël

8. *Mais toi, Israël, mon serviteur, Jacob que j'ai choisi, descendance d'Abraham que j'ai aimé,* 9. *toi que j'ai fait revenir de l'extrémité de la terre et que j'ai appelé des sommets de la terre, toi à qui j'ai dit : Mon serviteur, c'est toi, je t'ai choisi et je ne t'ai pas abandonné ;* 10. *ne crains pas, car je suis avec toi ; ne t'écarte pas du droit chemin, car moi je suis ton Dieu qui t'a rendu fort, je t'ai secouru et je t'ai fortifié de ma droite juste.* A Israël, tantôt il décerne des éloges, tantôt il adresse des accusations ; loin d'agir de manière contradictoire, il fait des choses concordantes[1] : car sont issus d'Israël ceux qui ont cru, comme sont issus d'Israël ceux qui ont crucifié (le Christ) ; il est donc naturel qu'il loue les uns et qu'il accuse les autres. Ici, en tout cas, il leur a rappelé ses promesses et ses bienfaits d'autrefois : il a conduit hors de la terre de Chaldée leur patriarche, il a délivré toute leur race de la domination égyptienne et il les a jugés dignes de toutes sortes d'attentions.

11. *Voici qu'ils seront honteux et qu'ils tourneront le dos tous ceux qui s'opposaient à toi, car ils seront comme s'ils n'étaient pas et ils périront, tes adversaires ;* 12. *tu les chercheras et tu ne trouveras pas d'hommes pour exercer leur fureur contre toi : car ils seront comme s'ils n'étaient pas, et il n'y aura pas d'hommes pour te faire la guerre.* Puis il enseigne la cause de la victoire : 13. *Parce que moi je suis ton Dieu qui s'empare de ta main droite, qui te dit : Ne crains pas, moi je t'ai secouru.* Voilà ce qui s'est déjà produit en figure à l'époque des Babyloniens, puisque le Dieu de l'univers a ruiné leur empire, a libéré les Juifs

365 θεὸς καὶ τούτους τῆς πικρᾶς δουλείας ἐλευθερώσας εἰς τὴν πατρῴαν ἐπανήγαγε γῆν · κυρίως μέντοι καὶ ἀληθῶς ἁρμόττει τοῖς ἁγίοις ἀποστόλοις καὶ τοῖς νικηφόροις μάρτυσιν · οἱ γὰρ τούτους πολεμήσαντες ἐν αἰσχύνῃ γεγένηνται, καὶ φροῦδοι νῦν καὶ ἀφανεῖς οἱ διώξαντες, περίβλεπτοι δὲ 370 καὶ περιφανεῖς τῆς ἀληθείας οἱ πρόμαχοι.

Μὴ φοβοῦ σκώληξ [14] **Ἰακώβ, ὀλιγοστὸς Ἰσραήλ, ἐγὼ ἐβοήθησά σοι, λέγει ὁ θεὸς ὁ λυτρούμενός σε, ὁ ἅγιος τοῦ Ἰσραήλ.** Καὶ ταῦτα μάλιστα δηλοῖ, ὡς τοῖς εἰς τὸν κύριον πεπιστευκόσιν ὁ προφητικὸς ἁρμόττει λόγος. Ὀλίγον τοῦ 375 Ἰσραὴλ ἐπίστευσε μέρος, τὸ δέ γε πλεῖστον ἠπίστησεν. Διὰ τοῦτο καὶ ὁ θεῖος ἔλεγε Παῦλος · « Οὕτω καὶ ἐν τῷ νῦν καιρῷ λεῖμμα κατ' ἐκλογὴν χάριτος γέγονεν », καὶ πάλιν · « Ἡ ἐκλογὴ ἐπέτυχεν, οἱ δὲ λοιποὶ ἐπωρώθησαν », καὶ πάλιν ὁ προφήτης · « Ἐὰν ᾖ ὁ ἀριθμὸς τῶν υἱῶν 380 Ἰσραὴλ ὡσεὶ ἄμμος τῆς θαλάσσης, τὸ κατάλειμμα σωθήσεται. » Μάλα δὲ ἁρμόττει καὶ τὸ τοῦ σκώληκος ὄνομα · πρ[ῶτον] μὲν διὰ τὴν ὁρωμένην εὐτέλειαν — καὶ γὰρ ὁ θεῖος ἀπόστολος ταύτην βουληθεὶς ἐπι[δεῖξαι] ἔφη · « Ἐξελέξατο ὁ θεὸς τὰ μωρὰ τοῦ κόσμου, ἵνα καταισχύνῃ τοὺς 385 σοφούς, καὶ τὰ ἀ(σθε)νῆ τοῦ κόσμου καὶ τὰ ἐξουθενημένα καὶ τὰ μὴ ὄντα, ἵνα τὰ ὄντα καταργήσῃ. » Τὴν γὰρ ὑπερβολὴν παραδηλῶσαι θελήσας καὶ μηδὲν εὑρὼν ἐοικός, μὴ ὄντα ἐκάλεσεν, ἀντὶ τοῦ · ἐν[αντίον] τῶν ἄλλων οὐδέν εἰσιν οὗτοι —, καλεῖ δὲ αὐτοὺς καὶ δι' ἕτερον σκώληκα · ἐν γὰρ 390 τοῖς σαθροτέ[ροις τῶν] ξύλων ὁ σκώληξ κρυπτόμενος ὡς τὴν ὀλίγην αὐτῶν ἰσχὺν ἐν βραχεῖ καταναλίσκει χρόνῳ, [οὕτω] καὶ τῆς ἀληθείας οἱ ἀθληταὶ κρυπτόμενοι καὶ λανθάνοντες τὴν τῶν εἰδώλων κατέλυσαν πλά[νην].

C : 373-378 καὶ — ἐπωρώθησαν

373 τοῖς C : > K ‖ 374 ὀλίγον K : ὀλιγοστὸν γὰρ C ‖ 390 ὡς Mö. : καὶ K

376 Rom. 11, 5.7 379 Is. 10, 22 ; cf. Os. 2, 1 383 I Cor. 1, 27.28

1. Cf. *supra*, 10, 76-80 ; rapprocher de *Thérap.* VIII, 66-67.

d'une amère servitude et les a ramenés dans la terre de leurs pères ; toutefois, cela s'applique proprement et véritablement aux saints apôtres et aux martyrs victorieux : leurs ennemis se sont couverts de honte, leurs persécuteurs sont aujourd'hui disparus et inconnus, tandis qu'attirent tous les regards et que sont connus de tous les défenseurs de la vérité[1].

Ne crains pas, 14. *Jacob, pauvre ver, chétif Israël, moi je t'ai secouru, dit Dieu qui te rachète, le saint d'Israël.* Cela encore fait voir très clairement que le texte prophétique s'applique à ceux qui ont cru dans le Seigneur. C'est une petite partie d'Israël qui a cru, alors que la plus grande partie a refusé de croire. C'est pourquoi le divin Paul de son côté déclarait : « Ainsi, même dans le moment présent, un reste a subsisté selon l'élection de la grâce » et ailleurs : « Le groupe des élus a atteint (son but), mais tous les autres ont été endurcis » ; comme, ailleurs, le prophète : « Même si le nombre des fils d'Israël était comme le sable de la mer, (seul) le reste sera sauvé. » Quant au nom de « ver », il (leur) convient aussi parfaitement. En premier lieu, en raison de leur apparence méprisable : de fait, quand le divin Apôtre a voulu en donner une idée, il a dit : « Dieu a choisi ce qu'il y a de fou dans le monde pour confondre les sages, et ce qu'il y a de faible dans le monde, ce qui est méprisé et ce qui n'est pas, afin de réduire à rien ce qui est. » Parce qu'il a voulu faire concevoir l'excès (de leur faiblesse) et qu'il n'a trouvé aucun point de comparaison, il (les) a appelés « ce qui n'est pas », ce qui revient à dire : en regard des autres hommes, ils ne sont rien. Mais il les appelle « ver » encore pour une autre raison : le ver qui se cache dans les bois d'assez mauvaise qualité ruine en peu de temps leur faible résistance ; de même aussi les champions de la vérité, tout en étant cachés et en passant inaperçus, ont détruit l'erreur des idoles.

Διδάσκει δὲ καὶ τὸν τρόπον τῆς νίκης · [15] **Ἰδοὺ ἐποίησά**
395 **σε ὡς τροχοὺς ἁμάξης ἀλοῶντας κ(αινοὺς) πριστηροειδεῖς,
καὶ ἀλοήσεις ὄρη καὶ λεπτυνεῖς βουνοὺς καὶ ὡς χοῦν θήσεις
[16] καὶ λικμή(σεις), καὶ ἄνεμος λήψεται αὐτούς, καὶ καταιγὶς
αὐτοὺς διασπερεῖ · σὺ δὲ εὐφρανθήσῃ ἐν κ(υρίῳ ἐν τοῖς
ἁγί)οις Ἰσραήλ.** Ἐπειδὴ σκώληκα αὐτοὺς προσηγόρευσε διὰ
400 τὴν ὁρωμένην εὐτέλειαν, [ἐκ διαμέτρου νῦν] ἔδειξε τὴν
κεκρυμμένην ἰσχύν · καθάπερ γὰρ ἡ πριονοειδὴς ἅμαξα
λεπτύνει τ(ὸ δράγμα), |150 b| οὕτω καὶ ὑμεῖς ἅπασαν τὴν
κατέχουσαν πλάνην τὴν καὶ τὸ ὕψος τῶν ὀρῶν καὶ τῶν
βουνῶν μιμουμένην καὶ λεπτυνεῖτε καὶ λικμήσετε καὶ οἷόν
405 τινι καταιγίδι διασκεδάσαντες παραδώσετε λήθῃ εὐφραινόμενοι καὶ γανύμενοι διὰ τὸ πλῆθος τῶν σῳζομένων.

Καὶ ἀγαλλιάσονται [17] οἱ πτωχοὶ καὶ ἐνδεεῖς. Τοὺς ἐξ
ἐθνῶν λέγει πεπιστευκότας · οὗτοι γὰρ ἦσαν πτωχοὶ τὸν
προφητικὸν οὐ δεξάμενοι πλοῦτον. **Ζητήσουσιν ὕδωρ καὶ**
410 **οὐκ ἔσται · ἡ γλῶσσα αὐτῶν ἀπὸ τῆς δίψης ἐξήρανται.** Ταῦτα
πρὸ τῆς κλήσεως ἐπεπόνθεισαν ἐν ἐνδείᾳ διάγοντες καὶ
δίψει πολλῷ πιεζόμενοι. **Ἐγὼ κύριος ὁ θεός σου, ἐγὼ ἐπ-
ακούσομαι αὐτῶν ὁ θεὸς Ἰσραὴλ καὶ ⟨οὐκ⟩ ἐγκαταλείψω
αὐτούς.** Εἰ γὰρ καὶ τοῦ Ἰσραὴλ χρηματίζω θεός, ἀλλὰ
415 πάντων εἰμὶ θεός · οὗ δὴ χάριν [18] **ἀνοίξω ἐπὶ τῶν ὀρέων
ποταμοὺς καὶ ἐν μέσῳ πεδίων πηγάς.** Τοὺς τὸ τῆς διδασκαλίας
χάρισμα πεπιστευμένους οὕτω καλεῖ · καὶ γὰρ ἐν τοῖς
ἱεροῖς εὐαγγελίοις ἔφη · « Ὁ πιστεύων εἰς ἐμέ, καθὼς
εἶπεν ἡ γραφή, ποταμοὶ ἐκ τῆς κοιλίας αὐτοῦ ῥεύσουσιν
420 ὕδατος ζῶντος. »

Ποιήσω τὴν ἔρημον εἰς ἕλη ὑδάτων καὶ τὴν διψῶσαν γῆν

C : 401-406 καθάπερ — σῳζομένων ‖ 407-409 τοὺς — πλοῦτον ‖
410-412 ταῦτα — πιεζόμενοι ‖ 416-417 τοὺς — καλεῖ

402 οὕτω καὶ C : οὕτως K ‖ 403 τὴν K : > C ‖ 411 κλήσεως C : κτήσεως K

418 Jn 7, 38

La destruction de l'erreur

Il enseigne aussi le mode de la victoire : 15. *Voici que je l'ai rendu semblable aux roues d'un char qui battent les grains, neuves, pareilles à une scie, et tu battras comme blé les montagnes, tu hacheras menu les collines et tu les réduiras en poussière,* 16. *tu les vanneras et le vent les emportera et l'ouragan les dispersera; mais toi, tu te réjouiras dans le Seigneur, parmi les saints d'Israël.* Puisqu'il leur a donné le nom de « ver » en raison de leur apparence méprisable, il a à l'inverse montré maintenant leur force cachée : tout comme le char à dents de scie hache menu la gerbe, vous aussi, vous hacherez menu entièrement l'erreur qui exerce sa domination, elle qui imite l'élévation des montagnes et des collines, et vous la vannerez ; après l'avoir dispersée sous l'effet d'une espèce d'ouragan, pour ainsi dire, vous la livrerez à l'oubli, tout en vous réjouissant et en exultant en raison du grand nombre d'hommes sauvés.

Et ils seront dans l'allégresse 17. *les miséreux et les indigents.* Il parle de ceux qui parmi les nations ont eu la foi : ils étaient, en effet, miséreux puisqu'ils n'avaient pas reçu la richesse prophétique. *Ils chercheront l'eau et il n'y en aura pas: leur langue s'est desséchée sous l'effet de la soif.* Voilà ce qu'ils ont éprouvé avant d'être appelés, lorsqu'ils vivaient dans le dénuement et qu'une grande soif les accablait. *Moi, je suis le Seigneur ton Dieu, moi, je les exaucerai, moi, le Dieu d'Israël, et je ne les abandonnerai pas.* Car, bien que je porte le titre de Dieu d'Israël, je suis néanmoins le Dieu de tous les hommes ; voilà pourquoi 18. *je ferai jaillir des fleuves sur les montagnes et des sources au milieu des plaines.* Ce sont ceux qui ont reçu en dépôt la grâce de l'enseignement qu'il appelle ainsi ; et, de fait, il a dit dans les saints Évangiles : « Celui qui croit en moi, selon le mot de l'Écriture, de son sein couleront des fleuves d'eau vive. »

Je transformerai le désert en marais pleins d'eau et

ἐν ὑδραγωγοῖς. Ἔρημον προσαγορεύει τὰ ἔθνη· τούτοις δὲ καὶ ἐν τοῖς ἔμπροσθεν ταῦτα ἐπηγγείλατο. [19] **Θήσω εἰς τὴν ἄνυδρον γῆν κέδρον καὶ πύξον καὶ μυρσίνην καὶ κυπά-
425 ρισσον καὶ λεύκην, θήσω ἐν τῇ Ἄραβα βράθυ, δαὰρ καὶ θαασοὺρ ἅμα.** Ταῦτα τὰ ἀνερμήνευτα ὀνόματα οὕτως ὁ Σύμμαχος ἡρμήνευσεν· « Θήσω ἐν τῇ ἀβάτῳ κυπάρισσον, πτελέαν, πύξον. » Δηλοῖ δὲ ὁ λόγος, ὡς τῶν ἐν ὕδασι τεθηλέναι πεφυ(κό)των φυτῶν ἡ ἔρημος πληρωθήσεται καὶ
430 ἡ ἄνυδρος τοῖς φιλύδροις κοσμηθήσεται δένδροις — (δέ)νδρων δηλαδὴ τῶν ψυχῶν νοουμένων ὑπὸ τῆς θείας χάριτος ἀρδομένων. [20] **Ἵνα ἴδωσι καὶ γνῶσι καὶ ἐννοηθῶσι καὶ ἐπίστωνται ἅμα ὅτι χεὶρ κυρίου ἐποίησε ταῦτα καὶ ὁ ἅγιος τοῦ Ἰσραὴλ κατέδειξεν αὐτά.** Τὸ δὲ παράδοξον τῶν γιγνο-
435 μένων τὸν τούτων αἴτιον ἐπιδείξει.

Οὕτω δείξας τὴν τῆς ἐρήμου μεταβολὴν πάλιν ἐλέγχει τὴν τῶν εἰδώλων ἀσθένειαν· [21] **Ἐγγίζει ἡ κρίσις ὑμῶν, λέγει κύριος ὁ θεός· ἠγγίκασιν αἱ βουλαὶ ὑμ(ῶν), λέγει ὁ βασιλεὺς Ἰακώβ·** [22] **ἐγγισάτωσαν καὶ ἀναγγειλάτωσαν
440 ὑμῖν ἃ συμβήσεται, (ἢ) τὰ πρότερα τίνα ἦν εἴπατε, καὶ ἐπιστήσομεν τὸν νοῦν καὶ γνωσόμεθα τί τὰ ἔσχατα· καὶ τὰ ἐπερχόμενα εἴπατε ἡμῖν,** [23] **ἀναγγείλατε ἡμῖν τὰ ἐπερχόμενα ἐπ' ἐσχάτου, καὶ γνωσόμεθα ὅτι θεοί ἐστε.** Τό· ἐγγίζει ἡ κρίσις ὑμῶν, οὕτως ὁ Σύμμαχος ἡρμήνευσεν· « Προσα-
445 γάγετε τὴν κρίσιν ὑμῶν, εἶπε κύριος· ἐγγίσατε ἰσχυρὰ

C : 422 ἔρημον — ἔθνη ‖ 428-432 δηλοῖ — ἀρδομένων

428 τῶν Mö. : τὸν K τοῖς C ‖ 429 φυτῶν K : > C

---

1. Cf. *supra*, 9, 451-461 ; 10, 107-109, 193-195, 394-408. Voir aussi l'interprétation de Cyrille (70, 840 D) pour qui « désert » et « terre sans eau » désignent également les nations (Ἔρημόν τε καὶ ἄνυδρον εἶναί φησι τὴν τῶν ἐθνῶν χώραν).

2. Selon Cyrille (70, 841 AB), ceux qui procurent « l'irrigation spirituelle » sont les prêtres et les docteurs de l'Église qui ont reçu l'enseignement de l'Écriture et le transmettent aux autres hommes.

la terre altérée en courants d'eau. Il donne le nom de « désert » aux nations ; cette promesse leur a été faite également dans les passages précédents[1]. 19. *Je placerai dans la terre privée d'eau le cèdre, le buis, le myrte, le cyprès et le peuplier blanc, je placerai dans l'Araba la sabine, le daar et le thaasour côte à côte.* De ces noms restés sans traduction, Symmaque a donné l'interprétation suivante : « Je placerai dans la terre non foulée le cyprès, l'orme, le buis. » Le texte fait donc voir clairement que le désert se remplira de plantes qui ont pour nature de verdoyer dans l'eau et que la terre privée d'eau aura pour parure des arbres qui aiment l'eau — « arbres » étant évidemment entendu au sens d'âmes qu'arrose la grâce divine[2]. 20. *Afin qu'ils voient et qu'ils sachent, qu'ils réfléchissent et qu'ils comprennent tout ensemble que la main du Seigneur a fait cela et que le Saint d'Israël l'a fait voir.* Le caractère extraordinaire des événements désignera clairement leur auteur.

Faiblesse des idoles

Après avoir montré de la sorte le changement qu'a subi le désert, il dénonce de nouveau la faiblesse des idoles : 21. *Proche est votre jugement, dit le Seigneur Dieu ; proches ont été vos conseils, dit le roi de Jacob ; 22. qu'ils*[3] *s'approchent et qu'ils vous annoncent ce qui va arriver, ou bien, ce qu'était le passé, dites-le et nous prêterons attention et nous connaîtrons ce que (sera) le futur le plus éloigné ; dites-nous ce qui arrivera, 23. annoncez-nous ce qui arrivera dans le futur le plus éloigné, et nous connaîtrons que vous êtes dieux.* De l'expression « proche est votre jugement », Symmaque a donné l'interprétation suivante : « Introduisez votre jugement, a dit le Seigneur ; faites approcher vos

3. Nous avons conservé dans la traduction l'allure un peu rude que donne à la langue des Septante l'absence de sujet exprimé ; il est clair toutefois, surtout après la phrase d'introduction de Théodoret, que ce « ils » désigne les idoles, les faux dieux.

ὑμῶν, εἶπεν ὁ βασιλεὺς Ἰακώβ. » Γίνεσθέ φησιν ἐμοῦ καὶ τῶν εἰδώλων κριταί, φέρετε εἰς μέσον τὰ ἰσχυρὰ ἢ κατὰ τὸν Θεοδοτίωνα « τὰ κραταιώματα ὑμῶν », τουτέστι τὰ εἴδωλα· προμηνυσάτωσαν τὰ ἐσόμενα, διδαξάτωσαν τὰ ἐξ
450 ἀρχῆς γεγενημένα· ἐγὼ γὰρ ἀμφότερα ποιῶν διετέλεσα· διὰ γὰ[ρ] Μωυσέως τοῦ θεράποντός μου καὶ τὰ πρὸ τῆς τῶν ἀνθρώπων δημιουργίας γεγενημένα ἐδίδαξα, τὰ δὲ [ἐ]σόμενα καὶ δι' ἐκείνου καὶ διὰ τῶν ἄλλων ἐδήλωσα προφητῶν.
455 **Εὖ ποιήσατε καὶ κακώσατε, καὶ θαυμάσομεν καὶ ὀψόμεθα ἅμα, [24] ὅτι πόθεν ἐστὲ ὑμεῖς καὶ πόθεν ἡ ἐργασία ὑμῶν ;** Εἰ [μὴ] βούλεσθέ φησιν ἀπὸ τῆς γνώσεως δεῖξαι τὴν ἰδίαν ἰσχύν, ἀπὸ γοῦν τῆς δυνάμεως τοῦτο [ποιή]σατε. Δείξατε τὴν εὐεργητικὴν ἢ τὴν τιμωρητικὴν ὑμῶν δύναμιν· « Ἐγὼ
460 δὲ ἀποκτενῶ (καὶ ζ)ῆν ποιήσω, πατάξω κἀγὼ ἰάσομαι καὶ οὐκ ἔστιν ὃς ἐξελεῖται ἐκ τῶν χειρῶν μου. » Ἐπειδὴ δὲ ὑμεῖς καὶ γνώσεως ἐστέρησθε καὶ δυνάμεως, ἐγὼ ὑμῶν διελέγξω τὸ μάταιον. **(Ἐκ) γῆς βδέλυγμα ἐξελέξαντο ὑμᾶς.** Εἴτε γὰρ ξύλινοί εἰσιν εἴτε ἀπὸ χρυσοῦ ἢ ἀργύρου ἢ [καττι]-
465 τέρου ἢ χαλκοῦ, ἀπὸ γῆς ἔχουσι τὴν φύσιν· τούτων γὰρ ἕκαστον ἀπὸ γῆς. Βδέλυγμα τὸ εἴδωλον ὀνομάζει ὡς βδελυγμίας μεστόν.

[25] **Ἐγὼ δὲ ἤγειρα τὸν ἀπὸ βορρᾶ (καὶ τὸν) ἀπὸ ἡλίου ἀνατολῶν, καὶ κληθήσονται τῷ ὀνόματί μου· ἐρχέσθωσαν**
470 **ἄρχοντες** |151 a| **ὡς πηλὸς κεραμέως, καὶ ὡς κεραμεὺς καταπατῶν τὸν πηλὸν οὕτως καταπα(τηθήσεσθε.** Τοῖς) εἰδώ-

C : 446-450 γίνεσθε — διετέλεσα || 471-475 τοῖς — ἐκκλησίαν

446 γίνεσθε K : γένεσθε C || 447 ἰσχυρὰ K : +ὑμῶν C || 459 εὐεργητικὴν conieci : ἐνεργητικὴν K Mö.

459 Deut. 32, 39

1. Une longue tradition, qui remonte au moins au début de notre ère, au Christ et aux apôtres, attribuait à Moïse la rédaction du Pentateuque.

solides appuis, a dit le roi de Jacob. » Devenez juges, dit-il, entre moi et les idoles, produisez vos solides appuis ou, selon Théodotion, « vos fermes soutiens », c'est-à-dire les idoles ; qu'elles dévoilent l'avenir, qu'elles enseignent ce qui s'est produit depuis l'origine, puisque je n'ai cessé pour ma part de faire l'un et l'autre ; par l'intermédiaire de mon serviteur Moïse[1], j'ai même enseigné ce qui s'est produit avant la création des hommes ; et l'avenir, c'est à la fois par son intermédiaire et par celui des autres prophètes, que je l'ai fait voir clairement.

Faites du bien et faites du mal, et nous admirerons et nous verrons tout ensemble 24. *d'où vous sortez et d'où vient votre activité.* Si vous ne voulez pas montrer, dit-il, votre force personnelle à partir de votre connaissance, faites du moins cette démonstration à partir de votre puissance. Montrez votre puissance bienfaisante ou vindicative : « C'est moi qui ferai mourir et qui ferai vivre, je frapperai et c'est moi qui guérirai, et il n'y a personne pour délivrer de mes mains. » Mais, puisque vous être privées de connaissance et de puissance, je dénoncerai, quant à moi, la vanité de votre nature. *Ils vous ont tirés de la terre comme un objet d'horreur.* Qu'elles soient, en effet, en bois ou qu'elles soient faites à partir de l'or, de l'argent, de l'étain ou du bronze, elles possèdent une nature qui vient de la terre, puisque chacun de ces matériaux (est tiré) de la terre. Il nomme l'idole « objet d'horreur[2] » à l'idée qu'elle est remplie d'abomination.

Victoire du Christ sur les idoles

25. *Quant à moi, j'ai suscité celui qui vient du Borée et celui qui vient du côté où le soleil se lève, et ils seront appelés par mon nom; que viennent les chefs: comme l'argile du potier et comme le potier foule l'argile, ainsi serez-vous foulés aux pieds.* Il

2. Le terme βδέλυγμα est du reste utilisé d'ordinaire par les Septante pour désigner l'idole ou le culte des idoles.

λοις ἀπειλεῖ τὴν κατάλυσιν. Καλεῖ δὲ τὸν μὲν ἀπὸ ἀνατολῶν τὴν ἀνατείλασαν δικαιοσύνην, περὶ ἧς καὶ ἤδη πρότερον εἶπεν · « Τίς ἐξήγειρεν ἀπὸ ἀνατολῶν δικαιοσύνην ; » Τὸ(ν)
475 δὲ) ἀπὸ βορρᾶ τὴν ἐξ ἐθνῶν ἐκκλησίαν, πρὸς ἣν ἦλθεν ὁ ἐκ Θαιμὰν ἢ « ἀπὸ λιβὸς » κατὰ [τοὺς] Λοιποὺς Ἑρμηνευτάς. « Ὁ θεὸς » γὰρ « ἐκ Θαιμὰν ἥξει », τουτέστιν ἀπὸ μεσημβρίας. Ταύτῃ ἐκ τῆς μεσημβρίας ἐπιφανεὶς ὁ δεσπότης Χριστὸς καὶ κατεψυγμένην εὑρὼν τῇ τῶν εἰδώλων ἐξαπάτῃ
480 καὶ ταῖς μεσημβριναῖς αὐτὴν ἐκθερμάνας ἀκτῖσιν εἰς ζωὴν ἐπανήγαγεν. [Ὑπὸ] ταύτης καὶ τῶν αὐτῆς ἀρχόντων, ἱερέων καὶ διδασκάλων κατεπατήθη τῶν εἰδώλων τὸ πλῆθος.

[26] **Τίς γὰρ ἀνήγγειλε τὰ ἐξ ἀρχῆς, ἵνα γνῶμεν, καὶ τὰ ἔμπροσθεν, καὶ ἐροῦμεν ὅτι ἀληθῆ ἐστιν ;** Τὰ δοκοῦντά
485 φησιν ὑμῶν χρηστήρια ψεύδους ἐστὶ μεστά. **Οὐκ ἔστιν ὁ προλέγων οὐδὲ ὁ ἀκού(ων) ὑμῶν τοὺς λόγους.** Καὶ μαρτυρεῖ τῷ λόγῳ τὸ τέλος · πέπαυται γὰρ τὰ πανταχοῦ γῆς καὶ θαλάττης μαντεῖα, καὶ οἱ περὶ ταῦτα κεχηνότες μετέμαθον τὴν ἀλήθειαν. [27] **Ἀρχὴν Σιὼν δώσω (καὶ) Ἱερουσαλὴμ**
490 **παρακαλέσω εἰς ὁδόν.** Τὰ μέντοι προοίμια τῆς διδασκαλίας τῇ Ἱερουσαλὴμ προσοίσω. Οὕτω καὶ ἐν τοῖς ἱεροῖς εὐαγγελίοις ἔλεγεν · « Οὐκ ἀπεστάλην εἰ μὴ εἰς τὰ πρόβατα τὰ ἀπολωλότα οἴκου Ἰακώβ. »

[28] **Ἀπὸ γὰρ τῶν ἐθνῶν ἰδοὺ οὐθείς.** Πρῶτοι γὰρ οἱ ἐξ
495 Ἰουδαίων πιστεύ(σαντες) ἐκείνων ἐγένοντο κήρυκες. **Καὶ ἀπὸ τῶν εἰδώλων αὐτῶν οὐκ ἦν ὁ ἀναγγέλλων.** Πολλάκις

C : 490-493 τὰ — Ἰακώβ ‖ 494-495 πρῶτοι — κήρυκες

491 οὕτω K : οὕτως C

474 Is. 41, 2 477 Hab. 3, 3 492 Matth. 15, 24

1. Pour Eusèbe (*GCS* 266, 33), ces termes désignent le Christ et sa justice ; pour Cyrille (70, 845 CD), ils désignent soit le peuple des nations qui a reçu le nom de chrétiens, soit le Christ lui-même.

2. « Borée », nom donné au vent du nord, désigne par extension la région du nord, le Nord ; quant au « Lips », i.e. « le Pluvieux, c'est un vent du S.-O. qui sert ici à désigner le Midi ; c'est donc,

menace les idoles de destruction. Il appelle « celui qui vient du côté de l'Orient » la justice qui s'(y) est levée[1], de laquelle il a déjà dit précédemment : « Qui a suscité de l'Orient la justice ? » ; et il appelle « celui qui vient du Borée » l'Église issue des nations, vers laquelle est allé celui qui est parti de Thaiman ou « du Lips » selon le reste des interprètes ; car « Dieu viendra de Thaiman », c'est-à-dire du Midi[2]. C'est à cette Église que s'est manifesté, à partir du Midi, notre Maître le Christ, elle qu'il a trouvée transie par la tromperie des idoles et qu'il a réchauffée aux rayons du midi, puis qu'il a conduite à la vie. Par elle et par ses chefs, par ses prêtres et par ses docteurs, la foule des idoles a été foulée aux pieds.

26. *Qui a, en effet, annoncé les événements depuis l'origine, afin que nous les connaissions, et les événements passés, et nous dirons que c'est vrai?* Vos semblants d'oracles, dit-il, sont remplis de mensonge. *Il n'y a personne qui prédise et il n'y a personne qui entende vos paroles.* Et ce qui s'est accompli vient confirmer le texte : les oracles répandus en tous points de la terre et de la mer ont cessé (de parler) et les hommes qui restaient bouche bée devant eux les ont oubliés pour apprendre la vérité[3]. 27. *Je donnerai la primauté à Sion et je consolerai Jérusalem sur la route.* C'est effectivement à Jérusalem que j'offrirai les débuts de mon enseignement. De même il disait également dans les saints Évangiles : « Je n'ai été envoyé que vers les brebis perdues de la maison de Jacob. »

28. *Car des nations ne voici personne.* De fait, ceux des Juifs qui ont cru ont été les premiers à leur servir de hérauts. *Et des idoles elles-mêmes, il n'y en avait aucune pour annoncer.* Souvent il s'est moqué de leur ignorance.

par rapport à Thaiman (district nord du pays d'Édom) une variante seulement nominale pour exprimer la même idée ; sur ce type d'interprétation, cf. *infra*, p. 455, n. 2.

3. Cf. *Thérap.* X, 43-48. Même interprétation chez CYRILLE (70, 848 B).

αὐτῶν τὴν ἄγνοιαν ἐκωμῴδησεν. **Καὶ ἐὰν ἐρωτήσω αὐτούς· Πόθεν ἐστέ ; οὐ μὴ ἀποκρ(ιθῶ)σί μοι· [29] εἰσὶ γὰρ οἱ ποιοῦντες ὑμᾶς ἄδικοι καὶ μάταιοι οἱ πλάσσοντες ὑμᾶς.** Ἁρμο-
500 δίως καὶ τῶ[ν εἰ]δώλων τὸ ἀναίσθητον ἔδειξε καὶ τῶν ταῦτα τεκτηναμένων ἀσέβειαν κατηγόρησεν. [Τὰ μὲν] γάρ ἐστιν ἄψυχα, οἱ δὲ λίαν ἀνόητοί τε καὶ δυσσεβεῖς.

Τούτων διελέγξας τὴν πλάνην δείκνυ[σι τῆς] ἀνατειλάσης εἰρήνης καὶ ἀληθείας τὸν χορηγόν· **42[1] Ἰακὼβ ὁ παῖς μου**
505 **ἀντιλήψομαι αὐτ(οῦ, Ἰσρα)ὴλ ὁ ἐκλεκτός μου προσεδέξατο αὐτὸν ἡ ψυχή μου· ἔδωκα τὸ πνεῦμά μου ἐπ' αὐτ(όν, κρίσιν) τοῖς ἔθνεσιν ἐξοίσει. [2] Οὐ κεκράξεται οὐδὲ ἀνήσει, οὐδὲ ἀκουσθήσεται ἔξω ἡ φ(ωνὴ αὐτοῦ), [3] κάλαμον τεθλασμένον οὐ συντρίψει καὶ λίνον καπνιζόμενον οὐ σβέσει, ἀλλ' εἰς**
510 **ἀλή(θειαν ἐ)ξοίσει κρίσιν, [4] ἀναβλέψει καὶ οὐ θραυσθήσεται, ἕως ἂν θῇ ἐπὶ τῆς γῆς κρίσιν· καὶ ἐπὶ (τῷ) ὀνόματι αὐτοῦ ἔθνη ἐλπιοῦσιν.** Ταύτην τὴν μαρτυρίαν καὶ ὁ θεῖος τέθεικεν εὐαγγελιστής· (εἰρηκὼς) γὰρ ὡς πολλοὺς ὁ κύριος ἰασάμενος παρηγγυησεν ἵνα μηδενὶ εἴπωσιν, ἐπήγαγε τὰ προκείμενα.
515 Εἰδέναι μέντοι χρὴ ὡς ὁ Ἀκύλας καὶ ὁ Σύμμαχος καὶ ὁ Θεοδοτίων οὔτε τὸ Ἰακὼβ [οὔτε] τὸ Ἰσραὴλ τεθείκασιν, οὔτε γὰρ παρὰ τῷ Ἑβραίῳ κεῖται. Οἷς ἀκολουθῶν καὶ ὁ θεῖος εὐα[γγελιστὴς] εἴρηκεν· « Ἰδοὺ ὁ παῖς μου ὃν ἡρετισάμην, ὁ ἐκλεκτός μου εἰς ὃν εὐδόκησεν ἡ ψυχή
520 (μου). » [Ὅτι] δὲ τούτων οὐδὲν Ἰουδαίοις ἁρμόττει, καὶ αὐτὰ δηλοῖ τῆς προφητείας τὰ ῥή[ματα. Τί γὰρ] ἐκείνων θρασύτερον ; Τί δὲ μανικώτερον ; Ὁ δὲ προφητικὸς λόγος πᾶσαν τ[ὴν τοῦ σωτῆρος] ἐπιείκειαν καὶ πραότητα μαρτυρεῖ. Οὗτος καὶ τὴν ἐσομένην κρίσιν τοῖς ἐ[χθροῖς] τῶν ἀποστόλων
525 ἐμήνυσεν.

C : 512-514 ταύτην — προκείμενα

512 καὶ C : > K || 514 προκείμενα Mö. : προσκείμενα K γεγενημένα C || 522 δὲ[1] Sch. : δαὶ K

513-514 cf. Matth. 12, 15-21 518 Matth. 12, 18

1. Même remarque chez EUSÈBE (*GCS* 268, 3-10).

Et si je leur demande: D'où venez-vous? elles ne me répondront pas; 29. *car ceux qui vous fabriquent sont injustes, et insensés, ceux qui vous donnent forme.* C'est de manière parfaitement appropriée qu'il a, à la fois, montré la nature stupide des idoles et accusé d'impiété ceux qui les ont façonnées. Car, si elles sont inanimées, ils sont, eux, pleins de sottise et d'impiété.

Le Serviteur de Dieu

Après avoir dénoncé l'erreur des idoles, il montre le dispensateur de la paix qui s'est levée et de la vérité :

42, 1. *Jacob, mon serviteur, je le soutiendrai; Israël, mon élu, mon âme l'a accueilli; j'ai répandu sur lui mon esprit, il publiera le jugement aux nations.* 2. *Il ne poussera pas de cris et ne parlera pas haut, et sa voix ne sera pas entendue au-dehors;* 3. *il ne brisera pas le roseau froissé et n'éteindra pas la mèche fumante, mais il fera connaître le jugement en vue de la vérité;* 4. *il lèvera les yeux et ne sera pas broyé, jusqu'à ce qu'il ait établi le jugement sur la terre; et, en son nom, les nations mettront leur espérance.* Le divin évangéliste a reproduit à son tour ce témoignage : après avoir dit que le Seigneur avait recommandé au grand nombre d'hommes qu'il avait guéris de ne le dire à personne, il a, en effet, ajouté le passage qui vient d'être lu. Il faut savoir, toutefois, qu'Aquila, Symmaque et Théodotion n'ont reproduit ni le terme de « Jacob » ni celui d'« Israël », car ils ne figurent pas non plus dans le texte hébreu[1]. Parce qu'il suit leurs versions, le divin évangéliste a dit à son tour : « Voici mon serviteur que mon choix a préféré, mon élu en qui mon âme s'est complue. » Or, que rien de cela ne s'applique aux Juifs, les termes mêmes de la prophétie suffisent à le faire voir clairement. Qu'est-il, en effet, de plus arrogant que ces gens-là ? Qu'est-il de plus fou ? Le texte prophétique témoigne, en revanche, de toute la clémence du Sauveur et de toute sa douceur. Il a même fait connaître aux ennemis des apôtres le jugement futur.

Παῖδα δὲ αὐτὸν καλεῖ ἢ « δοῦλον » κατὰ τοὺς [Ἄλλους Ἑρμηνευτὰς] κατὰ τὸ ἀνθρώπειον · κατὰ τοῦτο γὰρ αὐτὸν καὶ Ἰακὼβ καὶ Ἰσραὴλ ὀνομάζει ὡς ἐξ [Ἰακὼβ τοῦ] καὶ Ἰσραὴλ κατὰ σάρκα βλαστήσαντα. Οὕτω καὶ τὸ πανάγιον
530 δέχεται πνεῦμα οὐχ [ὡς θεός, ἀ]νενδεὴς γάρ, ἀλλ' ὡς ἄνθρωπος, ἵνα τύπος γένηται τῶν εἰς αὐτὸν πεπιστευκ[ότων.

Ταύτῃ τῇ πρα]||151 b|ότητι δὲ τὰ ῥήματα μαρτυρεῖ καὶ τὰ πράγματα · « Μάθετε » γάρ φησιν « ἀπ' ἐμοῦ ὅτι πρᾶός εἰμι καὶ ταπεινὸς τῇ καρδίᾳ. » Οὕτω δεξάμενος τὴν
535 ἐπὶ κόρρης πληγὴν ἔφη τῷ παίσαντι · « Ἑταῖρε, εἰ μὲν κακῶς ἐλάλησα, μαρτύρησον περὶ τοῦ κακοῦ · εἰ δὲ καλῶς, τί με δέρεις ; » Καὶ δυνάμενος σκηπτοῖς ἀναλῶσαι τοὺς κατ' αὐτοῦ λυττῶντας καὶ οἷόν τινα κάλαμον συντεθλασμένον συντρῖψαι καὶ καθάπερ λίνον καπνιζόμενον σβέσαι, τῆς
540 ἐκείνων μανίας ἠνέσχετο · ᾔδει γὰρ τοῦ γινομένου τὸ τέλος καὶ τὴν ἐντεῦθεν τεχθησομένην ἀλήθειαν. Οὕτως καὶ τῷ θανάτῳ παραδοθεὶς ἔλαμψεν αὖθις καὶ τὴν γῆν τῆς ἀληθείας ἐπλήρωσε καὶ τῆς εἰς αὐτὸν ἐλπίδος ἐξήρτησε τὰ ἔθνη. Τοῦτο γὰρ ὁ προφητικὸς ἔφη λόγος · ἐπὶ τῷ ὀνόματι αὐτοῦ
545 ἔθνη ἐλπιοῦσιν. Καὶ τοῦτο καὶ ἄντικρυς ἐλέγχει τὴν Ἰουδαίων ἄνοιαν · ποῖα γὰρ ἐπὶ τῷ ἐκείνω<ν> ὀνόματι ἤλπισεν ἔθνη ; Ποῖον δὲ αὐτοὺς οὐ κατεπολέμησεν ἔθνος ; Εἰς δὲ τὸ τοῦ θεοῦ καὶ σωτῆρος ἡμῶν ὄνομα πάντα ἐλπίζει τὰ ἔθνη.

[5] **Οὕτως λέγει κύριος ὁ θεὸς ὁ ποιήσας τὸν οὐρανὸν καὶ**
550 **πήξας αὐτόν, ὁ στερεώσας τὴν γῆν καὶ τὰ ἐν αὐτῇ καὶ διδοὺς**

533 Matth. 11, 29 535 Jn 18, 23 (ἑταῖρε ex Matth. 20, 13 ; 22, 12 ; 26, 50)

1. Distinction importante et souvent renouvelée par Théodoret (cf. *In Is.*, 12, 559-569 ; 13, 151-154 ; 15, 232-243, 276-281, 285-289 ; 16, 116-119), dont s'affirment ainsi les conceptions dyophysites en matière de christologie.

2. En s'incarnant, la nature divine du Verbe n'a subi aucun changement : elle reste donc sans besoin (ἀνενδεής) ; par conséquent, le Christ ne peut recevoir l'Esprit qu'en tant qu'homme (cf. *infra*, *In Is.*, 19, 316-318). Rapprocher de l'interprétation de Chrysostome (*ut enim ille, qui ad exemplum tantum accepit Spiritum Sanctum, quo,*

D'autre part, il l'appelle « serviteur », ou « esclave » selon les autres interprètes, sous le rapport de son humanité[1] : c'est sous ce rapport qu'il lui donne (aussi) le nom de Jacob et d'Israël, étant donné que c'est de Jacob, qui est aussi Israël, qu'il est sorti selon la chair. De même, il reçoit aussi le très saint Esprit, non pas en tant que Dieu — car il ne manque de rien —, mais en tant qu'homme, afin de devenir le modèle de ceux qui ont cru en lui[2].

De cette douceur[3] témoignent à la fois ses paroles et ses actes : « Apprenez de moi, dit-il, que je suis doux et humble de cœur. » C'est ainsi qu'après avoir reçu un soufflet sur la joue, il dit à celui qui l'avait frappé : « Mon ami, si j'ai mal parlé, témoigne de ce qui est mal ; mais, si j'ai bien parlé, pourquoi me frappes-tu ? » Alors qu'il pouvait anéantir, en les foudroyant subitement, ceux qui se déchaînaient contre lui, les briser comme un roseau froissé et les éteindre comme une mèche fumante, il a supporté leur folie : il connaissait, en effet, l'issue de ces événements et savait que de là naîtrait la vérité. C'est ainsi également qu'après avoir été livré à la mort, il a resplendi à nouveau, rempli la terre de la vérité et attiré les nations à mettre en lui leur espérance. C'est ce qu'a dit le texte prophétique : « En son nom les nations mettront leur espérance. » Voilà encore ce qui dénonce ouvertement la déraison des Juifs : quelles nations ont mis en leur nom leur espérance ? Quelle nation, au contraire, ne leur a pas fait la guerre ? En revanche, c'est dans le nom de notre Dieu et Sauveur que toutes les nations mettent leur espérance.

5. *Ainsi parle le Seigneur Dieu qui a fait le ciel et qui l'a fixé, qui a affermi la terre et ce qu'elle contient, qui a*

ut fieret homo, non indigebat, sic etiam omnes vult esse sanctos, ut digni templa ac domicilia esse Spiritus Sancti efficiantur, M., p. 287-288, l. 2) et de celle de Cyrille (70, 849 D - 852 A).

3. Ce commentaire se rapporte aux versets 2 et 3 ; voir Chrysostome (*M.*, p. 289, § 2, 3).

πνοὴν τῷ λαῷ τῷ ἐπ' αὐτῆς καὶ πνεῦμα τοῖς πατοῦσιν (αὐ)τήν. Οὐ γὰρ μόνον ἐποίησεν ὁ θεὸς τὴν κτίσιν, ἀλλὰ καὶ τὸ διαρκὲς αὐτῇ δέδωκε, καὶ [ὅσο]ν αὐτὸς βούλεται διαμένει χρόνον. Ἔδωκε πᾶσι μὲν ἀνθρώποις πνοήν, τὸ δὲ 555 πανάγιον πνεῦμα [οὐ πᾶ]σιν ἀλλὰ τοῖς πατοῦσι τὴν γῆν, τουτέστι τὸ γήινον φρόνημα.

[6] **Ἐγὼ κύριος ὁ θεὸς ἐκάλεσά σε ἐν (δικαι)οσύνῃ καὶ κρατήσω τῆς χειρός σου καὶ ἐνισχύσω σε καὶ ἔδωκά σε εἰς διαθήκην γένους εἰς (φῶς) ἐθνῶν.** Πρὸς ὃν ἐκάλεσε παῖδα 560 ταῦτά φησι καὶ ὡς πρὸς ἄνθρωπον διαλέγεται. Τοιαῦτα δὲ [πολ]λὰ ταπεινὰ καὶ ἐν τοῖς θείοις εὐαγγελίοις εὑρίσκομεν· « Τὸ γὰρ παιδίον » φησὶν « ηὔξανε καὶ (ἐκρ)αταιοῦτο πνεύματι, καὶ χάρις θεοῦ ἦν ἐπ' αὐτό », καὶ πάλιν· « Ἰησοῦς προέκοπτεν ἡλικίᾳ καὶ σοφίᾳ καὶ (χάρι)τι παρὰ θεῷ καὶ 565 ἀνθρώποις », οὕτως εὐχόμενος ἔλεγεν· « Πάτερ, εἰ δυνατόν, παρελθέτω ἀπ' ἐμοῦ τὸ (ποτή)ριον τοῦτο. » Ὅτι δὲ ταῦτα ἀνθρώπινα ἦν, ὁμολογεῖν οἶμαι καὶ αὐτοὺς τοὺς τῇ θεότητι τοῦ μο[νογεν]οῦς πολεμοῦντας καὶ κτίσμα ταύτην ἀποκαλεῖν τολμῶντας. Καὶ ἐνταῦθα τοίνυν [ὡς ἀνθρώπῳ] ταῦτά φησιν· 570 Ἔδωκά σε εἰς διαθήκην γένους, εἰς φῶς ἐθνῶν. Μαρτυρεῖ δὲ καὶ τὸ [γένος] τῇ φύσει· Ἃ γὰρ ὑπεσχόμην τοῖς σοῖς κατὰ σάρκα προγόνοις, τῷ Ἀβραάμ, τῷ Ἰσαάκ, [τῷ Ἰα]κώβ, τῷ Δαυίδ, ταῦτα πεπλήρωκα νῦν καὶ διὰ σοῦ, ὃς ἐκ τῆς τούτων συγγενείας κατὰ σάρκα κατάγει, τὴν 575 μὲν πρὸς τούτους ἐπαγγελίαν πληρῶ, τοῖς δὲ ἔθνεσι τῆς θεο[γν]ωσίας τὸ φῶς χορηγῶ. Ταύτης τῆς συγγενείας καὶ

562 Lc 2, 40 563 Lc 2, 52 565 Matth.26, 39

1. Conformément à ses conceptions dyophysites, Théodoret rapporte à la nature humaine du Christ tout ce qui serait « indigne » de sa nature divine, les ταπεινά (cf. Introd., t. I, p. 98) ; voir aussi *infra*, 15, 255-260, 347-360.

2. Le texte n'est pas très clair. Théodoret semble vouloir dire que l'appartenance du Christ, selon la chair, au peuple juif est une preuve de sa divinité, compte tenu des promesses faites par Dieu aux patriarches.

donné le souffle au peuple qui l'habite et l'esprit aux êtres qui la foulent du pied. Dieu ne s'est pas contenté, en effet, de faire la création, il lui a également donné ce qui suffit aux besoins de ses habitants et elle demeure aussi longtemps qu'il le veut. Il a donné à tous les hommes le souffle, tandis que le très saint Esprit, il ne l'a pas donné à tous, mais (seulement) à ceux qui foulent la terre du pied, c'est-à-dire (à ceux qui méprisent) les pensées terrestres.

6. *Moi, le Seigneur Dieu, je t'ai appelé dans la justice, je te prendrai par la main et je te fortifierai ; je t'ai donné pour être l'alliance d'une race, pour être la lumière des nations.* C'est à celui qu'il a appelé « serviteur » qu'il dit cela et il s'adresse à lui comme s'il s'adressait à un homme[1]. Or, nous trouvons également dans les divins Évangiles bien des passages d'une semblable humilité : « Car le jeune enfant », dit (l'évangéliste) « grandissait et son esprit s'affermissait et la grâce de Dieu était sur lui », ou encore : « Jésus croissait en âge, en sagesse et en grâce devant Dieu et devant les hommes » ; de même, dans sa prière, il disait : « Mon Père, s'il est possible, que cette coupe passe loin de moi. » Mais, que cela concernait son humanité, je pense qu'en conviennent eux aussi les gens qui combattent la divinité du Fils unique et qui ont l'audace de la traiter de créature. Ici aussi, c'est donc comme s'il s'adressait à un homme qu'il fait cette déclaration : « Je t'ai donné pour être l'alliance d'une race, pour être la lumière des nations. » Or, même la race témoigne de sa nature[2] : Ce que j'ai promis à tes ancêtres selon la chair, à Abraham, à Isaac, à Jacob, à David, je l'ai accompli maintenant ; c'est grâce à toi, qui descends de leur lignée selon la chair, que j'accomplis la promesse que je leur ai faite et que je procure aux nations la lumière de la connaissance de Dieu. De cette lignée, le bienheureux Paul a également fait

ὁ μακάριος ἐμνημόνευσε Παῦλος · « (Ὧν) οἱ πατέρες »
φησὶ « καὶ ἐξ ὧν ὁ Χριστὸς τὸ κατὰ σάρκα ὁ ὢν ἐπὶ πάντων
θεὸς εὐλογητὸς εἰς τοὺς αἰῶνας, (ἀμ)ήν. » Ὁ γὰρ αὐτὸς
580 ἐξ Ἰουδαίων μέν ἐστι κατὰ σάρκα, ἐπὶ πάντων δὲ θεὸς ὡς
ἐκ τοῦ θεοῦ καὶ πατρὸς [πρὸ] τῶν αἰώνων γεγεννημένος.

Εἶτα προλέγει τὰς ἐσομένας θαυματουργίας · [7] **Ἀνοῖξαι
ὀφθαλ(μοὺς) τυφλῶν, ἐξαγαγεῖν ἐκ δεσμῶν δεδεμένους καὶ
ἐξ οἴκου φυλακῆς καθημένους ἐν σκό(τει.** Τυ)φλοὺς ἐνταῦθα
585 τοὺς τὸ ὀπτικὸν τῆς διανοίας κακῶς διακειμένους καλεῖ,
τοὺς δὲ αὐτοὺς (καὶ ταῖς) τῆς ἁμαρτίας πεπεδημένους
σειραῖς καὶ τῷ σκότει τῆς πλάνης κατεχομένους. Τούτους
(τοῦ ζόφου) τῆς ἀγνοίας ἐλευθερώσας καὶ τῆς ἁμαρτίας τὰ
δεσμὰ διαρρήξας προσήγαγε τῷ (τῆς ἀληθεί)ας φωτί.

590 [8] **Ἐγὼ κύριος ὁ θεός, τοῦτό μοί ἐστιν ὄνομα · τὴν δόξαν
μου ἑτέρῳ οὐ δώσω.** [Καὶ δει]κνὺς περὶ τίνων λέγει, ἐπήγαγεν · **Οὐδὲ τὰς ἀρετάς μου τοῖς γλυπτοῖς.** Ὁ γὰρ υἱὸς
τοῦ πατρὸς (ἔχει τὴν) δόξαν καὶ ἐν τῇ τοῦ πατρὸς ἐπιφα-
νήσεται δόξῃ · μία γὰρ υἱοῦ καὶ πατρὸς ἡ θεότης. Εἰ δέ
595 φησιν (ὁ θεὸς ὡς) ἑτέρῳ τὴν δόξαν οὐ δώσει, δείκνυται
δὲ ὁ υἱὸς τοῦ πατρὸς ἔχων τὴν δόξαν, δῆλον ὡς οὐχ ἕτερός
(ἐστι κα)τὰ τὴν οὐσίαν ἀλλὰ τὴν αὐτὴν ἔχει τῷ πατρὶ
φύσιν.

C : 584-589 τυφλοὺς — φωτί ‖ 592-598 ὁ — φύσιν

593 τοῦ πατρὸς[1] K : > C ‖ 594 υἱοῦ ... πατρὸς K : ∾ C ‖ 597-598 τῷ πατρὶ φύσιν Mö. : τῷ πατρὶ φύσει K τοῦ πατρὸς φύσιν C

577 Rom. 9, 5

---

1. Le passage souligne à la fois la dualité des natures du Christ et l'unicité de sa personne. Cyrille accusait Nestorius de prêcher l'existence de deux personnes (πρόσωπα) dans le Christ et de renouveler ainsi « l'erreur des deux fils », i.e. d'établir une nette distinction entre le fils de la Vierge, l'homme, et le fils de Dieu, le Verbe. Le ὁ αὐτός employé ici par Théodoret semble répondre à l'ἕτερος μέν ... ἕτερος δὲ que Cyrille reproche à Nestorius dans

mention : « Eux à qui (appartiennent) les patriarches, dit-il, et de qui descend le Christ selon la chair, lui qui est au-dessus de tout, Dieu béni pour les siècles ! Amen. » Car c'est le même[1] qui est issu des Juifs selon la chair et qui est Dieu au-dessus de tout, parce qu'il a été engendré du Dieu et Père avant les siècles.

Puis il prédit les miracles futurs : 7. *Pour ouvrir les yeux des aveugles, pour retirer des liens les captifs et de la prison les hommes assis dans les ténèbres.* Il appelle ici « aveugles » les hommes dont l'acuité intellectuelle se trouve altérée et, de même, ceux qui sont enchaînés par les liens du péché et retenus par les ténèbres de l'erreur[2]. Après les avoir délivrés de l'obscurité de l'ignorance et avoir rompu les liens du péché, il les a conduits à la lumière de la vérité[3].

8. *Moi, (je suis) le Seigneur Dieu, c'est là mon nom: je ne donnerai pas ma gloire à un autre.* Et, pour montrer de qui il parle, il a ajouté : *Ni mes mérites aux images gravées.* C'est le Fils qui possède la gloire du Père et c'est dans la gloire du Père qu'il se manifestera : car une est la divinité du Fils et du Père. Or, si Dieu dit qu'il ne donnera pas sa gloire à un autre et si le Fils possède manifestement la gloire du Père, il est évident qu'il n'est pas autre selon l'essence, mais qu'il a la même nature que le Père[4].

sa lettre à Acace (*PG* 77, ep. XL, 189 D) et souligne l'orthodoxie de la christologie de notre exégète ; rapprocher cet emploi de ὁ αὐτός de l'emploi de οὐ μόνον ... ἀλλὰ καί plus loin dans le commentaire (*In Is.*, 14, 249-250).

2. Même interprétation chez Eusèbe (*GCS* 271, 3-6) et chez Chrysostome (*M.*, p. 296, l. 5 s.).

3. Sur ce symbolisme, cf. *supra*, p. 208, n. 1.

4. Bien que le nom de l'hérésiarque ne soit pas prononcé, il est évident que Théodoret utilise le verset pour combattre les thèses ariennes et pour montrer la consubstantialité du Père et du Fils. Cyrille ménage également à cet endroit un développement théologique et christologique (70, 856 C).

[9] **Τὰ ἀπ' ἀρχῆς ἰδοὺ ἥκασιν,** ἃ πάλαι |152 a| φησὶ προ-
600 ηγόρευσεν. **Καὶ ⟨καινὰ ἃ ἐγὼ νῦν ἀναγγελῶ, καὶ πρὸ τοῦ ἀναγγεῖλαι ἐδηλώθη ὑμῖν.⟩** Καινὰ τοῖς ἀγνοοῦσι τὰ προφητικὰ θεσπίσματα, δῆλα τοῖς ἐκεῖνα πεπιστευμένοις · Καὶ πάλαι γὰρ αὐτά φησιν εἶπον ὑμῖν.

Ἐπειδὴ δὲ τὰ καινὰ μηνύει, εἰκότως ὕμνον καινὸν προ-
605 σενεγκεῖν παρακελεύεται τῷ θεῷ · [10] **Ὑμνήσατε τῷ θεῷ ὕμνον καινόν. Ἡ ἀρχὴ αὐτοῦ ἄνω δοξάζεται, τὸ ὄνομα αὐτοῦ δοξάζεται ἀπ' ἄκρου τῆς γῆς.** Καθάπερ γὰρ ἐν τοῖς οὐρανοῖς τὴν βασιλείαν αὐτοῦ καὶ τὴν δεσποτείαν ὑμνοῦσι τῶν ἀγγέλων οἱ δῆμοι, οὕτω τὸ σεπτὸν αὐτοῦ ὄνομα πᾶσα
610 (ἡ γῆ) προσκυνεῖ. **Οἱ κατοικοῦντες τὴν θάλασσαν καὶ πλέοντες αὐτήν, αἱ νῆσοι καὶ οἱ κατοικοῦντες αὐτάς.** Διαφερόντως δὲ τοῦτο ποιοῦσιν οἱ μὴ μόνον διὰ γῆς ἀλλὰ καὶ θαλάττης ὁδεύοντες ὥστε τοῦτο τὸ ὄνομα τοὺς ἀγνοοῦντας διδάξαι, ὅθεν οὐ μόνον ἠπειρῶται ἀλλὰ καὶ νησιῶται τὸν τῶν ὅλων
615 ὑμνοῦσι θεόν.

[11] **Εὐφράνθητι ἔρημος καὶ αἱ κῶμαι αὐτῆς, ἐπαύλεις καὶ οἱ κατοικοῦντες Κηδάρ. Εὐφρανθήσονται οἱ κατοικο(ῦντες) Πέτραν, ἀπ' ἄκρου τῶν ὀρέων βοήσουσι,** [12] **δώσουσι τῷ θεῷ δόξαν, τὰς ἀρετὰς αὐτοῦ ἐν ταῖς νήσοις ἀναγγελοῦσιν.**
620 Κηδὰρ τῶν Ἰσμαηλιτῶν τοὺς ἀπογόνους καλεῖ, Πέτρα δέ ἐστι τῶν Ἰδουμαίων μητρόπολις. Ἔδειξε τοίνυν καὶ διὰ τούτων ὁ προφητικὸς λόγος τὴν εἰς ἅπασαν τὴν οἰκουμένην χυ[θεῖσαν] θεογνωσίαν. Ὁρῶμεν δὲ καὶ ἡμεῖς τὴν τῆς προρρήσεως ἔκβασιν · οὐ γὰρ μόνον ἡ οἰκουμένη ἀλλὰ καὶ
625 ἡ ἀοίκητος καὶ αἱ νῆσοι πᾶσαι τῶν τῆς ἀληθείας ναμάτων

C : 601-603 καινὰ — ὑμῖν || 607-610 καθάπερ — προσκυνεῖ
619 νήσοις e tx.rec. : νυκταις K

---

1. EUSÈBE, comme précédemment (cf. p. 416, n. 1), fait du terme « îles » une manière de désigner les Églises (*GCS* 272, 29 s.). CYRILLE donne d'abord du terme une interprétation littérale, comme Théodoret, avant d'attribuer également à « îles » la valeur figurée d'« Églises » (70, 861 AC).

9. *Les choses qui remontent à l'origine, voici qu'elles sont arrivées*, celles qu'il a, dit-il, prédites depuis longtemps. *Et les choses nouvelles que je vais vous annoncer maintenant, avant même que je les annonce, elles vous ont été rendues évidentes.* Nouvelles pour les ignorants sont les prédictions prophétiques, mais évidentes pour ceux qui ont cru aux prédictions antérieures : Car voici déjà longtemps, dit-il, que je vous les ai faites.

Hymne à Dieu

Toutefois, puisqu'il fait de nouvelles révélations, il est naturel qu'il ordonne de présenter à Dieu un cantique nouveau : 10. *Chantez à Dieu un cantique nouveau. Son empire est glorifié dans les hauteurs, son nom est glorifié depuis l'extrémité de la terre.* Tout comme dans les cieux les assemblées des anges chantent sa royauté et sa souveraineté, toute la terre adore son nom auguste. *(Chantez un cantique) vous qui habitez la mer et vous qui naviguez sur elle, vous les îles et vous qui les habitez.* C'est ce que font tout particulièrement ceux qui sillonnent non seulement la terre mais aussi la mer, de manière à enseigner ce nom à ceux qui l'ignorent ; voilà pourquoi ce ne sont pas seulement les continentaux, mais aussi les insulaires qui chantent dans des hymnes le Dieu de l'univers[1].

11. *Réjouis-toi, désert, et vous ses bourgades, vous les campements et vous qui habitez Kédar. Ils se réjouiront les habitants de Pétra, du sommet des montagnes ils pousseront des cris*, 12. *ils rendront gloire à Dieu, ils annonceront ses mérites dans les îles.* Il appelle « Kédar » les descendants des Ismaélites ; quant à Pétra, c'est la capitale de l'Idumée. Par ces mots également le texte prophétique a montré que la connaissance de Dieu s'est répandue sur toute la terre. Or nous voyons, nous aussi, l'accomplissement de la prédiction, car, outre le monde habité, ce sont aussi les lieux sans habitations et toutes les îles qui ont joui

ἀπήλαυσαν. Ἐγὼ δὲ ἐβουλόμην Ἰουδαίου πυθέσθαι, ποίαν εὐφροσύνην Ἰσμαηλίταις καὶ Ἰδουμαίοις ὁ προφητικὸς εὐαγγελίζεται λόγος, πῶς δὲ αἱ νῆσοι τὸν τῶν ὅλων ὑμνοῦσι θεόν. Ἀλλ' ἐκείνους ἐπὶ τοῦ παρόντος ἐάσαντες τῆς ἀληθείας
630 ἐχώμεθα. [13] **Κύριος ὁ θεὸς τῶν δυνάμεων ἐξελεύσεται συντρῖψαι πόλεμον, ἐπεγερεῖ ζῆλον, σημανεῖ καὶ (βο)ήσεται ἐπὶ τοὺς ἐχθροὺς αὐτοῦ μετὰ ἰσχύος.** Αὐτὸς γὰρ κατέλυσε τοῦ θανάτου τὸ κράτος, αὐτὸς (τὸν) δρόμον τῆς ἁμαρτίας ἀνέκοψεν, αὐτὸς ἔπαυσε τοῦ διαβόλου τὴν τυραννίδα, αὐτὸς τῶν
635 (εἰδώλων) τὴν πλάνην κατέσβεσεν.

[14] **Ἐσιώπησα ἀπ' αἰῶνος· μὴ καὶ ἀεὶ σιωπήσομαι καὶ ἀνέξομ(αι) ; Ἐκαρτέρησα ὡς ἡ τίκτουσα.** Πολὺν ἠνεσχόμην χρόνον, πλείστῃ ἐχρησάμην μακροθυμίᾳ, ἤνεγκα [καταφρο]νούμενος. **Ἐκφανῶ καὶ ἐκστήσω καὶ ξηρανῶ ἅμα,**
640 [15] **ἐρημώσω ὄρη καὶ βουνοὺς καὶ πάντα τ(ὸν) χόρτον ξηρανῶ καὶ θήσω ποταμοὺς εἰς νήσους καὶ ἕλη ξηρανῶ.** Διὰ τούτων πάντων τὴν (παῦλαν) τῆς πλάνης ἐδήλωσεν· τὰ γὰρ ἐν τοῖς ὄρεσι καὶ τοῖς βουνοῖς τιμώμενα τεμένη τῶν εἰδώλων κατέλ(υσε) καὶ τὴν ἐκείνων μνήμην παρέδωκε
645 λήθῃ καὶ οἷόν τινα χόρτον ἐξήρανε, καὶ τὰ τῶ(ν φιλο)σόφων δόγματα καθάπερ τινῶν ποταμῶν ῥεύματα καταπαύσας οὐδὲ βραχεῖαν ἐ(ν αὐτοῖς) ἰκμάδα κατέλιπεν. Ὡσαύτως δέ φησι καὶ τὰ ποιητικὰ ἕλη δείξω ξηρά.

C : 632-635 αὐτὸς — κατέσβεσεν || 642-648 διὰ — ξηρά

633 τὸν δρόμον/τῆς ἁμαρτίας K : ∾ C || 635 κατέσβεσεν C : κατέλυσεν K || 642 πάντων K : ἁπάντων C || 644 παρέδωκε K : παραδέδωκε C || 648 ποιητικὰ C : ποιητὰ καὶ K

---

1. Cette manière de couper court à la polémique est habituelle à Théodoret dans ses commentaires (cf. t. I, p. 291, n. 1). L'expression « tenons-nous-en à la vérité » est un peu surprenante dans la mesure où Théodoret se contente d'ordinaire de la clausule plus banale « tenons-nous-en au commentaire » (v.g. *In Is.*, 3, 385) ; on serait donc tenté de lire ἑρμηνείας plutôt que ἀληθείας.

2. Cf. t. I, p. 190, n. 1.

3. Dans la *Thérap.*, Théodoret montre longuement les erreurs

des flots de la vérité. Quant à moi, je voudrais apprendre d'un Juif, quelle espèce de joie le texte prophétique annonce aux Ismaélites et aux Iduméens et comment les îles chantent dans des hymnes le Dieu de l'univers. Mais laissons les Juifs de côté pour le moment et tenons-nous-en à la vérité[1]. 13. *Le Seigneur Dieu des Puissances sortira pour briser la guerre, il réveillera (son) ardeur, il fera un signe et lancera des cris contre ses ennemis avec force.* C'est lui qui a détruit le pouvoir de la mort, c'est lui qui a brisé la course du péché, c'est lui qui a fait cesser la tyrannie du diable, c'est lui qui a mis fin à l'erreur des idoles.

L'œuvre de Dieu

14. *Je me suis tu depuis des siècles : est-ce que je me tairai et supporterai encore toujours? J'ai patiemment enduré comme la femme qui enfante.* J'ai supporté pendant longtemps, j'ai fait preuve de la plus grande patience, j'ai supporté d'être méprisé. *Je vais me manifester, me dresser et dessécher tout ensemble,* 15. *je vais désoler montagnes et collines et dessécher toute l'herbe verte, je vais transformer les fleuves en îles, et les marais, je vais les dessécher.* Par toutes ces déclarations il a clairement fait voir la cessation de l'erreur : de fait, il a détruit les sanctuaires des idoles en honneur sur les montagnes et sur les collines[2], il a livré le souvenir de ces idoles à l'oubli et l'a desséché comme de l'herbe verte ; les doctrines des philosophes, comme courants de fleuves, il les a fait cesser et n'a même pas laissé en elles une faible humidité. De la même manière, dit-il, les marais poétiques, je vais également les montrer asséchés[3].

ou les insuffisances de la philosophie grecque et raille en même temps les théogonies des poètes (*Thérap.* II, 8 s., 94, 103 ; VII, 6-10). L'expression péjorative « les marais poétiques », pour désigner les poètes, traduit bien le mépris et le dégoût de notre exégète pour les fables ridicules ou licencieuses inventées par les poètes sur les dieux. Pour CYRILLE également, ces « fleuves transformés en îles » et ces « marais asséchés » désignent les poètes et les orateurs grecs qui se

[16] **Καὶ ἄξω τυφλο(ὺς) ἐν ὁδῷ (ᾗ) οὐκ ἔγνωσαν, καὶ τρίβους**
650 **ἃς οὐκ ᾔδεισαν ποιήσω πατῆσαι αὐτούς.** Πάλιν τυφλοὺς τ(οὺς) ἀπιστίαν νοσοῦντας καὶ τὸ ὀπτικὸν τῆς διανοίας πεπηρωμένους καλεῖ. Τούτους ὑπισχ(νεῖται) ποδηγήσειν εἰς τὴν ἀγνοουμένην ὁδόν · οὐ γὰρ ᾔδεισαν τῆς ἀληθείας τὴν τρίβον ἀλλὰ τὰς τῆς ἀπά(της) ὥδευον ἀτραπούς. **Ποιήσω**
655 **αὐτοῖς τὸ σκότος εἰς φῶς.** Τῆς προτέρας αὐτοὺς ἀγνοίας ἀπαλλάξ[ας τῆς] θείας αὐτοὺς γνώσεως ἀξιώσω · ἔοικε γὰρ σκότει μὲν ἡ ἄγνοια, φωτὶ δὲ ἡ γνῶσις. **Καὶ τὰ (σκολιὰ) εἰς εὐθεῖαν.** Τὴν γὰρ δύσπορον τῆς σωφροσύνης καὶ τῆς ἐγκρατείας καὶ τῆς δικαιοσ[ύνης ὁδὸν] πεποίηκεν εὔπορον, τοῖς
660 πόνοις τῆς αρετῆς τὴν τῶν μελλόντων ἀγαθῶν συνάψας ἐλπί[δα].

(Ταῦτα) τὰ ῥήματα ἃ ποιήσω αὐτοῖς · καὶ οὐκ ἐγκαταλείψω αὐτούς, λέγει κύριος. Τούτων [τῶν ἀγαθῶν] αὐτοὺς διηνεκῶς ἀξιώσω καὶ πᾶσαν αὐτῶν κηδεμονίαν καὶ εἰς τὸν ἔπειτα
665 [ποιήσω] χρόνον. [17] **Αὐτοὶ δὲ ἀπεστράφησαν εἰς τὰ ὀπίσω.** Ἐμοῦ δὲ ταῦτα τοῖς ἔθνεσι τὰ ἀγαθὰ [διδόντος] οἱ τὰς ἐπαγγελίας ἔχοντες Ἰουδαῖοι καὶ τὰ μεγάλα ταῦτα θεώμενοι θαύματα τὴν ἐν[αντίαν ἐ]τράποντο τὴν ἐμὴν ἀρνούμενοι ποδηγίαν.

670 Ἀλλ' ἡμεῖς οἱ τῶν τοσούτων ἀπολαύο[ντες] ἀγαθῶν τὴν εὐθεῖαν ὁδεύωμεν ἑπόμενοι τῷ ποδηγοῦντι καὶ τὸ φῶς χορηγοῦν[τι θεῷ τῷ |152 b| καὶ τὴν αἰώνιον ὑπισχνου]μέν[ῳ] ζωήν, ἵνα καὶ ταύτης τύχωμεν χάριτι καὶ φιλανθρωπίᾳ τοῦ ὑπο[στηρίζοντος] σωτῆρος, μεθ' οὗ τῷ πατρὶ σὺν τῷ
675 παναγίῳ πνεύματι δόξα <καὶ>κράτος πρέπει καὶ μεγαλοπρέπεια [νῦν καὶ ἀεὶ] καὶ εἰς τοὺς αἰῶνας τῶν αἰώνων. Ἀμήν.

C : 650-654 πάλιν — ἀτραπούς

654 τὰς C : > K

---

faisaient les hérauts de l'erreur polythéiste (70, 869 AB), mais le terme d'« îles » peut toujours, selon lui, être une manière de désigner les Églises du Christ qui accueillent ceux qui naviguent de manière spirituelle et fuient l'esprit du mal (*id.*, 869 C).

1. Cf. *supra*, 12, 584-589. Rapprocher de l'interprétation de Cyrille (70, 872 A).

16. *Je conduirai les aveugles sur une route qu'ils ne connaissaient pas et je leur ferai fouler des chemins qu'ils ignoraient.* De nouveau, il appelle « aveugles » les hommes qui souffrent d'incroyance et qui sont privés d'acuité intellectuelle[1]. Il promet de guider leurs pas sur la route qu'ils ne connaissaient pas : car ils ignoraient le chemin de la vérité, mais empruntaient les sentiers de l'erreur. *Je transformerai pour eux les ténèbres en lumière.* Après les avoir délivrés de leur ignorance antérieure, je les jugerai dignes de la connaissance de Dieu : car l'ignorance ressemble aux ténèbres, tandis que la connaissance ressemble à la lumière[2]. *Et les chemins tortueux, en route droite.* En effet, le parcours difficile de la sagesse, de la domination de soi et de la justice, il en a fait un parcours aisé, puisque, aux efforts que réclame la vertu, il a attaché l'espérance des biens à venir.

Voilà les paroles que j'accomplirai pour eux; et je ne les délaisserai pas, dit le Seigneur. Je ne cesserai de les juger dignes de ces biens et je leur prodiguerai toute espèce de soins même à l'avenir. 17. *Mais eux, ils se sont retournés en arrière.* Alors que je donnai ces biens aux nations, les Juifs, qui avaient les Promesses et qui contemplaient ces grands miracles, se sont tournés vers la route opposée, en refusant que je guide leurs pas.

Parénèse

Mais nous, qui jouissons de si grands biens, empruntons la route droite, à la suite de Dieu qui (nous) guide et (nous) dispense la lumière, lui qui (nous) promet aussi la vie éternelle, afin que précisément nous l'obtenions par la grâce et la bonté du Sauveur qui nous soutient. Au Père, en union avec lui, dans l'unité du très saint Esprit, conviennent gloire, puissance et magnificence, maintenant et toujours, et pour les siècles des siècles. Amen.

2. Reprise du symbolisme habituel, cf. *supra*, 12, 587-589 et *passim*.

Αἰσχύνθητε αἰσχύνην οἱ πεποιθότες ἐπὶ τοῖς γλυπτοῖς, οἱ λέγοντες τοῖς χωνευτοῖς · Ὑμεῖς (ἐστε) θεοὶ ἡμῶν. Τὴν τῶν ἐθνῶν προθεσπίσας μεταβολὴν μεταφέρει τὸν λόγον πρὸς
5 Ἰουδαίους · περὶ γὰρ αὐτῶν καὶ ἤδη ἔφη · « Αὐτοὶ δὲ ἀπεστράφησαν εἰς τὰ ὀπίσω » τοσαῦτα θαύματα θεασάμενοι καὶ τὴν τῶν ἐθνῶν ἑωρακότες ἐπιστροφήν. Γλυπτὰ καὶ χωνευτὰ τὰ εἴδωλα κέκληκεν · τὰ μὲν γὰρ ἐκ ξύλων καὶ λίθων τὰ δὲ ἐκ χρυσοῦ καὶ ἀργύρου καὶ χαλκοῦ καὶ καττιτέρου
10 κατασκευασθήσεται.

[18] **Οἱ κωφοὶ ἀκούσατε, καὶ οἱ τυφλοὶ ἀναβλέψατε ἰδεῖν.** Εἶτα σαφέστερον διδάσκει τίνας αὐτῶν προσαγορεύει · [19] **Καὶ τίς τυφλὸς ἀλλ' ἢ ὁ λαός, παῖδές μου, (καὶ) κωφοὶ ἀλλ' ἢ οἱ κυριεύοντες αὐτῶν ;** Κυριεύοντας τοὺς βασιλεύον-
15 τας καὶ τοὺς ἄρχοντας καλεῖ, κωφοὺς δὲ αὐτοὺς ὀνομάζει ὡς τῶν προφητικῶν ἐπαΐειν οὐκ ἐθέλοντας λόγων. Τὸν δὲ (λοι)πὸν ὅμιλον τυφλὸν προσηγόρευσεν ὡς ὁρῶντα τὴν τῶν εἰδώλων ἀσθένειαν καὶ συνιδεῖν (οὐ) βουλόμενον.

Τίς τυφλὸς ὡς ὁ ἀπεσχηκώς ; Καὶ ἐτυφλώθησαν οἱ δοῦλοι
20 **τοῦ θεοῦ.** Ὁ δὲ Σύμμαχος [οὕτω] · « Τίς τυφλὸς ὡς ὁ τέλειος καὶ τυφλὸς ὡς ὁ δοῦλος κυρίου ; » Εἰ γὰρ καὶ τὰ ἔθνη φησὶν ὁμοίως πλανᾶται [ὅμως οὐ]κ ἴσην ἔχει κατηγορίαν · οὐ γὰρ ἔχει προφήτας δᾳδουχοῦντας πρὸς τὴν

C : 14-18 κυριεύοντας — βουλόμενον

14 βασιλεύοντας K : βασιλέας C ‖ 15 ἄρχοντας K : +καὶ τοὺς ἱερέας C ‖ 18 συνιδεῖν C : ἰδεῖν K

5 Is. 42, 17

---

1. Cf. l'interprétation similaire donnée par Cyrille (70, 873 C - 876 A).

TREIZIÈME SECTION

Contre les Juifs idolâtres

Rougissez de honte vous qui avez mis votre confiance dans les images gravées, vous qui dites aux objets fondus: C'est vous qui êtes nos dieux. Après avoir prophétisé le changement subi par les nations, il reprend son propos à l'adresse des Juifs, car c'est à leur sujet qu'il a dit précédemment : « Mais eux, ils se sont retournés en arrière », bien qu'ils aient contemplé de si grands miracles et vu la conversion des nations. Il a appelé « images gravées » et « objets fondus » les idoles, car on fabriquera les unes à partir du bois et de la pierre, les autres à partir de l'or, de l'argent, du bronze et de l'étain.

18. *Vous les sourds, écoutez, et vous les aveugles, levez les yeux pour voir.* Puis il enseigne plus clairement quels sont ceux d'entre eux qu'il désigne ainsi : 19. *Qui est aveugle, sinon mon peuple, mes enfants, et qui sont les sourds, sinon ceux qui les gouvernent?* Il appelle « ceux qui les gouvernent » les hommes qui exercent la royauté et le commandement et il les nomme « sourds » parce qu'ils ne veulent pas prêter l'oreille aux paroles prophétiques[1]. C'est, d'autre part, au reste de la foule qu'il a donné le nom d'« aveugle », parce que, tout en voyant la faiblesse des idoles, elle ne veut pas la reconnaître.

Qui est aveugle comme l'homme qui s'est éloigné? Et ils ont été aveuglés les serviteurs de Dieu. Symmaque donne la version suivante : « Qui est aveugle comme l'homme comblé et qui est aveugle comme le serviteur du Seigneur ? » Bien que les nations, dit-il, soient semblablement dans l'erreur, elles ne méritent pas cependant une accusation comparable : car elles n'ont pas les prophètes pour les

ἀλήθειαν οὐδὲ τοσαύ[της ἐπ]ιμελείας ἠξίωται. Καὶ ὁ
25 ἀπεσχηκὼς δὲ τὴν αὐτὴν ἔχει διάνοιαν, ἀντὶ τοῦ · ὁ ὑπὸ
τοῦ [θεοῦ π]ροκληθεὶς καὶ ἑαυτὸν ἀπορρήξας τῆς τοῦ θεοῦ
δουλείας καὶ τὴν τῶν εἰδώλων προελόμενος [θερ]απείαν.
[20] **Εἴδετε πλεονάκις καὶ οὐκ ἐφυλάξασθε · ἠνεῳγμένα τὰ ὦτα,
καὶ οὐκ ἠκούσατε.** Τὰ γὰρ θαύματα ἑώρων καὶ διδασκαλίας
30 θείας ἀπέλαυον καὶ οὔτε τὰ ὦτα τοῖς λόγοις οὔτε τοὺς
ὀφ(θα)λμοὺς τοῖς ἔργοις προσέφερον.

[21] **Κύριος ὁ θεὸς ἡμῶν ἐβούλετο, ἵνα δικαιωθῆτε καὶ
μεγαλύνητε αἴνεσιν.** Σαφῶς ἔδειξε τῆς αἰνέσεως τὸν σκοπόν ·
τοῦ γὰρ ὕμνου τὸ κέρδος ὁ τοῦτον προσφέρων καρποῦται.
35 **(Καὶ) εἶδε,** [22] **καὶ ἐγένετο ὁ λαὸς προνενομευμένος καὶ
διηρπασμένος.** Καὶ τὸν θεῖον ἡμᾶς ἐδίδαξε σκοπὸν καὶ [τὸ
τῆ]ς ἀνθρωπίνης κτίσεως αὐτεξούσιον. Αὐτὸς μὲν ὑμᾶς φησιν
ἐβούλετο δικαιωθῆναι τὴν εὐ[σέ]βειαν αἱρουμένους, ὑμεῖς
δὲ τὴν ἐναντίαν ὁδεύσαντες τὸν ὄλεθρον ἐτρυγήσατε. **Ἡ γὰρ
40 παγὶς ἐν τοῖς ταμείοις πανταχοῦ καὶ ἐν οἴκοις ἅμα ὅπου
ἔκρυψαν αὐτούς.** Παγίδα καλεῖ τὴν περὶ τὰ εἴδωλα πλάνην ·
ὥσπερ γὰρ ἡ παγὶς ἀγρεύει τῶν ἀλόγων τὰ γένη, οὕτως
ἡ πλάνη τῶν ἀνθρώπων τὸ γένος. Ἐδίδαξε [δὲ] ὁ προφητικὸς
λόγος ὡς πανταχοῦ τὰ εἴδωλα προσεκύνουν.
45 **Ἐγένοντο εἰς προνομήν, καὶ οὐ(κ ἦν) ὁ ἐξαιρούμενος.**
Ἀποστάντες γὰρ τῆς ἐμῆς θεραπείας τῆς ἐμῆς οὐκ ἀπήλαυον
προμη(θεί)ας. **Ἅρ(πα)γμα, καὶ οὐκ ἦν ὁ λέγων · Ἀπόδος.**
Ταῦτα ὑπέμειναν ὑπὸ Βαβυλωνίων καὶ ὕστερον ὑ(π)ὸ
Ῥωμαίων οὐδενὸς ἐπαμύνοντος οὐδὲ δίκας τῆς ἀσεβείας
50 εἰσπραττομένου.

C : 29-31 τὰ — προσέφερον || 33-34 σαφῶς — καρποῦται || 41-43 παγίδα — γένος || 46-47 ἀποστάντες — προμηθείας || 48-50 ταῦτα — εἰσπραττομένου

46 ἀποστάντες C : ἀποστήσαντες K

---

1. Sur cette reconnaissance du libre arbitre de l'homme, cf. t. I, p. 273, n. 3.
2. Cette phrase commente la fin du verset (« partout où il les

guider de leur lumière vers la vérité et elles n'ont pas été jugées dignes d'une aussi grande sollicitude. « Celui qui s'est éloigné » a également le même sens ; cela revient à dire : celui qui a été appelé par Dieu et qui s'est violemment écarté du service de Dieu pour lui préférer le culte des idoles. 20. *Vous avez vu à bien des reprises et vous n'avez pas pris garde ; vos oreilles étaient ouvertes et vous n'avez pas entendu.* Ils voyaient les miracles et bénéficiaient de l'enseignement divin, et ils n'ouvraient pas plus leurs oreilles à ces paroles que leurs yeux à ces actions.

21. *Le Seigneur notre Dieu le voulait, afin que vous soyez justifiés et que vous magnifiiez sa louange.* Il a clairement montré le but de la louange : c'est celui qui présente l'hymne qui en recueille le profit. *Et il a vu*, 22. *et le peuple était pillé et dispersé.* Il nous a enseigné à la fois le but divin et le libre arbitre de la créature humaine[1]. Alors qu'il voulait, dit-il, que vous soyez justifiés en choisissant la piété, vous avez au contraire pris la route opposée et récolté la mort. *Car le filet (était tendu) dans les retraites tout comme dans les demeures, partout où ils les cachaient.* Il appelle « filet » l'erreur relative aux idoles : tout comme le filet capture les espèces animales privées de raison, l'erreur fait de même pour l'espèce humaine. D'autre part, le texte prophétique a enseigné qu'ils adoraient les idoles en tout lieu[2].

Ils sont devenus comme une proie et nul n'était là pour les délivrer. Comme ils s'étaient détournés de mon culte, ils ne bénéficiaient pas de mes soins. *(Ils sont devenus) comme un butin et nul n'était là pour dire : Restitue !* C'est le traitement qu'ils ont supporté de la part des Babyloniens et, plus tard, de la part des Romains, sans que personne ne vienne à leur secours et n'exige le châtiment de l'impiété.

cachaient »), où le pronom αὐτούς est source d'obscurité. Cyrille met encore plus nettement en évidence cette difficulté du texte : Τίνας δὲ αὐτούς ; χωνευτοὺς δηλόνοτι θεούς (70, 877 A).

[23] Τίς (ἐν) ὑμῖν, ὃς ἐνωτιεῖται ταῦτα, προσέξει καὶ εἰσακούσεται εἰς τὰ ἐπερχόμενα ; [24] Τίς ἔδωκεν (εἰς διαρ)παγὴν Ἰακὼβ καὶ Ἰσραὴλ τοῖς προνομεύουσιν αὐτόν ; Ταῦτα κατ' ἐρώτησιν εἰρηκὼς ἐπιδεί[κνυσι σα]φῶς τὸν τοῦτο
55 πεποιηκότα, ἐπιδείκνυσι δὲ <καὶ> τῆς αἰτίας τὸ εὔλογον · **Οὐχὶ ὁ θεός, ᾧ ἥμαρτον αὐτῷ (καὶ οὐκ ἐ)βούλοντο ἐν ταῖς ὁδοῖς αὐτοῦ πορεύεσθαι οὐδὲ ἀκούειν τοῦ νόμου αὐτοῦ ;** Προὔδωκέ φησιν (αὐτοὺς ὁ νο)μοθέτης, ἐπειδὴ τὴν παρανομίαν ἠγάπησαν.

60 **[25] Καὶ ἐπήγαγεν ἐπ' αὐτοὺς ὀργὴν θυμοῦ (αὐτοῦ, καὶ κ)ατίσχυσεν αὐτῶν πόλεμος καὶ οἱ συμφλέγοντες αὐτοὺς κύκλῳ.** Οὐ γὰρ μόνον οἱ πόρρωθεν [αὐτοῖς ἐπῆλθον] ἀλλὰ καὶ οἱ πλησιόχωροι συνεμάχουν ἐκείνοις δῃοῦντες καὶ ἐμπιπρῶντες καὶ τὴν [γῆν αὐτ]ῶν διαφθείροντες. **Καὶ οὐκ**
65 **ἔγνωσαν ἕκαστος αὐτῶν οὐδὲ ἔθεντο ἐπὶ ψυχήν, καὶ ἀνήφθη (ἐν αὐτοῖς).** Τὴν δὲ αἰτίαν τῶν ἀνιαρῶν συνιδεῖν οὐκ ἠθέλησαν. Ταύτην δὲ τὴν νόσον καὶ νῦν ἔχουσιν ['Ιουδαῖοι] · τῆς γὰρ πολυθρυλήτου μητροπόλεως αὐτῶν ἐξεληλαμένοι καὶ τῆς θείας παντελῶς γυμνωθέντες [κηδεμονίας] τὴν τῶν
70 κακῶν οὐ συνορῶσιν αἰτίαν.

43[1] Καὶ νῦν οὕτως λέγει κύριος ὁ θεὸς ὁ ποιήσας |153 a| **σε Ἰακὼβ καὶ ὁ πλάσας σε Ἰσραήλ · Μὴ φοβοῦ, ὅτι ἐλυτρωσάμην σε, ἐκάλεσά σε τὸ ὄνομ(ά σου) Ἐμὸς-εἶ-σύ.** Καὶ παιδεύων ὁ φιλάνθρωπος οὐ καταλείπει τὸν ἔλεον ἀλλ' ἅπερ
75 νομοθετεῖ πρῶτος ποιεῖ — ἔλεγξον γάρ φησιν, ἐπιτίμησον, παρακάλεσον. Ἐνταῦθα δὲ τοὺς ἀνδραποδισθέντας καὶ τὴν Βαβυλωνίαν κατειληφότας ψυχαγωγεῖ. Καὶ ἐπειδὴ λαὸς τοῦ θεοῦ ἐχρημάτιζεν, εἰκότως ἔφη · Ἐκάλεσά (σε) τὸ ὄνομά σου Ἐμός - εἶ - σύ. Τοῦτό φησιν εἶχες ὄνομα τὸ ἐξ ἐμοῦ

C : 58-59 προὔδωκε — ἠγάπησαν

58 φησιν αὐτοὺς K : ∾ C

75-76 cf. Tite 2, 15 (?)

23. *Qui est celui d'entre vous qui recueillera ces choses en ses oreilles, qui y fera attention et l'entendra en vue de l'avenir?* 24. *Qui a livré au pillage Jacob et Israël à ceux qui le ravagent?* Après avoir dit cela sous forme interrogative, il fait connaître clairement celui qui l'a fait et fait connaître aussi le bien-fondé du motif : *N'est-ce pas Dieu, contre qui ils ont péché puisqu'ils ne voulaient pas marcher dans ses voies et écouter sa Loi?* C'est l'auteur de la Loi qui les a livrés, dit-il, parce qu'ils ont chéri l'iniquité.

25. *Aussi a-t-il lancé sur eux la colère de son cœur irrité, et la guerre les a vaincus avec l'aide de ceux qui les consumaient alentour.* De fait, pour marcher contre eux, il n'y eut pas seulement les ennemis venus de loin : leurs voisins aussi assistaient militairement ces derniers pour tuer, pour mettre le feu et dévaster leur terre. *Et ils n'ont pas compris, nul d'entre eux, et ils ne se sont pas rendu compte, et on a mis le feu au milieu d'eux.* Ils n'ont pas voulu reconnaître la cause de leurs infortunes. Or cette maladie est maintenant encore celle des Juifs : bien qu'ils aient été chassés de leur fameuse capitale et totalement dépouillés de la sollicitude divine, ils ne reconnaissent pas la cause de leurs malheurs.

Consolation pour les déportés de Babylone

43, 1. *Et maintenant ainsi parle le Seigneur Dieu qui t'a créé, Jacob, et qui t'a formé, Israël: Ne crains pas, parce que je t'ai racheté, je t'ai appelé par ton nom « Tu-es-à-moi ».* Même lorsqu'il inflige une punition, le (Dieu) de bonté ne se départ pas de la pitié, mais il est le premier à faire ce qu'il commande : « Blâme, dit-il, adresse des reproches, redonne courage. » Or il réconforte ici ceux qui ont été réduits en esclavage et qui ont gagné la Babylonie. Et, puisqu'il portait le titre de peuple de Dieu, c'est à juste raison qu'il (lui) a dit : « Je t'ai appelé par ton nom ' Tu-es-à-moi '. » Tu avais pour nom, dit-il, celui que tu m'empruntais. 2. *Si*

80 καλεῖσθαι. [2]**Καὶ ἐὰν διαβαίνῃς δι' ὕδατος, μετὰ σοῦ εἰμι, καὶ ποταμοὶ οὐ συγκλύσουσί σε.** Οὕτως γάρ φησι καὶ τὴν Ἐρυθρὰν διέβης Θάλασσαν καὶ τὸν Ἰορδάνην ποταμόν. **Καὶ ἐὰν διέλθῃς διὰ πυρός, οὐ μὴ κατακαυθῇς, φλὸξ οὐ κατακαύσει σε,** [3]**ὅτι ἐγὼ κύριος ὁ θεός σου ὁ ἅγιος Ἰσραὴλ**
85 **ὁ σῴζων σε.** Καὶ μάρτυρες οἱ γενναῖοι μάρτυρες Ἀνανίας Ἀζαρίας Μισαὴλ διὰ τὴν εἰς τὸν θεὸν ἐλπίδα περιγενόμενοι τῆς φλογός.

Ἐποίησα ἄλλαγμα Αἴγυπτον καὶ Αἰθιοπίαν καὶ Συήνην ὑπὲρ σοῦ. Τὴν Συήνην καὶ ὁ Ἑβραῖος καὶ οἱ Λοιποὶ
90 Ἑρμηνευταὶ « Σαβὰ » τεθείκασιν · ἔθνος δὲ καὶ τοῦτο Αἰθιοπικόν. Προσημαίνει δὲ ὁ λόγος τὴν τῶν ἐθνῶν ἐπιστροφήν · ὑμῶν γάρ φησιν ἀντιτεινόντων καὶ πιστεύειν οὐ βουλομένων ἕτερον ἐξ ἐθνῶν διαφόρων ἐμαυτῷ κατασκευάσω λαόν. [4]**Ἀφ' οὗ ἔντιμος ἐγένου ἐναντίον ἐμοῦ, ἐδοξάσθης κἀγώ**
95 **σε ἠγάπησα.** Τὰς εὐεργεσίας ὧν ἀπήλαυσαν ἐξηγεῖται · ἀγαπηθείς φησιν ὑπ' ἐμοῦ καὶ ἐκλεχθεὶς ἐπίσημος ἐγένου καὶ πολυθρύλητος. **Καὶ δώσω ἀνθρώπους ὑπὲρ σοῦ πολλοὺς καὶ ἄρχοντας ὑπὲρ τῆς κεφαλῆς σου.** Τοὺς Βαβυλωνίους λέγει οὓς τῷ Κύρῳ παρέδωκεν.
100 [5]**Μὴ φοβοῦ, ὅτι μετὰ σοῦ εἰμι, ἀπὸ ἀνατολῶν ἄξ(ω) τὸ σπέρμα σου καὶ ἀπὸ δυσμῶν συνάξω σε.** Ταῦτα μετὰ τὴν τῶν Βαβυλωνίων κατάλυσ(ιν) τὸ πέρας ἐδέξατο · ὁ γὰρ Κῦρος αὐτοῖς ἐπανελθεῖν εἰς τὴν Ἰουδαίαν ἐκέλευσεν. Τότε τούτων ἐπανελθόντων ἀπὸ τῆς ἕω οἱ κατὰ τὸν τοῦ πολέμου
105 καιρὸν πεφευγότες καὶ τὴν ἑσπέραν κατειληφότες ἐπανῆλθον ὡς εἰκὸς τὴν τῆς Ἰουδαίας εἰρήνην μεμαθηκότες. Ἀληθῶς μέντοι <καὶ> κυρίως ὁ λόγος δηλοῖ τοὺς διὰ τῶν ἱερῶν

C : 81-82 οὕτως — ποταμόν || 85-87 καὶ — φλογός || 95-97 τὰς — πολυθρύλητος || 98-99 τούς — παρέδωκεν || 101-103 ταῦτα — ἐκέλευσεν

107 διὰ Mö. : δὲ K

85-87 cf. Dan. 3 ; 1, 6-7

1. Chrysostome rappelle lui aussi le célèbre épisode des jeunes gens dans la fournaise (*M.*, p. 302, § 1-9, l. 9 s.).

tu franchis l'eau, je suis avec toi et les fleuves ne t'engloutiront pas. C'est ainsi, dit-il, que tu as franchi la mer Rouge et le Jourdain. *Et si tu traverses le feu, tu ne seras pas brûlé, la flamme ne te brûlera pas,* 3. *parce que je suis le Seigneur ton Dieu, le Saint d'Israël qui te sauve.* En sont précisément témoins les valeureux martyrs Ananias, Azarias, Misaël, qui ont dû à leur espérance en Dieu d'être plus forts que la flamme[1].

J'ai échangé l'Égypte, l'Éthiopie et Syéné contre toi. Au lieu de Syéné le texte hébreu et le reste des interprètes ont mis « Saba » ; or c'est également une nation d'Éthiopie[2]. Le texte indique par avance la conversion des nations : puisque vous manifestez votre opposition, dit-il, et que vous ne voulez pas croire, je me constituerai un autre peuple à partir de diverses nations. 4. *Depuis que tu as eu de la valeur à mes yeux, tu as été glorieux et moi je t'ai aimé.* Il fait la somme des bienfaits dont ils ont joui : c'est parce que je t'ai aimé, dit-il, et que je t'ai choisi, que tu es devenu considéré et fameux. *Et je donnerai contre toi des hommes en grand nombre et des chefs contre ta tête.* Il veut parler des Babyloniens qu'il a livrés à Cyrus.

5. *Ne crains pas, parce que je suis avec toi, du levant je ramènerai ta race et du couchant je te rassemblerai.* Ces prédictions ont reçu leur accomplissement après la ruine des Babyloniens : Cyrus a ordonné, en effet, aux (Juifs) de rentrer en Judée. Lorsque ces derniers furent rentrés d'Orient, ceux qui avaient pris la fuite au moment de la guerre et gagné l'Occident rentrèrent alors au pays, après avoir appris vraisemblablement la paix survenue en Judée. Toutefois, c'est avec vérité et exactitude que le texte fait voir clairement les hommes que les saints

2. Joseph ZIEGLER, dans son introduction au commentaire d'EUSÈBE sur Isaïe (*GCS*, p. XLIX), compare cette interprétation de Théodoret à celles d'EUSÈBE (*id.*, 277, 22 s., 31 s. ; 294, 15 s.), de PROCOPE DE GAZA (*PG* 87, 2384 A) et de JÉRÔME (*PL* 24, 429 C) pour montrer que l'imitation de Théodoret n'est jamais servile.

ἀποστόλων ἐκ πάσης κληθέντας τῆς οἰκουμένης καὶ τῆς σωτηρίας τετυχηκότας · καὶ γὰρ ἐν ἑκάστῃ πόλει πρώτοις
110 Ἰουδαίοις προσέφερον τὰ θεῖα παιδεύματα.

[6] **Ἐρῶ τῷ βορρᾷ · Ἄγε, καὶ τῷ λιβί · Μὴ κώλυε.** Ἀπὸ τῶν κλιμάτων τοὺς βασιλέας ἐκάλεσεν · βορειοτέρα μὲν γὰρ τῆς (Ἱερουσα)λὴμ ἡ Βαβυλών, πρὸς λίβα δὲ κεῖται ἡ Αἴγυπτος. Καὶ τούτοις φησὶν ἐπαναγαγεῖν κελεύσω
115 τὸν (ἐμὸν) λαὸν καὶ τούτοις μὴ ἀντιπράττειν. **Ἄγε τοὺς υἱούς μου ἀπὸ γῆς πόρρωθεν καὶ τὰς θυγατέρας μου (ἀπ' ἄ)κρου τῆς γῆς,** [7] **πάντας ὅσοι ἐπικέκληνται τῷ ὀνόματί μου · ἐν γὰρ τῇ δόξῃ μου κατεσκεύασα αὐτὸν (καὶ) ἔπλασα αὐτὸν καὶ ἐποίησα αὐτόν.** [8] **Ἐξήγαγον λαὸν τυφλόν, καὶ οἱ**
120 **ὀφθαλμοὶ αὐτῶν ὡσαύτως (εἰσὶ) τυφλοί, καὶ κωφὰ τὰ ὦτα ἔχοντες.** Καὶ τὴν οἰκείαν ἔδειξε πρόνοιαν καὶ τὴν ἐκείνων ἤλε(γξεν) ἀπιστίαν · Ἐγὼ μὲν γάρ φησι πάσης αὐτοὺς κηδεμονίας ἠξίωσα, αὐτοὶ δὲ τυφλώττοντες καὶ κωφεύοντες διετέλεσαν · οὔτε γὰρ τὰ θαύματα ἑώρων οὔτε τῶν θείων
125 λογίων ἐπήκουον.

[9] **Πάντα (τὰ ἔθνη) συνήχθησαν ἅμα, καὶ συναχθήσονται ἄρχοντες ἐξ αὐτῶν.** Οὗτοι μὲν οὖν τυφλώττουσι καὶ κ[ωφεύουσι], πάντα δὲ τὰ ἔθνη τὸν οἰκεῖον ἐπέγνω θεὸν καὶ μία ἐκ πάντων ἐκκλησία συνέστη, καὶ ἐξ αὐτῶν [τῶν
130 ἐθνῶν] τούτων εἰσὶ καὶ τῆς ἐκκλησίας οἱ ἄρχοντες. Ὁρῶμεν δὲ καὶ τῆσδε τῆς προφητείας τὸ [πέρας · Σύ]ρων μὲν γὰρ προστατεύουσι Σύροι, Κιλίκων δὲ <Κίλικες> καὶ Ῥωμαίων Ῥωμαῖοι καὶ βάρβαροι βαρ[βάρων]. Ἄρχοντας δὲ τοὺς ἱερέας καλεῖ.

C : 111-115 ἀπὸ — ἀντιπράττειν || 121-125 καί[1] — ἐπήκουον

114 ἐπαναγαγεῖν K : ἐπανάγειν C || 122 αὐτοὺς C : > K || 125 ἐπήκουον C : ὑπήκουον K

109-110 cf. Act. 13, 14.46

---

1. Alors que Théodoret a recours à l'interprétation typologique, le verset s'applique directement pour Cyrille (70, 888 D - 889) à la libération spirituelle opérée par le Christ.

apôtres ont appelés du monde entier et qui ont obtenu le salut[1] : de fait, dans chaque ville, les Juifs étaient les premiers à qui ils présentaient les divins enseignements.

6. *Je dirai au Borée : Ramène-(les) ! et au Lips : Ne les retiens pas*[2] *!* C'est d'après la position géographique qu'il a appelé les rois ; de fait, Babylone est plus au nord que Jérusalem et l'Égypte se trouve du côté du sud[2]. J'ordonnerai aux uns, dit-il, de faire revenir mon peuple, et aux autres de ne pas s'opposer (à son retour). *Ramène mes fils d'une terre lointaine et mes filles des extrémités de la terre,* 7. *tous ceux qui sont appelés de mon nom ; car je l'ai façonné pour ma gloire, je l'ai formé et je l'ai créé.* 8. *J'ai ramené un peuple aveugle ; leurs yeux de la même manière sont aveugles et sourdes sont les oreilles qu'ils possèdent.* Il a à la fois montré sa propre providence et blâmé leur incrédulité : Pour moi, dit-il, je les ai jugés dignes de toute espèce de sollicitude, mais eux, ils ont persisté à être aveugles et sourds : les miracles, ils ne les voyaient pas, et aux oracles divins ils ne prêtaient pas l'oreille.

L'appel des nations

9. *Toutes les nations se sont rassemblées et leurs chefs se rassembleront.* Tandis qu'ils sont ainsi aveugles et sourds, toutes les nations ont reconnu leur propre Dieu, une unique Église s'est rassemblée de toutes (les nations) et de ces nations elles-mêmes sortent aussi les chefs de l'Église. Or nous voyons également l'accomplissement de cette prophétie : ce sont, en effet, des Syriens qui sont à la tête des Syriens, des Ciliciens à la tête des Ciliciens, des Romains à la tête des Romains et des barbares à la tête des barbares. Il appelle « chefs » les prêtres.

2. Par métonymie, « Borée » désigne le Nord et « Lips », le Sud. Sur ce type d'interprétation fréquent chez Théodoret, cf. *In Is.*, 2, 686-691 (t. I, p. 249, n. 1) ; 5, 419-420 (t. II, p. 99, n. 2) ; 12, 474-478 (*id.*, p. 430, n. 2) ; 15, 384-389 (t. III).

135 **Τίς ἀναγγελεῖ ταῦτα ἐν αὐτοῖς ἢ τὰ ἐξ ἀρχῆς τίς ἀκουστὰ ποιή(σει ὑμῖν)** ; Ὑμεῖς δὲ οὐδὲ τῶν ἤδη γεγενημένων ἀναμιμνήσκεσθε οὐδὲ τὰ ἐσόμενα βούλεσθε πρ[ομαθεῖν]. **Ἀγαγέτωσαν τοὺς μάρτυρας αὐτῶν καὶ δικαιωθήτωσαν καὶ ἀκουσάτωσαν καὶ εἰπάτωσαν (ἀληθῆ).** Μάρτυρας καλεῖ τοὺς
140 προφήτας · διὰ τούτων γὰρ αὐτοῖς καὶ προὔλεγε καὶ διεμαρτύρετο. Πρ(ῶτος) δὲ τούτων ὁ μακάριος Μωυσῆς, τούτῳ γὰρ ἔφη πρώτῳ · « Καταβὰς διαμάρτυραι (τῷ λαῷ) τούτῳ. » Ἐκεῖνος <δὲ> διαμαρτυρόμενος καὶ τὴν τούτων ἀλλοτρίωσιν καὶ τῶν ἐθνῶν προηγόρευσε [τὴν
145 μεταβολήν]. |153 b| [10] **Γένεσθέ μοι μάρτυρες, καὶ ἐγὼ μάρτυς, λέγει κύριος ὁ θεός, καὶ ὁ παῖς ὃν ἐξελεξάμην, ἵνα γνῶτε καὶ πιστεύσητέ μοι καὶ συνῆτε ὅτι ἐγώ εἰμι.** Εἰ βούλεσθέ φησιν ἔχειν με τῆς ὑμετέρας ψήφου μάρτυρα, (μαρ)τυρήσατε τῇ ἀληθείᾳ μου πρότεροι · τούτου γὰρ
150 γιγνομένου οὐκ ἐγὼ μαρτυρήσω μόνος ἀλλὰ καὶ ὁ ἐκλεκτός μου παῖς · καλεῖ δὲ οὕτως οὔτε Μωυσέα οὔτε ἄλλον τινὰ τῶν προφητῶν ἀλλὰ τὸν δεσπότην Χριστόν. Καλεῖ δὲ αὐτὸν οὕτως οὐχ ὡς θεὸν ἀλλ' ὡς ἄνθρωπον · ἐκλεκτὸς γὰρ ὡς ἄνθρωπος ὀνομάζεται. Ταύτην δὲ τῶν μαρτύρων
155 τὴν δυάδα καὶ ἐν τοῖς ἱεροῖς εὐαγγελίοις εὑρίσκομεν · τοῖς γὰρ Ἰουδαίοις ὁ δεσπότης Χριστὸς διαλεγόμενος ἔφη · « Ἐν τῷ νόμῳ ὑμῶν γέγραπται ὅτι δύο ἀνθρώπων ἡ μαρτυρία ἀληθής ἐστιν. Ἐγὼ μαρτυρῶ περὶ ἐμαυτοῦ, καὶ μαρτυρεῖ περὶ ἐμοῦ ὁ πέμψας με πατήρ. » Οὕτω καὶ
160 ἐνταῦθα · Ἐγὼ μάρτυς, λέγει κύριος ὁ θεός, καὶ ὁ παῖς μου ὃν ἐξελεξάμην, ἵνα γνῶτε καὶ πιστεύσητέ μοι καὶ συνῆτε ὅτι ἐγώ εἰμι.

C : 139-143 μάρτυρας — τούτῳ ‖ 147-152 εἰ — Χριστόν

143 δὲ add. Ka. ‖ 150 γιγνομένου C^r : γινομένου KC (praeter C^r)

142 Ex. 19, 10.21 157 Jn 8, 17-18

---

1. Même interprétation chez Cyrille (70, 896 D) et chez Chrysostome (*M.*, p. 303, l. 23 s.) pour qui ces « témoins » sont soit les prophètes, soit les livres prophétiques.

Qui annoncera cela parmi eux ou bien qui parviendra à vous faire entendre les choses (arrivées) depuis l'origine? Vous, au contraire, vous ne vous souvenez pas des événements déjà survenus et vous ne voulez pas prendre une connaissance anticipée des événements futurs. *Qu'ils produisent leurs témoins et qu'ils se justifient, qu'ils écoutent et qu'ils disent la vérité.* Il appelle « témoins » les prophètes[1] : Dieu les utilisait pour leur faire des prédictions et des adjurations. Le premier d'entre eux fut le bienheureux Moïse ; ce fut, en effet, le premier à qui il a dit : « Descends et adjure ce peuple. » Or, dans son adjuration, notre prophète a annoncé à la fois l'hostilité des Juifs et le changement subi par les nations. 10. *Devenez mes témoins et moi, (je serai votre) témoin, dit le Seigneur Dieu, (moi) et le serviteur que j'ai choisi, afin que vous sachiez, que vous ayez foi en moi et que vous compreniez que c'est moi qui suis.* Si vous voulez, dit-il, m'avoir pour témoin de votre jugement, soyez les premiers à rendre témoignage à ma vérité : dans ce cas-là, je ne serai pas seul à vous rendre témoignage, mais il y aura aussi mon serviteur choisi ; or, ce n'est ni Moïse ni un autre des prophètes qu'il appelle ainsi, mais notre Maître le Christ. Et il l'appelle ainsi non pas en tant que Dieu, mais en tant qu'homme : car c'est en tant qu'homme qu'il est nommé « choisi ». D'autre part, nous trouvons également dans les saints Évangiles ce nombre de deux témoins ; au cours d'une conversation avec les Juifs, notre Maître le Christ a, en effet, déclaré : « Il est écrit dans votre Loi que le témoignage de deux personnes est véridique. Je me rends personnellement témoignage à moi-même et c'est le Père qui rend témoignage à mon sujet, lui qui m'a envoyé. » De même ici également : « Moi (je serai votre) témoin, dit le Seigneur Dieu, (moi) et mon serviteur que j'ai choisi, afin que vous sachiez, que vous ayez foi en moi et que vous compreniez que c'est moi qui suis. »

Ἔμπροσθέν μου οὐκ ἐγένετο ἄλλος θεὸς καὶ μετ' ἐμὲ οὐκ ἔσται. Ἐγὼ τὴν παλαιὰν ἔδωκα διαθήκην, ἐγὼ δώσω καὶ
165 τὴν καινήν, ἐγὼ τὰ ἐν Αἰγύπτῳ πεποίηκα θαύματα, ἐγὼ τῆς Βαβυλωνίων ὑμᾶς ἐλευθερώσω δουλείας. [11] **Ἐγώ εἰμι, ἐγώ εἰμι ὁ θεός σου, καὶ οὐκ ἔσται πάρεξ ἐμοῦ σῴζων.** Καὶ ταῦτα τὴν μίαν (κη)ρύττει θεότητα. Ὅτι γὰρ καὶ ὁ δεσπότης Χριστὸς σωτὴρ ὑπὸ τῆς θείας γραφῆς ὀνομάζεται, οἶμαι
170 καὶ τοὺς Ἀρείου (καὶ) Εὐνομίου συνομολογεῖν φοιτητάς· εἰ δὲ πάρεξ αὐτοῦ σῴζων οὐκ ἔστι, σωτὴρ δὲ καὶ ὁ Χριστὸς ὀνομάζεται, ἐξ ἐ(κεί)νης ἐστὶ δηλονότι τῆς φύσεως. Εἰ δὲ οὐκ ἔστι κατὰ τὸν λόγον τῶν βλασφημούντων, οὐδὲ σωτήρ ἐστι (κατὰ) τὴν τῆς προφητείας ἀπόφασιν. Εἰ δὲ σωτήρ
175 ἐστιν, ἐκ τῆς αὐτῆς ἄρα οὐσίας ἐστίν, ἧς μόνης ἴδιον (τὸ) σῴζειν.

[12] **Ἐγὼ ἀνήγγειλα καὶ ἔσωσα.** Προεῖπον καὶ τὸ πέρας ἐπέθηκα. **Ὠνείδισα, καὶ οὐκ ἦν ἐν ὑμῖν ἀλλότριος.** [Τὸ] ὠνείδισα οἱ Τρεῖς « ἠκούτισα » τεθείκασιν ἀντὶ τοῦ ἐμαρτυ-
180 ράμην. Καὶ τὸ ὠνείδισα δὲ τὴν αὐτὴν ἔχει [διά]νοιαν· ἀεὶ γὰρ ἁμαρτάνοντες ὠνειδίζοντο. Τοῦτο δὲ λέγει ὅτι, ἡνίκα ἐνομοθέτουν, ἀλλότριος [οὐ πα]ρῆν θεός. **Ὑμεῖς ἐμοὶ μάρτυρες, καὶ ἐγὼ κύριος ὁ θεός.** Ἴστε φησὶ σαφῶς ὡς οὐδεὶς ὑμᾶς ἕτερος [ἐξεζή]τησεν, ἀλλὰ τῆς παρ' ἐμοὶ προνοίας
185 ἀπηλαύσατε μόνης. [13] **Ἔτι ἀπ' ἀρχῆς ἐγώ εἰμι· καὶ οὐκ ἔστιν (ὁ) ἐκ τῶν χειρῶν μου ἐξαιρούμενος, ποιήσω καὶ τίς**

C : 164-166 ἐγὼ — δουλείας || 167-176 καὶ² — σῴζειν ||

166 τῆς C : τῶν K || ἐλευθερώσω K : ἠλευθέρωσα C || 171 ὁ K : > C || 175 ἐκ K : > C || ἄρα K : > C

---

1. Théodoret utilise le verset pour affirmer l'unicité de la Divinité, mais également, de façon plus voilée, la consubstantialité du Père (A.T.) et du Fils (N.T.), ce que fait nettement Eusèbe (*GCS* 279, 13-14).

2. Ce type de raisonnement rigoureux auquel Théodoret donne l'allure du syllogisme est caractéristique de sa polémique anti-arienne ; cf. *infra*, 13, 313-318 et Introd., t. I, p. 86.

Un seul Dieu *Avant moi il n'y eut pas d'autre Dieu et après moi il n'y en aura pas.* C'est moi qui ai donné l'Ancien Testament, c'est moi qui donnerai également le Nouveau ; c'est moi qui ai accompli les miracles en Égypte, c'est moi qui vous libérerai de l'esclavage des Babyloniens[1]. 11. *Moi je suis, moi je suis ton Dieu, et en dehors de moi il n'y aura pas de sauveur.* Voilà encore ce qui proclame l'unique Divinité. De fait, que notre Maître le Christ est nommé sauveur par la divine Écriture, je pense que même les sectateurs d'Arius et d'Eunomius en conviennent ; or, si en dehors de lui il n'y a personne pour sauver et si le Christ est également appelé sauveur, il participe évidemment à cette nature. Mais, s'il n'(y) participe pas, selon l'affirmation de ceux qui blasphèment, il n'est pas non plus sauveur, selon la déclaration de la prophétie. Mais, s'il est sauveur, il participe donc à la même essence, à laquelle seulement appartient en propre la faculté de sauver[2].

12. *C'est moi qui ai annoncé et qui ai sauvé.* J'ai fait les prédictions et je les ai menées à leur terme. *J'ai fait des reproches et je n'étais pas parmi vous un étranger.* Les trois interprètes ont rendu le verbe « j'ai fait des reproches » par le verbe « j'ai fait entendre »[3], ce qui revient à dire : j'ai pris à témoin. Le verbe « j'ai fait des reproches » a aussi le même sens : c'est parce qu'ils ne cessaient pas de pécher qu'ils essuyaient des reproches. Il fait d'autre part la déclaration suivante : lorsque je donnais la Loi, ma présence n'était pas celle d'un Dieu étranger. *Vous êtes mes témoins et moi, je suis le Seigneur Dieu.* Sachez clairement, dit-il, que personne d'autre ne s'est préoccupé de vous, mais que vous avez bénéficié uniquement de ma providence. 13. *Dès l'origine je suis; et il n'y a personne pour arracher de mes mains ; j'agirai et qui m'en détournera?*

3. La variante est également donnée par Eusèbe (*GCS* 279, 31-32).

ἀποστρέψει αὐτό ; Ταῦτα καὶ διὰ τοῦ μακαρίου [Μωυσ]έως ἔφη · « Ἐγὼ ἀποκτενῶ καὶ ζῆν ποιήσω, πατάξω κἀγὼ ἰάσομαι, καὶ οὐκ ἔστιν ὃς (ἐξελ)εῖται ἐκ τῶν χειρῶν μου. »
190 [14]**Οὕτως λέγει κύριος ὁ θεὸς ὁ λυτρούμενος ὑμᾶς ὁ ἅγιος τοῦ Ἰσραήλ · Ἕνεκεν ὑμῶν ἀποστελῶ εἰς Βαβυλῶνα καὶ ἐπεγερῶ φεύγοντας πάντας, καὶ Χαλδαῖοι ἐν πλοίοις δεθήσονται.** Τὴν τῶν Βαβυλωνίων προλέγει κατάλυσιν καὶ τῶν Χαλδαίων τὸν ἀνδραποδισμόν. Ταῦτα δέ φησιν ὑμῶν [ἕνε]κεν
195 πείσονται, ἐπειδὴ συνιδεῖν οὐκ ἠθέλησαν ὡς ἑκόντος μου νενικήκασι καὶ παρ' ἐμοῦ [ἀποδοκιμασθέν]τας ὑμᾶς ἔλαβον αἰχμαλώτους. [15]**Ἐγὼ κύριος ὁ θεὸς ὁ ἅγιος ὑμῶν, ὁ καταδείξας Ἰσραὴλ β(ασιλέα ὑμῶν).** [Τοῦ]το δὲ ὁ Σύμμαχος οὕτως ἡρμήνευσεν · « Ἐγὼ κύριος ὁ ἅγιος ὑμῶν, κτίστης
200 Ἰσραήλ, βασιλεὺς ὑμῶν », συμφωνοῦσι δὲ καὶ οἱ Λοιποί. Ἐγὼ γάρ φησι τὸν ὑμέτερον διέπλασα πρόγονον καὶ βασιλεύειν ὑμῶν [ἠθέλησα].

[16]**Οὕτως λέγει κύριος ὁ δοὺς ὁδὸν ἐν θαλάσσῃ καὶ ἐν ὕδατι ἰσχυρῷ τρίβον,** [17]**ὁ ἐξαγαγὼν ἅρ(ματα) καὶ ἵππον**
205 **καὶ ὄχλον πολὺν καὶ ἰσχυρόν.** Τῶν ἐπὶ Μωυσέως γεγενημένων ἀναμιμνήσκει (θαυμάτ)ων καὶ τῆς ξένης ἐκείνης καὶ παραδόξου λεωφόρου, ἣν <ἡ> Μωσαϊκὴ κατεσκεύασε ῥά(βδος), ἐν ᾗ ἅρματα Φαραὼ καὶ τὴν δύναμιν αὐτοῦ ἔρριψεν εἰς θάλασσαν. **Ἀλλ' ἐκοιμήθησαν καὶ (οὐκ ἀναστή)σονται,**
210 **ἐσβέσθησαν ὡς λίνον ἐσβεσμένον.** Περὶ τῶν Αἰγυπτίων ταῦτά φησιν, ὅτι διῶξαι (τὸν Ἰσρα)ὴλ πειραθέντες πανωλεθρίαν ὑπέμειναν. [18]**Μὴ μνημονεύετε τὰ πρῶτα, καὶ τὰ ἀρχαῖα μὴ (συλλογί)ζεσθε ·** [19]**Ἰδοὺ γὰρ ἐγὼ ποιῶ καινὰ ἃ**

C : 187-189 ταῦτα — μου ‖ 193-194 τὴν — ἀνδραποδισμόν ‖ 205-209 τῶν — θάλασσαν ‖ 210-212 περὶ — ὑπέμειναν

188 Deut. 32, 39

1. Chrysostome recourt pour ce verset à l'explication typologique en rapportant le terme de « roi » tour à tour à Zorobabel et au Christ : *Specie quidem Zorobabel, re autem Christum indicat* (*M.*, p. 304, 12 - 305, 1).

Voilà ce qu'il a dit aussi par l'intermédiaire du bienheureux Moïse : « C'est moi qui tuerai et qui ferai vivre, je frapperai et c'est moi qui guérirai, et il n'y a personne pour délivrer de mes mains. »

La ruine de Babylone

14. *Ainsi parle le Seigneur Dieu qui vous rachète, le Saint d'Israël: A cause de vous j'enverrai à Babylone et je ranimerai tous les fuyards; les Chaldéens seront mis aux fers sur des navires.* Il prédit la ruine des Babyloniens et la réduction en esclavage des Chaldéens. Voilà ce qu'ils subiront à cause de vous, dit-il, puisqu'ils n'ont pas voulu se rendre compte que leur victoire a dépendu de mon bon vouloir et qu'ils vous ont fait prisonniers parce que je vous avais rejetés. 15. *Moi, je suis le Seigneur Dieu, votre Saint, celui qui a produit au jour Israël, votre roi.* De ce passage, Symmaque a donné l'interprétation suivante : « Moi je suis le Seigneur, votre Saint, le créateur d'Israël, votre roi » ; le reste des interprètes également est en accord avec son interprétation. C'est moi, dit-il, qui ai formé votre ancêtre et qui ai voulu le voir régner sur vous[1].

Un nouvel Exode

16. *Ainsi parle le Seigneur qui a ouvert une route dans la mer et au milieu des eaux impétueuses un chemin,* 17. *lui qui a mis en campagne chars et cheval, une armée importante et puissante.* Il rappelle les miracles qui se sont produits à l'époque de Moïse, et notamment ce passage étrange et extraordinaire que le bâton de Moïse a ménagé (dans la mer) ; les chars et les forces armées du Pharaon qui s'y étaient engagés, il les a précipités dans la mer. *Mais ils se sont couchés et ne se relèveront pas, ils se sont éteints comme une mèche qu'on a éteinte.* Ce qu'il dit concerne les Égyptiens, puisqu'ils ont tenté de poursuivre Israël et ont éprouvé une ruine totale. 18. *Ne vous souvenez pas des choses premières, ne repassez pas les choses anciennes:* 19. *Voici,*

νῦν ἀνατελεῖ, καὶ γνώσεσθε αὐτά. Ἀξιαγαστότερά φησιν
215 [ἔσται τῶν] γεγενημένων τὰ ὑπ' ἐμοῦ γενησόμενα. Τίνα δὲ ταῦτα, ἐπάγει· **Καὶ ποιήσω ἐν τῇ ἐρήμῳ (ὁδὸν) καὶ ἐν τῇ ἀνύδρῳ ποταμούς.** Τινὲς ὑπέλαβον περὶ τῆς <ἀπὸ τῆς> Βαβυλῶνος ἐπανόδου ταῦτα [οὐκ ὀρθῶς]· οὔτε γὰρ ὁδὸν αὐτοῖς ξένην οὔτε ποταμοὺς ἐπανιοῦσιν ἐδωρήσατο τότε.
220 Ἀλλὰ καλεῖ |154 a| ἔρημον μὲν τὰ ἔθνη, ποταμοὺς δὲ τὰ τῶν ἀποστόλων κηρύγματα, ὁδὸν δὲ τὴν ἀπλανῆ πορείαν.

Τοῦτο δὲ καὶ τὰ ἐπαγόμενα δηλοῖ· [20] **Εὐλογήσει με τὰ θηρία τοῦ ἀγροῦ,** οἱ θηριώδη βίον πάλαι βεβι[ωκότες]. **Σειρῆνες** δὲ **καὶ θυγατέρες στρουθῶν,** οἱ τοῖς κεκαλλιεπη-
225 μένοις λόγοις καταθέλγοντες τοὺς ἀνθρώπους (ῥή)τορες καὶ φιλόσοφοι, τῆς πλάνης ἀπαλλαττόμενοι καὶ μεταμανθάνοντες τὴν ἀλήθειαν ἐμὲ τὸν εὐεργέτην ὑμνήσουσιν. Θυγατέρας δὲ στρουθῶν οἱ Λοιποὶ « στρουθοκαμήλους » ἡρμήνευσαν. Τοῦτο δὲ τὸ ζῷον πεζὸν μέν ἐστι, μετέχει δὲ ὅμως καὶ

C : 220-221 ἀλλὰ — πορείαν ‖ 224-231 οἱ — κεχηνότες
219 αὐτοῖς Mö. : αὐτῆς K ‖ 220 καλεῖ/ἔρημον μὲν K : ∾ C

1. Tel est en particulier l'avis de Chrysostome (*M.*, p. 305, l. 12 s.) qui établit, par le biais de la typologie, un rapport entre le passage de la mer Rouge, le retour d'exil de Babylone et l'enseignement du Christ : « Alors, en effet, j'ai fendu la mer et j'ai dressé ses eaux à la manière d'un mur ; et maintenant je vais permettre à des fleuves de courir à travers une terre sans eau. Cependant les routes dans le désert et les fleuves dans la terre sans eau désignent d'abord de manière métaphorique *(metaphorice)* la libération du peuple de la captivité à Babylone, puis en réalité *(reapse)* l'enseignement du Christ, conformément à cette parole : ' De son sein couleront des fleuves d'eau vive ' (*Jn* 7, 38). Vois-tu dans l'un et l'autre faits ou plutôt dans tous les trois la puissance de Dieu ? » Plus proches de l'interprétation de Théodoret sont celles d'Eusèbe (*GCS* 281, 1-9) et de Cyrille (70, 905 C - 908), même s'ils ont recours plus nettement que Théodoret à l'interprétation typologique : tous deux font du passage à travers la mer Rouge la figure de ce que réalisera le Christ dans le « désert » qu'étaient les nations grâce aux « fleuves » des enseignements divins, cela avec quelques variantes dans l'interprétation des trois termes « désert, route, fleuve ».

en effet, que moi je fais des choses nouvelles qui maintenant vont se lever et vous les connaîtrez. Ce que je vais faire, dit-il, méritera (encore) plus d'admiration que ce qui a été fait. Il ajoute ce que ce sera : *Et je ferai une route dans le désert et des fleuves dans la terre sans eau.* D'aucuns ont pensé que ces déclarations concernent le retour de Babylone[1] : c'est à tort, car il ne les a gratifiés à ce moment-là, tandis qu'ils rentraient d'exil, ni d'une route étrange ni de fleuves. Mais il appelle « désert » les nations, « fleuves » les prédications des apôtres, et « route » le trajet qui échappe à l'erreur.

Ce qu'il ajoute le fait également bien voir : 20. *Les bêtes des champs me célébreront*, ceux qui menaient autrefois une vie semblable à celle des bêtes[2]. *Ainsi que les sirènes et les filles des autruches*, ceux dont les propos élégamment tournés charment les hommes — les rhéteurs et les philosophes[3] —, s'écarteront de l'erreur, apprendront en retour la vérité et me chanteront dans des hymnes, moi leur bienfaiteur. Le reste des interprètes a traduit « filles des autruches » par « autruches »[4]. Cet animal est un bipède ; il se rattache, néanmoins, en partie également à l'espèce

2. Même interprétation chez Eusèbe (*GCS* 281, 12-14) et chez Cyrille (70, 908 CD).

3. Eusèbe évoque à propos des sirènes les inventions des poètes (*GCS* 281, 17-20), mais l'interprétation de Cyrille est plus proche de celle de Théodoret : pour lui les mots « sirènes » et « filles des autruches » désignent ceux dont la parole sait charmer (εὐστομεῖν), les maîtres de la superstition (δεισιδαιμονία) chez les Grecs, i.e. les poètes et les orateurs (70, 908 D).

4. Même remarque chez Eusèbe qui ajoute que l'autruche vit dans les lieux solitaires (*GCS* 281, 20-21). La variante signalée paraît avoir pour but d'expliquer une expression quelque peu surprenante, mais on s'étonne de ne pas voir Théodoret rapprocher cette expression « filles des autruches » des expressions « fils des hommes, fils des prophètes », pour dire seulement « hommes » et « prophètes », qu'il signalait plus haut comme des « idiomes » hébraïques (cf. *In Is.*, 1, 141-142).

230 τῆς πτηνῆς φύσεως. Τοιοῦτοι δέ εἰσιν οἱ ἐν λόγοις τὸν βίον ποιούμενοι καὶ πρὸς γῆν κεχηνότες. Ἀλλ' ὅμως καὶ τούτοις ὁ λόγος ὑπισχνεῖται μεταβολήν· **Ὅτι ἔδωκα ἐν τῇ ἐρήμῳ ὕδωρ καὶ ποταμοὺς ἐν τῇ ἀνύδρῳ ποτίσαι τὸ γένος μου τὸ ἐκλεκτόν, [21] τὸν λαόν μου ὃν περιεποιησάμην τὰς**
235 **ἀρετάς μου ἐξηγεῖσθαι.** Γένος αὐτοῦ κατὰ τὴν ἀνθρωπείαν ἣν ἔλαβε φύσιν πᾶσα τῶν ἀνθρώπων ἡ φύσις, πλησιέστερον δὲ τῶν Ἰουδαίων τὸ ἔθνος· πρόδηλον γάρ φησιν ὅτι ἐξ Ἰούδα ἀνατέταλκεν ὁ κύριος ἡμῶν Ἰησοῦς.

[22] **Οὐ νῦν ἐκάλεσά σε Ἰακώβ.** Ἄνωθέν φησιν· « Ἐξελε-
240 ξάμην σε. » Οὐ γὰρ νῦν σε μετὰ τῶν ἄλλων ἐθνῶν τῆς σωτηρίου ἠξίωσα [κλήσεως]. **Οὐδὲ κοπιᾶσαι ἐποίησά σε Ἰσραήλ, [23] οὐκ ἤνεγκάς μοι πρόβατα τῆς ὁλοκαρπώσεώς σου.** Τοῖς γὰρ εἰδώλοις ταῦτα προσέφερες. **Οὐδὲ ἐν ταῖς θυσίαις σου ἐδόξασάς με.** Ἐπεισάκτου γὰρ οὐ δέομαι δόξης.
245 **Οὐκ ἐδούλευσάς μοι ἐν δώροις, οὐδὲ ἔγκοπόν σε ἐποίησα ἐν λιβάνῳ, [24] οὐδὲ ἐκτήσω μοι ἀργυρ(ίου) θυμίαμα, οὐδὲ στέαρ τῶν θυσιῶν σου ἐπεθύμησα.** Ταῦτα ἐν τοῖς προοιμίοις τῆσδε [τῆς] προφητείας ἐξέβαλεν ὁ δεσπότης.

Ἀλλ' ἐν ταῖς ἁμαρτίαις σου καὶ ἐν ταῖς ἀδικίαις σου
250 **προέστην (σου).** Διὰ γὰρ τῆς παρανομίας ἐπεσπάσω τὴν τιμωρίαν, ἐγὼ δὲ σοῦ πᾶσαν ἐποιούμην κηδεμονί[αν]. [25] **Ἐγώ εἰμι, ἐγώ εἰμι αὐτὸς ὁ ἐξαλείφων τὰς ἀνομίας σου ἕνεκεν ἐμοῦ, καὶ τὰς ἁμαρτίας σου οὐ μ(νη)σθήσομαι.** Τὸ ἐμαυτῷ ἁρμόττον ποιῶ καὶ φιλάνθρωπος ὢν ἐλέῳ χρῶμαι
255 καὶ οὐχ ἁπλῶς ἀφίημι τ[ὰς] ἁμαρτίας ἀλλὰ καὶ αὐτὰς τὰς τούτων ἐξαλείφω κηλῖδας καὶ λήθῃ τὴν τούτων παραδίδωμι [μνή]μην.

235 ἐξηγεῖσθαι e tx.rec. : οὐκ ἐξηγεῖσθε K ‖ 237 τῶν Mö. : τὸ K ‖ 238 ἀνατέταλκεν Mö. : ἀνέσταλκεν K ‖ 248 προφητείας ἐξέβαλεν Mö. : δεσποτείας ἐξέλαβεν K

239 Is. 41, 9 247-248 cf. Is. 1, 11

1. *Isaïe* 1, 11 auquel renvoie également Eusèbe (*GCS* 281, 1-4).

des volatiles. Tels sont ceux qui trouvent dans les paroles leur moyen d'existence et qui restent bouche bée devant (les biens de) la terre. Néanmoins, même à eux, le texte promet un changement : *Parce que j'ai donné de l'eau dans le désert et des fleuves dans la terre sans eau pour étancher la soif de ma race choisie*, 21. *pour que mon peuple que je me suis réservé publie mes vertus.* Selon la nature humaine qu'il a revêtue, c'est l'ensemble de l'espèce humaine qui constitue sa race, mais à un degré de parenté plus étroit, c'est la nation juive : de toute évidence, dit-il, c'est de Juda que s'est élevé notre Seigneur Jésus.

Ingratitude du peuple choisi

22. *Ce n'est pas maintenant que je t'ai appelé, Jacob.* Depuis l'origine, dit-il, « je t'ai choisi ». Ce n'est pas maintenant, en effet, avec les autres nations, que je t'ai jugé digne de recevoir l'appel du salut. *Et je ne t'ai point coûté de fatigues, Israël*, 23. *tu ne m'as pas apporté les brebis de ton holocauste.* Car tu les présentais aux idoles. *Et dans tes sacrifices tu ne m'as pas glorifié.* Car je n'ai pas besoin d'une gloire qui vient du dehors. *Tu n'as pas été assujetti à me faire des présents et je n'ai pas provoqué ta fatigue à t'imposer un tribut d'encens*, 24. *tu n'as pas acheté à prix d'argent du parfum et je n'ai pas désiré la graisse de tes sacrifices.* Ce sont les offrandes qu'au début de cette prophétie le Maître a rejetées[1].

Mais au milieu de tes péchés et de tes injustices je t'ai protégé. Ton iniquité a attiré sur toi le châtiment, mais je prenais de toi toutes sortes de soins. 25. *C'est moi, c'est moi personnellement qui efface tes iniquités à cause de moi et, de tes péchés, je ne me souviendrai pas.* J'agis en conformité avec ma nature et, compte tenu de ma bonté, je fais preuve de miséricorde ; je n'enlève pas purement et simplement les péchés, mais j'efface aussi jusqu'à leurs taches et je livre à l'oubli leur souvenir.

[26] Σὺ δὲ μνήσθητι, καὶ κριθῶμεν ἅμα. Σύ φησι τῶν ἐπταισμένων μὴ ἐπιλάθῃ ἀλλ' ἀσ[φαλῶς] ἔχε τὴν τούτων μνήμην,
260 ἵνα γινώσκῃς ἀεὶ τῆς εὐεργεσίας τὸ μέγεθος καὶ φύγῃς τῶν ὁ[μοίων] τὴν πρᾶξιν. Ἐπειδὴ δὲ κρίσεως ἀνέμνησε καὶ φόβον εἰκότως ἀνέθηκε, διδάσκει τοὺς ὑπ[ευθύ]νους τῆς νίκης τὸν τρόπον · **Λέγε σὺ τὰς ἀνομίας σου πρῶτος, ἵνα δικαιωθῇς.** Οὐ βούλομαί [φησι] νικῆσαί σε ἀλλὰ τὴν ἧτταν
265 ἀσπάζομαι. Μάθε πῶς οἷόν τέ σε νικῆσαι, ὁμολόγησ[ον] π[ρό]τερον τὰ ἐπταισμένα, κἀγώ σοι τῆς συγγνώμης ὀρέγω τὴν ψῆφον · ἐὰν κρύψῃς ἐλέγξω, ἐ[ὰν] ὁμολογήσῃς ἀπαλείψω.

Εἶτα ὁ κριτὴς ὑπὲρ τῆς γεγενημένης τιμωρίας ἀπολογίαν πρ[οσ]φέρει · **[27] Οἱ πατέρες ὑμῶν πρῶτοι ἥμαρτον καὶ οἱ**
270 **ἄρχοντες ὑμῶν ἠνόμησαν εἰς ἐμέ, [28] (καὶ ἐμί)αναν οἱ ἄρχοντές σου τὰ ἅγιά μου, καὶ ἔδωκα ἀπολέσαι Ἰακὼβ καὶ Ἰσραὴλ εἰς ὀνειδισμόν.** (Πρὸς) τοὺς ἐν Βαβυλῶνι ταῦτα εἴρηκεν. Οὐκ ἐγώ φησι τούτων αἴτιος τῶν συμφορῶν ἀλλ' οἱ πατέρες (ὑμῶν) καὶ οἱ ἱερεῖς ὑμῶν τοὺς ἐμοὺς παραβεβηκότες
275 νόμους · διὰ γὰρ τὴν ἐκείνων (παρα)νομίαν ἐπονείδιστος γέγονεν ὁ πολυθρύλητος Ἰσραήλ.

44[1] Νῦν δὲ ἄκουσον Ἰακὼβ ὁ παῖς (μου καὶ) Ἰσραὴλ ὃν ἐξελεξάμην · [2] οὕτως λέγει κύριος ὁ θεός σου ὁ ποιήσας σε καὶ ὁ πλάσας σε ἐκ κοιλίας · (Ἐγὼ) βοηθήσω σοι. Συνεχῶς
280 καὶ τῆς δημιουργίας καὶ τῆς μετὰ τὴν δημιουργίαν ἀν(αμιμνή)σκει προμηθείας. **Μὴ φοβοῦ παῖς μου Ἰακὼβ καὶ ὁ ἠγαπημένος Ἰσραὴλ ὃν ἐξε(λεξάμην), [3] ὅτι ἐγὼ δώσω ὕδωρ ἐν δίψῃ τοῖς πορευομένοις ⟨ἐν ἀνύδρῳ⟩.** Οὐ μόνον σύ φησι τῶν ἐμῶν ἀπολαύ(σεις ἀγα)θῶν, ἀλλὰ καὶ τὰ ἄνυδρα ἔθνη
285 διὰ τῶν σῶν ἀπογόνων πίεται τὰ σωτήρια νάματα.

C : 272-276 πρὸς — Ἰσραήλ || 279-281 συνεχῶς — προμηθείας || 283-285 οὐ — νάματα

272 ταῦτα K : > C || 273 τούτων K : > C

1. Reprise d'une métaphore habituelle, cf. t. I, p. 140, n. 1 et p. 185, n. 2.

26. *Mais toi, souviens-toi et qu'on nous juge ensemble.* Toi n'oublie pas tes erreurs, dit-il, mais conserve fermement leur souvenir, afin que tu reconnaisses la grandeur de mes bienfaits et que tu évites d'accomplir de semblables actions. Or, puisqu'il a fait mention d'un procès et qu'il a fait à juste titre planer la crainte, il enseigne à ceux qui doivent rendre des comptes le moyen d'(en) sortir victorieux : *Toi, le premier, dis tes iniquités, afin d'être justifié.* Je ne veux pas te vaincre, dit-il, au contraire je recherche la défaite. Apprends de quelle manière il t'est possible de vaincre : sois le premier à reconnaître tes erreurs et, de mon côté, je présente en ta faveur la sentence du pardon ; si tu (les) dissimules, je te convaincrai de culpabilité ; si tu (les) reconnais, je les effacerai.

Puis le juge présente une justification du châtiment qui a eu lieu : 27. *Vos pères les premiers ont péché et vos chefs ont agi avec iniquité envers moi ;* 28. *tes chefs ont souillé mes lieux saints et j'ai livré Jacob à la mort et Israël à l'outrage.* Il a prononcé ces mots à l'adresse de ceux qui étaient à Babylone. Ce n'est pas moi, dit-il, qui suis la cause de ces malheurs, mais vos pères et vos prêtres qui ont transgressé mes lois : leur iniquité a transformé en objet de honte le fameux Israël.

Bénédiction du peuple dans sa descendance

44, 1. *Maintenant écoute, Jacob mon serviteur, et toi, Israël que j'ai choisi ;* 2. *ainsi parle le Seigneur ton Dieu qui t'a fait et qui t'a formé dès le sein maternel : Je te porterai secours.* Il ne cesse de faire mention de la création et de sa prévenance après la création. *Ne crains pas, Jacob mon serviteur, et (toi) mon bien aimé, Israël que j'ai choisi,* 3. *parce que je donnerai de l'eau dans leur soif à ceux qui marchent sur une terre sans eau.* Tu ne seras pas seul à jouir de mes biens, dit-il, mais les nations privées d'eau boiront aussi, grâce à tes descendants, les flots qui procurent le salut[1].

[Δηλοῖ δὲ] τοῦτο σαφέστερον τὰ ἐπαγόμενα · **Ἐπιθήσω τὸ πνεῦμά μου ἐπὶ τὸ σπέρμα σου (καὶ τὰς εὐλογίας μου) ἐπὶ τὰ τέκνα σου.** Πρὸς τοὺς ἐν Βαβυλῶνι διαλεγόμενος ὑπισχνεῖται οὐκ αὐτοῖς (δώσειν τὴν) |154 b| χάριν τοῦ πνεύματος
290 ἀλλὰ τοῖς ἐκείνων ἀπογόνοις. Τοῦτο δὲ καὶ δι' Ἰωὴλ τοῦ προφήτου ἐθέσπισεν · « Ἔσται ἐν ταῖς ἐσχάταις ἡμέραις ἐκχεῶ ἀπὸ τοῦ πνεύματός μου ἐπὶ πᾶσαν σάρκα, καὶ προφητεύσουσιν (οἱ υἱοὶ) ὑμῶν καὶ αἱ θυγατέρες ὑμῶν. » Τοῦτο δὲ καὶ κατὰ τὴν ἡμέραν τῆς πεντηκοστῆς τετύχηκε
295 πέρατος, ἡνίκα τῶν ἱερῶν συνειλεγμένων ἀποστόλων ἐπεφοίτησεν ἡ χάρις τοῦ πνεύματος καὶ ἐλάλουν « ἑτέραις γλώσσαις, καθὼς τὸ πνεῦμα ἐδίδου αὐτοῖς ἀποφθέγγεσθαι ». Καὶ ἐνταῦθα τοίνυν ὁ προφητικὸς λόγος, ὑποσχόμενος δώσειν ὕδωρ τοῖς πορευομένοις ἐ<ν> ἀνύδρῳ, ἔδειξε διὰ τίνων
300 δώσει · Ἐπιθήσω γάρ φησι τὸ πνεῦμά μου ἐπὶ τὸ σπέρμα σου καὶ τὰς εὐλογίας μου ἐπὶ τὰ τέκνα σου.

<Εἶτα> τῶν ἀρδομένων προλέγει τὰ ἄνθη · [4]**Καὶ ἀνατελοῦσιν ὡς ἀνὰ μέσον ὕδατος χόρτος καὶ ὡς ἰτέα ἐπὶ παραρρέον ὕδωρ.** Προλέγει δὲ καὶ τῆς πίστεως αὐτῶν τὴν θερμότητα ·
305 [5]**Οὗτος ἐρεῖ · Τοῦ θεοῦ εἰμι, καὶ οὗτος βοήσεται ἐπὶ τῷ ὀνόματι Ἰακώβ, καὶ ἕτερος ἐπιγράψει τῇ χειρὶ αὐτοῦ Τοῦ-θεοῦ-εἰμι, καὶ ἐπὶ τῷ ὀνόματι Ἰσραὴλ βοήσεται.** Μαρτυρεῖ δὲ τῇ προφητείᾳ τὰ πράγματα · μετὰ παρρησίας γὰρ τῶν πιστῶν ἕκαστος Χριστιανὸν ἑαυτὸν ὀνομάζει καὶ ἐπὶ ταύτῃ
310 τῇ προσηγορίᾳ σεμνύνεται.

[6]**Οὕτως λέγει κύριος ὁ βασιλεὺς Ἰσραήλ, ὁ ῥυσάμενος αὐτὸν θεὸς Σαβαώθ · Ἐγὼ πρῶτος καὶ ἐγὼ μετὰ ταῦτα, καὶ πλὴν ἐμοῦ οὐκ ἔστι θεός.** Εἰ πλὴν αὐτοῦ οὐκ ἔστιν, οὐχ ὁμοούσιος δὲ ὁ υἱὸς κατὰ τὴν Ἀρείου καὶ Εὐνομίου βλασφη-
315 μίαν, πῶς (ἀπ') αὐτῶν καλεῖται θεός ; Εἰ δὲ θεός ἐστιν, ἀληθὴς δὲ καὶ ὁ προφητικὸς λόγος ἄντικρυς λέγων ἕτερον

C : 288-290 πρὸς — ἀπογόνοις ‖ 307-310 μαρτυρεῖ — σεμνύνεται ‖ 313-318 εἰ — θέλωσιν

308 δὲ C : γὰρ K

291 Joël 3, 1 (cf. Act. 2, 17) 296 Act. 2, 4

Ce qu'il ajoute le fait voir de façon plus claire : *Je ferai reposer mon esprit sur ta descendance et mes bénédictions sur tes enfants.* Il s'adresse à ceux qui sont à Babylone : ce n'est pas à eux, mais à leurs descendants qu'il promet de donner la grâce de l'Esprit. Or il a également fait cette prophétie par l'intermédiaire du prophète Joël : « Il arrivera que dans les derniers jours je répandrai une part de mon esprit sur toute chair, et vos fils et vos filles prophétiseront. » Voilà ce qui a trouvé également son accomplissement au jour de la Pentecôte, lorsque les saints apôtres étaient rassemblés et que la grâce de l'Esprit vint les visiter et qu'ils parlaient « en d'autres langues, selon que l'Esprit leur donnait de s'exprimer ». Ici également, le texte prophétique, après avoir promis de donner de l'eau à ceux qui marchent sur une terre sans eau, a donc montré par l'intermédiaire de quels hommes il la donnerait : « Je ferai reposer mon esprit, dit-il, sur ta descendance et mes bénédictions sur tes enfants. »

Puis il prédit les fleurs que porteront les bénéficiaires de cette irrigation : 4. *Ils pousseront comme l'herbe au milieu de l'eau et comme le saule à proximité d'une eau courante.* Il prédit aussi la chaleur de leur foi : 5. *Celui-ci dira: « J'appartiens à Dieu » et celui-là se glorifiera du nom de Jacob; un autre écrira sur sa main « J'appartiens-à-Dieu » et se glorifiera du nom d'Israël.* La réalité vient confirmer la prophétie : c'est avec une entière liberté de langage que chacun des croyants se nomme lui-même chrétien et tire gloire de ce titre.

Unicité de Dieu

6. *Ainsi parle le Seigneur, le roi d'Israël, lui qui l'a sauvé, le Dieu Sabaoth: Je suis le premier et je suis le dernier et en dehors de moi il n'y a pas de Dieu.* Si en dehors de lui il n'y a pas de (Dieu) et si le Fils ne (lui) est pas consubstantiel, selon le blasphème d'Arius et d'Eunomius, comment peuvent-ils l'appeler Dieu ? Mais, s'il est Dieu et si est également véridique le texte prophétique qui dit ouvertement qu'il

μὴ (εἶναι) θεόν, μία τῆς ἁγίας τριάδος ἡ θεότης ἐστί, κἂν μὴ θέλωσιν. [7] **Τίς ὥσπερ ἐγώ ; Στήτω καὶ καλεσάτω (καὶ ἀν)αγγειλάτω καὶ ἑτοιμασάτω μοι ἀφ' οὗ ἐποίησα ἄνθρωπον**
320 **εἰς τὸν αἰῶνα, καὶ τὰ ἐπερχόμενα (πρὸ) τοῦ ἐλθεῖν ἀπαγγειλάτωσαν ὑμῖν.** Οἵ καλούμενοί φησι παρ' ὑμῶν θεοὶ εἰπάτωσαν ὑμῖν τὰ [προγε]γενημένα ἢ προειπάτωσαν τὰ ἐσόμενα.

[8] **Μὴ παρακαλύπτεσθε μηδὲ πλανᾶσθε. Οὐκ ἀπ' ἀρχῆς (ἠνω)τίσασθε, καὶ ἀπήγγειλα ὑμῖν ;** Μὴ σκήπτεσθέ φησιν
325 ἄγνοιαν · τοῦτο γὰρ εἶπε · Μὴ παρακαλύπτεσθε. Ἄνωθεν [ἐγὼ ὑ]μᾶς ἐδίδαξα τὴν ἀλήθειαν, εὐθὺς τῆς νομοθεσίας ἀρξάμενος εἶπον · « Οὐκ ἔσονταί σοι θεοὶ ἕτεροι (πλὴν) ἐμοῦ. » **Μάρτυρες ὑμεῖς ἐστε, εἰ ἔστι θεὸς πλὴν ἐμοῦ.** Ἐξετάσατε τῶν πραγμάτων τὴν φύσιν [καὶ ὁ]μολογήσατε καὶ ὑμεῖς
330 ἕτερον μὴ εἶναι θεόν.

Καὶ οὐκ ἦσαν τότε [9] **οἱ πλάσσοντες μάταια καὶ οἱ γλύφοντες ἀνωφελῆ,** τουτέστιν ἡνίκα ἐνομοθέτουν · μετὰ γὰρ τὴν νομοθεσίαν ἐμοσχοποίησαν. **Πάντες μάταιοι οἱ ποιοῦντες τὰ καταθύμια αὐτῶν ἃ οὐκ ὠφελήσει αὐτούς. Καὶ μάρτυρες**
335 **αὐτῶν (εἰσιν).** Ἀντὶ τοῦ · ὅτι οὔκ εἰσι θεοί · αὐτοὶ γὰρ αὐτῶν εἰσι δημιουργοί. **Οὐκ ὄψονται καὶ οὐ γνώσονται, ἵνα αἰσχυνθῶσιν.** Τουτέστιν · ἀναλγησίαν νοσοῦσιν. [10] **Τίς πλάσσει ἰσχυρὸν καὶ γλυπτὸν χωνεύσει εἰς ἀν(ω)φελῆ ; Ἰδοὺ πάντες οἱ κοινωνοῦντες αὐτῷ αἰσχυνθήσονται.** Ἔδειξε κατὰ
340 ταὐτὸν καὶ τῶν τεκται[νο]μένων καὶ τῶν σεβομένων τὴν πλάνην · κοινωνοῦντας γὰρ τοὺς ἀσεβοῦντας ἐκάλεσεν. **Καὶ (αἰσχ)υνθήσονται πάντες οἱ πλάσσοντες θεὸν καὶ γλύφοντες ἀνωφελῆ πάντες.** [11] **Καὶ πάντες ὅθεν ἐγένοντο**

C : 332-333 τουτέστιν — ἐμοσχοποίησαν

317 ἁγίας K : > C ‖ ἡ θεότης/ἐστί K : ∾ C

327 Ex. 20, 3

n'y a pas d'autre Dieu (que lui), une est la Divinité de la Sainte Trinité, même s'ils ne le veulent pas. 7. *Qui est comme moi? Qu'il se lève et qu'il appelle, qu'il annonce et qu'il me fasse l'exposé (des choses) depuis que j'ai fait l'homme pour l'éternité, et qu'ils vous annoncent les choses à venir avant qu'elles ne soient arrivées.* Que ceux que vous appelez des dieux, dit-il, vous disent les événements passés ou vous prédisent les événements futurs.

8. *Ne dissimulez pas et n'errez pas. N'avez-vous pas dès le commencement entendu (cela) et ne vous l'ai-je pas annoncé?* Ne prétextez pas l'ignorance, dit-il ; c'est ce qu'il a voulu dire par « Ne dissimulez pas ». Depuis l'origine, je vous ai enseigné la vérité ; aussitôt que j'ai commencé à donner la Loi, j'ai dit : « Il n'y aura pas pour toi d'autres dieux en dehors de moi. » *Vous (m')êtes témoins, s'il y a un Dieu en dehors de moi.* Examinez avec soin la nature des choses et reconnaissez, vous aussi, qu'il n'y a pas d'autre Dieu.

Satire de l'idolâtrie

Il n'y avait pas alors 9. *de fabricants d'objets vains et de sculpteurs d'objets inutiles*, c'est-à-dire au moment où je donnais la Loi, puisqu'ils ont fabriqué le veau après que la Loi eut été donnée. *Ils sont pleins de sottise tous ceux qui réalisent les œuvres chères à leur cœur, qui ne leur seront pas utiles. Et ils en sont les témoins.* Ce qui revient à dire : (ils témoignent) que ce ne sont pas des dieux, puisqu'ils sont personnellement leurs créateurs. *Ils ne verront pas et ils ne comprendront pas, afin d'être rouges de honte.* C'est-à-dire : ils sont atteints d'insensibilité. 10. *Qui façonne un (dieu) fort et fondra une image taillée sans avoir en vue leur utilité? Voici que tous ceux qui s'en approchent rougiront de honte.* Il a montré simultanément l'erreur de ceux qui les construisent et de ceux qui les vénèrent : ce sont, en effet, les gens impies qu'il a appelés « ceux qui s'en approchent ». *Ils rougiront de honte tous ceux qui façonnent un dieu et tous ceux qui sculptent des œuvres inutiles.* 11. *Tous,*

(ἐξηράν)θησαν καὶ κωφοί εἰσιν ἀπὸ ἀνθρώπων. Καὶ διὰ
345 τούτων τὴν πολλὴν αὐτῶν ἀναισθησίαν διδάσκει, (ὅτι
ὁρ)ῶντες τὸ ἀκερδὲς προσκυνοῦσιν ὡς εὐεργέτας.
Συναχθήτωσαν πάντες καὶ στησάτωσαν (ἅμα, ἐν)τραπήθωσαν καὶ αἰσχυνθήτωσαν ἅμα· τέκτονες γάρ εἰσιν ἀπὸ ἀνθρώπων. Οἱ τῶν καλουμένων [θεῶν] δημιουργοὶ ἄνθρωποί
350 εἰσι τὴν αὐτὴν φύσιν τοῖς προσκυνοῦσιν ἔχοντες, καὶ ὁ κατασκευά[σα]ς τοῦτο ὡς θεῷ προσκυνεῖ ἄνθρωπος. [12]**Ὅτι ὤξυνε τέκτων σίδηρον σκεπάρνῳ, εἰργάσατο αὐτὸ (ἐν ἄνθραξι) καὶ ἐν τερέτρῳ ἐρρύθμισεν αὐτὸ καὶ ἔστησεν αὐτὸ καὶ εἰργάσατο ⟨αὐτὸ⟩ ἐν τῷ βραχίονι τῆς ἰσχύος (αὐτοῦ) καὶ
355 πεινάσει καὶ ἀσθενήσει καὶ διψήσει καὶ οὐ μὴ πίῃ ὕδωρ.** Ἔδειξεν ἐξ ἐράνου συ(νισταμένους) τοὺς καλουμένους θεούς· δεῖται γὰρ ὁ τούτων δημιουργὸς χαλκέως μὲν εἰς τὴν τῶν ὀρ|155 a|γάνων κατασκευήν, θηγάνης δὲ ὥστε ταῦτα ὀξύνειν· δεῖται δὲ καὶ ἀνθράκων ὁ χαλκοτύπος καὶ τῆς
360 τοῦ πυρὸς συνεργίας· χρῄζει δὲ καὶ τροφῆς καὶ πόσεως ὁ ταῦτα τεκταινόμενος· ἐκ δὲ τούτων ἁπάντων κατασκευάζεται ὁ προσκυνούμενος ὑπὸ τῶν ἀνοήτων θεός.

Ταῦτα καὶ διὰ τῶν ἑξῆς κωμῳδεῖ· ξύ(λον) γάρ φησιν ἐκλεξάμενος τέκτων πρῶτον μὲν ὑποβάλλει μέτρῳ τὸν
365 καλούμενον θεόν — ὁ δὲ ὄντως θεὸς οὐ περιγράφεται μέτρῳ —, εἶτα τῆς τέχνης ὀργάνῳ διαμορφοῖ — ἴδιον δὲ θεοῦ τὸ ἀνείδεόν τε καὶ ἀσχημάτιστον. [13]**Καὶ ἐποίησεν αὐτὸ ὡς μορφὴν ἀνδρὸς καὶ ὡς ὡραιότητα ἀνθρώπου στῆσαι αὐτὸ ἐν οἴκῳ.** Μιμεῖται δὲ οὐ θείους φησὶν ἀλλ' ἀνθρωπείους

C : 344-346 καὶ² — εὐεργέτας ‖ 356-362 ἔδειξεν — θεός ‖ 364-365 τὸν — μέτρῳ ‖ 366-367 ἴδιον — ἀσχημάτιστον ‖ 369-371 μιμεῖται — εἰκόνα

356 καλουμένους K : λεγομένους C ‖ 369 οὐ θείους/φησὶν K : ∾ C ‖ ἀνθρωπείους K : ἀνθρωπίνους C

1. Rapprocher de Cyrille (70, 929 C) qui paraphrase le texte d'Isaïe de manière assez voisine.

2. Le plus souvent, comme ici, les développements polémiques de Théodoret contre l'idolâtrie aboutissent à une définition apopha-

quelle que soit leur origine, se sont desséchés et ils sont sourds, eux qui proviennent des hommes. Par ces mots également il enseigne l'étendue de leur stupidité, puisque, tout en voyant qu'ils sont sans profit pour eux, ils les adorent comme des bienfaiteurs.

Qu'ils se rassemblent tous et qu'ils se présentent en même temps, qu'ils soient dans la crainte et qu'ils rougissent de honte en même temps : car (leurs) artisans sont du nombre des hommes. Les créateurs de ces prétendus dieux sont des hommes qui ont la même nature que ceux qui les adorent, et l'homme qui a fabriqué cet objet l'adore comme un dieu. 12. *Car l'artisan a aiguisé le fer avec une hache, il l'a travaillé sur la braise, il l'a façonné au marteau, il l'a dressé, il l'a travaillé de son bras vigoureux ; il aura faim et défaillira, il aura soif et ne boira pas d'eau.* Il a montré que la réalisation de ces prétendus dieux dépend de la contribution de tous[1] : leur créateur a besoin du forgeron pour la préparation de ses instruments, et de la pierre à affûter pour les aiguiser ; de son côté, l'artisan forgeron a besoin à la fois de charbons et de l'aide du feu ; d'autre part, le constructeur de ces objets éprouve le désir de manger et de boire ; c'est à la suite de toutes ces opérations qu'est fabriqué le dieu qu'adorent les sots.

Dans la suite du passage, il se moque encore de ces pratiques : après avoir choisi un morceau de bois, dit-il, l'artisan soumet tout d'abord à une mesure le prétendu dieu — or celui qui est réellement Dieu n'est pas circonscrit par une mesure —, puis au moyen de l'instrument propre à son art, il lui donne une forme — or le propre de Dieu, c'est d'être à la fois sans forme et sans figure[2]. 13. *Et il l'a façonné en lui donnant forme humaine et beauté humaine pour le dresser dans une maison.* Il imite, dit-il, non pas des

tique de la nature de Dieu opposée à celle des idoles, cf. Introd., t. I, p. 80, n. 2.

370 χαρακτῆρας καὶ ἀνθρωπείαν ἐκτυπῶν εἰκόνα ὡς θεὸν προσκυνεῖ τὴν ἰδίαν εἰκόνα. Εἶτα διδάσκει ὡς τοὺς δρυμοὺς καὶ τὰ ἐν τοῖς ὄρεσιν ἄλση δέδωκεν ὁ δημιουργὸς τοῖς ἀνθρώποις ὥστε χορηγεῖν τῷ [πυρὶ] τροφὴν καὶ τὰς χρείας ἐντεῦθεν πορίζειν τῷ σώματι, οἱ δὲ λαβόντες πρῖνον ἢ δρῦν
375 ἢ πίτυν ἅπ[ερ] ἐφύτευσε μὲν ὁ τῶν ὅλων θεὸς τῇ δὲ τοῦ ὑετοῦ χορηγίᾳ διέθρεψεν ἵν' ἀφθόνως οἱ ἄνθρωποι τῶν σωματικῶν ἀπολαύσωσιν ἀγαθῶν, θεοὺς ἐντεῦθεν δημιουργοῦσιν.

Καὶ τὴν τῆς ἀνοίας διδάσκων ὑπερβολὴν ἐπήγαγεν·
380 **[15] Καὶ λαβὼν ἀπ' αὐτοῦ καύσας ἐθερμάνθη· καὶ καύσαντες ἔπεψαν ἄρτους ἐπ' αὐτοῖς, τὸ δὲ λοιπὸν εἰργάσαντο καὶ ἐποίησαν θεοὺς καὶ προσκυνοῦσιν αὐτο(ῖς). Ἐποίησεν αὐτὸ γλυπτὸν καὶ προσπίπτει αὐτό, [16] οὗ τὸ ἥμισυ αὐτοῦ κατέκαυσεν ἐν πυρί, καὶ ἐπ(ὶ τοῦ) ἡμίσους κρέα ὀπτήσας ἔφαγε**
385 **καὶ ἐνεπλήσθη καὶ θερμανθεὶς εἶπεν· Ἡδύ μοι, ὅτι ἐθερμάν(θην καὶ εἶδον) πῦρ. [17] Τὸ δὲ λοιπὸν αὐτοῦ ἐποίησεν εἰς γλυπτὸν θεὸν καὶ προσπίπτει αὐτὸ καὶ προσεύχεται α(ὐτῷ λέγων)· Ἐξελοῦ με, ὅτι θεός μου εἶ σύ.** Εἰ θεός φησίν ἐστιν, ὅλον ἔστω τὸ ξύλον θεός. Τί δήποτε τὰ περιττ[ὰ τοῦ] ξύλου
390 κατακαίεις καὶ διὰ τοῦ πυρὸς πορίζεις τροφήν, νῦν μὲν ἄρτους πέπτων νῦν δὲ κρέ[α ἕψων] καὶ ὀπτῶν καὶ κατὰ ταὐτὸν ἐσθίων τε καὶ θαλπόμενος καὶ φωτὸς ἀπολαύων ; Οὐ συγγενῆ τῷ πρ[οσ]κυνουμένῳ τὰ τῷ πυρὶ προσφερόμενα ; Πῶς οὖν τὸ μὲν καταφρονεῖς τὸ δὲ προσκυνεῖς ; [Διὰ
395 τοῦ]το εἰκότως ἐπήγαγεν· **[18] Οὐκ ἔγνωσαν τοῦ φρονῆσαι, ὅτι ἠμαυρώθησαν τοῦ βλέπειν τοῖς ὀφ(θαλμοῖς) αὐτῶν καὶ τοῦ νοῆσαι τῇ καρδίᾳ αὐτῶν.** Τὸ τῆς ψυχῆς αὐτῶν διὰ τούτων δεδήλωκε σκότος· τοῦ[το γὰρ] αὐτοῖς ἐπικείμενον οὐκ εἴα ἐπιγνῶναι τῶν γιγνομένων τὴν φύσιν.

370-371 ἐκτυπῶν — ἰδίαν C : ἐκτυποῖ K || 393 τῷ προσκυνουμένῳ Mö. : τοῦ προσκυνουμένου K

---

1. Résumé d'*Is.*, 44, 14.
2. Cf. le développement voisin de CYRILLE (70, 932-933).

traits divins, mais des traits humains ; il modèle une image humaine et il adore comme un dieu sa propre image. Puis (le prophète)[1] enseigne que les forêts et les bois qui sont sur les montagnes, le créateur les a donnés aux hommes pour leur permettre d'alimenter le feu et de subvenir par là aux besoins de leur corps ; eux, au contraire, prennent une yeuse, un chêne ou un pin que le Dieu de l'univers a plantés et nourris en leur fournissant la pluie à seule fin que les hommes bénéficient abondamment des biens matériels, et ils s'en servent pour créer des dieux.

Et pour enseigner l'excès de leur déraison, il a ajouté : 15. *Il en a pris une partie, il l'a brûlée et s'est chauffé; ils ont brûlé (des morceaux) et ils ont cuit des pains sur eux. Le reste, ils l'ont travaillé, en ont fait des dieux et les adorent. Il en a fait une image sculptée et se prosterne devant elle;* 16. *il en a brûlé la moitié au feu et, sur cette moitié, il a fait rôtir des viandes, les a mangées et s'en est rassasié, il s'est chauffé et il a dit: Il m'est doux de m'être chauffé et d'avoir vu le feu.* 17. *Mais le reste du bois, il l'a transformé en une image de dieu sculptée et il se prosterne devant elle et la supplie en disant: Délivre-moi, parce que mon dieu c'est toi.* S'il est dieu, dit-il, que la totalité du bois soit dieu[2]. Pourquoi donc brûles-tu les morceaux de bois superflus et te sers-tu du feu pour subvenir à ta nourriture, puisque tu fais tantôt cuire des pains, tantôt bouillir et rôtir des viandes, et que tout à la fois tu manges, tu te réchauffes et tu jouis de sa lumière ? Ne sont-ils pas de même sorte que celui que l'on adore, les bois que l'on présente au feu ? Comment donc peux-tu mépriser l'un et adorer l'autre ? C'est pourquoi il a ajouté à juste titre : 18. *Ils n'ont pas eu la connaissance pour comprendre, parce que leurs yeux ont été obscurcis pour qu'ils ne voient pas, ainsi que leur cœur pour qu'ils ne comprennent pas.* Il a clairement fait voir par ces termes les ténèbres de leurs âmes : installées en eux, elles ne leur permettaient pas de connaître la nature de ce qui s'accomplissait.

400 Εἰς μείζονα δὲ τῆς παρα[δο]ξίας αὐτῶν ἔλεγχον πάλιν τὰ αὐτὰ λέγει καὶ τὸ τελευταῖον ἐπάγει· [20]**Γνῶθι ὅτι σποδὸς (ἡ καρδία) αὐτῶν καὶ πλανῶνται καὶ οὐδεὶς δύναται ἐξελέσθαι τὴν ψυχὴν ἑαυτοῦ.** Ἐκράτησε γὰρ αὐτ[οὺς] ἡ ἄνοια, καὶ τὸ λογικὸν διαφθείραντες τῇ ἀλογίᾳ δουλεύουσιν.
405 Διὰ τοῦτο δώσω τὸ πνεῦμά [μου] ἐπ[ὶ τὸ σπ]έρμα σου, ἵνα ἐκ τῆς πλάνης ἐλευθερωθῶσιν· οὐδὲ γὰρ ἄλλως αὐτοὺς οἷόν τε κατ[αμαθεῖν] τὴν ἀλήθειαν.

Ἴδετε, οὐκ ἐρεῖτε ὅτι ψεῦδος ἐν τῇ δεξιᾷ μου ; Τοῦτο οἱ Λοιποὶ τοῖς ἄνω σ[υνάπτουσιν]· « Ὅτι οὐδεὶς δύναται
410 ἐξελέσθαι τὴν ἑαυτοῦ ψυχὴν οὐδὲ ἐρεῖ· Μὴ ψεῦδος ἐν τῇ δεξιᾷ μου ; » [Περὶ δὲ] τῶν πεπλανημένων εἶπεν ὅτι οὐ συνορῶσιν ὃ κατέχουσι ψεῦδος. Καὶ κατὰ τοὺς Ἑβδομήκοντα δὲ [τοῦτο ἐκ προ]σώπου τοῦ θεοῦ λαμβανόμενον οὕτω νοητέον· Μὴ τοιαῦτά φησίν ἐστι τὰ ἐμὰ οἷα τ[ὰ τῆς
415 θηγ]άνης ; Μὴ ἄνθρωπός με κατεσκεύασε ; Μὴ εἴδωλον ; Μὴ ἐκ λίθων ἢ ξύλων ἢ χρυσοῦ ἢ [ἀργύρου] κατεσκεύασμαι ;

[21]**Μνήσθητι ταῦτα Ἰακὼβ καὶ Ἰσραήλ, ὅτι παῖς μου εἶ σύ, ἔπλασά σε παῖ(δά μου), ἐμὸς εἶ σύ· καὶ σὺ Ἰσραὴλ μὴ ἐπιλανθάνου μου.** Βλέπε τὴν διαφορὰν τοῦ ὄντος καὶ τῶν
420 [εἰδώλων], βλέπε τὴν ἐκείνων ἀσθένειαν καὶ τὴν ἐμὴν δύναμιν, τὰς παντοδαπάς μου εὐεργεσί[ας] κατάμαθε, μὴ ἐπιλάθῃ ὧν ἀπέλαυσας ἀγαθῶν. [22]**Ἰδοὺ γὰρ ἀπήλειψα ὡς νεφέλην τὰς ἀνομ(ίας σου) καὶ ὡς γνόφον τὰς ἁμαρτίας σου. Ἐπιστράφηθι ἐπ' ἐμέ, καὶ λυτρώσομαί σε.** Συνεχώρησε
425 μὲν α(ὐτοῖς τὰ) πλημμελήματα, ἡνίκα τῆς Βαβυλωνίων δουλείας ἀπήλλαξεν· κυρίως δὲ καὶ ἀληθῶς (μετὰ τὴν) ἐνανθρώπησιν τῶν εἰς αὐτὸν πεπιστευκότων τὰς ἀνομίας

Cv : 424-429 συνεχώρησε — ἐχορήγησεν

406 ἐλευθερωθῶσιν Mö. : ἐλευθερώσωσιν K || 425 ἡνίκα K : καὶ ἡνίκα Cv || 426 δουλείας K : > Cv

419 cf. Ex. 3, 14

---

1. Résumé d'*Is.*, 44, 19.

Puis, pour dénoncer plus amplement l'étrangeté de leur conduite, il répète la même chose[1] et ajoute pour finir : 20. *Sache que leur cœur n'est que cendre, qu'ils sont égarés et que personne ne peut sauver son âme.* La sottise s'est rendue maîtresse d'eux ; ils ont perdu la faculté de raisonner et ils sont esclaves de la déraison. C'est pourquoi je répandrai mon esprit sur ta descendance, afin qu'ils soient délivrés de l'erreur, car ils ne peuvent d'aucune autre manière apprendre la vérité.

Voyez, vous ne direz pas qu'un mensonge est dans ma main droite? Ce passage le reste des interprètes le rattache à ce qui précède : « (Sache) que personne ne peut sauver son âme et que personne ne dira : Est-ce un mensonge qui est dans ma main droite ? » Il a donc dit au sujet des hommes qui sont dans l'erreur qu'ils ne reconnaissent pas comme un mensonge ce qu'ils tiennent (dans leurs mains). Mais, selon les Septante, cette phrase qui est placée dans la bouche de Dieu doit se comprendre ainsi : Est-ce que mes œuvres, dit-il, sont semblables à celles de la pierre à affûter ? Est-ce que c'est un homme qui m'a fabriqué ? Est-ce que (je suis) une idole ? Est-ce que c'est à partir de pierres ou de bois, d'or ou d'argent que j'ai été fabriqué ?

21. *Souviens-toi de cela, Jacob et Israël, parce que mon serviteur c'est toi, je l'ai formé (pour être) mon serviteur, tu es à moi ; et toi, Israël, ne m'oublie pas.* Considère la différence qu'il y a entre « Celui qui est » et les idoles, considère leur faiblesse et ma puissance, apprends la diversité de mes bienfaits, n'oublie pas les biens dont tu as joui. 22. *Voici en effet que j'ai effacé comme un nuage tes iniquités et comme un brouillard tes péchés. Reviens vers moi, et je te rachèterai.* Il leur a pardonné leurs fautes, lorsqu'il les délivra de l'esclavage où les tenaient les Babyloniens. Mais, à proprement parler et en vérité, c'est après son Incarnation qu'il a effacé les iniquités de

ἀπήλειψε καὶ τὸν τῶν ἁμαρτ(ημάτων |155 b| ἐσ)κέδασε γνόφον καὶ τὴν αἰώνιον ζωὴν ἐχορήγησεν.

430 Ἡμεῖς δὲ τὴν τῶν εὐεργεσιῶν ἄσβεστον δι[α]φυλάξωμεν μνήμην καὶ βίῳ καθαρῷ τὸν εὐεργέτην ἀμειβόμενοι προσμείνωμεν τῶν ἐλ[πιζ]ομένων ἀγαθῶν τὴν ἀπόλαυσιν, ὧν ἡμᾶς τυχεῖν γένοιτο χάριτι καὶ φιλανθρωπίᾳ τοῦ κυρίου ἡμῶν [Ἰησο]ῦ Χριστοῦ, μεθ' οὗ τῷ πατρὶ δόξα σὺν τῷ παναγίῳ
435 πνεύματι νῦν καὶ ἀεὶ καὶ εἰς τοὺς αἰῶνας τῶν αἰώνων. Ἀμήν.

428 ἀπήλειψε K : ἐξήλειψε Cᵛ

ceux qui ont cru en lui, qu'il a dissipé le brouillard que formaient leurs péchés et qu'il leur a procuré la vie éternelle.

Parénèse

Quant à nous, conservons le souvenir impérissable de ses bienfaits, offrons en échange à notre bienfaiteur une vie pure et attendons fermement la jouissance des biens que nous espérons, et puissions-nous les obtenir par la grâce et la bonté de notre Seigneur Jésus-Christ. Gloire au Père, en union avec lui, dans l'unité du très saint Esprit, maintenant et toujours, et pour les siècles des siècles. Amen.

TABLE DES MATIÈRES

TEXTE ET TRADUCTION

SOURCES CHRÉTIENNES

LISTE COMPLÈTE DE TOUS LES VOLUMES PARUS

N. B. — L'ordre suivant est celui de la date de parution (nº 1 en 1942) et il n'est pas tenu compte ici du classement en séries : grecque, latine, byzantine, orientale, textes monastiques d'Occident ; et série annexe : textes para-chrétiens.

Sauf indication contraire, chaque volume comporte le texte original, grec ou latin, souvent avec un apparat critique inédit.

La mention *bis* indique une seconde édition. Quand cette seconde édition ne diffère de la première que par de menues corrections et des *Addenda et Corrigenda* ajoutés en appendice, la date est accompagnée de la mention « réimpression avec supplément ».

1. GRÉGOIRE DE NYSSE : **Vie de Moïse.** J. Daniélou (3e édition) (1968).
2 bis. CLÉMENT D'ALEXANDRIE : **Protreptique.** C. Mondésert, A. Plassart (réimpression de la 2e éd., 1976).
3 bis. ATHÉNAGORE : **Supplique au sujet des chrétiens.** *En préparation.*
4 bis. NICOLAS CABASILAS : **Explication de la divine Liturgie.** S. Salaville, R. Bornert, J. Gouillard, P. Périchon (1967).
5. DIADOQUE DE PHOTICÉ : **Œuvres spirituelles.** É. des Places (réimpr. de la 2e éd., avec suppl., 1966).
6 bis. GRÉGOIRE DE NYSSE : **La création de l'homme.** *En préparation.*
7 bis. ORIGÈNE : **Hom. sur la Genèse.** H. de Lubac, L. Doutreleau (1976).
8. NICÉTAS STÉTHATOS : **Le paradis spirituel.** *Remplacé par le nº 81.*
9 bis. MAXIME LE CONFESSEUR : **Centuries sur la charité.** *En préparation.*
10. IGNACE D'ANTIOCHE : **Lettres — Lettres et Martyre** de POLYCARPE DE SMYRNE. P.-Th. Camelot (4e édition) (1969).
11 bis. HIPPOLYTE DE ROME : **La Tradition apostolique.** B. Botte (1968).
12 bis. JEAN MOSCHUS : **Le Pré spirituel.** *En préparation.*
13. JEAN CHRYSOSTOME : **Lettres à Olympias.** A.-M. Malingrey. Trad. seule (1947).
13 bis. 2e édition avec le texte grec et la **Vie anonyme d'Olympias** (1968).
14. HIPPOLYTE DE ROME : **Commentaire sur Daniel.** G. Bardy, M. Lefèvre. Trad. seule (1947).
2e édition avec le texte grec. *En préparation.*
15 bis. ATHANASE D'ALEXANDRIE : **Lettres à Sérapion.** J. Lebon. *En prép.*
16 bis. ORIGÈNE : **Hom. sur l'Exode.** H. de Lubac, J. Fortier. *En prép.*
17. BASILE DE CÉSARÉE : **Sur le Saint-Esprit.** B. Pruche. Trad. seule (1947).
17 bis. 2e édition avec le texte grec (1968).
18 bis. ATHANASE D'ALEXANDRIE : **Discours contre les païens.** P. Th. Camelot (1977).
19 bis. HILAIRE DE POITIERS : **Traité des Mystères.** P. Brisson (réimpression, avec supplément, 1967).
20. THÉOPHILE D'ANTIOCHE : **Trois livres à Autolycus.** G. Bardy, J. Sender. Trad. seule (1948).
2e édition avec le texte grec. *En préparation.*
21. ÉTHÉRIE : **Journal de voyage.** H. Pétré. *Remplacé par le nº 296.*
22 bis. LÉON LE GRAND : **Sermons 1-19.** J. Leclercq, R. Dolle (1964).
23. CLÉMENT D'ALEXANDRIE : **Extraits de Théodote.** F. Sagnard (réimpr., 1970).

24 bis. PTOLÉMÉE : **Lettre à Flora.** G. Quispel (1966).

25 bis. AMBROISE DE MILAN : **Des Sacrements. Des Mystères. Explication du Symbole.** B. Botte (réimpr. de la 2e éd., 1980).

26 bis. BASILE DE CÉSARÉE : **Homélies sur l'Hexaéméron.** S. Giet (réimpr. avec suppl., 1968).

27 bis. **Homélies Pascales,** t. I. P. Nautin. *En préparation.*

28 bis. JEAN CHRYSOSTOME : **Sur l'incompréhensibilité de Dieu.** J. Daniélou, A.-M. Malingrey, R. Flacelière (1970).

29 bis. ORIGÈNE : **Homélies sur les Nombres.** A. Méhat. *En préparation.*

30 bis. CLÉMENT D'ALEXANDRIE : **Stromate I.** *En préparation.*

31. EUSÈBE DE CÉSARÉE : **Histoire ecclésiastique,** t. I. Livres I-IV. G. Bardy (réimpression, 1964).

32 bis. GRÉGOIRE LE GRAND : **Morales sur Job,** t. I. Livres I-II. R. Gillet, A. de Gaudemaris (1975).

33 bis. **A Diognète.** H. I. Marrou (réimpr. avec suppl., 1965).

34. IRÉNÉE DE LYON : **Contre les hérésies,** livre III. F. Sagnard. *Remplacé par les nos 210 et 211.*

35 bis. TERTULLIEN : **Traité du baptême.** F. Refoulé *En préparation.*

36 bis. **Homélies Pascales,** t. II. P. Nautin. *En préparation.*

37 bis. ORIGÈNE : **Homélies sur le Cantique.** O. Rousseau (1966).

38 bis. CLÉMENT D'ALEXANDRIE : **Stromate II.** *En préparation.*

39 bis. LACTANCE : **De la mort des persécuteurs.** 2 vol. *En préparation.*

40. THÉODORET DE CYR : **Correspondance,** t. I. Y. Azéma (1955).

41. EUSÈBE DE CÉSARÉE : **Histoire ecclésiastique,** t. II. Livres V-VII. G. Bardy (réimpression, 1965).

42. JEAN CASSIEN : **Conférences,** t. I. E. Pichery (réimpression, 1966).

43 bis. JÉRÔME : **Sur Jonas.** *En préparation.*

44. PHILOXÈNE DE MABBOUG : **Homélies.** E. Lemoine. Trad. seule (1956).

45. AMBROISE DE MILAN : **Sur S. Luc,** t. I. G. Tissot (réimpr. avec suppl., 1971).

46 bis. TERTULLIEN : **De la prescription contre les hérétiques.** *En préparation.*

47. PHILON D'ALEXANDRIE : **La migration d'Abraham.** *Épuisé.* Voir série « Les Œuvres de Philon ».

48. **Homélies Pascales,** t. III. F. Floëri et P. Nautin (1957).

49 bis. LÉON LE GRAND : **Sermons** 20-37. R. Dolle (1969).

50 bis. JEAN CHRYSOSTOME : **Huit Catéchèses baptismales inédites.** A. Wenger (réimpr. avec suppl., 1970).

51 bis. SYMÉON LE NOUVEAU THÉOLOGIEN : **Chapitres théologiques, gnostiques et pratiques.** J. Darrouzès et L. Neyrand (1980).

52 bis. AMBROISE DE MILAN : **Sur S. Luc,** t. II. G. Tissot (réimpr. avec suppl., 1976).

53 bis. HERMAS : **Le Pasteur.** R. Joly (réimpr. avec suppl., 1968).

54. JEAN CASSIEN : **Conférences,** t. II. E. Pichery (réimpression, 1966).

55. EUSÈBE DE CÉSARÉE : **Histoire ecclésiastique,** t. III. Livres VIII-X. G. Bardy (réimpression, 1967).

56. ATHANASE D'ALEXANDRIE : **Deux apologies.** J. Szymusiak (1958).

57. THÉODORET DE CYR : **Thérapeutique des maladies helléniques.** 2 volumes. P. Canivet (1958).

58 bis. DENYS L'ARÉOPAGITE : **La hiérarchie céleste.** G. Heil, R. Roques, M. de Gandillac (réimpr. avec suppl., 1970).

59. **Trois antiques rituels du baptême.** A. Salles. Trad. seule. *Épuisé.*

60. AELRED DE RIEVAULX : **Quand Jésus eut douze ans.** A. Hoste, J. Dubois (1958).

61 bis. GUILLAUME DE SAINT-THIERRY : **Traité de la contemplation de Dieu.** J. Hourlier (réimpression, 1977).

62. IRÉNÉE DE LYON : **Démonstration de la prédication apostolique.** L. Froidevaux. Nouvelle trad. sur l'arménien. Trad. seule (réimpr. 1971).

63. RICHARD DE SAINT-VICTOR : **La Trinité.** G. Salet (1959).

64. JEAN CASSIEN : **Conférences**, t. III. E. Pichery (réimpr., 1971).
65. GÉLASE Ier : **Lettre contre les Lupercales et dix-huit messes du sacramentaire léonien.** G. Pomarès (1960).
66. ADAM DE PERSEIGNE : **Lettres**, t. I. J. Bouvet (1960).
67. ORIGÈNE : **Entretien avec Héraclide.** J. Scherer (1960).
68. MARIUS VICTORINUS : **Traités théologiques sur la Trinité.** P. Henry, P. Hadot. Tome I. Introd., texte critique, traduction (1960).
69. **Id.** — Tome II. Commentaire et tables (1960).
70. CLÉMENT D'ALEXANDRIE : **Le Pédagogue**, t. I. H. I. Marrou, M. Harl (1960).
71. ORIGÈNE : **Homélies sur Josué.** A. Jaubert (1960).
72. AMÉDÉE DE LAUSANNE : **Huit homélies mariales.** G. Bavaud, J. Deshusses, A. Dumas (1960).
73 bis. EUSÈBE DE CÉSARÉE : **Histoire ecclésiastique**, t. IV. Introd. générale de G. Bardy et tables de P. Périchon (réimpr. avec suppl., 1971).
74 bis. LÉON LE GRAND : **Sermons 38-64.** R. Dolle (1976).
75. S. AUGUSTIN : **Commentaire de la Ire Épître de S. Jean.** P. Agaësse (réimpression, 1966).
76. AELRED DE RIEVAULX : **La vie de recluse.** Ch. Dumont (1961).
77. DEFENSOR DE LIGUGÉ : **Le livre d'étincelles**, t. I. H. Rochais (1961).
78. GRÉGOIRE DE NAREK : **Le livre de Prières.** I. Kéchichian. Trad. seule (1961).
79. JEAN CHRYSOSTOME : **Sur la Providence de Dieu.** A.-M. Malingrey (1961).
80. JEAN DAMASCÈNE : **Homélies sur la Nativité et la Dormition.** P. Voulet (1961).
81. NICÉTAS STÉTHATOS : **Opuscules et lettres.** J. Darrouzès (1961).
82. GUILLAUME DE SAINT-THIERRY : **Exposé sur le Cantique des Cantiques.** J.-M. Déchanet (1962).
83. DIDYME L'AVEUGLE : **Sur Zacharie.** Texte inédit. L. Doutreleau. Tome I. Introduction et livre I (1962).
84. **Id.** — Tome II. Livres II et III (1962).
85. **Id.** — Tome III. Livres IV et V, Index (1962).
86. DEFENSOR DE LIGUGÉ : **Le livre d'étincelles**, t. II. H. Rochais (1962).
87. ORIGÈNE : **Homélies sur S. Luc.** H. Crouzel, F. Fournier, P. Périchon (1962).
88. **Lettres des premiers Chartreux**, tome I : S. BRUNO, GUIGUES, S. ANTHELME. Par un Chartreux (1962).
89. **Lettre d'Aristée à Philocrate.** A. Pelletier (1962).
90. **Vie de sainte Mélanie.** D. Gorce (1962).
91. ANSELME DE CANTORBÉRY : **Pourquoi Dieu s'est fait homme.** R. Roques (1963).
92. DOROTHÉE DE GAZA : **Œuvres spirituelles.** L. Regnault, J. de Préville (1963).
93. BAUDOUIN DE FORD : **Le sacrement de l'autel.** J. Morson, É. de Solms, J. Leclercq. Tome I (1963).
94. **Id.** — Tome II (1963).
95. MÉTHODE D'OLYMPE : **Le banquet.** H. Musurillo, V.-H. Debidour (1963).
96. SYMÉON LE NOUVEAU THÉOLOGIEN : **Catéchèses.** B. Krivochéine, J. Paramelle. Tome I. Introduction et Catéchèses 1-5 (1963).
97. CYRILLE D'ALEXANDRIE : **Deux dialogues christologiques.** G. M. de Durand (1964).
98. THÉODORET DE CYR : **Correspondance**, t. II. Y. Azéma (1964).
99. ROMANOS LE MÉLODE : **Hymnes.** J. Grosdidier de Matons. Tome I. Introduction et Hymnes I-VIII (1964).
100. IRÉNÉE DE LYON : **Contre les hérésies**, livre IV. A. Rousseau, B. Hemmerdinger, Ch. Mercier, L. Doutreleau. 2 vol. (1965).
101. QUODVULTDEUS : **Livre des promesses et des prédictions de Dieu.** R. Braun. Tome I (1964).

102. **Id.** — Tome II (1964).
103. JEAN CHRYSOSTOME : **Lettre d'exil.** A.-M. Malingrey (1964).
104. SYMÉON LE NOUVEAU THÉOLOGIEN : **Catéchèses.** B. Krivochéine, J. Paramelle. Tome II. Catéchèses 6-22 (1964).
105. **La Règle du Maître.** A. de Vogüé. Tome I. Introd. et chap. 1-10 (1964).
106. **Id.** — Tome II. Chap. 11-95 (1964).
107. **Id.** — Tome III. Concordance et Index orthographique. J.-M. Clément, J. Neufville, D. Demeslay (1965).
108. CLÉMENT D'ALEXANDRIE : **Le Pédagogue,** tome II. Cl. Mondésert, H. I. Marrou (1965).
109. JEAN CASSIEN : **Institutions cénobitiques.** J.-C. Guy (1965).
110. ROMANOS LE MÉLODE : **Hymnes.** J. Grosdidier de Matons. Tome II. Hymnes IX-XX (1965).
111. THÉODORET DE CYR : **Correspondance,** t. III. Y. Azéma (1965).
112. CONSTANCE DE LYON : **Vie de S. Germain d'Auxerre.** R. Borius (1965).
113. SYMÉON LE NOUVEAU THÉOLOGIEN : **Catéchèses.** B. Krivochéine. J. Paramelle. Tome III. Catéchèses 23-34, Actions de grâces 1-2 (1965).
114. ROMANOS LE MÉLODE : **Hymnes.** J. Grosdidier de Matons. Tome III. Hymnes XXI-XXXI (1965).
115. MANUEL II PALÉOLOGUE : **Entretien avec un musulman.** A. Th. Khoury (1966).
116. AUGUSTIN D'HIPPONE : **Sermons pour la Pâque.** S. Poque (1966).
117. JEAN CHRYSOSTOME : **A Théodore.** J. Dumortier (1966).
118. ANSELME DE HAVELBERG : **Dialogues,** livre I. G. Salet (1966).
119. GRÉGOIRE DE NYSSE : **Traité de la Virginité.** M. Aubineau (1966).
120. ORIGÈNE : **Commentaire sur S. Jean.** C. Blanc. Tome I. Livres I-V (1966).
121. ÉPHREM DE NISIBE : **Commentaire de l'Évangile concordant ou Diatessaron.** L. Leloir. Trad. seule (1966).
122. SYMÉON LE NOUVEAU THÉOLOGIEN : **Traités théologiques et éthiques.** J. Darrouzès. Tome I. Théol. 1-3, Éth. 1-3 (1966).
123. MÉLITON DE SARDES : **Sur la Pâque (et fragments).** O. Perler (1966).
124. **Expositio totius mundi et gentium.** J. Rougé (1966).
125. JEAN CHRYSOSTOME : **La Virginité.** H. Musurillo, B. Grillet (1966).
126. CYRILLE DE JÉRUSALEM : **Catéchèses mystagogiques.** A. Piédagnel, P. Paris (1966).
127. GERTRUDE D'HELFTA : **Œuvres spirituelles.** Tome I. **Les Exercices.** J. Hourlier, A. Schmitt (1967).
128. ROMANOS LE MÉLODE : **Hymnes.** J. Grosdidier de Matons. Tome IV. Hymnes XXXII-XLV (1967).
129. SYMÉON LE NOUVEAU THÉOLOGIEN : **Traités théologiques et éthiques.** J. Darrouzès. Tome II. Éth. 4-15 (1967).
130. ISAAC DE L'ÉTOILE : **Sermons.** A. Hoste, G. Salet. Tome I. Introduction et Sermons 1-17 (1967).
131. RUPERT DE DEUTZ : **Les œuvres du Saint-Esprit.** J. Gribomont, É. de Solms. Tome I. Livres I et II (1967).
132. ORIGÈNE : **Contre Celse.** M. Borret. Tome I. Livres I et II (1967).
133. SULPICE SÉVÈRE : **Vie de S. Martin.** J. Fontaine. Tome I. Introduction, texte et traduction (1967).
134. **Id.** — Tome II. Commentaire (1968).
135. **Id.** — Tome III. Commentaire (suite), Index (1969).
136. ORIGÈNE : **Contre Celse.** M. Borret. Tome II. Livres III et IV (1968).
137. ÉPHREM DE NISIBE : **Hymnes sur le Paradis.** F. Graffin, R. Lavenant. Trad. seule (1968).
138. JEAN CHRYSOSTOME : **A une jeune veuve. Sur le mariage unique.** B. Grillet, G. H. Ettlinger (1968).
139. GERTRUDE D'HELFTA : **Œuvres spirituelles.** Tome II. **Le Héraut.** Livres I et II. P. Doyère (1968).

140. Rufin d'Aquilée : **Les bénédictions des Patriarches.** M. Simonetti, H. Rochais, P. Antin (1968).

141. Cosmas Indicopleustès : **Topographie chrétienne.** Tome I. Introduction et livres I-IV. W. Wolska-Conus (1968).

142. **Vie des Pères du Jura.** F. Martine (1968).

143. Gertrude d'Helfta : **Œuvres spirituelles.** Tome III. **Le Héraut.** Livre III. P. Doyère (1968).

144. **Apocalypse syriaque de Baruch.** Tome I. Introduction et traduction. P. Bogaert (1969).

145. **Id.** — Tome II. Commentaire et tables (1969).

146. **Deux homélies anoméennes pour l'octave de Pâques.** J. Liébaert (1969).

147. Origène : **Contre Celse.** M. Borret. Tome III. Livres V et VI (1969).

148. Grégoire le Thaumaturge : **Remerciement à Origène. — La lettre d'Origène à Grégoire.** H. Crouzel (1969).

149. Grégoire de Nazianze : **La passion du Christ.** A. Tuilier (1969).

150. Origène : **Contre Celse.** M. Borret. Tome IV. Livres VII et VIII (1969).

151. Jean Scot : **Homélie sur le Prologue de Jean.** E. Jeauneau (1969).

152. Irénée de Lyon : **Contre les hérésies,** livre V. A. Rousseau, L. Doutreleau, C. Mercier. Tome I. Introduction, notes justificatives et tables (1969).

153. **Id.** — Tome II. Texte et traduction (1969).

154. Chromace d'Aquilée : **Sermons.** Tome I. Sermons 1-17. J. Lemarié (1969).

155. Hugues de Saint-Victor : **Six opuscules spirituels.** R. Baron (1969).

156. Syméon le Nouveau Théologien : **Hymnes.** J. Koder, J. Paramelle. Tome I. Hymnes I-XV (1969).

157. Origène : **Commentaire sur S. Jean.** C. Blanc. Tome II. Livres VI et X (1970).

158. Clément d'Alexandrie : **Le Pédagogue.** Livre III. Cl. Mondésert, H. I. Marrou et Ch. Matray (1970).

159. Cosmas Indicopleustès : **Topographie chrétienne.** Tome II. Livre V. W. Wolska-Conus (1970).

160. Basile de Césarée : **Sur l'origine de l'homme.** A. Smets et M. Van Esbroeck (1970).

161. **Quatorze homélies du IXe siècle d'un auteur inconnu de l'Italie du Nord.** P. Mercier (1970).

162. Origène : **Commentaire sur l'Évangile selon Matthieu.** Tome I. Livres X et XI. R. Girod (1970).

163. Guigues II le Chartreux : **Lettre sur la vie contemplative** (ou **Échelle des Moines). Douze méditations.** E. Colledge, J. Walsh (1970).

164. Chromace d'Aquilée : **Sermons.** Tome II. S. 18-41. J. Lemarié (1971).

165. Rupert de Deutz : **Les œuvres du Saint-Esprit.** Tome II. Livres III et IV. J. Gribomont, É. de Solms (1970).

166. Guerric d'Igny : **Sermons.** Tome I. J. Morson, H. Costello, P. Deseille (1970).

167. Clément de Rome : **Épître aux Corinthiens.** A. Jaubert (1971).

168. Richard Rolle : **Le chant d'amour (Melos amoris).** F. Vandenbroucke et les Moniales de Wisques. Tome I (1971).

169. **Id.** — Tome II (1971).

170. Évagre le Pontique : **Traité pratique.** A. et C. Guillaumont. Tome I. Introduction (1971).

171. **Id.** — Tome II. Texte, traduction, commentaire et tables (1971).

172. **Épître de Barnabé.** R. A. Kraft, P. Prigent (1971).

173. Tertullien : **La toilette des femmes.** M. Turcan (1971).

174. Syméon le Nouveau Théologien : **Hymnes.** J. Koder, L. Neyrand. Tome II. Hymnes XVI-XL (1971).

175. Césaire d'Arles : **Sermons au peuple.** Tome I. Sermons 1-20. M.-J. Delage (1971).

176. Salvien de Marseille : **Œuvres.** Tome I. G. Lagarrigue (1971).
177. Callinicos : **Vie d'Hypatios.** G. J. M. Bartelink (1971).
178. Grégoire de Nysse : **Vie de sainte Macrine.** P. Maraval (1971).
179. Ambroise de Milan : **La pénitence.** R. Gryson (1971).
180. Jean Scot : **Commentaire sur l'évangile de Jean.** É. Jeauneau (1972).
181. **La Règle de S. Benoît.** Tome I. Introduction et Chapitres I-VII. A. de Vogüé et J. Neufville (1972).
182. **Id.** — Tome II. Chapitres VIII-LXXIII, Tables et concordance. A. de Vogüé et J. Neufville (1972).
183. **Id.** — Tome III. Étude de la tradition manuscrite. J. Neufville (1972).
184. **Id.** — Tome IV. Commentaire (I-III). A. de Vogüé (1971).
185. **Id.** — Tome V. Commentaire (IV-VI). A. de Vogüé (1971).
186. **Id.** — Tome VI. Commentaire (VII-IX), Index. A. de Vogüé (1971).
187. Hésychius de Jérusalem, Basile de Séleucie, Jean de Béryte, Pseudo-Chrysostome, Léonce de Constantinople : **Homélies pascales.** M. Aubineau (1972).
188. Jean Chrysostome : **Sur la vaine gloire et l'éducation des enfants.** A.-M. Malingrey (1972).
189. **La chaîne palestinienne sur le psaume 118.** Tome I. Introduction, texte critique et traduction. M. Harl (1972).
190. **Id.** — Tome II. Catalogue des fragments, Notes et Index. M. Harl (1972).
191. Pierre Damien : **Lettre sur la toute-puissance divine.** A. Cantin (1972).
192. Julien de Vézelay : **Sermons.** Tome I. Introduction et Sermons 1-16. D. Vorreux (1972).
193. **Id.** — Tome II. Sermons 17-27, Index. D. Vorreux (1972).
194. **Actes de la Conférence de Carthage en 411.** Tome I. Introduction. S. Lancel (1972).
195. **Id.** — Tome II. Texte et traduction de la Capitulation et des Actes de la première séance. S. Lancel (1972).
196. Syméon le Nouveau Théologien : **Hymnes.** J. Koder, J. Paramelle, L. Neyrand. Tome III. Hymnes XLI-LVIII, Index (1973).
197. Cosmas Indicopleustès : **Topographie chrétienne,** t. III. Livres VI-XII, Index. W. Wolska-Conus (1973).
198. **Livre** (cathare) **des deux principes.** Ch. Thouzellier (1973).
199. Athanase d'Alexandrie : **Sur l'incarnation du Verbe.** C. Kannengiesser (1973).
200. Léon le Grand : **Sermons** 65-98, Éloge de S. Léon, Index. R. Dolle (1973).
201. **Évangile de Pierre.** M.-G. Mara (1973).
202. Guerric d'Igny : **Sermons.** Tome II. J. Morson, H. Costello, P. Deseille (1973).
203. Nersès Šnorhali : **Jésus, Fils unique du Père.** I. Kéchichian. Trad. seule (1973).
204. Lactance : **Institutions divines,** livre V. Tome I. Introd., texte et trad. P. Monat (1973).
205. **Id.** — Tome II. Commentaire et index. P. Monat (1973).
206. Eusèbe de Césarée : **Préparation évangélique,** livre I. J. Sirinelli, É. des Places (1974).
207. Isaac de l'Étoile : **Sermons.** A. Hoste, G. Salet, G. Raciti. Tome II. Sermons 18-39 (1974).
208. Grégoire de Nazianze : **Lettres théologiques.** P. Gallay (1974).
209. Paulin de Pella : **Poème d'action de grâces et Prière.** C. Moussy (1974).
210. Irénée de Lyon : **Contre les hérésies,** livre III. A. Rousseau, L. Doutreleau. Tome I. Introduction, notes justificatives et tables (1974).
211. **Id.** — Tome II. Texte et traduction (1974).
212. Grégoire le Grand : **Morales sur Job.** L. XI-XIV. A. Bocognano (1974).
213. Lactance : **L'ouvrage du Dieu créateur.** Tome I. Introduction, texte critique et traduction. M. Perrin (1974).
214. **Id.** — Tome II. Commentaire et index. M. Perrin (1974).

215. Eusèbe de Césarée : **Préparation évangélique,** livre VII. G. Schroeder, É. des Places (1975).
216. Tertullien : **La chair du Christ.** Tome I. Introduction, texte critique et traduction. J. P. Mahé (1975).
217. **Id.** — Tome II. Commentaire et Index. J. P. Mahé (1975).
218. Hydace : **Chronique.** Tome I. Introduction, texte critique et traduction. A. Tranoy (1975).
219. **Id.** — Tome II. Commentaire et index. A. Tranoy (1975).
220. Salvien de Marseille : **Œuvres,** t. II. G. Lagarrigue (1975).
221. Grégoire le Grand : **Morales sur Job.** L. XV-XVI. A. Bocognano (1975).
222. Origène : **Commentaire sur S. Jean.** Tome III. L. XIII. C. Blanc (1975).
223. Guillaume de Saint-Thierry : **Lettre aux Frères du Mont-Dieu (Lettre d'or).** J. Déchanet (1975).
224. **Actes de la Conférence de Carthage en 411.** Tome III. Texte et traduction des Actes de la 2e et de la 3e séance. S. Lancel (1975).
225. Dhuoda : **Manuel pour mon fils.** P. Riché, B. de Vregille et C. Mondésert (1975).
226. Origène : **Philocalie 21-27 (Sur le libre arbitre).** E. Junod (1976).
227. Origène : **Contre Celse.** M. Borret. Tome V. Introduction et index (1976).
228. Eusèbe de Césarée : **Préparation évangélique.** L. II-III. É. des Places (1976).
229. Pseudo-Philon : **Les Antiquités Bibliques.** D. J. Harrington, C. Perrot, P. Bogaert, J. Cazeaux. Tome I. Introduction critique, texte et traduction (1976).
230. **Id.** — Tome II. Introduction littéraire, commentaire et index (1976).
231. Cyrille d'Alexandrie : **Dialogues sur la Trinité.** Tome I. Dial. I et II. G. M. de Durand (1976).
232. Origène : **Homélies sur Jérémie.** P. Nautin et P. Husson. Tome I. Introduction et homélies I-XI (1976).
233. Didyme l'Aveugle : **Sur la Genèse.** Tome I (Sur Genèse I-IV). P. Nautin et L. Doutreleau (1976).
234. Théodoret de Cyr : **Histoire des moines de Syrie.** Tome I. Introduction et **Histoire Philothée** I-XIII. P. Canivet et A. Leroy-Molinghen (1977).
235. Hilaire d'Arles : **Vie de S. Honorat.** M. D. Valentin (1977).
236. **Rituel cathare.** Ch. Thouzellier (1977).
237. Cyrille d'Alexandrie : **Dialogues sur la Trinité.** Tome II. Dial. III-V. G. M. de Durand (1977).
238. Origène : **Homélies sur Jérémie.** Tome II. Homélies XII-XX et homélies latines, index. P. Nautin et P. Husson (1977).
239. Ambroise de Milan : **Apologie de David.** P. Hadot et M. Cordier (1977).
240. Pierre de Celle : **L'école du cloître.** G. de Martel (1977).
241. **Conciles gaulois du IVe siècle.** J. Gaudemet (1977).
242. S. Jérôme : **Commentaire sur S. Matthieu.** Tome I. Livres I et II. É. Bonnard (1978).
243. Césaire d'Arles : **Sermons au peuple.** Tome II. Sermons 21-55. M.-J. Delage (1978).
244. Didyme l'Aveugle : **Sur la Genèse.** Tome II (Sur Genèse V-XVII). Index. P. Nautin et L. Doutreleau (1978).
245. **Targum du Pentateuque.** Tome I : **Genèse.** R. Le Déaut et J. Robert. Trad. seule (1978).
246. Cyrille d'Alexandrie : **Dialogues sur la Trinité.** Tome III. Dial. VI-VII, index. G. M. de Durand (1978).
247. Grégoire de Nazianze : **Discours** 1-3. J. Bernardi (1978).
248. **La doctrine des douze apôtres.** W. Rordorf et A. Tuilier (1978).
249. S. Patrick : **Confession et Lettre à Coroticus.** R.P.C. Hanson et C. Blanc (1978).
250. Grégoire de Nazianze : **Discours** 27-31 (Discours théologiques). P. Gallay (1978).

251. GRÉGOIRE LE GRAND : **Dialogues.** Tome I. Introduction, bibliographie et cartes. A. de Vogüé (1978).
252. ORIGÈNE : **Traité des principes.** Tome I. Livres I et II : Introduction, texte critique et traduction. H. Crouzel et M. Simonetti (1978).
253. **Id.** — Tome II. Livres I et II : commentaire et fragments. H. Crouzel et M. Simonetti (1978).
254. HILAIRE DE POITIERS : **Sur Matthieu.** Tome I. Introduction et chap. 1-13. J. Doignon (1978).
255. GERTRUDE D'HELFTA : **Œuvres spirituelles.** Tome IV. **Le Héraut.** Livre IV. J.-M. Clément, B. de Vregille et les Moniales de Wisques (1978).
256. **Targum du Pentateuque.** Tome II. **Exode et Lévitique.** R. Le Déaut et J. Robert. Trad. seule (1979).
257. THÉODORET DE CYR : **Histoire des moines de Syrie.** Tome II. **Histoire Philotée** (XIV-XXX), **Traité sur la Charité** (XXXI) et Index. P. Canivet et A. Leroy-Molinghen (1979).
258. HILAIRE DE POITIERS : **Sur Matthieu.** Tome II. Chap. 14-33, appendice et index. J. Doignon (1979).
259. S. JÉRÔME : **Commentaire sur S. Matthieu.** Tome II. Livres III et IV, index. É. Bonnard (1979).
260. GRÉGOIRE LE GRAND : **Dialogues.** Tome II. Livres I-III. A. de Vogüé et P. Antin (1979).
261. **Targum du Pentateuque.** Tome III. **Nombres.** R. Le Déaut et J. Robert. Trad. seule (1979).
262. EUSÈBE DE CÉSARÉE : **Préparation évangélique,** livres IV, 1 - V, 17. O. Zink et É. des Places (1979).
263. IRÉNÉE DE LYON : **Contre les hérésies,** livre I. A. Rousseau, L. Doutreleau. Tome I. Introduction, notes justificatives et tables (1979).
264. **Id.** — Tome II. Texte et traduction (1979).
265. GRÉGOIRE LE GRAND : **Dialogues.** Tome III. Livre IV, tables et index. A. de Vogüé et P. Antin (1980).
266. EUSÈBE DE CÉSARÉE : **Préparation évangélique,** livres V, 18 - VI. É. des Places (1980).
267. **Scolies ariennes sur le concile d'Aquilée.** R. Gryson (1980).
268. ORIGÈNE : **Traité des principes.** Tome III. Livres III et IV : Texte critique et traduction. H. Crouzel et M. Simonetti (1980).
269. **Id.** — Tome IV. Livres III et IV : commentaire et fragments. H. Crouzel et M. Simonetti (1980).
270. GRÉGOIRE DE NAZIANZE : **Discours** 20-23. J. Mossay (1980).
271. **Targum du Pentateuque.** Tome IV. **Deutéronome,** bibliographie, glossaire et index des tomes I - IV. Trad. seule. R. Le Déaut (1980).
272. JEAN CHRYSOSTOME : **Sur le sacerdoce (dialogue et homélie).** A.-M. Malingrey (1980).
273. TERTULLIEN : **A son épouse.** C. Munier (1980).
274. **Lettres des premiers Chartreux,** tome II : les moines de Portes. Par un Chartreux (1980).
275. PSEUDO-MACAIRE : **Œuvres spirituelles,** t. I. V. Desprez (1980).
276. THÉODORET DE CYR : **Commentaire sur Isaïe.** Tome I : Introduction et sections 1-3. J.-N. Guinot (1980).
277. JEAN CHRYSOSTOME : **Homélies sur Ozias.** J. Dumortier (1981).
278. CLÉMENT D'ALEXANDRIE : **Stromate V.** Tome I : Introduction, texte et index par A. Le Boulluec ; traduction de P. Voulet (1981).
279. **Id.** — Tome II : commentaire, bibliographie et index par A. Le Boulluec (1981).
280. TERTULLIEN : **Contre les Valentiniens.** Tome I : introduction, texte et traduction. J.-C. Fredouille (1980).
281. **Id.** — Tome II : commentaire et index. J.-C. Fredouille (1981).
282. **Targum du Pentateuque.** Tome V. Index analytique. R. Le Déaut (1981).
283. ROMANOS LE MÉLODE : **Hymnes.** J. Grosdidier de Matons. Tome V. Hymnes XLVI - LVI (1981).
284. GRÉGOIRE DE NAZIANZE : **Discours** 24-26. J. Mossay (1981).

285. François d'Assise : **Écrits.** Th. Desbonnets, Th. Matura, J.-F. Godet, D. Vorreux, o.f.m. (1981).
286. Origène : **Homélies sur le Lévitique.** M. Borret. Tome I : Introduction et Hom. I-VII (1981).
287. **Id.** — Tome II : Hom. VIII-XVI, Index (1981).
288. Guillaume de Bourges : **Livre des guerres du Seigneur.** G. Dahan (1981).
289. Lactance : **La colère de Dieu.** C. Ingremeau (1982).
290. Origène : **Commentaire sur S. Jean.** Tome IV. L. XIX - XX. C. Blanc (1982).
291. Cyprien de Carthage : **A Donat** et **La vertu de patience.** J. Molager (1982).
292. Eusèbe de Césarée : **Préparation évangélique,** livre XI. G. Favrelle et É. des Places (1982).
293. Irénée de Lyon : **Contre les hérésies,** livre II. A. Rousseau, L. Doutreleau. Tome I. Introduction, notes justificatives et tables (1982).
294. **Id.** — Tome II. Texte et traduction (1982).
295. Théodoret de Cyr : **Commentaire sur Isaïe.** Tome II. Sections 4-13. J.-N. Guinot (1982).
296. Égérie : **Journal de voyage.** P. Maraval (1982).
297. **Les Règles des saints Pères.** A. de Vogüé. Tome I : **Trois règles de Lérins au Ve siècle** (1982).
298. **Id.** — Tome II : **Trois règles du VIe siècle** (1982).
299. Basile de Césarée : **Contre Eunome,** suivi de Eunome, **Apologie.** B. Sesboüé, G. M. de Durand et L. Doutreleau. Tome I (1982).
300. Jean Chrysostome : **Panégyriques de S. Paul.** A. Piédagnel (1982).

Hors série :

Directives pour la préparation des manuscrits (de « Sources Chrétiennes »). A demander au Secrétariat de « Sources Chrétiennes », 29, rue du Plat, 69002 Lyon.

La Règle de S. Benoît. VII. Commentaire doctrinal et spirituel. A. de Vogüé (1977).

SOUS PRESSE

Origène : **Philocalie 1-20 et Lettre à Africanus.** M. Harl et N. de Lange.
Guillaume de Saint-Thierry : **Le miroir de la foi.** J.-M. Déchanet.
Basile de Césarée : **Contre Eunome,** suivi de Eunome, **Apologie.** B. Sesboüé, G.-M. de Durand et L. Doutreleau. Tome II.
Jean Chrysostome : **Commentaire sur Isaïe.** J. Dumortier.

PROCHAINES PUBLICATIONS

Eusèbe de Césarée : **Préparation évangélique,** Livres XII-XIII. É. des Places.
Tertullien : **La Pénitence.** Ch. Munier.
Tertullien : **La Patience.** J.-C. Fredouille.
Historia acephala Athanasii : M. Albert et A. Martin.
Sozomène : **Histoire ecclésiastique.** Tome I. A.-J. Festugière, B. Grillet, G. Sabbah.
Grégoire de Nazianze : **Discours** 4-5. J. Bernardi.

SOURCES CHRÉTIENNES

(1-300)

Également aux Éditions du Cerf

IMPRIMERIE A. BONTEMPS
LIMOGES (FRANCE)
Éditeur nº 7.619 - Imprimeur nº 21549-82
Dépôt légal : octobre 1982